AF497387

ANALECTA

BOLLANDIANA

TOMUS XVI

EDIDERUNT

CAROLUS DE SMEDT, IOSEPHUS DE BACKER,

FRANCISCUS VAN ORTROY, IOSEPHUS VAN DEN GHEYN,

HIPPOLYTUS DELEHAYE ET ALBERTUS PONCELET

PRESBYTERI SOCIETATIS IESU

BRUXELLES

BUREAUX DE LA REVUE :	Société Belge de Librairie
Société des Bollandistes	Directeur : OSCAR SCHEPENS
14, rue des Ursulines	16, rue Treurenberg

1897

ANALECTA

BOLLANDIANA

ANALECTA

BOLLANDIANA

TOMUS XVI

EDIDERUNT

CAROLUS DE SMEDT, IOSEPHUS DE BACKER,
FRANCISCUS VAN ORTROY, IOSEPHUS VAN DEN GHEYN,
HIPPOLYTUS DELEHAYE & ALBERTUS PONCELET

PRESBYTERI SOCIETATIS IESU

BRUXELLES

BUREAUX DE LA REVUE :	Société Belge de Librairie
Société des Bollandistes	Directeur : OSCAR SCHEPENS
14, rue des Ursulines	16, rue Treurenberg

1897

LES
ACTES DE S. DASIUS

PAR

FRANZ CUMONT
Professeur à l'Université de Gand.

Le *Parisinus grec 1539 du XIe siècle contient, entre autres documents intéressants, des Actes du martyre de S. Dasius, qui paraissent être restés inconnus jusqu'ici* (1). *Ce doit être d'ailleurs une pièce fort rare, sinon unique. Du moins, toutes mes recherches pour retrouver dans un autre recueil hagiographique une seconde copie de cette Passion sont demeurées sans résultat. Seuls certains synaxaires en donnent un court résumé* (2). *Si je me décide cependant à publier ce morceau sur l'autorité d'un seul manuscrit, malgré certaines incertitudes du texte, c'est avec l'espoir que l'intérêt général du récit fera excuser l'obscurité de quelques passages. Quoique la narration ait été enjolivée de détails controuvés, elle me paraît offrir dans son ensemble un caractère indubitablement historique.*

Dès les premiers mots, nous y trouvons sur les Saturnales des renseignements fort curieux, qui sont certainement véridiques. Les soldats en garnison à Durostorum (3), *raconte notre anonyme, avaient coutume lors des fêtes de Kronos, qu'ils célébraient chaque année, de tirer au sort un roi. Revêtu des insignes de sa dignité, celui-ci sortait à la tête d'un nombreux cortège, et se livrait dans la ville à toute espèce d'excès et de débauches. La licence permise à cette occasion passait pour un " don „ spécial de Saturne, dont ce roi éphémère était l'image terrestre.*

---

(1) Cfr. sur ce manuscrit le *Catal. codic. hagiogr. graec. bibl. nat. Paris.*, p. 238 sqq., qui nous dispense d'en donner ici une description détaillée. — (2) J'ai reproduit deux de ces résumés à la suite de ces Actes, pour que chacun puisse s'assurer qu'ils n'ont pas d'autre source que ceux-ci.— (3) Le texte a la forme Δωρόστολον, mais cfr. *C.I.L.*, t. III, Sup., p. 1349. *Formam nominis Durostorum praeferendam esse alteri Durostolo laterculus praetorianorum demonstravit qui bis dat " Durostoro „*

Ces détails concordent avec ce que les auteurs profanes nous apprennent des Saturnales romaines (1). Dans chaque société un roi, que le sort désignait, présidait à la fête, et égayait l'assistance en donnant à ses sujets les ordres les plus ridicules, et, de même que le rédacteur de nos Actes, Lucien parle des déportements auxquels les Saturnales servaient de prétexte, comme d'un " don „ du souverain débonnaire de l'âge d'or, qui chaque année reprenait le pouvoir pendant sept jours (2). Toutes ces données de notre récit sont donc d'une authenticité indiscutable.

Il est intéressant de voir ainsi la vieille fête latine célébrée au IVe siècle dans les camps de la Mésie. Sous le règne de Claude, elle n'était pas moins en faveur parmi les légions envoyées en Bretagne; les troupes de Vespasien, arrivées d'Orient en Italie, la consacraient au repos, et déjà Cicéron la chômait avec ses soldats pendant sa campagne de Cilicie (3). L'armée n'a pas seulement importé en Occident les cultes asiatiques, elle a aussi puissamment contribué à propager jusqu'aux frontières de l'Empire la religion et les mœurs romaines. Sur les bords du Danube, peuplés en partie de colons italiens, les réjouissances qui dans la patrie de ceux-ci marquaient la fin de l'année devaient être particulièrement populaires. Elles se perpétuaient encore

(1) Lucien, *Saturn.*, 4, ἔτι καὶ βασιλέα μόνον ἐφ' ἀπάντων γενέσθαι τῷ ἀστραγάλῳ κρατήσαντα, ὡς μήτε ἐπιταχθείης γελοῖα ἐπιτάγματα καὶ αὐτός ἐπιτάττειν ἔχοις···· πῶς οὐχὶ καὶ ταῦτα δείγματα μεγαλοδωρίας τῆς ἐμῆς; cfr. Tacite, *Ann.*, XIII, 15; Arrien, *Epictet. diss.*, I, 25. — L'origine de cet usage que l'on voit signalé depuis le commencement de l'Empire, est incertaine. Peut-être est-ce une transformation de l'habitude de tirer au sort le " roi „ des festins, *regna vini*, Hor., *Od.*, I, 4, 18; cfr. Marquardt, *Privatleben*, t. II, p. 331-332; Hermann-Blümner, *Privataltertümer*, 3e éd., p. 248. Cette coutume était surtout en vigueur dans les éranes grecs et les *sodalicia* romains, qui avaient presque tous un caractère religieux. Les textes anciens sont favorables à cette manière de voir, car ils considèrent le roi des Saturnales avant tout comme le maître du banquet chargé de faire boire les convives. Peut-être aussi le " *jeu des rois* „, très répandu dans les pays helléniques, Grassberger, *Unterricht und Erziehung*, t. I, p. 53; cfr. aussi Dion Chrys., *Or.*, IV, 47, p. 64, r. *Arnim*, a-t-il eu quelque influence sur le développement de cette coutume. — Je ne sais si le " roi de la fève „ que l'on acclame encore parfois le soir de l'Épiphanie, est un descendant du souverain des Saturnales, comme l'admet Böttiger, *Kleine Schriften*, t. III (1838), p. 213. Dézobry, *Rome au siècle d'Auguste*, t. III, p. 130 sqq., donne une description détaillée de la fête, mais n'insiste pas sur ce point. — (2) Luc., *Sat.*, c. 2-4. — (3) Cic., *Ad Attic.*, V, 20, 5 : *Hilara sane Saturnalia*, etc. Dion. Cass., LX, 19, raconte que les soldats acclamèrent ironiquement Narcisse, qui voulait les haranguer συμβοήσαντες ἐξαίφνης τοῦτο τὸ θρυλούμενον " Ἰὼ σατουρνάλια „. Tac., *Hist.*, III, 78, *Vespasiani exercitus festos Saturni dies per otium agitabat.* — Les Saturnales ont été de tout temps des jours de repos pour les troupes, cfr. Macrobe, I, 10, 1, *bellum Saturnalibus sumere nefas habitum*, I, 16, 16, *diebus Saturnaliorum... nefas est praelium sumere.*

à l'époque où écrivait notre hagiographe. Il se plaint que ses contemporains ne renoncent pas à ces déguisements diaboliques, mais s'obstinent à sortir en foule le premier janvier, revêtus de peaux de chèvres et le visage grimé (1).

La suite du récit ne paraît pas en général moins digne de créance que le début. Dasius, élu par le sort roi des Saturnales, se refuse à jouer ce rôle impie, et se proclame chrétien. Il est aussitôt emprisonné et amené le lendemain au prétoire devant le tribunal du légat nommé Bassus (2). Celui-ci cherche à le faire abjurer, ou du moins lui demande de sacrifier aux images des empereurs, en lui rappelant l'obéissance et le respect qu'il doit aux chefs de l'armée. Mais Dasius oppose à son devoir de soldat un devoir plus élevé, et reste inébranlable. Il refuse même un sursis que lui offre son juge, avant de prononcer la sentence. Tout ce dialogue, en dehors de quelques additions qui se détachent assez aisément, est d'une simplicité de bon aloi et tout à fait en situation. Le légat, voyant le peu de succès de ses objurgations, se décide à appliquer la loi et condamne l'accusé à être décapité. Avant sa mort, on s'efforce encore en vain de lui faire encenser les idoles.

(1) Ce carnaval antique s'était donc transporté, à l'époque chrétienne, de la fête de Saturne (17-23 décembre) au 1er janvier ; il s'était *renouvelé*, comme le dit notre texte (ἀνανεοῦται). — Cette ἑορτὴ καλανδῶν était célébrée au IVe siècle dans tout l'Empire romain, LIBANIUS, Ἔκφρασις καλανδῶν, t. IV, p. 1053, éd. REISKE, κοινὴν ἁπάντων ὅσοι ζῶσιν ὑπὸ τὴν Ῥωμαίων ἀρχήν. Voyez aussi ASTÉRIUS D'AMASÉE, *Or.*, IV, *in Festum Calendarum* écrite en 400, *P. L.*, t. XL, A la fin du VIIe siècle, le concile *in Trullo* condamne encore cette fête ; cfr. DU CANGE, *Gloss. graec.*, s. v. Καλάνδαι. — (2) Le *cognomen* de Bassus est si fréquent sous l'Empire, qu'il est difficile d'identifier ce personnage. Peut-être est-ce M. Macrius Bassus qui fut consul pour la seconde fois en 289, cfr. C.I.L., t. X, n° 3696. Mais un Septimius Bassus fut *praefectus urbi* de 317 à 319, un autre Bassus préfet du prétoire en 312, etc., cfr. GOTHOFREDUS, *Prosopogr. cod. Theod.*, s. v., p. 43, éd. RITTER. Et précisément la même année où Dasius fut martyrisé, en 303 après Jésus-Christ, un Bassus était *praeses* de la Thrace (*Passio sancti Philippi*, dans RUINART, p. 440). — Le titre donné à notre Bassus n'est pas non plus sans offrir quelque ambiguïté. En effet, le mot λεγᾶτος en grec ne paraît jamais avoir été appliqué à un *legatus iuridicus*, MARQUARDT, *Staatsv.*, t. I², p. 551, et il ne peut pas non plus s'agir d'un *legatus legionis*, puisque ces officiers avaient disparu depuis Gallien, MARQUARDT, t. II, p. 459. Mais si λεγᾶτος désigne ici, comme de coutume, le *gouverneur* soit de la Mésie inférieure où se trouvait Durostorum, soit de la Scythie où était situé Axiopolis, c'est un emploi abusif d'un titre qui, après la subdivision des anciennes provinces par Dioclétien, n'était plus usité dans le langage officiel. De plus, d'après le nouveau système d'administration, le pouvoir civil et le pouvoir militaire étant séparés, un *rector provinciae* n'aurait pu exercer une juridiction criminelle sur un soldat, *Cod. Theod.*, II, 1, 2, cfr. ZOSIM., II, 33, 3, qui attribue la réforme à Constantin, mais voyez MARQUARDT, *Staatsv.*, t. I, p. 231. Il semble donc, si nos Actes méritent confiance, que l'ancien *imperium* existait encore dans toute sa plénitude en 303, tout au moins en Mésie.

Le moment du martyre est déterminé à la fin avec une précision qui ne laisse rien à désirer. Le saint marcha au supplice, dit le texte, " le 20 novembre, un samedi, à la quatrième heure, le vingt-quatrième jour de la lune „. Toutes ces indications s'appliquent exactement au 20 novembre de l'année 303 (1), la première de la grande persécution. Cette année correspond non seulement au règne, mais à l'un des consulats de Dioclétien et de Maximien (2), et c'est sans doute comme consuls et non comme empereurs, que leurs noms, qui sont placés en vedette au début de ce récit, ont dû se trouver en tête des Actes originaux.

Ces derniers détails, comme l'ensemble de la narration, me paraissent rendre indubitable que celle-ci a pour source première des documents officiels. Je n'oserais cependant affirmer que le rédacteur de notre texte s'en soit directement servi, quoiqu'il semble avoir vécu en Mésie, et vraisemblablement à Durostorum (3), certainement avant et sans doute longtemps avant la fin du VII° siècle (4). Il faut probablement admettre comme intermédiaire un texte écrit peu de temps après l'événement, en latin. C'était cette langue que la majorité de la population parlait en Mésie, c'était elle qui était en usage dans l'armée. D'ailleurs certaines impropriétés d'expression (5) et en général la gaucherie du style

---

(1) Si le 20 novembre est le vingt-quatrième jour de la lune, le 1ᵉʳ janvier suivant sera le septième jour de la lune, et si le 20 novembre est un samedi, le 1ᵉʳ janvier sera pareillement un samedi. Or, l'année 304 a pour épacte VII et commence un samedi, et cette coïncidence ne se retrouve pas sous le règne de Dioclétien, *Chronogr. ann. 354,* dans MOMMSEN, *Chron. minora,* t. I, p. 60. C'est donc certainement le 20 novembre 303 que S. Dasius a été décapité. — (2) *Chronogr. anni 354, l. c.* : 303, *Diocletiano VIII et Maximiano VII Ven. XXVI* (et non XVI, comme on l'a imprimé par erreur dans les *Chron. min.*). — (3) L'expression p. 12, l. 4, ἡμῶν τῶν ἐσχάτων peut faire entendre que l'écrivain se trouvait aux frontières de l'Empire, à moins qu'ἐσχάτων ne désigne le temps. Si, comme nous le pensons (cfr. p. 10), le martyre de S. Dasius a été transporté d'Axiopolis à Durostorum, c'est probablement dans cette dernière ville que ses Actes ont été rédigés. — (4) La Mésie fut perdue pour Byzance en 679 lors de la grande invasion bulgare, *Théophane,* p. 358 sqq., éd. DE BOOR, cfr. LEBEAU, *Hist.,* t. XI, p. 447. Mais cette province fut depuis l'époque de sa première occupation par les Goths sous Valens, 375 après J.-C., si souvent envahie et ravagée, qu'il paraît peu probable que l'habitude romaine de fêter les Saturnales s'y soit maintenue si longtemps. Durostorum, qui est mentionné comme l'une des forteresses du Danube sous Justinien, PROCOP., *De Æd.,* IV, 7, fut ruiné par les Avares en 579, THÉOPH., *Chronogr.* A. M., 6079, p. 257, 8, mais réoccupé, il est vrai, peu d'années après par les Romains. *Ibid.,* 6085, p. 270, 25. — (5) Les phrases sont souvent incorrectes p. 11, l. 9 sqq. Cfr. § 4 Ταύτην ὁ μακάριος Δάσιος ματαίαν παράδοσιν εἶναι ἐπιγνούς, au lieu de Ταύτην τὴν παράδοσιν ὁ μ. Δ. ματαίαν εἶναι ἐ. — Mots mal traduits, p. 9, p. 12, l. 19. — Je noterai encore l'emploi abusif de ὥστε = ut, p. 11, l. 5, 21 ; p. 12. l. 4 ; p. 14, l. 21, 24. — Remarquez l'omission constante de l'article dans Βάσσος ληγᾶτος, une seule fois p. 14, l. 23, ὁ Βάσσος λεγᾶτος (!). — L'emploi des mots latins ληγᾶτος, πραιτώριον, p. 12, l. 11 ; καλάνδαι, p. 12, l. 7 ; σπεκουλάτωρ, p. 15, l. 5, ne peut guère

trahissent dans notre récit l'œuvre d'un traducteur peu habile. Il semble même que ce rédacteur grec n'ait compris qu'imparfaitement l'original qu'il prétendait reproduire. Il commet certaines erreurs de fait, qui paraissent dues à de simples contresens. Ainsi lorsqu'il affirme que les Saturnales se prolongeaient pendant trente jours à Durostorum, ce qui est certainement inexact (1), il devait dire sans doute que le roi de la fête était désigné par le sort, un mois à l'avance, afin qu'il pût s'y préparer (2); ou bien encore lorsqu'il raconte que ce malheureux roi finissait par être sacrifié à Saturne (3), il faut simplement entendre qu'il offrait un sacrifice à ce dieu (4); ou enfin lorsque nous lisons que Dasius a été frappé par un bourreau portant le nom chrétien de Iohannes (5), on peut soupçonner qu'une confusion paléographique de pulsus ou depulsus est (ἐκρούσθη) avec sepultus est a fait insérer dans la conclusion ce renseignement bizarre.

Mais le traducteur grec n'a pas seulement péché par ignorance, il a aussi jugé bon de retoucher son modèle. C'est ainsi que les réponses de Dasius au légat ont été embellies, et que son biographe attribue à l'accusé une profession de foi conforme aux canons de Nicée (6), à laquelle ce pauvre soldat n'a certainement guère songé. La plus naïvement maladroite de ces interpolations est le raisonnement par lequel Dasius se décide à souffrir le martyre. En laissant supposer que le saint a subi la peine capitale pour ne pas être égorgé sur l'autel de Saturne, alors qu'en réalité il ne s'agissait pour lui que d'immoler une victime au dieu, son panégyriste diminue singulièrement la valeur morale de sa résolution.

Il est difficile de marquer exactement à quoi se réduit le noyau historique, et où commence l'amplification. Nous n'avons pas, à ma connaissance, d'autre tradition, indépendante de celle-ci, sur le procès de Dasius : les récits des synaxaires ne sont, comme nous l'avons dit, que des abrégés de nos Actes. Cependant un document d'une haute anti-

être invoqué comme preuve, car ils étaient entrés dans la langue byzantine. — (1) Les Saturnales romaines duraient au plus sept jours, du 17 au 23 décembre. — (2) C'est ce qu'indique encore l'expression ἵνα τὴν ἐπίσημον ἡμέραν τῆς ἑορτῆς ἐπιτελέσαι ἑτοιμασθῇ. — (3) J'ai à peine besoin de rappeler que depuis Hadrien l'immolation des victimes humaines était interdite dans n'importe quelle religion, Porph., *De Abst.*, II, 56; Lactance, *Inst.*, I, 21, à plus forte raison dans les cultes officiels. La perspective de sa fin prochaine eût été peu propre à mettre en verve le roi du carnaval. — (4) Un sacrifice solennel était offert à Rome, dans le temple de Saturne au forum, le 17 décembre, Denys d'Halic., VI, 1, 4, *C.I.L.*, t. I², p. 337, et cette cérémonie religieuse n'était certainement pas limitée à la capitale. Cfr. Luc., *Saturn.*, 5, ἀντὶ τῆς θυσίας. — (5) P. 15, l. 5, ἐκρούσθη ὑπὸ ἀνικήτου Ἰωάννου σπεκουλάτορος. — Σπεκουλάτωρ est pris ici dans le sens de δήμιος, cfr. Sophocles, *s. v.*, et Marquardt, *Staatsverw.*, t. II², p. 548, n. 2. La double acception de ce mot a pu faciliter l'erreur. Ἀνίκητος aussi est étrange. — (6) P. 14, l. 3.

quité mentionne le nom du saint. Le martyrologe hiéronymien énumère deux natalicia *de notre Dasius, le 5 août et le 4 octobre* (1), *et chaque fois il place sa mort à Axiopolis, qui était situé, comme on sait, un peu à l'est de Durostorum. Aucun de ces deux* dies natales *ne peut rappeler le jour de la mort du martyr, mais ils commémorent sans doute la translation de ses reliques ou la consécration de son église. A moins de considérer la Passion grecque tout entière comme une supercherie, il faut admettre que la date qu'elle donne, le 20 novembre, est la véritable. En effet si, comme le texte le fait entendre, le roi des Saturnales était choisi trente jours avant la fête, c'est le 17 novembre que Dasius a dû être désigné, et il a été exécuté presque immédiatement après* (2). *Mais d'autre part, le martyrologe est sans doute dans le vrai lorsqu'il nomme Axiopolis comme le lieu de son supplice* (3). *Il est à remarquer en effet que nos Actes laissent jusque tout à la fin le théâtre de l'action dans le vague, et que Durostorum est mentionné seulement dans une conclusion qui a tout l'air d'avoir été ajoutée après coup. Ici aussi la grande ville aura voulu accaparer une gloire provinciale.*

En résumé, quoique la Passion conservée dans le vieux manuscrit de Paris soit une traduction infidèle d'un original latin, on peut admettre, nous semble-t-il, que le légionnaire romain Dasius ayant refusé de présider aux fêtes de Saturne, fut condamné comme chrétien et décapité à Axiopolis, le 20 novembre 303. Comme les Actes de S. Irénée de Sirmium et ceux de S. Pollion de Cibalae, pour la Pannonie (4), *ceux de S. Dasius attestent pour la Mésie l'extension de la persécution de Dioclétien jusqu'aux frontières de l'Empire, tout le long de la ligne du Danube.*

Cette pièce étant publiée d'après un seul manuscrit, nous n'avons que peu de mots à dire sur la constitution du texte. L'écriture du Parisinus 1539 est une minuscule oblique du XIe siècle, facilement lisible, quoique assez négligée. Nous avons collationné deux fois notre copie avec l'origi-

---

(1) *Martyr. Hier.,* p. 101, éd. DE ROSSI et DUCHESNE : *Non. Aug. In axiopoli nat. s(an)c(t)orum Herenni, Dassi* (var. *Dasi*) *Heracli* et *ibid.,* p. 129, IIII *non. oct. In Axiopoli nat. sancti Dasii.* Les autres mentions d'un saint Dasius ou Dassus se rapportent à un homonyme. M. l'abbé Duchesne a démontré que les données de cette liste, qui sont relatives à l'Empire d'Orient, proviennent d'un martyrologe grec rédigé à Nicomédie entre 362 et 411 cfr. *Prolegom.,* p. LXVI. — (2) Les Actes disent, p. 13, l. 11, qu'il a été condamné le lendemain du jour où il s'est fait connaître comme chrétien ; mais il a pu s'écouler quarante-huit heures entre le moment où le sort l'a nommé roi et celui où il a confessé sa foi, ou bien entre la condamnation et l'exécution. On ne doit pas d'ailleurs serrer ici le texte de trop près. — (3) Il faut supposer alors que le légat Bassus se trouvait précisément à Axiopolis lors de ces événements, ce qui n'a d'ailleurs rien d'étonnant, s'il s'agit du gouverneur de Scythie. — (4) RUINART, *Act. sinc.* (éd. 1859), p. 432 sqq., 435 sqq.

*nel et noté soigneusement toutes les variantes de celui-ci, même les fautes
d'iotacisme. Mais il ne nous a pas semblé devoir signaler tous les écarts
de son accentuation inconstante et souvent erronée. Nous avons aussi
ajouté les ι souscrits, régulièrement omis, et divisé le récit, qui se continue
sans interruption, en paragraphes. Pour le reste, nous donnons une
reproduction fidèle de notre modèle, sans prétendre en effacer toutes
les taches, ni faire parler un langage attique à un traducteur à demi
barbare.*

(Fol. 57ʳ) Μαρτύριον τοῦ ἁγίου Δασίου.
Κύριε εὐλόγησον.

1. Τῶν ἀθεμίτων[1] ἱεροσύλων βασιλευόντων Μαξιμιανοῦ καὶ Διοκλητιανοῦ, ἦν ἐν τοῖς καιροῖς ἐκείνοις συνήθεια τοιαύτη ἐν τοῖς τάγμασι
τῶν στρατιωτῶν, ὥστε καθ᾽ ἔκαστον ἐνιαυτὸν τοῦ Κρόνου τὴν ἐπίσημον ἑορτὴν ἐκτελέσαι[2]. Καὶ τοῦτο (1) ὡσανεὶ οἰκεῖον καὶ ἐξαίρετον
αὐτοῦ τοῦ Κρόνου δῶρον ἡγοῦντο[3] ἐπὶ τὸ τὴν ἡμέραν αὐτοῦ ἐπιτελέσαι σεμνοτέραν παρὰ τὰς ἄλλας ἡμέρας (fol. 57ᵛ). Ἐπεὶ οὖν ἕκαστος
ὥσπερ εὐκταῖον ἱεροσυλίαν ἐν τῇ ἡμέρᾳ αὐτοῦ ἐποίει, ᾧτινι γὰρ (2) ὁ
τόπος ἐλάγχανεν, κομιζόμενος βασιλικὸν ἔνδυμα, προϊὼν κατὰ τὴν
αὐτοῦ τοῦ Κρόνου ὁμοιότητα εἴτ᾽ οὖν ἰδέαν[4] δημοσίως ἐπὶ πάντος τοῦ
δήμου μετὰ ἀναιδοῦς καὶ ἀνεπαισχύντου ἀξίας, ἐπεμβαίνων μετὰ
πλήθους στρατιωτῶν, ἔχων ἄδειαν συγκεχωρημένην ἐπὶ ἡμέρας τριάκοντα ἔπραττεν ἀθεμίτους[5] καὶ αἰσχρὰς ἐπιθυμίας, καὶ ἐνετρύφα
διαβολικαῖς ἡδοναῖς. Πληρουμένων δὲ τῶν τριάκοντα ἡμερῶν πέρας
ἐδέχετο ἡ ἑορτὴ τοῦ Κρόνου, καὶ ὡσανεὶ ἡ εὐκταία αὕτη αὐτῶν
ἑορτή . . . . (3). Τότε αὐτὸς ὁ τὸ βασιλικὸν ἐπιφερόμενος σχῆμα ἐπιτελέ-
σας τὰ κατὰ συνήθειαν ἄσεμνα καὶ ἄθεσμα παίγνια, παραχρῆμα τοῖς
ἀνωνύμοις[6] (4) καὶ μυσαροῖς εἰδώλοις προσεκόμιζεν ἑαυτὸν σπονδήν,
ἀναιρούμενος ὑπὸ μαχαίρας.

2. Ὡς δὲ ἔφθασεν ἡ φωνὴ (5) καὶ ἐπὶ τὸν μακάριον Δάσιον, ὥστε
καὶ αὐτὸν τὸ δυσσεβὲς τοῦτο κατὰ τὴν τάξιν τῆς ἑορτῆς πρᾶξαι, οὗτος

Tit. — Avant le titre on lit dans le ms. Μηνὶ Νοεμβρίῳ κʹ.
1. — [1] *cod.* ἀθεμήτων. — [2] ἐκτέλεσται. — [3] ἥγ..ʿντο, avec une rature au
milieu. — [4] εἴτουν ἡδέαν. — [5] ἀθεμήτους. — [6] ἀνονοίμοις.

(1) C'est-à-dire ἡ συνήθεια. — (2) Peut-être au lieu de γάρ, faut-il lire γε, mais
toute la construction est fautive. — (3) Je crois qu'il y a une lacune après ἑορτή. —
(4) Ce mot semble traduire le latin *infandus*, Cfr. STEPHANUS, *Lexicon*, s. v. — (5) Le
traducteur paraît avoir lu *vocem* au lieu de *vicem*.

ὡς ῥόδον ἐξ ἀκανθῶν, καθὼς λέλεκται (1), ἀνεβλάστησεν. Παρεκελεύετο
οὖν ἅμα δὲ καὶ ἠναγκάζετο ἵνα τὴν ἐπίσημον ἡμέραν τῆς ἑορτῆς τοῦ
Κρόνου ἐπιτελέσαι ἑτοιμασθῇ.

3. Αὕτη ἡ μυσαρὰ παράδοσις καὶ μέχρις ἡμῶν τῶν ἐσχάτων
πε(fol. 58ʳ)ριελθοῦσα ἀθλιωτέρως παραφυλάττεται· οὔτε λήγοντος[1] 5
γὰρ τοῦ κόσμου τὸ ἔθος τὸ κακὸν τέλος λαμβάνει, ἀλλὰ[2] μᾶλλον χειρο-
τέρως ἀνανεοῦται· ἐν γὰρ τῇ ἡμέρᾳ τῶν καλανδῶν Ἰανουαρίων[3]
μάταιοι ἄνθρωποι τῷ ἔθει τῶν Ἑλλήνων ἐξακολουθοῦντες χριστιανοὶ
ὀνομαζόμενοι μετὰ παμμεγέθους πομπῆς προέρχονται, ἐναλλάττοντες
τὴν ἑαυτῶν φύσιν, καὶ τὸν τρόπον καὶ ⟨τὴν⟩[4] μορφὴν τοῦ διαβόλου 10
ἐνδύονται· αἰγείοις[5] δέρμασι περιβεβλημένοι, τὸ πρόσωπον ἐνηλλαγμέ-
νοι[6] ἀποβάλλουσιν ἐν ᾧ ἀνεγεννήθησαν ἀγαθῷ καὶ διακατέχουσιν ἐν ᾧ
ἐγεννήθησαν κακῷ· ἀποτάξασθαι ὁμολογήσαντες ἐν τῷ βαπτίσματι τῷ
διαβόλῳ καὶ ταῖς πομπαῖς αὐτοῦ (2), πάλιν στρατεύονται αὐτῷ ἐν τοῖς
ἔργοις τοῖς πονηροῖς καὶ αἰσχροῖς.   15

4. Ταύτην ὁ μακάριος Δάσιος ματαίαν παράδοσιν[1] εἶναι ἐπιγνοὺς
κατεπάτησεν τὸν κόσμον σὺν ταῖς ἀπάταις αὐτοῦ ⟨καὶ⟩[2] κατέπτυσεν
τὸν διάβολον σὺν ταῖς πομπαῖς αὐτοῦ, καὶ ὑπέζευξεν ἑαυτὸν τῷ σταυ-
ρωθέντι Χριστῷ, καὶ κατὰ τῆς τοῦ διαβόλου ἀτιμίας νικητὴς προῆλθεν·
σοφὸς γὰρ ὑπάρχων, Ζήλῳ ἁγίῳ ἐξαφθεὶς ταῦτα ἐν τῇ αὐτοῦ διανοίᾳ 20
διελογίζετο· Ἐὰν ἐν ταύταις ταῖς τριάκοντα ἡμέραις τῆς ματαίας ταύτης
καὶ ἀπρεποῦς συνηθείας φροντίσω πρὸς τὴν τῶν δαιμόνων τιμήν,
ἥνπερ ἡ[3] τῶν χριστιανῶν πίστις (fol. 58ᵛ) βδελύττεται καὶ κωλύει,
ἐμαυτὸν[4] εἰς ἀπώλειαν αἰώνιον παραδίδωμι· οὐ μόνον δὲ ἀλλὰ καὶ τῆς
προσκαίρου ταύτης ζωῆς ὀλεθρίως στερίσκομαι·[5] τίς γὰρ ἡ ὠφελεία 25
ὑπάρξει μετὰ τριάκοντα ἡμέρας, τῶν μυσαρῶν καὶ βδελυκτῶν παιγνίων
τοῦ Κρόνου ἐπιτελεσθέντων, τῷ ξίφει με παραδοθῆναι; Ἐπαγγελίᾳ θαρ-
ρήσας ὑπὲρ τῆς τίμης τῶν ἀκαθάρτων δαιμόνων ἐμαυτὸν μαχαίρᾳ
παραδίδωμι[6] καὶ μετὰ τὴν τοῦ βίου ἀπαλλαγὴν τῷ αἰωνίῳ πυρὶ παρα-
πεμφθήσομαι[7]· βέλτιόν μοί ἐστιν ὑπὲρ τοῦ ὀνόματος τοῦ κυρίου ἡμῶν 30

3. — [1] λήγοντος. — [2] ἀλα. — [3] ιαννουαρίων. — [4] om. cod. — [5] αἰγίοις. — [6] ἐνι-
λαγμένοι.
4. — [1] παράδωσιν. — [2] om. cod. — [3] ἣν περί. — [4] ἑαυτόν, comme infra p. 14,
l. 1; mais cfr. infra, l. 28 et p. 13, l. 9. — [5] στερίσκομε. — [6] παραδίδομι. — [7] παρα-
πεμφθείσομαι.

(1) Le *Cantique des Cantiques*, II, 2, dit : ὡς κρίνον ἐν μέσῳ ἀκανθῶν. — (2) Sur
la formule de renoncement à Satan, cfr. *P. G.*, t. I, p. 1648, et MARTÈNE, *De antiquis
ritibus*, p. 45.

Ἰησοῦ Χριστοῦ ὀλίγας ὑπομεῖναι βασάνους καὶ τιμωρίας, καὶ μετὰ θάνατον ζωὴν αἰώνιον κληρονομήσω[8] μετὰ πάντων τῶν ἁγίων.

5. Δέδοκται[1] οὖν τῇ ἡμέρᾳ ἐκείνῃ ὥστε (1) παρὰ πάντων προσαχθῆναι τὸν μακάριον Δάσιον τὴν τοῦ Κρόνου ἐπίσημον ἑορτὴν ἐπιτελέσοντα. Ἀπεκρίθη δὲ ὁ μακάριος Δάσιος τοῖς καταναγκάζουσιν αὐτὸν[2] στρατιώταις · Ἐπειδὴ ἐπὶ τὸ τοιοῦτον μυσαρὸν ἀναγκάζετέ[3] με, κρεῖττον μοί ἐστιν οἰκείᾳ προαιρέσει τῷ δεσπότῃ Χριστῷ θυσία γενέσθαι ἢ τῷ Κρόνῳ ὑμῶν τῷ εἰδώλῳ ἐπιθῦσαι ἐμαυτόν. Ταῦτα ἀκούσαντες οἱ τῆς παρανομίας ὑπηρέται εὐθὺς[4] αὐτὸν ἐν σκοτεινῇ φυλακῇ κατέκλεισαν, καὶ τῇ ἑξῆς ἡμέρᾳ ἐξαγαγόντες αὐτὸν ἐκ τῆς εἱρκτῆς ἐν τῷ πραιτωρίῳ[5] Βάσσου ληγάτου[6] σύροντες ἀπήγαγον.

6. Ὡς δὲ ὑπὸ τῆς τάξεως ἐν τῷ βήματι Βάσσου ληγάτου[1] ὁ ἅ[fol. 59ʳ]γιος μάρτυς Δάσιος παρήχθη, ἀτενίσας εἰς αὐτὸν ὁ Βάσσος εἶπεν· Ποίας τύχης ὑπάρχεις καὶ[2] τίς καλεῖ; Ὁ δὲ μακάριος Δάσιος μετὰ παρρησίας καὶ ἐλευθερίας ἔφη· Ἀξίας μὲν στρατιωτικῆς ὑπάρχω, περὶ δὲ τῆς προσωνυμίας[3] μου ἐρῶ σοι· τὸ μὲν ἐξαίρετόν μου ὄνομα χριστιανός εἰμι, τὸ δὲ ἐκ γονέων ἐπιτεθέν μοι Δάσιος καλοῦμαι.

7. Βάσσος ὁ ληγᾶτος[1] ἔφη· Δεήθητι τοῖς ἴχνεσιν[2] (2) τῶν δεσποτῶν ἡμῶν τῶν βασιλέων τῶν τὴν εἰρήνην παρεχόντων καὶ δωρουμένων ἡμῖν τὰ σιτηρέσια[3] (3), καὶ ἐπὶ βασιλεῦσι τελεία (4) ἡμῶν ἐφ᾽ ἑκάστης ἡμέρας φροντίδα ποιουμένων. Δάσιος ὁ μακάριος ἀπεκρίθη· Ἐγὼ ἤδη εἶπον καὶ λέγω ὅτι χριστιανός εἰμι, καὶ οὐ στρατεύομαι ἐπιγείῳ βασιλεῖ, ἀλλὰ βασιλεῖ οὐρανίῳ καὶ αὐτοῦ τὴν δωρεὰν κέκτημαι, αὐτοῦ τῇ χάριτι διαιτῶμαι, καὶ διὰ τῆς ἀφάτου φιλανθρωπίας πλουτῶ.

8. Βάσσος ληγᾶτος[1] ἔφη· Ἱκέτευσον, Δάσιε, τὰς ἱερὰς εἰκόνας τῶν βασιλέων ἡμῶν ἅσπερ[2] καὶ αὐτὰ τὰ βάρβαρα ἔθνη σέβονται (5) καὶ δουλεύουσιν αὐταῖς. Δάσιος ὁ μακάριος μάρτυς[3] εἶπεν· Ἐγὼ χριστιανὸν

— [8] κληρονομίσω.
5. — [1] δέδοκτω, cfr. p. 14, l. 11. — [2] αὐτῶ. — [3] ἀναγκάζεται. — [4] αὖθις. — [5] πραιτορίω. — [6] βάσου λιγάτου.
6. — [1] λιγάτου. — [2] ἤ. — [3] προσονυμίας.
7. — [1] λιγάτος. — [2] ἤχνεστιν. — [3] σιτερέσια.
8. — [1] λιγάτος. — [2] ἅπερ. — [3] Ce mot est ajouté au-dessus de la ligne.

(1) *Visum est (placuit)* ... *ut?* — (2) Ce mot paraît être une fausse traduction de l'original latin *signis*. Cfr. *infra*, l. 26, τὰς ἱερὰς εἰκόνας τῶν βασιλέων. — (3) Σιτηρέσια traduit le latin *annona* " la solde „. — (4) Peut-être faut-il corriger : τέλει (sacrifie) ... ποιουμένοις? — (5) Déjà en 57 ap. J.-C., un gouverneur de Mésie signale un fait analogue. *C.I.L.*, XIV, 3608 = Dessau 986: *ignotos ant infensos p(opuli) R(omani) reges signa romana adoraturos in ripam [Danubi] quam tuebatur, perduxit.*

εἶναι ἐμαυτὸν[4] ὁμολογῶ, καθὼς πλειστάκις ὡμολόγησα[5] καὶ οὐδενὶ ἄλλῳ ἐπακούω εἰ μὴ[6] μόνον ἑνὶ ἀχράντῳ καὶ αἰωνίῳ Θεῷ, Πατρὶ καὶ Υἱῷ καὶ ἁγίῳ Πνεύματι ἐν τρισὶ μὲν ὀνόμασι καὶ ὑποστάσεσιν, ἐν μιᾷ δὲ οὐσίᾳ· ἤδη τρίτῃ φωνῇ ὁμολογῶ τὴν πίστιν τῆς ἁγίας Τριάδος, ἐπειδὴ (fol. 59ʳ) δι᾽ αὐτῆς ὀχυρώμενος τὴν τοῦ διαβόλου μανίαν διὰ **ᴀ** τάχους νικῶ καὶ καταστρέφω.

9. Βάσσος ληγάτος[1] ἔφη· Ἀγνοεῖς, Δάσιε, ὅτι πᾶς ἄνθρωπος τῇ βασιλικῇ[2] προστάξει καὶ τοῖς ἱεροῖς νόμοις ὑποτέτακται· ἐπειδὴ φείδομαί σου, τούτου χάριν ἀμερίμνως καὶ ἀδεῶς ἀποκρίνῃ μοι. Ὁ δὲ μακάριος καὶ ὅσιος ἀθλητὴς τοῦ Χριστοῦ Δάσιος ἀπεκρίνατο λέγων· Σὺ[3] **10** ποίησον ἅπερ σοι παρὰ τῶν βασιλέων προστέτακται[4] τῶν δυσσεβῶν καὶ μιαρῶν· ἐγὼ γὰρ τὴν πίστιν μου ἥνπερ ἅπαξ τῷ Θεῷ μου προεθέμην φυλάξαι, φυλάττω καὶ δυνατῶς καὶ ἀσφαλῶς προσμεῖναι ἐμαυτὸν[5] πιστεύω ἐν ταύτῃ μου τῇ ὁμολογίᾳ· οὐ γὰρ δύνανταί με αἱ ἀπειλαί σου τῆς τοιαύτης προαιρέσεως μεταβαλεῖν. **15**

10. Βάσσος ληγάτος[1] ἔφη· Ἰδοὺ ἔχεις καιρὸν διωρίας[2] εἰ βουληθείης[3] ἐν τῷ νοΐ[4] σου διαλογισθῆναι ὅπως δυνηθείης ζῆν μεθ᾽ ἡμῶν ἐν δόξῃ. Ὁ δὲ μακάριος Δάσιος εἶπεν· Τίς χρεία καιροῦ διωρίας· ἤδη τὴν βουλήν μου καὶ τὴν πρόθεσίν μου ἐφανέρωσά σοι λέγων· ποίησον ὃ θέλεις, ὅτι χριστιανός εἰμι· ἰδοὺ γὰρ καὶ τῶν βασιλέων σου καὶ τῆς **20** δόξης αὐτῶν καταπτύω καὶ βδελύσσομαι αὐτήν, ὥστε μετὰ τὴν τοῦ βίου τούτου ἀπαλλαγὴν εἰς τὴν ἐκείνην ζωὴν ζῆσαι δυνηθῶ.

11. Τότε ὁ Βάσσος λεγᾶτος[1] μετὰ πολλὰς αὐτῷ τιμωρίας παρασχέσθαι, δέδωκεν αὐτῷ τὴν ἀπόφασιν ὥστε ἀποτετμηθῆ(fol. 60ʳ)ναι αὐτοῦ τὴν κεφαλήν· ὅστις ἀπερχόμενος εἰς τὴν ἔνδοξον αὐτοῦ μαρτυ- **25** ρίαν εἶχέν τινα προηγούμενον αὐτοῦ μετὰ ἀθεμίτου θυμιατηρίου· ὡς δὲ ἠνάγκαζον αὐτὸν προσενεγκεῖν θυσίαν τοῖς ἀκαθάρτοις δαίμοσιν, τότε λαβὼν ταῖς ἰδίαις χερσὶν ὁ μακάριος Δάσιος διεσκόρπισεν αὐτῶν τὰ θυμιάματα καὶ κατέβαλεν τὰ δυσσεβῆ καὶ ἀθέμιτα[2] τῶν ἱεροσύλων εἴδωλα εἰς τὴν γῆν κατασύρας, ὥπλισέν[4] τε τὸ μέτωπον[5] αὐτοῦ τῇ **30**

— [4] ἑαυτόν, cfr. supra, § 4, note 4. — [5] ὡμολόγησα. — [6] μί.

9. — [1] λιγᾶτος. — [2] βασιλεικῇ. — [3] σοί. — [4] προστέτακτω. — [5] correction de ἐμαυτῶν.

10 — [1] λιγᾶτος. — [2] διορίας. — [3] βουλιθείης. — [4] νοή.

11. — [1] λεγᾶτος, cfr. p. 15, l. 8 λεγᾶτου. Les deux formes λεγᾶτος et ληγᾶτος étaient parallèlement en usage. — [2] ἀθεμήτου. — [3] ἀθέμητα. — [4] ὥπλισεν. — [5] μέτοπον.

σφραγῖδι[6] τοῦ τιμίου σταυροῦ τοῦ Χριστοῦ, οὗτινος τῇ δυνάμει ἰσχυρῶς πρὸς τὸν τύραννον ἀντεγνωρίσατο[7].

12. Ἀπῆλθε οὖν ὁ ἅγιος μάρτυς ἐπὶ τὸ ἀποκεφαλισθῆναι μηνὶ Νοεμβρίῳ εἰκάδι[1], ἡμέρᾳ παρασκεύῃ, ὥρᾳ τετάρτῃ, τῆς σελήνης[2] εἰκάδι[3] τετάρτῃ· ἐκρούσθη δὲ ὑπὸ ἀνικήτου Ἰωάννου σπεκουλάτορος, καὶ ἐτελειώθη ἐν εἰρήνῃ ἡ μαρτυρία αὐτοῦ. Ἤθλησεν δὲ ὁ ἅγιος Δάσιος ἐν πόλει Δωροστόλῳ, βασιλευόντων Μαξιμιανοῦ καὶ Διοκλητιανοῦ, ἐρωτήσαντος δὲ αὐτὸν Βάσσου λεγάτου, ἐν οὐρανοῖς δὲ βασιλεύοντος τοῦ κυρίου ἡμῶν Ἰησοῦ Χριστοῦ, ᾧ ἡ δόξα σὺν τῷ Πατρὶ καὶ τῷ ἁγίῳ Πνεύματι, νῦν καὶ εἰς τοὺς αἰῶνας τῶν αἰώνων. Ἀμήν.

Je joins au texte des Actes les deux résumés que j'en ai trouvés dans les synaxaires. Le premier a été publié dans le Ménologe de Basile (éd. ALBANI, Urbin 1727, t. I, p. 198), et il se répète dans le synaxaire de Sirmond (aujourd'hui Cod. Berolinensis, n° 219). J'ai pu collationner le texte imprimé avec une photographie de ce manuscrit, qui est conservée à la bibliothèque des bollandistes.

J'ai copié la seconde notice dans le Cod. Ambrosianus D. 74 Sup., du XIe siècle. C'est un synaxaire des mois d'octobre, novembre, décembre et janvier. Le paragraphe relatif à S. Dasius se trouve au fol. 65^r.

Ces deux résumés me paraissent remonter à une seule et même source, qui était elle-même un abrégé de nos Actes : certaines expressions communes à l'un et à l'autre manquent dans notre Passion (ci-dessous l. 4, νέον καὶ εὐειδῆ, p. 16, l. 7, καὶ πολλὰ τιμωρηθείς). Il se pourrait aussi qu'ils dérivassent tous deux directement d'une recension un peu différente de celle qui nous est parvenue.

Ἄθλησις[1] τοῦ ἁγίου μάρτυρος Δασίου τοῦ ἐν Δωροστόλῳ[2].

Ἐν ταύτη τῇ[3] πόλει τοιοῦτον ἔθος ἦν τοῖς Ἕλλησι· τῷ Κρόνῳ ἐπετέλουν ἑορτὴν ἐτησίως[4]. Πρὸ τριάκοντα δὲ ἡμερῶν τῆς τοιαύτης μυσαρᾶς[5] ἑορτῆς ἐπελέγοντο ἕνα τινὰ τῶν στρατιωτῶν νέον καὶ εὐειδῆ[6], καὶ εὐτρέπιζον πρὸς θυσίαν, ἐνδύοντες αὐτὸν ἱμάτια βασιλικά, καὶ προτρέποντες[7] ἀποπληροῦν πᾶσαν

— [6] σφραγίδη. — [7] ἀντιγνωρίσατο.
12. — [1] εἰκάδη. — [2] σελίνης. — [3] εἰκάδη.
[1] En tête : Μηνὶ τῷ αὐτῷ (sc. Νοεμβρίῳ) κ΄ B(asile); Τῇ αὐτῇ ἡμέρᾳ (sc. le 20 novembre) S(irmond). — [2] Ῥοδοστόλῳ S. — [3] Ἰστέον ὅτι ἐν ταύτη (sans τῇ) S, Ἐν τῇ αὐτῇ B. — [4] αἰτισίως S. — [5] μυσαρῆς B. — [6] εὐηδῆ S. — [7] προτρεπόμενοι S.

ἐπιθυμίαν αὐτοῦ, ὡς μετὰ τριάκοντα ἡμέρας μέλλοντα ἑαυτὸν ἐπισφάξαι[9] τῷ
βώμῳ τοῦ Κρόνου. Ἐλθόντος δὲ τοῦ κλήρου καὶ ἐπὶ Δάσιον τὸν στρατιώτην καὶ
τῶν συστρατιωτῶν περιστάντων αὐτῷ[9] καὶ πρὸς τὰ ὅμοια ἐκβιαζομένων, ἐκεῖνος
ἀγαθῷ λογισμῷ χρησάμενος, ἐσκόπησε τὸ συμφέρον, εἰπὼν ὅτι ἐπεὶ[10] μέλλω
θανεῖν, κρεῖττόν μοί ἐστιν ὡς χριστιανῷ, ὑπὲρ τοῦ Χριστοῦ μου ἀποθανεῖν. Ὅθεν
παραστὰς τῷ τοῦ ἄρχοντος βήματι, Διοκλητιανοῦ καὶ Μαξιμιανοῦ τοῦτο μαθόν-
των καὶ προσταξάντων, καὶ πολλὰ τιμωρηθείς[11], τελευταῖον τὴν διὰ ξίφους
ἐδέξατο τελευτήν.

**Τῇ αὐτῇ ἡμέρᾳ (sc. μηνὶ Νοεμβρίῳ κ) ἄθλησις τοῦ ἁγίου
μάρτυρος Δασείου.**

Οὗτος ὑπῆρχεν ἐπὶ Διοκλητιανοῦ καὶ Μαξιμιανοῦ τῶν βασιλέων ἐν πόλει Δωροστόλῳ[1]. Ἐν δὲ τῇ αὐτῇ τοιοῦτον ἔθος τοῖς Ἕλλησιν ἦν· τῷ Κρόνῳ ἀπετέλουν
ἑορτὴν ἐτεσίως[2], κατὰ δὲ ⟨τὴν⟩[3] ἑορτὴν πρὸ τριάκοντα ἡμερῶν ἕνα τινὰ τῶν
στρατιωτῶν νέον καὶ εὐειδῆ ἐκλεγόμενοι, ἀφιέρουν πρὸς τὸ βασιλικὴν ἐσθῆτα
ἐνδύσασθαι καὶ χρήσασθαι πάσαις ἡδοναῖς ἀδεῶς καὶ πάσῃ λαγνείᾳ καὶ σαρκὸς
ἐπιθυμίᾳ κατὰ ἄνεσιν τοῦ νόμου αὐτῶν, καὶ μετὰ τριάκοντα ἡμέρας ἑαυτὸν
ἐπισφάξαι αὐτοχείρως τῷ Κρόνῳ. Ἐλθόντος δὲ τοῦ κλήρου καὶ ἐπὶ Δάσειον καὶ
τῶν στρατιωτῶν συνελθόντων καὶ περιστάντων αὐτῷ καὶ πρὸς τὰ ὅμοια ἐκβιαζομένων, ἐκεῖνος ἀγαθῷ λογισμῷ χρησάμενος καὶ συνιδὼν ὅτι τὸ τοιοῦτον ὄφελος,
ἐκείνους μὲν ἀπώσατο, ἑαυτὸν δὲ χριστιανὸν ἐνεκήρυξε· καὶ τῷ τοιούτῳ τρόπῳ
παραστὰς τῷ βήματι Βάσσου καὶ πολλὰ τιμωρηθείς, ὕστερον τὴν κεφαλὴν ἀπε-
τμήθη.

— [9] ἐπισφάττεσθαι S. — [9] αὐτῶν S. — [10] ἐπεί om. B. — [11] τιμωρησάντων B.
[1] cod. Δωροστόλων. — [2] cod. αἰτησίως. — [3] τὴν om. cod.

SAINTS DU CIMETIÈRE DE COMMODILLE

Les cimetières romains, désignés primitivement par le nom du fondateur ou du propriétaire du terrain, furent surtout connus au moyen âge par les noms des saints les plus illustres dont les corps s'y trouvaient déposés. Le cimetière de Commodille, sur la voie d'Ostie, dont l'entrée fut trouvée par Boldetti sur le chemin de jonction qui conduit de Saint-Paul à Saint-Sébastien, ou *Via delle sette chiese* (1), fut particulièrement célèbre par la sépulture des SS. Félix et Adauctus, et ce sont les noms de ces martyrs qui reviennent le plus souvent sous la plume des topographes. Recueillons la série de leurs témoignages (2).

INDEX COEMETERIORUM. *Cymiterium Commodille ad sanctos Felices et Adauctos via Ostiense* (3).

ITINERARIUM SALISBURGENSE. *Et sic vadis ad occidentem et invenies S. Felicem episcopum et martyrem, et descendis per gradus ad corpus eius, et sic vadis ad S. Paulum via Ostensi.*

EPITOME DE LOCIS SS. MARTYRUM. *Et non longe inde ecclesia S. Felicis est, ubi ipse dormit; cum quo, quando ad coelum migravit, pariter properavit Adauctus, et ambo requiescunt in uno loco. Ibi quoque et Nomeseus martyr cum plurimis iacet.*

NOTITIA PORTARUM, ETC. E IOHANNE MALMESBURIENSI. *Et non longe in ecclesia sanctae Theclae sunt martyres Felix et Adauctus et Nemesius.*

ITINERARIUM EINSIEDLENSE. *Inde ad S. Felicem et Adauctum et Emeritam* (4).

Le grand explorateur des catacombes, Bosio, n'est pas arrivé à déterminer la position exacte du cimetière. Les hypogées qu'il visita sur la voie d'Ostie, sont beaucoup plus rapprochés de la basilique de Saint-Paul. C'est ce qui ressort à l'évidence de ses indications (5).

Boldetti explora la catacombe de Commodille, sans la reconnaître d'abord. Une partie de ses *Osservazioni*, celle qui contient le plan du

---

(1) Voir le plan, très défectueux, du cimetière dans BOLDETTI, *Osservazioni sopra i cimiteri* (Roma, 1720), p. 3. — (2) DE ROSSI, *Roma sotterranea*, t. I, p. 182-183. — (3) C'est la leçon du cod. Chigianus A.V. 141, *Bullettino di arch. crist.*, 1878, p. 46. — (4) LANCIANI, *L'Itinerario di Einsiedeln*, p. 7, a lu *et Emeritum*. — (5) BOSIO, *Roma sotterranea* (Romae, 1632), pp. 164-65, 169.

cimetière, appelé d'abord par lui cimetière de Lucine, était déjà
imprimée, lorsque les noms des saints vénérés en ce lieu lui appa-
rurent sur les fresques d'une crypte. C'étaient les saints du cimetière
de Commodille, qui avaient reposé dans ce sanctuaire durant des
siècles. Boldetti n'eut pas le temps d'exploiter sa découverte. Il s'était
contenté de prendre un léger croquis des peintures de la crypte, comptant bien y revenir. Bientôt après, un éboulement se produisit et rendit
inaccessible l'endroit principal du cimetière (1).

Boldetti indique avec assez de précision la situation de la crypte pour
qu'il soit possible de la retrouver.

Il faut la chercher dans la propriété de MM. Serafini, à trente pas
sur la gauche du chemin d'entrée. On y remarque en effet une sorte de
lucernaire, dans lequel se sont engouffrés des sables et des débris de
toutes sortes, qui doivent avoir comblé la chapelle souterraine. Espérons que ces décombres auront servi de protection aux peintures et
aux inscriptions qu'elle renfermait. Espérons aussi que la Commission
d'archéologie chrétienne dirigera bientôt ses fouilles de ce côté, et
essayera de déblayer la crypte. En attendant, c'est à Boldetti qu'il faut
emprunter les données monumentales dont on a besoin. C'est un guide
sincère, mais pas absolument sûr.

Les galeries du cimetière présentent peu d'intérêt. Elles n'offrent
qu'une série de *loculi*, qui ont été tous ouverts et dépouillés de leurs
inscriptions. On ne peut assez déplorer le vandalisme qui a dévasté si
complètement cette catacombe. Comme nous l'avons dit, Boldetti, dans
la première partie de son ouvrage, donne le nom de cimetière de
Lucine au cimetière de Commodille. C'est donc ici qu'il aurait
découvert les deux fameuses inscriptions à dates consulaires de 107 et
de 111 qui occupent le second et le troisième rang dans le recueil de
J.-B. de Rossi (2). Le fait serait des plus importants pour l'histoire du
cimetière. Mais, comme nous l'a fait observer un des meilleurs connaisseurs des catacombes, M. H. Stevenson, l'authenticité de ces inscriptions, ou du moins leur provenance du cimetière de Commodille, n'est
pas assez certaine pour servir à dater un hypogée qui ne présente, par
ailleurs, aucune marque d'une si haute antiquité.

(1) Boldetti, *Osservazioni*, pp. 3, 79, 541-47. Fr. Bianchini, *Anastasii Bibliothe-
carii de vita Romanorum Pontificum*, t. II (Romae, 1723), p. cxxvii, dit avoir eu
le dessin des peintures par Marangoni. Il en a parlé dans la *Lettera scritta a Monsignor Olivieri sagrista pontificio sopra alcune pitture sacre ritrovate coi nomi de'
ss. martiri Felice e Adaucto e di S. Emerita vergine e martire*, dans les Opuscula
varia, t. II (Romae, 1754), p. 25-28. Cette petite dissertation nous fournit très peu
de renseignements sur les peintures en question. — (2) De Rossi, *Inscriptiones christianae*, t. I, pp. 3, 7.

Nous possédons quelques inscriptions provenant de ce cimetière ;
une inscription Damasienne que nous aurons l'occasion d'étudier, et
une série d'épitaphes, parmi lesquelles trois sont datées respectivement
des années 391, 397, 426 (1). Les textes hagiographiques dont nous
allons nous occuper dans ce travail, sont les passions des SS. Félix et
Adauctus et des SS⁻ Digna et Merita. Ajoutons-y, pour avoir toute la
suite des documents qui nous renseignent sur la catacombe de Commodille, dans l'antiquité et au moyen âge, deux textes importants du *Liber
pontificalis*. Le pape Jean I (523-526) entreprit la restauration du cimetière : *Item renovavit cymiterium sanctorum Felicis et Adaucti*. Léon III
(795-816) fit des réparations au sanctuaire de ces martyrs : *Itemque
renovavit sarta tecta beati Felicis et Adaucti martyrum iuxta sanctum
Paulum apostolum* (2).

Ce n'est pas à nous d'écrire l'histoire du cimetière de Commodille.
Nous nous occuperons uniquement des souvenirs hagiographiques qui
s'y rattachent.

Les textes topographiques que nous avons rappelés en commençant
et les Passions des martyrs fournissent cinq noms de saints qui auraient
été vénérés en cet endroit de la voie d'Ostie : Félix, Adauctus,
Nemesius, Digna, Emerita. Il faut écarter d'abord S. Nemesius. Le
tombeau de ce saint, qui appartient au groupe de S. Étienne pape,
se trouvait, non sur la voie d'Ostie, mais sur la voie Latine (3). Il nous
reste deux groupes, inégalement célèbres, dont nous allons examiner
les Actes : Félix et Adauctus, Digna et Merita. Chacun d'eux a fait
l'objet d'un commentaire dans les *Acta Sanctorum*, aux dates respec-
tives du 30 août et du 22 septembre. Les nouveaux éléments que des
travaux plus récents permettent d'introduire dans les recherches, con-
duisent à des résultats plus précis et plus simples, comme nous
espérons le montrer.

I

Les SS. Félix et Adauctus.

Dans le martyrologe hiéronymien, ces saints sont annoncés deux fois,
au 29 et au 30 août, grâce à un de ces accidents de transcription qui
ont produit une si inextricable confusion dans ce document (4). La

____

(1) De Rossi, *Inscriptiones christ.*, t. I, nn. 391, 450, 653. Les autres inscriptions
dans Boldetti, *op. cit.;* quelques-unes dans M. Armellini, *Gli antichi cimiteri
cristiani* (Roma 1893), p. 486-491. — (2) *Liber pontific.*, éd. Duchesne, t. I, p. 276 ;
t. II, p. 2. — (3) De Rossi, *Roma sotterranea*, t. I, pp. 180, 181 ; *Inscriptiones christ.*,
t. II, p. 102. — (4) Nos prédécesseurs, qui ne disposaient pas des ressources
actuelles, ont trouvé, dans les hiéronymiens, au 29 août, les noms des deux saints,
défigurés et mêlés à d'autres, et ils n'ont pas fait attention, cette fois, au fait si fré-

seconde date est la vraie, comme le prouvent les monuments liturgiques, et en particulier le sacramentaire léonien. La mention martyrologique doit être rétablie au 30 août comme suit : *Romae, via Ostiensi, in coemeterio Commodillae, Felicis et Adaucti.*

Le plus ancien document historique que nous possédions sur eux, est l'inscription Damasienne [1], dont J.-B. de Rossi a découvert un fragment, actuellement au musée du Latran [2]. Pour l'intelligence de ce qui va suivre, nous croyons utile de la reproduire, avec un choix de variantes puisées dans les divers recueils épigraphiques qui ont fourni le texte intégral de l'inscription.

O SEMEL ATQVE ITERVM VERO DE NOMINE[1] FELIX
QVI INTEMERATA FIDE CONTEMPTO PRINCIPE MVNDI
CONFESSVS CHRISTVM CAELESTIA REGNA PETISTI.
O VERE PRETIOSA FIDES, COGNOSCITE, FRATRES[2],
5 QVA AD CAELVM VICTOR PARITER PROPERAVIT ADAVCTVS.
PRESBYTER HIS[3] VERVS DAMASO RECTORE IVBENTE
COMPOSVIT TVMVLVM SANCTORVM LIMINA ADORNANS[5].

[1] vero cum nomine *Einsidl. syll.* — [2] fratres *omnes praeter Einsidl.* — [3] presbyter is *Lauresh. syll.* — [4] versus Damasus *Turonens. syll.* — [5] adornans *Eins.*, adorans *Lauresh.*

Sauf la mention du prêtre Verus, que Damase chargea d'orner le tombeau, nous ne trouvons dans ces hexamètres que les noms des deux saints et le fait de leur martyre. Même en admettant, au 4ᵉ vers, la leçon *fratris*, au lieu de *fratres*, qui est attesté par presque tous les manuscrits et semble plus conforme au style Damasien, on ne pourrait conclure avec certitude que le pontife ait voulu parler d'une autre fraternité que celle du martyre.

Il est probable que Damase, qui a coutume de rappeler dans ses vers les traditions du peuple de Rome au sujet de ses saints, en les soulignant, au besoin, d'un *ferunt* ou d'un *fama refert*, ne connaissait aucun détail précis sur la personne et la mort sanglante de Félix et d'Adauctus. Quelques siècles plus tard, les hagiographes prétendent en savoir bien davantage.

On rencontre dans les passionnaires diverses recensions des Actes de nos martyrs. Celle qui semble se recommander des attestations les plus

quent de la répétition des mêmes noms. De là le groupe Candida, Felix, Foricia, Adausia, Gemellina *(Acta SS.,* ad d. 29 aug., t. VI, p. 515), dont le second et le quatrième ne sont autres que les SS. Félix et Adauctus du 30 août. — (1) Inm, *Damasi epigrammata,* n. 7. — (2) III, 2. Voir Dr Rossi, *Bullettino di arch. crist.,* 1877, p. 19; *Roma sott.,* t. I, p. 120.

anciennes, se lit dans le martyrologe d'Adon, à la date du 30 août (1).
Analysons rapidement cette pièce.

1° Félix et Adauctus souffrirent au temps des empereurs Dioclétien
et Maximien et du préfet Dracus.

2° Félix était l'aîné de deux frères portant le même nom et tous
deux prêtres : *nomine et opere Felices ambo presbyteri.*

3° Félix est conduit successivement aux temples de Serapis, de Mer-
cure et de Diane. Il fait tomber les statues de ces divinités en soufflant
dessus.

4° Le préfet le fait torturer, puis conduire sur la voie d'Ostie,
près d'un arbre sacré qui abritait un petit temple. A la prière du saint,
l'arbre tombe en écrasant le temple et l'idole. A cette nouvelle, le
préfet condamne le martyr à être décapité.

5° En allant au supplice, il rencontre un chrétien, qui se déclare
aussitôt et se livre au bourreau. Comme le nom de ce nouveau martyr
n'était connu de personne, on l'appela Adauctus, *quod sancto Felici
auctus sit ad coronam.*

6° Les chrétiens ensevelirent les deux saints martyrs à l'endroit où
l'arbre sacré, en tombant, avait laissé une fosse profonde. Au temps de
la paix, une basilique fut élevée en ce lieu.

Le P. Stilting reproche à Tillemont d'écarter ces Actes avec dédain,
en se contentant de dire : « Ils ne valent quoy que ce soit (2). » Puis, il
recherche les raisons que l'éminent critique a pu avoir de les condamner
si sommairement, et c'est pour les réfuter, bien entendu. L'analyse
du P. Stilting est excellente, mais il faut bien le dire, sa défense est
des plus faibles, et aujourd'hui qu'on n'a plus les mêmes raisons
qu'autrefois de se défier de Tillemont, il ne se trouvera personne qui
ne partage l'avis de ce dernier. Il peut être intéressant toutefois, pour
la connaissance générale des procédés de l'hagiographie au moyen âge,
d'examiner d'un peu plus près cette pièce, avec quelques autres qui
en sont dérivées.

Il serait inutile de rechercher, dans la série des préfets de Rome, le
préfet Dracus, qui n'a jamais existé. Tout aussi inutile de discuter la
date *sub Diocletiano et Maximiano.* On a rattaché à la grande persécution presque tous les martyrs sur lesquels on n'avait aucune donnée chronologique. Il est probable que souvent on a deviné juste ; mais pareil
hasard ne saurait en aucune façon augmenter l'autorité de certaines
pièces, qui sont, au fond, des œuvres d'imagination. Nous laisserons

---

(1) *P. L.*, t. CXXIII, col. 242; MOMBRITIUS, *Sanctuarium*, t. I, fol. 307 ; *Acta SS.*, Aug.
t. VI, p. 546; [F. VALESIO], *Gli atti de' gloriosi martiri Felice e Adautto volgarizzati*
(Roma, 1733), p. 40, reproduit le texte de Mombritius, avec des commentaires fort
érudits; mais sa critique est un peu lâche. — (2) *Mémoires pour servir à l'histoire
ecclésiastique*, t. V, p. 121.

de côté également la série de prodiges, qui n'est qu'un lieu commun de l'hagiographie de basse époque. Il nous reste donc à discuter un petit nombre de détails bien précis, qu'il est difficile d'attribuer à l'invention.

Il y a d'abord cette circonstance un peu extraordinaire de deux frères, prêtres, portant le même nom : *Fuere autem duo fratres nomine et opere Felices, ambo presbyteri.* Si l'on veut relire l'inscription Damasienne, et s'imaginer ce qu'elle a pu devenir dans une copie rapidement exécutée, on n'aura pas de peine à admettre que c'est là, et nulle part ailleurs, que l'auteur de la Légende a puisé cette assertion complexe.

Le premier vers, *O semel atque iterum* (= *duo*) *vero de nomine Felix* (= *nomine et opere Felices*) combiné avec le *cognoscite fratres* (= *duo fratres*), et les vers 5, 6, avec les leçons que présentent certains manuscrits : *victor pariter properavit adauctus presbyteris verus* (= *ambo presbyteri*), fournissent sans difficulté les éléments de cette première phrase.

Nous y insistons à dessein ; car cette première erreur a eu de graves conséquences, et n'a pas peu contribué à rendre inextricable l'histoire des saints Félix inscrits dans les martyrologes. Une fois admise l'existence d'un second Félix, prêtre, frère du premier, il fallait être également renseigné sur ses actes. On n'a pas manqué de lui composer une biographie, et c'est ce qui nous a valu la pièce intitulée : *Vita sancti Felicis presbyteri, confessoris Romani* (1), ou, comme on le trouve souvent dans les manuscrits, *sancti Felicis in Pincis.* Tout porte à croire que l'auteur de la Passion des SS. Félix et Adauctus a également écrit cette pièce, qui s'adapte tout naturellement à la première. Qu'on en juge par la comparaison des premières lignes :

FELIX ET ADAUCTUS	FELIX CONFESSOR
.... *praefecto et iudice Draco. Fuere autem duo fratres nomine et opere Felices ambo presbyteri. Horum* SENIOR *Felix ex iussione imperatorum cum ad secretarium iudicis esset perductus...*	*Factum est post completionem beatissimi Felicis presbyteri alius Felix, germanus eius* IUNIOR *nomine et actione et ipse presbyter cum adductus fuisset ad iniquissimum Draccum urbis praefectum...*

Les Actes de ce second Félix sont légendaires d'un bout à l'autre, et l'auteur a bientôt fait de confondre son héros avec S. Félix de Nole. Ce n'est pas la simple identité des noms qui a amené cette confusion. Il y eut à Rome, de bonne heure, sur le mont Pincius, une église dédiée à S. Félix de Nole (2). Il n'est pas étonnant qu'il ait songé à identifier

(1) *Acta SS.* ad d. 14 ian., t. I, p. 951. — (2) Elle s'élevait probablement en arrière et un peu au nord de l'église actuelle de la Trinité du Mont. DUCHESNE, *Liber pontific.,* t. I, p. 517.

ce dernier avec le prétendu frère du martyr romain. On s'explique donc et la date du 14 janvier qu'on assigne à sa fête : c'est celle de S. Félix de Nole ; et aussi la dénomination de *Felix in Pincis*, qui a tant embarrassé les hagiographes. S. Félix *in Pincis* n'est autre, primitivement, que S. Félix de Nole honoré sur le *collis hortorum*. Lorsqu'on eut fait la confusion entre ce saint et le frère du martyr Félix, on lui réserva ce qualificatif, qui a servi de marque distinctive, et l'on eut désormais Félix de Nole et Félix *in Pincis*.

On s'imagine difficilement les résultats de cette accumulation d'erreurs dans la littérature des martyrologes et des Vies de saints. Ainsi, par un singulier retour, l'histoire de S. Félix de Nole fut enrichie d'emprunts faits à la Vie du nouveau S. Félix. De là, la Légende d'Adon, au 14 janvier, où les deux Vies se mêlent dans une confusion inexprimable (1). Les Actes des SS. Félix et Adauctus, première source du mal, en furent atteints également. Les collecteurs de Légendes, qui trouvaient dans ces Actes la mention de deux frères, ne purent se résoudre à raconter le martyre de l'aîné, sans rien dire du plus jeune. C'est ce qui amena des combinaisons de la Passion de Félix et Adauctus avec la Vie de Félix, prêtre romain (2). Ceci se fait parfois d'une manière fort concise, par le moyen d'une simple phrase qui permet de saisir d'un coup d'œil toute l'horreur du désordre. Après le *horum senior* qui se rapporte à Félix martyr, le compilateur ajoute l'explication suivante : *Iunior autem Felix, frater huius Felicis, XIX kal. februarii transiens ad Dominum, in Pincis quievit, qui est locus iuxta Nolanam civitatem* (3).

On entrevoit les discussions à perte de vue auxquelles on s'est livré pour affirmer ou nier que *in Pincis* était un endroit voisin de la ville de Nole (4). Il s'est également trouvé des hagiographes qui ont résolu la difficulté en faisant de S. Félix de Nole et du *Felix confessor presbyter Romanus Nolae*, deux frères (5). Mais on n'en finirait pas, si l'on voulait énumérer toutes les bévues dont l'auteur de la Passion des SS. Félix et Adauctus est responsable, pour avoir imaginé, d'après l'inscription de Damase, un second Félix dont il n'était point question.

D'après ce que nous savons des méthodes de notre auteur, il ne faut pas attacher grande importance à l'explication qu'il donne du nom d'Adauctus. A l'époque où il écrivait, ce nom pouvait paraître extraordinaire, et ne suggérer qu'une signification symbolique. Chez les Romains, les noms d'Adauctus. Adaucta, comme Auctus, Aucta, furent

---

(1) *Acta SS.*, Ian. t. I, p. 938. — (2) Dans les mss. de Bruxelles 9290, 21885, *Catal. cod. hag. Brux.*, t. II, pp. 301-434. — (3) Ms. de Bruxelles 9368, *Catal. cod. hag. Brux.*, t. II, p. 329. — (4) Voir par exemple Rimondini, *Della Nolana ecclesiastica storia*, t. I (Napoli, 1747), pp. 362-68, 397 ; *Acta SS.*, Ian. t. I, p. 940. — (5) Voir *Acta SS.*, Ian. t. I, p. 951.

fréquents parmi les esclaves et les affranchis. Il y en a de nombreux exemples dans les inscriptions (1). On voudrait pouvoir conclure de cette circonstance que S. Adauctus appartenait à l'une de ces deux catégories ; ce serait du moins un nouveau renseignement ajouté à son histoire. Mais la condition d'un autre martyr du même nom, qu'Eusèbe appelle Ἀδαυκτος ὄνομα, γένος τῶν παρ' Ἰταλοῖς ἐπισήμων, commande la réserve (2).

Le dernier trait de la Légende, relativement à la sépulture des martyrs, est encore une invention de l'auteur, et donnerait à croire qu'il a écrit loin de Rome, ou du moins qu'il n'a pas visité le sanctuaire des saints. En effet, s'il avait lu sur place l'inscription de Damase, s'il était descendu dans la crypte du cimetière de Commodille, il n'aurait pas manqué de mentionner une circonstance qui l'aurait certainement frappé ; il aurait indiqué, comme tant d'autres l'ont fait, même au prix d'un anachronisme, le cimetière souterrain où les saints reposaient. Au lieu de cela, il les enterre dans une crevasse produite accidentellement. C'est évidemment qu'il n'a pas trouvé d'autre raison pour mettre leur sépulture sur la voie d'Ostie, lieu du supplice, d'après lui.

Tout ce que nous venons de dire permet de supposer que notre auteur a composé sa légende d'après le texte de Damase, tel qu'il le lisait dans un de ces nombreux recueils d'inscriptions rapportées par les pèlerins, sous une rubrique comme celle-ci : *In via Ostiensi in basilica S. Felicis*, ou *Via Ostiensi ad S. Felicem*.

Les Actes des SS. Félix et Adauctus ont été plusieurs fois remaniés. Les formes les plus répandues de la Légende dépendent toutes de celle que nous venons d'analyser. Tantôt c'est le même texte dont les phrases ont été tout simplement allongées (3) ; tantôt ce sont les mêmes Actes interpolés ou complétés, si l'on veut, par l'introduction de la Vie de S. Félix confesseur (4) ; tantôt encore c'est un récit qui supprime toutes les péripéties et les miracles, pour les remplacer par des discours qui sont un autre genre de lieux communs. C'est la physionomie que présente la Passion publiée récemment d'après un manuscrit du XIII⁰ siècle (5). Le nom du préfet Dracus y est omis. Il n'y est pas question d'un second Félix. Mais l'explication du nom d'Adauctus est empruntée littéralement à l'autre texte. Cette Passion, pour être moins

---

(1) *C. I. L.*, t. VI, 12994, 23022ᵇ ; GRUTER, 560¹ ; *Inscriptiones regni Neap.*, 2920, 5115. — (2) *Hist. eccl.*, VIII, 11, 2. Le martyrologe hiéronymien cite deux martyrs africains du nom d'Adauctus, l'un au 14 mai, l'autre au 4 octobre. C'est sur ce dernier que le ménologe de Basile, à la même date, prétend nous renseigner. — (3) Ainsi, dans le manuscrit 5360 de la bibliothèque nationale de Paris, fol. 128ᵛ, *Catal. cod. hag. lat. Paris.*, t. II, p. 338 ; manuscrit de Bruxelles 98-100, *Catal. cod. hag. Brux.*, t. I, p. 41. — (4) Voir plus haut, p. 23. — (5) Manuscrit de Bruxelles 7483-86. Nous avons publié ce texte dans le *Catal. cod. hag. Brux.*, t. II, p. 68-70.

fabuleuse que le récit d'Adon, n'en est que plus insignifiante. Elle donne l'impression d'un texte amplifié fait sur un résumé d'Adon.

Mais nous avons à peine entamé la série des combinaisons dans lesquelles les hagiographes du moyen âge ont fait entrer nos deux saints. Voici un manuscrit du XIIIe siècle, dans lequel leur Passion est composée d'un lambeau des Actes de S. Félix de Thibiuca (1) auquel on a cousu la partie du texte d'Adon qui concerne S. Adauctus (2).

Nous voilà entraîné, bien à regret, dans ce dédale presque inextricable des légendes de l'Italie méridionale. Il faudra nous attacher à quelques points essentiels. On trouvera tous les textes principaux se rapportant à l'infiltration réciproque des légendes romaines et italiques — nous dirions mieux *africaines* — dans le commentaire du P. Victor De Buck sur S. Félix de Thibiuca (3). Sur quelques points, on le verra, nos conclusions diffèrent des siennes.

Les trois groupes principaux auxquels nous devons nous arrêter, sont ceux de Venouse (V), de Salerne (S) et de Bénévent (B), c'est-à dire S. Félix de Thibiuca et ses compagnons, dont la vraie date serait le 30 août, d'après le P. De Buck ; les martyrs de Salerne, honorés le 28 août (4) ; et les douze frères, dont la fête se fait le 1 septembre (5). Mettons en regard les trois séries des noms de ces martyrs. Ce tableau sera plus suggestif qu'une longue discussion.

B (1 sept.)	S (28 aug.)	V (30 aug.)
1. Donatus	1. Felix (*Buzocensis episcopus*)	1. Felix (*Tubizacensis episcopus*)
2. Felix	2. Donatus	2. Ianuarius
3. Arontius	3. Adauctus	3. Fortunatius
4. Honoratus	4. Fortunatus	4. Septiminius
5. Fortunatianus	5. Gaius	5. Adauctus.
6. Sabinianus	6. Anthes.	
7. Septiminus		
8. Ianuarius		
9. Felix		
10. Vitalis		
11. Satorus		
12. Repositus.		

(1) Telle est la vraie forme de ce nom si étrangement défiguré par les copistes, qui nomment le martyr Felix Tubzacensis, Tubiacensis, etc. Thibiuca, actuellement Zoustina, à 7 kilomètres environ de Teburba, est attesté par plusieurs inscriptions. Voir Tissot, *Géographie comparée de la province romaine d'Afrique*, t. II (1888), p. 287-89; *Ephemeris epigraphica*, t. VII, p. 63. Je dois ces renseignements à l'obligeance de M. l'abbé Duchesne, qui a également attiré mon attention sur la Passion de ce saint Félix et sur celle des douze frères dont il sera bientôt parlé. — (2) Manuscrit 11755 de Paris. *Catal. cod. hag. lat. Paris.*, t. III, p. 60. — (3) *Acta SS.*, Octob. t. X, p. 618-634 — (4) *Ibid.*, Aug. t. VI, p. 167. — (5) *Ibid.*, Sept. t. I, p. 138-141.

Les parties communes de ces trois listes sautent aux yeux :
B. 1, 2, 3 = S. 1, 2, 4;   V. 1, 2, 3, 4 = B. 9, 8, 3, 7;   S. 3 = V. 5,
et il serait difficile de nier la dépendance mutuelle des Légendes. Examinons rapidement chacune d'elles.

Les éléments avec lesquels l'auteur de la Passion des douze frères a composé sa Légende, se reconnaissent presque tous sans difficulté. Remarquons, pour la facilité de la discussion, la présence de deux Félix (B 2, 9). Nous les prendrons l'un pour l'autre, sans vouloir affirmer leur identité. Au contraire, comme nous le verrons, l'auteur aurait dû logiquement admettre un troisième Félix.

B. 1, 2, 3 sont annoncés dans le martyrologe hiéronymien au 1 septembre. *In Cartagine Furtunati Donati Felicis* (Bern., Wissemb.) *In Apulia Felicis et Donati... Kartagine Furtunati* (Epternac.) Un groupe de martyrs de Potenza (B. 2, 3, 4, 6) apparaît au 26 août dans l'Hiéronymien : *In Lucania civitate Potentiae Felicis, Aronti, Sabiniani, Honorati* (Bern.) Le groupe B. 10, 11, 12 est africain. Quelques martyrologes (1) indépendants de la Légende bénéventane ont gardé les noms de ces martyrs au 29 août : *In Africa sanctorum martyrum Vitalis, Satiri et Repositi*. Tous les noms de la liste, sauf B. 7, 8, se trouvent identifiés.

Voici en deux mots comment ces éléments disparates ont été combinés par l'auteur de la Légende. Les douze martyrs sont douze frères, nés à Hadrumète, en Afrique. Ils sont accusés comme chrétiens devant l'empereur Valérien, qui les conduit en Italie, par Syracuse, Catane, Messine, Reggio. En Italie, le voyage se poursuit. Ils sont condamnés à mort et exécutés par groupes dans différentes villes : quatre à Potenza (B. 3, 4, 5, 6), trois à Venouse (B. 7, 8, 9), trois autres à « Velenianum » (B. 10, 11, 12); enfin les deux qui restent (B. 1, 2) à « Sentianum ». Plus tard, le prince lombard Arechis réunit les corps des douze frères, et les transporte à Bénévent.

Remarquez que l'auteur embarrassé de n'avoir que deux Félix (B. 2, 9) dont l'un appartenait à Sentianum, l'autre à Venouse, a remplacé celui de Potenza (B. 2) par Fortunatianus, martyr de Carthage.

Examinons de même la Légende de Salerne. S. 1, 2, 4, sont les trois martyrs de Carthage du martyrologe hiéronymien; mais Félix est identifié avec Félix de Thibiuca (V. 1), qui est en même temps Félix de Venouse ou de Bénévent (B. 9), et Félix de Rome, comme on le verra. Adauctus (S. 3) est le compagnon de ce dernier. Gaius et Anthes (S. 5, 6) sont plus difficiles à découvrir. Pourtant, je ne serais pas étonné qu'ils fussent apparentés à *Gaianus, Anthimeus* ou *Antineus* du martyrologe hiéronymien au 31 août.

(1) *Acta SS.*, Aug. t. VI, p. 496; Sept. t. I, p. 130.

La légende est des plus simples. Durant la persécution de Dioclétien, Félix, évêque *(Buzocensis)*, avec les autres martyrs, étaient en prières. Ils sont traînés devant le proconsul, on ne dit pas en quelle ville. Félix et Adauctus sont condamnés les premiers, conduits *via Ostiensi secundo ab urbe lapide*, et exécutés. Trois autres (S. 4, 5, 6) sont amenés à Salerne par le proconsul d'Apulie Leonius, et c'est là qu'ils subissent le martyre. De Donatus (S. 2), il n'est plus question. Il serait superflu d'insister : quatre Félix, ou même cinq, se trouvent confondus dans la légende salernitaine. La résultante prend les apparences du chef du groupe Félix et Adauctus.

La Légende de Venouse est plus intéressante à analyser. Avant de nous occuper des personnages, résumons brièvement l'histoire. Nous l'avons dans différents textes d'étendue et de valeur diverses. Les plus importants sont les deux Passions publiées dans les *Acta Sanctorum*, et que nous pourrons désigner par les noms de leurs éditeurs les plus connus, Surius (Vs) et Baluze (Vb).

Félix est évêque de Thibiuca au temps de l'édit de Dioclétien sur les saints livres. Le jour de la promulgation, il s'était rendu à Carthage, et en son absence, on interrogea un de ses prêtres et deux lecteurs.

L'évêque revient. On le somme à plusieurs reprises de livrer les livres qu'il pourrait avoir. A toutes les menaces il oppose cette énergique réponse : *Habeo, sed non do.* On le jette en prison, et après quelques jours on le fait monter sur un navire, pour rejoindre les empereurs.

Ici les deux recensions ne s'accordent plus. Dans Vb, Félix se rend en Italie par la côte de Sicile, en passant par Agrigente, Catane, Taormina, Messine (1) et Reggio. Le terme du pèlerinage est Venouse. Le saint y subit le martyre, le 30 août. Dans Vs, il arrive à Nole, sans que les étapes du voyage soient indiquées. Il y est décapité le 14 janvier.

Disons d'abord un mot des compagnons du saint, c'est-à-dire des membres de son clergé qui furent interrogés avant lui. Dans Vb, ils portent les noms d'Aper, Cyrus, Vitalis. Dans Vs, ils sont remplacés par Ianuarius, Fortunatius, Septiminius. Ce sont les saints de Bénévent B. 5, 7, 8, dont deux (B. 7, 8), d'après la Légende, appartiennent primitivement à Venouse. Adauctus n'est pas nommé dans les deux textes Vb, Vs que nous possédons. Mais les martyrologes de Bède (30 août) et d'Adon (24 octobre) joignent son nom à celui des compagnons de S. Félix. Ce nom, on l'a probablement trouvé dans certains manuscrits. La chose serait peu étonnante, car nous croyons que c'est

---

(1) Le texte le fait aller de Catane à Messine et de là à Taormina. Cette erreur géographique ne peut être attribuée qu'à un copiste.

grâce à S. Félix de Rome, compagnon d'Adauctus, que l'on a choisi la date du 30 août pour célébrer S. Félix de Thibiuca. Ceci mérite examen.

On admettra sans peine que la Légende de l'évêque africain, telle que nous la possédons, a passé par l'officine qui nous a donné les Légendes de Bénévent et de Salerne. Ce sont en partie les mêmes personnages qui sont mis en scène; presque tous sont Africains, et leurs noms sont pris dans les martyrologes aux environs du 30 août. Un même procédé enfantin est employé pour expliquer comment les saints d'Afrique ont pu souffrir le martyre en Italie, et comment, d'abord réunis, ils sont morts en diverses villes. On les fait voyager, et il est intéressant de constater que S. Félix de Thibiuca et les douze frères suivent le même itinéraire et font les mêmes étapes. Les Légendes de Salerne et de Bénévent ont été créées de toutes pièces, ou à peu près. Celle de Venouse est une Passion authentique remaniée. Voici comment je comprends le *processus*.

1º Il existe deux rédactions africaines de la Passion de S. Félix de Tibiuca. Nous n'avons plus que la première partie, plus quelques menus fragments, de la Passion antique. Dans celle-ci, le saint ne quitte point son pays; il y subit le martyre, et est enterré *in via quae dicitur Scillitanorum*, peut-être auprès des célèbres martyrs Scillitains (1).

2º A Venouse, on honorait un S. Félix auquel on fit des Actes au moyen de ceux de S. Félix de Thibiuca, en transportant le théâtre de son martyre à Venouse. Les deux recensions furent modifiées. Le voyage, dans Vb, les noms des martyrs de Venouse, à la place de Aper, Cyrus et Vitalis, dans Vs, le montrent suffisamment.

3º La date du 30 août sera difficilement admise comme celle du martyre de Félix de Thibiuca. Ce même jour se fait la mémoire du célèbre martyr Félix, compagnon d'Adauctus; le calendrier de Carthage indique à cette date un autre Félix en compagnie de Eva et de Regola, tous trois appartenant à la troupe des compagnons de S. Saturnin (2). Quelque commun que soit le nom de Félix, la coïncidence qui amènerait trois martyrs célèbres de ce nom le même jour, est trop extraordinaire pour être acceptée sans bonnes preuves. Il est plus probable que la célébrité du martyr romain a attiré le martyr de Venouse.

(1) Il peut être intéressant de constater que la manie de dérober des martyrs à l'Afrique n'a point cessé de sitôt dans l'Italie méridionale. Les martyrs Scillitains ne pouvaient, aux yeux des Calabrais, porter ce nom, que parce qu'ils étaient originaires de Scilla, en Calabre. Mais la ville de Squillace, également en Calabre, estima que c'était là une équivoque, et réclama pour elle-même l'honneur d'avoir donné le jour à S. Speratus et à ses compagnons. En conséquence, elle demanda, en 1740, et obtint de la Congrégation des Rites l'autorisation de célébrer la messe et l'office des martyrs Scillitains. Voir Fiore, *Della Calabria illustrata*, t. II (1743), p. 27. — (2) *P. L.*, t. VIII, col. 691.

4° S. Félix de Nole a été promptement transformé en martyr. Une
des conséquences de cette transformation a été une nouvelle adaptation des Actes de S. Félix de Thibiuca. Au lieu d'arriver à Venouse, le
saint vient mourir à Nole, et c'est le 14 janvier, date de la fête de
S. Félix de Nole, qu'il subit le martyre. Ce qui prouve que cette dernière version (Vs) est rédigée d'après un remaniement fait à Venouse,
c'est la présence des martyrs de Venouse (B 7, 8) dans cette Passion.

Nous voilà bien loin de Rome et de la voie d'Ostie. Il est pourtant un
détail de la Passion romaine des SS. Félix et Adauctus qui doit nous
arrêter un instant encore. C'est la dernière phrase. : *ubi postea pacis
tempore basilica aedificata est*. Il exista certainement un sanctuaire des
martyrs. Mais on voudrait savoir si c'était une basilique élevée au-
dessus du sol, ou simplement une crypte souterraine, ornée de peintures et de mosaïques, comme il y en avait tant d'autres dans les cimetières romains.

L'*Itinéraire de Salzbourg* se contente de dire : *et descendis per gradus
ad corpus eius*, ce qui n'exclut pas l'existence d'une basilique supérieure. Le texte du *Liber pontificalis* (Léon III) semble formel : *Itemque
renovavit sarta tecta beati Felicis et Adaucti*. Je n'oserais pourtant
affirmer qu'il faille prendre à la lettre le *sarta tecta* de l'auteur.
L'indigence de son vocabulaire peut l'avoir amené à employer cette
expression dans un sens impropre, pour désigner la voûte d'un
souterrain.

Les débris disséminés sur le terrain autorisent à conclure à l'existence
d'un cimetière à ciel ouvert au-dessus de la catacombe, et autour de la
crypte des SS. Félix et Adauctus. L'existence d'une petite basilique
au-dessus du sol devient par le fait même vraisemblable. Mais il est
impossible, actuellement du moins, d'en constater des vestiges certains.
Bosio a cru en découvrir les restes dans une vigne appartenant aux
bénédictins de S. Paul (1). Mais, comme nous l'avons dit, il s'est trompé
sur la situation du cimetière de Commodille.

Ce qui est certain, c'est que Boldetti a découvert dans le cimetière
une chapelle à abside, ornée de mosaïques et de peintures, et parmi
celles-ci, les images de trois saints avec les inscriptions : S̄C̄S̄ FELIS,
S̄C̄S̄ ADIVTVS, S̄C̄A̅ MERITA. C'est dans cette crypte, on peut
l'admettre sans hésitation, que furent déposés les corps saints. Y eut-il
en outre une chapelle élevée au-dessus de la crypte? Nous ne pourrons
répondre à cette question que lorsque la Commission d'archéologie
aura fait entreprendre des fouilles en cet endroit.

____

(1) *Roma sotterranea*, p. 169.

II

Les saintes Digna et Merita.

Dans l'église de Saint-Marcel au Corso, reposent sous l'autel de la
seconde chapelle de droite, deux corps saints, ceux des vierges Digna
et Merita. D'après un récit antique, ils auraient été extraits, à l'époque
des grandes translations, de la catacombe de Commodille, et concédés
au titre de Saint-Marcel *in via Lata* par le pape Paul I. De graves
difficultés s'élèvent autour de cette histoire, et il importe de peser un
à un tous les renseignements que nous possédons sur les deux vierges.

Aucun martyrologe ne mentionne leurs noms. Le P. Suyskens ne les
a trouvés que dans deux *auctaria* de Bède, et c'est évidemment la pièce
dont nous allons nous occuper qui les a fournis aux compilateurs (1).
Pour éviter une discussion qui pourrait nous arrêter sans profit en ce
moment, nous appellerons la seconde des deux saintes du nom de
Merita, comme le fait l'auteur de la Légende, bien que son nom véritable semble être *Emerita*.

En parcourant les passionnaires romains qui contiennent les Actes
des SS^{tes} Digna et Merita, on croit tout d'abord se trouver en présence
de plusieurs récits de leur martyre. Nous éviterons de parler ici d'une
Légende composée en Lorraine, on verra plus loin à quelle occasion.
Arrêtons-nous aux Actes d'origine romaine, et commençons par déterminer les rapports de ces pièces, de longueur fort inégale.

La plus longue, dont l'auteur est un prêtre nommé Benoît, qui
s'adresse *omnibus consacerdotibus de titulo sancti Marcelli... qui ponitur
in via Lata*, nous servira de point de comparaison. Papebroch l'a
trouvée dans le ms. du Vatican 6076, et l'a jugée indigne de voir le
jour. Quelques extraits en ont été donnés dans les *Acta Sanctorum* au
22 septembre.

Elle se compose de quatre parties.

1° Un PRÉAMBULE, dont voici les premiers mots : *Carissimis omnibus
consacerdotibus de titulo S. Marcelli martyris atque pontificis qui ponitur in via Lata... Benedictus exiguus presbyter in Domino salutem.*
Cédant aux instances de ses collègues, il a recueilli dans les écrits des
saints Pères et dans les chroniques grecques et latines tout ce qu'on
peut y trouver sur les SS^{tes} Digna et Merita. Puis il insère un aperçu
historique assez long sur la persécution de Dèce et de Valérien.

____

(1) *Acta SS.*, Sept. t. VI, p. 302.

2° Une INTRODUCTION. Inc. : *Temporibus Valeriani et Gallieni immanis persecutio fervebat...* C'est l'histoire, à peine modifiée, de Ste Afra, depuis sa conversion par l'évêque Narcisse jusqu'à sa sépulture, y compris le martyre de sa mère Hilaria.

3° La PASSION proprement dite. Inc. : *Post haec Gaius iudex iussit teneri duas sorores...* C'est le récit, entièrement fabuleux, du martyre des SS^tes Digna et Merita (1). Il se termine par ces mots : *humaverunt eas in cymiterio Commodillae ad sanctum Felicem et Adauctum via Hostiensi.*

4° La TRANSLATION des reliques du cimetière de Commodille au titre de Saint-Marcel.

Le manuscrit du Vatican 6076 dont s'est servi Papebroch, est une copie très soignée, exécutée au XVIe siècle, reproduisant un grand passionnaire. Le morceau occupe les feuillets 30-33^v, sous le titre général : *Incipiunt Acta seu gesta sanctarum virginum Dignae et Meritae mense septembri die XXII et dedicatio earum mense maii die XII.* Dans un autre manuscrit du Vatican 1192, passionnaire du XIIIe siècle, fol. B-G, la pièce est divisée comme suit : *Incipit Acta seu gesta sanctarum virginum Dignae et Meritae, mense septembri dies XXII. — Item prologus. — Sequitur gesta earum. — Item passio earum. — Qualiter corpora sanctarum virginum Dignae et Meritae translata sunt.* Ce n'est pas sur ce manuscrit que le précédent a été copié. Le texte du 6076 est bien préférable à l'autre. La copie moderne du recueil H. 23 (fol. 105) de la bibliothèque Vallicellane a été tirée, pour l'usage de Bosio, *ex secundo codice sanctae Caeciliae.* Toute trace de ce dernier manuscrit a disparu.

Dans d'autres manuscrits, comme dans le cod. X de la bibliothèque Vallicellane, du XIIIe siècle, fol. 210^v-213, la pièce ne comprend que l'introduction *(Temporibus Valeriani)* et la Passion *(Post haec Gaius iudex).* Les recueils de la Vallicellane H. 8, fol. 276 et H. 23, fol. 103, renferment des copies modernes dérivées de ce manuscrit.

D'autres manuscrits encore, et c'est le cas du *codex S. Mariae Maioris* dont parle le P. Suyskens (2), ne donnent que la troisième partie ou la Passion proprement dite. La copie du recueil H. 9, fol. 261^v, de la Vallicellane, provient sans doute du manuscrit de Sainte-Marie-Majeure.

Jusqu'ici donc, nous n'avons rencontré dans les manuscrits qu'une seule et même Passion, diversement encadrée. Reste une Passion plus courte, celle qui a été imprimée dans les *Acta Sanctorum* (3), et que le P. Suyskens, après quelques hésitations, admet, non comme beaucoup plus historique que l'autre, mais comme ayant vraisemblablement

(1) Résumé dans les *Acta SS.*, Sept. t. VI, p. 302, n. 4. — (2) *Ibid.*, p. 302-3, n. 4. — (3) *Ibid.*, p. 307-308.

servi de source au prêtre Benoît. Elle se trouve dans le cod. VII, fol. 262ᵛ-263, de la bibliothèque Vallicellane, qui en possède également une copie récente dans le recueil H. 25, fol. 102. La présence de cette Passion dans le ms. VII, qui est un grand lectionnaire du XIVᵉ siècle, suffit à trancher contre elle la question de priorité. En effet, ce recueil de Vies de saints et d'homélies a été composé pour l'usage liturgique, et les Passions trop longues ont été abrégées avant d'être divisées en leçons. L'abréviateur a eu généralement le bon goût de retrancher les passages les plus manifestement fabuleux, ce qui donne parfois à ses résumés un faux air de pièces primitives, de celles que Ruinart aurait appelées sincères. Faute d'avoir fait attention à la composition du lectionnaire, on y a été trompé plus d'une fois, et dans le cas présent, les doutes du P. Suyskens étaient parfaitement justifiés. Nous pouvons donc négliger cette Passion, qui est qualifiée d'anonyme, pour nous en tenir uniquement à la compilation du prêtre Benoît.

Cet auteur est complètement inconnu d'ailleurs (1). Comme l'a fait remarquer le P. Suyskens (2), il s'est servi des *Areopagitica* d'Hilduin, et ne peut avoir écrit, par conséquent, avant le second quart du IXᵉ siècle. Des considérations que nous développerons plus loin, nous feraient croire qu'il faut le faire descendre jusqu'au siècle suivant. Retenons que, puisque son récit se termine par une translation qui aurait eu lieu sous Paul I (757-767), il est éloigné de quatre-vingts ans au moins des derniers événements qu'il raconte.

Le PRÉAMBULE des Actes des SSᵗᵉˢ Digna et Merita ne doit pas nous arrêter. Remarquons seulement que la fameuse préface de S. Jérôme à la Vie de S. Paul ermite : *Sub Decio et Valerio persecutoribus,* est une des sources de ce morceau. Elle y est transcrite littéralement d'un bout à l'autre.

(1) Au commencement du XIIᵉ siècle, on signale un certain Benoît, prêtre de Saint-Laurent in Lucina, tout près de la *Via Lata,* et grand chercheur de reliques. Dans le portique de Saint-Laurent, à gauche, on lit une longue inscription qui le concerne : *Anno Domini MCXII, indict. V. mense octobri die XV, anno vero XII dompni Paschalis II pp. quidam presbyter huius ecclesie nomine Benedictus ducens secum quosdam laicos adiit aecclesiam sancti Stephani quae sita est in loco qui dicitur Aqua transversa, ubi sub altare invenit corpora sanctorum martirum Pontiani, Eusebii, Vincentii et Peregrini, que inde auferens ... In eodem quoque anno idem presbyter invenit corpora sanctorum in via Ardeatina ...* FORCELLA, *Iscrizione delle chiese di Roma,* t. V, n. 342. On songera peut-être à l'identifier avec l'auteur de la Légende des SSᵗᵉˢ Digna et Merita, qui a bien l'air de se dire prêtre du titre de Saint-Marcel, mais qui n'emploie pourtant pas une formule excluant toute autre interprétation. Je ne voudrais pas écarter absolument cette identification. Mais outre que de nouveaux renseignements seraient nécessaires pour lui assurer une réelle probabilité, un ensemble de circonstances donne à l'histoire de la translation des SSᵗᵉˢ Digna et Merita un cachet plus antique. Le récit semble antérieur au XIIᵉ siècle. — (2) *L. c.,* p. 306, nn. 21, 22.

L'INTRODUCTION, où les Actes de Ste Afra ont passé en entier et pour ainsi dire mot à mot, est plus importante à notre point de vue. Pour éviter de longs développements, et faire saisir la relation que l'auteur peut avoir trouvée entre les saintes romaines et la martyre d'Augsbourg, mettons en regard quelques extraits de la Passion de Ste Afra (1) et de l'œuvre de Benoît, d'après le manuscrit du Vatican 6076.

<table>
<tr><td align="center">A</td><td align="center">B</td></tr>
</table>

A	B
[N. 5]. Tunc Afra convocans puellas suas dixit :... Quid vobis videtur ? Respondentes autem Digna et Eumenia et Euprepia dixerunt : Tu nostra domina es, et secutae sumus te ad inquinamenta facinorum.	*Tunc Afra convocans puellas suas dixit :... Quid vobis videtur? Respondentes Digna et Merita dixerunt : Tu soror nostra es, tu caput nostrum es ; quocumque ierit caput, necesse est ut membra sequantur.*
[N. 14.] Et baptizata est Hilaria cum filia sua Afra et cum puellis suis et cum omni cognatione sua.	*Et baptizata est Hilaria cum filia Afra et cum puellis suis atque Digna et Merita duae sorores nobilissimae Romanae* (sic) *cum omni cognatione et affinibus suis.*
[N. 20.] Et haec dicens emisit spiritum. Stabant autem iuxta ripam fluminis Digna et Eumenia et Euprepia, quae fuerunt ancillae eius et simul quae fuerunt in peccato.	*Et haec dicens emisit spiritum. Erant autem ibi duae sorores virgines nobilissimae Romanae Digna et Merita, quae fuerunt collectaneae Afrae.*
[N. 20.] Et tulit corpus eius et posuit secundo miliario a civitate Augusta.	*Et tulit corpus et posuit secundo miliario ab urbe via Cornelia.*
[N. 21.] Sicque factum est ut eodem die quo sepulta est Afra, simul etiam mater eius Hilaria et famulae eius secundum carnem, sed etiam sorores in Christo, Digna et Eumenia et Euprepia SIMUL *martyrii coronam acciperunt* (sic).	*Sic factum est ut in eodem die quo sepulta est Afra, simul etiam mater eius Hilaria, sed et sorores in Christo Digna et Merita, ita nunc* IPSA DIE *ambae martyrii coronam acceperunt.*

Comme on le voit aussitôt, notre auteur a trouvé dans les Actes de Ste Afra la mention de deux de ses compagnes, dont le nom ressem-

_____
(1) *Acta SS.*, Aug. t. II, p. 55; *M.G.*, Scr. rer. merov. t. III, p. 55.

blait tant à celui des martyres romaines, qu'il conclut aussitôt à l'identité. C'était *Digna* et *Eumenia* d'une part, *Digna* et *Merita* ou *Emerita* de l'autre. Les multiples difficultés qu'entraîne pareille identification n'étaient pas faites pour arrêter les hagiographes du moyen âge. Moyennant quelques modifications, qu'il jugeait sans importance, Benoît obtint une histoire passablement circonstanciée des deux martyres, dont auparavant on ne connaissait que le nom, et dut passer aux yeux de ses confrères pour un prodige de science.

On a saisi son procédé. Il change Augsbourg en Rome, et remplace le groupe Digna, Eumenia et Euprepia, les compagnes des désordres de la courtisane Afra, par Digna et Merita, *virgines collectaneae Afrae*. Toutes les scènes, et presque tous les dialogues, qui deviennent d'une invraisemblance extraordinaire dans cette noûvelle hypothèse, ont été conservés. Quant à la sépulture d'Afra, elle a été transportée sur la voie Cornélienne. Comme on savait que Ste Merita ou Emerita avait été enterrée dans le cimetière de Commodille, il n'y avait pas moyen de garder sans modification la fin de la Passion de Ste Afra, où il est raconté que la mère de celle-ci, Hilaria, et ses trois compagnes, Digna, Eumenia et Euprepia furent étouffées par les flammes dans le tombeau même de la martyre. On ne voit pas trop comment Digna et Merita échappent à ce supplice. Mais d'autres tourments leur sont réservés sur la voie d'Ostie. C'est le sujet de la Passion proprement dite.

Il est inutile, pour le but que nous nous proposons, d'entrer dans l'examen de la Passion. Nous avons dit qu'elle est fabuleuse; ce n'est qu'un tissu de lieux communs et de réminiscences, qui ne peuvent rien nous apprendre.

Avec la Translation, il semble au premier abord que nous entrions sur le terrain de l'histoire. Après les échantillons que vient de nous donner l'hagiographe de ses capacités en matière de critique, on conçoit que nous abordions son récit avec quelque méfiance. Nous ne répéterons pas les remarques du P. Suyskens sur les préliminaires de l'histoire de la translation (1). Malgré les erreurs et les difficultés qui s'y trouvent, la partie principale du morceau pourrait garder sa valeur. Voici, d'après le ms. du Vatican, le texte du passage important :
Factum est autem dum requireret corpora sanctarum virginum et martyrum Dignae et Meritae in cymiterio Commodillae via Ostiensi ad sanctos Felicem et Adauctum, invenit ea; et dum deferrentur Romae cum maxima veneratione et honore adducens cum hymnis et laudibus, cereis atque lampadibus, venientibus ante fores ecclesiae, quod est in porticu tituli

___

(1) *Acta SS.*, Sept. t. VI, p. 303.

sancti Marcelli (1) *martyris atque pontificis, ibi se defixerunt et ex illo loco penitus movere non potuerunt. Mirabilis quippe Deus, ut ait propheta, mirabilis in sanctis suis ; ecce et hic operatus est Deus aliud novum miraculum, quia de sancta Lucia dicitur : dum vellent eam tradere ad lupanar, tanto pondere eam fixit Spiritus sanctus, ut virgo Domini immobilis permaneret ; sed istud dissimile, quia hoc ad honorem. Tunc in ipso loco praedictus papa construens altare et recondens in eo corpora sanctarum Dignae et Meritae ; missaque celebrata, unusquisque cum gaudio ad propria rediit.*

Ce qui ressort avec évidence de ce texte, c'est qu'au temps de l'auteur on voyait dans le portique de Saint-Marcel un sarcophage, que l'on croyait être celui des SS^{tes} Digna et Merita. Vers la fin du Xe siècle, un témoignage indépendant vient confirmer ce fait et préciser le texte un peu obscur de Benoît. Thierry de Metz reçut du pape Jean XIII (965-972), des reliques de ces martyres : *Sed Romae nobis tunc constitutis munere domni papae Iohannis pignora sanctarum Dignae et Emeritae, quarum corpora in porticu aecclesiae beati Marcelli martyris sunt recondita, quae est ante sanctos apostolos* (2).

Comment étaient-elles arrivées là ? Notre auteur s'est chargé de nous l'apprendre ; mais son récit paraît fort sujet à caution.

Le pape Paul I a transporté à l'intérieur des murs un grand nombre de corps saints extraits des catacombes, cela est certain (3). Mais ce n'est pas uniquement dans le but de rapprocher des fidèles les reliques des martyrs qu'il se décidait à ouvrir leurs tombeaux, et ce n'est pas sur tous les cimetières suburbains que se portait son attention. C'était sur ceux qu'il voyait menacés d'une ruine prochaine. Or, il ne semble pas que tel fût le cas du cimetière de Commodille. Il continua d'être visité, et puisque le pape Léon III (795-816) restaura le sanctuaire des deux martyrs principaux, il est à peu près certain que leurs corps y reposaient encore. Il est bien vrai qu'on signale des travaux exécutés dans quelques cimetières célèbres, même après les translations (4). Mais rien ne permet de généraliser ce fait, et de l'étendre à des hypogées d'importance secondaire. L'histoire des catacombes et les raisons mêmes qui rendirent les translations nécessaires,

---

(1) Quelques lignes plus bas nous citons un texte parallèle, qui précise le sens de cette phrase obscure. — (2) *MG.*, Scr. t. IV, p. 475. Ce texte a une grande importance pour la topographie de Rome au moyen âge. Nulle part ailleurs, abstraction faite de la Passion qui nous occupe, il n'est parlé du portique de Saint-Marcel. Sur l'orientation primitive de la basilique des Saints-Apôtres, voir De Rossi, *Inscr. christ.*, t. II, p. 353 ; V. Lanciani, *L'Itinerario di Einsiedeln* (Roma, 1891), p. 41-42. — (3) *Liber pontif.*, Duchesne, t. I, p. 464. — (4) De Rossi, *Roma sott.*, t. I, p. 221-22 ; t. II, p. 127.

montrent trop clairement qu'après le transfert des corps saints, elles
ont été généralement délaissées.

Or, les peintures découvertes par Boldetti semblent indiquer que
Ste Emerita reposait dans la même crypte que les SS. Félix et Adauctus.
Il est donc fort probable que Paul I ne toucha pas à sa sépulture, pas
plus qu'à celle des deux autres martyrs ; on voudrait au moins avoir un
témoin plus autorisé du fait, avant de l'admettre.

Il est fort invraisemblable, également, que le pape ait déposé les
reliques dans le portique de Saint-Marcel, et non dans l'église même.
Benoît s'en est aperçu, et il a jugé nécessaire d'expliquer l'anomalie (1).
Ici encore, il s'est tiré maladroitement d'affaire, en ayant recours au
lieu commun dont les hagiographes aux abois ont cent fois usé : les
corps se sont arrêtés miraculeusement à cette place, et il n'y a pas eu
moyen de les porter plus loin.

Mais le grand argument qui nous porte à révoquer en doute le fait
de la translation, par Paul I, des SS[tes] Digna et Merita, c'est que, selon
toute apparence, ce groupe de martyres n'a jamais existé. Nous disons
ce groupe. Car la réalité de Ste Merita, ou plus exactement *Emerita,* est
incontestable.

Nous ne voulons tirer aucun argument du silence des martyrologes,
qui d'ailleurs prouverait également contre l'existence de Ste Emerita.
Mais de sa prétendue compagne Digna, il n'est question dans aucun
document antérieur à l'inepte compilation de Benoît.

L'itinéraire d'Einsiedeln ne connaît que Ste Emerita : *Inde ad
S. Felicem et Adauctum et Emeritam.* Boldetti, sur les fresques de la
chapelle souterraine, ne vit représentée qu'une seule sainte, avec
l'inscription SCA MERITA. Disons en passant que Boldetti, influencé
par le texte des Actes, a peut-être déchiffré son inscription un peu
rapidement, et qu'en y revenant il aurait probablement lu la vraie
forme du nom SCA EMERITA. Voici enfin une inscription qui établit
l'antiquité du culte de cette sainte, sans mentionner, bien entendu, sa
compagne Digna. Elle est datée de l'année 426, et a été trouvée au
monastère de Saint-Paul, où elle avait été transportée du cimetière
voisin de Commodille (2). Nous corrigeons quelques leçons évidemment
fautives.

(1) Remarquez qu'il s'agit de corps de martyrs transportés solennellement de
leur sépulture primitive, où l'on ne pouvait plus continuer à leur rendre le culte
auquel ils avaient droit, au milieu de la cité. Bien des personnages illustres ont été
enterrés dans des portiques d'églises, et il suffit de nommer le *porticus pontificum,*
à la basilique de Saint-Pierre, où l'on voyait une série de sarcophages pontificaux
commençant par celui de Léon I. Duchesne, *Liber pontif.,* t. I, p. clv. Il est à peu près
certain qu'il y avait dans le portique de Saint-Marcel des sarcophages. Mais on ne
peut admettre qu'au VIIIe siècle on ait déposé des martyrs au milieu des tombes
des simples fidèles. — (2) De Rossi, *Inscriptiones christianae,* t. I, n. 653.

CONSTAT NOS . EMIS
SE IANVARIVM . ET . BRI
TIAM LOCVM ANTE DO
MNA*m* EMERITA*m* A FOSSO
RIBVS B·'RDONE ET MICI
NVM ET MVSCO RATIONE AVRI SOLI
DVM V̇N*um et* SEMES*sem* CONS. D. D. N. N. THAE
ODOSIO ET VALENTINIANO . Π̄

Irons-nous jusqu'à conclure que Ste Digna est éclose de toutes pièces du cerveau de Benoit? Ce serait faire trop d'honneur à ses facultés d'invention. C'est ailleurs qu'il faut trouver l'origine du groupe Digna et Merita.

Dans les textes épigraphiques, dans les épitaphes surtout, le BENEMERENTI ordinaire fait place, assez fréquemment, à une formule composée où les qualificatifs *dignus* et *meritus* se réunissent de diverses manières. Des rencontres comme celle-ci VT DIGNAM MERITIS, dans l'inscription de S. Quirinus [1], peuvent sembler fortuites et ne nous apporteraient aucune lumière. Voici quelques exemples qui méritent davantage notre attention.

L'épitaphe suivante [2] combine les deux formules :

DIGNAE   BENEMERENTI
COMPARI MERCVRIAE QVAE
VIXIT ANNIS P . M . XL . SINE
ALIQVA QVERELA DEP . XVII.
KAL . NOV . HEROS FECIT SIBI
ET COMPARI SVAE A ☧ Ω.

En voici une où le *benemerenti* a fait place à *digno et merenti*. Elle a été trouvée sur la voie Salaria. J.-B. de Rossi la juge du IVe siècle [3].

TITVLVM SCRIPSI FRATRI M
EO EVENTIANO Q VIXIT ANIS . L..
D   DIGNO EI MERENTI EEO IP
SO . DIE . IDIBVS . SEP . IN PACE

Dans les trois épitaphes païennes qui suivent, le *benemerenti* est d'abord accompagné, puis entièrement supplanté par *digno et merito*.

---

(1) Ihm, *Damasi epigrammata*, n. 76^a. — (2) Aringhi, *Roma subterranea novissima* (Romae 1651), t. I, p. 591. — (3) De Rossi, *Bull. di arch. crist.*, 1873, p. 56.

La première a été publiée par Boldetti (1). Nous n'en transcrivons que la partie essentielle.

```
    L  .  S T A T I V S  .  O N E S I M V S
. . . . . . . . . . . . . . . . . . . . . . . . . . . . . . . .
STATIA . CRESCENTINA . COIVX
MARITO . DIGNISSIMO . ET . MERITO
CVM . QVO .VIXIT. CVM . BONA .CONCORDIA
SINE . ALTERITRVM . ANIMI . LESIONEM
    B E N E M E R E N T I   .   F E C I T.
```

La suivante se trouve dans Fabretti (2).

```
L . CORNELI . L . L . GISIAE
MAG . VICI . VIRIDIARI
M O N V M E N T V M
CORNELIA . L . L . CALETICHE
PATRONIS . SVIS . FECIT
DIGNIS . ET . MERITIS
PRO  EORVM  . PIETATI
ET . SIBI . ET . SVIS
```

D'une inscription métrique, également païenne, nous citerons les deux premiers vers (3).

```
        D. M.
SVETRIVS . HERMES . HIC . SITVS
EST . CVI . TERTIA . CONIVNX
ARAM . CONSTITVIT . DIGNO
MERITOQVE . MARITO
```

Enfin, voici deux inscriptions chrétiennes remarquables à plus d'un titre. La première, l'épitaphe d'Artemidorus, enseveli le VIII des kalendes d'août, est au musée du Latran, compartiment XVII, 36. Elle est indiquée comme provenant *suburbano loco incerto*.

```
           DIGNO  ET  MERITO
           PATRI  ARTEMIDORO
DP . VIII  CVIVS  HAEC  DOMVS        KALAG
           AETERNA  VIDETVR
           BENEMERENTI IN PACE
```

(1) BOLDETTI, *Osservazioni*, p. 455. — (2) FABRETTI, *Inscriptiones antiquae* (Romae, 1708), p. 5, n. 26. — (3) *C.I.L.*, t. VI, n. 26926.

À propos d'autres inscriptions, J.-B. de Rossi a fait observer que la DOMVS AETERNA n'est pas absolument étrangère à l'épigraphie chrétienne (1). Mais cette question est accessoire ici.

La dernière inscription, également au musée du Latran, compartiment XI, 31, a été publiée et commentée par Settele. Elle est gravée sur un petit monument en stuc, fort intéressant, dont Settele a donné un dessin gravé au trait, en grandeur naturelle (2). Sur les phototypies du musée épigraphique du Latran publiées par de Rossi (3), on en distingue bien la physionomie générale, mais l'échelle est trop réduite pour permettre de lire l'inscription. Nous renvoyons le lecteur à ces reproductions, et il suffira de faire remarquer que les deux parties du texte sont gravées sur deux cartouches séparés par une colonnette soutenant un disque dans lequel se trouve inscrite une croix grecque.

ADEODATE	ET QVIESCIT
DIGNAE ET	HIC IN PACE
MERITAE	IVBENTE
VIRGINI	X̄P̄O̅ EIVS.

Cette inscription fut découverte au cimetière de Cyriaque. Disons en passant que, à côté du loculus, on trouva dans la muraille un de ces vases appelés « vases de sang », considérés à cette époque comme une marque certaine du martyre. Settele fut donc amené à regarder Adeodata comme une sainte, dont personne auparavant n'avait soupçonné l'existence, la première martyre de ce nom, et à dater l'épitaphe du IVe siècle. Il ressort pourtant de l'ensemble des ornements, et en particulier de la croix grecque, que ce travail ne peut remonter plus haut que le Ve ou même le VIe siècle.

Les inscriptions que nous venons de citer, et dont on trouvera peut-être d'autres exemples, prouvent, qu'à une époque difficile à déterminer, la formule DIGNO ET MERITO, DIGNAE ET MERITAE, quoique infiniment moins fréquente que l'épithète *benemerenti*, apparaît assez souvent sur les épitaphes ; qu'elle y occupe différentes places, tantôt après le nom du défunt, tantôt en tête de l'inscription.

Rapprochons de ce fait cette circonstance que le prêtre Benoît est le premier à nous parler de deux saintes DIGNA ET MERITA, dont la réunion est plus extraordinaire qu'il ne paraît à première vue. Digna

---

(1) *Bull. di arch. crist.*, 1880, p. 58. — (2) SETTELE, *Illustrazione di un antico monumento cristiano trovato nel cimiterio di Ciriaca*, dans ATTI DELLA PONTIFICIA ACCADEMIA ROMANA DI ARCHEOLOGIA, t. IV (1831), p. 22-48. La même inscription a été donnée sans commentaires par ANNONI, dans l'*Amico cattolico*, Milano, 1854, t. II, p. 61. — (3) *Il museo epigraphico Pio-Lateranese* dans le TRIPLICE OMAGGIO ALLA SANTITÀ DI PAPA PIO IX. Roma, 1877.

est un nom fort rare (1); Merita l'est davantage encore, car on n'en signale aucun exemple en dehors du cas qui nous occupe (2). Au contraire, Emerita se rencontre assez souvent (3). Comment l'auteur de la légende a-t-il été amené à changer le nom de la sainte vénérée sur la voie d'Ostie, et que les documents non suspects appellent Emerita; pourquoi l'a-t-il associée à Digna, sinon parce que l'inscription du sarcophage renfermant les deux corps, portait en évidence la formule DIGNAE ET MERITAE? Serait-il téméraire de supposer qu'au moyen âge, alors que cette formule, relativement rare, devait être moins bien comprise que le *benemerenti* et d'autres expressions plus usuelles, on s'y soit laissé tromper, au moins une fois; et ne résout-on pas toutes les difficultés que soulève le récit de Benoît par cette hypothèse si simple? Le fait de deux qualificatifs pris pour deux noms propres ne serait pas plus extraordinaire que celui du LXXXIIIe miliaire de la voie Salaria, transformé en un groupe de quatre vingttrois soldats martyrs (4), et que la création de cet autre groupe de saints Eusebius, Titulus et Conditor sorti de l'annonce martyrologique *Eusebii tituli conditoris* (5). Il serait superflu de multiplier les exemples.

Il est donc probable que dans le portique de Saint-Marcel in via Lata se trouvait un sarcophage avec une inscription, dont les mots DIGNAE ET MERITAE VIRG. formaient la partie saillante. La lecture des Actes de Ste Afra, où se rencontre la similitude de noms que nous avons signalée, a fait croire que deux des compagnes de la sainte reposaient là. Le prêtre Benoît, chargé d'expliquer comment elles y étaient venues, fit des recherches dans les chroniques, comme il dit, et il lui suffit du nom de Merita — ou Emerita, la différence est si légère — pour rattacher les deux saintes, supposées les compagnes de Ste Afra, au cimetière de Commodille.

Il est naturel qu'il songeât à Paul I pour lui attribuer la translation des reliques. A peu de distance du titre de Saint-Marcel, sur les murs de l'église de Saint-Silvestre, il avait lu comme tout le monde, la liste des *natalicia* des saints transportés là par le pape Paul; il savait du reste par le *Liber pontificalis*, une des chroniques qu'il a consultées, ce que ce pape avait fait pour les saints des catacombes. Comme l'idée pouvait venir de demander pourquoi les deux martyres n'avaient pas

---

(1) Voir De Vit, *Onomasticon*, s. v.; De Rossi, *Bull. di arch. crist.*, 1886, p. 26-27. — (2) On connaît un Licinius Meritus, *C. I. L.*, t. VIII, n. 3851, mais aucune Merita. — (3) *C. I. L.*, t. III, n. 4873, 5543, t. VIII, n. 4440; Cypriani epist. 21, n. 11; 22, n. 3, ed. Hartel, p. 532, 535. — (4) *Anal. Boll.*, t. XIII, p. 164; *Acta SS.* ad diem 14 febr., t. II, p. 663; Iul. t. V, p. 535; De Rossi, *Roma sott.*, t. I, pp. 125, 240; t. II, p. xxix; *Bull. di arch. crist.*, 1871, p. 101-102. — (5) *Acta SS.*, Apr. t. II; p. 211; Aug. t. III, p. 149; De Rossi, *Roma sott.*, t. II, p. 111.

été transférées avec tant d'autres dans l'église voisine de Saint-Silvestre et pourquoi on les avait laissées dans un portique, notre auteur répond d'avance à l'objection en attribuant cette anomalie à un miracle.

Nous avons dit plus haut que ce récit ne peut être antérieur au second quart du IXe siècle ; il faut probablement descendre à peu près un demi-siècle plus bas pour fixer sa véritable date. Le cimetière de Commodille a été l'un de ceux qu'on a visités le plus longtemps, on s'en souvient, et l'on peut expliquer par là la longue persistance de son appellation officielle. Il a été vraisemblablement dépouillé de ses reliques par Léon IV (847-855), le dernier pape sous lequel se soient faites les grandes translations (1). Nous lisons, en outre, que l'impératrice Ermengarde reçut de Léon IV les reliques des SS. Félix et Adauctus, et les plaça dans son monastère d'Erstein en Alsace (2). Il est croyable que le corps de Ste Emerita fut amené à Rome d'abord, et puis ailleurs, peut-être, à la même occasion. Comme, du reste, son culte était bien moins illustre que celui des martyrs Félix et Adauctus, et de tant d'autres qui à cette époque furent mis en sûreté à l'intérieur des murs, elle put rester confondue dans la multitude de ceux *quorum nomina sunt Deo cognita* (3). Ce n'est donc pas avant Léon IV qu'eut lieu l'invention des SS^{tes} Digna et Merita ; c'est même probablement un grand nombre d'années après, lorsque le souvenir des translations des saints de la voie d'Ostie était bien effacé. Au commencement du Xe siècle, Benoît pouvait imaginer et raconter la cérémonie de Paul I ; beaucoup plus tôt, c'eût été difficile.

Nous ne trouvons, d'ailleurs, aucune trace certaine du culte des SS^{tes} Digna et Merita avant la fin du Xe siècle. C'est alors que Thierry de Metz emporte de leurs reliques dans son pays (4). C'est sans doute au Xe siècle aussi que fut bâtie sur la voie Prénestine, à dix milles de Rome, une chapelle en leur honneur. En 1074, dans le registre de Grégoire VII, il est parlé du *rivus Ose, per eundem rivum usque ad pontem SS. Dignae et Meritae* (5), ce qui est expliqué par les mots suivants d'une bulle d'Honorius III, de l'année 1216 : *Apud Osam casale iuxta sanctam Dignam et Meritam* (6).

L'évêque Thierry de Metz paraît n'avoir pas rapporté de Rome, en même temps que les reliques des deux saintes, leur Passion écrite par le prêtre Benoît. Au moyen âge, on ne pouvait se résoudre à ignorer l'histoire des saints dont on vénérait les restes ; l'usage liturgique

---

(1) *Liber pontif.*, DUCHESNE, t. II, pp. 115, 116. Cf. DE ROSSI, *Roma sotterranea*, t. I, p. 221. — (2) Voir *Acta SS.*, Aug. t. VI, p. 548 ; DÜMMLER, *Poetae latini aevi carolini*, t. II, p. 239, n. 89, et la note p. 240. — (3) *Lib. pontif.*, l. c., p. 116. — (4) Plus haut, p. 35. — (5) JAFFÉ, *Regesta pont. rom.*, 5200. — (6) PRESSUTI, *Regesta Honorii III*, t. I, p. LVIII.

demandait d'ailleurs que l'on eût au moins la matière suffisante pour
les leçons de l'office. Les clercs de Metz firent donc ce qu'avait fait le
clergé de Saint-Marcel in Via Lata. On consulta « les Chroniques » et
on y trouva de quoi composer la *Passio sanctarum Dignae et Emeritae,*
entièrement différente de la Passion romaine, et dont voici les premiers
mots : *Factum est autem ut illustris vir Aurelianus ad petitionem
sacratae virginis Emeritae.* Notre bibliothèque en possède une copie
« ex manuscripto S. Maximini Treveris, collatum cum manuscripto
Metensi ». Nos prédécesseurs n'ont pas voulu la publier, et l'on comprend leur répugnance ; car cette Passion surpasse de beaucoup en
décousu et en invraisemblance celle du prêtre Benoît. Je n'y relèverai
qu'un détail. C'est que le second nom est toujours écrit Emerita, comme
d'ailleurs aussi dans la Vie de l'évêque Thierry. C'est le nom qu'on lui
indiqua en lui remettant, de la part du pape, les reliques des deux
vierges. Comme l'identification entre Merita et Emerita, martyre de la
catacombe de Commodille, était établie depuis longtemps, ce fait n'a pas
de quoi étonner. Mais dans les documents romains, on continua
d'écrire Digna et Merita.

Nos prédécesseurs ont eu à s'occuper d'une sainte de Brescia, qui
doit être quelque peu apparentée aux deux saintes célébrées par le
prêtre Benoît. Elle porte le nom de Digna-Merita, et on la vénère dans
l'église de Sainte-Afra (1). Comme mon but n'est pas d'éclaircir en ce
moment le martyrologe de Brescia, je me contente de signaler ces
étranges coïncidences (2).

Résumons, en peu de mots, les résultats de l'étude qui précède.
Les saints honorés dans le cimetière de Commodille sont au nombre
de trois : Félix, Adauctus, Emerita.

(1) *Acta SS.,* Iun. t. III, p. 284. Voir aussi BRUNATI, *Santi Bresciani,* 2ª ed., t. I,
p. 241. — (2) Une autre coïncidence mérite d'être également remarquée. M. KRUSCH,
dans le *Neues Archiv,* t. XIX (1894), p. 13-14, et *M.G.,* Scr. rer. merov. t. III, p. 50-52, a
fait observer que la plus ancienne classe des manuscrits de la Passion de Sᵗᵉ Afra
se termine par un appendice où il est question de martyrs de la voie d'Ostie. On
croira peut-être que ce fait est en relation avec l'histoire des SSᵗᵉˢ Digna et Merita,
d'autant plus que la *via lata* est nommée dans le passage : *Eodem die passi sunt
non longe ab urbe Roma Cyriacus, Largus, Smaracdus, Memmia, Iuliane et multi
alii pro nomine Christi decollati sunt, alii Albano, alii in septimo via Ostensi, qui
prius variis examinati tormentis a Pertinace praefecto Urbis. Qui eodem die, quo
eis sententiam dedit, cecidit de carruca in media platea vias Latae et illic exspiravit…*
La coïncidence est curieuse, mais il ne faut pas y chercher autre chose. Nous
n'avons ici qu'une note dont la provenance et la portée sont clairement indiquées.
Ces saints de la voie d'Ostie n'ont rien de commun avec Afra et ses compagnes,
sauf la date du martyre.

Les Actes des SS. Félix et Adauctus dérivent de l'inscription composée par le pape Damase en leur honneur. S. Félix, confesseur, frère du premier de ces martyrs, n'est nullement attesté par l'inscription, que l'hagiographe a mal interprétée. Il ne faut admettre, à la date du 14 janvier, qu'un seul S. Félix, celui de Nole, auquel revient le titre de *Felix in Pincis*, à cause de l'église qu'il avait à Rome sur le Pincio.

Le nom de S. Félix au 30 août, est le centre autour duquel gravitent plusieurs cycles de Légendes de l'Italie méridionale, dans lesquels sont entraînés un bon nombre de saints, qui n'ont d'autre lien commun que le voisinage de la date ou la ressemblance du nom. S. Adauctus s'y trouve attiré par son compagnon.

Ste Emerita seule reposait sur la voie d'Ostie. Une compagne du nom de Digna lui a été adjointe, probablement sur la foi d'une inscription mal comprise, et grâce à une confusion de noms suggérée par les Actes de Ste Afra.

Il est probable que les trois corps saints restèrent au cimetière de Commodille jusqu'au pontificat de Léon IV.

NARRATIO SERGIAE

DE TRANSLATIONE

SANCTAE OLYMPIADIS

Vide *Anal. Boll.*, t. XV, p. 400-423.

Διήγησις τῆς ὁσίας καὶ θεοφιλεστάτης ἡγουμένης Σεργίας εἰς τὴν ὁσίαν Ὀλυμπιάδα. Εὐλόγησον, πάτερ.

Sergiae proloquium.

1. Μικρομερῶς ἐν γνώσει γενομένων ἡμῶν, τὰ περὶ τῆς ἐνθέου καὶ ἐναρέτου ἀσκήσεώς τε καὶ πολιτείας τῆς ὁσίας καὶ ἁγίας Ὀλυμπιάδος διὰ τῶν προαναφερομένων βέβαια εἶναι, λοιπὸν βούλομαι κἀγὼ ἡ ἁμαρτωλὸς 5 Σεργία, ἡ κατὰ συγχώρησιν Θεοῦ τὴν διοίκησιν ἤγουν τὴν ἡγουμενίαν ἐμπεπιστευμένη τῆς κατ' αὐτὴν εὐαγοῦς μονῆς, ὀλίγα τινὰ ἐξ ὧν παρέλαβον ἐκ τῶν προαναπαυσαμένων ὁσίων μητέρων μου καὶ διδασκάλων παραδοῦναι ταῖς μετ' ἐμὲ διαδεχομέναις τὴν διοίκησιν τοῦ μοναστηρίου. Συνεῖδον οὖν, ὥστε καὶ τοῦτο ἐνθεῖναι τῇ παρούσῃ βίβλῳ πρὸς 10 ἀσφάλειαν καὶ ὠφέλειαν τῶν ψυχῶν ἡμῶν καὶ πρὸς τὸ γινώσκειν πάντας καὶ πάσας τὴν γενομένην ἐξ ἁμαρτιῶν μετάστασιν καὶ πάλιν διὰ τῆς τοῦ Θεοῦ χάριτος ἀποκατάστασιν ἐν τῇ παρούσῃ μονῇ.

Monasterii Olympiadis incendium.

2. Ἔστω οὖν πᾶσι κατάδηλον, ὡς ὅτιπερ ἡ σύστασις καὶ ἡ κτισθεῖσα μονὴ ὑπὸ τῆς ὁσίας καὶ ἀξιομνημονεύτου Ὀλυμπιάδος, ἔτι δὲ καὶ ὁ 15 κανὼν αὐτῆς ἐκεῖνος ὁ ἔνθεος καὶ ἄπαυστος καὶ ἐνάρετος μέχρι τοῦ Νίκα τοῦ γενομένου ἐπὶ τῆς βασιλείας τοῦ ἐν ἁγίοις Ἰουστινιανοῦ (1) ἐκράτει ἀπαραλείπτως. Γενομένης δὲ ἐξ ἁμαρτιῶν τῆς πυρκαϊᾶς ὡς εἴρηται ἐπὶ τοῦ Νίκα καὶ καυθείσης τῆς μεγάλης ἐκκλησίας, τότε καὶ ἡ εἰρημένη μονὴ τῆς ἁγίας καὶ ὁσίας Ὀλυμπιάδος ὡς προσπαρακειμένη 20

---

(1) Seditio, cui nomen factum est τοῦ Νίκα, orta est mense ianuario an. 532. Procop., *De bello persico*, I, 24.

σὺν αὐτῇ ἑκάη· καὶ ἀπῆλθον πάντα μετὰ πάντων (1) ἐν αὐτῇ τῇ πυρκαϊᾷ·
καὶ λοιπὸν ἐκ τῆς ἀνάγκης ἐκείνης καὶ τῆς σφοδρᾶς περιστάσεως πᾶσαι
αἱ κατοικοῦσαι ψυχαὶ ἐν τῇ εἰρημένῃ αὐτῆς μονῇ γυμναὶ ἐξέφυγον· καὶ
ἀπῆλθον εἰς τὸν ἅγιον Μηνᾶν κἀκεῖ ᾤκησαν ἐπὶ ἱκαστῇ χρόνον, διὰ τὸ
5 πλησιάζειν τῷ ἁγίῳ Μηνᾷ τὴν οἰκίαν τὴν ἐπιλεγομένην τῶν Μαγγάνων (2) καὶ τὸ μαγκιπεῖον (3) αὐτῆς, καὶ ἐκ τούτου ἔχειν αὐτὰς [1] μικρὰν
παραμυθίαν τῆς χρείας, ὡς καὶ ἀνήκουσαν μέχρι τοῦ παρόντος τὴν αὐτὴν
οἰκίαν τῇ πολλάκις μνημονευθείσῃ μονῇ τῆς ὁσίας Ὀλυμπιάδος. Μετὰ
δὲ τὴν πυρκαϊὰν ἐκείνην λοιπὸν ἐκτίσθη ἡ ἁγία καὶ πάνσεμνος μεγάλη
10 ἐκκλησία ὑπὸ τοῦ ἐν ἁγίοις Ἰουστινιανοῦ. Ὁμοίως δὲ καὶ ἡ νυνὶ περιοῦσα
μονὴ τῆς ἁγίας καὶ ὁσίας Ὀλυμπιάδος, ἥτις μονὴ καὶ μέχρι τοῦ παρόντος, ὡς πάντες ἐπίστασθε, τὰ Ὀλυμπιάδος ὀνομάζεται κατὰ τὸ αὐτῆς
ἅγιον ὄνομα ὡς δῆθεν ἄνωθεν καὶ ἐξ ἀρχῆς αὐτὴν τὴν ἁγίαν Ὀλυμπιάδα
γενέσθαι ἀρχηγὸν καὶ σύστασιν καὶ σωτηρίαν τοῦ εἰρημένου αὐτῆς μονα-
15 στηρίου καὶ τῶν ἐν αὐτῇ ψυχῶν (4). Ἀλλὰ καὶ μέχρι τοῦ παρόντος οὐ
παύεται φοβερῶς διὰ τῶν θαυμασίων αὐτῆς ὀπτασιῶν ἐπισκεπτομένη καὶ
φροντίζουσα καὶ σκέπουσα καὶ προϊσταμένη ἐν ἅπασι τοῦ ἰδίου αὐτῆς
μοναστηρίου καὶ τῶν ἐν αὐτῷ ὡς εἴρηται οὐσῶν ψυχῶν, ὡς καὶ ἐν τοῖς
ἑξῆς παραδηλοῦται διὰ τῆς αὐτολέκτου αὐτῆς ὀπτασίας εἰρηκούσης [2]
20 ὅτι· Μεθ' ὑμῶν εἰμι πάσας τὰς ἡμέρας τῆς ζωῆς ὑμῶν.

3. Λοιπὸν μετὰ τὸ κτισθῆναι τὸ εἰρημένον μοναστήριον ὑπὸ τοῦ ἐν
ἁγίοις Ἰουστινιανοῦ πάλιν ἀπεκατέστησε πάσας τὰς ψυχὰς ἐκείνας ἀπὸ
τοῦ ἁγίου Μηνᾶ εἰς τὸ ἴδιον μοναστήριον, δωρησάμενος τῷ αὐτῷ μοναστηρίῳ καὶ τρεῖς οὐγγίας ὕδατος ἡμερησίας καὶ ἄρτους πολιτικοὺς (5) καὶ
25 κειμήλια· πάντα γὰρ μετὰ πάντων τὰ πρῶτα ὡς εἴρηται ἡ πυρκαϊὰ
ἀνάλωσεν. Ἐποίησε δὲ τὰ ἐγκαίνια τῆς μεγάλης ἐκκλησίας ὁ ἐν ἁγίοις

Matth. 28, 20.

restauratio et
dotatio.

2. — [1] αὐτά cod. — [2] εἰρηκούσης *ita corr. recens, prius* εἰρηκυίας.

(1) Intellege « et omnia simul pessum abiere ». — (2) Haec de situ S. Menae perspicua sunt. De loco τῶν Μαγγάνων vid. Du Cange, *Constantinop. christ.*, ed. Paris., I, p. 133. — (3) Μαγκιπεῖον, pistrinum. Du Cange, *op. cit.*, I, p. 158. — (4) I. Pinius noster in dissertatione *De ecclesiae diaconissis*, Act. SS., Sept. t. I, p. xvii, in coniecturam propendit quam protulit Du Cange, nempe, aedes sacras, *diaconissas* nuncupatas (*Anal. Boll.*, t. XIV, p. 428), illas ipsas esse, quas Olympias regnante Theodosio exstruxerit, quasque postea Iustinianus restituerit. De Anonymo Bandurii (n. 49), qui eas censet sortitas esse suum nomen ex eo quod Cyriacus patriarcha, tunc diaconus, ibi habitaret, et soror eius diaconissa esset, sententiam suam non protulit. — (5) De his quoque mentio fit in *Vita* c. vii.

Ἰουστινιανὸς τῇ παραμονῇ (1) τῆς ἁγίας καὶ πανενδόξου γέννης τοῦ Κυρίου ἡμῶν καὶ σωτῆρος Ἰησοῦ Χριστοῦ · καὶ τῇ ἐπαύριον, τοῦτ' ἔστιν ἐν αὐτῇ τῇ πανσέπτῳ ἑορτῇ τῆς ἁγίας Χριστοῦ γέννης, ἐποίησε τὰ ἐγκαίνια τοῦ μοναστηρίου τῆς ὁσίας καὶ δικαίας Ὀλυμπιάδος (2), τὸ μέχρι τοῦ παρόντος περιόν, ὡ⟨ς⟩¹ εἴρηται, δωρησάμενος αὐτῷ καὶ τὰς ἡμερησίας τρεῖς 5 οὐγγίας ὕδατος καὶ τὰ λοιπά.

<table><tr><td>Monasterio
Sancti
Thomae
destructo,</td><td>

4. Μετὰ δὲ χρόνους τινὰς κατὰ συγχώρησιν Θεοῦ διαδεξαμένης τὴν ἡγουμενίαν ἐμοῦ τῆς ἁμαρτωλοῦ καὶ ἀναξίας Σεργίας τοῦ αὐτοῦ μοναστηρίου, καὶ γεναμένης τῆς ἐπιδρομῆς τῶν ἀθέων Περσῶν (3), ἑκάη τὸ μοναστήριον τοῦ ἁγίου Θωμᾶ τὸ πέραν ἐν Βρόχθοις, ἔνθα καὶ κατέκειτο ὡς 10 προδεδήλωται τὸ τίμιον καὶ σεβάσμιον λείψανον τῆς ὁσίας Ὀλυμπιάδος (4), ὥστε καὶ αὐτὸ τὸ γλωσσόκομον καὶ τὰ ἅγια αὐτῆς λείψανα εἰς ὕδατα περιφέρεσθαι. Ἁρμόδιον δὲ ἡγησάμην πρὸς ὠφέλ⟨ειαν⟩¹ καὶ διέγερσιν πολλῶν ψυχῶν, ἐξαιρέτως τῶν τῷ Θεῷ ἀνακειμένων, καὶ τοῦτο κατάδηλον ποιῆσαι τῇ παρούσῃ βίβλῳ. 15

</td></tr><tr><td>reliquiae
colliguntur.</td><td>

5. Μαθοῦσα ἐγὼ ἡ ἁμαρτωλὸς καὶ ἀναξία Σεργία, ὡς ὅτιπερ ἐξ ἁμαρτιῶν ἑκάη τὸ εἰρημένον μοναστήριον τοῦ ἁγίου Θωμᾶ, ἐν πολλῇ ἀθυμίᾳ γενομένη μετὰ πολλῆς σπουδῆς περάσασα συνῆξα τὰ ἅγια αὐτῆς λείψανα, ἐκ τῶν ὑδάτων πεπληρωμένα (5), τὰ δὲ ὕδατα, ἔνθα περιέπλεον, πληροφορήθητε (6). αἱμάτων ἦσαν πεπληρωμένα, ὥστε καὶ καταπλαγῆναί 20 με καὶ δοξάσαι τὸν φιλάνθρωπον Θεὸν τὸν παρέχοντα χάριν τοῖς ἁγίοις αὐτοῦ καὶ θαυματουργοῦντα δι' αὐτῶν ἐν ζωῇ καὶ μετὰ τὴν κοίμησιν

</td></tr><tr><td>I Reg. 2, 30.</td><td>

αὐτῶν, τὸν καὶ δοξάζοντα τοὺς δοξάζοντας αὐτόν, ὡς ἡ θεία γραφὴ λέγει, ὥστε καὶ ἐν ταύτῃ τῇ ἁγίᾳ καὶ μακαρίᾳ πληρωθῆναι τὸν τριακοστὸν τρίτον ψαλμὸν τὸν λέγοντα διὰ τοῦ ἁγίου καὶ προφήτου καὶ ὑμνῳδοῦ 25

</td></tr><tr><td>Ps. 33, 21.</td><td>

Δαβὶδ ὅτι · Φυλάσσει Κύριος πάντα τὰ ὀστᾶ αὐτῶν · ἐν ἐξ αὐτῶν οὐ συντριβήσεται. Λαβοῦσα οὖν ἐγὼ ὡς εἴρηται ἡ ἁμαρτωλὸς Σεργία καὶ περισυλλέξασα πάντα μετὰ φόβου καὶ πολλῆς ἀσφαλείας, ἅμα δὲ καὶ χαρᾷ ἀμέτρῳ συνεχομένη, ἤγαγον αὐτὰ εἰς τὸ δουλικὸν αὐτῆς μοναστήριον. 30

</td></tr></table>

3. — ¹ *margine abrasa, litteras nonnullas supplevimus.*

(1) Παραμονή, vigilia, voce Latinis usitata. — (2) Dedicatio S. Sophiae, et, ut ex praesenti loco patet, monasterii Olympiadis, anno 537 celebrata est. — (3) De Persarum incursionibus, qui regnante Heraclio Chalcedonem oppugnarunt, Georgius Pisida, *De exped: Pers.*, Theophanis *Chronogr.*, DE BOOR, pp. 316, 324. — (4) Supra, *Vitae* c. xi. — (5) Forte madida ex aquis igni extinguendo effusis. — (6) Πληροφορήθητε intellege « mihi credite ».

6. Τοσοῦτον δὲ ηὐδόκησεν ἡ χάρις τῆς ἁγίας οἰκῆσαι μεθ' ἡμῶν τῶν *Miracula*
ἁμαρτωλῶν καὶ ἀναξίων αὐτῆς δουλῶν (καὶ ἐν τούτῳ τρόπον τινὰ τῆς ἐν
σαρκὶ αὐτῆς ζωῆς καὶ συνδιαγωγῆς ἀνατυπουμένη), ὡς ὅτιπερ, ἐμοῦ τῆς
ἁμαρτωλοῦ Σεργίας ⟨οὔσης⟩ ἐκεῖ πέραν ἐν Βρόχθοις ὡς εἴρηται διὰ τὸ
5 συνάξαι καὶ ἀγάγαι τὰ τίμια καὶ ἅγια αὐτῆς λείψανα, ἐν αὐτῇ τῇ νυκτὶ
παραφαίνεται ἔσω ἐν τῷ μοναστηρίῳ κατ' ὄναρ μιᾷ τῶν ἀδελφῶν λέγουσα
αὐτῇ ὅτι· Ἰδοῦ διὰ τοσούτων ἐτῶν ἦλθον οἰκῆσαι μεθ' ὑμῶν καὶ οὐκ ἐάσω
ὑμᾶς τοῦ λοιποῦ. Εἶτα λοιπὸν ὑποστρέψασα ἐγὼ μετὰ τῶν ἁγίων αὐτῆς
λειψάνων ἀπὸ πέραν, μανθάνω τοῦτο καὶ ἐδόξασα ἐπὶ πλέον τὸν φιλάν-
10 θρωπον Θεόν, τὸν ὡς εἴρηται ποιοῦντα θαυμάσια μεγάλα μόνον διὰ τῶν
ἁγίων αὐτοῦ πρὸς σωτηρίαν τῶν ψυχῶν ἡμῶν τῶν ἁμαρτωλῶν, λοιπὸν δὲ
καὶ διέγερσιν τῆς ἡμετέρας νωθρότητος.

7. Εὐθέως οὖν ἀναφέρω τῷ ἁγιωτάτῳ καὶ μακαριωτάτῳ οἰκουμενικῷ *hac occasione*
ἡμῶν πατριάρχῃ Σεργίῳ(1) ἐπὶ τὸ καταθέσθαι τὸ τίμιον αὐτῆς λείψανον
15 ἐν τῇ δουλικῇ αὐτῆς μονῇ. Καὶ πέμπει Ἰωάννην τὸν πρεσβύτερον τὸν
ἐπίκλην ἀπὸ μαγκίπων(2) μετὰ καὶ ἄλλων εὐλαβεστάτων κληρικῶν,
ποιήσασθαι τὰ καταθέσια. Πιστεύσατε οὖν μοι τῇ ἀθλίᾳ καὶ ἁμαρτωλῷ
Σεργίᾳ, ὅτι οὐδὲν ἔξωθεν τῆς ἀληθείας λέγω· πλὴν οὐδὲ κατ' ἀξίαν δύνα-
μαι τὰς ἀρετὰς τῆς ὁσίας καὶ μακαρίας διηγήσασθαι. Ἀλλ' ὡς ἦλθεν ὁ
20 εἰρημένος παπᾶς Ἰωάννης ὁ πρεσβύτερος τοῦ ἀπομυρίσαι τὰ ἅγια αὐτῆς
λείψανα εἰς τὴν σίτλαν(3) τοῦ ἁγίου βαπτίσματος, παρόντων καὶ τῶν
προειρημένων κυρίων καὶ τῶν εὐλαβεστάτων κληρικῶν καὶ ἡμῶν ὅλων
τῶν ἁμαρτωλῶν μοναστριῶν, ἐπὶ πάντων ἀνέβλυσαν αἵματα τοσαῦτα τὰ
ἅγια αὐτῆς λείψανα, ὥστε καὶ τὰς χεῖρας τοῦ αὐτοῦ παπᾶ Ἰωάννου
25 γεμισθῆναι· ἀλλὰ καὶ πρὸς πίστιν καὶ ἁγιασμὸν προσψαύσας τὰς χεῖρας
αὐτοῦ τῇ ἑαυτοῦ ὄψει, καὶ αὐτὴ ἐπληρώθη αἱμάτων· λοιπὸν δὲ καὶ τὰ
σάβανα(4) ἐγεμίσθησαν, ἔνθα καὶ ἐνετυλίχθησαν τὰ ἅγια αὐτῆς λείψανα.
Οὐ μόνον δὲ τοῦτο, ἀλλὰ καὶ ἑνὸς τῶν παρισταμένων εὐλαβεστάτων κληρικῶν ἐν τῇ τοιαύτῃ ἀπομυρίσει δεξαμένου τὰ αὐτὰ ἅγια καὶ πάνσεπτα
30 λείψανα ἀπὸ τῶν χειρῶν τοῦ αὐτοῦ παπᾶ Ἰωάννου, ἐκ τῆς ὑπερβολῆς

---

(1) Iam diximus in prolegomenis, n. II, § 4, Sergium huius nominis primum
(610-638) hunc esse, quo sedente Persas regiae urbi timorem incussisse res est
notissima.— (2) Μάγκιπες, pistores. Lege notam VALESII ad Socratem, V, 18,
P. G., t. LXVII, col. 609.—(3) Σίτλα τοῦ ἁγίου βαπτίσματος citatur a DU CANGE,
s. v. σίτλα, ex GOAR. *Euchol.*, p. 844. — (4) Σάβανα, lintei, panni. GOAR,
Euchol. Gracc., ed. 2ª, p. 305.

τῶν τιμίων αἱμάτων καὶ αὐτοῦ αἱ χεῖρες πλήρεις αἵματος γεγόνασιν,
ὁμοίως δὲ καὶ ἡ ὄψις αὐτοῦ· πρὸς γὰρ ἁγιασμὸν καὶ αὐτὸς τὰς χεῖρας τῇ
ἑαυτοῦ προσέτριψεν ὄψει. Ἐπὶ τούτοις δὲ πᾶσιν, ἔλαβε πάντας καὶ πάσας
μικρούς τε καὶ μεγάλους φόβος καὶ τρόμος καὶ ἔκπληξις τοσαύτη καὶ
τοιαύτη, ὥστε πάντας μετὰ κλαυθμοῦ λέγειν ὅτι· Οὐδέποτε τοιαῦτα 5
παράδοξα θαύματα ἐθεασάμεθα.

et alias
patrata.

8. Περὶ δὲ τῶν γενομένων παραδόξων καὶ ἀξιομνημονεύτων ἰάσεων
εἰς τὴν κατάθεσιν τῶν ἁγίων αὐτῆς λειψάνων οὐ χρεία οὐδὲ τοῦτο
ἀπαρασημάντως παραδραμεῖν, ἵνα μὴ λόγον ἀπαιτηθῶμεν ὡς ἀμελῶς τὰς
ἀρετὰς τῆς ὁσίας συγγραψάμενοι· οὐ γὰρ ἀγνοεῖτε ὅσοι θεῖον ἔρωτα 10
ἔχετε καὶ τῇδε τῇ βίβλῳ ἐντυγχάνετε, οἵαν ὠφέλειαν καὶ διέγερσιν τοῖς
καθ’ ὑμᾶς ἀγωνισταῖς καὶ φιλοθέοις ἐμποιεῖ τὸ ἀναγινώσκεσθαι μνήμας
καὶ ἀρετὰς ἁγίων ἐξαιρέτως ἐν ἀσκήσει καὶ θλίψει καὶ ὑπομονῇ τὸν
ἅπαντα χρόνον τῆς ζωῆς αὐτῶν διαπερασάντων καὶ εἰς τὸν εὔδιον λιμένα
τῆς ἀνεκλείπτου σωτηρίας φθασάντων. Τὰ γὰρ περὶ τῆς ἐνθέου καὶ 15
ἐναρέτου ἀσκήσεώς τε καὶ διαγωγῆς καὶ ὑπομονῆς τῆς ἁγίας ταύτης καὶ
ὁσίας Ὀλυμπιάδος ἤδη ὡς γινώσκετε ἀνωτέρω προδεδήλωται ὑμῖν· νυνὶ
δὲ ἀναγκαῖόν ἐστι καὶ πάνυ ἐπωφελὲς ἐπαναλαβεῖν τὸν λόγον καὶ ὀλίγα
τινὰ τῶν γενομένων ἰάσεων ὑπὸ τῶν τιμίων λειψάνων τῆς ἀειμνήστου
καὶ μακαρίας κατάδηλον ὑμῖν ἐμποιῆσαι. Ἀλλὰ διὰ τὸν Κύριον πάντες, 20
ὅσοι τῇ παρούσῃ βίβλῳ ἐντυγχάνετε, μετὰ πάσης πληροφορίας δέξασθε
τὰ παρ’ ἐμοῦ τῆς ἁμαρτωλοῦ Σεργίας γραφόμενα· καὶ μηδείς με ἡγή-
σεταί τί ποτε ἔξω τῆς ἀληθείας καὶ τοῦ πρέποντος παρασημάνασαν· καὶ
τοῦτο γὰρ εἰς ὠφέλειαν τῶν ψυχῶν ὑμῶν συντείνει· ὡς γὰρ γινώσκετε,
λέγει ὁ κύριος ἡμῶν Ἰησοῦς Χριστὸς τῷ ἁγίῳ ἀποστόλῳ Θωμᾷ ἀπιστή- 25

Io. 20, 27, 29.

σαντι ὅτι· Γίνου πιστὸς καὶ μὴ ἄπιστος. Καὶ πάλιν ἀλλαχοῦ ὅτι· Μακά-
ριοι οἱ μὴ ἰδόντες καὶ πιστεύσαντες· λέγω δὲ τοῦτο, ὅτι τὰ ἅγια καὶ τίμια
λείψανα τῆς ὁσίας ταύτης καὶ ἐναρέτου Ὀλυμπιάδος πλείστους καὶ
πλείστας, ἄνδρας τε καὶ γυναῖκας, ἰάσαντο ἀπὸ δαιμόνων ἀκαθάρτων καὶ
ἑτέρων νόσων. Οἱ δὲ ἰαθέντες ἐκ τῶν ἀκαθάρτων πνευμάτων ἐπὶ πολλὰ 30
ἔτη ἔσχον αὐτοῦς[1] ἐν κρυπτῷ, ὡς αὐτὰ τὰ ἀκάθαρτα πνεύματα ἐξερχόμενα
καὶ ἐλαυνόμενα ἐβόων λέγοντα ὅτι· Τοσαῦτα ἔτη ἔχομεν κρυπτόμενοι εἰς
τοὺς ἀνθρώπους· καὶ οὐδεὶς ἡμᾶς ἐφανέρωσεν, εἰ μὴ ἄρτι ταύτη ἡ κακό-
γραια. Τὸν δὲ ἕνα δαίμονα ἐξ αὐτῶν τῶν ἀστραγάλων κάτωθεν τῆς
γυναικὸς ἀνήγαγε καὶ ἐξέβαλε δι’ ἐννέα ἐτῶν. 35

8. — [1] αὐτούς *cod.*, *exspectes* αὐτά.

9. Καὶ τί δεῖ καθὲν λέγειν τῆς ἐνθέου ταύτης καὶ ἐναρέτου Ὀλυμπιάδος τὰς ἰάσεις τε καὶ θαυματουργίας · ἀκριβῶς γὰρ ἐπίσταμαι, ὅτι εἰ βουληθῶ λεπτομερῶς τὰς ἀρετὰς αὐτῆς συγγράψασθαι, πάντως ἐπιλείψει με ὁ χρόνος διηγουμένην · φοβοῦμαι δέ, μή πως καὶ τῷ πλήθει τῶν λεγομέ-νων κόρον ἐμποιήσω τοῖς φιλοθέοις ἀκροαταῖς καὶ τοῖς ἐντυγχάνουσι τῇ παρούσῃ βίβλῳ. Καὶ ἁπλῶς εἰπεῖν καὶ ἄλλαι πολλαὶ ἰάσεις ἐγένοντο, κατατιθεμένων τῶν ἁγίων αὐτῆς λειψάνων. Ἀλλὰ καὶ μέχρι τοῦ παρόν-τος ὁρῶμεν ταύτας εἰς πολλοὺς ἄνδρας τε καὶ γυναῖκας καὶ παιδία ἐπιτε-λουμένας, διά τε ἐμφανῶν καὶ παραδόξων αὐτῆς ὀπτασιῶν τε καὶ ἐπιστα-σιῶν διά τε τῶν ἁγίων αὐτῆς ὡς εἴρηται λειψάνων τοῖς ἐξ ὅλης ψυχῆς καὶ ἀνυποκρίτου πίστεως προσερχομένοις αὐτῇ λύσιν τῶν θλιβερῶν παρεχο-μένη σὺν τῇ ἰάσει τῶν ἀλγηδόνων.

Item alia

10. Ἐπὶ τούτοις οὖν πᾶσι δοξάσαι δεῖ τὸν φιλάνθρωπον καὶ οἰκτίρ-μονα Θεόν, τὸν παρέχοντα χάριν τοῖς ἁγίοις αὐτοῦ ἐξαιρέτως τοῖς διὰ πολλῆς θλίψεως καὶ ὑπομονῆς τὴν στενὴν καὶ τεθλιμμένην βαδίσασιν ὁδὸν τὴν ἀπάγουσαν εἰς τὴν ζωήν · ὡς γὰρ γινώσκετε, λέγει ἡ θεία γραφή, ὅτι στενὴ καὶ τεθλιμμένη ἡ ὁδὸς ἡ ἀπάγουσα εἰς τὴν ζωὴν καὶ ὀλίγοι εἰσὶν οἱ εἰσερχόμενοι δι' αὐτῆς. Καὶ περὶ μὲν τούτου οὕτως, περὶ δὲ τοῦ παρέχειν χάριν τοῖς ἁγίοις αὐτοῦ καὶ πᾶσι τοῖς φοβουμένοις αὐτὸν οὕτως λέγει ὁ ἅγιος καὶ δίκαιος προπάτωρ ἡμῶν Δαβὶδ ὁ προφήτης ἐν τοῖς ἄσμασιν αὐτοῦ ὅτι · Ἐγγὺς Κύριος πᾶσι τοῖς ἐπικαλουμένοις αὐτὸν ἐν ἀληθείᾳ · θέλημα τῶν φοβουμένων αὐτὸν ποιήσει καὶ τῆς δεήσεως αὐτῶν εἰσακούσεται καὶ σώσει αὐτούς.

miracula.

Matth. 7, 14.

Ps. 144, 18.

11. Καὶ ὑμᾶς οὖν, ὦ τεκνία μου καὶ ἀδελφαί, παρακαλῶ ἐγὼ ἡ ἀθλία καὶ ἁμαρτωλὸς Σεργία, ἡ κατὰ συγχώρησιν Θεοῦ μήτηρ ὑμῶν προσαγορευομένη, διὰ τοὺς οἰκτιρμοὺς τοῦ Θεοῦ, ὡς γινώσκουσαι, ποίας ἁγίας καὶ ὁσίας καὶ εὐλογημένης γυναικὸς κλητορεύεσθε τέκνα καὶ δοῦ-λαι, οὕτως ἐν ἅπασι διὰ τὸν Κύριον ἀγωνίσασθε καὶ μιμήσασθε κατὰ δύνα-μιν τὴν ἔνθεον αὐτῆς πολιτείαν ἔν τε τοῖς τρόποις καὶ τῇ ἀσκήσει καὶ ὑπομονῇ, ἵνα ἀξιωθῆτε διὰ τῶν ὁσίων εὐχῶν αὐτῆς ἀκατακρίτως καὶ ἀνεπαισχύντως ἐν προσώπῳ ἀνακεκαλυμμένῳ, ὑμεῖς τε πᾶσαι καὶ αἱ μέλλουσαι κελεύσει Θεοῦ μετὰ τὴν ἐμὴν ἀποβίωσιν συνάπτεσθαι ὑμῖν καὶ συναγωνίζεσθαι εἰς τὴν ἀγγελικὴν καὶ θεάρεστον πολιτείαν, ἀπαρα-λείπτως πᾶσαι μικραί τε καὶ μεγάλαι βαστάζουσαι τὰς λαμπάδας ὑμῶν πεπληρωμένας ἐλαίου, παραστῆναι τῷ φοβερῷ καὶ φρικτῷ αὐτοῦ βήματι καὶ συγκαταριθμηθῆναι μετὰ τῶν μακαρίων ἐκείνων καὶ φρονίμων παρθένων.

Paraenesis.

II Cor. 3, 18.

Matth. 25, 7.

Orationum
postulatio.
12. Παρακαλῶ δὲ πάσας ὑμᾶς διὰ τὸν Κύριον ἐκτενῶς εὔχεσθαι καὶ
ὑπὲρ ἐμοῦ τῆς ἁμαρτωλοῦ καὶ ἐλεεινῆς Σεργίας τῆς κατὰ συγχώρησιν
Θεοῦ μητρὸς ὑμῶν, ἵνα παρίδῃ ὁ εὔσπλαγχνος Θεὸς τὸ πλῆθος τῶν
χαλεπῶν μοῦ ἁμαρτιῶν καὶ ἐλέους ἀξιώσῃ με καὶ δώσῃ[1] μοι δύναμιν,
ὅπως κἀγώ, σὺν ὑμῖν κατὰ δύναμιν ἀγωνισαμένη καὶ καλῶς πολιτευσα-   5
μένη μετὰ φιλανθρωπίας, ὅτε ἀρέσκει τῇ αὐτοῦ ἀγαθότητι, ὑπεξελθεῖν τὸν
ἀνθρώπινον βίον καὶ σχεῖν παρρησίαν ἐν τῇ ἐπουρανίῳ καὶ αἰωνίῳ αὐτοῦ
βασιλείᾳ, συναριθμουμένη ταῖς εὐαρεστήσασιν αὐτῷ ἁγίαις καὶ δικαίαις
ψυχαῖς ἅμα πάσαις ὑμῖν, ὅπως εἴπω αὐτῷ · Ἰδοὺ ἐγὼ καὶ τὰ παιδία, ἅ
μοι δέδωκας, Κύριε.   10

Iterum
13. Ναί, εὐλογημέναι κυρίαι μου ἀδελφαί, ἀκούσατέ μου παρακαλού-
σης ὑμᾶς · τὸν Θεὸν ἐκ ψυχῆς φοβηθῶμεν καὶ ἀγαπήσωμεν, φυλάττουσαι
ἐν ἅπασι μετὰ σπουδῆς καὶ προθυμίας καὶ ἐπιμελείας πολλῆς καὶ
διεγέρσεως, μετὰ ταπεινοφροσύνης πολλῆς καὶ συντετριμμένης καρδίας,
ἀρρεμβάστῳ[1] νοΐ καὶ ἀμετεωρίστῳ ὄμματι τὰς δικαίας αὐτοῦ καὶ χρηστὰς   15
ἐντολάς. Ὡς γὰρ γινώσκετε, οὐ μικρὰ κατάκρισις κεῖται τοῖς μετὰ περι-
φρονήσεως καὶ ἀμελείας δουλεύουσιν αὐτῷ καὶ κατ' ἐξαίρετον ἡμῖν ταῖς
τῷ κόσμῳ ἀποταξαμέναις καὶ πάσαις ταῖς μερίμναις αὐτοῦ καὶ συνταξα-
μέναις αὐτῷ μόνῳ τῷ φιλανθρώπῳ Θεῷ δουλεύειν καὶ αὐτῷ προσκολ-
λᾶσθαι πάντοτε ἅμα τῇ παναγίᾳ καὶ εὐλογημένῃ ἀχράντῳ δεσποίνῃ   20
ἡμῶν Θεοτόκῳ, τῇ ἀσπόρως τεκούσῃ αὐτόν, καὶ πᾶσιν αὐτοῦ τοῖς ἁγίοις.
Ἀλλήλας ἐκ καρδίας ἀγαπήσωμεν εἰλικρινῶς, ἀλλήλας τιμήσωμεν καὶ
Gal. 6, 2. ἀλλήλαις ὑποταγῶμεν διὰ τὸν Κύριον καὶ ἁπλῶς εἰπεῖν ἀλλήλων τὰ βάρη
βαστάζωμεν καὶ οὕτως ἀναπληρώσωμεν τὸν νόμον τοῦ Χριστοῦ. Ὡς γὰρ
γινώσκετε πᾶσαι, διὰ τοῦτο εἰάσαμεν ὡς εἴρηται τὸν κόσμον καὶ τὰ ἐν   25
Matth. 11, 30. αὐτῷ πάντα καὶ ὑπεσχόμεθα βαστάζειν τὸν χρηστὸν καὶ ἐλαφρὸν αὐτοῦ
ζυγόν, ἵνα διὰ μικρᾶς θλίψεως καὶ ἀγῶνος καὶ ὑπομονῆς τῶν ὡς εἰκὸς
ἐπερχομένων ἡμῖν δεινῶν ἀξιωθῶμεν πᾶσαι ἀπαραλείπτως ἁγναὶ καὶ
Ephes. 5, 27. καθαραὶ ψυχῇ τε καὶ σώματι, μὴ ἔχουσαι τὸ καθ' ὅλου πώποτε μῶμον ἢ
ῥυτίδα ἢ τὸ συνειδὸς ἡμῶν ἔν τινι κατακρῖνον ἡμᾶς, βαστάζουσαι ὡς   30
εἴρηται τὰς λαμπάδας ἡμῶν λαμπρὰς καὶ ἀσβέστους, ὑπαντῆσαι τῷ
νυμφίῳ ἡμῶν Ἰησοῦ Χριστῷ καὶ σὺν αὐτῷ ἐνδεδυμέναι στολὰς λευκὰς
καὶ ἀσπίλους εἰσελθεῖν εἰς τοὺς γάμους τῆς βασιλείας τῶν οὐρανῶν καὶ
Matth. 25, 34. ἀξιωθῆναι ἀκοῦσαι τῆς μακαρίας φωνῆς ἐκείνης τῆς βοώσης · Δεῦτε, οἱ

---

12. — [1] δώσει cod.
13. — [1] ἀρεμβάστῳ cod.

εὐλογημένοι τοῦ πατρός μου, κληρονομήσατε τὴν ἡτοιμασμένην ὑμῖν
βασιλείαν ἀπὸ καταβολῆς κόσμου. Καὶ μὴ γένοιτο ἡμᾶς ἀκοῦσαι · Πῶς
εἰσῆλθετε ὧδε μὴ ἔχουσαι ἔνδυμα γάμου; Μήτε δὲ ἐκεῖνο εἴη ἡμᾶς ἀκοῦσαι τό· Ὑπάγετε ἀπ' ἐμοῦ· οὐκ οἶδα ὑμᾶς τίνες ἐστέ, ἀλλ' ἀκωλύτως καὶ
5 ἀνεμποδίστως πάσας τὰς ἐναντίας καὶ ἀντικειμένας δυνάμεις παρελθοῦσαι
ἀξιωθῶμεν εἰς τὰς αἰωνίους σκηνὰς κατασκηνῶσαι καὶ ἐν ἀπολαύσει
γενέσθαι μετὰ πάντων τῶν δικαίων αὐτοῦ τῶν αἰωνίων αὐτοῦ ἀγαθῶν,
εὐχαῖς ἁγίων. Ἀμήν.

14. Πιστεύω γὰρ τῷ Χριστῷ μου, ὅτι διὰ τῶν εὐχῶν τῆς δούλης τοῦ paraenesis
10 Θεοῦ ὁσίας καὶ ἁγίας Ὀλυμπιάδος, τῆς κυρᾶς ἡμῶν καὶ μητρός, τῆς μετὰ
τὸν εὔσπλαγχνον καὶ οἰκτίρμονα Θεὸν γενομένης πασῶν ἡμῶν σωτηρίας
καὶ συστάσεως καὶ ἀντιλήψεως (ἀλλὰ καὶ μέχρι τοῦ παρόντος γινομένης,
ὡς καὶ πᾶσαι ἐπίστασθε), διὰ τῆς ἀπαραλείπτου αὐτῆς συνδιαγωγῆς τε
καὶ προστασίας καὶ διεγέρσεως τῆς ἡμετέρας νωθρότητος ἀξιούμεθα ἐπι-
15 τυχεῖν ὧν ἐπηγγείλατο ἀγαθῶν πᾶσι τοῖς εὐαρεστήσασιν αὐτῷ, ἡμῶν ὡς
εἴρηται κατὰ δύναμιν διεγειρομένων ἐκ τοῦ περιέχοντος ἡμᾶς ὕπνου τῆς
ῥᾳθυμίας καὶ τὸν παραδοθέντα ἡμῖν κανόνα μετὰ πάσης προθυμίας ἄτρω- Rom. 13, 11.
τον καὶ ἀμείωτον φυλαττουσῶν· ἐν τούτοις γὰρ πᾶσιν εὐαρεστεῖται ὁ Θεός.

15. Εἰ δὲ κἀγὼ ἡ ἁμαρτωλὸς μήτηρ ὑμῶν Σεργία τί ποτε ἔν τινι et veniae
20 ἔθλιψα ὑμᾶς, εἴτε διὰ λόγου εἴτε διὰ τρόπου εἴτε διὰ ἔργου, διὰ τὸν Κύριον
συγχωρήσατέ μοι· ἐπίστασθε γάρ, οἵαν φροντίδα καὶ θλῖψιν ἔχουσιν οἱ
προεστῶτες καὶ λοιπὸν ἀναγκάζονται ὡς λόγον ἀπαιτούμενοι, ἐὰν ἀμελή-
σωσιν ἔν τινι τοῦ ποιμνίου ἢ παρίδωσί τι τῶν εἰς σύστασιν καὶ σωτηρίαν
τῶν ὑποκειμένων συντεινόντων· καὶ εἰ καλῶς, οὐκ ὀφείλομεν θλίβεσθαι.
25 Πλὴν ἐπειδὴ πάντες ἀσθενεῖς ἐσμέν, ὁ Θεὸς πάντας ἐλεήσει. Εὔχεσθε οὖν
ὑπὲρ ἐμοῦ διὰ τὸν Κύριον, ἵνα ἀξιωθῶ ἅμα ὑμῖν ἀκατακρίτως παραστῆναι
τῷ βήματι αὐτοῦ τῷ φοβερῷ καὶ φρικτῷ.

16. Κἀγὼ δὲ ἡ ἁμαρτωλὸς ἀποτολμῶσα λέγω ὑμῖν, ὅτι ἐὰν εὕρω deprecatio.
ἐκεῖ παρρησίαν, οὐ παύσομαι δυσωποῦσα τὸν οἰκτίρμονα καὶ ἐλεήμονα
30 Θεόν, ὅπως πάσας ὑμᾶς καὶ ἐν τῇ παρούσῃ ζωῇ σκεπάσῃ καὶ κυβερνήσῃ
καὶ μετὰ τὴν ἐντεῦθεν ἔξοδον τῆς ἐπουρανίου αὐτοῦ καὶ ἀθανάτου βασιλείας ἀξιώσῃ καὶ συγκαταριθμήσῃ ἅμα ἐμοὶ τῇ κατὰ συγχώρησιν Θεοῦ
μητρὶ ὑμῶν, ἵνα τότε ὡς προείρηται εἴπω αὐτῷ· Ἰδοὺ ἐγὼ καὶ τὰ παιδία, ἃ μοι δέδωκας, Κύριε. Ἀμήν, γένοιτο ἐν Χριστῷ Ἰησοῦ τῷ κυρίῳ
35 ἡμῶν, ᾧ ἡ δόξα καὶ τὸ κράτος εἰς τοὺς αἰῶνας τῶν αἰώνων. Ἀμήν.

LES MIRACLES

S. FRANÇOIS XAVIER

———

Dans un récent ouvrage de M. André Dickson White, ancien professeur d'histoire à Cornell University (Ithaca, États-Unis), un chapitre entier est consacré à la question des miracles de S. François Xavier (1).

Voici comment l'auteur a été amené à traiter ce sujet. Il a entrepris de montrer de quelle façon les faits merveilleux qui émaillent les Vies des saints, ne sont pas autre chose que le produit de l'évolution des légendes. Pour la plupart des saints, le manque de documents, la distance considérable de temps qui nous sépare de l'époque à laquelle ils vécurent, ne permettent pas de tracer les étapes successives que la croyance populaire a parcourues avant d'arriver au complet épanouissement dont la légende écrite représente le dernier terme. Il faut suivre ce développement dans l'existence d'un saint assez rapproché de nous et pour laquelle tous les documents sont en notre possession. C'est le cas pour la vie et les miracles de S. François Xavier.

Est-il besoin de dire que, sur la thèse générale défendue par M. Dickson White, nous sommes, du moins dans une certaine mesure, d'accord avec lui? Les documents hagiographiques, en effet, sont loin, tant s'en faut, d'être tous d'égale valeur, et mieux que d'autres, les bollandistes savent avec quelle facilité et quelle richesse d'imagination certains hagiographes, au moyen âge par exemple, ont forgé sans scrupule les miracles dont ils présentent le récit à leurs lecteurs. Toutefois, il y a lieu de distinguer soigneusement entre différentes catégories de Vies de saints. Certaine critique est trop portée à généraliser, et quand elle a découvert le procédé employé par quelque écrivain du moyen âge, elle prétend expliquer par le même procédé toutes les œuvres hagiographiques. C'est une erreur grave. Chaque cas requiert une étude particulière; car pour avoir découvert que la

(1) *A History of the warfare of Science with Theology in Christendom*, London, Macmillan, 1896, t. II, p. 5-23.

Légende de tel saint est fabuleuse, on n'a rien fait pour les Actes de tel
autre. En hagiographie surtout, il importe de se défier de l'application
trop étroite du principe *ab uno disce omnes*.

Mais en voilà assez sur la thèse générale soutenue par M. Dickson
White, que du reste nous n'avons pas l'intention d'examiner plus au
fond. C'est, au contraire, le cas particulier de S. François Xavier qui
nous intéresse davantage, et qui nous paraît mal choisi pour appuyer
la théorie de l'auteur sur les miracles qu'on lit dans les Vies des saints.

I

Voici comment procède l'argumentation de M. Dickson White; nous
l'analyserons d'abord tout entière pour n'en pas affaiblir la portée.

Dans toute la correspondance de Xavier, si volumineuse pourtant, si
détaillée, on ne relève pas la moindre trace d'un fait miraculeux. Bien
au contraire, les biographes ont souvent travesti des faits rapportés par
Xavier. Ainsi, un jour qu'il faisait voyage avec un ambassadeur, un serviteur de celui-ci fut sur le point de se noyer. Xavier raconte que
l'ambassadeur se mit en prières et que le serviteur fut sauvé. Plus tard,
les panégyristes portent cette prière et cette délivrance au compte de
l'apôtre des Indes.

Quand il arriva à Lisbonne, Xavier trouva Simon Rodriguez malade
de la fièvre. Rodriguez fut si heureux de revoir Xavier que du coup il
se trouva guéri. A cela rien d'étonnant; car la joie de revoir Luther eut
un résultat égal sur la santé de Melanchthon. Ailleurs, Xavier raconte
qu'ayant baptisé une pauvre femme indienne très malade, elle recouvra
la santé.

Tels sont les faits, bien simples et nullement surnaturels, que Xavier
rapporte lui-même et qui seuls ressemblent de loin à des prodiges. En
effet, c'est sur eux qu'on a bâti tout l'échafaudage de la légende des
miracles de Xavier.

Les collaborateurs de l'apôtre ne parlent pas de ses miracles; ainsi
la correspondance d'Emmanuel Acosta est absolument muette sur ce
point. Bien plus, Xavier, qu'on nous représente comme ayant joui du
don des langues, se plaint fréquemment des grandes difficultés qu'il
éprouve à s'assimiler les idiomes indigènes. En outre, si Xavier avait
réellement accompli les prodiges que lui prêtent si libéralement ses
biographes, comment expliquer qu'en 1571, dix-neuf ans après la mort
du grand thaumaturge, Joseph Acosta, provincial, pose, dans un de ses
ouvrages, la question suivante : *Cur miracula in conversione gentium
non fiant nunc, ut olim, a Christi praedicatoribus?* Quant au miracle
de la préservation du corps de Xavier après sa mort, M. Dickson White

rappelle d'autres faits du même genre, et qui eux excluent toute idée de prodige.

Voici maintenant comment l'évolution a commencé. En 1554, deux ans après la mort de S. François Xavier, Melchior Nuñez cite *trois* miracles, et encore ne les rapporte-t-il que par ouï dire. Jean Deyro aurait, dit-il, affirmé que l'apôtre des Indes avait le don de prophétie ; mais Deyro ne mérite aucune créance, Xavier lui-même dut le réprimander pour sa mauvaise foi. On ajoute qu'au cap Comorin certaines personnes affirment vaguement que Xavier ressuscita un mort ; enfin Paul de Sainte-Foi a entendu dire qu'au Japon Xavier rendit la vue à un aveugle.

Tel est le premier noyau de la légende ; elle n'a plus qu'à se développer. Un an plus tard, en 1555, Quadros, provincial d'Éthiopie, connaît déjà *neuf* miracles. L'année suivante, le roi Jean III de Portugal demande au vice-roi des Indes, Barreto, un rapport authentique sur les miracles de S. François Xavier. Le travail devait être exécuté « avec zèle et promptitude ». On devine ce que l'obséquieuse flatterie du vice-roi, jaloux de plaire au monarque, réussit à obtenir des ignorants et crédules indigènes de toutes les petites villes de l'Inde portugaise.

Puis en 1562, Almeida rapporte toute une série de guérisons obtenues par un livre qui avait appartenu à Xavier. On le voit, la légende continue son évolution. Toutefois, elle n'a point encore osé affronter les milieux éclairés. Car, dans le discours prononcé la même année 1562, devant les Pères du Concile de Trente, par Jules-Gabriel Eugubinus, il n'est point fait mention des miracles de Xavier, malgré l'occasion favorable que l'orateur avait de les produire, étant donné le sujet qu'il avait choisi de traiter. De même, le P. Maffei en 1588 dans ses *Historiae Indicae* est très modéré relativement aux miracles opérés par Xavier. Mais la légende prend victorieusement le dessus dans la *Vie de S. François Xavier* du P. Turselin, publiée en 1594, et dans le discours prononcé, lors de la canonisation de Xavier en 1622, par le cardinal del Monte. Celui-ci mentionne une série de *dix* miracles, parmi lesquels celui de l'écrevisse rapportant à Xavier le crucifix qu'il a laissé tomber au fond de la mer.

Après la canonisation de l'apôtre des Indes, la légende se donna libre carrière, et les divers biographes n'eurent qu'un souci, celui de dépasser leurs devanciers par le nombre et l'importance des prodiges. C'est surtout le cas de la Vie publiée sur l'ordre du P. Vitelleschi et de celle que composa Bouhours. Toutefois, ce dernier emporte la palme ; un seul détail suffira à le montrer. Alors que les premiers biographes de Xavier parlent vaguement et timidement de la résurrection d'*un* mort, Bouhours rapporte *quatorze* faits de ce genre. Autre exemple.

Xavier lui-même et le P. Joseph Acosta décrivent avec insistance les pénibles efforts que dut faire l'apôtre pour s'approprier les idiomes de tant de peuples auxquels il alla porter la lumière de l'Évangile. Le P. Bouhours n'est point embarrassé par ces aveux; il déclare carrément que Xavier parlait toutes ces langues barbares, *sans les avoir étudiées*. Turselin reconnaît ingénument que les prédications de Xavier en japonais prêtaient à rire à ses auditeurs; mais le P. Bouhours écrit, sans hésiter, que Xavier prêchait aux Japonais, en leur langue, avec tant de naturel et d'aisance qu'on ne l'eût jamais pris pour un étranger.

M. Dickson White conclut en ces termes : « Il est incontestable que les orateurs et les biographes en général sont enclins à l'erreur. C'est pour eux la règle de penser, de parler et d'écrire, sous l'empire des lois naturelles qui régissent la luxuriante effloraison du mythe et de la légende, dans la chaude atmosphère de l'amour et de la dévotion qui s'attachent aux grands chefs religieux, en des temps où l'homme ignorait les lois de la nature, où l'on faisait peu de cas des recherches scientifiques, et où celui qui croyait davantage obtenait le plus large crédit. »

II

Avant de reprendre point par point l'objection formulée par M. Dickson White, une remarque préalable s'impose. En quoi consiste l'évolution prétendûment constatée par lui dans l'histoire des miracles de S. François Xavier? Est-ce un récit primitif se développant successivement sous la plume de nouveaux biographes, sans qu'aucun document ultérieur soit venu justifier les accroissements successifs subis par la première narration? Nullement, et l'évolution dont M. Dickson White nous a fait le tableau, n'a rien de commun avec celle d'autres légendes qui se transforment de leur propre fonds. L'évolution signalée par M. Dickson White, est celle qui se produit tout naturellement, lorsque des pièces nouvelles viennent continuellement enrichir une biographie. Quand Xavier mourut à Sancian, le 2 décembre 1552, le bruit de sa mort fut lent à se répandre, et ce ne fut qu'en 1554, date du retour de son corps à Goa, que l'histoire commença à s'emparer de l'apôtre des Indes. Ses frères d'abord, ensuite les Portugais répandus dans tout l'Extrême-Orient, se firent l'écho des faits merveilleux qui se racontaient partout. Puis il y eut l'enquête ordonnée par Jean III et le procès juridique instruit par l'archevêque de Goa, autant de documents nouveaux qui vinrent enrichir l'histoire de S. François Xavier. Il n'est donc pas surprenant que pendant un certain nombre d'années la liste des miracles attribués à l'apôtre des Indes ait pu s'augmenter, et que les diverses notices publiées sur ce sujet, à différentes époques, soient plus abon-

dantes les unes que les autres en faits miraculeux. Il y eut cependant
une limite, c'est celle posée en 1623 par la bulle de canonisation d'Urbain VIII, et assurément rien n'est moins comparable à la composition
d'un récit légendaire qu'une pièce officielle de la chancellerie romaine.
Au XVIIe siècle déjà, s'observaient avec la plus grande rigueur les règles
posées par l'Église pour là canonisation des saints.

Mais, dira-t-on, et M. Dickson White a insinué cette objection,
peut-on ajouter foi aux témoins qui déposèrent dans l'enquête instituée sur l'ordre de Jean III et dans le procès que fit instruire l'archevêque de Goa? Rome a cru à ces témoins, et rien ne nous autorise à
suspecter son jugement; M. Dickson White n'a aucune bonne raison de
se montrer plus exigeant que la congrégation des Rites, qui a pesé la
valeur des témoins et apprécié l'exactitude de leurs dépositions. Il ne
fut d'ailleurs pas si malaisé de choisir ces témoins et de contrôler leurs
affirmations. M. Dickson White parle des « ignorants et crédules indigènes des petites villes de l'Inde portugaise ». Il est commode de
rejeter en bloc ces témoins, sous le méprisant prétexte que nous
venons de rapporter. Mais on a interrogé d'autres personnes que
celles que M. Dickson White traite si dédaigneusement. Parmi ces
témoins, nous trouvons les noms de Rodrigue Diaz Pereira, *aulae
regiae patritius*, de Gaspar de Cerqueiros Abreu, commandant de
l'expédition japonaise, d'Emmanuel Fernandez, notable de Cochin, de
don Marcio, ambassadeur du roi de Bungo. Il est superflu d'allonger
cette liste, et nous ne prolongerons pas davantage non plus ces considérations sur la valeur du procès de canonisation. Quand on aura fait
valoir des objections positives contre les témoignages, nous verrons
ce qu'il y a à y répondre; pour le moment, nous resterons dans le
débat précis soulevé par l'ancien professeur de Cornell University.

Ce débat n'est pas aussi nouveau qu'on pourrait le penser. M. Dickson
White n'a fait que reprendre pour son compte une thèse déjà ancienne.
Même les arguments qu'on présente aujourd'hui ne sont pas neufs, et
il est assez piquant de signaler ce rajeunissement périodique de vieilles
objections.

En 1754, le Dr Douglas, devenu plus tard évêque de Salisbury,
publiait son *Criterion; or Rules by which the true Miracles of the New
Testament are distinguished from the spurious Miracles of Pagans and
Papists*. Dans cet ouvrage, il parle des miracles de S. François Xavier,
et voici ce qu'il en dit : « Pendant les trente-cinq années qui suivirent
» la mort de Xavier, il ne fut pas question de ses miracles; j'en ai pour
» preuve l'assertion de Joseph Acosta, qui lui-même fut missionnaire
» aux Indes, et qui dans son livre *De procuranda Indorum salute*,
» imprimé en 1589, trente-sept ans après la mort de Xavier, avoue
» que les missionnaires des Indes n'ont accompli aucun miracle. »

On le voit, M. Dickson White n'a pas même le mérite de l'invention ; il n'a fait que répéter ce qu'après le Dr Douglas ont dit Le Mesurier, Hugh Farmer, Peter Roberts et R. Greer, pour ne parler que des écrivains anglais (1).

Finissons-en tout de suite avec l'affirmation relative à Joseph Acosta, dont M. Dickson White, avec le Dr Douglas, a fait grand état. Il y a beau temps que le Dr John Milner, vicaire apostolique du district de Londres en 1818, a remarqué, dans son livre *The End of religious Controversy*, que le P. Acosta, contrairement aux assertions de plusieurs protestants, parle « du bienheureux maître François », comme on appelait S. François Xavier avant sa canonisation, et voici ce qu'il dit : « De si nombreux et de si grands miracles ont été rapportés à son sujet » par des témoins oculaires, que peu d'autres, si l'on excepte les apôtres, » ont accompli de plus grands prodiges (2). » Le Dr Douglas et tous ceux qui l'ont suivi jusqu'à M. Dickson White inclusivement, ont tronqué le témoignage d'Acosta. Nous nous contenterons de signaler pareil procédé ; il se qualifie de lui-même. Il a déjà, et à juste titre, été reproché à M. Dickson White par le R. P. Thomas Hughes S. I. (3), qui réfuta l'article du professeur de Cornell University, quand il parut pour la première fois dans les numéros d'août et de septembre 1891 de la revùe américaine *The Popular Science Monthly*. L'ouvrage que publie aujourd'hui M. Dickson White n'est en effet qu'une réédition d'articles qui ont paru dans la revue que nous venons de citer. Pourtant l'auteur a eu connaissance des deux articles que le R. P. Thomas Hughes consacra à son étude sur les miracles de S. François Xavier. Cela ne l'empêche pas de reproduire, malgré le texte si formel qui lui a été opposé, l'assertion gratuite du silence d'Acosta relativement aux prodiges de l'apôtre des Indes. Cette récidive n'améliore pas le cas de M. Dickson White.

III

Il est temps d'aborder en détail les arguments que fait valoir le professeur de Cornell University pour établir le caractère légendaire des miracles de S. François Xavier. Le premier de ces arguments est tiré des lettres du saint missionnaire. Nulle part, dit M. Dickson White, il n'y est fait allusion à des prodiges qu'il aurait opérés. Observation au moins naïve, et qui prouve que l'écrivain américain n'a guère compris le caractère de Xavier. Autant l'ancien professeur de Sainte-Barbe avait autrefois recherché la gloire humaine, autant le disciple d'Ignace

(1) La même thèse est soutenue par H. Venn et Hoffmann, *Franz Xavier*, Wiesbaden, 1869, p. 161-72. — (2) A Costa, *De procuranda salute Indorum*, cap. X, p. 226. — (3) *The Catholic World*, octobre 1891, p. 23.

s'efforce d'ensevelir dans le plus profond oubli les merveilles que Dieu opère en lui et par lui. Non, ce n'est pas à Xavier qu'il faut demander s'il a fait des miracles; et l'on sait que le jour où on lui posa nettement la question s'il avait ressuscité un mort, il esquiva la réponse (1).

Mais, insiste M. Dickson White, les contemporains et les collaborateurs de Xavier n'avaient pas les mêmes raisons de se taire, et pourtant ils ne disent rien des miracles de l'apôtre. La correspondance à laquelle l'auteur fait allusion, est celle contenue dans les *Epistolae Iapanicae de multorum in variis Insulis Gentilium ad Christi fidem conversione, Lovanii 1570.* C'est à ce recueil que M. Dickson White en appelle lui-même (2). Or si nous analysons cette correspondance, qui va de 1549 à 1564, nous voyons que sur les vingt-neuf lettres qui composent le recueil, cinq sont de François Xavier et par conséquent hors de cause; les autres sont postérieures à la mort de l'apôtre des Indes, et par suite ne rentrent pas dans les conditions où M. Dickson White a placé le débat. Du reste, quoi qu'on en ait dit, il y est assez rarement question de S. François Xavier. Les auteurs de ces lettres adressées aux supérieurs rendent le plus souvent compte de leurs propres travaux.

N'oublions pas non plus que Xavier fut presque toujours seul dans ses courses apostoliques, ou du moins sans être accompagné d'un autre père de la Compagnie, surtout pendant les premières années de son séjour aux Indes. Les anciens missionnaires ne furent donc pas témoins des miracles de Xavier. Mais ils durent en entendre faire le récit? Peut-être, mais ce n'est pas certain; car tant que vécut Xavier, on semble avoir fidèlement respecté la défense qu'il fit aux témoins des prodiges que Dieu opérait en sa faveur.

Toutefois, les contemporains et les collaborateurs de Xavier sont moins muets au sujet de ses miracles qu'on veut le faire croire. Ainsi, Gaspar Barze dit, dans une lettre du 10 décembre 1548, en parlant de Xavier : « Tout à coup, le bruit courut que le Père Maître François » était mort, et chacun disait comment, à sa manière. Ses amis en furent » tristes au delà de toute expression. « Quand il nous en coûterait, » disaient-il, trente mille cruzados, nous le ferons canoniser », et ils » racontèrent des miracles, de très grands miracles qu'il fit, vivant en ce » pays : je ne vous les raconte pas, parce qu'il ne nous convient pas de » parler de ces choses, si ce n'est à Dieu, pour lui en rendre grâces.

(1) ORLANDINI, *Hist. Soc. Iesu,* lib. VIII, n. 29. — (2) Pour le dire en passant, M. Dickson White eût mieux fait d'en appeler aux lettres publiées dans les *Diversi Avisi particolari dell' Indie.* Venise, 1558 et 1559. Il y a dans ce recueil un nombre plus considérable de lettres précédant la mort de Xavier, que dans l'ouvrage cité par l'auteur que nous réfutons. On peut en dire autant d'une autre collection de lettres, *Selectae Indiarum epistolae nunc primum editae,* Florentiae 1887, à laquelle nous ferons de nombreux emprunts.

» Certes, nous sentirions bien, nous, le vide que ferait dans ces
» contrées la mort du Père François; mais nous ne laissons pas, pour
» cela, d'aller notre chemin (1) ».

Dans une lettre de François Perez aux pères de Coimbre, est rapportée
la double prophétie que François fit à Malacca de la victoire remportée
par la flotte portugaise et de la mort d'Arausio (2). Cette lettre ne porte
pas de date, mais le contexte montre qu'elle fut écrite du vivant de
Xavier. Le même François Perez répète les mêmes faits dans une
autre missive également adressée à Coimbre (3).

En 1545, Jean Vaz, licencié en théologie, qui fut pendant six mois le
compagnon de S. François Xavier, raconta, à son retour de Rome, des
choses merveilleuses à son sujet (4).

Il y a encore une allusion évidente aux miracles de Xavier dans les
lignes suivantes écrites de Travancor, en 1548, par Balthasar Nuñez :
« Dans les pays où François s'arrêta, là où il passa, il demeure de lui un
» tel renom, que ce que l'on en devrait dire ne paraîtrait pas croyable.
» Ces choses-là, je ne veux pas les écrire ; elles sont tellement dignes
» de considération qu'on ne doit pas les confier au papier. Si grand
» est l'éclat de la vie de Maître François, que son nom est célèbre dans
» toute l'Inde... Quel regret j'ai de ne pas vous exposer en détail les
» merveilles que l'on raconte de Maître François; j'en ressens plus
» d'ennui que vous n'en ressentirez. Sachez, et n'en parlez pas, que
» Dieu opère par son moyen beaucoup de choses desquelles, comme
» j'ai dit, il n'est point licite de parler » (5).

Parmi les contemporains qui furent témoins de la vie et des prodiges
de François Xavier, se trouve le fameux don Fernand Mendez Pinto.
Parti de Lisbonne pour les Indes en 1557, il arriva au mois de janvier
1547 à Malacca. « Là, dit-il, nous treuuasmes le Reuerend Pere Maistre
» François Xauier, Recteur vniuersel de la Compagnie de Iesus en ces
» contrées des Indes, qui depuis peu de iours estoit arriué des Molucques
» auec vne grande reputation de sainct homme, tiltre que tous les peuples
» luy donnoient pour les grands miracles qu'on luy voyoit faire » (6). Plus
loin, Pinto rapporte au long le récit de la prédiction faite à Amboyne
de la mort de Jean de Araujo (7), et de celle faite à Malacca de la
victoire des Portugais (8). Après avoir rappelé cette double prophétie,
Pinto ajoute : « I'obmets que par ce bien-heureux seruiteur de Dieu,
» nostre Seigneur fist plusieurs autres grandes merueilles, dont i'en ay

____

(1) Cros, S. I., *Saint François Xavier*, Toulouse, 1894, p. 413. Voir le texte portugais dans *Selectae Indiarum epistolae*, p. 54. — (2) *Selectae Indiarum epistolae*,
p. 67. — (3) *Ibid.*, p. 73. — (4) *Ibid*, p. 6. — (5) Cros, *op. cit.*, p. 412 ; le texte portugais se trouve *Selectae Indiarum epistolae*, p. 38. — (6) *Les voyages adcantureux de
Fernand Mendez Pinto, fidelement traduicts...par le Sieur Bernard Figuier Gentil-
homme Portugais*, Paris, 1628, p. 1087. — (7) *Ibid.*, p. 1071. — (8) *Ibid.*, p. 1070.

» veu quelques-unes et ay ouy dire les autres, desquelles ie ne fais point
» mention maintenant, pource que cy-apres i' espere d'en rapporter
» quelques-vnes. » En effet, il raconte comment, durant la traversée du
Japon à la Chine, où il accompagna Xavier, celui-ci, le 17 décembre
1551, apaisa une terrible tempête (1), et comment se vérifia la prophétie
de Xavier relative à don Alonso, gouverneur de Malacca (2).

En voilà assez, croyons-nous, pour mettre à néant l'assertion de
M. Dickson White sur le silence absolu des contemporains et des collaborateurs de Xavier. Cette assertion est absolument controuvée, et les
extraits que nous venons de fournir prouvent surabondamment que, dès
son vivant, l'apôtre des Indes jouissait auprès de ses frères et de ceux
qui l'avaient vu à l'œuvre, d'une réputation bien établie de thaumaturge. Sans doute, nous ne trouvons pas dans les relations des missionnaires de l'Inde et du Japon, la trace de tous les miracles que l'enquête
juridique révéla plus tard. Faut-il en conclure qu'il y a eu évolution de
légende? D'aucune façon ; ce que nous avons dit tout à l'heure explique
suffisamment certaines omissions, et nous avons déjà fait remarquer
combien les frères de Xavier furent prudents et réservés dans le récit
des miracles qu'on lui attribuait. Il y a de cette délicate réserve un
témoignage bien curieux dans le passage suivant d'une lettre du
P. Balthasar Diaz : « *Quanto alla morte del nostro Padre Francesco,
molti uomini si ritrovarono in questa città* (Goa), *quali si erano ritro-
vati in diversi luoghi con esso, e lo hanno visto fare e dire cose fra gl'
infideli, quali evidentemente erano sopranaturali e non minori di quelle
che leggiamo delli Santi antichi. Persone di molto credito venivano da
me dimandando, perchè non facevamo inquisizione, e pigliavamo testi-
moni di queste cose, acciò fosse canonizzato : ma perchè questo debbe
essere fatto per persona autentica, e per altri rispetti onesti, non ho
voluto io essere l'autore di questo...* (3).

On a vu que, pour étayer sa théorie de la légende des miracles de
S. François Xavier, M. Dickson White établit que de Maffei à Bouhours,
l'évolution de ces prodiges suit un cours ascensionnel. « Maffei, dit-il,
» bien que rempli d'admiration pour son héros, passe légèrement sur
» les miracles, tandis que l'ouvrage de Turselin révèle un développe-
» ment considérable dans le nombre des prodiges. »

Que répondre à cela? Il est oiseux de vouloir établir une comparaison, au point de vue qui nous occupe, entre Maffei et Turselin, parce que
les deux biographes poursuivaient l'un et l'autre un but très différent.
« D'autres, écrit Maffei, ont raconté ses prédictions infaillibles et ses
» miracles en plus grand nombre que nous ne l'avons fait, parce que

(1) *Ibid.*, p. 1121-26. — (2) *Ibid.*, p. 1151. — (3) *Selectae Indiarum epistolae*,
p. 182.

» nous nous proposions un autre dessein » (1). Il semble que Maffei avait prévu l'abus que M. Dickson White allait faire de son travail.

Quant à Turselin, il est intéressant de noter le changement d'attitude pris à son égard par M. Dickson White en 1891 et en 1896. Lorsqu'en mai 1891, l'article sur les miracles de S. François Xavier parut pour la première fois dans *The Popular Science Monthly*, Turselin fut pris comme point de départ de l'évolution de la légende. M. Dickson White affirmait alors que le livre de Turselin était « maigre en fait de miracles ». Mais le R. P. Thomas Hughes releva vigoureusement cette assertion inexacte, et montra que Turselin, ce prétendu point de départ d'évolution, et qui, d'après le professeur de Cornell University, avait écrit un livre maigre en fait de miracles, en raconte cinquante et un opérés par Xavier de son vivant (2). Aussi M. Dickson White, dans la nouvelle édition de son travail, a-t-il déplacé Turselin sur l'échelle de l'évolution. Il était curieux de signaler ces variations, d'autant plus que dans une note de son livre (3), M. Dickson White écarte, avec une mauvaise humeur visible, les articles du P. Hughes, où il n'y a, d'après lui, que des affirmations sans preuves. Pas si peu que cela, nous paraît-il, puisque l'affirmation relative à Turselin, affirmation du reste solidement établie par le P. Hughes, a produit tout son effet sur M. Dickson White. Il nous sera permis aussi de faire remarquer que ces changements ne sont pas à l'honneur de l'érudition du professeur de Cornell University ; au contraire, ils prouvent, comme d'autres assertions que nous avons relevées, combien il s'aventure à la légère.

Il nous reste à répondre aux objections soulevées par le publiciste américain sur deux faits miraculeux relatifs à S. François Xavier : la conservation de son corps et le don des langues. Pour le premier fait, M. Dickson White l'écarte d'une façon très sommaire, en rappelant que bien des fois on s'est trouvé en présence du fait de la conservation d'un cadavre, sans qu'il y ait lieu de crier au miracle. C'est très vrai. Assurément, toute conservation de corps est loin de prouver une intervention extraordinaire de la Providence, et dans bien des cas, les lois naturelles fournissent une explication satisfaisante. Toutefois, en d'autres circonstances, cette conservation est absolument contraire aux règles de la nature et échappe à toute interprétation scientifique. M. Dickson White aurait dû démontrer, s'il avait voulu faire œuvre de science sérieuse, que dans le cas particulier de S. François Xavier tout s'explique naturellement. Au lieu de cela, le professeur de Cornell University s'est contenté d'un paralogisme. Nous n'insisterons pas davantage sur ce point. Ce n'est pas ici le lieu de reprendre l'étude

____

(1) Lib. XV, p. 668, édit. Cardoni, 1614. — (2) *The Catholic World*, septembre 1891. — (3) T. II, p. 6.

de la question de la conservation du corps de Xavier tant de fois élu-
cidée, et nous croyons superflu de démontrer à nouveau que tout autre
cadavre inhumé dans les conditions où le fut le corps de l'apôtre des
Indes, eût été la proie certaine de la destruction.

Le prodige de la vie de Xavier sur lequel M. Dickson White insiste
le plus, est celui du don des langues, car là surtout il croit saisir sur
le vif le travail de développement de la légende. Le nouveau critique
refuse toute créance à ce don merveilleux; à ses yeux, c'est la crédulité
des historiens complaisants qui en a gratifié l'apôtre des Indes.
Or M. Dickson White veut sur ce point s'en tenir exclusivement aux
affirmations de Xavier lui-même. « Que nous apprend, dit-il, Xavier à
» cet égard? Au cours de toutes ses lettres, depuis la première jusqu'à
» la dernière, il ne cesse de décrire les difficultés qu'il éprouve à s'assi-
» miler les différents idiomes des tribus si variées, au milieu desquelles
» il doit vivre. Il nous rappelle comment il essaya de surmonter ces
» difficultés, parfois en apprenant tout juste assez de la langue pour
» traduire quelques formules liturgiques, parfois en empruntant le
» secours des autres afin d'apprendre les éléments mêmes de la langue,
» d'autres fois en employant des interprètes. »

Voilà toute l'argumentation de M. Dickson White! Que prouve-t-elle?
Que Xavier n'eut pas le don des langues en certaines occasions?
D'aucune façon, elle montre seulement que S. François Xavier mit en
œuvre tous les moyens humains qui pouvaient lui mériter un secours
surnaturel. L'argument de M. Dickson White fut déjà produit, lors du
procès de canonisation de S. François Xavier, par Jacques Picenino (1),
auquel le cardinal Gotti répondit fort à propos que les difficultés allé-
guées par Xavier ne contredisent nullement le fait qu'en certaines
occurrences Dieu lui donna, malgré ses rudimentaires connaissances
des langues exotiques, d'être compris de ceux auxquels il s'adressait
dans un idiome qui n'était pas le leur (2). Du reste, Xavier ne jouit pas
continuellement de ce privilège, qui semble ne lui avoir été accordé
qu'une ou deux fois, à Travancor et à Amanguci. Il pouvait donc, quand
Dieu ne l'assistait point d'une façon surnaturelle, éprouver toutes les
difficultés dont il fait la description. Aussi accorderons-nous volontiers
à M. Dickson White que le P. Bouhours qu'il cite à propos du don
des langues, a passablement exagéré l'usage de cette prérogative. On
sait d'ailleurs que chez le P. Bouhours les libres allures du littérateur
ont assez mal servi l'historien.

Toutefois, en ce cas encore, M. Dickson White a mal posé la question;
ce qu'il s'agit de savoir, c'est si des preuves suffisantes attestent en

(1) *Benedicti XIV opera omnia*, t. III, p. 250. — (2) *De vera ecclesia*, t. I, cap. 2,
§ 4, n° 44.

Xavier le don des langues. Eh bien, les témoignages sont formels à cet
égard, et pour dénier à Xavier la miraculeuse faculté de parler des
idiomes étrangers ou de se faire comprendre par les peuples les plus
divers en sa propre langue, il eût fallu démolir les témoignages produits au cours du procès canonique (1). Telle était la marche logique à
suivre, tandis que les considérations émises par M. Dickson White
n'entament d'aucune façon les témoignages positifs qui affirment pour
l'apôtre des Indes le don merveilleux des langues.

Nous croyons avoir fait justice des objections soulevées par M. Dickson
White contre les miracles de S. François Xavier. Ceux-ci, nous le voulons bien, sont de nature à déconcerter les esprits que hante le dédain
systématique du surnaturel ; mais vouloir expliquer par l'évolution de
la légende la vie merveilleuse de Xavier, telle que nous l'ont transmise
des historiens dignes de foi, c'est une entreprise illusoire et que les
faits démentent formellement. En tout cas, l'essai tenté par M. Dickson
White n'est guère encourageant, et nous croyons qu'on s'accordera
généralement à le trouver peu réussi.

(1) Voir la pièce *Relatio super sanctitate et miraculis.*

DE
PASSIONE MARTYRUM SCILLITANORUM
IN CODICE BRUXELLENSI 98-100

Cum, anno 1883, in catalogo nostro codicum hagiographicorum bibliothecae regiae Bruxellensis, codicem num. 98-100 signatum describebamus, in eo (fol. 235ᵛ) Passionem S. Sperati et sociorum eius, celeberrimorum nempe martyrum Scillitanorum, contineri diximus (1). Monebamus autem Passionem istam, qualis in codice Bruxellensi legitur, prope accedere ad horum martyrum Acta proconsularia in *Actis Sanctorum* edita (2). Cuius opinionis tamquam argumentum adduximus initium et unam pericopam textus Bruxellensis.

Porro paucissima illa, quae de textu nota feceramus, diligentissime excussit vir cl. C. I. Neumann (3); cuius disquisitione adductus est v. d. E. Preuschen (4), ut assereret in codice Bruxellensi descriptam esse recensionem haud absimilem ab ea quam ipsi olim in *Analectis* vulgavimus (5) et postea denuo edidit I. Armitage Robinson (6).

Iam vero cum anno 1882 coeperamus evolvere codices hagiographicos bibliothecae regiae Bruxellensis, vix in lucem prodierant quae H. Usener (7) et B. Aubé (8), postquam repertus erat textus graecus, de Scillitanis scripserant, nec tantam, quantam postea nacta sunt, famam adepta erant Acta illustrium istorum martyrum. Attamen argumentis a viris cl. C. I. Neumann et E. Preuschen prolatis iamdudum moti fuimus ut in codice Bruxellensi Passionem S. Sperati et sociorum denuo et maiore cum cura inspiceremus.

Quod cum nuper praestabamus, ilico intelleximus minime referendam esse, ut olim putaveramus, hanc recensionem Bruxellensem ad Acta proconsularia, sed eam prorsus eandem esse cum textu a nobis e

---

(1) T. I, p. 50. — (2) Iul. t. IV, p. 214. — (3) *Der römische Staat und die allgemeine Kirche bis auf Diocletian*, t. I (1890), p. 284-6. — (4) Harnack, *Gesch. der altchristl. Litteratur bis Eusebius*, p. 818. — (5) T. VIII (1889), p. 5-8. — (6) *Texts and Studies*, vol. I, n° 2, *The Passion of S. Perpetua with an appendix on the Scillitan martyrdom* (Cambridge, 1891), p. 112-16. — (7) *Index scholarum .... in Universitate Fridericia Guilelmia Rhenana*, Bonn, 1881. — (8) *Étude sur un nouveau texte des Actes des martyrs Scillitains*, Paris, 1881.

duobus codicibus Carnotensibus et a v. cl. Robinson e libris Britannici Musei, Vindobonensi et Ebroicensi edito. Ultima nimirum verba tantummodo aliquantulum diversa sunt ; siquidem post verba (1) : *Saturninus proconsul per praeconem (2) iussit duci sanctos (3) ut decollarentur*, ita pergit codex Bruxellensis : *Universis autem gaudentibus et Deum glorificantibus eo quod ad gloriosam passionem eos perducere dignatus est, statim decollati sunt pro nomine Christi (4), qui cum Patre et Spiritu sancto vivit et regnat per immortalia saeculorum saecula. Amen.*

Neque recte etiam legimus olim principium Passionis, cuius primum verbum diximus esse in codice Bruxellensi *Residentibus*. Est enim scriptum *Presidentibus*, quod corruptum esse ex vera lectione *Praesente bis* ostendit C. I. Neumann (5). Ceteroqui textus Bruxellensis propter plurimam librarii oscitantiam naevis minime caret ; sic, cum non intellexisset verbis *Praesente bis* designari consulis nomen et iteratam muneris functionem, invexit nomen Saturnini. Vocabulum *Nartzalli* mutavit in *Nartadum*. Ubi Speratus dicit, si ceteros omnes codices sequeris : *male accepti*, ibi Bruxellensis *malo accepto*. Saturninus proconsul iterum allocutus Speratum ait, ut habent codices Carnotenses et Ebroicensis : *Initiasti male de sacris nostris*; codex Britannici Musei habet : *Initianti* (cod. Vindobonensis *initiant) tibi mala*, quod textui graeco prorsus consonat ἐναρξαμένου σου πομπά ; sed Bruxellensis noster omnium pessime : *Nisi initiam tibi mala*, quod nullum sensum facit.

Et haec sunt praecipua, quae de Passione martyrum Scillitanorum in codice Bruxellensi transcripta notanda voluimus, ut quae olim minus recte protulimus, ea nunc iam lectoribus nostris offeramus omni ex parte emendata.

---

(1) *Anal. Boll.*, t. VIII, p. 8. — (2) Cod. Brux. *Sat. autem proconsul iussit* (om. *per praeconem*). — (3) Cod. Brux. *eos duci.* — (4) Quae litteris rarioribus impressa sunt, invenies etiam in aliis recensionibus. Cf. *Anal. Boll.*, t. c., p. 8. — (5) *L. c.*, p. 285.

ACTORUM S. DEMETRII

SAECULO XII CONFECTA

Ad diem 8 octobris(1), antecessor noster Cornelius Byeus S. Demetrii
martyris Passionem, quam vocabat alteram, e bibliothecae Vaticanae
codice 821 simul cum interpretatione latina ab ipso confecta vul-
gavit. Iam vero istorum Actorum alia versio latina exstabat, et quidem
a saeculis quinque conscripta, quam in bibliothecae Vindobonensis
codice lat. 377, saeculi XII, fol. 108ʳ-110ʳ, repperit nuper v. cl.
A. Goldmann et cuius ad nos apographum benignissime misit.

Ut patet ex istius Passionis initio et fine, quae mox subiciam, haec
versio auctorem habet Bernhardum quendam presbyterum latinum,
qui saeculo XII Thessalonicae degebat. Ad hoc autem opus motus est
anno circiter 1160 (2) petitione Iohannis, ecclesiae Spirensis scholas-
tici, qui tunc temporis legationis officio in Graecia fungebatur.

De Bernhardo nihil potuimus aliunde rescire; verum in chrono-
logico elencho, quem rerum amplissimarum clarissimarumque urbis
Spirae digessit Gulielmus Eysengrein (3), haec ad annum 1157 leguntur : *Quinto Calend. Maij dedicata est Ecclesia S. Petri Parochialis
Spirae, quam fundarat Ioannes de Erenberg Maioris Ecclesiae Spiren.
Scholasticus.* Ut haec ad Iohannem, qui S. Demetrii Vitam de graeco
in latinum transferendam curavit, referamus, tum temporis, tum loci,
tum officii condiciones enuntiatae suadent. Non autem ita certo pertinet advirum nostrum mentio Iohannis cuiusdam praepositi Spirensis,
qui anno 1186 interfuit condendo instrumento imperatoris Frederici I
in gratiam Cremonensium (4).

Integram Bernhardi versionem hic edere non iuvat ; quare titulum
et clausulam exscripsisse satis erit.

---

(1) T. IV, p. 90-92. — (2) Proin codex Vindobonensis lat. 377 nequaquam saeculo XI
exaratus est, ut referunt *Tabulae cod. manu script. praeter graec. et orient. in
bibl. Palatina Vindobonensi asservatorum*, t. I, p. 58. — (3) Ed. Dilingae, 1563. Cf.
LEHMANN, *Chronicon Spirense* (Franckfurt, 1612), p. 533, qui cognomen Iohannis
paulo mutatum tradit : *de Ernberg.* — (4) J. F. BÖHMER, *Acta imperii selecta*, t. I, p. 146.

Titulus (fol. 108ᵛ). *Passio sancti Dimitrii, XXVI die mensis octobris, quam ego Iohannes huius ecclesie scolasticus offitio, legationis fungens in Gretiam, a Thessalonica civitate, in qua et ipsam quidam prespiter latinus utriusque tamen lingue gnarus causa mei et pro petitione mea de greco in latinum transtulit, anno dominice incarnationis millesimo centesimo LXᵐᵒ huc apportavi et hic apposui* (1), *de oleo afferens quoque et vestibus eius in argentea pyxide.*

Clausula (fol. 110ᵛ). *Hanc passionem sancti Dimitrii quidam Thessalonicensis sacerdos nomine Bernhardus de greco in latinum transtulit causa mei, quam et ego ob memoriam et celebrationem tanti martyris hic adiunxi* (2).

> *Qui legis haec, memorare mei. Dic : Sancte * Dimitri,*　　　* o add. sup.
> *Munere pro tali tu prŏpiciare Iohanni.*　　　　　　　　　　　　lin.

Pauca de versionis indole suggeram. Id maxime notandum est finem Passionis, nempe a medio num. 14 ad num. 17 editionis Bollandianae, ab interprete valde fuisse contractum. Post verba *in quas coniectum fuerat, scrobibus* (num. 14), ita pergit Bernhardus : *Ubi usque in hodiernam diem multa et magna fiunt prodigia et miracula, divina hoc ordinante clementia. Nam et hodie tanta abundantia olei circa eius sepulcrum ebullit, quod pro conferenda sanitate passim per orbem terrarum sufficienter exinde feratur. Passus est autem beatissimus martyr Dimitrius sub Maximiano Herculeo imperatore XXVI die mensis octobris, regnante domino nostro Iesu Christo, cui est honor in saecula saeculorum. Amen.*

Non putaverim reliquam partem Passionis defuisse in codice, quo usus est Bernhardus; sed cum narrari ibi iam incipiant miracula, haud sui officii existimavit haec Iohanni tradere, qui forsan S. Demetrii Vitam tantum requisierat.

Interpres textum graecum ad litteram vertit; in paucis admodum discrepat Passio latina codicis Vindobonensis a recensione graeca in *Actis Sanctorum* edita, et hanc discordiam variae lectioni diversorum codicum hellenicorum nonnumquam adscribendam esse recte iudicaveris. Sic num. 1 medio, verbis *quos inter erat et beatissimus Demetrius,* haec addit presbyter Thessalonicensis : *velut clarissimum sidus inter astra reliqua.* Eodem numero, in fine, praeceptum Pauli enuntiat plenius, praemittendo : *Praedica verbum.* Num. 2, initio, Byeus scribit ad fidem textus graeci : *Graeciaeque deinde proconsul creatus esset,* Bernhardus vero : *Deinde potestatem totius Yllirici.*

---

(1) et (2) Fortasse ex hisce verbis eruere licet ipsum Iohannem codicem, de quo agimus, exscripsisse.

Num. 3 medio, anceps paululum haesit Bernhardus in vertenda sententia graeca : ἐν τῇ ἐκεῖσε Χαλκευτικῇ λεγομένῃ στοᾷ... ὑπογαίους καμάρας. Hanc sequenti commentario, potius quam versione, expressit : *contra porticum aerariorum, ubi magnificum forum colebatur, quod eolice* ΚΑΛΚΕΤΥΚΙΣΤΟΑ *nuncupatur, iuxta balneum publicum, in quo erant subterranea quedam edifitia, quas camartas* (1) *appellabant.*

Num. 4 initio, interpres τὰ λοιπὰ τοῦ πεντάθλου θεάματα ἐπιτελούντων non recte se intellexisse prodit, cum vertit : *et reliqua profana, quae ibi perfitiebantur.* Iuvat etiam referre sententiam quae pone sequitur, quia haec iam vexavit Byeum nostrum et forsan mutila erat in textu graeco qui ipsi praesto erat. Ita nempe pergit Bernhardus : *Erant autem preparata quaedam tabularum cenacula in quam per coclaeam ascendebant, ubi et recipiebantur hii qui dimicaturi erant ad invicem, ut viderentur ab imperatore et ab universis.* Scilicet dum Byeus putavit describi suggestum praeparatum pro imperatore, Bernhardo visum est agi de tabulatu pro dimicaturis erecto. Cui opinioni suffragari potest numeri eiusdem 4 ultima periodus, in qua graece dicitur διέτρεχε γὰρ διά τε τῶν σανίδων καὶ τοῦ μαγγάνου, latine vero apud Bernhardum : *Currebat itaque per predicta tabularum cenacula.* Byeus hanc pericopam neglexit, licet eam in textu graeco, quo usus est, legeret.

Num. 6 medio, presbyter Thessalonicensis iterum occurrit verbo καμάρας, quod ita vertit : *in cuius camertas* (sic), *qui* (sic) *latine dicuntur arcus.* Num. 7 in fine, post verba : *sed ora pro me Christum invocans,* Bernhardus addit : *ut mihi victoriam prebeat.* Num. 10, medio, in oratione Nestoris post verba : *David subiecisti,* haec in codice Vindobonensi adiecta sunt : *Nunc per intercessionem Demitrii famuli tui.* Ibidem, paulo inferius, sententia *extremamque imperatori attulit confusionem* deest in versione Bernhardi. Num. 10 in fine, Minutiani protectoris titulo et alius adicitur in codice Vindobonensi : *atque tribuno.* Num. 13 extremo, legitur in textu graeco ἐν ἡμέρᾳ τῶν βουλουππάτων. «An βουλευμάτων? » interrogat Byeus, et vertit *iudiciorum die.* Haud magis ex Bernhardi interpretatione proficimus : *in die qui greca lingua dicitur* ΚΠΕΤΕ.

(1) In margine, eadem manu : *unde et nos hodie in edifitiis nostris loca abscondita cameras appellamus.*

LA « *NOTITIA FUNDORUM* »

DU

TITRE DES SS. JEAN ET PAUL

A ROME

La basilique des Saints-Jean-et-Paul sur le Célius possède une charte
lapidaire dont on a tant parlé qu'il doit paraître superflu de s'en occuper
encore. Martinelli, Borgia, Fabretti, Bianchini, Rondinini, Galletti,
Marini, J.-B. De Rossi, le P. Germano di S. Stanislao (1) et d'autres
encore, l'ont publiée et republiée, et en ont donné des commentaires,
dont plusieurs ont une réelle importance. Nous n'avons pas la préten-
tion de refaire ces travaux, d'apporter beaucoup de renseignements
nouveaux ou de mettre en lumière des conclusions qui auraient échappé
à tant d'érudits de marque. Le but de cette note est simplement d'attirer
l'attention sur un détail secondaire, qui paraît n'avoir pas été remarqué
jusqu'ici.

L'inscription, gravée sur deux plaques de marbre, n'est autre chose
qu'un privilège pontifical confirmant les possessions en biens-fonds de
la basilique du Célius. En voici le début.

*Gregorius episcopus servus servorum Dei dilectissimis in Christo filiis
Deusdedit cardinali et Iohanni archipresbytero tituli SS. Iohannis et
Pauli et per vos in eodem titulo in perpetuum. Credite speculationis
impellimur cura...*

(1) Martinelli, *Roma ex ethnica sacra* (1653), p. 278-79 ; Fabretti, *Inscriptiones
domesticae*, p. 416, 368 ; Bianchini, *Anast. Biblioth.*, t. I, praef. § 49 ; Rondinini, *De
ss. martyribus Iohanne et Paulo* (Romae, 1707), p. 107 ; A. Borgia, *Storia di
Velletri* (1723), p. 137 ; Galletti, *Inscriptiones romanae infimi aevi*, t. I (1760),
pp. 7, 8 ; Marini, ap. Mai, *Script. vet.*, t. V, pp. 211, 212. G.-B. De Rossi, *Diploma
pontificio inciso in marmo*, dans Bullettino comunale di Roma, 1872, p. 54-58 ;
Bullettino di archeol. crist., 1873, p. 36-41. Voir aussi *Bibliothèque de l'École des
chartes*, t. XXXIV (1873), p. 260-266 ; P. Germano di S. Stanislao, *La Casa Celimontana dei ss. martiri Giovanni e Paolo* (Roma, 1894), p. 482-484, avec un fac-
similé (p. 480-81) un peu primitif, mais qui permet de se faire une idée générale du
monument.

On s'est demandé tout d'abord de quel pape Grégoire émanait ce privilège. Tous les anciens commentateurs, sauf Suarez, qui l'attribuait à Grégoire II, se sont prononcés pour S. Grégoire le Grand, et cette opinion pouvait paraître d'autant plus plausible que l'on cite un *Deusdedit presbiter tituli SS. Iohannis et Pauli*, en même temps qu'un *Iohannes presbiter tituli SS. Iohannis et Pauli*, comme ayant fait partie du concile de Rome, tenu en 595, sous S. Grégoire (1). Mais J.-B. de Rossi est d'avis que le diplôme ne peut être attribué ni à Grégoire I, ni à Grégoire II, ni à aucun Grégoire du VIII° siècle, vu qu'à cette époque on ne trouve pas d'archiprêtre attaché à chaque titre et soumis au cardinal. L'archiprêtre était alors le premier des cardinaux-prêtres, et ce n'est qu'à partir du X° siècle que l'on signale des archiprêtres inférieurs aux cardinaux. D'autre part, la paléographie du monument, et celle d'un autre exemplaire fragmentaire découvert en 1872, à l'angle de la Via del Babuino et de la Via dei Greci (2), ne permet pas de descendre au delà du XI° siècle. J.-B. de Rossi en conclut que le privilège émane de Grégoire VII. Nous nous contentons de rappeler ces déductions, sans les discuter davantage ; car elles sont accessoires dans notre sujet. Ajoutons seulement que l'on s'est généralement rallié à la conclusion de J.-B. de Rossi, et que dans la nouvelle édition des *Regesta Pontificum* de Jaffé, le privilège a été inséré, sous le n° 5292, dans le Registre de Grégoire VII.

La charte de l'église des Saints-Jean-et-Paul est composée non seulement de deux plaques séparées, mais de deux textes gravés à des époques différentes. Avant la concession du privilège, il existait dans la basilique une *Notitia fundorum*, gravée sur une plaque de marbre. Comme l'énumération de ces biens-fonds faisait partie intégrante de la bulle, on a jugé commode, en gravant celle-ci sur la pierre, d'utiliser la plaque déjà existante. Sur un marbre d'égale dimension on a écrit le préambule de la lettre pontificale, jusqu'au passage où commence l'énumération. Celle-ci se trouve sur l'antique plaque de marbre, que l'on a tout simplement placée à côté de l'autre. L'ouvrier qui a gravé le préambule, a complété la série des fonds en y ajoutant une acquisition postérieure, et a terminé le privilège par la clause d'usage. Les derniers éditeurs ont eu la bonne idée de reproduire en italiques les additions de date plus récente (3). On les reconnaît sur la pierre au premier coup d'œil, et voici comment on lisait, avant la concession du privilège, la *Notitia fundorum* sur les murs de la basilique.

---

(1) EWALD-HARTMANN, *Gregorii I registrum*, t. I, p. 367; cf. t. II, p. 275. — (2) Fac-similé dans le *Bullettino comunale di Roma*, 1872, pl. IV, 3. — (3) *Bibliothèque de l'École des chartes*, t. XXXIV, p. 26; P. GERMANO DI S. STANISLAO, *La Casa Celimontana*, p. 479.

† TERRIT. BELTR. MIL. XXII.

```
†  F̄V̄N̄D       MVCIANVS       IN         INTEGRO    † 
N  F̄V̄N̄D   COSCONIS   IN    INTG    VBI    SV̄P        C
O  FND.  PRETORIOLVS  IN  INT.  VBI  SVPRA            O
T  FVND  CASA  CATELLI  IN  INTEG  VBI  SVPRA         N
I  FVND  PROCLIS  IN   INT  VIA  APPIA  ML.   XIII    S
T  FND  VIRGINIS IN INT. VIA APPIA ML. II CVM PANTAN  T
I  FND  CAPITONIS  VIA  ARDEATINA  MIL.  III          A
A  FND  FONTEIANVS  IN  INT.  VIA  SSTA˙ ML.  V        N
F  FND FAVSIANVS IN INT. VIA S̄S̄T̄A MIL. PL M. XII      T
V  FND   LAVSIANVS   IN   IN   VIA   SSTA  MI SS̄T̄O    I
N  FND. CARBONARIORVM IN INT VIA SSA M P VIIII        N
D  FND. PVBLICA IN INT VIA LATINA MIL. PL M. XI       V
O  FND CASA QVINTI IN INT VIA LATIN M PL M XI         S
R  FND LACITIANVS IN INT.  VIA LAVICANA M XV          S
V  FND.  SERGIANVS  IN  INTEGRO  VBI  SVPRA           E
M  FVND.  SEPTEMINIS  IN  INT.  VIA                   R
I  FVN CAESARIANVS IN INT. VIA PENESTRINA M. XXX      V
V  FN STAGNIS IN INT. VIA LATINA MI PL. M XXX         V
R  FVN  CASA  LVCI.  IN  INT  VBI  SVPRA              S
I                                                    I
S                                                    S̄O
T                                                    O
I                                                    R
T                                                    V
V                                                    M
L
I
H
V
I
V
S
```

La forme des lettres et des sigles permet, au jugement de J.-B. de
Rossi, de faire remonter l'inscription, non seulement au VIIIe ou au
VIIe siècle, mais même à la fin du VIe.

Nous laisserons à d'autres le soin de commenter la série topographique, si importante pour la connaissance de la campagne romaine (1),

(1) Voir A. BORGIA, *Stor. di Velletri*, p. 137, et surtout G. TOMASSETTI, *Della
Campagna romana nel medio evo* (extrait de l'ARCHIVIO ROMANO DI STORIA PATRIA,
t. II-IX), *Via Appia*, p. 37-71.

et nous nous arréterons aux deux colonnes verticales qui encadrent le texte.

> † NOTITIA FVNDORVM IVRIS TITVLI HVIVS.
> † CONSTANTINVS SERVVS S̄OORVM.

La première n'offre rien de bien saillant. C'est le titre du document. La seconde a fourni à J.-B. de Rossi l'occasion d'une dissertation fort intéressante, mais qui, j'ai le regret de le dire, repose sur une fausse lecture.

Le dernier mot présente non seulement une abréviation, mais une erreur de gravure. J.-B. de Rossi s'en est aperçu, et voici comment il corrige : « Nel marmo e scritto S̄OORVM in luogo di SERVORVM (1). » Comme cette correction ne donne au texte qu'un sens incomplet, l'éminent archéologue a été amené à suppléer un mot, et se souvenant de la formule, fameuse depuis S. Grégoire, que les papes prennent comme titre au début de leurs actes, il a lu :

> † CONSTANTINVS SERVVS SERVORVM *dei*.

Ceux qui, avant J.-B. de Rossi, ont lu « *servus servorum* » (2), ont conclu qu'un nom suivi de cette qualification ne pouvait être que celui d'un pape, et ils ont identifié le personnage avec le pape Constantin (708-715), sans songer que l'absence du titre d'*episcopus* rend cette conjecture difficile à soutenir. J.-B. de Rossi, se rappelant une inscription célèbre, où un simple orfèvre s'intitule

> G . G . AVRIFES SERBVS DE SERBVS DEI

croit qu'il s'agit d'un simple particulier, et trouve ainsi dans le marbre du Célius, sur lequel le graveur ou le notaire aurait écrit son nom, de la même manière que le calligraphe Furius Dionysius Filocalus inscrivait le sien en colonne verticale sur les inscriptions damasiennes, un nouvel exemple de l'emploi de la formule *servus servorum Dei* par les fidèles de toute condition (3).

Mais il y a un moyen plus simple de corriger l'erreur, du reste fort légère, du lapicide, et c'est le seul, croyons-nous, que suggère la formule paléographique S̄OORVM : c'est d'admettre que la seconde lettre est un C, dont le contour a été achevé par mégarde. Il faudrait

---

(1) *Bull. di arch. crist.*, 1873, p. 38. — (2) Quelques auteurs, comme ROMBININI, *De ss. martyribus Iohanne et Paulo*, p. 78, échappent à la difficulté en omettant ce détail du texte de la *Notitia*. — (3) Cette formule célèbre se rencontre aussi dans les Actes des martyrs grecs publiés par J.-B. de Rossi, *Roma sotter.*, t. III, p. 206 : *Hippolytus servorum servus Christi.*

lire SCORVM, abréviation des plus régulières pour SANCTORVM.
La comparaison des formes des lettres confirme cette lecture. Le
premier O n'est pas tracé comme le second, qui est beaucoup moins
arrondi et plutôt allongé, comme d'ailleurs tous ceux de l'inscription.
Nous obtenons donc, dans la colonne de droite de la *Notitia fundorum*
le texte suivant, qui donne un sens parfaitement acceptable, sans qu'il
soit nécessaire de suppléer des mots dont rien sur la pierre n'indique
l'omission :

† CONSTANTINVS SERVVS SANCTORVM

Des qualificatifs analogues se rencontrent ailleurs, surtout sur des
inscriptions votives. J.-B. de Rossi en a signalé une dont voici le texte :

FELIX VI
EX CONSVLE ORD
SERVVS VESTER PRO
CONTINVIS BENE
FICIIS VESTRIS
OPTVLIT.

Cette inscription, qui est actuellement au musée du Latran (comp. I,
piédestal à droite), a été trouvée aux environs de Gabi. Le *Felix vir
illustrii* est identifié par J.-B. de Rossi avec un consul de ce nom en
511 (1). On ne connaît pas les saints dont il se dit le serviteur.

L'empereur Otton III, dans sa charte de donation à Saint-Pierre,
s'intitule *Otto servus apostolorum* (2). Mais ce n'est peut-être pas de ce
côté qu'il faut chercher des textes parallèles. Est-il même nécessaire
d'en trouver, et la formule n'est-elle pas assez claire par elle-même?
Les saints dont il s'agit sont évidemment SS. Jean et Paul, et celui qui
s'intitule leur serviteur, est un personnage attaché à leur église. C'est
ainsi que plus tard, Benoît, l'auteur de l'histoire d'un miracle de
S. Cyriaque, s'intitule *Benedictus SS. Cyri et Iohannis indignus minister* (3). Quoique Constantin, qui nous est inconnu d'ailleurs, ne fasse
pas, comme Benoît, allusion au ministère sacré qu'il exerce, rien
n'empêche de voir en lui le serviteur par excellence des deux saints
protecteurs du titre, celui qui s'appellera plus tard le cardinal ; à moins
qu'il ne soit le successeur du *Donatus mansionarius sanctorum Iohannis
et Pauli*, dont l'épitaphe nous est parvenue (4).

<hr>

(1) *Bull. di archeol. crist*, 1877, p. 11.— (2) *M.G.*, Diplomata t. II, p. 819, n. 389. —
(3) *Act. SS.*, Aug. t. II, p. 336. — (4) MARCHERINUS, *Inscriptiones antiquae basilicae
S. Pauli* (Romae, 1654), n. 396.

L'INSCRIPTION D'ABERCIUS

On pouvait espérer qu'après les nombreux travaux publiés dans ces derniers temps (1), la question d'Abercius était définitivement close, et personne ne se serait attendu à la nouvelle solution que vient de proposer M. Dieterich (2). Abercius n'est pas disciple du Christ; à Rome, il n'a pas vu un peuple orné d'un sceau brillant; ce n'est pas la foi qui le conduit; le pain, le vin, le poisson pêché par une vierge pure, ne font nullement allusion au repas eucharistique. Abercius est un dévot d'Attis, délégué par ses confrères pour les représenter à la cérémonie du mariage sacré du dieu solaire d'Émèse avec la Junon céleste de Carthage, célébré en grande pompe par Héliogabale vers 220. Il y voit un roi et une reine vêtue et chaussée d'or : c'est le dieu et la déesse. Le ΛΑΟΝ λαμπρὰν σφραγῖδαν ἔχοντα n'est autre que la pierre noire ornée de certaines marques de saillies (3). Au lieu de πίστις il faut lire Νῆστις ou Νῖστις. C'est une divinité aquatique, qui a nourri le voyageur de poisson, de pain et de vin; et la vierge, παρθένος ἁγνή, est une prêtresse à qui était confié le soin de prendre les poissons sacrés.

Cette nouvelle explication est appuyée sur un appareil d'érudition extraordinaire, et il faudrait une dissertation plus ample que celle de M. Dieterich pour peser un à un tous ses arguments. Disons quelques mots des principes de son exégèse (4).

(1) Nous les avons signalés dans cette revue, t. X, pp. 65, 66; t. XIII, p. 402; t. XV, p. 332-34. Voir aussi un long et solide article de M. J. Pomjalowski, dans *Viz. Vremennik*, t. III (1896), p. 317-36, où l'auteur, après avoir passé en revue les travaux en question, se prononce nettement en faveur de l'origine chrétienne de l'inscription. — (2) Alb. Dieterich, *Die Grabschrift des Aberkios*, Leipzig, Teubner, 1896, 8°, vii-55 pp. — (3) M. Harnack, dans la *Theologische Literaturzeitung*, 1897, p. 61, communique un texte intéressant, tiré des *Acta Philippi* (Tischendorf, p. 93), de nature à tranquilliser ceux qui s'inquiètent de la métaphore de *sceau brillant* appliquée au baptême. Il y a un texte aussi pour mettre à l'aise ceux qui rapportent le *sceau*, non au peuple, mais à la pierre. C'est le II Tim. 2, 19. Voilà de la science impartiale. — (4) Des philologues éminents, comme M. Salomon Reinach, dans la *Revue critique*, 1896, t. II, p. 447, et M. C. Weymann, dans l'*Historisches Jahrbuch*, 1896, p. 904, ont déclaré se rallier à l'opinion de M. Dieterich. Il est bon de constater qu'ils se contentent d'exposer, et n'entreprennent pas de discuter à fond ses raisons. Cette adhésion, pour le moins inattendue, donne la tentation de répéter un mot de M. Dieterich (p. 49, n. 1) : " Das gehört für mich zu den Rätseln des Menschenlebens. „

Pour maintenir l'interprétation ancienne, on se fondait d'abord sur une antique tradition paléographique, reposant sur une première rédaction de la Vie d'Abercius, composée à une époque où l'inscription était entière ou à peu près. On admettait aussi l'opinion des gens du pays, consignée dans le même document et remontant au VIe, peut-être au Ve siècle. Pour eux, Abercius était un chrétien et un évêque. Enfin, on rendait compte, sans effort, de presque toutes les parties de l'inscription en ayant recours aux éléments les plus usuels du symbolisme chrétien des premiers siècles. Voilà, si je ne me trompe, qui est de bonne critique, et c'est généralement de ces idées que s'inspirent les érudits en temps de calme.

M. Dieterich est obligé de faire table rase de tout cela, et d'échafauder un système compliqué, reposant sur des suppositions qui ne sont pas extrêmement naturelles. Il préfère aux leçons des manuscrits, ses propres conjectures, νῆστις, par exemple, au lieu de πίστις; car c'est une conjecture, et lorsqu'il affirme (p. 43) que les restes du mot visibles sur la pierre *excluent absolument toute autre lecture*, nous nous voyons obligé, après avoir examiné attentivement le monument lui-même, de lui dire qu'il se trompe. Qu'une tradition ancienne rapporte l'inscription à un évêque chrétien, cela ne gêne pas M. Dieterich. Il y a eu au Ve siècle un évêque de Hiéropolis nommé Abercius; c'est l'homonymie qui a attiré l'attention sur l'épitaphe antique; celle-ci devint le noyau d'une légende, où l'histoire de l'évêque Abercius se mêla avec des interprétations fantastiques de l'inscription. On avait proposé l'identification d'Avircius Marcellus (Eusèbe, *H. E.*, V, 16) avec l'Abercius de l'épitaphe. Il n'y a aucun indice, même éloigné, qui la suggère, dit M. Dieterich; il y avait tant de personnages du même nom! Oui, mais Abercius Marcellus n'était pas le premier venu. C'était un dignitaire ecclésiastique important, ayant vécu à l'époque et dans le pays de celui qu'on a regardé comme l'évêque d'Hiéropolis. Ces arguments méritaient mieux qu'une fin de non-recevoir, d'autant plus qu'ils fournissaient à M. Dieterich l'occasion de s'expliquer sur une question de chronologie qu'il esquive lestement. Il s'agit du rapport de priorité à établir entre l'épitaphe d'Alexandre et celle d'Abercius. On avait admis jusqu'ici que cette dernière avait servi de modèle à l'autre. Comme celle d'Alexandre est datée de l'année 216, nous aurions une date approximative pour l'original. Dans le système de M. Dieterich, la question est fondamentale. Car, si l'inscription d'Abercius existait avant 216, il ne peut y être question de la fête du dieu Elagabal, qui eut lieu entre les années 219 et 220. Or, je cherche en vain dans la démonstration une raison sérieuse en faveur de la priorité de l'inscription d'Alexandre. L'auteur affirme que celle d'Abercius n'est qu'un développement des premiers vers de l'autre. L'impression que donne la lecture des deux épitaphes, est toute différente. Le μαθητὴς ποιμένος ἁγνοῦ demande un complément; qui, dans l'inscription d'Abercius, vient tout naturellement, et que l'on attend en vain dans celle d'Alexandre.

Il faudrait relever une foule d'autres détails, comme la lecture λᾶον dans le sens exceptionnel de pierre, pour λαόν peuple, et une série de textes soi-disant parallèles, qu'il est permis, comme l'a très bien dit le P. Wehofer, de citer à des commençants, à propos d'un passage non controversé, pour leur ouvrir des horizons, mais qu'on ne saurait accepter comme des preuves (1).

Naturellement, on s'est occupé aussi quelque peu de la Légende d'Abercius. Des inexactitudes ont été dites et répétées : M. Harnack avait été jusqu'à parler d'un Métaphraste du V⁰ siècle (2). M. Reinach (3) nous dit encore que, de la Vie d'Abercius, le remaniement par Syméon Métaphraste nous est seul parvenu. S'il s'était donné la peine d'ouvrir notre catalogue des manuscrits hagiographiques grecs de Paris, il aurait vu qu'à la bibliothèque nationale, outre la Vie d'Abercius qui fait partie de la collection de Métaphraste, il se trouve deux autres recensions anciennes de cette biographie.

M. Hartmann (4) a signalé dans la Vie d'Abercius des traits communs avec la Passion de S. Cyriaque qui fait partie des Actes de S. Marcel. En substance, le diacre Cyriaque est appelé à Rome, tout comme Abercius, pour délivrer la fille de l'empereur tourmentée par le démon. Cette coïncidence ne suffit pas pour permettre de conclure que les Actes d'Abercius dépendent de ceux de Cyriaque. Nous sommes ici en présence d'un lieu commun de l'hagiographie légendaire. On le rencontre dans bien d'autres pièces, dans la Passion de S. Potitus, par exemple, dans celles de S. Vit, de S. Tryphon, dans les Vies de S. Mathurin, de S. Naamatius, etc. Le lieu d'origine de cette fable n'est pas déterminé, et il serait intéressant de chercher à le fixer (5). Personne n'a jamais pris au sérieux ces histoires manifestement inventées. Mais tout cela n'empêche pas que l'auteur de la légende d'Abercius a traduit l'opinion de ses contemporains en faisant de lui un évêque, et qu'il a lu des parties de l'épitaphe qui ne nous sont restées que dans sa transcription.

(1) Th. M. Wehofer, *Eine neue Aberkioshypothese*, Römische Quartalschrift, 1896, p. 351-378. — (2) *Texte und Untersuchungen*, t. XII, 4, p. 5, note 1. — (3) *Revue critique*, l. c., p. 452. — (4) L.-M. Hartmann, *Abercius und Cyriacus*, dans Serta Harteliana (Wien, 1896), p. 142-44. — (5) Récemment, M. F. C. Conybeare a essayé de rattacher cet incident de la Légende d'Abercius à une tradition rapportée par le Talmud de Babylone (Meïla, 17 b). Voir *The Academy*, June 6, 1896, p. 468-70.

Pour quiconque a la passion de la vérité, la lecture du mémoire de
M. Dieterich s'achèvera sur une impression pénible. Il y a une page de
déclamations sur les préjugés des partis qui mettent sous un faux jour
les documents de l'histoire des religions, contrairement à la science
vraie, qui existe encore dans le camp de M. Dieterich — *unter uns* —
science qui ne reçoit ni lois, ni préceptes, ni direction d'aucun pouvoir
au ciel ni sur la terre, et qui ne se préoccupe pas de savoir ce qui résul-
tera de ses investigations... Après cette sortie inconvenante, que rien ne
justifie et que rien n'a provoqué, on devra s'en prendre à M. Dieterich,
si le débat, purement scientifique dans le principe, dégénère en controverses et en disputes confessionnelles. M. l'abbé Duchesne a déclaré
loyalement et simplement que, dans cette question, aucune préoccupation dogmatique ne devait troubler le savant croyant (1); tout le monde
a applaudi à cette déclaration, et une revue romaine, peu suspecte
d'exagérer les choses dans le sens de la liberté, l'a expressément relevée
pour l'approuver (2). Nous ne pouvons donc laisser passer, sans pro-
tester vivement, les insinuations de M. Dieterich. Quand il aura démontré
sa thèse, nous nous y rallierons, sans craindre de mettre en péril la
moindre parcelle de nos dogmes.

Pour le moment, il nous permettra d'être plus sceptique que lui, et
de ne point partager sa confiance dans les résultats acquis. Après
l'explication qu'il en a donnée, la pierre tumulaire d'Abercius devient
enfin, s'il faut l'en croire (p. 51), « ein fester Markstein auf den
wirren Wegen religionsgeschichtlicher Entwicklung ». C'est intradui-
sible, mais c'est ineffable de suffisance.

(1) *Mélanges d'histoire et d'archéologie*, t. XV (1895), p. 160. — (2) *Civiltà cattolica*, 1896, t. I, p. 220.

DOCUMENTS RELATIFS

AU

B. PIERRE CANISIUS

Nous avons rencontré les trois documents qui suivent aux Archives générales
du royaume, à Bruxelles, dans des cartons *Varia* qui se rapportent à la Compagnie
de Jésus. La lettre appartient au carton 19, et la feuille volante où se trouvent
transcrites les deux autres pièces, fait partie du carton 30.

J.-F. Kieckens, S L

I

Lettre du bienheureux au P. Jean Bargius

Pax Christi nobis aeterna, Reverende Pater Bargi (1).

Legi tuae charitatis litteras ad fratrem Theodoricum (2) datas, ac
libenter cognovi vestram erga me benevolentiam, iam ante notam,
novo pioque munusculo confirmari. Benedictus Deus, quo favente
sustines praeclarum hoc munus novitios instituendi, ut hac institutione, quae R. P. N. Generali grata est, de tota provincia Belgica
bene merearis. Pergas, quaeso, fidos praeparare operarios, qui paulatim in messem valde turbulentam et afflictam possint extrudi, et
plura complere collegia, Domino messis auxiliante. Vere miserandus
est Belgii status, ut prorsus dubitem, peiusne agatur cum inferiore
Germania quam superiore. Sed in misericordiam se convertet ira
Domini, quando ingens populus in catholica fide persistit, et plurimi
ante Baal sua genua non curvaverunt. Terribilis interim virga Dei nos
percutit, et partim per immanes Turcas in Ungariam saevientes, partim per haereticos perfidos in utraque Germania et Gallia potenter grassantes, ad meliorem nos mentem revocat, ut vel coacti resipiscamus.

(1) Le Père Jean Bargius, auquel cette lettre fut adressée, était un compatriote du
B. Pierre Canisius. Né à Amsterdam, le 22 septembre 1559, il avait été admis dans
la Compagnie de Jésus le 5 septembre 1578. Il fut recteur et maître des novices à
Tournai depuis 1582, et au sortir de cette charge, il fut envoyé dans les missions de
Hollande. Il mourut à Harlem le 9 juillet 1600. (Cf. Patrignani, *Menologio*, t. III,
p. 42-43.) — (2) Il s'agit ici du frère consanguin du bienheureux, Théodoric ou
Thierry Canisius, né à Nimègue, et qui entra dans la Compagnie de Jésus en
1557. Il mourut à Ingolstadt, le 26 septembre 1606.

Quoniam vero Antwerpiae nullum ex nostris agnosco, tuum et consilium et praesidium implorare statui, veteri necessitudine nostra confisus.

Misi ad Plantini haeredes ante annum correcta quaedam in libello precatorio, ut idem una cum parvo catechismo recuderetur, et publico serviret commodo (1). Nihil autem hactenus intelligo, an libellus ad nostrorum pervenerit manus, quos optabam praeesse huic recognitioni. Deinde cupiebam *Notas* meas (2) in tres tomos distribui, et ad eam fere formam redigi, quam Granatae conciones Plantianis *(sic)* typis excusae prae se ferunt, totumque opus absolutum et recognitum habeo, libenterque mittam Antverpiam, si putetis et typographo gratum, et regio privilegio dignum fore. Quod enim ad priorem Germanumque typographum (3) spectat, efficiam fortasse ut ipso non invito, qui Caesaris privilegio munitus est, Antwerpiensis editio progrediatur.

Vide, Pater, quid hic mihi faciundum putes, ne quid pernitiosum ex imprudentia consequatur. Ac nostri quidem Antwerpienses mihi gratissimum fecerint, quicquid in censendo et corrigendo sibi sumpserint, quandoquidem illis iudicium omne permitto. Salutem ex me omnem dici velim R. P. Oliverio (4), ubicunque fuerit, et aliis charissimis patribus ac fratribus, valdeque cupio et peto, me valetudinarium senem illorum sacrificiis ac precibus, tuis vero inprimis, Domino commendari. Bene in Christo vale, Pater, qui cum novitiis tuis ut senioris Canisii crebro memineris, etiam atque etiam rogo.

Raptim, Friburgi Helvetiorum, calendis Octobris, anno Christi 1594.

In Christo servus

Petrus Canisius S. I.

Adresse au revers : Reverendo in Christo Patri M. Ioanni Bargio, magistro novitiorum Societatis Iesu. In provincia Germaniae inferioris. Tornacum.

(1) Le petit catéchisme de Canisius suivi, des prières en question, parut à Anvers chez la veuve Plantin et Jean Moretus en 1593. Il y eut une autre édition en 1594. En 1595, il sortit une autre encore des presses de Balthasar Bellerus. (Cf. Sommervogel, S. I., *Bibl. de la Compagnie de Jésus*, t. II, col. 638.) — (2) C'est l'ouvrage intitulé *Notae in evangelicas lectiones*, qui fut imprimé deux fois à Fribourg en Suisse, d'abord en 1591, puis en 1593 *(ibid.,* t. II, col. 680). Le manuscrit de l'édition projetée est sans doute celui que signale le P. Sommervogel sous la lettre B *ibid.,* col. 684. Cette seconde édition ne paraît pas avoir été exécutée. D'après ce que nous dit le R. P. Braunsberger, l'éditeur des lettres du B. Canisius, les *Notae* ont deux tomes, l'un *De Dominicis,* qui parut à Fribourg, en 1591, et l'autre *De Festis,* en 1593. Il y eut plus tard une 2e édition, du t. II du moins. — (3) Il s'agit ici d'Abraham Gamperlin, l'éditeur suisse des deux éditions latines des *Notae.* (Cf. Sommervogel, *op. cit.,* t. II, col. 680.) — (4) Le P. Olivier Manare, provincial des Jésuites belges de 1589 à 1594.

II

Les détails suivants sur les vertus du bienheureux Canisius ont été fournis par le frère coadjuteur qui lui donna ses soins durant sa dernière maladie. Le P. François Sacchini, le biographe de Canisius, dont l'ouvrage parut à Ingolstadt en 1616, les a utilisés en partie.

Virtutes nonnullae memorabiles in R. P. Petro Canisio observatae ab eius socio, dum se ad mortem praepararet.

1. Anno aetatis 76ᵉ vehementer cupiebat dissolvi et esse cum Christo, longusque illi annus 1597ᵘˢ visus est.

2. Dolere se dicebat, quod nulli amplius prodesse posset, et ideo omnem in sui perfectionem curam ponebat.

3. In loquendo parcus erat, modestus, consideratus, et omnino spiritualis; malebatque alios audire, quam loqui. In risu nunquam effundebat se.

4. Si ingerebatur ab aliquo sermo de novis profanis aut principum christianorum dissentionibus, mox abrumpebat. Inquirebat utrum multi sacramenta frequentarent, et conciones, et aliqua . puncta de concione vel exhortatione sibi referri cupiebat,vel ex lectione mensae. De fervore primorum patrum nostrorum et de mediis ad perfectionem acquirendam libentissime agebat vel audiebat.

5. Pro ecclesia, summo pontifice, principibus christianis ac praelatis Deum crebro orabat.

6. Erga sanctos magno affectu ferebatur et saepius invocabat, et potissimum patronos civitatum quae a fide defecerant, dolens debito cultu privari.

7. Nunquam otiabatur, nec interdiu somno indulgebat, sed vel orabat, vel pios libros, maxime Vitas sanctorum, legebat aut sibi legi curabat, vel adstantes et visitantes se ad perfectionem exhortabatur.

8. Rosarium saepius per diem recitabat et officium Beatae Virginis; consuetas Societatis orationes non omittebat, et meditationem usque ad mortem, et tanto affectu ut lacrymas copiose funderet, et subinde veluti a sensibus alienatus videbatur. Sacrum aliquot diebus ante mortem omittere coactus magno animi sensu.

9. Precibus aliorum humiliter et crebro se commendabat, et pro gratissimo dono habebat, quando ei certae aliquae preces a nonnullis offerebantur.

10. Valde cavebat offensionis ullam causam dare iis qui eius curam habebant; illis acquiescebat in omnibus, et se regi sinebat.

11. Patientiae exempla magna dabat; semper contentus, quidquid de illo statueretur, et si a socio subinde negligeretur, nullum impa-

tientiae verbum vel signum ostendebat, seque ipsum vincebat et Deo gratias agebat, quod aliquam patiendi occasionem habuisset; et ingravescente morbo, Deum laudabat, et gaudebat quia appropinquabat redemptio eius.

12. Nihil per se petebat pro solatio morbi, contentus iis quae illi dabantur, dicens non facile aliquid petendum, ad quod privato affectu et propria voluntate trahimur, sed superioribus omnia relinquenda (1).

13. Cibo parcissimo utebatur et vino valde diluto, ita ut una integra septimana vix tantum sumeret, quantum aliquis alius unica refectione.

Parum subinde carnis concisae, sed ordinarie offa * cum pyro vel pomo cocto, vel simili aliqua re leviori et communi aliorum cibo usus est fere usque ad mortem ; rarissime aliquid singulare admittebat, et verebatur coquo molestiam adferre. * ms. offam.

Ad singulos fere bolos mentem in Deum elevabat, vel sanctum aliquem invocabat et Deum benedicebat, et magnas gratias agebat etiam pro tenui et vulgari refectione.

Tempore morbi ieiunia Ecclesiae et abstinentias Societatis servabat, nisi per superiorum obedientiam impediretur.

14. Corpore licet exhausto, et vix praeter pellem et ossa haberet, ita ut vix iacere aut diu sedere eodem situ posset, quin subinde cutis afficeretur, tamen adhuc disciplinam faciebat.

15. Humilis valde, nihil de rebus suis dicere vel audire volebat; humiliter gratias agebat fratribus qui eius curam habebant; compatiebatur labori eorum et, si qua in re illis gravis fuisset, humiliter veniam precabatur, et pro illis Deum orabat peculiariter, ac religiosis verbis aedificabat ac instruebat.

16. Superiorum et sanctissimae obedientiae observantissimus fuit, et si quid iussus, vel compellente necessitate, faceret, cum omni resignatione, sine replica, sed simpliciter id faciebat, et proponebat tantum.

17. Curatoribus suis aut socio nihil imperabat, sed per amorem Dei petebat, et se instar infantis tractari permittebat.

---

(1) Sacchini, *De vita et rebus gestis P. Petri Canisii* (1616), p. 386, rapporte le gracieux trait suivant, qu'on est étonné de ne pas rencontrer dans les remarques du frère coadjuteur anonyme : *Erat cibus de communi fere toti collegio, isque unus omnium arridebat suavissime, nec ut praeparcum suum unquam excederet modum, poterat impetrari ; multo minus ut indicaret eccuius nominatim rei desiderio teneretur. Quo tamen in genere cum diutius prope vexatus tandem aviculam nominasset, evenit, ut eo die nulla nec aliunde, nec in foro venalis reperiretur. Sedebat ergo die iam praecipiti frater in cubiculo moerens, quod postquam adeo bonum Patrem percunctando obtuderat, eius semel cognitae voluntati gerere morem nequiret, cum repente incolat per fenestram avicula, et facile capi se sinit. Eam velut divinitus missam laetus coxit, Patrique dedit. Quam is ubi comedit, " Laus Deo, inquit, quam epiparam coenam hodie habui! „ nec praeterea quicquam attigit in ea coena.*

18. De morte instante saepius loquebatur, et libenter per litteras uno aut altero mense ante obitum petiit benedictionem a P. Nostro Generali et a P. Provinciali.

19. Cum Patre praefecto sanitatis conferebat de bona dispositione ad mortem, ad reddendam rationem Deo in iudicio totius vitae, et commendabat se, ut eum iuvaret in ultimo illo transitu, ad illum bene peragendum.

20. Septem psalmos poenitentiales paulo ante mortem sibi legi curavit et horas Beatissimae Virginis, cum timore aliquo corriperetur; qui postea cessavit.

21. Fratris coadiutoris, qui haec retulit, tentati ut fieret sacerdos, occultam tentationem se scivisse dixit, licet negaret, et exhortatus eum est ad perseverantiam, et benedictionem ei dedit; se oraturum pro eo promisit, et ab eo tempore nunquam tentatus fuit (1).

III.

Ex libello precario eius propria manu scripto.

Oportet se frequenter arguere

1° Circa negligentiam : in tempore expendendo utiliter; — in operibus ad finem debitum deducendis *; — in oratione et lectione; — ad agendum poenitentiam de commissis; — ad resistendum tentationibus; — ad proficiendum in bonis.

ms. deducendo.

2° De concupiscentia : ob viventem in te voluptatem et appetitum dulcium et mollium in cibo et vestitu; — ob concupiscentiam curiositatis oculorum et rerum pulchrarum; — ob appetitum vanitatis, favoris, honoris, laudis et gloriae, cum extra Deum nihil sit expetendum.

3° De nequitia : ob viventem in te iracundiam intus vel foris, vel signo exteriore; — ob viventem in te invidiam, qua de bono alterius contristaris et de malo iucundaris; — ob nequitiam acediae consurgentis ex taedio boni, vel ex odio, timore vel dolore mali.

omis dans le ms.

Conscientiae puritas et cordis munditia fundamentum est et * ianua virtutum, et principium spiritualis consolationis. Huc praecipue pervenitur per puram et perfectam confessionem, praesertim ab electis ad statum perfectionis.

(1) SACCHINI, *op. cit.*, p. 389, rapporte en ces termes ce fait, sans dire à qui il était arrivé : " *Accedebat et opinio sanctitatis. Uni eorum, quae prorsus abdita in animo, et arcana habebat, cum pater patefecisset, existimavit is haud temere, nec alia sum fallere...* „ Le frère Sébastien Strang avait étudié le latin. Il pourrait donc être l'auteur de ces notes.

BULLETIN

DES PUBLICATIONS HAGIOGRAPHIQUES

N. B. Les ouvrages marqués d'un astérisque ont été envoyés
à la rédaction.

L'année 1896 s'est très heureusement terminée pour les hagiographes, par l'apparition d'un ouvrage impatiemment attendu : le troisième volume des *Scriptores rerum merovingicarum* publiés par M. Bruno Krusch (1). Il est tout entier rempli par des documents hagiographiques, une cinquantaine à peu près, et son importance est considérable. Grande aussi, certes, la somme de travail qu'il représente. Quand on songe combien ce terrain de l'histoire mérovingienne est ingrat, combien la critique des sources est, pour cette époque, délicate et difficile, quand on voit avec quel soin, au prix de quelles recherches, M. Br. Krusch s'est acquitté de sa tâche, on ne s'étonnera pas que, entre l'apparition de ce tome III et celle du précédent, il se soit écoulé huit ans environ, et l'on ne peut que souhaiter au savant éditeur courage et forces pour nous donner bientôt les deux volumes de textes hagiographiques qui restent encore à paraître.

Les résultats que nous apporte celui-ci, pour être très importants, n'en sont pas moins, il faut le dire, surtout négatifs. C'est un fait connu que, dans la quantité des Vies de saints mérovingiens parvenues jusqu'à nous, il n'en est malheureusement pas un bien grand nombre qui aient été écrites par des contemporains ou qui du moins puissent être considérées comme de véritables documents historiques. Cette petite troupe est plus que décimée par M. Krusch, et, bon gré mal gré, les historiens devront bien se résigner à ce sacrifice. Sans doute, la critique du savant archiviste de Hanovre ne pèche pas par excès d'indulgence ; quand il trouve en défaut les auteurs dont il publie les ouvrages, peut-être est-il parfois un peu trop porté à prendre leurs erreurs pour des erreurs conscientes, autrement dit des mensonges et des falsifications ; peut-être aussi, quand il y a erreur voulue, fiction, — et nous sommes bien éloigné de nier qu'il n'en ait été plus d'une fois ainsi, — peut-être alors, dans sa loyauté parfaite, M. Krusch applique-t-il avec une sévérité excessive, au cas de ces narrateurs anciens, les idées modernes sur la sincérité que nous exigeons à juste titre des historiens (2). Mais ces réserves faites, nous tenons à dire

---

(1)* Mon. Germ. hist. Scriptorum rerum merovingicarum tomus III. *Passiones Vitaeque sanctorum aevi merovingici et antiquiorum aliquot*, edidit Bruno Krusch, Hannoverae, Hahn, 1896, 4°, viii-686 pp. — (2) Voir ce que nous avons dit à ce sujet *Anal. Boll.*, t. XV, p. 348-49.

que cette critique sévère est en général bien fondée ; désormais, il faudra ou renoncer entièrement à employer, ou n'utiliser qu'avec prudence, les pièces dont M. Krusch a ou bien entièrement ruiné, ou bien fortement ébranlé le crédit.

Pour la mise en œuvre, M. Krusch s'en est uniformément tenu au procédé net, naturel et tout à fait excellent qu'il avait déjà employé dans le volume précédent des *Scriptores rerum merovingicarum*. Il commence chaque fois par raconter brièvement l'histoire du saint, quand histoire il y a ; pour cela, il met en œuvre la Vie qui suit, si elle est de bon aloi, et surtout les autres sources authentiques, qui serviront de pierres de touche pour déterminer la valeur de la Vie. Ce premier paragraphe, quoique parfois assez court, témoigne d'une somme de travail considérable. Suit l'étude critique du texte à publier. Puis l'examen des manuscrits, — M. Krusch en a utilisé plus de trois cents — de leurs affinités, de leur importance au point de vue de la constitution du texte. Ce travail technique est fait de main d'ouvrier et mérite tous les éloges. Vient enfin l'énumération et la critique des éditions, et le texte lui-même. La sûreté de la méthode philologique, la parfaite clarté de l'exposition, la langue élégante et originale parlée par l'éditeur, rendent la lecture de son nouveau volume non seulement instructive, mais aussi très agréable.

Je ne puis songer à signaler ici tout ce que ce gros in-quarto contient d'intéressant. Je me bornerai donc à quelques indications rapides, en y joignant du même coup quelques critiques de détail.

P. 1. **S. Lucius de Coire**. Première bonne édition de la curieuse Vie où se trouvent confondus en un même personnage le confesseur de Coire, que le biographe fait vivre aux temps apostoliques, et son homonyme le roi des Bretons, dont Bède fait un contemporain du pape Éleuthère (fin du IIe siècle). M. Krusch parle de " l'unique édition „ antérieure à la sienne, celle de Lütolf. Il aurait pu ajouter que C. von Moor avait déjà publié (*Codex diplomaticus zur Gesch. Cur-Rätiens*, t. III, p. 3-7), tout ce que contient le manuscrit mutilé d'Einsiedeln. — P. 30. **Martyrs d'Agaune**. M. Krusch est moins complet que d'habitude dans le recensement des éditions et réimpressions antérieures. Il en cite une dizaine ; mais il aurait pu ajouter celles de Le Cointe, *Annales*, t. III, 78-80, de Dubourdieu (1705), de Rivaz (1779), de Lovera (1783), de Zaccaria (1844), de Ducis (1887), de Montmélian (1888), de Stolle (1890), de Berg (1893). — P. 63. **S. Florian**. Une remarquable découverte de M. Krusch a renouvelé la critique des Actes de ce martyr : ceux-ci ont été modelés sur ceux de S. Irénée de Sirmium, qui y sont en partie copiés mot à mot. Cette constatation mène à un résultat inattendu, savoir que la longue Passion de S. Florian est plus ancienne que la courte, regardée universellement jusqu'ici comme antérieure à l'autre et plus digne de foi. — P. 72. **S. Maximin de Trèves**. Des preuves nouvelles sont apportées pour attribuer à Servat Loup la *Vita Maximini*. La démonstration me paraît décisive. Toutefois, ce que dit M. Krusch au sujet de la note inscrite dans le nécrologe de Saint-Maximin, n'est pas exact. Ce n'est pas sa faute du reste. Je viens d'examiner de nouveau le manuscrit, où on lit indubitablement : *sanctus Lupus episcopus de Trecas*, et non *de Tr.*, comme il a été imprimé, par suite de je ne sais quel accident, dans l'édition consultée par

M. Krusch. — P. 83. **S. Servais.** La distinction entre S. Servais et S. Aravace, évêques de Tongres, l'un au milieu du IVᵉ siècle, l'autre au milieu du Vᵉ, est nettement établie et solidement prouvée. Les biographes de S. Servais lui ont appliqué, par erreur, tout ce que Grégoire de Tours a rapporté d'Aravace, et celui-ci a failli disparaître de l'histoire, à la suite de cette confusion. Tous ces biographes en effet — et ici M. Krusch s'écarte, avec raison, je crois, de l'opinion émise au tome I de notre revue, — tous dépendent de Grégoire et ne lui ont rien ajouté d'utile; ils n'ont pas même rapporté ce que Sulpice Sévère raconte au sujet du véritable Servais. — P. 92. **S. Vivien de Saintes.** Le texte du martyrologe hiéronymien suggère à M. Krusch une conjecture très intéressante pour expliquer la mention erronée, consignée dans la *Vita Bibiani*, du culte du saint en Orient. — P. 102. **S. Mémoire** martyr. Première édition lisible d'un texte que Suyskens avait publié d'après une mauvaise copie (*Act. SS.*, Sept. t. III, p. 70-71). — P. 104. **S. Aignan d'Orléans.** M. Krusch résume les diverses étapes de la tradition relative au saint et à la défaite des Huns. La Vie la plus ancienne, publiée ici, reproduit la tradition la plus récente, telle qu'elle est consignée dans le *Liber historiae Francorum.* — P. 117. **S. Loup de Troyes.** La Vie du saint évêque serait un ensemble de fictions, d'après M. Krusch, et une des raisons qui le portent à juger ainsi, c'est la fausseté des données chronologiques qu'on en peut déduire. Cette fausseté ne me paraît pas si claire. A la base de sa démonstration, M. Krusch met la première lettre du livre VI de la correspondance de Sidoine Apollinaire, lettre écrite, à s'en tenir à la *Vita*, en 470 ou 471, et selon M. Krusch, en 474. " *Cum epistulae Sidonianae*, dit-il, *ordine temporum sese subsequantur, ex locis quos occupant citatae primordia episcopatus Lupi definiri possunt;* et en note, comme preuve de l'assertion *Cum-subsequantur*, un simple renvoi à la préface de Mommsen, dans l'édition des œuvres de Sidoine par Luetjohann. Or voici ce que je lis à l'endroit cité: *Nihilominus cum aliquatenus epistulae temporis ordinem sequantur...* ; et immédiatement avant, l'*aliquatenus* est ainsi expliqué : *Sane auctor etiam post tempus epistulam veterem recens conscriptis inserere potuit nec negari potest in sexto libro eum id secutum esse, ut non admitteret nisi epistulas ad episcopos directas.* C'est donc ailleurs que dans Mommsen qu'il fallait chercher un appui pour affirmer que les lettres se suivent dans un ordre strictement chronologique, et M. Krusch aurait dû donner ce supplément de preuve. Les autres défauts qu'il reproche au biographe de S. Loup, méritent sans doute l'attention ; mais j'ai bien de la peine à les apprécier aussi durement que lui, et la question ne me semble pas vidée. — P. 125. **SS. Romain, Lupicin et Oyand.** Très bonne édition de trois textes, comptés par Tillemont parmi les plus authentiques, mais dont M. Krusch, après Quesnel et Papebroch, montre la juste valeur. Voir *Anal. Boll.*, t. XV, p. 91. — P. 166. **S. Séverin d'Agaune.** Voir *ibid.* La démonstration de M. Krusch me paraît convaincante. — P. 171. Vie des **abbés d'Agaune.** Voir *ibid.* Aujourd'hui comme jadis, je ne parviens pas à me laisser entièrement convaincre par M. Krusch. Ses deux gros griefs contre le biographe, c'est d'abord ce que celui-ci dit d'un " *monasterium Grenencense* ,, et sans doute, il y a là quelque chose de louche; c'est surtout qu'il ait fait d'Hymnemodus le premier abbé d'Agaune, et d'Ambroise le second, alors que les épitaphes des abbés, qui ont été transcrites — peut-être par le biographe lui-même — à la fin de l'ouvrage, nous apprennent qu'Ambroise fut le premier abbé. De même, le biographe fait mourir Hymnemodus le 3 janvier 516, et l'épitaphe d'Ambroise rapporte à l'époque de ce dernier les commencements de la " psalmodie perpétuelle „, instituée à Agaune dès 515, lors de la dédicace de l'abbaye, comme on le sait par une homélie de S. Avit. Mais je me demande si le texte un peu nébuleux *(nam meruit primam abbatis nomine palmam)* de l'auteur de l'épitaphe, doit être serré de si près. Sans doute, on en peut tirer ce qu'en tire M. Krusch; mais ne laisse-t-il pas place à l'interprétation fort raisonnable proposée par M. Egli? Hymnemodus étant mort trois mois après la dédicace de l'abbaye, et la prélature d'Ambroise ayant été une époque de grande prospérité pour l'abbaye, le souvenir du premier abbé pouvait, — surtout pour le poète qui écrivait l'épitaphe, — disparaître devant celui de son illustre successeur. Néanmoins, de tout l'ensemble des faits allégués par M. Krusch, il reste du moins ceci — et sur ce point je partage son opinion — que la *Vita sanctorum abbatum Agaunensium* n'est pas l'ouvrage d'un contemporain. L'auteur, dans quelques expressions relevées par M. Krusch, a-t-il vraiment voulu se faire passer pour tel et mérite-t-il le nom de faussaire? c'est affaire d'appréciation. — P. 184. **S. Eptade.** L'auteur de la *Vita Eptadii* est, lui aussi, mis au rang des faussaires. Par compensation, M. Krusch nous a donné, non sans travail, un texte intelligible de cette Vie. Les deux manuscrits connus sont fort mauvais, et il a fallu une main vigoureuse et quelque peu hardie pour en tirer quelque chose de présentable. Le passage dont s'est occupé naguère M. A. Thomas (voir *Anal. Boll.*, t. XV, p. 91), est ainsi rétabli : *Eodem tempore quo esset, Flaviano quondam pacis mediante concordia, duorum regum supersticiosa completa potentia...* C'est une trouvaille. — P. 194. **S. Apollinaire de Valence** Voir *Anal. Boll.*, l. c. Ici aussi, j'hésite encore maintenant à suivre M. Krusch. Somme toute, son objection capitale contre la *Vita Apollinaris*, c'est la contradiction qu'il relève entre ce récit et le texte du concile de Lyon de 516-523. D'après la Vie, les Pères du concile ratifient l'excommunication qu'ils avaient lancée contre l'inceste Étienne; ils s'engagent mutuellement à résister énergiquement à toutes les menaces du roi Sigismond et à tout souffrir plutôt que de lever la sentence d'excommunication; et de fait, ils tiennent leur promesse. Le texte des actes conciliaires comprend deux parties, qui répondent visiblement à deux sessions distinctes. Dans la première, les évêques ratifient l'excommunication d'Étienne et prennent l'engagement ci-dessus mentionné. Dans la seconde, les mêmes évêques, à l'exception de deux, cédant aux instances du roi, mitigent leur sentence et admettent Étienne et sa complice à la pénitence, tout en laissant peser sur eux l'excommunication mineure. Le texte s'arrête là. Ces deux versions sont-elles aussi inconciliables que le veut M. Krusch? Il est permis d'en douter. Le roi peut très bien avoir demandé plus que cette mitigation et s'être montré irrité de ce que les évêques maintenaient, en partie du moins, l'excommunication de son protégé. Que l'auteur de la *Vita* n'ait pas mentionné la condescendance des évêques, cela n'a rien de bien étonnant de la part d'un panégyriste, comme l'ont été presque toujours les hagiographes. Mais comme nous n'avons, pour nous renseigner sur ces faits, absolument aucune autre source que les deux textes en litige, il faut, je crois, se garder de prononcer trop vite le mot de contradiction, alors qu'on peut trouver un moyen plausible, me semble-t-il, de les concilier suffisamment. — P. 204. S** Geneviève. Voir *Anal. Boll.*, t. XIV, p. 334-5. M. Krusch maintient toutes ses positions. Décidément, il a du moins raison, me paraît-il, quand il soutient l'antériorité du texte A, fond et forme, sur le texte B (1). — P. 239. S. Remi de Reims. Voir *Anal. Boll.*, t. XV, p. 348-9. Ici encore, M. Krusch persiste dans son opinion. Quoique, à juste titre du reste, il ne pense pas grand bien de la Vie écrite par Hincmar, nous lui savons gré d'avoir pris la peine d'en donner enfin une édition complète et définitive (p. 250-349); jusqu'ici tous les éditeurs n'avaient publié qu'un texte tronqué, et cela d'après de mauvais manuscrits. — P. 350. S. Fridolin. L'auteur de la fabuleuse *Vita Fridolini* (voir *Anal. Boll.*, t. XV, p. 436) est vraiment Balther; il vivait au commencement du XI* siècle, et le Notker auquel il dédia son livre, est Notker le Lippu (*Labro*). Tout cela est établi d'une façon très plausible. La Vie dont parle Pierre Damien, mais qu'il n'avait pas lue lui-même, pourrait bien être l'ouvrage de Balther. Les explications que M. Krusch donne sur ce point, sont aussi très satisfaisantes. — P. 370. S. Mélaine. De nouvelles raisons sont apportées pour confirmer la démonstration de W. Lippert (*Neues Archiv*, t. XIV, p. 50-58), qui place avec raison la composition de la plus ancienne Vie au IX* siècle. M. Krusch publie ici pour la première fois la recension originale de cette Vie. Le texte publié dans notre *Catal. cod. hag. lat. bibl. nat. Paris.*, t. I, p. 71-77, représente aussi cette Vie primitive, mais dans une recension un peu divergente et moins ancienne. La Vie imprimée par Bollandus n'est qu'un exemplaire considérablement interpolé de cette Vie primitive. Enfin, le texte publié dans notre *Catal. Paris.*, t. II, p. 531-41, et qui avait été regardé par l'un d'entre nous comme plus ancien que tous les autres, est certainement plus récent (2). Ces divers points sont très bien établis, et nous sommes ainsi dispensé d'écrire la note que nous avions annoncée jadis, *Anal. Boll.*, t. XIII, p. 179. — P. 380. S. Avit d'Orléans. La Vie publiée par Henschen dans les *Acta Sanctorum* et qu'il croyait écrite par un contemporain, est en réalité la quatrième et dernière de celles qui nous sont parvenues. M. Krusch publie des extraits de la plus ancienne ; le texte complet avait déjà été imprimé, d'après un manuscrit fautif du XII* siècle, dans notre *Catal. cod. hagiogr. bibl. reg. Brux.*, t. I, p. 57-63. — P. 386. S. Calais. Édition princeps de la Vie la plus ancienne. — P. 399. S. Vaast. Très bonne édition des deux Vies du saint, par Jonas et par Hincmar. Les diver-

---

(1) L'explication donnée, p. 208, du texte, très obscur du reste : *et unitatem in Trinitatem, quia tota regalis est in unitatem, confitemur*, est bien extraordinaire.—
(2) Je signalerai à M. Krusch un long fragment publié par Morice, *Mémoires p. serv. de preuves à l'hist. de Bretagne*, t. I, col. 186-7, d'après un manuscrit de La Couture écrit au XII* siècle. Ce fragment se rapproche tantôt du texte original, tantôt de celui qu'a publié Bollandus.

gences considérables que l'on trouve dans les manuscrits, à la fin de la seconde
Vie, sont bien mises en lumière et présentent, comme dans un curieux tableau, les
variations des historiographes locaux sur le lieu de sépulture du saint. — P. 427.
S. Fidole. Édition princeps de la Vie la plus ancienne, écrite au VIII* siècle, mais
sans valeur historique. — P. 433. S Césaire d'Arles. C'est ici le point culminant
du volume. Après avoir, avec un entrain extraordinaire, dénoncé et maltraité les
biographes mal informés ou peu sincères, M. Krusch semble vraiment tout heureux
de rencontrer une Vie telle que la *Vita Caesarii* et un homme de la trempe du
grand évêque d'Arles. Aussi a-t-il mis tous ses soins, toute sa sympathie, à faire
revivre les traits du bon évêque et à fournir enfin une édition parfaite de sa biographie. Quoiqu'elle eût été publiée déjà quatre fois, presque tout était à faire pour
en établir le texte original. C'est chose accomplie maintenant. — P. 502. S. Jean
de Réomé. Reproduction de l'édition princeps, donnée naguère par M. Krusch lui-
même (voir *Anal. Boll.*, t. XIII, p. 63). — P. 513. S. Nizier de Lyon. Sa Vie a été
écrite avant la fin du VI* siècle ; c'est un document sincère, mais maigre en fait de
renseignements. Tel était déjà le jugement de Grégoire de Tours, auquel M. Krusch
emprunte, avec un visible plaisir, de quoi tracer du saint évêque un portrait aimable
et vivant. — P. 542. S. Dalmace de Rodez. L'auteur se donne pour un contemporain du saint (VI* siècle) ; Rivet l'avait déjà fait descendre au VII* siècle ;
M. Krusch le recule jusqu'à la fin du VIII*. A la même époque environ, et non au
VI* siècle (*Act. SS.*, Nov. t. II, 1, p. 273), appartiendrait la Vie de S. Amantius de
Rodez. — P. 550. S. Cybar (*Eparchius*) d'Angoulême. Vie fabuleuse, écrite assez
tard (commencement du IX* siècle ?), quoique l'auteur semble se dire contemporain
du saint. Le texte publié comme plus ancien dans notre *Catal. cod. hagiogr. lat.
bibl. nat. Paris.*, t. II, p. 200-202 (1), est au contraire un remaniement interpolé du
texte que réédite M. Krusch, p. 560-64. — P. 564. S. Martin de Vertou. Il existe
trois Vies du saint. La plus ancienne date seulement du IX* siècle et n'a aucune
valeur historique (2). Le texte publié dans les *Act. SS.*, Oct. t. X, p. 802-4, est
plus récent que celui qui est imprimé *ibid.*, p. 805-17, d'après l'édition de Mabillon.
M. Krusch néglige les trois Vies, dont la meilleure vaut ce que nous avons dit, et
publie le livre des miracles écrit par l'auteur de la première Vie. — P. 576.
S. Yrieix (*Aridius*). Comme dans son édition de Grégoire de Tours, M. Krusch est
ici encore extrêmement dur envers cet abbé. L'auteur de la plus ancienne *Vita
Aridii* a voulu se faire passer pour contemporain de son héros († 591), et plusieurs,
notre prédécesseur Cuperus par exemple, l'ont regardé comme tel. M. Krusch
a pris cet audacieux en flagrant délit, en montrant qu'il a largement copié la

---

(1) Voir *ibid.*, p. 227-8, la fin de la Vie appartient à la même recension remaniée.
M. Léopold Delisle a suppléé naguère un miracle omis dans notre édition (*Notices
et extr. des manuscrits*, t. XXXV, 1, p. 345). — (2) Dans son ardeur à prouver sa
thèse, M. Krusch va jusqu'à voir une ressemblance verbale, et conséquemment un
rapport de dépendance, dans deux passages d'une banalité parfaite : *Quaedam
puella ab urbe Tolosa preclaris orta natalibus* (Vie de S. Remi par Hincmar) et :
Fuit quidam iuvenis Tolosanus, claris parentibus ortus (Miracles de S. Martin).

Vie de S. Éloi attribuée à S. Ouen († 686) et qui date probablement de l'époque carolingienne. — P. 612. **S. Bohaire** (*Betharius*). Sa Vie, qu'on croyait écrite au VII⁰ siècle, serait du IX⁰ et l'œuvre d'un faussaire ignorant. — P. 622. **S. Didier de Vienne.** La plus ancienne Vie du saint est celle qu'on attribue au roi visigoth Sisebut, et qui, M. Krusch le prouve parfaitement, est vraiment de lui. Ce récit n'est pas sans défauts, mais il est important et utile. C'est à l'ouvrage de Sisebut que se réfère Jonas de Bobbio dans sa *Vita Columbani*. Quant à la Passion publiée *Anal. Boll.*, t. IX, p. 252-62, elle est bien, comme il est dit à cet endroit, la source des autres textes connus (Adon, le texte de Mombritius, celui des *Act. SS.*), mais elle est postérieure à Sisebut et dépend de lui. M. Krusch place, non sans apparence de raison, la rédaction de la Passion au milieu du VIII⁰ siècle ; cela met en fâcheuse posture l'auteur, qui se dit contemporain ; au reste, déjà M. G. Kurth avait constaté que le récit de Sisebut est plus digne de foi que celui de l'auteur anonyme de la Passion. — P. 649. **S. Géry.** M. Krusch a retrouvé un manuscrit plus ancien et meilleur que tous ceux qui ont servi à préparer la première édition de la Vie primitive du saint (*Anal. Boll.*, t. VII, p. 388-98). Aussi donne-t-il ici un texte sensiblement amélioré.

Comme nos lecteurs le savent, MGR BARBIER DE MONTAULT n'a pas voulu laisser à d'autres la tâche laborieuse de recueillir ses œuvres complètes (1). Le nouveau volume qui vient de nous arriver (2). le deuxième de la série consacrée, comme l'indique le sous-titre, à l'hagiographie de Rome, est à la hauteur des précédents. La simple énumération des principaux articles donnera une idée de la variété qui règne dans cette collection : 1. Les phylactères. 2. Reliquaires profanes (la salière d'Enghien...). 3. Le Pitacium. 4. Patronage des saints. 5. Les protecteurs contre la rage. 6. S. Adolphe. 7. Les saints du nom d'André. 8. SS. Anges gardiens. 9. S. Avertin. 10. S. Benoît Labre. 11. S. Bruno. 12. S. Charlemagne. 13. S. Florent. 14. S. Hubert. 15. SS. Innocents. 16. S. Jean-Baptiste. Dans un prochain volume, l'auteur expliquera sans doute comment, dans sa pensée, tout cela se rattache à l'hagiographie de Rome. Quelques autres difficultés qu'on pourrait se poser, se résolvent plus facilement. C'est peut-être au typographe qu'il faut demander raison de certaines phrases telles que la suivante (p. 268): " La cathédrale d'Anagni possède un os de sa main, de son cilice, de son cordon. , Ce doit être le typographe aussi qui a brouillé les feuilles de la copie dans l'article n. 7, et produit la confusion qui ferait croire que Mgr Barbier de Montault n'a pas assez distingué S. André Orsini d'avec le B. André Conti (p. 270). Quant à ceux qui seraient tentés de dire que certains articles auraient dû être mis au courant des travaux les plus récents, que, par exemple, sur S. Hubert et les patrons contre la rage, il aurait fallu tenir compte du grand commentaire *De S. Huberto* paru dans les *Acta Sanctorum* (Nov. t. I, p. 759), l'auteur répondra sans doute. et avec beaucoup de raison, que les défauts de ce genre sont inhérents à la publication d'un recueil d'œuvres complètes, et

(1) *Anal. Boll.*, t. XIII, p. 296. — (2) * X. BARBIER DE MONTAULT, *Œuvres complètes*, t. X, Rome, VI, Hagiographie, 2ᵐᵉ partie. Poitiers, Blais, Roy et Cⁱᵉ, 1895, 608 pp.

que ce n'est pas sa faute si la science a marché depuis que ses premières dissertations ont vu le jour.

La table alphabétique des matières, très détaillée, épargnera beaucoup de temps
à ceux qui auront besoin de recourir à ce volume.

Le P. Ét. Beissel, qui a déjà fait paraître deux travaux sur le culte des saints en
Allemagne au moyen âge, vient de donner à ces études leur complément naturel,
en les étendant spécialement aux diverses manifestations de la dévotion à la Sainte
Vierge (1). Le P. Beissel est un patient chercheur. Dans ce petit volume, se trouvent
condensés les matériaux d'un grand ouvrage. Bien des questions n'ont pu être
qu'effleurées ; mais on voit que l'auteur pourrait les approfondir, et qu'il apporterait
à leur solution la liberté d'esprit et la sincérité qui se trahissent dans tout son livre.
On pourrait peut-être regretter que la rapidité avec laquelle il est contraint de
glisser sur certains sujets, ne lui permette pas toujours de développer suffisamment sa pensée. Ainsi, de ce qu'un bon nombre de cathédrales célèbres sont
placées sous le vocable de la Sainte Vierge, il ne veut certainement pas conclure
que ce patronage remonte aux origines chrétiennes de nos pays (p. 2). Sur le fait
de la propagation du Rosaire par S. Dominique (p.75-77), il n'est pas facile de
saisir la pensée de l'auteur, et sans doute, s'il a cité les leçons du bréviaire romain
en cette matière, ce n'a pas été pour apporter un argument historique. D'ailleurs,
le bréviaire s'exprime avec beaucoup de réserve : *ut memoriae proditum est.*
Sera-t-il permis de dire aussi que le P. Beissel semble attacher un prix exagéré aux
opinions de Benoît XIV ou du cardinal Lambertini, si l'on veut ? Certes, Lambertini
fut un érudit fort curieux et un canoniste remarquable. Mais souvent son érudition est mal digérée, et dans les questions d'histoire, il apporte trop souvent
l'esprit et la méthode du juriste. Il est bon de ne pas se laisser éblouir par l'appareil
formidable de citations qu'il déploie, et de se défier raisonnablement de sa critique.

La revue byzantine russe (2) signale un ouvrage dont le sujet ne peut manquer
d'intéresser les amateurs d'hagiographie orientale. Il s'agit de *la folie pour le
Christ,* et des personnages de l'Église d'Orient, et plus particulièrement de l'Église
russe, qui ont embrassé ce genre d'ascétisme, dont il est plus d'une fois question
dans les *Acta Sanctorum.* M. J. Kovalevskij, l'auteur du livre (3), traite d'abord longuement la question générale (p. 1-86) au point de vue moral et ascétique. La partie
historique de son livre comprend deux parties : 1° La folie sainte en Orient
(p. 86-131). Nous nous contenterons d'énumérer, sans discuter les théories de
l'auteur, les noms des ascètes dont il raconte la vie : Isidora au IV° siècle, Sérapion
et Bessarion le thaumaturge au V°, Syméon et Thomas au VI°, et plus tard, André

---

(1) Stephan Beissel, S. I., *Die Verehrung U. L. Frau in Deutschland während
des Mittelalters,* Ergaenzungshefte zu den Stimmen aus Maria-Laach, 66. Freiburg
im B., Herder, 1896, vii-154 pp. — (2) *Visantiskij vremennik,* t. II (1895), p. 465. —
(3) *Yurodstvo o Christié i Christa radi yurodivie Vostochnoï i Russkoï Tserkvi.*
Moscou, 1895, 272 pp.

(880-946). 2° En Russie (p. 132-272), il ne trouve pas moins de vingt de ces fous
volontaires sur lesquels on possède des détails biographiques, depuis le solitaire
Isaac (XI° siècle) jusqu'à S. Simon de Jurjevec (XVI° siècle).

Chaque peuple a son tempérament et ses dévotions appropriées. Les méridionaux
sont attachés à des pratiques qui font sourire les hommes du Nord. Je crois que
les Napolitains eux-mêmes ne toléreraient pas les extravagances d'un bon nombre
de ces " fous pour le Christ „; et si la moitié des faits que les hagiographes grecs
mettent au compte de quelques-uns d'entre eux, étaient authentiques, nous ne
pourrions assez énergiquement réprouver une pareille aberration, je dirais presque,
cette sacrilège interprétation de la parole de S. Paul : *Nos stulti propter Christum*.

Chez les Slaves païens, Peroun est le dieu du tonnerre et de l'orage. M. L. Léger
cherche à démontrer que chez les Slaves chrétiens il a été remplacé par le prophète
Élie (1). Il n'est pas sans exemple que d'antiques superstitions aient été combattues
et déracinées par des pratiques chrétiennes, et qu'aux hommages adressés à de
fausses divinités se soit substitué le culte de quelque saint célèbre. S. Martin
dans les Gaules, pour ne citer qu'un exemple, a détrôné plus d'un dieu de l'Olympe,
et je ne vois pas pourquoi le prophète Élie n'aurait pas pris, chez les Slaves, une
partie des attributions du dieu Peroun. Il n'y aurait rien en cela qui fût incompatible avec les croyances chrétiennes. Pourtant, les rapprochements signalés par
M. Léger paraissent peu décisifs. Qu'au X° siècle, à l'occasion d'un traité, il soit
arrivé aux Russes païens de jurer par Peroun, et aux chrétiens de faire le serment
dans la chapelle de S. Élie, ce pourrait bien être l'effet du hasard. S'il y avait eu
là une chapelle de la Vierge ou d'un autre saint, on n'aurait vraisemblablement
pas songé à Élie. Il est certainement inexact de dire que " S. Élie est de tous les
saints du christianisme le premier que la Russie ait adopté (p. 98). „ La Russie a
reçu le calendrier liturgique grec tout entier, tel qu'il était à l'époque de sa conver
sion, sans faire aucun choix en faveur d'Élie ou de quelque autre saint.

La Haute-Bavière possède un grand nombre d'églises et de sanctuaires dédiés,
depuis une antiquité très reculée, à S. Michel et à S. Étienne. M. Fastlinger en
a fait le relevé complet (2), mais il ne s'est pas borné à ce travail de statistique. A
son avis, l'invocation de ces deux saints a succédé à des dévotions païennes. Voilà
comment S. Michel accapara les attributs du dieu Mars; il prit aussi, à cause de
sa lutte avec Satan, la place de Votan. De même, le culte de S. Étienne est encore
entaché d'un bon nombre de coutumes païennes; en particulier, plusieurs sources
sacrées du paganisme ont été débaptisées en son honneur. M. Fastlinger se con-

<hr>

(1) L. Léger, *Études de mythologie slave. Peroun et saint Élie*, dans Revue de
l'histoire des religions, t. XXXI (1895), p. 89-102. — (2) *Die Kirchenpatrozinien
des hl. Michael und des hl. Stephanus in Altbayern und ihre kulturhistorische
Bedeutung*, dans Monatschrift des hist. Vereins von Oberbayern, t. IV (1895),
pp. 46-48, 59-61.

tente d'indiquer ces points de vue; on en eût désiré la démonstration. Nous ne pouvons donc que les signaler à notre tour, et sous bénéfice d'inventaire.

M. Fastlinger attache la même signification au patronage de S. Pierre et de S. Martin, sous le vocable desquels sont placées de nombreuses églises de l'archidiocèse de Munich (1). Il y en a, en effet, soixante-dix dédiées à S. Pierre, et plus de cent à S. Martin. Pour M. Fastlinger, S. Pierre a chassé Donar, et S. Martin Votan, dans le culte des peuples de la Germanie. C'est de l'étude d'un certain nombre de légendes et d'usages populaires que l'auteur tire cette conclusion. Celle-ci se présente donc mieux appuyée que dans l'article précédent. Toutefois, il nous paraît que la croyance populaire a plus travaillé sur la Légende de S. Martin lui-même qu'elle n'a pris souci d'assimiler à cette légende des superstitions précédemment pratiquées.

M. Egli publie, d'après les feuillets manuscrits du X⁰ siècle qui lui ont déjà fourni un texte fort intéressant de la Vie de S. Gall (2), deux autres fragments hagiographiques, l'un sur S. Luc, l'autre sur les SS. Simon et Jude (3). Si M. Egli avait su que les deux textes sont publiés en entier depuis plus de quatre siècles, par Mombritius, t. II, f. 57ᵛ-58, f. 294ᵛ-296, il ne se serait pas, je crois, donné la peine de rééditer ces passages; d'autant plus que son manuscrit ne donne pas la fin de la Passion de S. Luc et contient à peine une colonne des quatorze consacrées dans l'édition de Mombritius à la Vie des SS. Simon et Jude.

Il serait difficile de trouver, dans la littérature des apocryphes, une suite de traditions plus obscures et plus embrouillées que celles qui se sont formées autour du nom de S. Zacharie, père de S. Jean-Baptiste, et nous devons savoir gré à M. A. Berendts (4) d'avoir le premier abordé ce problème dans son ensemble, avec une critique aussi sûre que pénétrante.

Deux groupes de textes nous renseignent sur l'existence d'un apocryphe qui porte le nom de Zacharie. On peut indiquer comme représentant principal du premier groupe, la liste des soixante livres canoniques (5), où la Ζαχαρίου ἀποκάλυψις se trouve placée entre une apocalypse de Sophonie et une autre d'Esdras. Dans l'idée du rédacteur, il s'agit probablement d'un Zacharie de l'Ancien Testament.

Le second groupe se ramène, en somme, à la stichométrie placée au bout de la chronique de Nicéphore. Elle remonte probablement au V⁰ siècle (6). Parmi les apocryphes de l'Ancien Testament, elle cite : Ζαχαρίου πατρός 'Ιωάννου στίχ. φ'. M. Berendts montre que cette formule est bien originale et que le πατρός 'Ιωάννου ne doit pas être regardé comme une glose. On connaissait donc au V⁰ siècle

<hr>

(1) *Die Kirchenpatrozinien des hl. Petrus und des hl. Martinus in der Erzdiözese München-Freising und deren kulturhistorische Bedeutung*, Inm., pp. 10-13, 24-29. — (2) Voir *Anal. Boll.*, t. XV, p. 364. — (3) * *Eine neue Recension zweier Apostelpassionen*, dans ZEITSCHR. FÜR WISSENSCH. THEOLOGIE, t. XXXIX (1896), p. 313-18. — (4) A. BERENDTS, *Studien über Zacharias-Apokryphen und Zacharias-Legenden*, Leipzig, Deichert, 1895, 108 pp. — (5) Dans ZAHN, *Geschichte des neutestamentlichen Kanons*, t. II, 1, p. 290-92. — (6) *Ibid.*, pp. 300, 311.

un apocryphe portant le nom de Zacharie, père de S. Jean-Baptiste, qui en était regardé comme l'auteur ou le sujet principal. Le livre existait, puisque l'on a compté le nombre des στίχοι. L'existence d'un apocryphe se rapportant à un Zacharie de l'Ancien Testament est problématique.

La littérature chrétienne a gardé de nombreux vestiges de traditions apocryphes relatives au père du Précurseur. Avec une patience vraiment louable, M. Berendts en a recueilli les moindres débris, les a classés, en a étudié les rapports. On peut commencer par les distribuer en trois catégories, toutes dérivées du texte de l'Évangile, *Matth.* 23, 35 *(usque ad sanguinem Zachariae Barachiae filii, quem occidistis inter templum et altare)*, appliqué au père de S. Jean-Baptiste et diversement interprété.

Zacharie, — dont on fait un grand prêtre, — fut tué comme transgresseur de la loi, parce que, après la naissance de Jésus-Christ, il avait continué à admettre Marie au rang des vierges. Cette tradition est rapportée d'abord par Origène, qui semble l'avoir recueillie à Césarée.

S. Épiphane donne une autre version, d'origine gnostique, et consignée dans le livre intitulé Γέννα Μαρίας. La cause de la mort de Zacharie est le crime d'avoir livré le secret du culte des Juifs, qui était le culte de l'âne.

Une troisième tradition, celle qui se trouve consignée dans le protévangile, tel que nous le possédons actuellement, attribue à Hérode le meurtre de Zacharie, qui aurait refusé de découvrir la retraite de S. Jean-Baptiste. Dans leur développement, ces traditions paraissent être indépendantes les unes des autres. A remarquer que la tradition rapportée dans le protévangile devait faire partie d'un ensemble de légendes concernant S. Jean-Baptiste et sa famille, et n'appartient pas à la forme primitive de cet apocryphe.

On sait que l'histoire du baptême de S. Jean par le Sauveur se trouvait dans un apocryphe, *in secretioribus libris*, comme il est dit dans l'*Opus imperfectum in Matthaeum*. Or, ce trait se rencontre, avec beaucoup d'autres également légendaires, dans un morceau inséré par Macaire de Moscou dans sa compilation " Tschetji-Minei ", à la date du 5 septembre, fête de S. Zacharie. M. Berendts l'analyse minutieusement, et se demande si nous nous trouvons en présence d'une version slave de l'apocryphe de la stichométrie. Cela n'est pas probable. Mais on peut admettre qu'il en dérive. Nous renvoyons pour le détail à la discussion très approfondie de M. Berendts, en regrettant qu'il n'ait pas tenu compte d'un certain nombre de pièces qui ne sont pas sans rapport avec les traditions apocryphes sur Zacharie, par exemple la Passion de S. Jean-Baptiste publiée par M. Vassiliev (1), d'après un manuscrit du Mont-Cassin. Nous en avons trouvé d'autres manuscrits au Vatican et à Messine. Dans notre Catalogue des manuscrits hagiographiques grecs de Paris, nous avons signalé, sans les étudier de près, plusieurs autres pièces, qui peuvent avoir leur importance dans la question. Espérons que M. Berendts aura le loisir de s'en occuper. Nul n'a plus de compétence que lui dans la matière.

____

(1) *Anecdota graeco-byzantina* (Moscou 1893), p. 1-4.

M. J. Führer, à qui nous devons un travail excellent sur la Passion de Sᵗᵉ Félicité, prépare une publication considérable, qui sera attendue avec impatience par tous ceux qui cultivent les antiquités chrétiennes. Il nous promet une *Sicilia sotterranea*, pour laquelle les fouilles de M. Orsi et ses propres découvertes lui ont déjà fourni des matériaux importants. Il semblerait même que, dans la catacombe de S. Jean à Syracuse, on ait mis à jour le tombeau d'une sainte, dont le souvenir s'était absolument effacé, une Sᵗᵉ Deadota, Deodata ou Adeodata. (1). On y a découvert un arcosolium richement décoré, orné de peintures représentant le Sauveur couronnant une vierge, avec les deux apôtres Pierre et Paul à ses côtés, et d'une inscription monumentale, malheureusement très endommagée. M. Führer y a remarqué un certain nombre de graffiti, qui montrent que l'endroit a été particulièrement fréquenté, et il n'hésite pas à y reconnaître un sanctuaire.

L'épitaphe grecque, d'abord publiée par M. Orsi (2), a été transcrite avec plus de soin par M. Führer, et, sans arriver à remplir d'une manière satisfaisante les grandes lacunes qu'elle offre, on a pu déjà y reconnaître des traces de métrique. Il sera difficile de pousser plus loin l'étude de ces fragments sans une reproduction bien nette par les procédés mécaniques. A la seconde ligne, il faut lire probablement Παρθένος... Δεάδοτα; à la cinquième, se trouve certainement Συρακόσιος σὸς ἀδελφός, ce qui pourrait fournir des éléments pour l'identification. M. Achelis (3) a proposé la Sᵗᵉ Déodata honorée le 31 juillet (4). La légende fait de cette sainte l'épouse de S. Fantius et la mère de S. Fantin (5). Ceci est en contradiction avec l'épitaphe, qui donne le titre de vierge à Deodata. Mais ce n'est pas une difficulté insurmontable. On sait que les auteurs de légendes hagiographiques ont souvent réuni dans un même récit des saints qui n'avaient entre eux aucun rapport, et qu'ils ont plus d'une fois établi entre eux des liens de parenté incompatibles avec la chronologie et l'histoire.

Certainement, il n'est pas encore établi que nous soyons réellement en présence du tombeau de Sᵗᵉ Deodata dont il est question dans la Légende de S. Fantin; il n'est pas même bien certain que l'arcosolium trouvé par M. Orsi soit un tombeau de sainte. Les catacombes siciliennes sont trop peu connues encore pour permettre de juger de la portée de la découverte. Mais nous avons ici de précieux indices, qui pourraient conduire à des conclusions importantes pour l'hagiographie de la Sicile.

M. E. Le Blant (6) a raison de penser que l'étude des Actes des **SS. Phileas** et **Philorome** (7) devrait être reprise. Ce n'est qu'à la suite d'une critique minutieuse

---

(1) *J. Führer, *Eine wichtige Grabstätte der Katakombe von S. Giovanni bei Syrakus.* München, Lindauer, 1896, 11 pp. Id., *Zur Grabschift auf Deodata* (Nachtrag zu *Eine wichtige...*). Ibid., 1896, 4 pp. — (2) P. Orsi, *Gli scari a S. Giovanni di Siracusa*, Römische Quartalschrift, t. X (1896), p. 57. — (3) *Theologische Literaturzeitung*, 1896, p. 573. — (4) *Acta SS.*, ad diem 31 iulii, t. VII, p. 177. — (5) *Ibid.*, t. V, p. 553. — (6) Ed. Le Blant, *Note sur les Actes de S. Philéas*, Nuovo Bullettino di archeologia cristiana, t. II (1896), p. 27-33. — (7) *Acta SS.*, Febr. t. I, p. 462; Ruinart, *Acta martyrum sincera*, p. 494.

que l'on pourra savoir si elle est réellement, comme il le pense, un texte de premier ordre. Comme il l'a déjà fait pour d'autres Passions, M. Le Blant signale quelques traits importants de cette pièce, et les rapproche d'autres textes que sa vaste érudition lui fait aussitôt découvrir. On nous permettra une observation au sujet d'un principe énoncé par le savant auteur, à propos d'un mot attribué à plus d'un martyr : *Meipsum sacrificium Domino offero.* " Telle était la réponse des martyrs aux injonctions des magistrats païens ; les Actes où je la vois reproduite sont trop nombreux pour qu'elle n'ait pas été réellement prononcée devant le tribunal. " Le critère nous paraît peu sûr pour décider si une parole a été prononcée ou non. Les martyrs n'avaient point, qu'on me pardonne l'expression, un répertoire de formules auxquelles ils recouraient en paraissant devant les juges. Mais les auteurs de leurs Actes en avaient un le plus souvent, et pour qu'une parole ou un trait fissent fortune et fussent souvent répétés, il ne fallait pas qu'il fût historique, mais qu'il parût frappant. Qu'un texte de l'Itala (*Exod.*, xxii, 20) soit mis dans la bouche de S. Philéas, ce peut être un indice d'antiquité. Mais avant de tirer de là une conclusion sur l'âge de la Passion, il faut être certain que celle-ci n'est pas faite de pièces de rapport.

La question des martyrs de Bergame, les SS. Domnus, Domnion, Eusébie, Astérie, Proiectitius, Jacques et Jean, a été, en ces derniers temps, l'une des plus agitées de l'hagiographie. D'une part, on a tenu en suspicion leurs Actes et leur titre de martyrs ; de l'autre, on a tout défendu en bloc. M. l'abbé Pagani n'est pas satisfait des solutions qui ont été données jusqu'à ce jour, et il a voulu soumettre le problème à de nouvelles recherches (1). Si l'on excepte deux fragments d'inscriptions lapidaires, retrouvés en 1874 à la Casa Marenzi, à Bergame, aucun élément nouveau n'a été apporté pour résoudre la question. Néanmoins, M. Pagani défend une solution moyenne entre les thèses extrêmes soutenues jusqu'à présent. Il ne peut se résoudre, avec certains patrons à outrance des martyrs de Bergame, à admettre qu'ils furent mis à mort en 307, comme le disent les Actes publiés pour la première fois en 1553, sur la foi d'un prétendu ancien manuscrit. Pour lui, la date de leur martyre doit se placer vers l'an 540. Mais alors, comment sauvegarder le titre de martyrs donné, dit-on, de temps immémorial, aux saints de Bergame? M. Pagani se tire de cette difficulté par une théorie, dont l'exposé fait la grosse part de son livre, et à la démonstration de laquelle il dépense une somme considérable d'érudition. Les martyrs de Bergame ne furent point *martyres actu*, mais *martyres cruce*, c'est-à-dire martyrs par le désir, par l'union avec les souffrances du Christ ; et dans cette phalange, M. Pagani place S. Jean de la Croix, Ste Claire de Montefalcone, Ste Catherine de Sienne et d'autres encore. Sans insister sur cette

____

(1) " *I martiri Bergomesi sepolti in S. Andrea e nel centro della primitiva basilica Alessandrina, ossia Domno, Domnione, Eusebia, Asteria, Projettisio, Giacomo, Giovanni, con appendice sul catalogo dei primi vescovi di Bergomi e sul posso di martiri nel centro della Basilica di S. Faustino ad sanguinem in Brescia.* Bergamo, tipografia dell' Istituto sordo-muti, 1894, in-12°, 411 pp.

nouvelle nomenclature à introduire dans le martyrologe, nous croyons pouvoir dire que cette solution ne satisfera guère ceux qui ont défendu le culte des saints de Bergame en tant que martyrs. De plus, pour affirmer que les saints en question ont remplacé l'effusion du sang par le martyre de l'âme, il faudrait avoir sur leur vie plus de détails que nous n'en possédons. En lisant la dissertation de M. Pagani, on échappera difficilement à l'impression d'une théorie créée de toutes pièces pour les besoins de la cause, et qui ne le sait, c'est, au point de vue de l'histoire critique, se mettre en fâcheuse posture.

Certains raisonnements de M. Pagani nous paraissent bien étranges. Pour croire à l'authenticité des Actes de Sᵗᵉ Eusébie, qui, nous l'avons dit, sont un peu tombés des nues au XVIᵉ siècle, tirés, prétend-on, d'un vieux manuscrit que personne n'a revu, M. Pagani fait grand état de certains détails topographiques, dont l'exacte précision l'a vivement frappé. Soit; mais d'autre part, ces Actes donnent le détail précis de la date, 29 octobre 307, à laquelle Sᵗᵉ Eusébie souffrit le martyre. Si la Passion est authentique, pourquoi rejeter cette date ? Et dès lors, à quoi bon la théorie des *martiri per la croce ?* Il y a en tous ces raisonnements un manque de cohésion, peu favorable à la thèse soutenue par M. Pagani. L'épigraphie de M. Pagani est aussi bien audacieuse, ainsi B. PRECOR TER. CON. QVIA 1 se résoud pour lui en : *B. Precor D. N. I. X. ut tuos consortes passionis inter consortia ærum* (sic) *nos recipere digneris quia laqueus contritus est et nos liberati sumus.* On le voit, M. Pagani ne se laisse pas arrêter par les difficultés. Mais, voici plus fort encore. Un autre fragment n'a laissé subsister que

   VIA

OSITV

OBRES

VC

et notre vaillant épigraphiste, en tenant compte, dit-il, de tous les renseignements et des moindres indices archéologiques, a retrouvé ce qui suit :

b   *x*   *m*

viam mandatorum tuorum cucurrit

hic requiescit in pace

famulus X VIA*tor qui vix. ann. lx*

*dep*OSITV*s sub die*

*vii. kal. oct*OBRES *ind. ii. a. xii. p. c. basilii*

VC

C'est bien, je pense, l'un des plus extraordinaires tours de force que l'archéologie ait jamais exécutés !

L'ouvrage de M. Pagani se termine par un appendice qui fournit un certain nombre de corrections au catalogue des premiers évêques de Bergame; il examine aussi la question de l'identité de S. Viateur, évêque de Bergame, et de l'évêque de

Brescia qui porte le même nom, et il se prononce pour l'affirmative. Enfin, il s'occupe brièvement des SS. Faustin, Jovite, Calocère et Afra de Brescia, sujet qui a été épuisé depuis, par le travail du P. Savio (1).

S'il ne nous a pas été possible de souscrire à la thèse principale de M. l'abbé Pagani, nous rendons volontiers hommage à la somme considérable de recherches et de faits que son livre renferme. On y trouvera l'ensemble de toutes les données à mettre en œuvre, pour résoudre le problème posé au sujet des saints de Bergame.

Nous sommes bien en retard pour parler de la fin des recherches de M. J. Klinkenberg (2) sur les vierges martyres de Cologne, Ste Ursule et ses compagnes. C'est que nous attendions l'article additionnel annoncé par l'auteur (3), et dans lequel il devait répondre aux critiques qu'on avait faites de son travail. Mais le temps s'écoule, et rien, à notre connaissance, n'a paru. Il n'y a donc pas lieu de tarder davantage, d'autant plus que nous avons à signaler, sur la même question, deux autres travaux plus récents, du R. P. Plaine et de M. l'abbé Aeg. Müller.

Dans son dernier article, M. Klinkenberg ne s'occupe plus, à proprement parler, de l'histoire des vierges martyres de Cologne (4); il examine plutôt l'histoire de leur légende et ses développements au cours des siècles. Ce travail est intéressant et donne une idée assez juste de cette évolution légendaire. Je relève quelques points entre bien d'autres : ce n'est que vers la fin du IXe siècle ou au commencement du Xe que le nombre des martyres est fixé par des combinaisons artificielles, et qu'on voit apparaître la formule désormais célèbre des " Onze mille vierges „ (p. 143). Plus loin (p. 151), M. Klinkenberg caractérise parfaitement la Passion *Regnante Domino*, roman pieux sans valeur aucune, mais qui a joui, même auprès de certains hagiographes modernes, d'un crédit aussi extraordinaire qu'immérité. M. Klinkenberg fait en particulier bien ressortir que cette pièce dérive, en somme, d'une légende galloise relative à la princesse Ursule (5), légende dont on a une version tardive dans Geoffroy de Monmouth, et qui est combinée ici avec le *Sermo in natali*, mal interprété par l'auteur de la Passion, et avec les opinions reçues de son temps à Cologne au sujet des vierges martyres. La Passion *Regnante* est rééditée, p. 154-63, d'après un ms. de Munich (lat. 18897), du xie/xiie siècle. Au jugement de l'éditeur, la pièce ne serait pas d'une seule venue, et les ch. 17-22 auraient été

____

(1) *Anal. Boll.*, t. XV. — (2) *Studien sur Geschichte der Kölner Märterinnen*, dans JAHRBÜCHER DES VEREINS VON ALTERTHUMSFREUNDEN IM RHEINLANDE, t. LXXXXIII (1892), p. 130-79. Sur les articles précédents, voir *Anal. Boll.*, t. X, p. 476. — (3) *Ouvr. cité*, p. 130. — (4) Cette histoire se résume, d'après lui, dans le martyre de quelques vierges à Cologne du temps de Maximien. — (5) Il est regrettable que M. Klinkenberg (voir t. c., p. 167) n'ait connu la Passion de Ste Ursule *Fuit tempore pervetusto...* que par ce qu'en dit le P. Victor De Buck dans les *Acta Sanctorum*, et qu'il n'ait pas vu l'édition que nous en avons donnée, *Anal. Boll.*, t. III, p. 7-20. Il y aurait trouvé notamment un prologue adressé à l'archevêque Géron (969-976) et dont il aurait pu singulièrement tirer parti pour confirmer sa thèse. En effet, l'origine anglaise d'une partie des récits renfermés dans la Passion *Fuit...*, y est attestée de la façon la plus nette. Or la Passion *Regnante* est plus récente et dérive de l'autre.

ajoutés après coup, en une ou deux fois. Ce qu'il expose à ce sujet, est plausible ; je n'ose pas dire plus. A la fin (p. 176-78) on trouve une juste et sévère appréciation des soi-disant révélations et des fausses inscriptions, qui ont joué, au XII⁰ siècle, un rôle important dans la légende des célèbres martyres.

M. l'abbé Müller n'a écrit que quelques pages (1), et il ne fait pas étalage d'érudition ; mais on voit bientôt qu'il connaît parfaitement toute la littérature du sujet, qu'il la domine et qu'il la juge avec sagesse et perspicacité (2). Il dit nettement et montre fort bien que, pour reconstituer solidement l'histoire véritable des martyres, il faut laisser de côté le *Sermo in Natali* et la Passion *Regnante*, qui ont trop souvent servi de point de départ ; c'était une fausse voie qui ne pouvait mener que dans un monde légendaire. L'inscription de Clématius et quelques données des livres liturgiques anciens (3), voilà les seules bases sur lesquelles on peut espérer bâtir un édifice solide. Malheureusement, les données liturgiques sont bien maigres, et l'inscription est, dans certaines parties, tout à fait obscure. M. Müller, après tant d'autres, propose à son tour une interprétation de ce texte ; il le fait avec beaucoup de savoir et d'intelligence, mais ne dit rien de bien nouveau ni de décisif. Finalement, il se rallie à une opinion jadis en faveur, d'après laquelle les vierges martyres seraient les filles et les sœurs des martyrs thébéens de Cologne. Cette manière de voir ne repose sur aucun argument bien convaincant. En somme, l'ouvrage de M. Müller est beaucoup meilleur dans sa partie négative que dans celle où il tâche lui-même d'arriver à un résultat positif. Il n'y a pas lieu de s'en étonner. C'est bien là, en effet, pris sur le vif, le cas de ces martyres : on n'a sur leur compte que des données très vagues ; la plus grande partie de ce qui a été dit à leur sujet au cours des âges, repose soit sur des conjectures, soit sur des adaptations de légendes, soit sur des fictions pieuses.

Le R. P. Plaine tente lui aussi une adaptation, qu'il croit nouvelle (4). Le martyre d'Ursule et de ses compagnes serait intimement rattaché " à la colonisation de l'Armorique et à l'expédition du tyran Maxime à la fin du IV⁰ siècle ,. Dans son article, l'auteur affirme une foule de choses, et il ajoute à tout moment qu'elles sont claires, évidentes, etc... Mais cela ne fait ni la clarté, ni l'évidence. Aussi bien, la nouvelle interprétation n'est qu'une variante malheureuse de la légende galloise

(1) *Das Marterthum der thebäischen Jungfrauen in Köln*. Köln, Schafstein & C⁰, 1896, 12⁰, 36 pp. — (2) Ce qu'il dit, p. 5, de l'ouvrage de notre regretté confrère Victor De Buck, est particulièrement vrai. Son commentaire sur Sᵗᵉ Ursule (*Act. SS.*, Oct.. t. IX, p. 73 et suiv.), est extraordinairement érudit et renferme des choses excellentes ; mais il pèche par la base. Les deux points fondamentaux de tout son édifice, l'origine anglaise des martyres et leur massacre par les Huns, il va les chercher dans des documents dont lui-même a parfaitement montré la non-valeur historique, le récit de Geoffroy de Monmouth et la Passion *Regnante*. — (3) Je n'attacherais pas aux bréviaires de Cologne de 1481 et 1498 l'importance que semble leur donner M. Müller. Les deux antiennes qu'il transcrit et commente, reproduisent uniquement une interprétation, et une interprétation fautive (*exhibitae* pour *exhibitus*) de l'inscription de Clematius.— (4) *Éclaircissements sur la Passion de Sᵗᵉ Ursule* dans La Science catholique, t. VIII (1894), p. 688-709.

rapportée par Geoffroy de Monmouth (1). Ursule et ses compagnes ne sont plus les vierges qui, d'après le *Sermo in natali* et les Passions, fuient l'Angleterre pour sauvegarder leur virginité ; ce sont des filles à marier qu'on expédie d'Angleterre en Armorique ! Et cela du temps du tyran Maxime ; car c'est à cette époque qu'il faut placer la colonisation bretonne de l'Armorique. Le R. P. Plaine s'efforce longuement de prouver cette thèse. Il se prononce donc une fois de plus pour ce que M. de la Borderie appelait naguère " le système légendaire ultra-breton „ ; et le savant académicien ajoutait : " Ce système, qui ne supporte pas l'examen, est aujourd'hui entièrement abandonné (2) „.

D'après M. le professeur R. VILLARI (3), la découverte de la sainte Croix ne doit pas être attribuée à Sᵗᵉ Hélène, mère de l'empereur Constantin, mais à une autre Hélène, sœur et épouse de Monobaze, roi des Adiabéniens, qui vint s'établir à Jérusalem peu après la mort de Jésus-Christ, et y embrassa la religion juive, avec son fils Izate, successeur de Monobaze. Cette assyrienne est assurément un personnage historique, dont parle Calmet dans son *Dictionnaire historique de la Bible*, mais sans offrir le moindre point d'attache à la théorie fantaisiste, sortie tout entière du cerveau de M. Villari. Cette théorie est le noyau d'un roman, triste spécimen de la polémique confessionnelle la plus déplacée, mais tout à fait risible d'ailleurs, tant l'auteur y étale à chaque page une ignorance satisfaite d'elle-même et un manque absolu de sens critique. Deux traits entre mille. Parlant de Léon XIII, nous, Italiens, dit M. Villari, " *abbiamo un gran pazzo da curare in casa nostra* „ (p. 22) ; et voici la réhabilitation du traître Judas, qu'il met sur les lèvres de Joseph d'Arimathie, le guide fictif de son récit : *Giuda era antipatico agli apostoli e malvisto per la superiorità dell' ingegno, che esercitava su di loro, e per la sua preeminenza sociale. Giuda, che fu il più caro de' miei amici, venne sconfitto nel suo patriotismo da le dottrine nazaree... E fama che de la sua singolare bellezza, congiunta al lusso ed alla bizzarria, ne rimanessero invaghite le matrone ebree e romane. Giuda fu un eroe incompreso ed infamato* (p. 104). Comment une Académie qui se respecte a-t-elle pu se résigner à insérer dans ses mémoires cette misérable élucubration ?

M. FRANÇOIS ROSSI a publié naguère (4), d'après un manuscrit copte du musée égyptien de Turin, plusieurs textes hagiographiques qui ne sont pas dénués d'intérêt. Ce sont d'abord trente-deux fragments de la Vie de S. Épiphane, évêque de Chypre. On sait qu'il existe de cette Vie deux textes grecs originaux, écrits par deux disciples du saint évêque, Jean et Polybe (5). Les fragments coptes que publie

(1) Cette légende fabuleuse a pendant quelque temps figuré dans le supplément du bréviaire romain. — (2) *Histoire de Bretagne*, t. I (1896), p. 247. — (3) *Le due Elene, nuovo saggio di letteratura messiana*, dans les ATTI DELLA R. ACCADEMIA PELORITANA, anno X (1895-96), p. 1-146. Messina, 1895, 8°. — (4) *Atti della R. Accademia dei Lincei*, Serie quinta, Memorie della Classe di scienze morali, storiche e filologiche, t. I (1894), p. 1-136. — (5) *Bibliotheca hagiographica graeca*, p. 40.

M. Rossi, présentent cette particularité que les sept premiers reproduisent les chapitres V-XI de la Vie écrite par Jean, et les vingt-cinq autres, les chapitres XLI-LXVI de la rédaction qui a Polybe pour auteur (1). Faut-il en conclure que la traduction copte a réellement emprunté ses éléments aux deux textes grecs de Jean et Polybe? Je ne le crois pas. Il est plus probable que nous nous trouvons en présence de fragments de deux textes coptes différents, que M. Rossi aurait dû nettement séparer.

Les Actes coptes de S. **Panteleemon**, que nous donne ensuite M. Rossi, sont une simple version du texte grec bien connu (2).

Les fragments suivants fournissent le texte complet des Actes d'un groupe de martyrs d'Antinoé, sous Arien, gouverneur de la Thébaïde, les saints martyrs **Ascla**, **Philémon** et **Apollonius**, qu'Arien, touché de remords, finit par imiter dans la confession sanglante de leur foi. L'identité de ces martyrs est assez clairement établie par les hagiographes (3). Mais on n'a pas encore débrouillé la question passablement obscure de la rédaction de leurs Actes. Jusqu'à présent, nous connaissons un texte latin et un texte copte du martyre de S. Ascla, des textes grec, copte et latin de la Passion de Philémon, d'Apollonius et d'Arien. De plus, le récit de la mort des SS. Ascla, Philémon et Apollonius reparaît dans les Actes des SS. Thyrse et Leucius (4). Il y a là tout un cycle, dont il faudrait dégager le point de départ. Le texte copte du martyre de S. Ascla, qui nous est connu par la publication de M. Rossi, semble prouver l'existence d'un original grec, qui n'est pas encore retrouvé.

La dernière pièce que donne M. Rossi, est le texte du martyre d'**Apa Dios**, soldat à Bilgây dans la moyenne Égypte, mis à mort sous Maximien. M. Amélineau avait déjà fait connaître ce récit (5) d'après un texte copte, qui semble plus précis et plus complet que celui que publie M. Rossi. On y trouve l'explication du mot *Pelgoei* qui a tant embarrassé le nouvel éditeur. *Pelgoei*, que le synaxaire copte transcrit *Bilgây*, est un nom de localité, que M. Amélineau nous paraît avoir exactement déterminé (6).

Dans le tome XII d'Octobre des *Acta Sanctorum* (7), le P. Carpentier a reproduit un court extrait du synaxaire concernant S. 'Aragâwi, moine abyssin au Vᵉ siècle. Il signalait en outre un texte plus considérable, dans un manuscrit du Musée britannique, et promettait de le publier. La mort a empêché l'exécution de ce dessein.

M. Ignace Guidi vient de donner une excellente édition de ce texte éthiopien de la Vie de S. 'Aragâwi d'après quatre manuscrits, deux de Londres et deux de

(1) Nous citons les chiffres des chapitres de l'édition de Migne, *P. G.*, t. XLI. — (2) *Bibl. hagiogr. graeca*, p. 100. — (3) Cf. pour S. Ascla, *Act. SS.*, Ian. t. II, p. 455; pour Philémon, Apollonius et Arien, *ibid.*, Mart. t. I, p. 755. — (4) Cf. *P. G.*, t. CXVI, p. 508-60. — (5) *Les Actes des martyrs de l'Église copte*, p. 75-77. — (6) *La Géographie de l'Égypte à l'époque copte*, p. 100. — (7) P. 330.

Rome (1). Il faut bien l'avouer, avec MM. Dillmann (2) et Guidi (3), cette pièce n'a pas grande valeur historique. Impossible de préciser l'auteur et la date de la composition ; toutefois, M. Guidi pense que le récit appartient à la seconde période de la littérature éthiopienne. Quoi qu'on ait dit, la Vie de S. 'Aragâwi est un document original et n'a pas été traduite d'un texte arabe. M. Guidi a justement caractérisé la pièce qu'il publie : c'est une homélie destinée à être prononcée à la fête du saint.

S. Takla Hâymânot fut, au VIIIe siècle, une des gloires de l'Église d'Éthiopie, et le P. Carpentier lui a consacré, dans la collection des *Acta*, un savant commentaire (4), sans toutefois publier d'autres documents que la notice du synaxaire. Pourtant notre érudit prédécesseur signale un certain nombre de manuscrits qui renferment une Vie étendue du saint moine abyssin. Il déclare avoir reculé devant la publication de ces textes, dont l'intérêt est trop minime.

Les documents relatifs à S. Takla Hâymânot se ramènent à deux rédactions très distinctes : l'une, la plus ancienne, se trouve dans un ms. éthiopien du XVe siècle, le n° 136 de la bibliothèque nationale de Paris, et l'on pense qu'elle a été rédigée dans le monastère de Wâldebbâ, dans le Tigré ; l'autre se rencontre dans plusieurs manuscrits du British Museum, elle provient du couvent de Dabra Libânos. C'est de cette dernière recension que dépend la notice du synaxaire, et jusqu'ici on la connaissait mieux que l'autre, parce que le P. Almeida en avait traduit de copieux extraits dans son *Historia da Ethiopia*.

M. Conti Rossini a rendu à l'hagiographie abyssinienne le bon service de publier le texte éthiopien de la première rédaction (5). Pour les profanes, il a ajouté une traduction italienne, enrichie de notes historiques, géographiques et critiques, établissant soigneusement la divergence des deux rédactions dont nous avons parlé. Pour être plus ancienne que la seconde recension, celle que publie M. Conti Rossini est encore relativement récente, comme il le prouve en resserrant les limites extrêmes de sa composition entre les années 1414 et 1508.

Nous avons signalé ici (6), à son apparition, la thèse de doctorat de M. l'abbé Chabot sur S. Isaac de Ninive. Pas plus que l'auteur, nous n'avions alors de doutes sur l'orthodoxie de ce personnage, dont la doctrine était d'ailleurs si peu suspecte que jusqu'à ce jour on lui a fait place dans toutes les patrologies catholiques (7).

Il faudra, malheureusement, rayer Isaac de Ninive du nombre des saints de l'Église catholique. M. l'abbé Chabot a publié naguère un ouvrage de Jesusdenah, évêque de Baçrah, au VIIIe siècle (8), et dans ce traité il est assez longuement

(1) *Atti della R. Accademia dei Lincei*, Serie quinta, Mem. della Classe di scienze mor., stor. e filol., t. II (1896), p. 54-96. — (2) *Catal. cod. aethiop. britannici Musei*, p. 50. — (3) *Atti*, p. 55. — (4) Octobr. t. XII, p. 383 sqq. — (5) *Atti* etc., t. II, p. 98-143. — (6) *Anal. Boll.*, t. XII., p. 475-6. — (7) Cf. *P. G.* t. LXXXVI, p. 799-888. — (8) *Mélanges d'archéol. et d'hist. de l'École française de Rome*, mai-juillet 1896, p. 225 et suiv.

question d'Isaac de Ninive (1). Or nous y apprenons qu'Isaac reçut la consécration épiscopale des mains du catholicos Georges, évêque nestorien de Ninive, qui en 660 succéda à Jesusyab III (2).

Sous le titre de *Vestiges d'un grand saint gallois*, le R. P. J.-H. POLLEN nous a donné dans le *Month* de Londres, un très intéressant article sur le culte de S. Beuno, le père spirituel de la célèbre Ste Wenefride (3). Après avoir fait remarquer justement que chez les Gallois, — comme aussi chez les Irlandais et chez les Bretons, — les églises sont bien plus généralement connues sous le nom de leur fondateur que sous le nom du saint auquel elles sont dédiées, il indique toutes celles qui portent le nom de S. Beuno ou de quelqu'un de ses compagnons d'apostolat, ainsi que tous les autres monuments, les lieux-dits et les traditions quelconques, qui conservaient autrefois ou conservent encore aujourd'hui sa mémoire dans le pays de Galles. Il en conclut à bon droit à l'antique célébrité de son culte. Nous avons ici une véritable histoire du saint d'après les traces qu'il a laissées dans la vénération populaire, histoire un peu sèche, cadre que viendra remplir ensuite la Vie traditionnelle, mais que beaucoup préféreront assurément, pour la solidité de sa structure, aux récits de miracles dont se compose principalement le document écrit.

Au même genre appartient l'élégant volume dans lequel Miss MARGARET STOKES, sœur du célèbre celtiste M. Whitley Stokes, vient de publier la relation d'une excursion archéologique entreprise par elle récemment en France (4). L'auteur a refait l'itinéraire suivi par S. Colomban et par ses compagnons à travers les royaumes francs, et aussi celui de S. Fursée et de ses disciples, d'Irlande en Picardie. Partout, elle a recueilli avec le plus grand soin toutes les traces du passage des saints missionnaires, conservées soit dans des monuments de leur culte, soit dans la tradition orale, et elle fait revivre ces souvenirs sous nos yeux, dans des descriptions pleines de couleur et de vie, que relèvent encore une foule de vues photographiques et de gravures, dont un bon nombre ont été faites d'après les croquis de Miss Stokes elle-même.

On se souvient qu'elle a déjà publié, il y a cinq ans, un ouvrage analogue se rapportant au nord de l'Italie (5). Peut-être jugera-t-on que ce premier voyage offre plus d'intérêt que le second. Le savant écrivain avait pu y tirer de l'ensemble de ses observations deux conclusions générales très remarquables. La première concerne un type d'ornementation architectonique irlandais, qu'on avait généralement cru importé en Italie par les moines de la suite de S. Colomban; c'est l'inverse qui

(1) *Ibid.*, p. 277-78. — (2) M. l'abbé Chabot a fait lui-même cette rectification dans la *Revue sémitique d'épigraphie et d'histoire ancienne*, t. IV (1896), p. 254-57. — (3) *Traces of a great Welsh saint*, dans THE MONTH, t. LXXX (1894), p. 235-47. — (4) * *Three Months in the Forests of France, a Pilgrimage in search of vestiges of the Irish saints in France*. London, G. Bell, 1895, LI-291 pp., nombr. illustr — (5) *Six Months in the Apennines*. London, Bell, 1892.

est vrai : ce type a été emprunté par eux aux monuments du nord de la péninsule. La seconde porte sur le caractère de ces expéditions de moines d'Irlande en Italie, qui étaient regardées comme des entreprises d'apostolat; Miss Stokes a démontré que l'objet principal de ces expéditions était des pèlerinages de dévotion, que le zèle pieux des moines pèlerins a transformés occasionnellement en prédications de la foi chrétienne. Aucun résultat de cette importance n'est fourni par le présent volume, mais seulement une foule de détails curieux relatifs aux saints auxquels il est consacré.

Certains savants austères trouveront sans doute que la noble voyageuse a mêlé à ses recherches archéologiques trop de peintures de paysages, d'impressions et d'incidents personnels; mais ces descriptions sont faites avec tant d'art et de goût, que les lecteurs dont l'âme ne s'est pas tout à fait raccornie à l'aride contact de la science pure, lui sauront certainement gré de ces pages reposantes.

Nous nous permettrons un léger reproche. Miss Stokes, qui est si bien au courant de l'érudition propre à son sujet, devrait se garder de reproduire des traditions historiques dont le caractère fabuleux est actuellement assez établi pour qu'elles ne puissent plus être prises au sérieux. Telle est celle des prétendues terreurs de l'an mil; telle aussi, celle du dévergondage de mœurs de la célèbre Brunehaut.

Le R. P. FR. B. PLAINE a publié (1), d'après un manuscrit du XIe siècle conservé au British Museum, l'hymne inédite en l'honneur de S. Malo : *Benedicite Dominum...* (2). C'est un résumé très sec et très incomplet de la légende, fait visiblement d'après le texte de la Vie du saint par Bili, texte qui est transcrit dans le même manuscrit et dont le poète a copié çà et là mot à mot les expressions. L'éditeur est d'un autre avis, et croit que le poème a été composé " vers la fin du „ VIIIe siècle et avant les années 800-820 „. J'ai bien de la peine à croire qu'il persuade personne. Ainsi, quand il commence par affirmer (p. 3) que ce poème a été transporté en Angleterre par les émigrés armoricains vers l'an 910, on admet sans doute la conclusion qu'il en tire : " Par conséquent la rédaction de la pièce " doit être antérieure à la fin du IXe siècle „; mais on ne voit pas aussi bien sur quoi repose l'affirmation catégorique d'où l'auteur déduit cette conséquence, et un essai de preuve n'eût pas été de trop. De même dans la suite, beaucoup d'affirmations; mais de preuves, point, ou du moins aucune qui soit quelque peu solide.

(1) " *Un Poète armoricain des VIIIe ou IXe siècles. Texte de la Vie de S. Malo en vers latins rimés.* Vannes, 1896, 8°, 16 pp. Extrait de la REVUE HIST. DE L'OUEST, XIIe année (1896). Documents, p. 177-92. Cette édition pourrait être améliorée. Ainsi je constate un pied de trop strophe 2, vers 1, et str. 4, v. 1 et 2; par contre il manque un pied str. 7, v. 2, et str. 26, v. 3. Dans le texte str. 16, v. 4, l'éditeur imprime *sanos*, qui est bien étrange, et il traduit comme s'il y avait *annos*. Str. 23, v. 1, on ne comprend pas le signe d'interrogation qui sépare le verbe de son régime. Str. 28, v. 3, corriger : *prestet.* — (2) CHEVALIER, *Rep. hymn.*, num. 2425.

M. G. Save a inventorié avec soin les monuments iconographiques relatifs à
S. Dié (1); il signale, sans parler de ceux qui sont perdus, environ soixante-dix
œuvres d'art, sceaux, vitraux, tableaux, etc., les uns anciens, les autres modernes.
Pour les classer et afin, dit-il, " d'ajouter quelque intérêt à cette aride nomenclature, „ il les range d'après les divers épisodes de la Vie du saint et publie, à cet
effet, des fragments de deux Légendes inédites, écrites en vers français ; la plus
ancienne date de la seconde moitié du XVIe siècle, l'autre du XVIIIe.

Une étude du P. Fidèle Savio sur le culte de S. Chaffre *(S. Theofredus)* dans le
Piémont, contient plus que ne semble annoncer son titre (2). Elle apporte la solution assez inattendue d'un problème hagiographique jusqu'ici fort obscur. L'abbaye
de Saint-Chaffre du Velay comptait, parmi ses possessions italiennes, le prieuré de
S. Teofredo de Cervere, lequel à son tour avait sous sa dépendance le prieuré
de S. Teofredo de Cherasco. Quand, après bien des vicissitudes, que le P. Savio
raconte, avec pièces à l'appui, les liens entre Cervere et l'abbaye-mère eurent été
rompus, et que Cervere eut été, en 1457, uni au monastère de Saint-Pierre de Savi-
gliano, on ne tarda guère à oublier le martyr bénédictin du Velay († vers 732), sous
le vocable duquel étaient placés les deux prieurés piémontais. L'altération du nom
aidant, on en vint un jour à se demander qui pouvait bien être ce S. Ifrè, Tifredo
ou Eufredo, patron des églises de Cervere et de Cherasco, et dont on possédait
probablement quelques reliques. On avait bien comme un vague souvenir que
c'était un moine bénédictin et un martyr. On en fit un martyr italien, natif de
Cherasco ; d'aucuns allèrent même jusqu'à se demander si le saint n'était pas un
martyr thébéen, compagnon de S. Maurice. Nos prédécesseurs à leur tour se sont
trouvés fort en peine pour identifier ce S. Eufredus, dont ils rencontraient la fête au
11 octobre (3). Après le travail très solide, très fin, du P. Savio, la question nous
parait résolue. Le *S. Teofredo* ou *Eufredo* piémontais n'est autre que S. Chaffre du
Velay. Quant à son " corps „ que l'église d'Alba croyait posséder, on doit admettre
qu'il y a là au moins quelque exagération, comme on en rencontre tant en pareille
matière. Quelques reliques du saint avaient probablement passé de Cherasco à
Alba. En tout cas, c'est le même saint qui était honoré de part et d'autre.

Un pieux et intelligent voyageur, qui signe Estbam, a raconté avec beaucoup
d'agrément un pèlerinage qu'il a fait à Gallinaro, dans les Abruzzes (4). Son récit
complète très utilement sur plus d'un point ce que que notre prédécesseur Cuypers
a écrit jadis (5) au sujet de l'histoire et du culte de S. Gérard de Gallinaro. A
noter en particulier : 1° le manuscrit conservé à Gallinaro et sur lequel ont été

(1) *Iconographie et Légendes rimées de la vie de S. Dié*, dans Bull. de la Société
philomatique des Vosges, t. XX (1895), p. 169-205, phototypie, gravures. — (2) * *Il
monastero di S. Teofredo di Cervere ed il culto di S. Tenfredo in Piemonte.*
Torino, 1896, 4°, 21 pp. Extrait des Miscellanea di storia italiana, ser. III. —
(3) *Act. SS.*, Oct. t. V, p. 646-47. — (4) *St. Gerard of Gallinaro*, dans The Month,
t. LXXXV (1895), pp. 72-81 et 408-17. — (5) *Act. SS.*, Aug. t. II, p. 693 sqq.

copiés les textes publiés par Cuypers, date du XII⁰ siècle ou, au plus tard, du commencement du XIII⁰. 2° Tandis que, d'après les leçons de cet office, S. Gérard était un Auvergnat, qui mourut à Gallinaro vers l'an 1100, en se rendant à la croisade, le peuple de Gallinaro le considère actuellement comme un Anglais et le fait vivre au VII⁰ siècle. Et cette tradition populaire, consignée dans des Vies du saint relativement modernes et très vivante d'ailleurs dans le pays, on peut en constater l'existence beaucoup plus tôt. Des documents du XIV⁰ siècle, dont copie est conservée à Gallinaro, mais dont notre Esteban n'ose pas d'ailleurs garantir l'authenticité, l'attestent déjà. Il est certain qu'une famille anglaise, du nom de Gerard, a fait à Gallinaro des fondations pieuses en mémoire du saint, qu'elle regardait comme son parent; et l'on conserve à Gallinaro un reliquaire envoyé en 1708 — une inscription originale l'atteste — par le célèbre jésuite John Gerard, au nom de " la famille anglaise des Gerard „. Néanmoins Esteban, tout Anglais qu'il est, se montre très réservé à l'égard de cette tradition suspecte (1).

Le mémoire de M. Joseph Jacobs (2) sur S. Hugues de Lincoln, massacré par les Juifs en 1255 (3), est comme un des chapitres du grand ouvrage que semblent avoir entrepris les savants de race juive, pour démontrer que les enfants martyrs honorés dans certaines églises, ou bien n'ont jamais existé, ou du moins ont tout simplement péri dans quelqu'accident qu'on ne peut, sans injustice, imputer aux Juifs. C'est ainsi que M. Isidore Loeb a relégué parmi les mythes le saint enfant de la Guardia (4); M. Auguste Jessopp croit que c'est la cupidité de quelques gens d'Église qui a inventé le martyr Guillaume de Norwich (5); et d'après M. Jacobs, la mort de Hugues de Lincoln serait tout accidentelle (6). Ces diverses explications ne seraient-elles pas en partie suggérées par certaines préoccupations, nées des controverses assez vives suscitées derechef au sujet du meurtre rituel d'enfants chrétiens par les Juifs? Certes, quant à la question de droit, on arrive, par l'examen des livres rabbiniques et l'histoire des sectes juives (7), à faire admettre comme

(1) Voir surtout *l. c.*, pp. 77 et 411. — (2) *Little St. Hugh of Lincoln, boy and martyr*, London, 1894, 8°, 18 pp Reprinted from THE JEWISH CHRONICLE. — (3) *Acta SS.*, ad d. 27 iul., t. VI, p. 494-5. — (4) *Revue des études juives*, t. XV (1887), p. 202-32. M. Loeb arrive à cette conclusion en soumettant à un minutieux examen la partie du procès retrouvée et publiée par le P. Fita, *Boletin de la R. Acad. de la Historia*, t. IX, 1886, p. 460 sqq. M. Loeb insiste surtout sur les prescriptions du code moderne d'instruction criminelle; ces prescriptions, personne ne s'en étonnera, sont très différentes de la pratique des tribunaux de l'Inquisition, qui suivaient, au XV⁰ et au XVI⁰ siècles, les errements d'alors. Mais si le procédé critique employé par M. Loeb est souvent légitime, il faut cependant le manier avec prudence; sinon on s'exposerait parfois à ranger parmi les mythes plus d'un crime parfaitement avéré. — (5) *The Nineteenth Century*, t. XXXIII (1893), p. 746-66. Nous aurons à revenir bientôt sur cet article, car on annonce la publication, par MM. Montague James et A. Jessopp, des Actes quasi contemporains du B. Guillaume, écrits par Thomas de Monmouth. Dans les *Acta SS.*, t. III de Mars, p. 588-91, on ne trouve que le récit de Capgrave.— (6) *Op. cit.*, p. 15.— (7) STRACK, *Der Blutaberglaube*, München, 1892. Il reste toutefois un point noir. Dans toute cette controverse, les Juifs, pressés

probable la thèse de ceux qui nient l'institution en quelque sorte officielle du meurtre rituel proprement dit. Mais reste la question de fait. Les textes hagiographiques sont là, énumérant les tristes victimes de ce rite sanglant. Il s'agirait donc de prouver que les documents, légendes et chroniques, qui rapportent ces cruelles exécutions, n'ont aucune valeur historique, et ne sont en dernière analyse que le produit de la cupidité, de la fraude, de l'imagination échauffée par la haine. En somme, c'est, nous semble-t-il, une question à examiner pour chaque cas particulier, uniquement d'après les lois ordinaires de la critique. Aujourd'hui, M. Jacobs nous demande, au nom de cette critique, d'arracher des *Acta Sanctorum* les pages consacrées au jeune Hugues de Lincoln. Ce n'est pas qu'il exhibe, pour nous y engager, quelque document nouveau. Nullement; il ne possède que les récits de Matthieu Paris (1) et de l'annaliste de Burton (2). Mais il les explique et les commente sous l'empire de la persuasion qu'ils sont fabuleux de toutes pièces, et cela parce qu'ils supposent le meurtre rituel. Certes, M. Jacobs a l'art de grouper toutes les circonstances et de les interpréter à sa façon; sous sa plume, la mort de Hugues paraît toute accidentelle. Mais il n'amènera pas, je le crois, la généralité des lecteurs sérieux à partager entièrement son opinion. Car si l'on dépouille le récit de Matthieu Paris et de l'annaliste de Burton des ornements dont la légende l'a surchargé, il reste ce fait : un enfant de Lincoln a été pris et tué par des Juifs. La preuve en fut faite d'après les coutumes du temps. Mais, dit M. Jacobs, cette mort est due à un accident. Ne puis-je pas dire, à mon tour, que Hugues fut victime, sinon du fanatisme religieux, du moins de ces haines de races toujours si vivaces entre juifs et chrétiens? Le drame d'Inmestar rapporté par Socrate (3) et rappelé par M. Jessopp, ne s'est-il pas renouvelé à Lincoln? Les circonstances dans lesquelles le meurtre fut commis, permettent de le supposer. Les Juifs les plus considérés du royaume s'étaient réunis à Lincoln; ils y arrivaient avec une certaine pompe; car ils venaient assister aux fêtes d'un mariage célébré dans une des principales familles juives de Lincoln. L'arrivée de ces étrangers intriguait le peuple; la vue des richesses étalées excitait sa colère; un rien pouvait provoquer de sa part, sinon des voies de fait, du moins des injures et des sarcasmes; et comme on le remarque encore de nos jours en cas pareil, les enfants chrétiens de Lincoln prirent leur part à ces sortes de manifestations. Dès lors, est-il improbable qu'un Juif moins patient que les autres se soit vengé violemment sur un enfant chrétien? Dans la suite, le peuple aura rendu toute la juiverie responsable du méfait d'un seul. C'était dans les mœurs du temps. Si je ne m'abuse, cette interprétation, — car il s'agit d'interpréter le récit en tenant compte de la cruauté barbare des haines reli-

d'expliquer les origines des singulières accusations dont on les chargeait, ne produisent aucune raison satisfaisante. Ils répondent sans doute que jadis et aujourd'hui les païens ont imputé semblable crime aux chrétiens. Mais cette réponse manque de sérieux; car pour les chrétiens, c'est le dogme de l'Eucharistie qui, mal interprété, a donné lieu à ces fausses imputations.— (1) *Chronica maiora*, ed. Luard, t. V, p. 516-19. — (2) *Annales monastici*, ed. Luard, t. I, p. 340-44. — (3) *Hist. eccl.*, lib. VII, cap. 16.

gieuses,— cette explication est pour le moins aussi acceptable que celle que propose M. Jacobs. Son travail, du reste, n'est pas seulement un habile plaidoyer en faveur de ses coreligionnaires ; il renferme de plus des détails nombreux et intéressants sur la colonie juive de Lincoln.

M. F. Sensi a commencé la publication d'une *Leggenda latina versificata del secolo XIII intorno a S. Chiara di Assisi* (1). Nous signalons, pour mémoire, le fragment qui a déjà paru, accompagné de quelques remarques de phonétique latine; car la suite du morceau se fait bien attendre, ainsi que l'étude de M. Sensi sur sa valeur historique et littéraire. A juger des quatre premiers chapitres, le versificateur semble s'être tenu de fort près à la Légende en prose.

Le R. P. Rattinger a voulu faire connaître à nos voisins du Rhin S. Boniface de Lausanne, mort en 1260 à l'abbaye de la Cambre, près Bruxelles. Il a donc résumé en quelques pages (2) ce que les contemporains et des auteurs modernes ont écrit sur ce saint évêque (3); s'il n'a pas réussi à nous communiquer de nouveaux détails biographiques, il n'a du moins omis aucun de ceux qui ont déjà été signalés.

Au cours de son travail, l'auteur émet une hypothèse qui mérite d'attirer l'attention. Il a remarqué que, vers les années 1240-1241, on signale dans le diocèse d'Utrecht la présence d'un évêque de vie exemplaire nommé Boniface, qui, en lieu et place du titulaire, bénit les oratoires, visite les monastères et consacre les églises. Ce Boniface ne serait-il pas l'évêque démissionnaire de Lausanne?

Si parfois le R. P. Rattinger a coupé son récit par des digressions, il faut reconnaître que celles-ci sont aussi intéressantes qu'instructives.

Una Bolla inedita e sconosciuta di Celestino V est un titre alléchant pour les médiévistes, d'autant plus que c'est un paléographe de premier ordre, M. Cesare Paoli, qui a eu la bonne fortune de la découvrir, attachée aux parois d'un livre de comptes du XIVe siècle. Il a confié à un de ses meilleurs élèves, M. Fr. Carabal- lese, le soin de la publier, en l'interprétant à la lumière des meilleures et des plus récentes publications sur le pape-ermite (4). Ce commentaire est bien venu; car le parchemin, comme on devait s'y attendre, est détérioré, et dans la suscription le scribe a remplacé le nom du destinataire par deux points : *Dilectis filiis.. abbati et conventui monasterii*, etc. D'autre part, la fin est intacte : *Datum Neapoli III idus decembris, pontificatus nostri anno primo.* Ce document pontifical émanerait de Célestin V ; ce serait une confirmation *in extremis* — le pape abdiqua le 13 décembre — de tous les privilèges qu'il avait octroyés à son Ordre par une bulle du 27 septembre 1294. J'applaudirais de grand cœur aux conclusions de

(1) Dans le *Bollettino della Società Umbra di storia patria*, t. I (1895), p. 114-25. — (2) *Extrait des *Stimmen aus Maria-Laach*, t. L (1896), pp. 10-23 et 139-57. — (3) Cf. *Anal. Boll.*, t. XI, p. 112. — (4) *Archivio stor. italiano*, série V, t. XVI (1895), p. 161-76.

cette étude, si son auteur avait au préalable discuté à fond l'authenticité de la bulle inédite. Jusqu'ici, je ne suis pas persuadé. Malgré les fugitives remarques éparpillées par le critique, les deux points remplaçant l'adresse du destinataire continuent à m'intriguer. Je comprends fort bien que le sceau de plomb ait disparu ; mais j'aurais désiré savoir si le parchemin a été coupé au ras de la dernière ligne d'écriture. Ce qui excite surtout ma défiance, c'est cette formule inouïe, étrangère dans sa précision au style apostolique de toutes les époques : *Decernimus quod, revocatione huiusmodi (si quando nos vel successores nostros, in genere vel in specie, ad ipsam, quod non proponimus, contingat procedere) non obstante, praedictos susceptionis et exemptionis gratia in sua roboris firmitate persistat, illamque vim et firmitatem obtineat, ac si nulla umquam revocatio in genere vel in specie super hoc a nobis vel successoribus nostris facta fuisset, et nulla umquam super revocatione susceptionis et exemptionis huiusmodi ab apostolica sede litterae postmodum emanassent.* Ce qu'il y a d'exorbitant dans ce texte, qui exprime la substance même du document pontifical, c'est que Célestin V se lie, lui et ses successeurs, par rapport à un point bien spécifié, la révocation des exemptions accordées jadis, et qu'il frappe équivalemment de nullité tout acte pontifical directement contraire à ces faveurs ; de telle façon que, si jamais le pape se ravisait sur ces privilèges, les moines, en vertu même de la bulle du 11 décembre 1294, n'auraient à en tenir aucun compte. Franchement, je ne m'étonne pas de ce que cet acte, malgré sa teneur importante, n'ait jamais été produit par les religieux Célestins et qu'il se soit égaré dans la poussière des bibliothèques. Que M. Caraballese me cite un second exemple de pareille rédaction, et je suis prêt à lui rendre les armes.

Je ne sais vraiment pourquoi on a éprouvé le besoin de réimprimer, dans la revue *Le Manuscrit* (1), la moitié du petit volume publié en 1884 par le Dʳ Bonnejoy sous le titre *Vie de S. Yves tirée d'un manuscrit sur velin du XIVᵉ siècle.* Franchement, cela n'en valait pas la peine. Çà et là on a fait disparaître quelques erreurs par trop fortes. Mais il en reste encore. Ainsi, le manuscrit portant quelque part l'accusatif pluriel bien connu *Parisius*, faisant fonction de locatif (2), M. Bonnejoy croit reconnaître là une faute de copiste, et corrige : *Parisiis!* " On pourrait aussi, dit-il, prendre *Parisius* pour un nominatif singulier = *Parisiensis* „! Le manuscrit du XVᵉ siècle (3) présente les abréviations usuelles, toutes fort simples. M. Bonnejoy déclare, lui, que " le texte du manuscrit est, comme on le voit „ et comme c'est, du reste, la coutume des scribes, plein d'abréviations *tironniennes* et de sigles „. Et l'on réimprime, dans une revue spéciale, de pareilles énormités !

---

(1) T. I (1894), pp. 120-25 et 135-37, fac-similé. — (2) Cf. M. Bonnet, *Le Latin de Grégoire de Tours*, p. 570-1. — (3) M. Bonnejoy le croit du XIVᵉ siècle ; on a fait remarquer, avec raison, qu'il est du XVᵉ. La direction de la revue en question satisfait tout le monde en composant ainsi le titre : *Vie de S. Yves dans un bréviaire du XIVᵉ ou du XVᵉ siècle.*

Jacques Capocci de Viterbe, archevêque de Naples, mort en 1308, est honoré du titre de bienheureux. Le P. Taglialatela a recueilli les preuves du culte qui lui a été rendu; il en trouvait la plus ancienne trace dans un manuscrit de la bibliothèque nationale de Naples, coté VII, C. 4, où l'archevêque serait représenté, au milieu d'une initiale historiée, avec le nimbe (1). M. A. MIOLA, conservateur du département des manuscrits, publie une note intéressante au sujet de ce petit monument (2). C'est l'initiale d'un *Iacobi Viterbiensis questiones de predicamentis.* Le nimbe est bien de première main. Il est vrai que, sur le fond, on remarque deux cercles blancs concentriques, qui suivent les contours de la lettre Q. C'est après la formation de ces traits que le nimbe a été peint; mais il est d'une teinte caractéristique qui se retrouve sur le feuillage de l'encadrement.

La date du manuscrit, sans pouvoir être fixée à quelques années près, ne souffre pas de difficulté. Il est du commencement du XIV⁰ siècle. On sait assez qu'il ne faut pas prendre trop à la lettre les formules dont se servait Mabillon, qui, en 1665 examina le manuscrit, et l'estima *400 annorum.*

La seule question qui pourrait sérieusement inquiéter l'hagiographe, et qu'il est difficile de trancher avec certitude, c'est de savoir si c'est bien Jacques de Viterbe que représente la vignette, ou si ce n'est pas un saint docteur quelconque, penché sur son livre. J'avoue ne pas distinguer, avec toute l'évidence désirable, sous les ornements épiscopaux, le costume du moine augustin. L'explicit du manuscrit ne fait pas même allusion à la dignité dont frère Jacques de Viterbe fut revêtu plus tard : *Expliciunt questiones fratris Iacobi de Viterbo super predicamenta.* On dira que le miniaturiste est indépendant du copiste, qu'il a pu savoir que l'auteur du traité était archevêque, et honoré comme bienheureux; mais il ne serait pas superflu de prouver qu'il l'a su et qu'il l'a voulu exprimer par le pinceau.

M. G. PARDI a donné dans le *Bullettino Senese di storia patria* une étude bio-bibliographique sur **S. Jean Colombini,** fondateur des Jésuates (3). Son travail est divisé en deux parties : la première, et la plus importante, se subdivise en trois paragraphes. Dans le premier, l'auteur énumère les biographies du saint dues à Cristofano di Gano, Giovanni Tavelli, Feo Belcari, etc.; il apprécie chacune d'elles, ayant soin d'avertir le lecteur des raisons qui justifient ces appréciations. L'ouvrage de Feo Belcari a été plus spécialement soumis à une judicieuse analyse, par la collation des sources auxquelles cet écrivain du XV⁰ siècle puisait habituellement. On nous montre aussi en détail les larges emprunts faits par Belcari à la correspondance de Jean Colombini. Le second paragraphe expose succinctement les

(1) G. TAGLIALATELA, *Il beato Giacomo Capocci da Viterbo arcivescovo di Napoli,* estratto della rivista napolitana LA SCIENZA E LA FEDE, 1887, p. 39. — (2) * A. MIOLA, *Intorno a un' antica imagine di Giacomo da Viterbo in un codice della Nazionale di Napoli,* ATTI DELL' ACCADEMIA PONTANIANA, t. XXIV (1894) 6 pp., avec fac-similé. — (3) *Degla vita e degli scritti di Giovanni Colombini da Siena,* dans BULLETTINO SENESE DI STORIA PATRIA, t. II (1895), pp. 1-50, 202-30.

principaux événements de la vie du saint, sa naissance, dont la date probable est 1304, son mariage, sa conversion, son exil pour motif politique, ses entrevues avec Urbain V à Corneto et Toscanella, sa mort en 1367. Enfin, dans le troisième paragraphe, M. Pardi se livre à un examen minutieux des écrits, ou pour mieux dire, des lettres de Jean Colombini; ce sont là, en effet, les seules œuvres qu'on puisse lui attribuer avec certitude. C'est une sorte d'analyse littéraire, qui cherch e, pour le fond et pour la forme, à faire ressortir toutes les qualités de l'écrivain. S. Jean Colombini, comme tous les ascètes qui l'ont précédé et suivi, a eu l'occasion de développer dans sa correspondance le conseil du Christ : *Qui non odit patrem*, etc. Nous avons été surpris de trouver, à cette occasion, sous la plume de M. Pardi, une insinuation maligne contre les ordres religieux en général et les jésuites en particulier. Il nous avait paru que M. Pardi était trop sérieux pour ignorer que seule la mauvaise foi d'un pamphlétaire a pu mettre en opposition le *Qui non odit* de l'Évangile avec le quatrième précepte du décalogue. Pour achever cette partie de son travail, M. Pardi devait au lecteur la bibliographie de la correspondance de Colombini; il s'acquitte de ce devoir en commençant par les manuscrits qui ont conservé les lettres du saint; il les énumère, les décrit et les classe par familles; puis il signale, en les cotant selon leur valeur, les différentes éditions, dont la plus récente et la meilleure est celle d'Adolphe Bartoli, qui parut en 1856.

La seconde partie du travail consiste en une suite d'annotations destinées à faciliter la lecture et l'étude des lettres du saint. Ici, M. Pardi fait surtout usage des notes explicatives du dominicain Tannucci, né à Sienne en 1675; les notes sont conservées dans les mss. de la bibliothèque de Sienne, cotés I, VI, 18, 19. Enfin, il publie quelques documents qui rendront service aux futurs biographes de Jean Colombini.

Lorsqu'en 1893-94 on restaura à Rome, place Farnèse, la façade de l'église de Sainte-Brigitte, on fit apparaître cette inscription : *Domus sancte Birgitte Vastenensis de regno Swecie instaurata anno Domini 1513.*

L'écrivain de la *Civiltà cattolica* (1) qui rend compte de cette découverte, réédite à ce propos les autres inscriptions, qui, dans cette même église, rappellent la mémoire de S⁺ᵉ Brigitte. Presque toutes avaient déjà été publiées par Forcella (2).

Le mérite du nouvel éditeur n'est pas seulement de les avoir reproduites plus exactement, mais encore de les avoir soumises à une sérieuse étude épigraphique, dont voici les conclusions : Deux inscriptions sont certainement antérieures à l'année 1391, date de la canonisation de la sainte, et l'on doit abandonner l'opinion de Wadding et du bollandiste De Bue (3), qui font mourir la sainte au couvent des Clarisses de Saint-Laurent in Panisperna.

(1) Série XVI, t. II (1895), p. 471-75. — (2) *Inscrizione delle chiese di Roma*, t. IX, p. 301 sqq. — (3) *Acta SS.*, Oct. t. IV, p. 460.

La bienheureuse **Philippe de Chantemilan** a mené une vie trop retirée pour avoir laissé grande trace dans l'histoire, et tout ce qu'on peut demander d'un biographe moderne de la pieuse femme, c'est qu'il mette en œuvre avec soin les anciens récits qui nous ont conservé sa mémoire. Ce travail, M. l'abbé Reure vient de le faire d'une façon excellente. (1). Sa principale et presque unique source est naturellement la Vie ancienne, publiée naguère par M. l'abbé U. Chevalier (2) ; mais des recherches soigneuses d'histoire locale ont permis à M. Reure de réaliser fort bien ce qu'il s'était proposé (p. 5) : remettre la sainte dans le milieu où elle a vécu, reconstituer en quelque sorte son entourage, et donner sur sa famille et les maisons que celle-ci a servies, des renseignements nouveaux et intéressants.

Celui qui voudra étudier un jour les sources du fameux *Livre des Exercices* de **S. Ignace**, ne pourra manquer d'être frappé de la ressemblance qu'il y a entre la méditation des *Deux Étendards* et un sermon, vulgairement attribué à S. Bernard (Migne, *P. L.*, t. CLXXXIII, col. 761 sqq.). Les deux cadres sont identiques, comme l'observe très justement M. l'abbé Ratti (3), qui a retrouvé ce sermon dans un ms. du XIV⁺ siècle.

La Vie de **S. Stanislas Kostka**, par le P. Math. Gruber, S. I., est un excellent travail de vulgarisation (4). Sous des dehors modestes, ce petit livre témoigne de beaucoup de sens critique et d'érudition. Le P. Gruber a fort habilement introduit dans un récit clair et précis, la preuve de tout ce qu'il rapporte. Ces preuves sont en général des témoignages de contemporains ou quasi contemporains. L'auteur les caractérise suffisamment pour qu'on ne se méprenne pas sur leur valeur.

Ceux qui s'intéressent aux victimes religieuses de Henri VIII, roi d'Angleterre, feront bien de verser au dossier déjà recueilli par le R. P. Pollen, S. I. (5), le document récemment publié par le R. P. Bruno Albert O. S. B. (6), mais en tenant compte de la réserve qui s'impose à l'égard de toute la littérature polémique de cette époque passionnée (7).

La *Vie du bienheureux Edmond Campion*, par le P. W. van Nieuwenhoff, S. I. (8), est un livre utile de vulgarisation ; l'auteur est suffisamment bien informé et montre

(1) * *Une sainte Forézienne. La B⁺⁺ Philippe de Chantemilan*. Lyon, Vitte, 1896, 8⁺, 36 pp. Extrait de L'Université catholique, nouv. sér. t. XXIII (1896), p. 226-57. — (2) Voir *Anal. Boll.*, t. XIV, p. 125-26. — (3) * *Storia e agiografia*, 4 pp. Extrait des Rendiconti del R. Istituto Lombardo di sc. e lett., ser. II, t. XXIX, 1896. — (4) * *Wunderbares Leben des hl. Stanislaus Kostka, S. I.*, Freiburg im Br., Herder, 1896, 12⁺, vi-138 pp., grav. — (5) *Acts of English Martyrs hitherto unpublished*. London, 1891. — (6) *Ein Beitrag zur Geschichte der engl. Benedictiner-Martyrer unter Heinrich dem VIII*, dans Studien und Mittheilungen aus dem Benedictiner- und dem Cistercienser-Orden, année XVI (1895), p. 283-5. — (7) Cf. *Anal. Boll.*, t. XII, p. 92. — (8) * Ouvrage traduit du néerlandais par C. M. Lille, Société Saint-Augustin, 1896, 8⁺, 320 p., 19 grav.

une prudente réserve dans l'interprétation des documents contemporains. Çà et là seulement le traducteur a défailli quelque peu. Absence complète de préface et d'annotation bibliographique; ce qui n'est pas pour plaire à tous les lecteurs.

La bibliothèque du prince Trivulzio, à Milan, possède des fardes de documents sur S. Charles Borromée et son siècle (1). On aurait tort de juger de l'importance de ce dépôt d'après les quatre petites lettres inédites de l'illustre cardinal que vient de publier M. E. Motta (2). Ces billets, adressés à des prêtres de la Suisse italienne, peuvent être, à raison de la signature du saint, des souvenirs pieux, — on en compte par milliers, — mais, sauf le dernier, daté du 17 juin 1580, ils n'offrent qu'un mince intérêt historique. L'archevêque de Milan y poursuit sa vigoureuse campagne contre l'usage invétéré chez les Suisses, de suspendre dans leurs églises des écussons et des trophées en mémoire de leurs hauts faits militaires. La rigueur de sa répression allait jusqu'à lancer l'interdit sur les paroisses récalcitrantes. Mais à peu de temps de là, un ordre exprès venu de Rome l'obligea de désarmer (3).

M. Th. von Sickel a publié un bref intéressant de Pie IV, octroyant au cardinal Charles Borromée, son neveu et secrétaire d'État, la permission d'emporter de la bibliothèque vaticane des livres et des manuscrits (4). Il existe de ce bref une double minute originale (20 juin et 29 novembre 1564). Les variantes de la seconde rédaction prouvent combien les trésors de la Vaticane étaient peu accessibles alors, même à un cardinal neveu.

Le R. P. Giacinto da Belmonte promet, dans sa préface à la Vie de S. Joseph de Leonessa (5), de nouvelles publications sur le serviteur de Dieu. Elles auront un caractère scientifique, et nous fourniront ainsi l'occasion de mieux apprécier les qualités de l'hagiographe. Le volume qu'il vient de publier, est une œuvre de vulgarisation, dont l'auteur a écarté avec soin tout ce qui rappelle la science et l'érudition.

Le livre de M. l'abbé J. Cellier sur le B. Jean-Baptiste de la Salle n'est pas une œuvre historique (6). Nous nous bornerons à le signaler à l'attention du clergé; car c'est à lui que l'auteur le destine. Le prêtre trouvera dans ces pages de chaleureuses exhortations à la pratique de toutes les vertus sacerdotales.

(1) Voir G. Porro, *Catalogo dei codici manoscritti della Trivulziana*. Torino, 1884, 8°. — (2) *Bollett. stor. della Svizzera italiana*, an. XVII (1895), p. 59-60. — (3) Lettre du secrétaire d'État, card. Ptol. Gallio, 3 septembre 1580, dans le *Perio dico della Società storica Comense*, t. VIII, p. 264. — (4) *Mittheilungen des Instituts für österreich. Geschichtsforschung*, t. XVII (1896), p. 293-6. — (5) *Vita di S. Giuseppe da Leonessa missionario cappuccino*. Roma, tip. Artigianelli di S. Giuseppe, 1896, 8°, 504 pp., grav. — (6) * *Le Bienheureux Jean-Baptiste de la Salle, gloire et modèle du clergé*. Montreuil-sur-Mer, imprimerie Notre-Dame des Prés, 1896, 8°, x-416 pp.

DE MARTYRIBUS PALAESTINAE

LONGIORIS LIBELLI FRAGMENTA

Palaestinensium suae aetatis martyrum gesta Eusebium binis libellis, quorum alter altero brevior est, enarrasse omnes norunt; et minor quidem in graecis codicibus librisque editis libro VIII Historiae ecclesiasticae plerumque subnexus est, longior vero syriaco tantum idiomate integer ad nos pervenit atque ex codice musei britannici a Curetonio erutus est, quem ideo Curetonianae recensionis nomine insigniri usus habet. Graece tamen utrumque exaratum fuisse, quamquam aliter quondam nonnemo sensit, apud omnes nostris diebus in confesso est.

Neque longioris illius Eusebianae commentationis exemplaria graeca ita evanuerunt, ut nullum sui vestigium reliquerint. Immo, praeter particulas quasdam varios per libros disiectas, de quibus mox, integra illius capita in menologiis nonnullis servata sunt, et haec quidem fragmenta, adhibitis, quos attingere potuimus, codicibus, proferre aggredimur.

Plurimae, ut patet, ex collatis binis recensionibus, quaestiones sponte enascuntur, quarum praecipua ea certe videtur, quonam tandem animo duplici narratione easdem historias prosequi intenderit Eusebius. Attamen, praeter ea quibus docemur qua via quave ratione ad nos pervenerit longior libellus, ea insuper quae subsidio esse possint in edendis nostris fragmentis, nihil horum attingemus, partim ne plura simul complexi haud parum impediamur, partim vero ne actum agamus.

Multas enim tum de rebus tum de scriptis ipsis habemus tractationes diversis temporibus diversisque locis in lucem emissas, quibus nihil fere quod materiae illustrandae idoneum esset, intactum relictum fuit; et ut de his solis loquamur quae cum proposito nostro artius connexa sunt, ad ea quae scripserunt olim Lightfoot (1), nuper

(1) LIGHTFOOT, *Eusebius* ap. SMITH-WACE, *Dictionary of christian biography*, London, 1880, t. II, p. 319-21.

Viteau (1), *nuperrime et egregie B. Violet* (2), *lectorem remisisse sufficiat.*

Ut de synaxario coptico taceamus, a quo parum auxilii exspectandum nobis est, trifariam dividemus fontes ex quibus aliqua pars Eusebiani operis ad nos defluxit, in syriacos latinos graecos.

I. *Syriace habemus* 1° *Librum integrum quem ex codice Nitriano musei britannici addit. 12150, anno 411-412 exarato, primum protulit anno 1861 W. Cureton, quemque anglica interpretatione eruditisque observationibus instruxit* (3). *Ex syriaco eundem germanicum fecit laudatus Bruno Violet.*

2° *Alia versione syriaca, cum priore multum affini, exstant non totus quidem liber, sed Passiones martyrum ex eo depromptae, quas reperies apud St. E. Assemani* (4).

3° *Nulla quidem fragmenta operis longoris nobis servasse dicendum est martyrologium syriacum ex praedicto codice Nitriensi editum a W. Wright* (5) *et iteratum a L. Duchesne, in sua de martyrologii Hieronymiani fontibus dissertatione. Certo tamen constat illud praesto fuisse scriptori illi, quem Nicomediensem putant, qui martyrologium graece conscripsit, nobis quidem impervium, sed quod usurpavit martyrologus syrus.*

Et haec de fontibus syriacis dicta sunto. Ad latinos accedamus.

II. *Dum latuit in codice Nitriensi versio syriaca, longioris textus Eusebiani partes haud ita exiguas latine redditas prae manibus esse nemo suspicari poterat. Aderant nihilominus, et quidem*

1. *Passio S. Procopii, cuius exemplar graecum hucusque nullum a quoquam detectum est, occurrit in codicibus antiquis haud paucis. In bibliotheca nationali Parisiensi quinquies illam invenimus, nempe in codicibus 5306, saec. XIV, 5323, saec. XIII, 12604, saec. XII, 12612, saec. XIII, 17002, saec. XI* (7); *bis in bibliotheca regia Bruxellensi, scilicet in codicibus 207-8 et 9290, utroque saec. XII* (8). *Quibus procul*

<hr>

(1) J. VITEAU, *De Eusebii Caesariensis duplici opusculo* περὶ τῶν ἐν Παλαιστίνῃ μαρτυρησάντων, Paris, 1893; ID., *La Fin perdue des Martyrs de Palestine*, in COMPTE RENDU DU TROISIÈME CONGRÈS DES SAVANTS CATHOLIQUES A BRUXELLES, 1895. Cfr. *Anal. Boll.*, t. XIII, p. 291. — (2) B. VIOLET, *Die Palästinenaischen Märtyrer des Eusebius von Cäsarea*, TEXTE UND UNTERSUCHUNGEN, t. XIV, 4, 1895. Cfr. *Anal. Boll.*, t. XV, p. 430-32. — (3) W. CURETON, *History of the martyrs of Palestine*, London, 1861. — (4) ST. E. ASSEMANI, *Acta SS. martyrum orientalium et occidentalium* (Romae, 1748), t. II, p. 169. — (5) *Journal of sacred Literature*, N. S., t. VIII (1866), p. 45. — (6) DE ROSSI-DUCHESNE, *Martyrologium Hieronymianum*, ACTA SS., Nov. t. II, p. L-LXIX. — (7) *Catal. cod. hagiogr. bibl. nat. Paris.*, t. II, pp. 59, 221; t. III. pp. 138, 165, 366. — (8) *Catal. cod. hagiogr. bibl. reg. Bruxell.*, t. I, p. 156; t. II, p. 306.

dubio alios in aliis sepultas bibliothecis facile addideris, et nos unum adiungimus, quem vidimus in Vaticana, lat. 5771, saec. XI, fol. 332-332, et contulimus cum textu vulgato. Variantes lectiones quas collegimus hic adscribere utile duximus, ne quis maioris pretii antiquuum codicem existimet quam reipsa est (1).*

Haec Passio saepius edita est, a Valesio primum (2), deinde in Actis SS. (3), *a Ruinart* (4), *a W. Cureton* (5) *et recentissime a* B. Violet (6).

Quonam pacto fragmentum illud, quod solum ex toto opere antiquitus ad Latinos pervenisse existimamus, ad eosdem allatum fuerit, declarare nondum possumus. Nemini in mentem venerit librum integrum Eusebii latinum factum fuisse, deinde discerptum et in passionaria distributum. Veri simile enim non est hanc solam particulam superstitem remansisse, ceteras omnes periisse. Ex graeco quodam menologio mensis iulii desumptum esse existimo eo tempore, quo tanto numero sanctorum graecorum Vitae ab Italis latinitate donatae fuere.

2. Passio SS. Apphiani et Aedesii, a Petro Fr. Zino Veronensi latine reddita, inserta fuit tomo VII Lipomani (7). Hanc, locis supra citatis, repetivere Valesius, Cureton, Violet. Cum, uti ex dicendis patebit, ex ipso codice Marciano 359, quo nos usuri sumus, Passio desumpta sit, de versione plura verba facere superfluum videtur.

3. Passio S. Pamphili et sociorum, in suo tomo V, ex Gentiani Herveti interpretatione, item a Lipomano primum edita est (8). Quoniam

(1) *Incipit passio sancti Procopii martyris.* — Qui et ante martyrium, *qui et martyrium* — castitati, *castitatis.* — animam vero eius sic, *animam vero sic* — post biduum triduumque, *post bidui triduique diem* — interdum etiam post septimam, *interdumque etiam post septimanam* — ita mentem eius, *ita eius mentem* — ac die in hoc infatigabilis, *nocte et die infatigabilis* — clementiae autem et mansuetudinis tanquam, *clementiam et mansuetudinem quamquam* — sui praebebat copiam in verbis divinis ei tantum studium erat, *sui praebebat verbi copia ex divinis ei tantum studium e [r]rat* — sunt, *erant* — attigerat, *attigerit* — Aeliensis, *Heliensis* — legendi officio, *legendi officii* — sermonis et tertium, *sermonis tertium* — Caesaream, *Caesarea* — ab ipsis, *ad ipsis* — ingressu, *suo ingressu* — factorem omnium, *esse Deum factorem* — plaga, *plage* — se rursum, *se rursus* — regibus sacrificaret, *huius rei sacrificaret* — martyr sermonem eius despiciens Homeri inquit versum dicens, *martyr despiciens sermonem eius : o miseri, inquit, perversum dicentes* — iussu iudicis ducitur ad mortem et capite amputato ingressum vitae caelestis vel compendium beatus invenit. desii septima iulii mensis quae nonas iulias dicitur, *tum iudicis iussu ad mortem duci iubetur et capite amputatus ingressus viae caelestis vel compendium beatus invenit, dies erat septima iulii mensis quae septimum idus iulias dicitur* — quo adversum nos fuit persecutio, *quod adversum nos fuit persecutionis* — Regnante etc., *Explicit passio sancti Procopii martyris.* — (2) Ad c. I. *Libri de martyribus Palaestinae,* P. G., t. XX, pp. 1459-60. — (3) *Act. SS.,* Iulii t. II, p. 556. — (4) *Acta martyrum sincera,* p. 310. — (5) *Op. cit.,* p. 50. — (6) *Op. cit.,* pp. 5-7. — (7) *Septimus tomus vitarum sanctorum patrum* (Romae, 1558), fol. 44-45. — (8) *Tomus quintus vitarum sanctorum patrum* (Venetiis, 1556), fol. 559ᵛ-562.

vero ex quo codice haec defluxerit, non adeo perspicuum est, — uti, de Vindobonensi exemplari acturi, mox dicemus, — sapienti consilio usus est B. Violet, cum versionem illam rursum edidit, quam in subsidium criticum vocaret.

4. Passiones SS. Apphiani et Aedesii et S. Theodosiae latine redditas a cardinali Sirleto, habemus in codice Vaticano 6187, fol. 215-220, 220ʳ-221. Porro certum est Sirletum prae oculis habuisse Vaticanum codicem graecum 1660, ex quo ipse noster textus nunc prodit. Nulla ergo necessitas postulat ut hanc interpretationem accuratius inspiciamus.

Qua tandem ratione ad Latinos rei penitus ignaros, certe inde a saec. VI, frustula quaedam transierint libri Eusebiani, supra innuimus, cum de martyrologio orientali, qui hieronymiani fons habetur, verba fecimus. Ad Graecos tandem transeundum.

III. *Dupliciter Graecorum libri partes aliquas longioris recensionis servasse dicendi sunt. Alii enim eiusdem capita integra, alii contracta eadem exhibent. Et de illis primo loco agemus, quorum hodie septem novimus, quique procul dubio multo plures latent in bibliothecis. Illa sunt menologia quaedam, metaphrasibus anteriora, quorum duo habent Passionem SS. Apphiani et Aedesii, item duo Passionem S. Theodosiae, quinque Passionem SS. Pamphili et sociorum.*

M. *Codex Venetus S. Marci 359, membraneus, formae maioris, lineis plenis saec. X-XI exaratus, continet Vitas sanctorum mensium martii et aprilis* (1).

1. Fragmentum breve acephalum. 2. Passio SS. martyrum XL. 3. Encomium in eosdem a. S. Basilio. 4. Item a. S. Gregorio Nysseno. 5. Passio S. Codrati. 6. S. Pionii. 7. S. Gregorii papae. 8. Theophanis. 9. S. Sabini. 10. S. Nicephori patriarchae. 11. S. Benedicti. 12. S. Alexii. 13. SS. Chrysanthi et Dariae. 13. Sermo in Annuntiationem a. S. Andrea Cretensi. 14. Item a. S. Chrysostomo. 15. Vita S. Isacii. 16. SS. Ionae et Barachisii. 17. S. Mariae Aegyptiacae. 18. Fol. 122ᵛ-125ᵛ, SS. APPHIANI ET AEDESII. 19. S. Theoduli lectoris. 20. S. Pherbutae. 21. Eutychii. 22. Calliopii, 23. Terentii. 24. Antipae. 25. Sabae Gothi. 26. Theodori Syceotae. 26. Georgii.

Quam inepte nescio quis, qui nomen possessoris in capite libri scripsit, αὕτη ὑπάρχει ἡ μετάφρασις τοῦ ἐπισκόπου Νικολάου, *metaphrasim commentus sit, non est hic loci expendere. Recte ipse codicis scriptor ad Passionem SS. Apphiani et Aedesii posuit in margine*

---

(1) ZANETTI, *Graeca d. Marci bibliotheca codicum manuscriptorum* (1740), p. 164-165; I. MORELLI, *Bibliotheca manuscripta graeca et latina* (Bassani, 1802), t. I, p. 235.

Εὐσεβίου τοῦ Παμφίλου. *Satis accurate exaratus est codex, et alterius textui quem mox indicabimus, nonnumquam eius lectio praeferenda.*

Porro hunc ipsum esse codicem ex quo cum plures Passiones latine versas tum martyrum SS. Apphiani et Aedesii Lipomanus prodidit, res est admodum certa. Accipe eius verba : " *Habes in hac prima sep-*
„ *timi huius tomi parte, optime lector, reliquas sanctorum Vitas, quae*
„ *in libris Symeonis Metaphrastae ex Vaticana bibliotheca habitis,*
„ *desiderabantur, martium et aprilem complectentes. Defectum autem*
„ *huiusmodi, impetrato ab illustrissimo dominio meo Venetorum, qui in*
„ *sua celebratissima bibliotheca reperiebantur, codice supplevimus, ex*
„ *quo vitae hae per eruditissimum nostrum Petrum Franciscum*
„ *Zinum Veronensem, Lonati archipresbiterum, descriptae sunt, nunc*
„ *primum latine ab eo redditae, licet hic quoque liber nonnullis in locis*
„ *mancus esset et prae vetustate iam litterae excidissent* (1). „

Iam vero, si septimum Lipomani librum evolvas, integram Vitarum seriem, prout in codice Marciano exstat, reperies, iis exceptis quae insignitae sunt numeris 1, 3, 4, 11, 17, 26. Has autem omisit, more suo, vel quia mutilae erant (1, 26), vel quia iam in alio tomo editae fuerant (17), vel quia de eisdem sanctis plura proferre (3, 4, 11) superfluum ducebat. Ceterum, non initio tantum et in fine mancus est codex noster, sed et hinc inde in medio; lacunas autem, quas in suo offendit interpres, exempli gratia, in Vitis S. Theodori Syceotae et S. Theophanis, ita designavit, ut nullum dubium remanere possit quin eodem nos, quo ille, usi fuerimus.

V. *Vaticanus gr. 1660, membraneus, foliorum 408, lineis plenis exaratus Constantinopoli an. 916 ; quod docet inscriptio ultimi folii :*
Τελεῖται ἡ παροῦσα βίβλος μηνὶ μαρτίῳ κα', ἰνδ. δ', ἔτους κόσμου ͵ϛυκδ', συγγραφεῖσα διὰ χειρὸς Ἰωάννου ταπεινοῦ καὶ ἐλαχίστου μοναχοῦ ἐπὶ Ἀνατολίου τοῦ ὁσιωτάτου ἡγουμένου τῶν Στουδίου. *Complectitur Vitas Passionesve sanctorum mensis aprilis, nempe :*
1. *S. Mariae Aegyptiacae.* 2. *Fol. 28-33ᵛ, SS.* APPHIANI ET AEDESII.
3. *Fol. 33ᵛ-34ᵛ, S.* THEODOSIAE. 4. *SS. Theoduli et Agathopodis.*
5. *SS. Agapes, Irenes et Chioniae.* 6. *SS. Theodorae et Didymi.*
7. *S. Pherbutae.* 8. *Terentii et Africani.* 9. *S. Platonis.* 10. *S. Eutychii patr. Constantinopolitani.* 11. *S. Bademi.* 12. *S. Calliopii.* 13. *S. Antipas.*
14. *S. Sabae.* 15. *S. Athanasiae.* 16. *S. Iacobi eremitae.* 17. *S. Malchi.*
18. *S. Iohannis monachi in Armenia.* 19. *S. Zosimi.* 20. *S. Georgii.*
21. *Encomium in eundem.* 22. *S. Marci.* 23. *S. Basilii Amaseni.*
24. *Encomium in S. Marcum.* 25. *SS. Maximi, Dadae et Quintiliani.*
26. *S. Paphnutii m.* 27. *Nicetae Mediciensis.*

---

(1) *Septimus tomus vitarum sanctorum patrum* (Romae, 1558), p. 1.

*Codicem accurate contulimus, et variantes lectiones, quae alicuius
momenti videbantur — et revera paucae sunt, — adnotavimus. Multo
plures essent, si scribendi rationem ut plurimum attendissemus. Solet
enim scriba ultimae verborum vocali ν epentheticum, etiam quando
sequitur consonans, apponere, et in vocabulorum corpore vocales per-
miscere, ita ut quandoque sensum ipsum attingat, et tunc tantum
lectorem admonitum voluimus.*

B. *Codex Bavaricus, nunc Monacensis 366, saec. XI, continens
Passiones sanctorum mensis maii, et fol. 227 martyrium S. Theodosiae, fine mutilum* (1).

*Fragmentum detexit B. Violet, qui in libro suo accuratissime illud
expressit (p. 53-55). Quapropter illud iterum inspicere superfluum
duximus, et ex editione lectiones variantes desumpsimus.*

P. *Codex Parisiensis bibliothecae nationalis gr. 1452, membraneus,
exaratus saec. X, Vitas sanctorum mensis februarii continet, quas alibi
recensuimus (2). Fol. 131ᵛ-136 legitur Passio S. Pamphili et sociorum,
quam olim exscripsit Papebrochius noster ediditque (3). Ex Actis SS.
eam desumpsere Fabricius (4) et Gallandius (5) quin ad fontem manu-
scriptum recurrere, aut locos manifeste corruptos sanare tentaverint.
Neque codex inspectus est ab editoribus Patrologiae Graecae, qui
tamen emendationes nonnullas felici coniectura attulerunt (6). Pape-
brochii et Fabricii editiones solas respexit B. Violet, textumque in locis
haud paucis, quantum per subsidia licebat, correxit (7).*

*Codicem Parisiensem, nobis rogantibus, conferri cum edito curavit
v. cl. H. Lebègue, eoque duce eius lectiones accurate notavit D. Gourdet.
Ex his patet nonnulla quidem menda primi editoris oscitantiae esse
tribuenda; multa quoque esse, quae in ipsum exemplar refundenda
sint, atque Vindobonense, de quo nunc, et alia quoque, quae illi affinia
sunt, Parisiensi multum praestare.*

W. *Codex Vindobonensis bibliothecae Caesareae, hist. gr. XI,
„ pervetustus, elegans et optimae notae, in folio, ut vocant, superregali,
„ constatque foliis 390, paginatum, in binas columnas divisis, et
„ primum quidem ad Marcum Mamuram Cretensem, postea autem ad
„ Ioannem Sambucum ut ambo propriis inscriptionibus suis testantur,
„ olim pertinuit (8). „ Vitis sanctorum mensis februarii constat, quae
sunt: 1. S. Tryphonis (Passio). 2. S. Tryphonis (Vita et Mir.) 3. S. Tryphonis (exorcismus). 4. In Hypapante sermo S. Iohannis Chrysostomi.*

(1) HARDT, *Catal. codd. mss. bibliothecae regiae Bavaricae*, t. IV, p. 76-87. —
(2) *Cat. cod. hagiogr. graecorum bibl. nat. Paris.*, p. 118-121. — (3) *Acta SS.*, Iunii
t. I, p. 64-70. — (4) FABRICIUS, *S. Hippolyti opera*, t. II (Hamburgi, 1718), p. 217-24.—
(5) GALLANDIUS, *Bibliotheca Patrum*, t. IV, p. 41-47. — (6) *P. G.*, t. XX, p. 1440-56. —
(7) *Die Palästinensischen Märtyrer*, p. 74-102. — (8) LAMBECIUS-KOLLAR, *Commen-
tar*, l. VIII, p. 151.

5. Item S. Gregorii Nysseni. 6. Item S. Amphilochii. 7. Item S. Cyrilli. 8. Item Timothei presbyteri. 9. Theophili paenitentia. 10. S. Isidori Passio. 11. S. Agathae. 12. SS. Fausti et Evilasii. 13. S. Theodori. 14. S. Parthenii. 15. SS. Eugenii et Mariae. 16. S. Nicephori. 17. S. Charalampii. 18. S. Blasii. 19. S. Iohannis Chrysost. sermo in S. Meletium. 20. S. Antonii patriarchae. 21. S. Martiniani. 22. S. Auxentii. 23. S. Onesimi. 24. Fol. 150-156, S. Pamphili et soc. 25. S. Theodori tironis. 26. Item, a. S. Gregorio Nysseno. 27. Item, a. Nectario. 28. SS. Leonis et Paregorii. 29. S. Auxibii. 30. S. Sadoth. 31. S. Mauritii. 32. SS. Eugenii et Macarii. 33. S. Polycarpi. 34. De S. Iohannis Bapt. capitis inventione. 35. S. Ignatii patr. 36. S. Porphyrii ep. Gaz. 37. SS. Andronici et Athanasiae. 38. S. Pancratii.

Codicis lectiones subministravit v. cl. A. Goldmann, et eae sunt, quae, licet non omnia dubia tollant, ceteris tamen praeferri debeant (1). *Codicem igitur Vindobonensem accurate exprimere conati sumus, neglectis iis quae ad solam scribendi rationem spectant et in codicibus mediae aetatis vulgatissima sunt.*

O. *Codex Ottobonianus 92, chartaceus, lineis plenis saec. XVI exaratus. Iisdem plane eodemque ordine dispositas sanctorum Vitas, quas praecedens codex continet* (2). *Passionem S. Pamphili (fol. 175ᵛ-181) contulimus, lectionesque omnes — praeter paucas, quas scribae imputare nemo dubitabit — ita convenire cum codice Vindobonensi perspeximus, ut hunc prototypum alterius fuisse vix non certum sit. Accedit indicium, quod minime neglectum velim. Lemmata singularum Passionum sedulo expressit codicis scriptor, praeter primae, videlicet S. Tryphonis. Iamvero, id ex eo forsitan accedit, quod in prototypo deficiebat. Reapse autem in Vindobonensi " titulus, aureis olim litteris „ scriptus iam adeo evanuit, ut haud amplius sit legibilis. „ Ita Lambecius.*

X. *Codex Hierosolymitanus 1, membraneus, saec. X exaratus, mensis februarii menologium est, fol. 110ᵛ-115 habens* Μαρτύριον τῶν ἁγίων Παμφίλου, Οὐάλεντος, Παύλου, Σελεύκου, Πορφυρίου, Θεοδούλου, Ἰουλιανοῦ Αἰγυπτίων; *praeter enumerationem eius partium, quibus nec cum Vindobonensi nec cum Parisiensi omnino convenit, ignotus nobis est* (3).

L. *Latinam versionem martyrii S. Pamphili a Gentiano Herveto confectam, cum aliis Passionibus mensis februarii edidit Lipomanus* (4), *eamque tanti pretii esse merito censuit B. Violet, ut eam in usum criti-*

---

(1) Maximas quoque gratias habemus v. cl. E. Kurtz, qui apographa nostra perlegit emendavitque. — (2) Ferron et Battaglini, *Codices manuscripti graeci Ottoboniani bibliothecae Vaticanae* (1893), p. 42. — (3) Papadopoulos-Kerameus, Ἱεροσολυμιτικὴ Βιβλιοθήκη, t. I (1891), p. 1 sqq. — (4) *Tomus quintus Vitarum sanctorum patrum* (Venetiis, 1556), fol. 559ᵛ-562.

*cum converterit. Porro, ita ad amussim plerumque adhaeret exemplari
Vindobonensi, ut inquirendum sit utrum reapse illud ipsum interpreti
praesto fuerit. Solet autem Lipomanus aliquid de códicibus a se adhibitis praefari, et quidem in tertia parte tomi V, quo comprehendi
volebat opus integrum Symeonis Metaphrastae, nonnullis occurrit dubiis
hisce verbis :* " *Dicamus et illud, quod quidem verissimum est, aliquas*
„ *Vitas esse huic operi adiectas et suppositas, praesertim in hoc mense*
„ *februarii, quem nunc habebis in manibus, quae nec ipsius Meta-*
„ *phrastae nec alicuius docti vel satis probi hominis (iudicio nostro et*
„ *bonorum quam plurium virorum per nos super hac re consultorum*
„ *esse videntur) ceu quae meras nugas et imposturas contineant, quas*
„ *ex libri huius catalogo et serie, absque aliquo conscientiae scrupulo*
„ *semovimus, indignum iudicantes prorsus quae in lucem ecclesiae*
„ *nostrae prodirent. Id causa fuit (ut advertere poterimus) quoniam*
„ *quum februarius mensis simul cum martio in apostolica bibliotheca*
„ *deficeret, is Venetiis a quodam privato viro, qui eum habere dicebatur,*
„ *mutuo sumptus est, et ab eo alter graece descriptus fuit, qui postea*
„ *per Genzianum interpretatus est, in quo, ut certo credimus, a sciolis,*
„ *ut in his fit plerumque et male affectis, et ut sanctorum gesta potius*
„ *dehonestentur, quam ut eorum memoriae illustres fiant, hae, quas*
„ *supra diximus, Vitae suppositiciae additae sunt.* „

*Age iam conferamus seriem Vitarum februarii a Lipomano prola-
tarum cum Vitis codicis Vindobonensis; plane concordant exceptis
nn. 2, 3, 17, 26, 27, 33, 34, 38, quos omisit Lipomanus. At vero quaedam ex iis sunt quae alibi protulerat, quaedam certe, quae ceteris
magis fabulosa vir bonus existimabat, ideoque velut Symeone Meta-
phrasta indigna removit, cum, ut id obiter dicamus, totum librum eidem
abiudicare, diversam tamen ob causam, debuisset. Videtur ergo proba-
bile codicem qui Venetiis penes privatum hominem repertus fuit, eadem
plane comprehendisse quae Vindobonensis, itemque Ottobonianus. Et Vindobonensem quidem a Iohanne Sambuco, dum in Italia versabatur (1),
pretio comparatum fuisse, atque Ottobonianum ex eodem descriptum,
et Gentiano Herveto usui fuisse, coniectura est minime improbabilis,
quae tum materiae similitudine, tum lectionum singulari convenientia
suadetur. Attamen, ut verum fatear, binis ternisve inspectis locis, in
quibus Gentianus Hervetus a lectione codicis recedit, immo ad primi-
genium germanumque textum accedere videtur, sive feliciter divinando
id assecutus est, seu aliud exemplar ante oculos habuit, in dubium
adductus sum; ideoque malui notabiliora vocabula sententiasve Herveti,
quae eius codicem repraesentant, in apparatum criticum admittere, eo
saltem fine, ut de convenientia discrepantiisve lector per se ipse iudicet.*

(1) Horányi, *Memoriae Hungarorum et provincialium* (Posonii, 1777), pp. 196-203.

Et his tandem absolvimus quae de menologiis fragmenta operis Euse-biani servantibus dicenda occurrebant.

Altera est classis librorum graecorum, quibus non tam fragmenta eiusdem quam particulae continentur, videlicet synaxaria illa, quae maiora vocare lubet (1), et menaea, quae ex iisdem desumpserunt breves illas de sanctis lectiones historicas, quas nomine quoque synaxariorum condecorant (2). Curetonium non fugit praedictas lectiones menaeorum, quae de martyribus Palaestinensibus debitis diebus occurrunt, a lon-giore recensione derivatas esse (3). Idem nobis deprehendere contigit synaxaria antiquiora evolventibus (4), et maxime synaxarium a Sir-mondo dictum, nunc Berolinense (5), e quo lectiones omnes de marty-ribus Palaestinae edere in animo erat. Id vero aggressus est toties laudatus B. Violet (6), qui et facto demonstravit quantum lucis afferant operam Eusebii primigeniam restituere conantibus. Id vero maius minusve exspectandum est, si hanc illamve libri partem respicias. Cum enim in more sit synaxariorum compilatoribus omnia sua compendia eodem fere verborum ambitu comprehensa conficere, hinc fit ut ex longioribus narrationibus vix breves sententias hinc inde disiectas ad-miserint, ex brevioribus vero tractus integros. Quapropter merito iudi-cavit B. Violet textum historiae S. Theodosiae, quae apud Eusebium perbrevis est, ex lectione Sirmondiani synaxarii non parum illustrari, et eadem nos quoque utemur. Ex aliis multo minus auxilium sperandum esse videtur, quoniam nimium contractae sunt atque tanta passim cum neglegentia conceptae, ut cautum lectorem postulent.

Porro, cum certissimum nobis sit synaxaria ex menologiis derivata esse, spem haud inanem fovemus, praeter tres illas Passiones, quas hucusque deteximus, alias omnes, quarum compendia in synaxariis occurrunt, aliquando recuperandi.

Ut paucis verbis contrahamus quae de subsidiis editionis nostrae dicta sunt,

1. Passio SS. Apphiani et Aedesii edetur ex codicibus S. Marci 359 (= M) et Vaticano 1660 (= V). Versio latina P. Fr. Zini cum ex codice M, versio vero Sirleti cum ex codice V facta sit, ut testes addu-cendae non sunt.

2. Passio S. Theodosiae ex codicibus Vaticano 1660 (= V) et Bava-rico Monacensi (= B), in auxilium vocato synaxario Sirmondiano (= S). Versionem Sirleti, ob causam modo dictam neglegimus.

3. Passio S. Pamphili et sociorum exprimetur ex codicibus Vindo-bonensi (= W), Ottoboniano (= O), Parisiensi (= P), et quoniam non

---

(1) *Anal. Boll.*, t. XIV, p. 400. — (2) *Ibid.*, p. 401. — (3) *History of the martyrs in Palestine*, p. 53 sqq. — (4) *Anal. Boll.*, t. XIII, p. 292. — (5) *Ibid.*, t. XIV, p. 419-20.— (6) *Op. cit.*, p. 110-119.

certo constat versionem latinam Gentiani Herveti (= L) ex quopiam horum exemplarium fluxisse, hanc quoque adhibemus. Porro apparatum criticum inspicienti ilico manifestum erit WOL ubique fere concordare et a P non parum discrepare.

Curetonianam versionem (= C) identidem respicere res postulabat, non tamen continuo cum textu graeco conferre, quod aliis sapientioribus relinquo. Eadem dicta sint de libelli Eusebiani recensione breviore (= H), quam tunc tantum afferimus ubi quicquam confert ad lectionem ceterum dubiam stabiliendam. Hanc citavimus secundum editionem Hugonis Lämmer, cuius paginas numero signavimus. Ubi in his locis codices unanimes non sunt, quinam illi essent, qui a lectione vulgata et accepta discreparent, enumerare noluimus, ne apparatus criticus nimium redundaret.

I.

Passio sanctorum Apphiani et Aedesii.

Μηνὶ τῷ αὐτῷ[1] β'.

Μαρτύριον[2] Ἀπφιανοῦ[3] καὶ Αἰδεσίου ὁμομητρίων ἀδελφῶν
πρὸ β' νόνων ἀπριλλίων[4].　　5

1. Δεινὸς ὄφις καὶ τύραννος ἀπηνὴς ἄρτι τότε νεαρᾶς τῆς κατὰ πάντων ἐπιλαβόμενος ἀρχῆς αὐτόθεν τε ὥσπερ ἀφ' ἑστίας[1] θεομαχεῖν ὡρμημένος, νεανικώτερον ἢ οἱ ἔμπροσθεν αὐτοῦ γενόμενοι τῷ καθ' ἡμῶν ἐπαπεδύετο διωγμῷ· Μαξιμιανὸς[2] οὗτος ἦν. Συγχύσεως δῆτα πικρᾶς ἐπαιρομένης[3] ἅπασι τοῖς τὰς πόλεις οἰκοῦσιν ἄλλων τε ἀλλαχόσε 10 διασπειρομένων[4] καὶ τὰ περιέχοντα κακὰ σπουδὴν[5] διαδρᾶναι ποιουμένων, τίς ⟨ἂν⟩[6] ἐπαρκέσειεν ἡμῖν λόγος εἰς ἐπαξίαν διήγησιν τοῦ θείου ἔρωτος τοῦ μάρτυρος Ἀπφιανοῦ; Εἰκότως[7], οὔπω τῆς τοῦ σώματος ἡλικίας ἠτόνωσεν[8], τὸ δὲ γένος τῶν ἀπὸ τῆς Λυκίας διαφανῶν καὶ τὰ πρῶτα φαινομένων ἐν πλούτῳ καὶ τοῖς ἄλλοις ἀξιώμασιν· διὸ δὴ 15

Tit. — [1] *videlicet* ἀπριλλίῳ. — [2] τῶν ἁγίων *add.* M. — [3] Ἀμφιανοῦ V, *et ita deinceps.* — [4] (πρὸ - ἀπριλλίων) *om.* M. *In eodem legitur in margine ad Passionis principium :* Εὐσεβίου τοῦ Παμφίλου.

1. — [1] ἐφ' ἑστίας M. — [2] *et ita deinceps* V, M; Μαξιμῖνος H. — [3] ἐπηωρημένης D; ἐπαιρωμένης V; ἐπαιρομένης M. — [4] ἀλλαχῶς ἐπιδιασπειρομένων M. — [5] σπουδῇ M. — [6] ἂν H; *om.* V, M. — [7] εἰκότως οὔπω V, M; εἰκοστὸν ἔτος οὐδέπω H, C, *et ita corrigendum videtur.* — [8] *ita* M; ἠτύνωσεν V, *forte* εὐτόνησεν.

σπουδῇ τῶν γονέων ἐπὶ τὰ κατὰ τὴν Βηρυτόν[9], παιδευτήρια λόγων
ἕνεκα ἐστέλλετο καὶ ποικίλων μαθημάτων συνείλεκτο παρασκευήν.

2. Ἀλλ' οὔπω ταῦτα ἔχοιεν πρὸς τὴν προκειμένην γραφὴν οἰκείαν   sancte vivit;
τινὰ διήγησιν· εἰ δὲ χρὴ παραδόξου πράξεως τῆς παναγίας ἐκείνης μνη-
μονεῦσαι ψυχῆς, θαυμάζειν ἄξιον, πῶς ἐν τοιαύτῃ πόλει τῆς μὲν τῶν
νέων συνουσίας καὶ συνδιατριβῆς κρείττων[1] ἐγίνετο, ἤθει[2] δὲ πρεσβυ-
τικῷ καὶ σεμνοῦ βίου καὶ τρόπου καταστάσει ἑαυτὸν ἐκόσμει, οὐχ ὑπὸ
τῆς ἀκμῆς τοῦ σώματος οὔθ' ὑπὸ τῆς τῶν νέων ἑταιρίας ὑποσυρόμε-
νος, κρηπῖδα ὥσπερ ἀγαθῶν[3] τὴν ἐγκράτειάν τε αὐτὸς ἑαυτῷ εἰς διάνοιαν καταβαλλόμενος, ἁγνείαν τὴν παντελῆ καὶ σωφροσύνην ἠσπάζετο,
σεμνῶς καὶ εὐπρεπείᾳ[4] προσηκόντως αὐτὸς τὸν ἑαυτοῦ παιδεύων βίον.

3. Ἀλλὰ γὰρ μετὰ τὴν αὐτάρκη παίδευσιν ἐπανῄει μὲν ἀπὸ τῆς   suos
Βηρυτοῦ ἐπὶ τὴν τοῦ πατρὸς ἑστίαν[1]. Ἐπειδὴ δὲ μὴ οἷόν τε συνιέναι[2]   relinquit,
τοῖς τοῦ γένους προσήκουσιν[3] διὰ τὸ τῶν τρόπων ἀνόμοιον, λαθὼν
τοὺς οἰκείους τῆς αὐτόθι διατριβῆς ἀπαλλάττεται, καθ' ὅλου μηδὲν
τῶν ἐφημέρων φροντίζων. Ἐγένετο γοῦν γνησίᾳ καὶ ὁλοκλήρῳ τῇ
πίστει, θεοῦ δυνάμει ὁδηγούμενος, ἐπὶ τήνδε τὴν ἡμετέραν πόλιν, ἔνθα[4]
αὐτῷ παρεσκεύαστο ὁ πολυτίμητος τοῦ μαρτυρίου στέφανος.

4. Συγγενόμενος δὲ ἡμῖν αὐτοῖς καὶ τοῖς θείοις συγκροτήσας μαθή-   a Pamphilo
μασιν λόγοις τε ἱεροῖς ὑπὸ Παμφίλῳ τῷ μεγάλῳ μάρτυρι συνασκηθείς,   eruditur.
ἕξιν εἰς ἀρετὴν οὐ τὴν τυχοῦσαν συνελέξατο. Διόπερ τὴν τοῦ μαρτυρίου τελείωσιν ἐντεῦθεν παρασκευασάμενος, τέλος ὁποῖον ἐπιδέδεικται,
δείξει προϊὼν ὁ λόγος. Τίς μὲν ἰδὼν οὐ κατεπλάγη; τίς δὲ ἀκοῇ παρα-
λαβὼν οὐκ ἐθαύμασεν τὸ θάρσος, τὴν παρρησίαν, τὴν ἔνστασιν, τὴν
ἐγκράτειαν, τὰς πρὸς τὸν δικαστὴν φωνάς, τὰς ἀποκρίσεις, τὴν φρό-
νησιν καὶ πρό γε τούτων ἁπάντων τὴν τόλμαν αὐτὴν καὶ τὸ ἐπιχείρημα,
ζήλου πνέον ἐνθέου καὶ ἐρρωμένης τῆς πρὸς τὸν παμβασιλέα Θεὸν
εὐσεβείας ;

5. Δευτέρας τοίνυν καθολικῆς ἐπαναστάσεως κατὰ τὸ τρίτον ἔτος   Tertio
τοῦ καθ' ἡμᾶς διωγμοῦ γενομένης, γραμμάτων Μαξιμιανοῦ τότε πεφοι-   persecutionis
τηκότων, δι' ὧν ἐκέλευσεν πανδημεὶ πάντας μετ' ἐπιμελείας καὶ σπου-   anno
δῆς τῶν κατὰ πόλιν ἀρχόντων θύειν τε καὶ σπένδειν τοῖς δαίμοσιν,
κήρυκες μὲν αὐτίκα κατὰ πάσας τὰς πόλεις ἄνδρας τε ἅμα γυναιξὶν καὶ

— [9] Βήρυτον *hic et deinceps* V, M.
2. — [1] κρεῖττον V. — [2] ἔθει V, M. — [3] ἀγαθόν V. — [4] *correxi*, εὐπρεπείαν M, V.
3. — [1] οἰκίαν M. — [2] *ita* M, V; *forte corrigendum* μὴ οἷός τε ⟨ἦν⟩ συνεῖναι, —
μὴ οἷός τε φέρειν κτλ. H. — [3] *ita* M, V; τοῖς τῷ γένει προσήκουσι D. — [4] ἔνθεν V.

τέκνοις ἐπὶ τοὺς τῶν εἰδώλων οἴκους ἀπαντᾶν ἐβόων, χιλίαρχοι ⟨δὲ⟩[1] καὶ ἑκατόνταρχοι κατ᾽ οἴκους καὶ ἄμφοδα παριόντες ἀναγραφὰς τῶν πολιτῶν ἐποιοῦντο· εἶτα ἐξ ὀνόματος ἕκαστον ἀνακαλούμενοι, τὸ προσταχθὲν πράττειν ἐβιάζοντο.

Urbanum palam reprehendit,

6. Ἀφάτῳ δὴ οὖν κλύδωνι κακῶν πανταχῇ πάντων ἐπειλημμένων, [5] ὁ πανάγιος τοῦ Θεοῦ μάρτυς Ἀπφιανὸς πρᾶγμά τι παντὸς λόγου κρεῖττον διαπράττεται, μηδενὸς ἐπὶ τοῦ πραττομένου[1] συνειδότος αὐτῷ. Ἐπ᾽ αὐτὸν οὖν ὁρμᾷ τὸν τοῦ ἔθνους ἄρχοντα· ἔπειτα ἀθρόως ἐπιστὰς καὶ πᾶν τὸ περὶ τὸν ἡγεμόνα στρατιωτικὸν στῖφος λαθὼν ὁμοίως, σπένδοντι[2] τῷ Οὐρβανῷ πρόσεισιν, καὶ τῆς δεξιᾶς χειρὸς λαβόμενος [10] εἴργει μὲν τῆς εἰδωλολάτρου πράξεως, ἦθει[3] δὲ εὖ μάλα πράῳ μετὰ παραστήματος ἐνθέου παύσασθαι παρήνει[4] τῆς πλάνης· μὴ γὰρ ἐξὸν εἶναι ἀποστραφέντα τὸν ἕνα καὶ μόνον καὶ ἀληθῆ Θεὸν ἀψύχοις εἰδώλοις καὶ πνεύμασι πονηροῖς θύειν.

et, Dei iuvante gratia,

7. Ἦν δὲ ἄρα ὁ Θεὸς αὐτὸς ὁ τῶν ἀσεβῶν τὸν ἔλεγχον διὰ τοῦ μει- [15] ρακίου ποιούμενος· ἐπὶ τοῦτό τε[1] αὐτὸν προήγαγεν ἡ τοῦ σταυροῦ ἡμῶν δύναμις, μονονουχὶ διὰ τοῦ πραττομένου βοῶσα, ὅτι τοσοῦτον ἀποδέουσιν οἱ αὐτοῦ στρατιῶται (οἵ τε ὄντως τοιοῦτοι) ταῖς τῶν ἀθέων γνώμαις ὡς μὴ μόνον τῶν ἀπειλουμένων καὶ παντὸς θανάτου καταφρονεῖν, ἀλλὰ καὶ τοσοῦτον ἀποδεῖν τῆς ἐπὶ τὰ χείρω προτροπῆς, [20] ὡς εὐγενεῖ φρονήματι καὶ ἀτρόμῳ γλώττῃ πρὸς ἅπαντας ἐλευθεροστομεῖν, ὡς ἤδη καὶ αὐτοὺς ὅλους, εἰ δυνατὸν εἴη πείθειν[2] βούλεσθαι τοὺς ἐλαύνοντας μεταθέσθαι μὲν τῆς ἀγνοίας, τὸν δὲ σωτῆρα τῶν ὅλων καὶ μόνον ἀληθινὸν Θεὸν ἐπιγινώσκειν.

tormentis iterato

8. Οἱ δὲ δαιμόνων ὑπηρέται, πληγέντες ὥσπερ ὑπό τινος καυτῆρος [25] τὰς φρένας, οἱ ἀμφὶ τὸν ἡγεμόνα στρατιῶται, σπαράττουσι παίοντες κατὰ πρόσωπον καὶ χαμαὶ κειμένῳ[1] τοῖς ποσὶ καταπατοῦντες πιεσμοῖς τε τὸ σῶμα καὶ τὰ χείλη διασπῶντες. Ἃ δὴ πάντα ἀνδρειότατα ὑποστὰς τέως μὲν εἰς τὸν τῆς εἰρκτῆς σκοτεινὸν μυχῶνα ἐλαμβάνετο[2]· νυχθήμερον δὲ ἐνταῦθα παραταθεὶς ἐπὶ τοῦ κολαστηρίου ξύλου τοὺς πόδας, [30] τῇ ὑστεραίᾳ παρίσταται τοῖς δικαστηρίοις. Ἔνθα ὁ γενναῖος τοῦ ἔθνους ἡγούμενος Οὐρβανὸς ἐπίδειξιν ὥσπερ τινὸς ἀγαθοῦ τῆς οἰκείας ὠμό-

5. — [1] δέ om. M, V.
6. — [1] ita cum genetivo M, V. — [2] σπένδοντι H, C; σπεύδοντι M, V. — [3] ἔθει M, V. — [4] παραινεῖ M.
7. — [1] τούτῳ τε V; τούτῳ τότε M. — [2] εἴη πείθειν ita M; ἦν εἰ πείθειν V.
8. — [1] κείμενον M. — [2] μυχῶνα ἐλαμβάνετο M, V; an legendum μυχὸν ἀνελαμβάνετο?

τητος ποιούμενος, πᾶν εἶδος κολαστηρίων ἐπήγαγεν κατὰ τοῦ μάρτυρος τὰς πλευρὰς ἄχρις ὀστέων καὶ σπλάγχνων αὐτῶν ⟨καταξαίνων⟩[3]
παρακελευόμενός τε[4] πληγὰς κατὰ προσώπου καὶ αὐχένος αὐτῷ
τοσαύτας ἐπιτεῖναι[5], ὡς μηκέθ᾿[6] ὅστις εἴη, τὸ πρόσωπον ἀφανισθέντα,
5 γιγνώσκεσθαι.

9. Ὁ μὲν δῆτα Θεοῦ μάρτυς οἷά τις ἀδάμας καὶ τὴν ψυχὴν καὶ τὸ
σῶμα ῥωσθεὶς ἐπὶ μᾶλλον θείας δυνάμεως ἔμπνευσιν[1], πολλὰ τοῦ
δικαστοῦ πυνθανομένου ⟨οὐδὲν⟩[2] πλεῖον ἢ χριστιανὸν ἑαυτὸν ὡμολόγει εἶναι· εἶτα ἐρωτώμενος ὅστις εἴη[3] καὶ πόθεν ποῖ τε εἴη μένων, οὐδὲν
10 ἕτερον ἢ Χριστοῦ δοῦλον ἑαυτὸν ὡμολόγει. Ὁ δὲ ·εἰς μανίαν ἤδη
χωρῶν καὶ κινούμενος ἐπὶ τῇ τοῦ μάρτυρος ἀνικήτῳ φωνῇ, λίνοις[4]
ἐλαίῳ δευθεῖσιν τοὺς πόδας περιπλέξαντας αὐτοῦ πῦρ ὑφάψαι προστάττει. Ὡς δὲ οἱ βασανισταὶ τὸ προσταχθὲν ἐτέλουν, ἀνήρτητο δὲ
ὑψηλῶς ὁ μάρτυς, φοβερὸν δὲ θέαμα τοῖς ὁρῶσιν ἦν οὕτω μὲν τὰς
15 πλευρὰς διερρωγώς, οὕτω δὲ διωγκηκὼς[5] καὶ τοῦ προσώπου τὴν
μορφὴν ἠλλοιωμένος πολλῷ τε τῷ πυρὶ τοὺς πόδας ἐπὶ μακρὸν καιό-
μενος χρόνον, ⟨ὡς⟩[6] διαρρεῖν μὲν τηκομένας κηροῦ δίκην τὰς σάρκας,
τῶν δὲ ὀστέων εἴσω διικνεῖσθαι τὸ πῦρ.

10. Ἀλλ᾿ οὐδὲν τούτων ἔμελεν[1] τῷ πάσχοντι· ἔνδον γὰρ εἶχεν βοη-
20 θὸν τὸν ἐν αὐτῷ Θεόν, ἐναργῆ τοῖς πᾶσι τὴν αὐτοῦ βοήθειαν καὶ
παρουσίαν ὥσπερ τι φῶς ὁρᾶν παρεχόμενον. Διὸ δὴ μείζονος[2] θάρ-
σους ὁ μάρτυς ἐνεπίμπλατο καὶ πλείονος παρρησίας μεστὸς ἦν. Φωνῇ
δ᾿ οὖν ἐβόα μεγίστῃ καὶ λόγῳ τὴν εἰς τὸν μαρτυρούμενον Θεὸν ἀνεκή-
ρυττεν ὁμολογίαν· ἐμαρτυρεῖτο παρούσης αὐτῷ τῆς Ἰησοῦ τοῦ σωτῆ-
25 ρος ἡμῶν δυνάμεως, καὶ τὰς παραδόξους ταύτας θέας ὡς ἐν μεγίστῳ
δεικνυμένου ⟨θεάτρῳ⟩[3]. Οἱ μὲν γὰρ ἐλύττων[4] οἷα δαίμονες καὶ τὰς
ψυχὰς ὀδυνώμενοι, ὡσὰν αὐτοὶ τὰ δεινὰ πάσχοντες, τοὺς ὀδόντα꞉ καὶ
τοὺς λογισμοὺς κλώμενοι λέγειν ἐξεβιάζοντο, ὅστις εἴη καὶ πόθεν καὶ
ποῖ εἴη μένων, θύειν τε καὶ τοῖς ὡρισμένοις πειθαρχεῖν. Ὁ δὲ εἰς πάντας
30 ἀποβλέπων οἷα μεθύοντας ἑώρα, ἀλλ᾿ οὔτε[5] ἀποκρίσεως αὐτοὺς κατα-
ξιῶν πρὸς τῇ πεύσει, μιᾷ μόνῃ ἐκέχρητο φωνῇ τὸν Χριστὸν ὁμολο-

— [3] *supplevi*, καταξαίνων *om.* M, V; σπλάγχνων καταξανθείς H. — [4] *correxi*, δέ
M, V. — [5] ἐπιθεῖναι M, V. — [6] μηκέτι V.

9. — [1] (ἐπὶ - ἔμπνευσιν) *ita* M, V. — [2] οὐδέν *supplevi*; *om.* M, V. — [3] εἶεν V. —
[4] δεινοῖς V. — [5] *om.* V. — [6] ὡς *supplevi*, *om.* V, M; ὡς κηροῦ δίκην λείβεσθαι H.

10. — [1] ἔμελλεν V; ἔμελε M. — [2] μειζόνως V. — [3] θεάτρῳ *supplevi*, *om.* V, M. —
[4] ἐλύττον V. — [5] *ita* V, M, *forte legendum* οὐδέ.

γούσῃ καὶ τὸν τούτου Πατέρα καὶ τὸ ἅγιον Πνεῦμα[6] μόνον εἰδέναι μαρτυρούσῃ Θεόν.

in mare praecipitatus.

11. Ἤδη γοῦν ἡττημένων καὶ ἀπειρηκότων τῶν πολεμίων, αὖθις ἐπὶ τὴν εἱρκτὴν ἀνελαμβάνετο. Τῇ δὲ ἐπιούσῃ ἡμέρᾳ τῷ δικαστῇ προσαχθεὶς καὶ τὴν αὐτὴν μαρτυρήσας ὁμολογίαν, βυθοῖς θαλάσσης παραδο- [5] θῆναι κελεύεται. Τὰ δὲ ἐπὶ τούτοις πραχθέντα εὖ οἶδα ἀπιστηθήσεσθαι παρὰ τοῖς μὴ ὄψει τὸ ἔργον[1] παρειληφόσιν· ὦτα γὰρ ἀνθρώποις ἀπιστότερα πέφυκεν εἶναι ὀφθαλμῶν· ὅμως δὲ οὐ παρὰ τοῦτο δίκαιον ἡμᾶς λήθῃ παραδοῦναι τὸ θαῦμα οἵ τε μάρτυρες ἡμῖν τῆς ἱστορίας πάντες, ὡς ἔπος εἰπεῖν, οἱ τὴν Καισαρέων πόλιν οἰκοῦντες γεγόνασιν· [10] οὐδεμία γοῦν ἡλικία τῆς παραδόξου ταύτης ἀπελείφθη θέας.

a fluctibus reicitur.

12. Ὡς γὰρ κατὰ τὸν τοῦ πελάγους βυθὸν ἔρριπτον τὸν τοῦ Θεοῦ ἄνθρωπον, λίθοις τοὺς πόδας καταδήσαντες, κλόνος οὐχ ὁ τυχὼν σεισμός τε παραχρῆμα καὶ βρασμὸς αὐτήν τε τὴν θάλατταν καὶ τὸ περιέχον ἅπαν διήχει[1] κίνησίς τε μεγίστη τὴν πόλιν ἅπασαν ἐκίνει· ἅμα δὲ [15] τῷ παραδόξῳ τοῦ Θεοῦ[2] μάρτυρος τὸ νεκρὸν σῶμα, ὡς οὐ φέρειν αὐτὸ δυναμένη, πρὸ τῶν τῆς πόλεως ἐκβράττει πυλῶν ἡ θάλαττα. Προύκειτο δὴ θέαμα πονηρὸν πρὸς αὐτοῖς τοῖς προπύλοις τῆς πόλεως ὁ νεκρός, καὶ πολὺς[3] ἦν ἠχὼν τὸ πᾶν ἐπῃωρημένος[4] ἐκ Θεοῦ σεισμός, δεινὴν τοῖς πᾶσιν ἀπειλῶν ὀργήν. [20]

Aedesii, eius germani,

13. Ὡς δὲ ἀπηγγέλη τὸ γεγονὸς τοῖς τὴν πόλιν οἰκοῦσιν, δρομάδην ὁμοῦ πάντες πρὸ τῶν πυλῶν ἐπὶ τὴν ἱστορίαν ἐχώρουν, παῖδες, ἄνδρες πρεσβῦται, θηλειῶν τε ὁμοίως πᾶσα ἡλικία μέχρι καὶ τῶν ἀφανῶν καὶ τῶν θαλαμευομένων, εἰσέτι τε καὶ παρθενευομένων· πάντες τε καὶ πᾶσαι τὸν ἕνα καὶ μόνον Θεὸν τῶν χριστιανῶν ὡμολόγουν. Τοιούτου μὲν δὴ [25] τέλους τὸ κατὰ τὸν θαυμάσιον Ἀπφιανὸν ἔτυχεν δρᾶμα· Ξανθικοῦ[1] μηνὸς ⟨δευτέρᾳ⟩[2] πρὸ δ' νόνων ἀπριλλίων ἡ τοῦδε μνήμη τελεῖται.

simile

14. Ἀδελφὰ[1] δ' αὐτῷ μικρὸν τοῦ χρόνου[2] ὕστερον ὁμοπάτριος ⟨καὶ ὁμομήτριος⟩[3] ἀδελφὸς ἔπασχεν τοὔνομα Αἰδέσιος. Οὗτος μὲν δὴ καὶ πρὸ τῆς τοῦ ἀδελφοῦ κατὰ Θεὸν ὁρμῆς φθάνει, φιλοσοφίᾳ ἑαυτὸν [30] ἐπιδιδούς· καὶ γὰρ λόγων[4] μετεῖχεν παντοίων καὶ παιδείας οὐ τῆς Ἑλλήνων μόνον, ἀλλὰ δὴ καὶ τῶν Ῥωμαίων ἧττο, τῆς τε Παμφίλου

— [6] καὶ τὸ ἅγιον Πνεῦμα *deest in* C, *et probabilius interpolatum est.*
11. — [1] ἀψιτουργόν M.
12. — [1] διήχη V. — [2] Θεοῦ V, C; θείου M. — [3] πολλοῖς V. — [4] ἐπεωρημένος M,V.
13. — [1] Ξανθηκοῦ M. — [2] δευτέρᾳ *supplevi ex* H; *om.* M, V.
14. — [1] περὶ Αἰδεσίου *lemma in margine* M. — [2] *ita* M, V; τῷ χρόνῳ H. — [3] *om.*
M,V, *supplevi ex* C, *et exprimitur in ipso Passionis lemmate.* — [4] λόγον V.

διατριβῆς πλείονι χρόνῳ μετέσχηκεν. Καὶ δὴ οὗτος μετὰ πλείστας ὁμολογίας πολυχρονίους τε δεσμωτηρίων κακώσεις πρῶτα μὲν τοῖς κατὰ Παλαιστίνην παραδίδοται χαλκοῦ μετάλλοις. Εἶτα μετὰ τὴν ἐν τούτοις κακοπάθειαν γίνεται ἐπὶ τῆς Ἀλεξανδρέων πόλεως· Ἱεροκλεῖ δὲ παρατυχών, ὃς τὴν Αἴγυπτον ἐξουσίᾳ[5] τῇ ἑαυτοῦ πᾶσαν διεῖπεν, χριστιανοῖς[6] δικάζοντι.

15. Ὡς οὖν εἶδεν παρὰ τῶν προσηκόντων θεσμῶν ἐμπαροινοῦντα τοῖς τοῦ Θεοῦ μάρτυσιν παρθένους τε ἁγίας Θεοῦ πορνοτρόφοις ἐν ἀσελγείᾳ καὶ ὕβρει τοῦ σώματος παραδιδόντα, οὐχ ὑπομείνας τὴν τῶν πραττομένων θέαν, τῇ ὁμοίᾳ τῷ ἀδελφῷ ἐπιβάλλεται πράξει, ζήλου πληρωθεὶς ἐνθέου πρόεισιν καὶ λόγῳ καὶ ἔργῳ τὸν Ἱεροκλέα[1] καταισχύνει, αὐτοχειρίᾳ πληγὰς ἐντείνας αὐτῷ κατὰ τοῦ προσώπου χαμαί τε βαλὼν ὕπτιον ἐπὶ τῆς γῆς τύπτων τε ἅμα καὶ παραινῶν μὴ παρὰ φύσιν τολμᾶν κατὰ τῶν τοῦ Θεοῦ δούλων· πολλά τε καὶ ἄλλα εἰπὼν καὶ ἐπὶ τούτοις εὖ μάλα καρτερῶς ὑπομείνας τὰς κατὰ τοῦ σώματος ἐπιτεθείσας αὐτῷ βασάνους, τὴν ἀδελφικὴν ἀπηνέγκατο θαλάττῃ παραδοθεὶς τελευτήν. Ἀλλ' οὗτος ἐπὶ τῆς Ἀλεξανδρείας μικρὸν τῷ χρόνῳ ὕστερον τοῦτον διηγωνίσατο τὸν ἆθλον· τῶν δὲ ἐπὶ Παλαιστίνην[2] μαρτύρων μετὰ Ἀπφιανὸν Ἀγάπιος ἐπὶ τὸν ἀγῶνα παρήει[3].

certamen.

II.
Passio sanctae Theodosiae.

ηνι τῷ αὐτῷ[1] γ'[2].

Μαρτύριον[3] Θεοδοσίας παρθένου[4] πέμπτῳ[5] ἔτει τοῦ καθ' ἡμᾶς διωγμοῦ πρὸ γ'[6] νόνων ἀπριλλίων ἐν Καισαρείᾳ τῆς Παλαιστίνης[7].

1. Ἐπὶ πέμπτον μὲν ἔτος ἤδη ὁ καθ' ἡμᾶς[1] ὢν[2] διωγμὸς παρετείνετο (μὴν δὲ ἦν Ξανθικός, ἡμέρα[3] τούτου β'[4], ἡ δ' αὐτὴ ἂν εἴη πρὸ δ' νόνων ἀπριλλίων), καί τις ἱερὰ καὶ παναγία κόρη τῶν ἀπὸ Τύρου,

Theodosia
virgo

— [5] ἐξουσίᾳ M; om. V. — [6] χρόνοις M, V, *correxi ex* C, H, χριστιανοῖς δικάζοντα.
15. — [1] Ἱεροκλεᾶ V. — [2] Παλαιστίνην M, V. — [3] παρείη V.
Tit. — [1] *videlicet* ἀπριλλίῳ. — [2] μηνὶ τῷ αὐτῷ (*videlicet* μαίῳ) κθ' B, *et ita quoque* S. — [3] τῆς ἁγίας μάρτυρος B. — [4] τῆς παρθένου B. — [5] πέμπτη B. — [6] τεσσάρων B. — [7] τῆς Παλαιστίνης *om.* B.
1. — [1] καθ' ἡμῶν B. — [2] ὢν *om.* B. — [3] τε *add.* B. — [4] τετάρτη B *ut in lemmate.*

τῷ τοῦ Θεοῦ παιδὶ παρθενευομένη, οὐδὲ[5] ὅλων ἐτῶν[6] ὀκτωκαίδεκα, δεσμίοις ὁμολογηταῖς Θεοῦ, τῶν ἡγεμονικῶν δικαστηρίων προκαθημένοις[7] μέλλουσίν τε αὐτίκα μάλα παρίστασθαι τῷ δικαστῇ πρόσεισιν, φιλοφρονουμένη μεμνῆσθαί τε αὐτῆς παρακαλεῖ, τοῦ σκοποῦ τυχόντας.

2. Ἐπεὶ δὲ τοῦτο ἔπραξεν, ὥσπερ ἔκθεσμόν τι καὶ ἀνόσιον διαπρα- 5 ξαμένην συναρπάζουσι στρατιῶται παραχρῆμά τε τῷ Οὐρβανῷ προσάγουσιν· ὃ δὲ γὰρ ἔτι τότε[1] τὴν Παλαιστινῶν διεῖπεν ἀρχήν. Ἀλλ' οὗτος (οὐκ οἶδα τί[2] παθών), ὥσπερ τὰ μέγιστα πρὸς τῆς κόρης ἠδικημένος, παραχρῆμα θυμοῦ καὶ λύπης[3] ἐμπίπλαται θύειν τε[4] αὐτῇ προστάξας, ἐπειδὴ ἀνανεύουσαν ηὕρισκεν ταύτην[5] μᾶλλον, ὁ[6] θηριωδέστατος 10 δεινὰς κατὰ τῶν πλευρῶν καὶ κατὰ τῶν μαζῶν ἐπιτίθησιν αὐτῇ βασά- νους, ὀστέων τε αὐτῶν εἴσω δὴ καὶ σπλάγχνων[7] ὁ ἀνηλεὴς ἐχώρει, ἐπιμόνως τὴν παῖδα τιμωρούμενος σιγῇ τὰς βασάνους δεχομένην.

3. Ἔτι δ' ἐμπνέουσαν ἠρώτα θύειν παρακελευόμενος. Ἡ δὲ διάρασα τὸ στόμα καὶ τοῖς ὀφθαλμοῖς ὀξὺ καὶ ἀτενὲς ἐμβλέψασα, ὑπομειδιῶντι 15 προσώπῳ (ἐπήνθει γὰρ[1] αὐτῇ καὶ τὸ τῆς ἀκμῆς κάλλος)· Τί δὴ πλανᾶ- σαι[2], φησίν, ἄνθρωπε[3], οὐκ εἰδώς με κατ' εὐχὰς πράττειν νῦν, ὅτε τῶν τοῦ Θεοῦ μαρτύρων κοινωνίας τυχεῖν ἠξιώθην; Ὁ δὲ ἐπειδὴ[4] συνεῖδεν ἑαυτὸν γέλωτα τῆς κόρης γενόμενον[5], οὐκ εὔθυνός τε ὢν καὶ μείζοσιν αὐτὴν ἢ πρότερον βασάνοις αἰκίζεσθαι, τοῖς θαλαττίοις κατα- 20 κρίνει βυθοῖς.

4. Μεταστὰς δὲ ἀπὸ ταύτης ἐπὶ τοὺς λοιποὺς ᾔει[1] ὁμολογητάς, ὧν αἰτίᾳ τῇ κόρῃ πέπρακται τὰ δεδηλωμένα, ὁμοῦ δὲ πάντας τοῦ κατὰ Παλαιστίνην χαλκοῦ μετάλλοις παραδίδωσιν, οὐδὲν εἰπὼν οὐδ' ἀνάγ- κην ἐπιθείς· ἡ γὰρ πρόμαχος ἁπάντων, τοὺς αὐτῶν ἀναδεξαμένη 25 πόνους καὶ τὸν ὠμὸν[2] δικαστὴν εὐτονίᾳ καὶ ῥώμῃ ψυχῆς παραλύσασα, δειλὸν καὶ εἰς τοὺς μετὰ ταῦτα κατεστήσατο. Ἡμέρα κυριακὴ ἦν, καθ' ἣν ταῦτα ἐπὶ τῆς Καισαρείας ἐν μηνὶ τῷ εἰρημένῳ καὶ κατὰ τὸ δηλωθὲν ἔτος ἐπράχθη.

—[5] οὐδ' B. —[6] ἐτῶν B, om. V. —[7] προκαθεζομένοις B.

2. —[1] C, ὧδε γὰρ ἔτι τότε B; τότε γὰρ ἔτι V. —[2] οὐκ' οἶδ' ὅτι B. —[3] λύττης B. —[4] θύειν δ' B. —[5] εὕρισκε ταύτῃ B. —[6] ὁ om. V. —[7] ὀστέων τε αὐτῶν ἤδη καὶ τῶν ἔσω σπλάγχνων B, S.

3. —[1] δέ B. —[2] πλανᾷ B, S. —[3] ἄνθρωπε V, S; ὦ ἄνθρωπε B. —[4] (οὐκ εἰδὼς - ἐπειδὴ) οὐκ οἶδας ὅτι τῆς τῶν τοῦ Θεοῦ μαρτύρων κοινωνίας τύχειν ἠξιώθην; ὁ δὲ ἐπειδή S. — *Theodosiae verba in syriaco plura sunt. De his lege* VIOLET. —[5] *hic deficit* B.

4. —[1] εἴη V. —[2] ὀμῶν V.

III.

Passio sanctorum Pamphili et sociorum.

Ἄθλησις τῶν ἁγίων[1] μαρτύρων[2] Παμφίλου, Οὐάλεντος, Παύλου, Σελεύκου, Πορφυρίου, Θεοδούλου, Ἰουλιανοῦ, καὶ τῶν σὺν αὐτοῖς[3].

1. Καιρὸς δὴ καλεῖ πρὸς ἅπασι[1] τὸ μέγα καὶ περιβόητον ἀνιστορῆ-
σαι θέατρον Παμφίλου τοῦ ἁγίου μάρτυρος καὶ τῶν σὺν αὐτῷ τελειωθέντων θαυμασίων ἀνδρῶν καὶ πολυτρόπους εὐσεβείας ἄθλους ἐπιδε-
δειγμένων[2]. Πλείστων γοῦν ὅσων[3] κατὰ τὸν[4] ἐγνωσμένον[5] ἡμῖν
διωγμὸν ἀνδρισαμένων, τὸν[6] περὶ ὧν ὁ λόγος ἀγῶνα σπανιώτατον, ὃν[7]
ἡμεῖς ἔγνωμεν, ἱστορήσαμεν, ἀθρόως ἐν αὐτῷ πᾶν εἶδος ἡλικιῶν τε
σώματος καὶ ψυχῶν ἀγωγῆς βίου[8] τε καὶ ἀναστροφῆς διαφόρου περιε-
λειφότα βασάνων τε ποικίλοις εἴδεσι καὶ τοῖς κατὰ τὸ τέλειον μαρτύριον
ἐνηλλαγμένοις στεφάνοις κεκοσμημένον. Νέους τε γὰρ ἦν ἰδεῖν καὶ
κομιδῇ παῖδας τῶν σὺν αὐτοῖς Αἰγυπτίων[9] τινάς, ἡβῶντας δὲ ἄλλους,
μεθ’ ὧν καὶ ὁ Πορφύριος ἦν, ἀκμαίους[10] τε αὖ σώματί τε ὁμοῦ καὶ
φρονήσει τοὺς ἀμφὶ τὸ ποθεινόν μοι ὄνομα καὶ τὸν Ἰαμνίτην[11] Παῦλον, Σέλευκόν τε καὶ Ἰουλιανόν, ἄμφω τῆς Καππαδοκῶν γῆς ὡρμωμέ-
νους[12]· ἦσαν δὲ ἐν αὐτοῖς καὶ ἱερᾷ πολιᾷ βαθυτάτῳ τε γήρᾳ πεπυκα-
σμένοι, Οὐάλης τις[13], διάκονος τῆς Ἱεροσολυμιτῶν ἐκκλησίας, καὶ ὁ
τοὔνομα ἐπαληθεύσας Θεόδουλος.

2. Τοιαύτη μὲν οὖν ἐν αὐτοῖς ἡ τῶν ἡλικιῶν ἐτύγχανε ποικιλία·
ψυχῶν δὲ ἀγωγαῖς[1] διήλλαττον[2], οἱ μὲν ἰδιωτικώτερον οἷα παῖδες καὶ
ἁπλούστερον ἔτι τὸν νοῦν[3] φρονοῦντες[4], οἱ δὲ καὶ πάνυ στιβαρὸν καὶ

Tit. — [1] καὶ ἐνδόξων τοῦ Χριστοῦ *add.* P. — [2] μαρτύρων *om.* X. — [3] (καὶ τῶν σὺν αὐτοῖς) Αἰγυπτίων συγγραφεῖσα παρὰ Εὐσεβίου τοῦ Παμφίλου P; Αἰγυπτίων X; καὶ πέντε Αἰγυπτίων Ἠλία, Ἰερεμίου, Σαμουήλ, Ἠσαΐου καὶ Δανιήλ, *haec* Synaxarium Sirmondi, *desumpta ex Passionis n. 10.*

1. — [1] πᾶσι P. — [2] ἐπιδεδεγμένων P. — [3] ὅσον W, O. — [4] τῶν W, O. — [5] ἐγνω-σμένων W, O. — [6] τῶν W, O. — [7] ὧν P. — [8] βίων W, O. — [9] καὶ γυπτίων O. — [10] ἀκμαῖος P. — [11] Ἰαννίτην W, Ἰαμνήτην P.— [12] ὁρμημένους P. — [13] Οὐάλης *tantum* P; Οὐάλις τις W, O; Valens quidam L.

2. — [1] ἀγωγές P. — [2] διηλλάττοντο P. — [3] τὸν οὖν O. — [4] φοροῦντες P.

ἐμβριθὲς κεκτημένοι τὸ ἦθος. Ἦσαν δὲ ἐν αὐτοῖς καί τινες[5] τῶν ἱερῶν
μαθημάτων οὐκ ἀνεπιστήμονες· συγγενὴς δὲ ἅπασιν ὑπερφυὴς καὶ
ἐνάρετος ἡ ἀνδρεία[6] προσῆν. Οἷα δέ τις ἐν ἀποστίλβουσιν ἄστροις
ἡμεροφαὴς φωστήρ, ἐν μέσοις διέπρεπεν ἐξαστράπτων ὁ ἐμὸς δεσπό-
της· (οὐ γὰρ ἑτέρως[7] προσειπεῖν ἔστι μοι[8] θέμις[9] τὸν θεσπέσιον καὶ [5]
τρισμακάριον[10] ὡς ἀληθῶς Πάμφιλον)· παιδείας τε[11] γὰρ οὗτος τῆς[12]
παρ᾽ Ἕλλησι θαυμαζομένης[13] οὐ μετρίως ἧπτο[14] τῆς τε κατὰ τὰ θεῖα
δόγματα καὶ τὰς θεοπνεύστους γραφὰς (εἰ χρή τι θρασύτερον, πλὴν
ἀληθὲς εἰπεῖν), ὡς οὐδέτερον ἔχει[15] τις φάναι τῶν κατ᾽ αὐτόν[16], ἤσκητο·
μεῖζον δὲ τούτων ἐκέκτητο πλεονέκτημα τὴν οἴκοθεν, μᾶλλον δὲ θεόθεν [10]
αὐτῷ δεδωρημένην συνεσίν τε καὶ σοφίαν.

3. Καὶ τὰ μὲν περὶ ψυχὴν οὕτως εἶχον οἱ πάντες· βίου[1] δὲ αὖθις καὶ
ἀναστροφῆς πλείστη τις ἐν αὐτοῖς ὑπῆρχε διαλλαγή, τοῦ μὲν Παμφίλου ἐξ εὐπατριδῶν κατάγοντος τὸ[2] κατὰ σάρκα γένος[3], ἐπισήμως δὲ[4]
ταῖς κατὰ τὴν πατρίδα πολιτείας διαπρέψαντος, τοῦ δὲ Σελεύκου ταῖς [15]
κατὰ τὴν στρατείαν[5] ἀξίαις περιφανέστατα τετιμημένου, τῶν δὲ τῆς
μέσης καὶ κοινῆς γεγονότων ἀγωγῆς. Οὐκ ἦν δὲ αὐτῶν ὁ χορὸς[6] οὐδὲ
τοῦ οἰκετικοῦ γένους[7] ἐκτός· ὅ τε γὰρ ἡγεμονικῆς οἰκετίας θεράπων
αὐτοῖς συγκατείλεκτο Πορφύριος[8], τὸ μὲν δοκεῖν τοῦ Παμφίλου γεγονὼς οἰκέτης, διαθέσει γε μὴν ἀδελφοῦ καὶ μᾶλλον γνησίου παιδὸς [20]
οὐδὲν ἐλλείπων[9] τῆς πρὸς τὸν δεσπότην κατὰ πάντα μιμήσεως. Καὶ τί
γάρ; Ἀλλ᾽ εἰ φαίη[10] τις αὐτοὺς ὁλόκληρον ἐν βραχεῖ τύπον ἐκκλησιαστι-
κοῦ συστήματος[11] περιειληφέναι, οὐκ ἂν ἐκτὸς βάλοι[12] τῆς ἀληθείας,
πρεσβυτερίου μὲν ἐν αὐτοῖς ἠξιωμένου τοῦ Παμφίλου διακονίας τε τοῦ
Οὐάλεντος τήν τε τῶν ἐπὶ τοῦ πλήθους[13] ἀναγινώσκειν εἰθισμένων [25]
τάξιν εἰληχότων ἑτέρων, ὁμολογίαις τε[14] διὰ καρτερικωτάτης μαστίγων
ὑπομονῆς ἔτι πάλαι πρὸ τοῦ κατὰ τὸ μαρτύριον τέλους[15] τοῦ Σελεύκου

—[5] *correxi*, τοῖς W, O, P; erant autem inter eos quoque nonnulli L.—[6] ἀνδρία P.—
[7] *ita* W, C, L; ἑταῖρον P. — [8] ἔστι μοι W; ἔτοι μοι P. — [9] θέμοις W, O. — [10] τρισμακάριον W; plane beatissimum L; μακάριον P. — [11] τε *om.* P. — [12] τοῖς W, O. —
[13] θαυμαζομένοις W, O. — [14] ἦπτω W, O. — [15] ἔχοι P. — [16] αὐτῶν W, O.
3. — [1] βίων W, O. — [2] τό *om.* P. — [3] γένους P. — [4] τε P. — [5] στρατίαν W, O. —
[6] χωρός W, O. — [7] γένος W, O. — [8] *ita* W, O *et* L : in eorum numerum relatus
erat Porphyrius; καὶ ὁ Πορφύριος P. — [9] οὐδὲ ἐλλείπων W, O; διαθέσει ... παιδὸς
διενηνοχὼς οὐδὲν ἢ ἐλλείπων P; ipsum affectione habebat loco fratris vel germani
potius filii ut qui nihil omitteret quominus in omnibus imitaretur dominum L. —
[10] ἡ φωνῇ P; εἰ φαίει W, O. — [11] στήματος W. — [12] βάλλει W, O. — [13] τήν τε τῶν
ἐπὶ τοῦ πλήθους P; τήν τε τὴν ἐπλήθους W, O. — [14] τε *om.* P. — [15] τέλους P, C;
om. W, O; diu ante in martyrio L.

διαπρέψαντος καὶ τὴν τῆς στρατιωτικῆς ἀξίας ἀποβολὴν ἐρρωμένως καταδεξαμένου τῶν τε λοιπῶν ἐπὶ τούτοις διὰ κατηχουμένων καὶ πιστῶν τὸ ὑπόλοιπον[16] τῆς ὡς ἐν εἰκόνι σμικρῷ μυριάνδρου ἐκκλησίας ἀφομοίωμα φερούσης ἀναπληρούντων.

4. Οὕτω παράδοξον τὴν τοσούτων καὶ τηλικούτων[1] μαρτύρων ἐκλογὴν ἐθεωρήσαμεν, καθ' ἣν καίτοι τε οὐ πολλοῖς τὸν ἀριθμὸν οὖσιν ὅμως οὐδὲν ἀπέδει ταγμάτων ἐν ἀνθρώποις εὑρισκομένων. Οἷα γοῦν[2] ἐν πολυχόρδῳ λύρᾳ ἐξ ἀνομοίων συνεστώσῃ χορδῶν, ὀξειῶν καὶ βαρειῶν τῶν τε ἀνειμένων καὶ ἐπιτεταμένων καὶ μέσων εὖ διηρμοσμένων ἁπασῶν τέχνῃ τῇ μουσικῇ, κατὰ τὰ αὐτὰ δὴ καὶ ἐπὶ τούτων νέοι κατὰ[3] τὸ αὐτὸ καὶ πρεσβῦται, δοῦλοί τε ὁμοῦ καὶ ἐλεύθεροι, λόγιοι τε[4] καὶ ἰδιῶται, ἄδοξοί τε κατὰ τὸ τοῖς πολλοῖς δοκοῦν καὶ ἐπίδοξοι, πιστοί τε σὺν κατηχουμένοις[5], ἅμα καὶ διάκονοι σὺν πρεσβυτέροις, οἱ πάντες ὡς ἂν ὑφ' ἑνὸς πανσόφου μουσουργοῦ τοῦ μονογενοῦς τοῦ Θεοῦ Λόγου ποικίλως ἀνακρουσθέντες καὶ τῆς[6] ἐν αὐτοῖς ἕκαστος[7] δυνάμεως διὰ τῆς τῶν βασάνων ὑπομονῆς ἐνδειξάμενοι τὴν ἀρετὴν[8] τούς τε τῆς ὁμολογίας λαμπροτάτους καὶ ἐμμελεῖς ἁρμονίους τε καὶ συμφώνους ἐπὶ τῶν δικαστηρίων φθόγγους ἀποδεδωκότες ὑφ' ἓν καὶ ταὐτὸ τέλος, τὴν εὐσεβεστάτην καὶ πάνσοφον διὰ τῆς τοῦ μαρτυρίου τελειώσεως[9] τῷ Θεῷ τῶν ὅλων ἀπεπλήρωσαν μελῳδίαν.

5. Ὑπερθαυμάζειν δὲ[1] ἄξιον καὶ τὸν ἀριθμὸν τῶν ἀνδρῶν, προφητικόν τι χάρισμα καὶ ἀποστολικὸν δηλοῦντα[2]· δώδεκα γὰρ εἶναι συνέβη τοὺς πάντας, ὁπόσους πατριάρχας καὶ προφήτας καὶ ἀποστόλους, γενέσθαι παρειλήφαμεν· οὐ παρετέον[3] οὐδὲ τὰς κατὰ μέρος ἑκάστου πολυτλήτους ἀνδρείας κατὰ τῶν πλευρῶν ξέσεις καὶ τὰς διὰ τριχῶν αἰγείων ὑφῆς[4] κατὰ τῶν ξεσθέντων τοῦ σώματος μερῶν ἐκτρίψεις τάς τε ἀνηκέστους μάστιγας καὶ τὰς πολυτρόπους καὶ ἐνηλλαγμένας βασάνους δεινάς τε καὶ δυσκαρτερήτους στρεβλώσεις, ἃς ἐπικελευομένου

et ordine diversi,

numero duodecim.

<hr>

— [16] τοὐπίλοιπον P.

4. — [1] τοσούντων καὶ τηλικούντων W, O. — [2] οὖν P. — [3] νέοι κα κατὰ W. — [4] τε *om.* P. — [5] fideles simul cum catechumenis L; πίστοι τε κατηχουμένοις W, O; πίστοι τε καὶ κατηχούμενοι P. — [6] τοῖς W, O. — [7] ἕκαστοι P. — [8] per tormentorum tolerantiam hoc est confessionem ostendentes virtutem L. — [9] τελείως O.

5. — [1] δέ W, O; *om.* P; operae pretium autem est L. — [2] προφητικόν τι χάρισμα καὶ ἀποστολικὸν δηλοῦντα W, O; qui significat propheticam quandam et apostolicam gratiam L; προφητικὸν δηλοῦντα χορόν P. — [3] οὐ παρετέον W, O; non est autem praetermittenda L; οὐ παρ' ἑτέρων P.— [4] ὑφῆς *om.* W, O; cum pilis caprinis laceratarum corporis partium attritiones L.

τοῦ δικαστοῦ χερσὶν[5] καὶ ποσὶν ἐπιτείνοντες οἱ δορυφόροι τῇ βίᾳ κατηνάγκαζον πρᾶξαί τι τῶν ἀπειρημένων τοὺς μάρτυρας.

6. Τί χρὴ λέγειν τὰς ἀειμνήστους τῶν θεσπεσίων φωνάς, ἐν αἷς ἧττον πεφροντικότες[1] τῶν πόνων λαμπρῷ καὶ φαιδρῷ τῷ[2] προσώπῳ τὰς τοῦ δικαστοῦ πεύσεις ἠμείβοντο, πρὸς αὐταῖς ταῖς[3] βασάνοις 5 γελῶντες ἀνδρικῶς ἤθει τε σπουδαίῳ κατειρωνευόμενοι αὐτοῦ τὰς ἐρωτήσεις; Ἐρομένου[4] γὰρ ὁπόθεν εἶεν, τὴν ἐπὶ τῆς πόλιν φράζειν παρέντες τὴν ὄντως ἑαυτῶν ἀνεδήλουν πατρίδα, ἀπὸ Ἱερουσαλὴμ ἑαυτοὺς ἀναγορεύοντες· ἐνέφαινον δὲ ἄρα κατὰ τὸν αὐτὸν[5] νοῦν τὴν ἐπουράνιον τοῦ Θεοῦ ἐφ᾽ ἣν καὶ ἔσπευδον πόλιν· καὶ ἄλλα δὲ τοιουτό- 10 τροπα, ἄγνωστα μὲν καὶ ἀσύνοπτα τοῖς τῶν ἱερῶν ἀγεύστοις, μόνοις δὲ αὐτοῖς καὶ τοῖς ἐκ τῆς θείας πίστεως ὡρμημένοις ἀριδηλότατα προσ- έφερον[6]· ἐφ᾽ οἷς δὴ μάλιστά ὁ δικαστὴς ἀγανακτικῶς καὶ μάλα ὀργί- λως σφαδάζων καὶ τὸν λογισμὸν ἀπορούμενος, ποικίλας[7], ὡς ἂν μὴ ἡττηθείη, τὰς κατ᾽ αὐτῶν ἐπενόει μηχανάς. Ἔπειτα[8] πεσὼν τῆς ἐλπί- 15 δος, τέλος ἑκάστῳ τὰ τῆς νίκης ἀποφέρεσθαι παρεχώρει βραβεῖα. Ποικίλος δ᾽ ἦν[9] αὐτῶν καὶ ὁ τῆς τελευτῆς τρόπος, δυοῖν[10] μὲν τῶν ἐν αὐτοῖς κατηχουμένων τῷ διὰ πυρὸς[11] βαπτίσματι τελειωθέντων, ἑτέ- ρου[12] δὲ τῷ[13] τοῦ σωτηρίου πάθους σχήματι παραδοθέντος, τῶν δὲ ἀμφὶ τὸ ποθεινόν μοι ὄνομα διαλλάττουσι[14] βραβείοις ἀναδησαμένων. 20

7. Τάδε μὲν οὖν φαίην[1] ἄν τις καθολικώτερον τούτων μεμνημένος· κατὰ μέρος δὲ ἕκαστον ἐπεξιὼν εἰκότως ἂν τοῦ χοροῦ τὸν πρωτοστά- την μακαρίσειεν[2]. Πάμφιλος οὗτος ἦν, ὁ θεοφιλὴς ὄντως ἀνὴρ καὶ πάντων ὡς ἀληθῶς φίλος τε καὶ προσήγορος, ἐπαληθεύων τὴν ἐπωνυ- μίαν, τῆς Καισαρέων ἐκκλησίας ὁ κόσμος, ἐπεὶ καὶ τὴν τῶν πρεσβυτέ- 25 ρων καθέδραν πρεσβύτερος ὢν ἐδόξαζε, κοσμῶν ὁμοῦ καὶ κοσμούμενος τὴν ἐνταῦθα λειτουργίαν[3]· κἀν τοῖς ἄλλοις δὲ θεῖος ἦν ὄντως καὶ θείας μετέχων ἐμπνεύσεως, ἐπεὶ καὶ παρ᾽ ὅλον αὐτοῦ τὸν βίον ἀρετῇ πάσῃ διαπρέψας ἔτυχε, μακρὰ μὲν χαίρειν εἰπὼν τρυφῇ καὶ πλούτου περιου-

— [5] καὶ χερσί P.
6. — [1] πεφροντιβότες sic O. — [2] τῷ om. P. — [3] ταῖς om. P. — [4] ἐρωμένου P; ἐρουμένου W, O. — [5] αὐτόν W, O; indicabant vero eadem sententia L; αὐτῶν P.— [6] ἀριδηλότατα προσέφερον P; eis autem solis et qui a fide divina sunt incitati aperta adducebant L; ἀριδηλῶς ταῦτα προσέφερον W, O. — [7] ποικίλας (μηχα- νάς) W, O; varia ne vinceretur in eos machinabatur L; ποικίλως P. — [8] ἔπειτα W, O; deinde L; κἄπειτα P. — [9] δὲ ἦν P, O. — [10] δυεῖν P. — [11] καὶ add. P. — [12] ἕτερος W, O. — [13] τό W. — [14] διαλάττουσι W, O.
7. — [1] φαίη P. — [2] μακαρίσειε P. — [3] τῇ ἐνταῦθα λειτουργίᾳ P.

σία, ὅλον[4] ἑαυτὸν ἀναθεὶς τῷ τοῦ Θεοῦ Λόγῳ[5]· ἀποδόμενός[6] γέ τοι τὰ
εἰς αὐτὸν ἐκ προγόνων ἥκοντα γυμνοῖς, πηροῖς καὶ πένησιν τὰ πάντα
διένειμεν[7], αὐτὸς δὲ[8] ἐν ἀκτήμονι διῆτε βίῳ δι᾽ ἀσκήσεως καρτερικωτάτης τὴν ἔνθεον[9] μετιὼν φιλοσοφίαν. Ὡρμᾶτο μὲν οὖν ἐκ τῆς Βηρι
5 τῶν[10] πόλεως, ἔνθα τὴν πρώτην ἡλικίαν τοῖς αὐτόθι ἐτέθραπτο[11]
παιδευτηρίοις· ἐπεὶ δὲ τὰ τῆς φρονήσεως εἰς τελείους ἄνδρας αὐτῷ
προσῆει[12], μετέβαινεν ἀπὸ τῶνδε ἐπὶ τὴν τῶν ἱερῶν λόγων ἐπιστήμην·
ἀνελάμβανεν[13] δὲ ἐνθέου καὶ προφητικοῦ βίου τρόπον καὶ Θεοῦ μάρτυρα
ἀληθῆ αὐτὸς[14] ἑαυτὸν καὶ πρὸ τῆς ὑπάτης τελευτῆς[15] τοῦ βίου παρίστη.

10 8. Ἀλλ᾽ ὁ μὲν Πάμφιλος τοιοῦτος ἦν· δεύτερος δὲ μετ᾽ αὐτὸν ἐπὶ τὸν
ἀγῶνα παρῄει[1] Οὐάλης, γηραιᾷ καὶ ἱεροπρεπεῖ πολιᾷ τετιμημένος, αὐτῇ
τε προσόψει σεμνὸς καὶ ἱερὸς πρεσβύτης· οὐ μὴν ἀλλὰ καὶ τῶν θείων
γραφῶν εἴ καί τις ἄλλος εἰδήμων· τοσαύτας γέ τοι μνήμας αὐτῶν
ἐνεστερνίσατο[2], ὡς μηδὲν ἀπᾴδειν[3] τῆς ἀπὸ γραμμάτων ἐντεύξεως τὰς
15 διὰ μνήμης αὐτῷ σωζομένας τῶν ἱερῶν μαθητῶν ἐπαγγελίας[4]· διάκονος δὲ[5] ἦν, καίπερ ὢν τοιοῦτος, τῆς Αἰλιέων[6] ἐκκλησίας. Τρίτος ἐν
τοῖσδε κατηριθμεῖτο Παῦλος, θερμότατος[7] καὶ τῷ πνεύματι ζέων ἀνήρ·
ἀπὸ τῆς Ἰαμνιτῶν[8] πόλεως ἐγνωρίζετο· ὃς δὴ καὶ πρὸ τοῦ μαρτυρίου[9]
διὰ καυτήρων ὑπομονῆς τὸν τῆς ὁμολογίας ἀγῶνα διηθλήκει.

20 9. Τούτοις ἐπὶ τῆς εἱρκτῆς[1] δυσὶν ἐτῶν[2] χρόνοις[3] κατατριβομένοις[4]
ὑπόθεσις τοῦ μαρτυρίου ἐγένετο Αἰγυπτίων ἄφιξις[5], τῶν καὶ[6] σὺν
αὐτοῖς τελειωθέντων τοὺς κατὰ Κιλικίαν οὗτοι καταπονουμένους[7] ἐν
τοῖς μετάλλοις μέχρι τῶν τόπων καταστήσαντες, ἐπὶ τὴν οἰκίαν[8] ἐπαλινόστουν. Καὶ δὴ πρὸς ταῖς εἰσόδοις τῶν κατὰ Καισάρειαν πυλῶν, τίνες

Valens
et Paulus.

Aegyptiorum

— [4] ὅλον δέ P. — [5] λόγου P. — [6] ἀπαδόμενος O. — [7] τά πάντα διένειμεν W, O;
omnia distribuit L; ἅπαντα *tantum* P. — [8] δέ *om.* P, ipse autem L. — [9] ἔθεον O. —
[10] Βηριτῶν W, Βηρυτίων P, Βυριτῶν O. — [11] τέθραπτο W, O. — [12] προσίει P,
προσείη W, O. — [13] ἀνελάμβανε P. — [14] αὐτὸς ἀληθή P. — [15] τῆς ὑπάτης τελευτῆς
W; τῆς ὑστάτης τελευτῆς O; ante ultimum vitae finem L; τελευτῆς *tantum* P.

8. — [1] παρείη W, O. — [2] ἐστερνίσατο P. — [3] ὡς μηδὲν ἀπᾴδειν W, O; ut a lectione
nihil discreparent L; ὡς μηδὲ ἀποδεῖν P; ὡς μὴ ἐνδεῖν τῆς ἀπὸ γραμμάτων ἐντεύξεως H, *p. 703.* — [4] τῶν ἱερῶν μαθητῶν ἐπαγγελίας W, O; sacrosanctorum discipulorum promissiones L; ἱερῶν μαθημάτων ἀπαγγελίας P. — [5] δέ *om.* P; erat
autem diaconus L. — [6] Ἐλιαίων W, O. — [7] θερμουργότατος P. — [8] Ἰαμνητῶν P.—
[9] ὃς δὴ καὶ πρὸ τοῦ μαρτυρίου P, C; ὃς διὰ τοῦ μαρτυρίου W, O; qui etiam in
martyrio L.

9. — [1] κρήτης P. — [2] δυεῖν ἐτοῖν P. — [3] χρόνιων P. — [4] κατατριβουμένους O. —
[5] *corr.* W, *prius* ἀφηΞις; ἀφηΞις O. — [6] *om.* P; qui etiam cum eis L. — [7] οὓς κατὰ
Κιλικίαν οὗτοι καταπονουμένας P; τοὺς κατὰ Κιλικίαν οὗτοι μέχρι τῶν αὐτόθι
μετάλλων κτλ. H, *p. 703;* τοὺς δὲ καὶ λίαν οὕτω καταπονομένους W, O; ii autem
cum sic valde afflicti L. — [8] οἰκείαν P.

τε[9] εἶεν καὶ πόθεν ἀφικόμενοι, παρὰ[10] τῶν φυλάκων ἐρωτηθέντες καὶ μηδὲν τἀληθοῦς ἀποκρύψαντες, χριστιανοὺς[11] δὲ φάντες ἑαυτούς, κακούργων[12] τρόπῳ ἐπ' αὐτοφώρῳ ληφθέντων[13] συνελαμβάνοντο[14]· πέντε[15] δὲ ἦσαν τὸν[16] ἀριθμόν. Οἳ δὲ προσαχθέντες τῷ ἄρχοντι καὶ ἐπὶ[17] τούτου παρρησιασάμενοι[18], δεσμοῖς μὲν αὐτίκα παραδίδονται, 5 τῇ δὲ[19] ὑστεραίᾳ, Περιτίου μηνὸς ἑκκαιδεκάτῃ, κατὰ δὲ Ῥωμαίους[20] τῇ πρὸ δεκατεσσάρων καλανδῶν μαρτίων, αὐτοὺς δὴ τούτους σὺν τοῖς ἀμφὶ τὸν Πάμφιλον τῷ Φιρμιλλιανῷ[21] προσάγουσιν. Ὁ δὲ τῶν Αἰγυπτίων ἀπεπειρᾶτο μόνον[22]·πρὸ τῶν βασάνων εἴδεσιν[23] παντοίοις διαγυμνάζων τοὺς ἄνδρας. Τὸν μὲν οὖν προσήγορον[24] αὐτῶν εἰς μέσον[25] 10 ἀγαγών, τίς εἴη καὶ πόθεν, ἠρώτα. Ὅστις[26] ἀντὶ τοῦ κυρίου ὀνόματος προφητικόν τι ἐπακούσας (τοῦτο δὲ πρὸς τῶν ἄλλων ἐγίγνετο ἀντὶ τῶν πατρώων αὐτοῖς ἐπιπεφημισμένων εἰδωλικῶν ὀνομάτων·προφητικὰς ἑαυτοῖς ἐπιθέντων ἐπωνυμίας[27]),

interrogatio

10. Ἠλίαν γοῦν καὶ Ἱερεμίαν Ἡσαΐαν τε καὶ Σαμουὴλ καὶ Δανιὴλ 15 ἤκουσας ἂν αὐτῶν ἑαυτοὺς ὀνομαζόντων καὶ τὸν ἐν κρυπτῷ Ἰουδαῖον καὶ γνήσιον Ἰσραηλίτην αὐτοῖς ἔργοις οὐ μόνον ἀλλὰ καὶ φωναῖς κυρίως ἐκφερομέναις ἐνδεικνυμένων· τοιοῦτον οὖν τι πρὸς τοῦ μάρτυρος ὁ δικαστὴς ἀκούσας[1] ὄνομα, οὐ μὴν τῇ τοῦ ῥήματος ἐπιστήσας δυνάμει, δεύτερον, ἥτις αὐτοῦ εἴη ἡ πατρίς[2], ἠρώτα. Ὁ δὲ συνᾴδων[3] τῇ προτέρᾳ 20 δευτέραν ἀφίησι φωνήν, Ἱερουσαλὴμ εἶναι λέγων[4] τὴν ἑαυτοῦ πατρίδα,

Gal. 4, 26.
Hebr. 12, 22.

ἐκείνην δῆτα νοῶν, περὶ ἧς εἴρηται τῷ[5] Παύλῳ· Ἡ[6] ἄνω Ἱερουσαλὴμ ἡ[7] ἐλευθέρα ἐστίν, ἥτις ἐστὶ μήτηρ ἡμῶν, καί· Προσεληλύθατε Σιὼν ὄρει καὶ πόλει Θεοῦ ζῶντος, Ἱερουσαλὴμ ἐπουρανίῳ. Καὶ ὁ μὲν ταύτην ἐνόει[8], ὁ δὲ ἐπὶ χθόνα καὶ χαμαὶ ῥίψας τὴν διάνοιαν, τίς εἴη αὐτὴ καὶ 25

— [9] τε *om.* P. — [10] πρός P, H *p. 703.* — [11] χριστιανοὶ P. — [12] κακούργῳ |i|i| W.— [13] δεθέντων W, O; ληφθέντες P. — [14] κατελαμβάνοντο P; in ipso furto deprehensi vincti sunt et comprehensi L. — [15] πετε O. — [16] τῶν W, O. — [17] κἄπι (?) P. — [18] παρρησιασδμενοι *lectio dubia in* P. — [19] δέ *om.* P. — [20] κατὰ Ῥωμαίους δέ P. — [21] Φιρμιλιανῷ W, O. — [22] μόνον W, O; solum L; μόνων L. — [23] εἴδεσι P, O. — [24] προήγορον P. — [25] ἐν μέσον P. — [26] ἥτις W, O. — [27] (προφητικὸν — ἐπωνυμίας) προφητικόν τι ἑαυτῷ προσῆπτε· τοῦτο δὲ καὶ πρὸς τῶν λοιπῶν ἐγίγνετο ἀντὶ τῆς πατρόθεν αὐτοῖς ἐπιτεθείσης ἐπωνυμίας P; cum pro proprio nomine quoddam propheticum audiisset, hoc autem fiebat ante alia ut qui pro patriis eis impositis idolicis nominibus sibi prophetica nomina imposuissent L. *Capitum divisionem a praecedentibus editoribus inductam immutandam non duximus.*

10. — [1] ἐπακούσας ὁ δικάστης P. — [2] αὐτοῦ πατρὶς εἴη P. — [3] συνοδοῦ P; συνῳδόν H. *p. 705.* — [4] (τῇ προτέρᾳ — λέγων) *om.* W, O; ille vero caelestem Hierusalem dixit esse suam patriam L. — [5] τῷ *om.* P. — [6] ἡ δέ P. — [7] ἡ *om.* P. — [8] ἐνόει P, H, *p. 705;* ἐνενόει W, O.

ὑπὸ γῆς ποίας[9] κειμένη ἀκριβῶς ἐπολυπραγμόνει καὶ δῆτα καὶ βασάνους
ἐπῆγεν, ὡς ἂν τάληθὲς ὁμολογοίη. Ὁ δὲ στρεβλούμενος κατόπιν τὼ
χεῖρε καὶ τοῖν ποδοῖν μαγγάνοις τισὶ διακλώμενος[10], εἰρηκέναι τάληθὲς
διισχυρίζετο. Εἶτα ταῦτα[11] πάλιν καὶ πολλάκις πυνθανομένου, τίς εἴη
καὶ ποῖ κειμένη ἡ λεχθεῖσα πόλις ἡ[12] Ἱερουσαλὴμ μόνον,[13] αὐτὴν εἶναι
τῶν χριστιανῶν ἔλεγε πατρίδα (μὴ γὰρ καὶ ἑτέροις ἢ τούτοις μόνοις
αὐτῆς μετεῖναι), κεῖσθαι δὲ πρὸς ἀνατολαῖς[14] καὶ πρὸς αὐτῷ φωτὶ καὶ
ἡλίῳ. Ὁ μὲν καὶ πάλιν διὰ τούτων κατὰ τὸν οἰκεῖον νοῦν ἐφιλοσόφει,
τῶν ἐν κύκλῳ βασάνοις αὐτὸν αἰκιζόντων[15] οὐδὲν[16] αἰσθανόμενος[17],
ὥσπερ δέ τις ἄσαρκος καὶ ἀσώματος οὐδὲν[18] πάσχειν[19] ἐδόκει τῶν
ἀλγεινῶν[20]. Ὁ δὲ δικαστὴς ἀπορούμενος ἐσφάδαζε[21], τῇ ἐχθρᾷ[22] καὶ
Ῥωμαίοις πολεμίαν τάχα που συστήσασθαι ἑαυτοῖς πόλιν χριστιανοὺς
οἰόμενος, πολύς τε ἦν ἐπικείμενος ταῖς βασάνοις καὶ ἀνερευνῶν τὴν
δηλωθεῖσαν πόλιν τήν τε κατὰ ἀνατολὰς ἐξετάζων χώραν. Ὡς δὲ καὶ[23]
ἐπὶ πλεῖον μάστιξι τὸν νεανίαν καταξήνας[24], ἀπαράλλακτον τῶν προτέρων αὐτῷ[25] ῥηθέντων ὁρῶν, ἐπειρᾶτο[26], τὴν ἐπὶ θανάτῳ[27] κατ’ αὐτοῦ
κεφαλικὴν ἐκφέρειν[28] ψῆφον.

11. Καὶ τὰ μὲν κατ’ αὐτὸν[1] τοιαύτην εἴληφε δραματουργίαν· καὶ
τοὺς λοιποὺς δὲ τῶν Αἰγυπτίων τοῖς παραπλησίοις διαγυμνάσας
παλαίσμασι, τὸν ὅμοιον ἐπάγει τρόπον. Εἶτα ἐκ τούτων ἐπὶ τοὺς ἀμφὶ
τὸν Πάμφιλον μεταβὰς ἀνεδιδάσκετο, ὡς ἄρα πρότερον ἤδη πλείστων
εἶεν βασάνων πεπειραμένοι· ἄτοπον δὲ εἶναι λογισάμενος ταῖς αὐταῖς
αἰκίας περιβάλλειν τοὺς ἄνδρας καὶ μάταια μοχθεῖν, τοσοῦτο[2] μόνον,
εἰ κἂν νῦν[3] πειθαρχοῖεν, ἀνεπυνθάνετο· ἀκούσας δὲ παρ’ ἑκάστου τὴν
ὑστάτην τῆς μαρτυρίας φωνήν, παραπλησίως κεφαλικὴν τιμωρίαν κατ’
αὐτῶν ἐξενεγκάμενος ὑπάγει[4].

12. Οὔπω δὲ αὐτῷ πᾶν εἴρητο[1] τὸ[2] ἔπος, — καὶ ποθεν ἀναβοᾷ μει-
ράκιόν τι τῆς οἰκετικῆς τοῦ Παμφίλου θεραπείας, ἐκ μέσου τοῦ πλή-

et supplicium.

Porphyrius,

— [9] ὑπὸ τῆς ποίας P, W, O; ποῖ τῆς aliā πῆ τῆς H, p. 705. — [10] (κατόπιν — διακλώμενος) P, C, H p. 705; om. W, O, L. — [11] αὖ P; deinde eo haec rursus L. — [12] ἡ
om. P. — [13] μόνον W, O; solum L; μόνην P. — [14] ἀνατολάς W, O. — [15] αἰκιζο-
μένων P. — [16] οὐδέ P. — [17] ἐπιστρεφόμενος P, nihil sentiens eos qui circumcirca
ipsum tormentis afficiebant. — [18] οὐδέ P. — [19] ἐπαισθάνεσθαι P. — [20] ἀλγηδόνων
P; nihil videbatur pati molestum L. — [21] ἐσφάδαζεν P. — [22] τῇ ἐχθρᾷ W, O; odio
cruciabatur L; ἐχθράν P, H. — [23] καί om. O. — [24] καταξάνας W, O. — [25] αὐτῶν O.—
[26] ὁρῶν ἐπειρᾶτο W, O; ἑώρα P. — [27] θάνατον W, O. — [28] ἐκφέρει P.

11. — [1] κατὰ τοῦτον P. — [2] τοσούτῳ W, O; hoc solum L; τοσοῦτον P. — [3] εἰ
κἂν νῦν P; an nunc saltem L; νικᾶν εἰ νῦν W, O. — [4] ἐπάγει O.

12. — [1] εἴρειτο W, O. — [2] τό om. P.

θους τῶν ἀμφὶ τὸ δικαστήριον κυκλούντων παρελθὸν[3] εἰς μέσον· ἐβόα[4]
μεγάλῃ τῇ[5] φωνῇ, ταφῇ τὰ σώματα ἐξαιτούμενον[6], Πορφύριος δὲ[7] ἦν ὁ
μακάριος, θρέμμα γνήσιον Παμφίλου οὐδὲ[8] ὅλων ἐτῶν ὀκτωκαίδεκα[9],
καλλιγραφικῆς ἐπιστήμης ἔμπειρος, σωφροσύνης δὲ ἕνεκα καὶ τρόπων
πάντα καλύπτων ἐγκώμια, ὡς οἷα ὑπὸ τοιούτῳ[10] ἀνδρὶ συνησκημένος· 5
Ὡς[11] ἔγνω τὴν κατὰ τοῦ δεσπότου ψῆφον, ἀπὸ μέσης τῆς πληθύος
ἀνέκραγε, τῇ τὰ σώματα ἀξιῶν παραδοθῆναι[12]. Ὁ δὲ οὐκ ἄνθρωπος,
ἀλλὰ θὴρ καὶ θηρίου παντὸς ἀγριώτερος, μήτε τῆς αἰτήσεως τὸ εὔλογον
ἀποδεξάμενος μήτε τῷ τῆς ἡλικίας ἀπονείμας νέῳ συγγνώμην, αὐτὸ[13]
μόνον ὡς ὁμολογοῦντα χριστιανὸν ἔμαθε, παντὶ σθένει τοῖς βασανι- 10
σταῖς κατ' αὐτοῦ χρῆσθαι προστάττει. Ὡς δὲ ἐπικελευομένου θύειν
ἀνένευεν ὁ θαυμάσιος, οὐκέθ'[14] οἷα σάρκας ἀνθρώπου, ἀλλ' οἷα λίθους
καὶ[15] ξύλα ἢ τι τῶν ἀψύχων ἕτερον[16] ἄχρις ὀστέων αὐτῶν καὶ τῶν[17]
κατὰ βάθους σπλάγχνων αἰκίζειν αὐτὸν καὶ πᾶν τὸ σῶμα καταξαίνειν
ἐπικελεύεται. Εἰς μακρὸν δὲ τούτου γινομένου, μάτην ἐγχειρεῖν[18] διέγνω, 15
ἀφύπνου[19] μικροῦ δεῖν καὶ ἀψύχου τοῦ σώματος τῷ γενναίῳ μάρτυρι
καταστάντος· παράμονον δὲ τὸ ἀνηλεὲς καὶ ἀπάνθρωπον κεκτημένος ὁ
δικαστὴς τριχῶν πεπλεγμένοις ὑφάσμασι τὰς ἐκδαρείσας πλευρὰς ταῖς
βασάνοις[20] ψήχειν καὶ[21] τρίβειν ἐπὶ πλέον προστάττει· εἶθ' οὕτως[22]
κόρον λαβὼν καὶ τῆς μανίας ἐμφορηθεὶς μακρῷ καὶ μαλθακῷ πυρὶ παρα- 20
βληθῆναι αὐτὸν ἀποφαίνεται. Οὗτος μὲν οὖν πρὸ τῆς τοῦ Παμφίλου
τελειώσεως, ὕστατος ἐπὶ τὸν ἀγῶνα παρελθών, τῇ ἀπὸ τοῦ σώματος
ἀπαλλαγῇ[23] τὸν δεσπότην προέλαβεν.

18. Ἦν δὲ ἄρα τὸν Πορφύριον[1] θεωρεῖν, ἱερονίκου διαθέσει πάμμα-
χον νενικηκότος, κεκόνιαμένον[2] τὸ σῶμα, φαιδρὸν τῇ ὄψει[3] θαρσαλέῳ 25
τε φρονήματι καὶ γαύρῳ[4] ἐπὶ τὸν θάνατον βαδίζοντα, θείου πνεύματος
ὡς ἀληθῶς ἔμπλεων[5]· καὶ δὴ φιλοσόφῳ σχήματι τῷ περὶ αὐτὸν ἀνα-
βολαίῳ τρόπον ἐπωμίδος[6] ἠμφιεσμένος, ἄνω βλέπων καὶ πάντα τὰ

— [3] παρελθὼν P, W, O. — [4] ἐβόα δέ P. — [5] τῇ om. P. — [6] ἐξαιτούμενος W, O. —
[7] δέ om. P; is autem erat beatus Porphyrius L. — [8] οὐδ' P. — [9] ὀκτωκαίδεκα
ἐτῶν P. — [10] τηλικῷδε P. — [11] ὡς δ' P. — [12] ἀξιῶ παραδοθῆναι W, O; παραδοθῆναι ἀξιῶν P. — [13] αὐτό //// W; αὐτό O; αὐτῷ P. — [14] οὐκεθ' οἳ P; οὐκέτι
ἔθηγον W, O. — [15] καὶ W; lapides et ligna L; ἢ P. — [16] ἕτερα W, O. — [17] τῶν om.
P. — [18] ἐγχείρει O. — [19] ἀφ' ὧν οὐ P. — [20] ταῖς βασάνοις πλευράς P. — [21] ψήχειν
καί P; sed om. W, O, L. — [22] ὥσπερ P; deinde cum sic L. - [23] τὴν ... ἀπαλλαγήν
W, O.

18. — [1] πρὸς τὸν Πορφύριον W. — [2] κεκονιμένον P. — [3] τῇ ὄψει W, O; δὲ τὴν
ὄψιν P. — [4] τὴν add. P. — [5] ἔμπλεον W, O. — [6] ἐξωμίδος P, H; instar superhume-
ralis L.

ἀνθρώπινα ὡς θνητὸν[7] ὑπερφρονῶν βίον ἀτρέμας[8] τῇ ψυχῇ πρόσεισι[9]
τῇ πυρᾷ. Ἤδη ἑαυτῷ τῆς φλογὸς πελαζούσης, ὡσὰν[10] μηδενὸς αὐτῷ
παρόντος λυπηροῦ, ἀταράχῳ καὶ νήφοντι λογισμῷ περὶ τῶν οἰκείων
τοῖς γνωρίμοις ὁ μακάριος[11] διετάττετο, εἰσέτι τότε[12] πρόσωπον καὶ
5 πᾶν τὸ σῶμα[13] φαιδρὸν καὶ ἀπαράλλακτον διαφυλάττων. Ὡς δὲ τοῖς
γνωρίμοις αὐτάρκως συνετάξατο, πρὸς τὸν Θεὸν ἤδη λοιπὸν ἠπείγετο·
τῆς γέ[14] τοι πυρᾶς ἐξ ἀποστήματος κύκλῳ περὶ αὐτὸν ἀναφθείσης[15],
ἐνθένδε κἀκεῖθεν ὑφήρπαζε τῷ στόματι τὴν φλόγα· ἐπισπέρχων αὐτὸς
ἑαυτὸν ἐπὶ τὴν προκειμένην πορείαν· καὶ τοῦτο ἔπραττεν, οὐδὲν[16] ἕτε-
10 ρον ἢ Ἰησοῦν ἀνακαλούμενος.

14. Τοιοῦτος καὶ ὁ Πορφυρίου ἆθλος· τῆς δὲ κατ' αὐτὸν τελειώσεως
ἄγγελος τῷ Παμφίλῳ γενόμενος Σέλευκος τοῦ σὺν αὐτοῖς καταξιοῦται
παραχρῆμα[1] κλήρου. Αὐτίκα[2] γοῦν διαγγείλαντα αὐτὸν τῷ Παμφίλῳ
τὸ τοῦ Πορφυρίου τέλος καὶ τῶν μαρτύρων ἑνὶ φιλήματι ἀσπασαμένων[3]
15 συλλαβόντες οἱ στρατιῶται ἄγουσιν ἐπὶ τὸν ἡγεμόνα[4]. Ὁ δὲ ὥσπερ
ἐπισπεύδων τῶν προτέρων[5] αὐτὸν συναπόδημον γενέσθαι, κεφαλικῇ[6]
κολασθῆναι τιμωρίᾳ[7] προστάττει. Τῆς Καππαδοκῶν οὗτος ὥρμᾶτο τῆς·
λαμπρότατα δὲ τῶν ἐν στρατείας εὐδοκιμήσας, τῶν ἐν Ῥωμαϊκαῖς
προκοπαῖς οὐ μικρᾶς ἐπιλέλειπτο[8] ἀξίας· οὐ μὴν ἀλλὰ καὶ αὐτὴ ἡ ἡλι-
20 κία καὶ ἡ ῥώμη τοῦ σώματος[9] μεγέθει τε καὶ ἰσχύος ἀρετῇ πλείστῃ[10]
ὅσον τοὺς λοιποὺς[11] ἐπλεονέκτει καὶ τὴν πρόσοψιν δὲ αὐτὴν περίβλε-
πτος ἦν τοῖς πᾶσι τό τε πᾶν εἶδος τοῦ σώματος[12] ἀξιάγαστος μεγέθους
ἕνεκα καὶ εὐμορφίας. Κατ' ἀρχὰς μὲν οὖν τοῦ διωγμοῦ διὰ μαστίγων
ὑπομονῆς τοῖς κατὰ τὴν ὁμολογίαν διέπρεψεν ἀγῶσι· μετὰ δὲ τὴν τῆς
25 στρατείας ἀπαλλαγὴν Ζηλωτὴν αὐτὸς ἑαυτὸν καταστήσας τῶν τῆς θεο-
σεβείας ἀσκητῶν, Χριστοῦ γνήσιος στρατιώτης ἀποδέδεικται, ὀρφα-
νῶν, ἐρήμων καὶ χηρῶν ἀπεριστάτων, τῶν τε ἐν πενίᾳ καὶ ἀσθενείᾳ
καταπονουμένων, ἐπίσκοπός τις οἷα καὶ φροντιστής, ἐπιμελούμενος·
πατρός τε καὶ[18] κηδεμόνος δίκην τῶν ἀπερριμμένων ἁπάντων τοὺς

— [7] τὰ ἀνθρώπινα ὡς θνητόν W, O; et omnia humana despiciens sicut vitam
mortalem L; τὸν θνητὸν καὶ ἀνθρώπινον P. — [8] ἀτρεμεῖ P. — [9] προσείη W, O. —
[10] ὡς ἂν δέ P. — [11] ἥρως P. — [12] τότε τό P. — [13] καὶ πᾶν τὸ σῶμα om. P; vultum
et universum corpus W. — [14] δέ W, O. — [15] ἀφθείσης P. — [16] οὐδέ P; nihil aliud L.
14. — [1] παραυτίκα P. — [2] αὐτήκα W; αὐτὴ καὶ O. — [3] τῶν μαρτύρων ἑνὶ φιλήματι ἀσπασαμένων W, O; et uno osculo salutasset martyres L; τῶν μαρτύρων τὸν
δῆμον ἐν φιλήματι ἀσπασάμενον P. — [4] ἡγούμενον P. — [5] τῷ προτέρῳ P. —
[6] κεφαλῇ P. — [7] τιμωρίᾳ om. P; βολασθῆναι τιμωρίᾳ O. — [8] ἐπείληπτο P. — [9] αὐτὴ
ἡλικίᾳ καὶ ῥώμη σώματος P. — [10] πλεῖστον P. — [11] λοιποὺς ἀνθρώπους P.— [12] τοῦ
σώματος om. P; tota forma corporis L. — [13] om. W, O.

πόνους καὶ τὰς κακοπαθείας ἀνακτώμενος (ὅθεν εἰκότως πρὸς τοιού-
τοις[14] δὴ χαίροντος Θεοῦ[15] μᾶλλον ἢ ταῖς διὰ καπνοῦ καὶ αἵματος
θυσίαις) τῆς κατὰ τὸ μαρτύριον ἠξιώθη τελειώσεως. Δέκατος οὗτος
ἀθλητὴς σὺν τοῖς εἰρημένοις μιᾷ καὶ τῇ αὐτῇ τετελείωτο ἡμέρᾳ, καθ'
ἣν ὡς ἔοικε μεγίστης τῷ Παμφίλου μαρτυρίῳ πύλης οὐρανῶν διανοι- 5
χθείσης, εὐμαρὴς ἑαυτῷ[16] καὶ ἄφθονος ἡ τῆς τοῦ Θεοῦ βασιλείας ἐγένετο[17] πάροδος.

15. Κατ' ἴχνος δῆτα τῷ Σελεύκῳ Θεόδουλός τις σεμνὸς[1] καὶ θεοσε-
βὴς παρῄει[2] πρεσβύτης, τῆς ἡγεμονικῆς οἰκετίας πρώτης τιμῆς ἠξιω-
μένος τρόπων[3] καὶ ἡλικίας ἕνεκα καὶ διὰ τὸ τριγενεῖ[4] αὐτὸν πατέρα 10
καθεστάναι, καὶ ἔτι μᾶλλον δι' ἣν ἔσωζε περὶ τοὺς κηδεμόνας εὔνοιαν.
Τὸ παραπλήσιον δὴ τῷ Σελεύκῳ καὶ οὗτος διαπραξάμενος καί τινα[5]
τῶν μαρτύρων ἀσπασάμενος φιλήματι, προσάγεται τῷ δεσπότῃ· μᾶλ-
λόν τε ἑαυτὸν τῶν ἄλλων ἐπ' ὀργὴν ὀξύνας, ταὐτὸν τοῦ σωτηρίου
πάθους[6] σταυρῷ παραδοθεὶς ἀνεδέξατο μαρτύριον[7]. 15

16. Ἐπὶ τούτοις, ἑνὸς ἔτι λείποντος, ὃς τὸν δωδέκατον ἀποπληρώ-
σειεν[1] τοῖς εἰρημένοις ἀριθμόν, Ἰουλιανὸς παρῆν τοῦτον ἀποπληρώ-
σων[2]. Ἐξ ἀποδημίας οὗτος αὐτῆς ὥρας ἀφικόμενος μηδὲ εἰσβαλών
πως τῇ πόλει, εὐθέως[3] ὡς εἶχεν ἀπὸ τῆς ὁδοῦ, μαθὼν παρ' αὐτῶν[4]
καὶ ὁρμήσας ἐπὶ τὴν[5] τῶν μαρτύρων θέαν ὡς ἐπὶ τῆς γῆς χαμαὶ κείμενα 20
τὰ τῶν ἁγίων[6] ἐθεάσατο σώματα, χαρᾶς ἔμπλεως[7] γεγονὼς ἑκάστῳ
περιπλέκεται, φιλήματι τοὺς πάντας ἀσπαζόμενος. Ἔτι δὲ τοῦτο πράτ-
τοντα[8] συλλαβόντες οἱ τῶν φόνων διάκονοι προσάγουσι τῷ ἄρχοντι.
Ὁ δὲ ἀνόσιος[9] ἀκόλουθα τῇ προαιρέσει τελῶν μακρῷ[10] καὶ τοῦτον πυρὶ
παραδίδωσιν. Οὕτω δῆτα καὶ Ἰουλιανὸς σκιρτῶν καὶ ἀγαλλόμενος[11], 25
μεγάλῃ[12] τῇ φωνῇ τῷ τηλικούτων αὐτὸν ἀγαθῶν καταξιώσαντι[13] Θεῷ
χάριτας ὁμολογῶν, μαρτύρων ἐν χοροῖς ἀνελαμβάνετο. Ἦν δὲ καὶ οὗτος
τὸ μὲν γένος τῶν[14] Καππαδοκῶν γῆς[15], τὸν δὲ τρόπον πλήρης μὲν

— [14] τούτοις O; τούτοις οἷς P. — [15] χαίρει Θεός P; Deo his magis laetante L; sententiam ita exprimit H, p. 710; πρὸς τοῦ τοῖς (alii τούτοις) τοιοῖσδε μᾶλλον τῶν
διὰ καπνοῦ καὶ αἵματος θυσιῶν χαίροντος Θεοῦ. — [16] ἀμ' αὐτῷ P. — [17] ἐγίγνετο P.
15. — [1] (τ. σ.) σεμνός τις P. — [2] παρείη W, O. — [3] τρόπου P. — [4] τριγονίας P. —
[5] τινας P; et quendam ex martyribus L. — [6] σωτηρίου μαρτυρίου πάθος P, saluta-
ris passionis L. — [7] μαρτύριον om. P; subiit martyrium L.
16. — [1] ἀποπληρώσειε P; ἀποπληρώσει ἐν O. — [2] ἀποπληρώσον (?) W. —
[3] εὐθύς P. — [4] παρά του P; hoc audito L. — [5] τῇ W, O. — [6] μαρτύρων P; sanctorum L. — [7] ἔμπλεος W, O. — [8] πράττοντι W, O. — [9] ἀνόσιος om. P; impius vero
L. — [10] μακρῶν O. — [11] ὑπεραλλόμενος P. — [12] τε add. O. — [13] ἀξιώσαντι P. —
[14] τῶν O. — [15] γῆς om. P.

εὐλαβείας, πλήρης δὲ πίστεως, πρᾷος ἀνὴρ καὶ ἐπιεικής, τά τε ἄλλα σπουδαῖος καὶ πνέων εὐωδίας ἁγίου Πνεύματος. Τοσοῦτον συνοδίας στῖφος[16] σὺν τῷ παμμάκαρι[17] Παμφίλῳ τῆς τοῦ μαρτυρίου τελειώσεως ἠξιώθη.

§ 17. Ἐπὶ τέτταρας δὴ τὰς ἡμέρας τοσαύτας τε νύκτας προστάξει τοῦ Φιρμιλλιανοῦ[1] τὰ πανάγια σώματα τῶν τοῦ Θεοῦ μαρτύρων εἰς βορὰν[2] τοῖς σαρκοβόροις θηρίοις ἐξέκειντο[3]. Ὡς δὲ οὐδὲν αὐτοῖς προσῄει[4] οὐ θήρ, οὐκ ὄρνεον, οὐ κύων, οὐκ ἄλλο τι[5], ἐξ οἰκονομίας Θεοῦ φυλαχθέντα ἀλλὰ καὶ σῶα[6] καὶ ἀβλαβῆ[7], τῆς προσηκούσης τιμῆς καὶ κηδείας
10 λαχόντα τῇ συνήθει[8] παρεδόθη ταφῇ, ναῶν οἴκοις περικαλλέσιν ἀποτεθέντα ἐν ἱεροῖς τε προσευκτηρίοις εἰς ἄληκτον[9] μνήμην τῷ τοῦ Θεοῦ λαῷ τιμᾶσθαι παραδεδομένα, εἰς δόξαν[10] Χριστοῦ τοῦ ἀληθινοῦ Θεοῦ ἡμῶν ᾧ ἡ δόξα καὶ τὸ κράτος ἅμα τῷ Πατρὶ σὺν τῷ ἁγίῳ Πνεύματι νῦν καὶ ἀεὶ εἰς τοὺς αἰῶνας τῶν αἰώνων. Ἀμήν.

Corpora a feris illaesa.

— [16] στέφος P; tauta turba comitatus L. — [17] μακαρίῳ P; beatissimo L.
17. — [1] Φιρμιλιανοῦ W, O. — [2] εἰς βορρἀν W, O; βορά. — [3] ἐξέκειτο P. — [4] προσείη W, O. — [5] οὐκ ἄλλο τι *om.* P; non aliquid aliud L. — [6] φυλαχθέντα ἀλλὰ καί σῶα W, (καί *om.*) O; λειφθέντα σῶα P. — [7] τῇ ῥηθέντα *add.* W, O (*sine* ///). — [8] συνήθη P. — [9] ἄληστον P; ad perpetuam memoriam L. — [10] (εἰς δόξαν — ἀμήν) W, O, L; *om.* P.

S. MACARII

MONASTERII PELECETES HEGUMENI

ACTA GRAECA

---

1. *De S. Macario, hegumeno monasterii Pelecetes in Bithynia, meminit quidem in Actis Sanctorum ad d. 1 aprilis Daniel Papebrochius* (1); *sed cum documenta deficerent, et praeter pauca quaedam ex Menaeis accepta nihil praesto esset, brevi nimis ac ieiuno commentario sancti viri laudes est prosecutus. Ideo S. Macarii Acta, quae in codice Parisino graeco 548, f. 136-154*, leguntur, utpote quae antecessoris nostri opus feliciter compleant, hisce* Analectis *inseruisse iuvabit.*

2. *Acta illa scripsit monachus quidam, Sabas nomine, qui post defunctum Macarium monasterii Pelecetes regimen suscepit. Quod auctor ipse in fine sui libelli docet :* ὁρᾷς ὅσον ἐγὼ τῆς σῆς ἀρετῆς ἀπολείπομαι, ὁ οὐκ ἄξιος τῆς ποίμνης σου διάδοχος· ταύτην μὴ τῇ ἐμῇ εὐτελείᾳ, ἀλλὰ σαυτῷ κατεγχείρισον. *Quomodo autem Sabas opus suum digesserit, patefacit ipse, cum res a patre suo gestas propriis oculis se vidisse testatur :* ἀλλὰ ταῦτα μὲν ... μικρὰ ἐκ μεγάλων, Σάββας, ὁ τῶν σῶν κατορθωμάτων αὐτόπτης, διεξῆλθον; *sed et aliorum testimonia collegit documentaque sibi tradita in ordinem redegit :* ἑτέρῳ μὲν χρησάμενος, αὐτὸς δὲ τὸν λόγον προσθησάμενος. *Sabam istum eundem forsan esse atque cognominem Actorum S. Iohannicii auctorem* (2), *opinatus est vir cl. A. Ehrhard* (3). *Re quidem vera non obstat temporum ratio, cum Macarius inter annos 829 et 842, Iohannicius vero paulo post, anno scilicet 846, vita functus sit. Insuper locorum vicinitas sententiae ab Ehrhard propositae favet; in Bithynia enim sita erant et monasterium Pelecetes et coenobia Olympena, in quibus vitam egerunt tum Macarius, tum Iohannicius. Haec tamen indicia rem non evincunt, quae ex intrinsecis argumentis dirimenda foret. Iam vero modum scribendi auctori Vitae S. Iohannicii proprium minime recognoveris apud scriptorem Actorum S. Macarii, nec talem, mea saltem*

---

(1) *Act. SS.*, April. t. I, pp. 30, 31. — (2) *Ibid.*, Nov. t. I, p. 332-84. — (3) KRUMBACHER, *Byzantinische Litteraturgeschichte*, 2ᵉ edit., p. 198.

sententia, similitudinem inter utriusque stilum deprehendere licet, qualis requireretur ut unum eundemque Sabam fuisse decerneres, qui tum S. Iohannicii, tum S. Macarii res gestas conscripserit.

3. *Longa sint licet et diffusa valde Acta S. Macarii a Saba monacho conscripta, quoniam de miraculis multis enarrandis imprimis sollicitus est, de ipsius Macarii vitae cursu non nisi haec pauca refert. Natus erat Constantinopoli, et a parentibus vocatus Christophorus; quod nomen post assumptam in coenobio Pelecetes vitam monasticam in Macarium mutavit. Aliquot annis elapsis, abbas monasterii renuntiatus, a Tarasio patriarcha (780-806) sacerdos inunctus est. Regnante Leone Armeno (813-820), persecutionem et ipse propter cultum sanctarum imaginum perpessus, in exsilium missus est. Unde revocatus et anno 821 a Michaele Balbo in sui monasterii praefecturam restitutus, postea vero a Theophilo (829-842) in insulam Propontidis maris Aphusiam est relegatus. Ex his igitur habemus vixisse S. Macarium inter annos 780 et 842; sed rarius vitae eius vices strictius definire non licet. Quo anno obierit, non docet Vitae auctor, a quo solam diem mortis comperimus, nempe 18 augusti. Cum quo consentiunt tria kalendaria quae S. Macarium die 18 et 19 augusti recolunt (1), et codex Parisinus in quo Acta S. Macarii repperimus; is enim est menologium mensis augusti et die decimo septimo Macarium commemorat* τῇ αὐτῇ ἡμέρᾳ· ιζ'. *Menaeum vero saeculo XI conscriptum, quod olim erat monasterii Sancti Sabae, nunc autem patriarchae Hierosolymitani, diei augusti 19 S. Macarii commemorationem affigit :* τῇ δὲ ιθ' ἡμέρᾳ πλήρης ὡσαύτως ἀκολουθία ἐψάλλετο μόνον περὶ τοῦ ὁσίου Μακαρίου τοῦ τῆς Πελεκητῆς ἡγουμένου (2). *Nonnulla tamen synaxaria die 1ᵃ aprilis sancti memoriam agunt (3). Quod haec dies colendo S. Macario fuit assignata, inde forsan repetendum est, quod die 1 aprilis translatio reliquiarum alicubi — puta in monasterio Pelecetes — et facta esset, et annuo festo celebraretur.*

4. *De quo monasterio, quod in Bithynia conditum erat atque haud ignobile fuit in ecclesiae byzantinae annalibus, pauca iuverit collegisse. Coenobium* τῆς Πελεκητῆς, *dicatum S. Iohanni theologo, situm erat iuxta oram maris Propontidis quae Ciano sinui adiacet, prope urbem Dascylium. Huius situm ita descripsit nuper scriptor graecus nostrae aetatis Tryphon Erangelides :* Ἡ Μονὴ αὕτη κεῖται παρὰ τὴν θάλασσαν ἐν ῥωμαντικωτάτῃ καὶ συνδένδρῳ θέσει πρὸς τὰ ΜΔ. τῆς Τριγλίας, ἧς ἀπέχει 3,4 τῆς ὥρας (4). *Conditum est monasterium Pelecetes*

---

(1) MARTINOV, *Ann. eccl. gr.-slav.*, pp. 202, 203. — (2) PAPADOPOULOS-KERAMEUS, Ἱεροσολυμιτικὴ Βιβλιοθήκη, t. II, p. 129. — (3) MARTINOV, *op. cit.*, p. 102. — (4) Περί τινων ἀρχαιοτάτων Βυζαντινῶν μονῶν ἐν Βιθυνίᾳ, in periodico Σωτήρ, 1889, p. 275.

anno 709, regnante Iustiniano II; at fundatoris nomen memoriae non est commendatum. Illi praeerat anno 766 Theocteristus, cum nempe in Caena Domini, iubente Lachanodraconte praefecto Asiatici thematis, incendio traditum est coenobium (1). Theocteristo successit Hilarion (2), dein Macarius noster, et tandem Sabas. Ulteriora fata monasterii Pelecetes ignoramus, licet adhuc supersit, re quidem vera pauperum domicilio magis simile quam aedificio ecclesiastico olim opulento.

5. *S. Macarii, hegumeni Pelecetensis coenobii, Acta edimus, ut dictu m est, ex codice Parisino signato n° 548, saeculi XI, quem alibi descripsimus (3). Est menologium mensis augusti, et quidem ex eis quae Metaphrasten non habent compilatorem (4). Ex hoc uno libellum edere cogimur, cum illum nullibi praeterquam in bibliotheca Parisina reppererimus.*

* f. 136.

***ΙΖ′.** Τῇ αὐτῇ ἡμέρᾳ, βίος καὶ πολιτεία τοῦ ὁσίου πατρὸς ἡμῶν καὶ ὁμολογητοῦ Μακαρίου, ἡγουμένου γεγονότος μονῆς τῆς ἐπονομαζομένης Πελεκητῆς, συγγραφεὶς παρὰ Σάββα μοναχοῦ.

Descripta sanctorum vita legentium animos ad virtutes eorum imitandas accendit.

1. Πολλῶν ὄντων ἃ πρὸς ἀρετῆς μίμησιν διανιστᾷ[1] τὸν ἀνθρώπινον βίον, ἕν τι τῶν μεγίστων εἶναί μοι δοκεῖ καὶ πρὸς ταύτην συντεινόντων ἡ τῶν εὖ βεβιωκότων συγγραφομένη ἀκρίβεια. Καὶ γὰρ δι' ὧν ἐκείνοις τὸ ἀδύνατον πρὸς ταύτην παρίστησι, δι' αὐτῶν τοὺς ἔπειτα πρὸς τὸν ὅμοιον ζῆλον ἀνίστησι, καὶ τὴν μὲν μνήμην ἐκείνων ἀθάνατον τίθησι, συνδιαιωνίζουσαν δὲ ταύτην τὴν μίμησιν δείκνυσιν. Διὸ τῶν μὲν χρόνων ὁ δρόμος * παρέρχεται, τῶν πεπραγμένων δὲ τὰ πλήθη διηνεκῶς μένει, μὴ παριππεύοντα τὸ στάσιμον ἔχον τὸ[2] τῷ γράμματι συντηρούμενον. Ταύτης γοῦν ἕνεκα τῆς αἰτίας οὐκ ᾠήθην δεῖν σιωπῇ συγκαλύπτειν τουτονὶ τὸν ἐκ μετεώρου μὲν τῆς ἀρετῆς θεσπέσιον φωνοῦντα βίον καὶ οἷον ἠχήν τινα ἐξάκουστον δι' ἔργων τῇ ὑψηλίῳ ἐκπέμποντα, τὸ μὴ λέγεσθαι δὲ πρὸς ἕλκυσιν τὸν τῆς φθογγῆς τόνον ὑπαγομένην. Οὐδὲ γάρ λόγου ἄξιον καθέστηκεν τῶν περὶ τὸ σῶμα ἐπτοημένων καὶ δόξης ἕνεκα τῆς προσκαίρου περί τι τῶν ταπεινῶν

* f. 136ᵛ

---

[1] *Exspectes* διανίστησι. *Forsan derivata est forme* διανιστᾷ *ex verbo* διανιστῶ. — [2] *Cod.* ἔχοντα.

(1) *P. G.*, t. C, p. 1165. — (2) *Acta SS.*, Mart. t. III, p. 731-33. — (3) *Catal. cod. hagiogr. graec. bibl. nat. Paris.*, p. 16-19. — (4) A. Ehrhard, *Die Legendensammlung des Symeon Metaphrastes*, in Festschrift zum elfhundertjaehrigen Jubilaeum des deutschen Campo Santo, p. 79.

ἠνδρισμένων λογογραφεῖσθαι μὲν τὰς πράξεις, ἀνιστορεῖσθαι δὲ τοὺς
ἀγῶνας, τῶν δὲ γενναίων τῆς ἀρετῆς ἀγωνιστῶν, ὧν ὁ μισθὸς αἰώνιος
καὶ τὸ κλέος ἀθάνατον σιγῇ συγκαλύπτεσθαι τῶν παλαισμάτων τὰ
σκάμματα πολλοὺς ἕλξειν πρὸς ἑαυτὰ τὸ λέγεσθαι δυνάμενα. Διὸ μὴ
5 κατοκνοῦντες πρὸς τοῦτο τὴν ὁρμὴν κατευθύνομεν. Ἀρχέτω δ᾽] ἡμῖν
ἐντεῦθεν ὁ τῆς ὑποθέσεως λόγος, ἐκείνοις τὸ πλέον ἐπιφερόμενος, οἷς
ἀφορμὴ τοῦ λέγειν ὁ προκείμενος γέγονεν. Πάντως δὲ ταῦτα νοεῖται,
τὰ δι᾽ ὧν ὁ τῆς ὕλης ἀλλότριος χαρακτηρίζεται βίος. Οὐδὲ γὰρ τοῖς ἐκ
σώματος καὶ σαρκὸς πλεονεκτήμασιν ὁ παρὼν συνεργούμενος, εἰ τὸ
10 ἐξάκουστον εἴληφεν, εἰ τὴν πρὸς τὸ θεῖον ἀνάβασιν ἔσχηκεν, ἀλλὰ τῆς
ἀσωμάτου δρα*ξάμενος ἐν σώματι πολιτείας τὸ κλέος ἐν ἀμφοτέροις
ἠνέγκατο. Οὔκουν οἷς ἐπιτηδείως πρὸς τὴν ἀρετὴν ἐχρήσατο ἐνὸν τούτοις καὶ τὰς τῶν λόγων συναύξεσθαι μεθόδους, τὰς δὲ ἄλλως ἐχούσας
ὡς ἐναντίας οὔσας πρὸς τὴν τῶν ἀμεινόνων ἀνάβασιν εὐλόγως
15 περιοπτέον.

2. Οὗτος τοιγαροῦν ὁ θεσπέσιος ἀνὴρ τὴν τῆς πατρίδος καὶ γένους
εὔκλειαν, εἰ δεῖ καὶ τούτων ἐπιμνησθῆναι, οὐκ ἀνώνυμον ἔσχεν, οὐδὲ
μέχρις ὀλίγον ταῖς κοσμικαῖς φήμαις περιᾳδομένην, ἀλλὰ πλείστοις εἰ
καὶ τοῖς ἅπασιν τὸ ἑκάτερον τούτων ἐπίσημον ἴσως τετίμηται. Πατρὶς
20 μὲν γὰρ ἦν αὐτῷ τὸ Βυζάντιον, ἡ καὶ ταῖς ἄλλαις πατρίσι τὸ εὐκλεὲς
οἴκοθεν παρερχομένη τῷ κράτει τῆς βασιλείας καὶ τῷ παγίῳ τῆς εὐσεβείας. Πατέρες δὲ τούτῳ οὐκ ἀγενεῖς γεγονότες, μεῖζον τὸ περιφᾶνὲς
εἰσέτι δι᾽ αὐτὸν ἐπορίσαντο. Ταῖς γὰρ δοκούσαις βασιλικαῖς ἀξίαις
τετιμημένοι οὐ στάσιμον ἐχούσαις, τὸ τῆς μνήμης ἐξάκουστον, τῇ τού-
25 του ὑπερκοσμίῳ τιμῇ, τὸ ἀείμνηστον ἀπειλήφασιν. Ὧν γὰρ τὸ κλέος
ἀθάνατον, τούτων ἡ μνήμη ἀκατάλυτος, ὡς ἔμπαλιν ὧν οὐ μόνιμον τὸ
τῆς δόξης, τούτων τὸ τῆς μνήμης εὐσκέδαστον. Τούτων τοίνυν ὁ ἀοί-
διμος κομιδῇ νέος ὢν ἀπορφανισθείς, παρά τινι τῶν συγγενῶν τὰ τῆς
νηπιότητος ἐπαιδαγωγεῖτο, ὃν θεῖον ἡ συνήθεια καλεῖν εἴωθεν. Ἐπεὶ δὲ
30 ἐπιτηδείαν ὁ χρόνος πρὸς μαθημάτων ἀνά*ληψιν τὴν φύσιν παρέστη-
σεν, ἀρχὴν [1] ἔπειτα προυβάλλετο οὐχ ὑφειμένην μέν, οὐδ᾽ ἀτονωτέραν,
οὐδὲ κατ᾽ αὐτὴν τὸ δύσκολον ὑπεμφαίνουσαν, νεαρὰν δὲ καὶ σύντονον
καὶ τῷ προθύμῳ τῆς τῶν τελείων οὐκ ἀπολειπομένην ἀναβάσεως. Ἃ
γὰρ ἑτέροις ἐκ τοῦ χρόνου προσγίνεσθαι πέφυκε κάλλιστα, ταῦτα
35 φύσεως τάχει καὶ σπουδῆς ἐπιτάσει τῷ παρόντι συνέβαινεν, καὶ ὧν

---

[1] *Cod.* ἄρχειν.

δυσπόριστος ἡ συλλογὴ τοῖς ἄλλοις καθέστηκεν, εὐπορίστως τούτῳ ταῖς
ἐπιμελείαις ἐδείκνυτο. Ἐπεὶ δὲ τῶν ἁπάντων ἐφήψατο, καὶ ὡς ἐφικτὸν
ἐκ τούτων τὰ χρήσιμα συνελέξατο, τῶν θύραθέν φημι, καὶ τοὺς νέους
πρὸς τὰ κρείττονα χειραγωγούντων, τοῖς ὑψηλοτέροις καὶ ἡμῶν τὴν
σχολὴν ἀπένειμεν ἅπασαν · καὶ γὰρ ἐκ τούτων ὁ βίος σὺν τῷ λόγῳ 5
ῥυθμίζεται καὶ τὸ κάλλος τῶν νοημάτων τρανῶς ἀναφαίνεται, εἴτε πρὸς
τὴν μακραίωνα ζωὴν πορεία δι᾽ αὐτῶν ἀνιχνεύεται. Οὕτω μὲν οὖν
συναύξων τῇ γνώσει τὴν εὐσέβειαν ἧττον τὸ τῆς ἡλικίας μέγεθος τῶν
κατορθωμάτων Χριστοφόρος ἐνέφαινεν · τοῦτο γὰρ αὐτῷ τοὔνομα τῶν
κυρίων ἐτέθειτο, ᾧ σύνδρομον τῆς κλήσεως τὴν χρῆσιν προσήρμοσεν. 10
Ἐπεὶ οὖν τ᾽ ἀδελφῷ πειθόμενος πρὸς μέρει τινὶ τῆς ἔψας τῆς πόλεως
ἀπαίρειν, πρὸς τῷ γάμῳ συμπράττειν ἠνάγκαστο, τῷ βιασαμένῳ μὲν
πέρας εἶχε τὸ βούλευμα. Αὐτὸς δὲ τούτων ἀπαλλαγεὶς καὶ τῶν δι᾽ ὧν ἡ

αἴσθησις τὸ διαυγὲς τοῦ νοῦ περισκοτίζειν εἴωθεν ἐκφυ*γῶν, δωμάτιόν
τι σμικρότατον αἰτήσας, ἔνθ᾽ ἱερὸν τέμενος ἦν, προσπελάζων, τῷ ἱερεῖ 15
μόνῳ προσωμίλει, μηδενὶ τῶν λοιπῶν τὴν πρὸς αὐτὸν διατριβὴν συγχω-
ρῶν. Ἤδει γὰρ σαφῶς ὡς αἱ συντυχίαι τῶν παρόντων τὴν τῶν μελλόντων ὑποχαυνοῦσιν ἐπιμέλειαν · καὶ πολλάκις εἷς λόγος ἐμπεσὼν κοσμι-
κὴν ἐκδιηγούμενος ἀσχολίαν πλείστων κατορθωμάτων τὸν τόνον
ἐξέλυσεν. Ἔνθα δὴ σφαλερὰ μὲν ἡ τῶν ὀμμάτων ἀνάληψις, οὐκ ἀσφα- 20
λὴς δὴ τῶν ἀκουσμάτων ἐνήχησις γίνεται, ἀεὶ τῇ φαντασίᾳ τὸν νοῦν
ὑποκλέπτουσα καὶ τῇ μνήμῃ τῶν συμπιπτόντων τὰς ἀρετὰς ὑποτέ-
μνουσα.

3. Τούτων τοίνυν ἀποδιδράσκων ὁ ὅσιος τῆς τῶν πολλῶν συνουσίας ἑαυτὸν ἀπεῖργεν. Ἐπειδὴ δὲ πόθῳ τοῦ μονήρους ἐτέτρωτο βίου, 25
τὸ μὲν πρᾶγμα συνέχων ἔνδον ἐπέκρυπτε, τὸ ἐπιτήδειον δὲ πρὸς τὴν
τούτου ἔκθεσιν ἐπεζήτει. Καὶ δὴ πρὸς τὸν σκοπὸν ἐπιτηδείως ἔχοντα
τὸν συνόντα σκοπήσας ἱερέα, ὡς εἶχεν ἅπαντα γνώμης αὐτῷ [1] φανε-
ρῶς ἀνατίθεται. Ὁ δὲ τὸ τοῦ νέου πρόθυμον κατιδὼν [2] καὶ τὸ πρὸς
ἀρετὴν αὐτοῦ εὔψυχον ἐκθαυμάσας σύμβουλος οὐκ ἀδέξιος αὐτῷ γίνε- 30
ται, μηνύει τε τὸν τόπον ὃν ὁ λόγος ἐπεζήτει, φύσιν καὶ θέσιν καὶ
διατριβὴν αὐτῷ τοῦ χωρίου σημάνας, καὶ τὴν ὁρμὴν ἀναπληροῦν αὐτῷ
τῆς φύσεως ἐπήγγελτο. Τοῦτο τοίνυν πλέον τὸν νέον πρὸς τὸν πρό-
δρομον ἐξώπλισεν · διὸ πρὸς τὸν λεχθέντα χῶρον τοῦτον ὡδήγησεν.

Ἰδὼν [3] οὖν αὐτὸν ὁ νεανίας οὐκ ἐ*λάττονα τοῦ λόγου τὴν θέσιν 35

---

[1] *Cod.* αὐτό. — [2] *Cod.* κατειδών. — [3] *Cod.* Εἰδών.

ἔχοντα, μείζονα δὲ τῶν ῥηθέντων τὰ πράγματα φέροντα, οὐκ ἄλλον εἶναι τὸν ἐπιτήδειον πρὸς τὴν τοῦ σκοποῦ πλήρωσιν κέκρικεν, ἢ τοῦτον ὡς Θεοῦ συνεργίᾳ τὴν δήλωσιν ἔχοντα. Καὶ γὰρ ἦν ὡς ἀληθῶς αὐτῇ μόνον τῇ θέᾳ τὸ χρήσιμον ὑποφαίνων καὶ σχεδὸν ἐξ ἑαυτοῦ τὴν τῶν μοναζόντων ὑποσημαίνων εὐλάβειαν· εἰς ὕψος μὲν γὰρ ἑκατέρων τῶν μερῶν ἦρται πέτραν μίαν τὴν ἄνοδον, καὶ ταύτην οὐκ ἄμοχθον ἔχουσα, ἀνῳκισμένη δὲ πάντων πρὸς αὐτὴν κοίλων, ἀκραιφνέστερον τὸν ἀέρα εἰσδέχεται λεία τε τὰ πέριξ τυγχάνουσα καὶ εὔτορνος πελεκητήν (1). Προθυμίᾳ τὸ μηνυθὲν κατειληφὼς ἀσκητήριον, οὐχ ἧττονι παρὰ τῶν ἐνοικούντων εἰσεδέχθη γνώμῃ· ἡ γὰρ θεόθεν αὐτῷ γεγενημένη κρίσις ῥᾳδίαν τὴν ἔκβασιν τῶν μελλόντων ἐτεκμείρατο. Ταῦθ’ ὁ πάντα πρὸς τὸ συμφέρον διεξάγων Θεὸς ᾠκονόμησεν, ταύτην τὴν ὁδὸν πρὸς εὐκολίαν αὐτὸς ηὐτρέπισεν, ταύτην ἀνεπιστρόφῳ λογισμῷ τὸν νέον βαδίζειν κατηύθυνε. Διὰ ταύτης αὐτῷ τῶν μελλόντων ἀγώνων πραγματωδῶς ὑπηνίξατο πέρας. Ἐπεὶ δὲ ἐν τούτῳ μονοτρόπως εἰπεῖν σὺν τοῖς παροῦσι κατῳκίσθη, αὐτίκα τὸ πλεονεκτεῖν ἐν τοῖς ἀγῶσιν αὐτοῖς ἐπεχείρει, ὃ καὶ εἰς ἔργον ἐξήνεγκεν. Ἁπάντων γὰρ τῶν κατορθωμάτων ἀρετὴν κρατήσας σεμνὸς ἦν εὐθὺς ἐκ προοιμίων, ἔργῳ τὸ ἀσύγκριτον παρα*γυμνώσας τοῖς ἁμιλλωμένοις, καὶ τοὺς μὲν ὑφειμένους ὑπερβάλλων. Ἑνὶ δὲ τῷ πάντων δοκούντων κρατεῖν ἐπιφυεὶς Ἰωάννῃ τοὔνομα, οὐκ ἐρισμοῦ χάριν, ἡνίκα γὰρ ὁ νέος τῇ προθυμίᾳ, ἀλλὰ τύπου τῆς τῶν μοναζόντων ἕνεκα, τάξεως καὶ κανόνος εἰδήσεως σὺν τούτῳ τοὺς πόνους διήνυσεν. Διὸ σὺν ἅπασι τὸ πρὸς ταῖς ἱεραῖς αὐτοῦ βίβλοις ἔμμονον ὁ προεστὼς κατιδών, τὴν τούτων γραφὴν αὐτῷ ἐνεχείρισεν· τῷ καὶ πρὸ τούτου τὴν μελέτην κατεξαίρετον ἐν ταύταις ποιουμένῳ τῶν γὰρ καθ’ ἡμέραν ἀγώνων τὸ τέλος ἡ τῶν θείων λογίων διεδέχετο ἄσκησις. Ἀεὶ ἀπ’ ἐκείνων εἰς αὐτὴν καὶ ἀπὸ ταύτης εἰς ἐκεῖνα μεταβαίνοντος, ἦν αὐτῷ ἀμφοτέρων ἀνένδοτος ἡ ἐπιμέλεια, ξυνωρίς τις πρὸς ἴσον τοὺς ἀγῶνας ἀνθέλκουσα, καὶ δύο πρὸς ταῦτα τὴν ὄνησιν φέρουσα· τὸ μὲν γὰρ σῶμα τοῖς πόνοις ἐδοκιμάζετο, ἡ δὲ ψυχὴ τοῖς λόγοις κατερυθμίζετο.

4. Ἐπειδὴ δὲ πρὸς ἅπαν μὲν τὸ προκείμενον εὐδοκιμήσας, ἁπάντων δὲ τὴν πεῖραν ἐκμελετήσας, κοινὴν παρὰ πάντων εἰσδέχεται ψῆφον τὸ ἀγγελικὸν τῶν μοναζόντων περιβαλέσθαι σχῆμα. Οὕτω μὲν οὖν Χρι-

* f. 139

exima, propter
eximiam
sanctitatis
famam,

(1) Hic habes monasterii τῆς Πελεκητῆς, de quo in prolegomenis diximus, etymon nominis et rationem cur vocabulum istud, quod latine est monasterium dolateria, acceperit.

abbas mox renuntiatur.

στοφόρος τὴν θείαν στόλην περιβαλλόμενος, Μακάριος τὴν κλῆσιν ἀντονομάζεται, ὅρῳ καὶ νόμῳ τῶν μοναζόντων(1), οὕτως ἐχόντων τὰς προσηγορίας ἀμείβειν τῶν πρὸς τοὺς ἀγῶνας ἀποδυομένων· καὶ οὐκ ἀπεικότι γε λόγῳ, οὐδὲ τῷ τυχόντι, θείῳ δὲ μᾶλλον ἔθει καὶ κανόνι, τοῦτο συμβαί*νει. Καὶ γὰρ ἡ τῶν ὀνομάτων ἐναλλαγὴ τὴν τῶν τρόπων 5 σημαίνει μεταποίησιν, καὶ τὴν τῶν χαρισμάτων μεταλήψιν, τήν τε πρὸς τὸ θεῖον οἰκείωσιν καὶ τὴν τῶν γηΐνων ἄρνησιν ὑπαινίττεται[1], αὐτοῦ πρὸς ἐγγύτητα τοῦ Θεοῦ τοὺς προσιόντας καταλέγοντος. Καὶ καθάπερ ἐπ' ἀνθρώπων συμβαῖνον ὁρᾶται, ὁπηνίκα νεωνήτους οἰκέτας ἔνδον εἰσάγονται, κἂν τῆς αὐτῶν θρησκείας τύχωσιν ὄντες, ἔθος τὴν τῶν 10 ὀνομάτων πρὸς τὸ αἱρετὸν ἑκάστοις μετάγειν κλῆσιν τῶν προτέρων μὲν κυρίων τὴν ἀπαλλαγὴν καὶ τὴν πρὸς αὐτοὺς καταλλαγὴν ἐντεῦθεν ὑπεμφαινόντων, ταὐτὸ καὶ ἐπὶ τῶν μεταποιουμένων τοῦ κόσμου καὶ τῷ Θεῷ προσοικειουμένων εἰκότως ἂν νοεῖτο. Οὕτω γὰρ τὸν Ἀβραὰμ(2) ὁ Θεὸς μετακαλέσας, τῇ μιᾷ τῆς συλλαβῆς προσθήκῃ τὴν πρὸς ἑαυτὸν 15 οἰκείωσιν καὶ τὴν τῶν χαρισμάτων ἐπίδοσιν αὐτῷ παρεδήλωσεν. Οὕτω τὸν Ἰακὼβ Ἰσραὴλ μετωνόμασεν καὶ τὴν ἐγγύτητα[2] τοῦ ὁρατικοῦ αὐτῷ κατεσήμανεν. Τὸν αὐτὸν τρόπον τὸν Σίμωνα Πέτρον μετακέκληκεν, μυστηρίων ἀρρήτων αὐτῷ ἐγχειρίζων τὴν δήλωσιν. Οὕτω τὸν Σαῦλον Παῦλον μετέθηκεν τῇ τῆς κλήσεως ἐναλλαγῇ, τὴν ἐξ ἀσεβείας 20 πρὸς εὐσέβειαν μεταποίησιν αἰνιττόμενος. Οὕτω δὲ καὶ τοὺς ἀποστόλους οὐκ ἐν ὀλίγοις ὁρῶμεν τὰς τῶν ὀνομάτων μεταποιήσεις τοῖς προσιοῦσι διανέμοντας[3], ἐντεῦθεν τὴν μεταβολὴν αὐτοῖς πρὸς τὸ θειότερον ὑπεμφαίνοντας. Καταλεγεὶς οὖν Μακάριος * εἰς τὸν χορὸν τῶν ἁγίων, τὸ σχῆμα δι' ὧν ἐνήργει τοῖς ἀληθέσι διεβεβαίου τρόποις, 25 καὶ τὴν στολὴν τοῦ μονήρους τῇ ἔνδον φαιδρότητι κατεκόσμει, μᾶλλον ταύτην ἢ τὴν ἔξω καταρυθμίζων σεμνότητα. Ἐπεὶ οὖν τὰ πρωτεῖα τῶν ἀγώνων παρὰ τοῖς συνοῦσιν ἄγων ὡρᾶτο, τοῖς τῆς ἐκκλησίας τύποις διακονεῖν ὑπ' αὐτῶν κατεψηφίσθη. Οὕτω τοίνυν τοῦ κανόνος ἄρχειν ἐπιτετραμμένος πρὸς οὐδὲν ἄλλο τὸν νοῦν ἀπησχόλει, πλὴν τῆς προκει- 30 μένης καὶ μελετωμένης τῶν θείων λειτουργίας. Διὸ τοὺς ὀφθαλμοὺς

---

[1] *Cod.* ὑπενήττεται. — [2] *Cod.* ἐγγοήτητα. — [3] *Cod.* διαμένοντας.

(1) Istius monasticae consuetudinis plura praesto sunt exempla; cf. *Anal. Boll.*, t. XIV, p. 153; *Mélanges d'archéologie et d'histoire de l'École française de Rome*, t. XVII, p. 49. Sed Christophorus assumendo nomen Macarii consuetam legem non omnino servavit; siquidem lex erat ut novi nominis prima littera eadem esset ac prima littera prioris. — (2) In margine eadem manu Ἄβραμ.

συμμέτρως ὁρᾶν τὰ πρὸς τὴν χρείαν ἐπαιδαγώγει, τὴν ἀμετρίαν τῆς
θεωρίας λοίμην εἶναι τοῦ νοῦ λογιζόμενος, ἀκοῇ δὲ λόγους ἐκείνους
συνεχώρει βατοὺς εἶναι μόνους, οἷς εἴωθεν τὸ θεωρητικὸν τῆς ψυχῆς
πρὸς τὴν ὑψηλοτέραν μεταβαίνειν θεωρίαν. Τί γὰρ τὸ συμμεμετρημέ-
5 νον αὐτοῦ τῆς πορίας, ἤ τὸ εὔτακτον τῆς κινήσεως πρὸς ὅμοιον παρα-
δείξει; Τίς τὸ βραχὺ τῆς σιτήσεως αὐτοῦ, μᾶλλον δὲ δίκαιον φῆσαι,
τῆς ἀσιτίας, παρὰ τοῖς ἐπαιρουμένοις ἐν τούτῳ πρὸς Ἴσον ἀντιπαρα-
στήσει, ᾧ σταθμῷ μὲν ὁ ἄρτος, οὐκ ἄμετρος δὲ ἡ τοῦ ὕδατος ὑπουργία
προσῆν, κἄν ἀνάγκη τις τῶν ὁσημέραι συμπιπτόντων κατήπειγεν; Καὶ
10 γὰρ ὡς πολεμίῳ τῷ σώματι πρὸς παλαίων ἀεὶ πρὸς τὸ νενομισμένον
τούτῳ κατέστελλεν, μὴ ἐῶν ἀποσκιρτᾶν καὶ τὸ μέτρον ὑπερβαίνειν, μηδὲ
ταῖς * ἀνάγκαις τὸ παράλογον προφασίζεσθαι. Τίς τὴν τῶν δακρύων
αὐτοῦ πηγὴν ἤ λόγῳ παραστήσειεν, ἤ τῇ διανοίᾳ ἀντεξετάσειεν, ὡς
φέρε εἰπεῖν πολλῶν ἐν τούτοις θαυμαστωθέντων, μηδένα πρὸς σύγκρι-
15 σιν τοῖς καθ' ἐκάστην ὀχετηδὸν ἐκχεομένοις αὐτοῦ δακρύοις παραβάλ-
λεσθαι, ποταμοὺς ὡς ἀληθῶς ἀένναα ῥέοντας τοὺς ὀφθαλμοὺς εἶχεν; Ἐξ
ὧν ψυχῆς καὶ σώματος τὴν ἄρουραν καταπιαίνων πολύχουν τῶν ἀρετῶν τοὺς καρποὺς κατεδρέπετο, ἐν τούτῳ τῶν μακαρισμῶν ὁ λόγος
πεπλήρωται. Διὸ καὶ τῷ χορῷ τῶν παρακαλουμένων κατέλεκτο·
20 ὄντως γὰρ μακαριστὸς καὶ τῆς τοῦ Θεοῦ παρακλήσεως ὁ θαυμαστὸς
οὗτος καθέστηκεν, ἄπαντα τὸν ἑαυτοῦ βίον θρῆνον χαρᾶς πρόξενον
ἐργασάμενος καὶ μηδενὶ τῶν μετεωριζόντων τὸ στερρὸν ὑποκλαπεὶς
τῆς διανοίας. Τούτου τοίνυν τὸ πάγιον πρὸς ἀρετὴν ὁ τῶν πατέρων
χορὸς κατιδών, οἰκονομεῖν αὐτῷ τὰ τῆς ποίμνης ἐνεχείρισεν, οὐ βουλο-
25 μένῳ μὲν οὐδὲ θέλοντι, βίᾳ δ' οὖν ὅμως πρὸς τοῦτο κατηνάγκασεν· οὐ
πλείστου δὲ τοῦ μεταξὺ διαδραμόντος χρόνου, καὶ τὴν ἡγεμονίαν τῇ
αὐτῇ τῶν προτρεπομένων διαδέχεται βίᾳ. Ταύτης δ' ἄκων λαβόμενος
τὴν πρὸς ἀρετὴν ἐπίτασιν εἰς ἑαυτὸν ἐριστικῶς περιΐστησιν. Ἐπειδὴ δὲ
ἀσύγκριτος ἦν πρὸς ἄπαντας τοὺς συγκάμνοντας, ἑαυτὸν ὑπερβαίνειν
30 τοῖς κόποις ἐφιλονείκει, καὶ τόσῳ προέχειν τῶν φθάσαντων ἀγώνων
ἐπέσπευδεν ὅσον ἰδιωτῶν * ὁ προεστὼς ὑπερανέστηκεν τῇ τάξει. Οὕτω
Μακάριος ἀπρόσιτος μὲν ὤφθη τοῖς ἔξωθεν παραβαλλομένοις, ἀνεξέ-
ταστος δὲ πρὸς ἑαυτὸν τοῖς καθ' ἑκάστην ἐπιγιγνομένοις ἀγῶσιν
ἐδείκνυτο. Ἐντεῦθεν αὐτῷ δαιμόνων ὑποταγὴ καὶ χάρις ἰάσεων περιγί-
35 νεται, ἐντεῦθεν αἱ τῶν χειρῶν αὐτοῦ ἐπιθέσεις τὰς νόσους ἐφυγάδευον,
ἐντεῦθεν περιβόητος τῇ ὑψηλίῳ γενόμενος, εἰς ἑαυτὸν πάντας τοὺς
ὅπως οὖν ψυχὴν καὶ σῶμα νοσοῦντας συνῇγεν κατάλληλον, τούτοις τῆς

χρείας τὴν ἰατρείαν παρέχων, τοῖς μὲν γὰρ λόγῳ, τοῖς δὲ ἔργοις τὴν
θεραπείαν ἐπραγματεύετο.

5. (1) Ἐπεὶ δὲ μεγάλης τῆς φήμης ἐνηχηθείσης, πάντες εἰς ἑαυτὸν
συνέρρεον οἱ πάθεσιν ὀχλούμενοι, καὶ τῆς ἀπαλλαγῆς τούτων οὐκ ἀπε-
τύγχανον. Μεθ' ὧν τις τῶν λίαν περιδόξων καὶ παρὰ βασιλεῦσι τὰ πρῶτα 5
φερόντων Παῦλος τοὔνομα (2), οὗ πατρίκιον τὴν ἀξίαν οἱ Ῥωμαίων
βασιλεῖς καλεῖν εἰώθασιν. Ὅστις πατρίκιος δι' ἐπιτηδειότητα καὶ
περιφάνειαν στρατηγεῖν τὸ τηνικαῦτα πρὸς τοῦ κρατοῦντος τῆς παρα-
κειμένης χώρας ἐτέτακτο. α'. Οὗτος τοίνυν χαλεπῷ νοσήματι συσχεθεὶς
ἀνιάτως τὸ σῶμα διέκειτο, καίτοι τῶν πρὸς ἰατρείαν ἐπινοουμένων πολ- 10
λῶν ὄντων, ὧν τὴν χρείαν ὁ πλοῦτος ἀφθόνως ἐπόριζεν. Ἐπεὶ οὖν πάντων μὲν ἀνόμιτος τῶν προσαγομένων ἡ πεῖρα τούτῳ συνέβαινεν, πρὸς
ἀπορείαν δὲ τὰς τῆς * ὑγιείας ἐλπίδας κατήπειγεν, τὸν ἄμοχθον ἰατρὸν
ἐπικαλεῖται καὶ αὐτῷ τὰ τῆς σωτηρίας θεόθεν ἔχοντα· τὸ δύνασθαι
ἀνατίθεται. Ὁ δὲ Μακάριος φιλανθρώπως ἔχων πρὸς τοῖς αἰτοῦσιν, 15
αὐτὸς ἑαυτῷ τὰ τῆς ὁδοιπορίας ἐπέτρεψεν. Οὐδὲ γὰρ οἷόν τε ἦν τὸν
κάμνοντα χαλεπῶς τῷ σώματι διακείμενον ἐκ τόπου εἰς τόπους ἀναί-
ρειν. Καταλαβὼν οὖν ὁ ὅσιος τὸν χῶρον ἔνθα ὁ νοσηλευόμενος κατέ-
κειτο, καὶ τὴν συνήθη πρὸς αὐτὸν εὐχὴν ποιησάμενος ὑγιῆ τοῦτον
αὐτίκα καὶ τῷ πάθει ἀνενόχλητον ἴασεν. Τοῦτο τῶν τοῦ Μακαρίου 20
πόνων τὸ χάρισμα, αὕτη τῶν ἀπείρων ἱδρώτων αὐτοῦ ἡ ἐπικαρπία,
τοῦτο τῶν μελλόντων αὐτοῦ μισθῶν τὸ προοίμιον, τοῦτο τῶν αἰωνίων
ἐλπίδων αὐτοῦ τὸ τεκμήριον. Καὶ γὰρ δι' ὧν ἐνταῦθα τοὺς ἁγίους ὁ
Κύριος δοξάζει, δι' αὐτῶν αὐτοῖς τὴν τῶν προσδοκωμένων ἀλήθειαν
ὑπεμφαίνει καὶ τεκμηριοῖ διὰ τῶν παρόντων τὰ μέλλοντα, σημεῖον 25
ἀναμφίβολον τῶν ἐκεῖσε προσδοκωμένων τὴν τῶν παρόντων ἀπόδειξιν
παρεχόμενος.

6. β'. Παύλου τοίνυν ἰαθέντος, μικρὸν ὕστερον τὴν αὐτοῦ γαμετὴν
οὐχ ἥττω συμβέβηκεν περιπεσεῖν νοσήματι. Ἀπρακτούντων οὖν κἄν
τούτῳ τῶν ἰατρικῶν βοηθημάτων, πάλιν ἐπὶ τὸν ὅσιον καταφεύγουσιν, 30
καὶ τούτῳ τὰ τῆς ἰατρείας ἀναμφιβόλως καταπιστεύουσιν. Ὁ δὲ τῆς
ὑπακοῆς τρόφιμος ἀεὶ ταύτῃ συνδιαιτώμενος πρὸς ἀναβολὴν ταύτην

(1) Hic incipit narratio miraculorum a Macario patratorum, quae infra tantum
(lin. 9) in codice signatur verbis in margine dextera eadem manu appositis Ἀρχὴ
θαυμάτων, in sinistra vero numero α'. — (2) Paulus iste patricius ille forsan est de
quo Theophanes, *Chronographia*, ed. DE BOOR, t. I, p. 473, meminit ad annum 799.

οὐκ ἔθετο. Διὸ πρὸς τῇ βασι*λίδι (1) στέλλεται· καὶ γὰρ ἔτυχεν ἐκεῖσε *f. 142
τὸ γύναιον διατρίβον τῷ πάθει περιπεσεῖν. Παραγενόμενος οὖν τὴν
ὁμοίαν εὐεργεσίαν τῷ ἀνδρὶ καὶ τῇ βοηθῷ δι' εὐχῆς ἰασάμενος παρέ-
σχετο. Μεθ' ἣν τοῦ λόγου διαφοιτῶντος, καὶ τῇ Θεογνώστου συνεύνῳ
τῇ αὐτῇ Παύλου βασιλέως προστετιμημένου [1] ἀξίᾳ, ὑδερώτου [2] ἀνθρω-
πίνως ἀνίατα φέροντος τὰ σημεῖα, περιπεσούσῃ θείᾳ χάριτι συνεργούμενος τὴν τοῦ πάθους ἀπαλλαγὴν δεδώρηται. Οὕτω τοίνυν Μακάριος
πᾶσιν αἰδέσιμος ἦν, οὐ μᾶλλον τοῖς σημείοις ἢ τῇ περιβολῇ τῆς ἀρετῆς
λαμπρυνόμενος, δι' ὧν τε πραγμάτων ἐνήργει, τὸ σεμνὸν τοῦ ἀξιώμα-
τος ἐδήλου.

7. γ΄. Ἐπεὶ δὲ πρὸς Ταράσιον (2) τὸν ἀρχιποίμενα τοῦ περὶ αὐτὸν A Tarasio
sacerdos
inungitur.
λόγου ἀναδραμόντος καὶ πλείστου διὰ τῶν ἔργων ὧν ἔδρα ὁ ἅγιος
ἐνηχουμένου, οὐκ ἀγαθὸν ἀμοιρεῖν τῆς τούτου θέας ἑαυτὸν ὁ ἀρχιερεὺς
κέκρικεν. Διὸ μεταστειλάμενος αὐτόν, τόν τε πόθον ἀφοσιοῦται καὶ τὴν
ἡγεμονίαν ἐπικυροῖ, καὶ πρὸς ταύτῃ τὴν τοῦ διαβόλου χειροτονίαν
ἐκβιάσας αὐτῷ ἐπιτίθησιν. Ὁ δὲ καίτοι τυραννηθείς, εἶξε τῷ κελεύοντι
καὶ οὐκ ἀντέφησε τῷ ποιμένι. Ἐπανελθὼν οὖν Μακάριος πρὸς τὴν
οἰκείαν ποίμνην, ἱερωσύνῃ καὶ τοῖς λοιποῖς [3] χαρίσμασι κεκοσμημένος,
μᾶλλον τὴν τῶν ἀγώνων ἐργασίαν ἐπέτεινεν, ἀεὶ τοῖς πόνοις πόνους
ἐπιτιθείς, καὶ ἱδρῶσιν ἱδρῶτας καταμιγνύς. Διὸ σὺν τῇ τελείᾳ ἱερωσύνῃ
καὶ μειζόνων θαυμάτων * ἐπίδοσιν εἴληφεν· δίκαιον δὲ μηδὲ ἐκεῖνο *f. 142v
παραλείπειν μέγα τε ὂν καὶ τὴν ἀκοὴν ἰσχύον καταπλήττειν, οὐ μέντοι
πρὸς ἀπιστίαν τὸν ἀκροατὴν ὑπάγειν διὰ τὸ τὴν ἐνεργοῦσαν ἄπειρον
εἶναι δύναμιν καὶ μὴ συνταπεινοῦσθαι τοῖς ἀνθρωπίνοις λογισμοῖς. Τὰ
γὰρ θεόθεν ἐνεργούμενα πράγματα διαδιδράσκει τῶν στοχασμῶν τὴν
ἐξέτασιν.

8. δ΄. Ἀνὴρ γάρ τις τῶν οὐκ ἄποθεν τοῦ μοναστηρίου προσκειμένων, Puero
paralytico
gressum
restituit,
ἰδιώτης μὲν τὸν τρόπον, πένης δὲ τὴν εὐπορίαν, παίδων ὧν ἐξαρκούν-
των πατήρ, πρὸς τῇ πενίᾳ καὶ τέρας ἕν τι τούτων αὐτῶν ἐπιφύεται.
Ὁ δὲ τὴν τοῦ βρέφους καὶ παιδὸς μεθηλικίωσιν ἀναμένει, εἰ πρὸς τὸ
κατὰ φύσιν σκοπῶν ὁ γεννηθεὶς μεταπέσοι, οὐδὲν δὲ πλέον οὗτος τοῦ
πρὸς τὴν γῆν ἑρπύζειν καὶ ἐπὶ τέτρασιν βαδίζειν· ἀπώνατο. Ὁ μὲν οὖν
παῖς μέχρι τούτου τὸ ἀνθρώπινον διέσωζε τῷ λόγῳ χρῆσθαι παραπλη-

---

[1] *Cod.* προστετιμημένων. — [2] *Cod.* ὑδέρωτον. — [3] *Cod.* λυποῖς.

(1) Regnabat tunc imperatrix Irene (797-802). — (2) Tarasius patriarcha Constantinopolitanus ab anno 784 ad annum 806.

σίῳ καὶ λογισμῷ περιάγεσθαι, ἄνισον δὲ τὸ σχῆμα καὶ πρὸς τὴν γῆν συγκύπτον ἀλόγως ὑπέφαινεν. Ὁ δὲ πατήρ, ὡς εἶδεν μὲν τὸ ἀνίατον τοῦ πάθους, ᾔσθετο δὲ τὴν ἐν τῷ ὁσίῳ Μακαρίῳ ἐνεργοῦσαν θείαν δύναμιν, οὐκ ἀμφιβάλλων[1] πρὸς τὸ δυσίατον, πιστεύων δὲ πρὸς τὸ παράδοξον, σὺν τοῖς λοιποῖς καὶ τῷ πάσχοντι τούτῳ προσέδραμεν. Ὁ δὲ 5 θεσπέσιος δεξιῶς αὐτοὺς εἰσδεξάμενος, τοῖς μὲν ἄλλοις τὴν ἀφθονίαν τῶν ἀναγκαίων σὺν τῷ * προσήκοντι τόπῳ παρασχὼν ἀφώρισεν, τῷ δὲ πεπληγότι τῶν ἑωθινῶν προσέταξεν μὴ διαλείπειν εὐχῶν καὶ κανόνων. Οὕτω μὲν οὖν τῶν συνήθων δεήσεων πληρουμένων, ὁ ποιμὴν μεταξὺ τῶν δύο κιγκλίδων τὰς εὐχὰς ἀποπληρῶν ἐξήει, μεθ' ὃν ἅπαν τὸ 10 τῶν πατέρων ἀθρόισμα κατὰ τὸν τύπον ἐφήπτετο. Τελευταῖος οὖν ὁ πάσχων ἐπὶ τὴν γῆν ἕρπων καὶ ξύλοις τὰς χεῖρας ἐπερειδόμενος εἰσήει, τὸν ὅμοιον τρόπον προσευξόμενος. Οὕτω γοῦν αὐτῶν ὁσημέραι τελούντων, ἐν μιᾷ κατὰ τὸν τύπον τελεσθεισῶν τῶν εὐχῶν τῷ συνήθει σχήματι τελευταῖος ὁ παῖς εἰσήει, γενναίως τε τοῖς κατεχομένοις ξύλοις τὴν 15 γῆν προσαράξας, πάταγον ἐξαίφνης σφοδρὸν ἐμποιεῖ, ὡς τὸν ποιμένα σὺν τοῖς πατράσιν ἐπιστραφέντα τοῦ ψόφου τὸ αἴτιον κατοπτεύειν. Ἁπάντων οὖν τούτον εἶναι βεβαιωθέντων, πρὸς τοὺς συνόντας ὁ ἅγιος φωνὴν τοιαύτην ἀφίστησιν· Αἰδώς, ὦ πατέρες καὶ ἀδελφοί, τοσούτους μὲν ὄντας καὶ τηλικούτους ἀγῶνας ἀναντλάντας, ἑνὸς τοῦ νοσήματος 20 τούτου μὴν περιέσεσθαι, καὶ οἱ μεγάλων ἐφιέμενοι δι' ἀρετῆς κρατεῖν ὑπὸ τῶν σμικρῶν ἐξελέγχεσθαι τὸ τῶν ἔργων ἀδόκιμον. Ποῦ νῦν εἰσιν αἱ πάλαι τῶν πατέρων θαυματουργίαι; Ποῦ τῆς πρὸς Θεὸν παρρησίας αὐτῶν τὰ παράδοξα; Ποῦ τῶν λόγων αὐτῶν τὸ δραστήριον, καὶ τῆς αἰτήσεως τὸ ἀδιάπταιστον ἦτε τῆς βουλῆς αὐτῶν εὐεργῶς ἀπόδειξις 25 μόνῳ τῷ βούλεσθαι θεόθεν τὴν ἐκπλήρωσιν ἔχουσα; Ὁρᾶτε πῶς * ἡμῶν ἡ τῶν ἀρετῶν ἀμέλεια καταβοᾷ δι' ὧν ἀνενέργητος μένει τὸ ἀληθὲς παριστῶσα. Ὁρᾶτε πῶς τὰ τῶν ἀγαθῶν ἐν ἡμῖν σπανίζεται, ἐξ ἔργων οὐκ ἔχουσι τὸ δύνασθαι. Καὶ γὰρ ἐφ' οἷς ἐπιπόνως ἐργάζεται, ἐν τούτοις καὶ τοὺς καρποὺς συλλέγεται, ἀλλ' εἴ γέ τίς ἐστιν καὶ τῶν ἡμῶν 30 ἀγώνων ἡ παρρησία, ἔργῳ δειξάτω μὴ βραδύνουσα τὴν ἐπὶ τοῦτο θαυματουργίαν. Ταῦτα βοήσαντος τοῦ ποιμένος ὀλολυγμῷ καὶ δάκρυσιν καὶ τὸν παῖδα κατασφραγίσαντος, πάντας καθ' ἡσυχίαν ἐξαπέστειλεν. Οὕτω τοίνυν ἔωθεν τῆς τάξεως τοῦ κανόνος ἐκτελεσθείσης, ἐκτενῆ δέησιν ὑπὲρ τοῦ πάσχοντος ὁ ἅγιος προσέταξεν ποιεῖσθαι. Ἁπάντων 35

---

[1] *Cod.* ἀμφιβάλλον.

οὖν εἰς ὕψος τὰς χεῖρας ἠρμένας ἐχόντων τοῦ τε παιδὸς πρὸς τοῖς
ποσὶν αὐτοῦ κεκλιμένου, ἀτενῶς ὁ ἅγιος πρὸς αὐτὸν ἐμβλεψάμενος
φωνῇ διαπυρσίῳ· Ἀπόθες ἃ κατέχεις, αὐτῷ ἔφησεν, ξύλα. Ὁ δὲ νεανίας
τάχει τὸ κελευσθὲν ἐξεπλήρωσεν. Λαβόμενος οὖν τῆς χειρὸς αὐτοῦ ὁ
5 ἅγιος καὶ κουφίσας ἵστησιν αὐτὸν ἐπὶ πόδας. Ὃν εὐλογήσας, ἀλλόμε-
νον αὐτίκα καὶ πηδῶντα παρέπεμψεν. Τοῦτο προσκείσθω τῷ κατὰ τὴν
Ὡραίαν πύλην τοῦ Πέτρου θαύματι, ἡνίκα τῆς εὐλογίας τὴν αἴτησιν εἰς
δρόμους κατήλλαξεν καὶ ἀντὶ χρύσου τὴν ὑγίειαν ἀπέδωκεν (1). Καὶ
γὰρ ὁ Πέτρου μαθητὴς κατ' ἴχνος τούτου βαδίζων τῶν ὁμοίων οὐκ
10 ἀπελείπετο χαρισμάτων, ἀλλὰ πρὸς τὸ ἴσον ἐξετάζειν τὴν τοῦ κορυφαίου πρὸς τὸν μα*θητὴν ἀξίαν τῶν ἀδυνάτων ἂν ᾖ καὶ οὐκ ἀτόπως
νοούμενον, πλὴν ἢ τὴν μίμησιν τοῦ διδασκάλου πρὸς τὸν μαθητὴν
διερευνῶν τις ἀντεξετάζοι, εὑρήσει ταύτην οὐ πλεῖστον ἀπολειφθεῖσαν,
κατόπιν δὲ τοῖς ἔργοις ἀκολουθοῦσαν. Ἀλλὰ ταῦτα μὲν ἑτέροις ταμιευ-
15 σάμενοι, τοῦ προκειμένου ἔργου ἡμεῖς ἐχόμεθα. Λαβὼν τοίνυν τὰ ξύλα
ὁ ἅγιος ἐφ' οἷς ἕρπων ὁ παῖς ἐπερείδετο, τοῖς ἀδελφοῖς ἐπεδίδου λέγων·
Ταῦτα κατέχετε μνήμης ὄντα φυλακτήρια, ἵν' ὅταν τι τῶν μεγίστων
Θεὸν ἐξαιτεῖν βούλοισθε, μὴ ἀμφιβάλλοιτε πρὸς τὴν δέησιν, ἀλλ' εἰλικρινῶς τοῦ προκειμένου τὴν αἴτησιν καταβάλλοισθε μάρτυρας τῆς
20 ἐκβάσης δεήσεως τὰ παρόντα ξύλα κατέχοντες. Ταῦτα οὖν δεξάμενος
ἐκ χειρὸς τοῦ ἁγίου Δωρόθεός τις τοὔνομα, ἀνὴρ τὸ τηνικαῦτα πρὸς
ἀξίαν τῇ τῶν διακόνων λειτουργῶν τάξει, πρὸς οἷς ἡ τῶν ἱερῶν σκευῶν
φυλακὴ καθέστηκεν, ἀπέθετο μένοντα μέχρις ἡμῶν τὸ παράδοξον μαρ-
τυροῦντα. Τί τῆς πίστεως ταύτης ἰσχυρώτερον γένοιτ' ἄν; Τί ἄλλο
25 τῶν θαυμάτων τούτων βεβαιότερον τὰς τοῦ ἀνδρὸς ἀρετὰς παραστήσειεν; Ποίαν τούτων ὑπεραίρουσαν φήσαιμεν πανταχόθεν τὸ ἴσον
ἐχούσας; Εἰ γάρ τις ταῦτα συγκρίνειν βουληθείη, παρακαλῆται μίαν
πρὸς τὴν ἑτέραν, εὑρήσει ταύτην ἐκείνην ἐξισουμένην, κἀκείνην ταύτῃ·
καὶ οὕτω μέχρι τοῦ τέλους τῶν ἀρετῶν τὸ ἀσύγκριτον πρὸς ἀλλήλας
30 ὀφθήσεται.

9. ε'. Πρόκειται δὲ ἡμῖν καὶ ἕτερον, οὐκ ἄπιστον μὲν, ἄξιον δὲ διη-
*γήσεως ἐξειπεῖν, θαῦμα ὃ μόνον ἦν ἐπιτελεῖν τὸν κατὰ τὸν Θεσβίτην
Ἠλίαν καὶ τοὺς κατ' αὐτὸν τὴν ἀρετὴν ἐξασκήσαντας (2). Αὐχμοῦ γὰρ
τὴν γῆν κατειληφότος, καὶ οἷα δὴ συμβαίνειν πέφυκεν ἐν τῇ τῶν ἁμαρ-
35 τιῶν εἰσπράξει γινομένων, χαλκοῦ μὲν ἄνωθεν τοῦ οὐρανοῦ κατὰ τὸν

* f. 144

* f. 144ᵛ
Nimia aeris
siccitate
regioni
oppressae
pluviam
impetrat.

(1) *Act. apost.*, III, 1-19. — (2) *III Reg.*, XVII, XVIII.

προφήτην, σιδηρᾶς δ' ὑπὸ κάτω τῆς γῆς διὰ τὸ ἄνικμον, ἐξ αὐτῆς τῆς πείρας ἐστὶ διαγνῶναι· πρῶτον μὲν γὰρ τὰ ἄνθη τῶν φυομένων μαραίνεται, καὶ τῶν φυτῶν τὰ κάλλη ξηραίνεται, πηγαί τε καὶ ποταμοὶ ἀένναα ῥέοντες τῶν ναμάτων ἐκλείπουσιν. Ἔπειτα τῶν ζώων τὰ γένη τῇ δίψῃ διαφθείρονται, μέχρις αὐτῶν τῶν ἀνθρώπων τῆς ὀργῆς δια- 5 θεούσης αὐτῶν ἕνεκα καὶ τῶν ἄλλων ἀπολλυμένων. Τοῦτο τοίνυν τὸ ἄφυκτον τῆς ἀπειλῆς, τότε τοῖς κατ' ἐκεῖνον τὸν χρόνον συμβὰν πρὸς ἀπορίαν παντελῆ τὰ τῆς σφῶν σωτηρίας ἐποίει. Ἰδόντες[1] οὖν ὅτι Θεοῦ μόνον τὸ ταῦτα μετασκευάζειν τυγχάνει καὶ τῶν θεραπόντων αὐτοῦ δι' ἐντεύξεως τὰ τῆς μήνιδος λύειν καθέστηκεν, ἐπὶ τὸν ὅσιον καταφεύ- 10 γουσιν, καὶ τούτῳ τὰ τῆς καταλλαγῆς ἐμπιστεύουσιν. Ὁ δὲ μεγάλου[2] μὲν ἔφασκεν εἶναι τὸ πρᾶγμα καὶ Ἡλίου τοῦ θαυμαστοῦ τὸ κατόρθωμα, τοῦ λόγῳ οὐρανοὺς ὅποτ' ἂν ἐθέλει κλείοντος καὶ αὖθις δι' ἐντεύξεως ἀνοίγοντος, ἡμῖν δὲ ἀνέφικτον ὡς καὶ τοῖς ἔργοις ἀνεπιτήδευτόν ἐστιν. Ὅμως, εἰ συνεργεῖν καὶ ὑμῖν ταῖς εὐχαῖς ἐπινεύετε, μετανοεῖν τε τῶν 15 * τιμωρίας αἰτιῶν ὑποτίθεσθε, οὐ πρὸς ἀναβολὴν τὴν αἴτησιν τίθεμαι, ὡς κοινὸν δὲ σωτηρίας ἐπίταγμα ταύτην προΐεμαι. Ταῦτ' εἰπὼν ὁ ἅγιος κηρύσσει συναθροισμὸν αὐτίκα τῶν πέριξ κωμῶν τε καὶ πόλεων, καὶ ἔωθεν λιτὴν κροτήσας τῆς δεήσεως εἴχετο. Ἦν δ' οὐκ ἀπὸ σταδίων ὀλίγων ἀπέχον τοῦ τόπου τὸ σεπτὸν Ἡλίου τοῦ προφήτου τέμενος (1). 20 Ἔνθα ἡ τῶν λιταζόντων διετέτακτο συνέλευσις. Κατειληφὼς οὖν σὺν τῷ πλήθει τὸν νεὼν ὁ ἅγιος καὶ τὴν θείαν μυσταγωγίαν ἐκτελέσας, πρὸς τὰ οἰκεῖα παλινοστεῖν ἠπείγετο· καὶ δὴ σὺν τοῖς ὄχλοις τῆς ὁδοιπορίας ἐχομένου, αἰφνίδιον τὸν ἀέρα περιδραμοῦσα νεφέλη, λαβρὸν ὑετὸν ἐπὶ τὴν γῆν ἀφίησιν, ὃ ἅπαντας τὸ τῆς ἐπομβρίας ἀνύποιστον 25 μὴ φέροντας ἀνὰ τὸ ὄρος σκεδασθῆναι καὶ τὸ σφοδρὸν τῶν ὑδάτων διαδιδράσκειν πειρᾶσθαι. Τί τῆς πρὸς Θεὸν παρρησίας Ἡλίου ἔλαττον

*f. 145

---

[1] *Cod.* Εἰδόντες. — [2] *Cod.* μεγάλῳ.

(1) Revera exstabat monasterium τοῦ θεόπτου Ἡλίου sive Θεσβίτου haud procul a coenobio Pelecetes inter monasterium Trigliense et coenobium Sancti Michaelis in Syge. Conditum dicitur hoc monasterium Sancti Heliae ab Ignatio, hegumeno τοῦ Βαθέως Ῥύακος, ut notum est ex notitia Ignatii quam tradit Synaxarium Sirmondianum, cf. *Anal. Boll.*, t. XIV, p. 415. Usque ad dies nostros servata est memoria monasterii Heliae in forma corrupta Σίσβη, cf. Σωτήρ, p. 279. Nota tamen Ignatium vixisse saeculo X, auctorem vero nostrum saeculo IX. Non ergo tempore Macarii exstabat *monasterium* Sancti Heliae, sed tantum *delubrum*, τέμενος, huic dicatum, quod fortassis quasi initium quoddam fuit coenobii postea ibidem aedificati.

εἶχεν οὗτος ὁ ἅγιος, τοῦ πάλαι μὲν τὸν οὐρανὸν δεσμοῦντος καὶ λόγῳ
τοῦτον λύοντος; Τοῦτο τὴν αὐτὴν ὑποφαίνει τοῦ θαύματος δύναμιν,
τοῦτο πρὸς ὅμοιον τὸν υἱὸν τῶν δικαίων χαρακτηρίζει· δι' ὧν γὰρ τά
θαύματα τὸ παραπλήσιον ἔχουσι, δι' αὐτῶν τὸ πρὸς ἀρετὴν ἐφάμιλ-
5 λον ἑκατέρων δεικνύουσιν. Ζῆλος γὰρ ἀμφοτέροις πίστεως ὁ αὐτός,
παθῶν τε νέκρωσις, καὶ κόσμου ἀναχώρησις, τῆξις τε σώματος, καὶ
σχεδία σίτησις, καὶ οἷς ἂν ὁ πρῶτος διελθὼν θεωροῖτο, τοῖς αὐτοῖς
ἑπόμενος καὶ ὁ μετ' αὐτὸν ὀφθήσεται· πρὸς ἐκεῖνον * γὰρ ἀπευθύνων
Μακάριος τὰς πράξεις τούτου τῶν ὁμοίων οὐκ ἀπελείφθη χαρισμάτων.

* f. 145*

10   **10.** Ἀλλ' ἐπειδὴ πίστεως εἰς μνήμην ἤχθημεν, ἄξιον ἐν ταύτῃ δεῖξαι
τὸν ἄνδρα διαλάμψαντα, τήν τε παρρησίαν καὶ τοὺς ἀγῶνας οὓς ὑπὲρ
αὐτῆς ἐνεστήσατο δημοσιεῦσαι, κἀντεῦθεν τοῖς ἐρευνῶσι τὸ ὅμοιον τῷ
προφήτῃ παραστῆσαι. Τοῦ γὰρ ἀνημέρου θηρὸς κατὰ τῆς ἐκκλησίας
λυττήσαντος καὶ τὸν ἰὸν τῆς ἀσεβείας κατὰ τῆς εἰκόνος Χριστοῦ καὶ
15 τῶν ἁγίων ἐκχέαντος (1), τῷ σχήματι χρηστοτάτης πλάνης εἰσάγον-
τος θήρατρα, καὶ ἀγαθῷ πόνηρον ἐπιφημίζοντος ὄνομα τῆς βραχείας
ἕνεκα ἡμέρων ἐξουσίας, ἀτελευτήτῳ δίκῃ κατακριθέντος τοῦ ταῖς
ἀπάταις τὸ τῆς πίστεως ἀνόθευτον ὑποκλαπέντος καὶ ψευδέσι γοήτων
ῥήσεσι τὸ ἀληθὲς τῶν δογμάτων καταπατήσαντος, οὗ λέγειν καὶ στη-
20 λιτεύειν τὴν κακίαν τῷ νῦν καιρῷ παραχωροῦντες ἑτέρῳ ταμιευσώ-
μεθα. Τούτου τοίνυν (2) τὸν ἀρχιερέα (3) τοῦ θρόνου καθελόντος,
καὶ πάντας τοὺς ἁγίους, τοὺς μὲν πληγαῖς, τοὺς δὲ ἐξορίαις τιμωρου-
μένου, καὶ ἐπὶ τοῦτον (4) τὴν ψῆφον ἐξάγει, καὶ ὡς ἀντίπαλον τῶν
αὐτοῦ δογμάτων, τῷ δικαστηρίῳ τὸν ἅγιον ὑπάγει. Καὶ γὰρ εἶχεν
25 ἀντίρροπον τῇ ἀσεβείᾳ αὐτοῦ τὴν σύνεσιν, καὶ καταπαλαίειν ἐξισχύου-
σαν τὸ δυσσεβὲς αὐτοῦ φρόνημα. Διὸ τοῦτον ὡς ἔχθιστά τινα δρά-
σαντα συλλαβόμενος, ἐν εἱρκτῇ τηρεῖσθαι κατέθετο, πέμπει τέ τινα τῶν
αὐτοῦ μεγιστά*νων οὐχ ἥττονα τὴν ἀσέβειαν τοῦ κελεύοντος φέροντα

* f. 146

πιθαναῖς αὐτὸν ὑποσύρειν ἀπάταις πειρᾶσθαι. Τοῦτον τοίνυν ἐληλυ-
30 θότα καὶ πρὸς αὐτὸν τὴν ὁρμὴν ἔχοντα ἐκ πρώτης αὐτῷ προσβολῆς τὸ
ἀμετάθετον τῆς ὀρθῆς γνώμης ἐσήμανεν, τῷ Θεῷ τὸ σέβας φήσας ἐν

Macarius
a Leone
Armeno in
carcerem
detrusus,

---

(1) Confer hanc descriptionem persecutionis Leonis Armeni cum narratione
quae legitur in Vita S. Iohannicii, auctore Saba, *Acta SS*, Nov. t. 1, p. 348. — (2) In
margine additur τοῦ θηριονύμου καὶ ἀλιτηρίου Λέοντος, et significatur Leo Armenus, imperator byzantinus (813-820). — (3) Supra lineam scriptum est Νικηφόρον.
Patriarcha Constantinopolitanus fuit Nicephorus ab anno 806 ad 815. — (4) Supra
lineam τὸν Νικηφόρον.

πρώτοις ἀπονέμειν, εἴθ᾽ οὕτως τὸ κελευσθὲν ἀπαγγέλλειν. Ταῦτ᾽ εἰπὼν τῇ χειρὶ τὸν τόπον ὑπέδειξεν ἐν ᾧ τοῦτο πράττειν ἐπέταττεν. Καὶ γὰρ ἐπίτηδες ἐκεῖσε σὺν τῷ τιμίῳ σταυρῷ σεπταὶ εἰκόνες Χριστοῦ τοῦ Θεοῦ τῆς τε Πανάγνου καὶ τῶν ἁγίων ἐτέθειντο. Ταύτας ὁ ὑπέροφρυς τὸ τοῦ ἁγίου αἰδεσθεὶς ἀξίωμα, προσκύνησας αὖθις τὸ προσῆκον 5 τούτῳ σέβας ἀπένειμεν. Ἐπεὶ οὖν εἰς διάλεξιν ἄμφω κατέστησαν τοὺς τῆς θωπείας ὁ σταλεὶς προύτεινε λόγους, ἔπειτα δὲ καὶ τῆς ἀπειλῆς τοὺς φόβους ὑπέφαινεν, ὧδε λέγων· Τάδε, φησίν, ὁ βασιλεὺς τῇ σῇ ὁσιότητι δῆλα καθίστησιν, ὡς εἰ μὲν τῷ παρόντι κελεύσματι μὴ ἀντιπί-πτων τῷ ἐμῷ εἴξῃς προστάγματι εὐπειθῶς, καὶ τῆς ἐμῆς κοινωνίας 10 μέτοχος γένῃ, χρημάτων μὲν καὶ περιουσίας καὶ δόξης ἁπάσης ἐν ἀπο-λαύσει δειχθήσῃ, ἐξ ἀφανῶν δὲ γνώριμος ἐν τοῖς βασιλείοις ὀφθήσῃ καὶ τιμῆς τῆς ἀνωτάτω παρὰ τῶν ὑπηκόων ἐπιτάξῃ. Εἰ δέ γε πρὸς τοὐ-ναντίον τὸν ἡμέτερον λόγον ἀπωθήσῃ, πληγαὶ καὶ βασανιστήρια, καὶ θάνατοι τὸ σὸν ἐνεργήσουσι τέλος, καὶ οὐ πρότερον τούτων ἀπαλλα- 15
*γήσῃ, πρὶν ἂν τῶν παρόντων ἀποπαυθήσῃ. Ταῦτα τοίνυν ἀκηκοὼς ὁ ἅγιος· Πρὸς μὲν τὰς τιμάς, ἐπιγελάσας ἐκείνοις ἔφησεν, αὗται τοῖς ὑπισχουμένοις ἔστωσαν καὶ οἷς περὶ πολλοῦ φροντίζεται· πρὸς δὲ τὰς πληγὰς ἡμῶν, ἔφη, καὶ τῶν καθ᾽ ἡμᾶς, αὗται τῶν ὑπὲρ τοιούτων ταύ-τας ἀναντλᾶν αἱρουμένων καὶ γὰρ ὑπὲρ εὐσεβείας ὑποίσειν ταύτας οὐ 20 παραιτούμεθα, κἂν γὰρ μυρίας καθ᾽ ἡμῶν μηχανὰς ἐγείρεις, καὶ τὸν δοκοῦντά σοι κόσμον πρὸς ἑαυτὸν ἑλκύσεις, ἡμῶν τε τὸ ἑδραῖον οὐ χαυνώσεις, οὐδὲ τὸν ἄσειστον πύργον εἰς γῆν κατεάξεις. Ταῦθ᾽ ὡς ἐκ τῆς ἐκκλησίας φήσας ὁ ἅγιος, καὶ γὰρ ὑπῆρχε μέλος ταύτης ἀδιάσπα-στον, τῷ βασιλεῖ πάντα μηνύειν τῷ πεμφθέντι προσέταττεν, ἃ καὶ ὡς 25 εἶχεν ἐρρέθησαν.

neque
blanditiis
neque minis
frangitur.

11. Ὁ δὲ βασιλεὺς τὸ ἀκατάπληκτον τοῦ ἀνδρὸς θαυμάσας καὶ τὴν παρρησίαν αὐτοῦ αἰδεσθείς, πρὸς ταῦτα μὲν οὐκ ἀντέφησεν. Δυσχε-ράνας δὲ πρὸς τὴν αὐτοῦ διάλεξιν, κατενώπιον αὐτοῦ στῆναι τοῦτον οὐχ εἵλετο, ὅμως φρουρεῖσθαι αὐτὸν ἀσφαλῶς διετάξατο. Ἐπεὶ οὖν ὁ 30 τῶν κακῶν πρόδρομος ἀεὶ ταῦτα μηχανώμενος περὶ τὰ αὐτὰ ἐπονεῖτο Ἰαννής(1) τις ὢν ἄλλος ταῖς μαγγανίαις καὶ γοητικαῖς ἀπάταις τὴν τοῦ

---

(1) Iste est Iohannes, monachus monasterii SS. Sergii et Bacchi, postea (832-842) factus patriarcha, iconomachus. Scriptores nomen eius solent deturpare in Ἰαννής, ad similitudinem nominis istius vatis aegyptii quocum rem habuit Moyses. Vid. Em. Gedeon, Πατριαρχικοὶ πίνακες, p. 274-77.

κρατοῦντος ὑποκλέπτων κουφότητα καὶ πρὸς τὸ οἰκεῖον βάραθρον
τούτους καταποντίζων, πειρᾶται καὶ κατὰ τοῦ ὁσίου τοῖς αὐτοῖς τεχ-
νάσμασιν ἐπεμβαίνειν, ἀγνοῶν ὅτι πρὸς * κέντροις αὐτῷ κατὰ τὸ δὴ   * f. 147
λεγόμενον τὸ λακτίζειν ἀπαντήσεται. Αἰτεῖται τοίνυν τὴν κατὰ τοῦ
5 ἁγίου λαβεῖν ἐξουσίαν καὶ πείθειν ὑπισχνεῖτο τῷ βασιλεῖ, εἰ τούτου
κρατήσειεν, ὡς ἐδόκει. Λαβὼν οὖν τὸν ὅσιον κατὰ τὴν αἴτησιν, αὐτῇ
μὲν πρῶτον τῇ θέᾳ κατεπλάγη τὸ τοῦ ἀνδρὸς στάσιμον καὶ πᾶσιν τοῖς
ὁρῶσιν αἰδέσιμον. Ἔπειτα δὲ πρὸς τὸ τῶν λόγων ἀμηχανήσας καίριον,
ἐνεὸς διέμενεν, μόλις γοῦν ποτὲ πρὸς τὸν οἰκεῖον παντουργὸν ἐπανελ-
10 θὼν τὰς τῶν λόγων ἀκίδας κατὰ τοῦ ἁγίου βάλλων ἠφίει· Τίνος ἕνεκα,
λέγων, τῆς κοινωνίας τοῦ βασιλέως σαυτὸν ἀποστερρῶν, καὶ τῆς παρ'
αὐτοῦ δόξης ἀποτυγχάνεις; Καὶ γὰρ οὕτως τῶν εὐσεβῶν καὶ ὀρθοδό-
ξων καὶ ταῖς σεπταῖς εἰκόσι τὸ σέβας ἀπονεμόντων καθέστηκεν, καὶ εἰ
βούλοιτο ἀσφαλὲς ἐπιγνῶναι, ἐκ τῶν παρ' ἐμοῦ κειμένων εἰκόνων τοῦτο
15 διδάχθητι, ἃς ἔνδον κατέχων ὁμοίως κρατοῦντι τὴν πρὸς αὐτὰς τιμὴν
ἀποδίδωμι. Τούτου μὲν οὐκ ἀγνοῶν τὸν δόλον ὁ ἅγιος κατάλληλον
τὴν ἀπόκρισιν τῇ σκαιωρίᾳ ἀπέδωκεν· Τὴν μὲν τοῦ βασιλέως, φήσας,
ἀπόνοιαν ἐκ τῶν ἤδη φθασάντων κακῶν ὧν εἰς τοὺς ἁγίους ἔδρασεν,
ἀψευδῶς ὡς ἔχει δεδίδαγμαι· οὐδὲ γὰρ ἰδίᾳ ἢ ἐν μέρει τῆς οἰκουμένης,
20 ἀλλὰ δημοσίᾳ καὶ πανταχοῦ τὰ δεινὰ τετόλμηται, τὸ δὲ σὸν ἀπατηλὸν
καὶ κερδῷον πάλαι μὲν φανερωθέν, δι' ὧν ἐνήργησας, δῆλον ἐμοὶ
καθέστηκεν. Ἔτι οὖν τοῦτο δι' * ὧν πειρᾷ τῆς ἐμῆς διανοίας βεβαιό-   * f. 147ᵛ
τερον ἐκμανθάνω· οὐ γὰρ τιμῆς χάριν παρ' ἑαυτῷ τὰς εἰκόνας κατέχεις,
ἀλλὰ τιμίας ἕνεκα καὶ καύσεως ταῦτα συλλέξας τηρεῖς. Ταύτην τὴν
25 ἀπόκρισιν τῷ ἀπαταιῶνι δεδωκὼς ὁ ἅγιος σφοδροτέροις αὐτῷ τοῖς
λόγοις ἐχρήσατο, πλάνον καλῶν καὶ παραλογιστὴν καὶ δόξης ἕνεκα τῆς
προσκαίρου τῆς εὐσεβείας ἐκπίπτοντα καὶ τῆς ἀκηράτου δόξης διαμαρ-
τάνοντα. Τούτων τοίνυν ἐμφορηθείς, ὡς ἔδει, τῶν λόγων ὁ γόης εἰς
ἀπολογίαν μὲν ὑπὲρ ὧν ἐσκαιώρει τῷ ἁγίῳ καθίσταται, τῷ βασιλεῖ δὲ
30 τὴν τούτου γνώμην αὐτίκα μηνύει· ὡς θωπείας ἁπάσης ὑψηλότερός
ἐστιν ὁ ἀνὴρ καὶ ἀπειλῶν στερρότερος, καὶ βασάνοις ἀκαταγώνιστος,
καὶ θᾶττόν ἐστιν ἅμα πάντας εἴξειν ἀνθρώπους ἢ τοῦτον ὑποκύψαι τῷ
ἡμετέρῳ δόγματι. Ἐπεὶ δὲ τούτους ὁ ἀλιτήριος ἀκήκοεν τοὺς λόγους
πρὸς ἑαυτὸν μὲν τὰ κέντρα τῆς ὀργῆς κατεπήγνυεν, καὶ τοῖς θυμοῖς
35 ἔνδον ἑαυτὸν κατετίτρωσκεν, καὶ οἷον πυρί τινι ὑποσμύχοντι τὴν
οἰκείαν ψυχὴν ἀφανῶς κατεδαπάνα, εἰς τοὐμφανὲς δὲ τῷ ἁγίῳ συμπλα-
κῆναι οὐκ ἠνέσχετο, τὸ στερρὸν δηλαδὴ τῆς γνώμης αὐτοῦ δεδιώς, τό

τε τῶν λόγων ἀναντίρρητον καὶ πρὸς διάλεξιν ἀνεξέλεκτον. Ἐν φρουρᾷ
οὖν αὐτὸν ἀσφαλεστάτῃ θέμενος, μετ᾽ οὐ πολὺ ἐξορίᾳ κατεδίκασεν, πρὸς
ἣν τιμωρεῖσθαι μὴ ἀρκεσθεὶς τὸν ἅγιον μακροτέραν ἐπενόει, σκληρὰν μὲν
καὶ ἀπαράκλητον ἔχουσαν τὴν δί*αιταν, ἀπεξενωμένην δὲ φίλων καὶ
τῶν πρὸς ταύτην ἐπιτήδεια συγκομιζόντων. Τί τοῦτο τῶν πάλαι ὑπὲρ 5
εὐσεβείας ἠγωνισμένων ἀποδέει τὸ μαρτύριον, τίνα προθυμίαν οὗτος
ἐλάττονα τῶν τε ἀθλησάντων ὑπεμφαίνει τίσι λόγοις οὐκ εἴρηται. Τὸ
μέχρι θανάτου τέλος ὁ ἅγιος τοῦτον[1] πανταχόθεν τὸν ὅμοιον ἀποσώζει
λόγον, ἑνὶ μόνον ἀπολειπόμενον τὸ[2] τὸν χρόνον ἐκεῖσε τὰ πρωτεῖα
φέρειν, ἐνταῦθα δὲ τὴν τάξιν ἄγειν δευτέραν. Ἀλλ᾽ οὗτος μὲν μηδὲν 10
συνεισφέρων τοῖς ἁγίοις ἀδιάφορον ἔχει πρὸς ἑκάτερα τὴν δύναμιν,
μήτε κακίας, μητ᾽ ἀρετῆς αἴτιος γινόμενος. Ἡ δὲ τῶν ἀθλούντων προαί-
ρεσις τὸ ἴσον ἢ καὶ ὑπερβάλλον ἐν τοῖς ἀγῶσιν ἐνδείκνυται· οὐ γὰρ
χρόνῳ τὸ ἀγαθόν, ἀλλὰ γνώμης προαιρέσει καὶ σπουδῇ κατορθοῦσθαι
πέφυκεν. 15

Vita Macarii
in primo suo
exsilio.

12. Οὕτω μὲν οὖν ἐν ὑπερορίᾳ ταλαιπωρουμένου τοῦ ἁγίου, ἡ δίκη
τὸν ἄδικον ὑπῆλθεν· ἐν οἷς τόποις τὸ παράνομον ἔδρασεν ἐν τούτοις τὴν
ἀξίαν ἐπάξασα τιμωρίαν (1). Βραχείας οὖν ἀνακοχῆς λαβόμενος ὁ ἅγιος
καὶ Νικηφόρῳ τῷ θεοφόρῳ ἀρχιερεῖ συνομολογήσαντι ἐντυχὼν (2)
σὺν αὐτῷ τοὺς ἀγῶνας ἐπαύξων καὶ τὰ τῆς πίστεως ἐπερείδων διετέλει. 20
Ἐπὶ δὲ πόνοις οἰκείοις καὶ φιλοθέων ἐπιδόσει μονὴν[3] οἰκοδομεῖν ἐνήρ-
ξατο ἐν τῷ τῆς Προποντίδος πορθμῷ ἐν ᾧ τὰ τῆς ἐξορίας διετέλει. Καὶ
τὸ μὲν ἔργον τέλος εἶχε τῶν ἑπομένων μοναζόντων, αὐτὸς δὲ τῆς ἐφέ-
σεως * ἐπιτυχὼν τοὺς πάλαι τύπους τῆς μονῆς ἐν τούτοις ἐνεούργει,
ἐπίτασιν μᾶλλον ἢ ὕφεσιν τούτοις ἐπιτιθείς. Ἀλλ᾽ ὃ μικροῦ λαθὸν 25
παρέδραμεν τὸν ἡμέτερον λόγον, ἐνὸν ἀναδραμόντας ὡς ἔχει πράξεως
ἐξειπεῖν. Τῶν γὰρ ὑπὸ χεῖρα τοῦ ἁγίου ἱερέων εἷς τῇ τῆς αἱρέσεως κοινωνίᾳ καταχρανθεὶς καὶ εἰς συναίσθησιν τοῦ οἰκείου γενόμενος
πτώματος, τῷ ἁγίῳ προσφεύγει καὶ τὰ τοῦ πράγματος ἐξαγγέλλει. Ὁ δὲ
τοῦτον ἠπίως δεξάμενος, τῆς ἱερωσύνης μὲν ἀπεῖρξε, τὴν δὲ προσή- 30
κουσαν τούτῳ ἀπένειμεν τάξιν. Λαθὼν οὖν ἑαυτὸν καὶ τὴν τοῦ ἁγίου
πρόσταξιν παριδὼν κατ᾽ αὐτῆς ἐπεχείρει. Τελέσας οὖν ὡς ἐδόκει τὰ τῆς

---

[1] *Cod.* τοῦτο. — [2] *Cod.* τῷ. — [3] *Cod.* μόνοις.

(1) Re quidem vera Leo Armenus in ipsa ecclesia Phari occisus est, in qua
coronatus fuerat et Michaelem de solio deturbaverat. — (2) De exsilio Nicephori
cf. eius Vitam, *Act. SS.*, Mart. t. II, p. 721, n. 72.

λειτουργίας τῶν τῆς παρακοῆς λειψάνων τοῖς παροῦσι μετέδωκεν.
Ἀδελφαὶ δὲ τούτου γνησίαι ἔτυχον οὖσαι, αἱ τούτων μετασχοῦσαι,
αἵτινες πρὸς τὴν παράβασιν καὶ συνῴθησιν, ἅμα γοῦν τῇ κοινωνίᾳ
τιμωρητικῶν δαιμόνων ἐνεφορήθησαν ἅπασαι ὡς τὸ τῆς παρακοῆς
5 ἔγκλημα παρρησίᾳ δημοσιευθῆναι· μαστιζόμεναι τοίνυν ἐπὶ τὸν ἅγιον
καταφεύγουσιν καὶ τὰ τῆς παραβάσεως στηλιτεύουσιν. Ὁ δὲ ἅγιος
πολλὰ μὲν κατὰ τοῦ τολμήσαντος ἀγανακτήσας, αὐτὰς δὲ τοῦ πάθους
κατοικτειρήσας, ὡς εἶχεν αὐτίκα τῆς ἰατρείας τοῖς πᾶσι παρέσχετο· τὰς
μὲν τῶν πνευμάτων ἀποκαθάρας, τὸν δὲ πρὸς τὴν πίστιν ἐπανορθώσας.
10 Τοῦτο τῆς τοῦ ἁγίου Πνεύματος δυνάμεως ἔργον ἦν, τῆς διὰ στόματος
Μακαρίου τὰ παράδοξα * ἐνεργούσης, τῆς τοὺς λόγους αὐτοῦ τοῖς   * f. 149
πράγμασι βεβαιούσης, τῆς τὰ ὑπ' αὐτοῦ ἐντελλόμενα ἀπαραβάτως
ἐπισφραγιζούσης. Τοῦτο τὴν ἐν εὐαγγελίοις ἐξουσίαν βεβαιοῖ, ἣν ὁ
Κύριος τοῖς μαθηταῖς ἐχαρίσατο, πνευμάτων αὐτοῖς ὑποταγὴν καὶ νόσων
15 ἀπαλλαγὴν ὑποσχόμενος (1). Τοῦτο τὴν ὁμοίαν τῷ Πέτρῳ (2) δύναμιν
ἐξεικονίζει, τὴν κατὰ τῶν νοσφισαμένων τὴν χάριν καὶ τὸ πνεῦμα παρο-
ξυνάντων ἐνεργήσασαν. Καὶ γὰρ ὁ κατὰ μέθεξιν μαθητὴς τοῦ λόγου
γενόμενος καὶ τοῖς ὁμοίοις τῶν ἀποστόλων κατορθώμασι κοσμούμενος
τῶν ἴσων τούτοις χαρισμάτων οὐκ ἀπολείπεται, τὸ αὐτὸ τῆς δυνάμεως
20 ἐνεργῶν πρὸς ἑκάτερα· οὐ γὰρ δι' ὧν εὐεργετοῦσιν μόνον οἱ ἅγιοι τὴν
χάριν ἐμφαίνουσιν, ἀλλὰ καὶ δι' ὧν τιμωροῦνται τὴν αὐτὴν ὑποδει-
κνύουσι δύναμιν καὶ δι' ἀμφοτέρων πρὸς τὴν αὐτὴν ὁδὸν τῆς σωτηρίας
ἀπευθύνουσιν, τοὺς μὲν δι' εὐεργεσίας εἰς αὐτὴν ἐμβιβάζοντες, τοὺς
δὲ ταῖς τιμωρίαις τῶν κακῶν ὑποτέμνοντες.

25 13. Ἀναιρεθέντος οὖν τοῦ τυράννου καὶ τοῦ μετ' αὐτὸν ὁμοτρόπως   Disputatio
κρατήσαντος ἀφανισθέντος (3), ὁ οὐχ ἧττον αὐτοῖς τὴν ἀσέβειαν   cum
μᾶλλον δὲ φῆσαι τὴν βασιλείαν διαδέχεται (4), οὐ μὴ λήθην τὰ δεινὰ τῷ   imperatore
χρόνῳ λαμβάνειν ἐκρίθησαν. Οὗτος τοίνυν κρατήσας καὶ τὰ χείρονα   Theophilo.
τῶν πρὸ αὐτοῦ δεδρακὼς εἰς τοὺς ἁγίους Μακάριον συλληφθέντα, ὡς
30 τούτων ὄντα τῷ δικαστηρίῳ ὑπάγειν προσέταττεν· ὁ δὲ πεποιθήσει
τοῦ ἁγίου Πνεύματος, πρὸς τὸ μαρτύ*ριον ἔχωρει, τὸ τῆς πρώτης   * f. 149ᵛ
πύλης ἐλλεῖπον ἀναπληροῦν ἐφιέμενος. Ἀχθεὶς τοίνυν πρὸς τὸ κριτή-
ριον τῇ ὑπάρχου θρασύτητι παραδίδοται, ὡς δῆθεν ἐρωτήσεως τοὺς

---

(1) *Marc.*, III, 15. — (2) *Act. apost.*, v, 2. — (3) Scilicet imperator Michael II (820-
829). — (4) Nempe Theophilus, qui regnavit ab anno 829 ad 842. Proin erraverunt
Menaea et omnes auctores qui horum testimonio nitentes Macarium a Michaele
in exsilium actum dixerunt.

φόβους εἰσῆγεν ὑποτιθέμενος τὸ λανθάνεσθαι. Διό, φησιν, ἢ πέπεισμαι ἀληθῆ καθέστηκειν, ὦ Μακάριε, ταῖς εἰκόσιν σε προσανέχειν καὶ ταύταις προσκύνησιν ἀπονέμειν, ἢ φθόνου ἔργον ἦν καὶ διαβολῆς τῶν εἰς ἐμὲ λόγων ἐνηχηθέντων τὸ ἄτοπον. Ὁ δὲ Μακάριος·· Μαρτύρεταί, φησιν, πρῶτα Θεὸς καὶ πάντων τῶν ἀσωμάτων δυνάμεων φύσις, ἔπειτα τῶν 5 συνειδότων ἀνθρώπων τὰ πλήθη, ὡς ἀψευδῆ προσκύνησιν ταύταις προσνέμω, καὶ οὐδὲν τῶν τῆς ἀληθείας ἀπεμφαινόντων περὶ αὐτῶν σοι δεδήλωται. Καὶ τούτου ἕνεκά, φησιν, τοὺς τῶν ἁγίων ναοὺς καταλείπων προσκεκοιμωμένοις δοματίοις τὴν μυσταγωγίαν ἐκτελεῖς. Τούτου χάριν, φησὶν ὁ ἅγιος. Τίνος λόγου πρὸς τοῦτο ὑπερορμῶντος; Αὐτῶν, ἔφη, 10 τῶν εὐσεβῶν δογμάτων. Αἰτίαν διὰ ποίαν ταῦτα θεσπίζουσιν; Διὰ τὴν τοῦ Πνεύματος ἐπιφοίτησιν ἐν τούτοις, ἔφη, καὶ μὴ ἐν τῷ τῶν αἱρετιζόντων συστήματι γίνεσθαι. Τίσιν ἀποδείξεσιν ταῦτα λέγεις; Αὐταῖς, ἔφη ὁ ἅγιος, ταῖς τοῦ Πνεύματος μαρτυρίαις, δι᾿ ὧν ἐνέργησεν τὸ ἀληθὲς παριστῶντος. Καὶ εἰ βούλει πράως ἐπακούειν τῶν λεγομένων, 15 οὕτως εἰ ταῦτα προσεξέταζον ἐκ τούτων τὸ τοῦ Ζητήματος ἀσφαλὲς διδαχθήσῃ. Σαλομὼν γὰρ ὁ σοφίᾳ καὶ δόξῃ * περιβόητος, πάλαι μὲν ἀνάλογον ναὸν τῷ οἰκείῳ χαρίσματι ἐτεκτήνατο, τοσοῦτον τὸ ἀσύγκριτον πρὸς ἅπασαν οἰκοδομὴν ἔχοντα τότε, ὅσον ἡ σοφία τοῦ τεκτηναμένου τῶν λοιπῶν ἐξῆρεν ἀνθρώπων· τέχνῃ μὲν γὰρ παντοδαπῇ 20 κατεσκεύαστο, καὶ χρυσῷ πανταχόθεν περικεκόσμητο, λίθων τε πολυτελῶν λαμπρότητι, καὶ σκευῶν ποικιλίᾳ τὸ διάφορον εἶχεν, ὧν ἡ τῆς καθ᾿ ἡμέραν ἐναλλαγῆς τέρψις τῶν προσεχόντων τὴν αἴσθησιν κατέπληττεν, νόμοι τε Θεοῦ διατεταγμένοι καὶ ἱερεῖς πρὸς τὴν τούτων συντήρησιν κατελεγμένοι ἦτε τοῦ Θεοῦ ἐπισκίασις καὶ τῶν φυλῶν 25 συνέλευσις καὶ τῶν ἀδήλων σημείωσις, σεμνότερον τοῦτον τῇ ὑφηλίῳ παρέδειξεν. Τούτου μὲν τοιούτου ὄντος καὶ πρὸς τηλικαύτην δόξαν ἀναδραμόντος τῶν ἐν αὐτῷ οἰκούντων παρανομισάντων, ἡ τοῦ θείου Πνεύματος ἐπιφοίτησις οὐκ ἐν τούτῳ, ἀλλ᾿ ἐν οἰκτρῷ δοματίῳ ἔνθα συναγήγερτο τῶν ἀποστόλων ὁ μέτριος χορὸς ἐγεγόνει· οὐ γὰρ ἐν 30 μεγέθεσιν οἰκοδομιῶν τὸ θεῖον, ἀλλ᾿ ἐν ἐπιτηδείοις τόποις ἐπιφοιτᾶν εἴωθεν, καὶ οὐκ ἐν πλήθεσιν, ἀλλ᾿ ἐν προαιρέσεσιν εὐσεβῶν ἡ τούτου οἴκησις γίνεται· ἐγὼ γάρ, φησιν, καὶ ὁ πατὴρ ὁ Κύριος ἐλευσόμεθα (1). Τούτοις τοῖς λόγοις καταβροντηθεὶς ὁ ἀνόητος· Μάστιγες, ἔφη, τῷ λόγῳ σου τὸ πέρας ἐπιθήσουσιν, εἰ τῷ τοῦ αὐτοκράτορος ἀπειθῶν προστά- 35

---

(1) Iohann., xiv, 23.

γματι εἰς πολυλογίαν τὴν ἐρώτησιν ἐπιτείνεις. Ὁ δὲ ἅγιος · Ἔργῳ μέν,
ἔφησεν, τοῦτο ὑμέτερόν ἐστιν ἀπαραίτητον τὸ ταύτας προσάγειν ·
ἡμῶν * δὲ τὸ μετ᾽ εὐφροσύνης ταύτας προίεσθαι. Ἐπεὶ δὲ τούτων ὁ   * f. 150ᵛ
ἄδικος δικαστὴς τῶν λόγων ἀκήκοεν, τὸν θυμὸν σὺν ἀλογίᾳ κεράσας
5 δεινῶς ταῖς μάστιξι τὸ τοῦ ἁγίου σῶμα κατέξαινεν· διαδέχεται δὲ τὰς
βασάνους τὸ δεσμωτήριον, ἐν ᾧ πάλιν τὰ τῶν θαυμάτων ἐπεδείκνυτο ὁ
ἅγιος προφητεύων καὶ τὰ μέλλοντα σημαίνων.

14. ϛ. (1) Παυλινιαστῶν γὰρ ἤτοι Μανιχαίων (2) καθειρχθέντων ἐν   Miraculum
τῷ δεσμωτηρίῳ καὶ τὴν ἐπὶ θάνατον ψῆφον ἀπειληφότων, τὸν ἅγιόν τε   in gratiam
                                                                        Pauliciani
10 τὴν ἐξόδιον ἐπ᾽ αὐτοῖς εὐχὴν ποιεῖσθαι προτρεπομένων, οὐδεμία,   conversi.
φησὶν, οὕτως κοινωνία φωτὶ πρὸς σκότος ἐστίν. Διὸ τὸ ἀντάξιον τέλος
τῆς δυσσεβείας κομίζεσθε, μηδὲ μέχρι τούτου τῆς τιμωρίας ἱστάμενοι,
ἀλλ᾽ ἀτελεύτητον κόλασιν μετ᾽ αὐτὴν ἐκδεχόμενοι. Διὸ εἷς τῶν κατακρί-
των τὴν τοῦ περισωθῆναι ἐγγύη ἀντὶ τῆς ἐπιτροφῆς τῷ ἁγίῳ οἰκειοῦ-
15 σθαι φήσας ἐπινεύει τούτῳ, καὶ τῷ οἰκείῳ λόγῳ Μακάριος τὸν αὐτὸν
ἐπεσφράγισεν. Πάντων οὖν ὀλεθρίῳ τέλει ἀναιρεθέντων, οὗτος μόνος
περισωθεὶς τὰ τῆς ὑποσχέσεως ἐξεπλήρωσεν, τὸ βδελυρὸν τῆς αἱρέσεως ἀποθέμενος καὶ τὰ φωτεινὰ τῆς εὐσεβείας δόγματα περιβαλλόμενος.

20 15. η. Μεθ᾽ ὃν τὴν αὐτὴν θαυματουργίαν καὶ ἑτέρῳ τινὶ τῶν συγκαθ-   Iterum
ειρχθέντων φιλανθρώπως ἐνήργησεν, τὸ θεῖον δι᾽ εὐχῆς ἱλεωσάμενος   extorris
                                                                        factus,
καὶ τὸν ἄνθρωπον ἐκ θανάτου ῥυσάμενος. Τὴν παρρησίαν τοίνυν αὐτοῦ   insulam
καὶ φρουρουμένου μὴ φέρων ὁ ἀλιτήριος, ἐξορίᾳ τοῦτον κατέδι*κασεν ·   Aphusiam a
                                                                        fame liberat;
ἧτις χαλεπὸν ¹ μὲν εἶχεν τῶν ἀναγκαίων τὸν πορισμόν, ξένοις ² δὲ πάντη   * f. 151
25 καὶ τοῖς ἐθέλουσιν ἀπροσπέλαστος ἐτύγχανεν, καὶ γάρ ἐστιν ἴσως ἐν
ἀπόπτῳ κειμένη, ἣν Ἀφουσίαν (3) ὀνομάζουσι, διὰ τὸ ἀπεῖναι τὴν ³
κατευθείαν, ὡς οἶμαι, οὕτω καλουμένη. Ταύτην οὖν κατειληφὼς καὶ
λιμῷ ψυχορραγοῦντας τοὺς ἐν ταύτῃ ἑωρακὼς σιτοδοτεῖ ἄριστα κατὰ
τὸν πάλαι Ἰωσήφ, καὶ τὴν παρ᾽ αὐτοῦ ῥοπὴν τοῖς ἀπειρηκόσι πορίζε-
30 ται· τὰ μὲν ἐξ ἑαυτοῦ, τὰ δὲ ἐξ εὐπόρων ταμιείων τῇ τοῦ λόγου δυνάμει

¹ *Cod.* χαλεπῶν. — ² *Cod.* ξένον. — ³ *Cod.* τῶν.

(1) Iterum scriba numeris graecis seriem miraculorum distinxit. Cf. supra, cap. 5-9,
et infra, cap. 18-22. — (2) De secta Paulicianorum in imperio byzantino vid. KARAPET
TER MKRTTSCHIAN, *Die Paulikianer in byzantinischen Kaiserreiche*, 1893. — (3) De
huius insulae situ quae iacet in Propontide, late nuper disseruit EM. GEDEON, Προι-
κόννησος, p. 58-76, et accurate omnes antiquorum scriptorum textus collegit qui
conferunt ad insulae Aphusiae notitiam. P. 71 et 72, commemorat etiam Macarium
ibidem fuisse relegatum.

συλλέγων. Τοῦτο τοίνυν πλέον τοὺς παρόντας εὐεργέτησεν ἢ τῷ τῶν θαυμάτων χαρίσματι· καὶ γὰρ ὁ τὰς ἰάσεις τοῖς κάμνουσι παρεχόμενος, μέχρις ἐκείνων τὴν εὐεργεσίαν περιγράφει τῶν τοῦτον ἀπολαβόντων. Ὁ δὲ πανολεθρίας λιμοῦ τὸν δῆμον ἀπαλλάττων κοινὸν ἅπασιν ὠφε- λείας πρόκειται φάρμακον ἑαυτὸν ἐπίσης τοῖς αἰτοῦσι χαριζόμενος, [5] ἐπεὶ δὲ ἐν ᾧ κατῴκει χώρῳ ἔδει καὶ σεπτοῦ ναοῦ οἰκοδομὴν ἀναγκαίως ἐγείρειν. Ἔτυχεν δὲ θεόθεν ἐρείπιόν (1) τι πάλαι πεπτωκὸς τῷ τόπῳ προσκείμενον, ἀποκαθαίρειν τοῦτο τοῖς παροῦσι προσέταξεν.

ibidem monachum sanat et post sancte transactam vitam diem obit supremum.
f. 151ᵛ

16. θ'. Ἁπάντων οὖν περὶ τὸ ἔργον πονουμένων, εἴς τις τῶν μονα- ζόντων ἀεργὸς τοῖς κάμνουσι προσανέχων παρίστατο, ᾧτινι τοῖς ἐργω- [10] μένοις ἐπαμύνειν ὁ ἅγιος ἐκέλευσεν. Ὁ δὲ ἀδυνάτως ἔφασκεν ἔχειν, καὶ γὰρ τὸν ἀντίχειρα δάκτυλον ξηρὸν ἔτυχεν ἔχων· μετρίῳ γοῦν φρο- νήματι τῇ ῥάβδῳ τοῦτον προσπαί*σας ὁ ἅγιος καὶ τὰ τῆς ἀπιστίας ἐπονειδίσας, ὡς εἶχε τάχους ἐπιχειρεῖν τοῦ ἔργου παρώτρυνεν. Λαβομέ- νου τοίνυν αὐτοῦ τὸ ἐπίτηδες ἐργαλεῖον, καὶ τὸν χοῦν ἀποκαθαίρειν [15] ἀρξαμένου, ἐν ἔργον αὐτίκα καὶ παραπλήσιον τοῖς ἄλλοις συγκάμνων ἐγένετο. Τούτων οὖν τῶν παραδόξων θαυμάτων εἰς ἅπαντας φοιτη- σάντων, μεγίστην τὴν περὶ αὐτοῦ δόξαν οἱ ἐγνωκότες εἶχον· καὶ γὰρ ὡς ἀληθῶς κατὰ πάντα ἀσύγκριτος πανταχόθεν ἔχουσα τὸ ὑπερβάλλον τῶν κατορθωμάτων. Εἰ μὲν γὰρ ὁμολογίᾳ μόνῃ, εἰ τῇ ἀσκήσει ἰδίως, εἰ [20] τῷ τῶν θαυμάτων χαρίσματι τὸ περιβόητον εἶχεν ὁ ἅγιος, ἦν ἂν καὶ τὸ κλέος αὐτοῦ πρὸς ἓν περιγραφόμενον, καὶ μέχρις ἐκείνου τὸ πλεονά- ζον ἱστὰν τῆς φήμης, νῦν δὲ τῶν ἁπάντων ἡ συνδρομὴ καὶ ἡ ἀσύγ- κριτος πρὸς ἄλληλα ὑπερβολὴ ὑπερανεστηκὸς τὸ τῆς δόξης ἐξάκου- στον τοῖς πᾶσι παρέδειξεν. Διὸ καὶ ἡ τῶν λόγων δύναμις ἐκπίπτει τῆς [25] τῶν ἐγκωμίων ἀκολουθίας, τῶν τε κατ' ἀξίαν ἐπαίνων διαμαρτάνει, τῷ πλήθει τῶν κατορθωμάτων νικωμένη, οὐ μόνον τὸ μὴ πρὸς ὕψος ἐξαί- ρειν ταῦτα ἀπολειπομένη, ἀλλὰ καὶ τὸ παραλιμπάνειν πολιορκουμένη. Τὸ μὲν οὖν ὑπερβάλλον τοῖς πράγμασι καταλείποντες τὴν τοῦ ἐγκωμια- ζομένου δόξαν συνταπεινοῦσθαι τοῖς παραλειφθεῖσιν οἰκειώμεθα· οὐδὲ [30] γὰρ ὀφθαλμοῦ τὸ ἡλιακὸν φῶς τρανῶς κατοπτεύειν ἀδυνατοῦντος ἢ τοῦ πει*ρωμένου τὸ τῶν ἄστρων πλῆθος ἐξαριθμεῖν ἀποτυγχάνοντος, συναμαυροῦται μὲν τῇ τοῦ βλέμματος ἀδυνάτῳ ὁ ἥλιος, κατασμικρύ- νεται δὲ τὸ τῶν ἀστέρων ἄπειρον, τῇ τοῦ ἀπαριθμοῦντος ἀσθενείᾳ,

---

(1) Codex habet ἐρρίπιον, at forma consueta verbi est ἐρείπιον. Hesychius tamen scribit ἐρείπιον. Cf. Stephani *Lexicon* ad verbum. Ἐρείπιον est collapsi aedificii ruina.

ἀλλ' ἑκατέρων τούτων τὸ τοῦ ὑπερβάλλοντος ἴδιον φυλασσόντων, τὸ
ἐλλεῖπον μένει τῇ τῶν ἐγχειρούντων κρινόμενον ἀδυναμίᾳ. Οὐκοῦν ἐχέτω
μὲν ὁ ἅγιος τὰ τῶν ἔργων μὴ ἐλαττούμενα, ἡμῖν δὲ καταλειπέσθω τὰ
τῆς ἀξίας τῶν λόγων ἀποτυγχάνοντα, κἀντεῦθεν τὸ δεδοξασμένον ἴδιον
5 τῶν ἐπαίνων δεχόμενος. Οὕτω μὲν ἅπαντα κατορθώσας Μακάριος,
πάντων δὲ τῶν ἐναντιουμένων παθῶν κρατήσας πρὸς τὸ μακάριον
τέλος ἠπείγετο, δι' οὗ δὴ πρὸς τὰ ἄνω βασίλεια ἐνῆν κατασκηνῶσαι,
καὶ τὸν τῶν καλῶν ἀγώγιμον πλοῦτον ἐν τούτοις ἀποφορτίσαι. Καὶ
τοῦτο μὲν αὐτὸς προεγνωκώς, ἤδη δὲ τὸ σῶμα τῆς νόσου κατεπειγού-
10 σης, τὸν συνήθη τῆς διδασκαλίας τοῖς μαθηταῖς προύτεινεν λόγον·
Πρῶτον ὑμῖν, λέγων, ἔστω τῶν κατορθωμάτων ἡ περὶ τὸ θεῖον εὐσέ-
βεια, καὶ ἡ τῶν ὀρθῶν δογμάτων συντήρησις, καὶ πάντα προΐεσθαι
πάσχειν ἑτοίμως ἔχετε ὑπὲρ τοῦ μηδένος κινεῖν τῶν εὐσεβῶν δεδογμέ-
νων νόμων, κἂν θάνατοι ἀπειλῶνται καὶ τιμωρίαι, κἂν δημεύσεις καὶ
15 ἐξορίαι καὶ εἴ τι ἄλλο τῶν κακούντων ἐπινοεῖτο, μηδένα λόγον πρὸς
ταῦτα ποιεῖσθε, σαφῶς εἰδότες ὅτι ταῦτα μὲν σὺν τῷ σώματι διαλύε-
ται, ἐκεῖ δὲ * ἡ παράβασις ἀτελεύτητον ἔχει τὴν κατακρίνουσαν δίκην,
καὶ τὸ μὲν σῶμα τοῖς ἀλγεινοῖς περιστιζόμενον, ποικιλότερον τὸ τῆς
ψυχῆς ἀπεργάζεται κάλλος· ἡ δὲ τούτου ἄνεσις πάρεσις τῶν κατορθω-
20 μάτων γίνεται. Καὶ καθάπερ οἱ τὴν γῆν ἐργαζόμενοι, ὅσον ἂν ταύτην
ἀνορύττοντες κατατέμωσιν, τοσοῦτον τὴν τῶν καρπῶν συγκομίζονται
ἀφθονίαν, τὸν αὐτὸν τρόπον καὶ ἐπὶ τῶν τοῦ σώματος πόνων ἀναλό-
γως τούτοις οἱ τῶν ἀγαθῶν καρποὶ τῇ ψυχῇ ἐπιβρίθουσιν, εἴτ' ἀληθὲς
εἰπεῖν, πολυπλασίονες γίνονται, εἰς ἑκατὸν τὸν σπόρον ἐπαύξοντες·
25 καὶ ἡ μὲν καταβολὴ τῶν τῆς ἀρετῆς σπερμάτων ἐν θλίψεσιν ἔχει τὴν
ἐργασίαν, ἡ δὲ τούτων συλλογὴ ἐν χαρᾷ φέρει τὴν ἀπόλαυσιν· οἱ
σπείροντες γάρ, φησιν, ἐν δάκρυσιν, ὁ προφήτης (1), ἐν ἀγαλλιάσει
θεριοῦσιν. Μετὰ τοῦτο τὴν εἰς ἀλλήλους ὁμόνοιαν διατηρεῖτε· οὐδὲν γὰρ
τῶν ἀγαθῶν χωρὶς ταύτης συνίστασθαι πέφυκεν, ὅσα τε πρὸς τὸν
30 ἀνθρώπινον βίον συντείνει, καὶ ὅσα πρὸς τοὺς πνευματικοὺς ἀγῶνας
ἐγγυμνάζει. Τεκμήριον δὲ τοῦ λόγου· οὐδὲ γὰρ πολεμίῳ ἄν τις ῥᾳδίως
κρατήσειεν, ἕως ἂν ἀδιάστατοι ταῖς γνώμαις διατελῶσιν· ὁπηνίκα δὲ
ταῖς οἰκείαις βουλαῖς στασιάζοντες ἀντιπράττωσιν, εὐχείρωτοι μὲν τοῖς
πολεμίοις, εὐδιάλυτοι δὲ τοῖς ἐπιβουλεύουσι γίνονται. Διὸ τὸν σύν-
35 δεσμον μὴ διασπᾶτε τῆς πρὸς ἀλλήλους ἑνότητος, πλήρω*μα τῆς τῶν

ἀρετῶν ἐργασίας τοῦτον εἶναι λογιζόμενοι. Ἡ γὰρ εἰς ἀλλήλους εἰρη-
νικὴ κατάστασις τὴν πρὸς τοὺς ἀγῶνας ἐνδείκνυται ταυτότητα. Ταῦτ'
εἰπὼν καὶ ταῖς οἰκείαις χερσὶν τὴν τοῦ μνήματος διατυπώσας θέσιν,
τοῖς προεστῶσι τῶν μαθητῶν Δωροθέῳ τε καὶ Σάββᾳ πρὸς τὸ σημεῖον
τὴν ἐργασίαν ποιεῖσθαι προσέταξεν. Τούτου δὲ τελεσθέντος, καὶ αὐτὸς 5
τὸ ἴδιον ἐξεπλήρωσεν· Εἰς χεῖράς σου, δέσποτα, φήσας, παρατίθημι τὸ
πνεῦμά μου. Καὶ οὕτω τὸν τοῦ βίου μετέστη ὁ τοῦ βίου λείψανον
μηδὲν ἐφ' ἑαυτῷ ἐπιφερόμενος· καὶ γὰρ ὡς ἀλλότριος ἐν τούτῳ δια-
τρίβων, ξένα πάντη τὰ ἑαυτοῦ τῆς ἰδίας φροντίδος ἐτίθετο, ἑνὶ μόνον
ἀπασχολούμενος τῷ ταῦτα διαδρᾶναι, καὶ τοῖς μέλλουσιν ἀγαθοῖς 10
προσεγγίσαι. Μετέστη δὲ μηνὶ πανέμῳ ὀγδόῃ καὶ δεκάτῃ, ὃν Ῥωμαῖοι
αὔγουστον καλοῦσιν, μέγιστον ὑπογραμμὸν τοῖς ἔπειτα τὸν αὐτοῦ
βίον καταλιπών, ὡς εἰς ἀρχέτυπον γὰρ προχάραγμα εἰς αὐτὸν ἀποβλέ-
ποντες, πρὸς τοῦτον τὸν οἰκεῖον ἀπευθύνουσι βίον εἰ καὶ τῆς μιμήσεως
τὸ πλεῖον ἐλλείπουσιν. 15

Post mortem
vero plurima
patrat
miracula.

17. Οὗτος ὁ βίος Μακαρίου, οὗτοι οἱ ἀγῶνες τῶν παλαισμάτων
αὐτοῦ, ταῦτα τὰ θαύματα, προοίμιον αὐτῷ τῶν μελλουσῶν ἀμοιβῶν
ἐδόθησαν, ταῦτα τὴν ἐκεῖσε διατυποῦσι μακαριότητα, ταῦτα τὸν ὑπὲρ
ἄνθρωπον αὐτοῦ βίον οἷς ἐνεργοῦνται διαβεβαιοῦσιν. Ἀλλ' ἐπειδὴ περὶ
θαυμάτων ἡμῖν ὁ λόγος κεκίνηται, ἅτε τῶν μετὰ τὴν ἀποβίωσιν αὐτοῦ 20

* f. 153*

πραχθέντων ἐκ πολλῶν ὀλίγα προθέντες, ἐν τούτοις κατα*παύσωμεν
τὸν λόγον. Οὐδὲ γὰρ ἅπαντα δυνατὸν καταλέγειν ἄπειρά τε ὄντα καὶ
πρὸς δύσπιστον τὴν τῶν ἀφελῶν ὑπάγοντα ὑπόνοιαν, οὓς κόσμον
καλουμένους μὴ χωροῦντα τῶν γραφομένων τὸ πλῆθος ἐν εὐαγγελίοις
ἠκούσαμεν, ἀλλ' ἡμεῖς τε τῶν σπονδαίων ἕνεκα οἷς οὐκ ἀμφίβολα τὰ 25
λεγόμενα γίνεται ὡς ἔχει τὰ τῆς ἀληθείας λέξωμεν.

18. ι'. Ἤδη μὲν οὖν τῷ τάφῳ παρατιθέντος τοῦ ἁγίου αὐτοῦ λειψάνου,
τὴν νῆσον παραπλέον ἔτυχεν πλοῖον ἐν ᾧ ἐπέπλει Γρηγόριός τις τοὔνομα, ἀφανῶς ὑπὸ δαίμονος ὀχλούμενος. Πράξας οὖν παρρησίᾳ καὶ
σπαραχθεὶς βιαίως πρὸς τῇ θαλάσσῃ ἑαυτὸν καταποντίζειν ἠπείγετο. 30
Οἱ δὲ συμπλέοντες τούτου λαβόμενοι πρὸς τῇ νήσῳ ἀπέθεντο· ὀξέως
οὖν ὑπὸ τοῦ δαίμονος μαστιζόμενος, τῷ σηκῷ τοῦ ἁγίου προστρέχει,
πεσών τε πρηνὴς ἐπ' αὐτῷ καὶ τὴν αὐτὴν ἀναλώσας ἡμέραν, ἕωθεν
τῇ τοῦ ἁγίου πρεσβείᾳ πρὸς τὰ ἴδια ἀνενόχλητος ἀπῆρεν.

19. ια'. Ταῦτα οὖν καὶ Δημητρίῳ θαυματουργεῖ, ἐν ὀλίγαις ἡμέραις 35
τοῦ ἀκαθάρτου πνεύματος ἀποκαθάρας. [ιβ'.] Μεθ' ὃν τῶν δύο μοναζόντων ἐνεργεῖ τὴν παράδοξον ἴασιν, τὸν μὲν τοῦ ἀλάλου πνεύματος

ἀπαλλάξας, τὸν δὲ ὑπὸ τοιούτου τιμωρούμενον καὶ ἀλύσεσιν κατεχόμενον, ἑκατέρων λύσας, ὑγιῆ παρεπέμψατο.

20. ιγ'. Τῇ αὐτῇ χάριτι εὐεργούμενος τῶν δύο παίδων τὴν σωτηρίαν ἐνέργησεν, τὸν μὲν ἄλαλον λάλον ἀπεργασάμενος, τὸν δὲ τοῦ ἀλάλου
5 πνεύματος ἐκλυτρωσάμενος.

21. ιδ'. Οὕτω τοῦ μονάζοντος τὸν ἐμφωλεύοντα βάτραχον * ἐν τῇ κοιλίᾳ τῇ τοῦ ἐλαίου προσπόσει ἀπήλασεν.

22. ιε'. Οὕτω τῇ γυναικὶ τὰ τῆς αὐστηρότητος ἐπέδειξεν, τὴν αἱτερικὴν ἐπωμίδα διαρρήξας καὶ ἀνήνυτα τὰ τῆς δεήσεως παραδείξας. Πλεί-
10 στων οὖν τῷ τάφῳ τοῦ ἁγίου συντρεχόντων καὶ κατάλληλον τοῖς νοσήμασιν τὴν ἴασιν δεχομένων, κόρον ἡ αὐτῶν ἐξήγησις ἐμποιεῖ· οὐ μόνον γὰρ τὸ πλῆθος τῶν δαιμονῶντων θεραπεύει, ἀλλὰ καὶ παραλύτους σφίγγει, καὶ τυφλοῖς τὸ βλέπειν χαρίζεται, καὶ πάθη κρυπτόμενα τῇ χρίσει τοῦ πατρὸς καιομένου αὐτῷ ἐλαίου, φυγαδεύει. Ὧν τὴν καθ'
15 ἕκαστα διήγησιν ἑτέροις ταμιευσάμενοι, ἴδιον τὸν περὶ τούτων ὁριζόμεθα λόγον.

23. Ἀλλὰ ταῦτα μὲν, ὦ τιμία κεφαλή, μικρὰ ἐκ μεγάλων, Σάββας ὁ τῶν σῶν κατορθωμάτων αὐτόπτης διεξῆλθον, ἑτέρῳ μὲν χρησάμενος, αὐτὸς δὲ τὸν λόγον προστησάμενος. Διὸ μὴ τὰ ἐλλείποντα, ἀλλὰ
20 τὸν πόθον ἐπιμετρῶν πρὸς τοῦτόν σου τῶν δωρεῶν ἀντεισφέροις· τὴν γὰρ κατ' ἀξίαν τῶν ἀρετῶν σου διήγησιν οὐδὲ μυρίαι γλῶσσαι, εἰ καὶ πρὸς ταῦτα εὐδοκίμως ἔχουσιν, ἐξισχύουσιν ἐπελθεῖν. Δέξαι οὖν ταῦτα, τὴν σὴν μεγάλην ῥοπὴν ἀντιδιδούς, καὶ ὡσέτι περιὼν τὰ τῆς ἐμῆς διώρθου ἀσθενείας, οὕτω τὰ τῇδε παραδραμών, ταύτην ἐπιστηρί-
25 ζων μὴ διαλείποις. Ὁρᾷς ὅσον ἐγὼ τῆς σῆς ἀρετῆς ἀπολείπομαι, ὁ οὐκ ἄξιος τῆς ποίμνης σου διάδοχος. Ταύτην μὴ τῇ ἐμῇ εὐτελείᾳ, ἀλλὰ σαυτῷ κατεγχείρισον· ἔχεις καὶ μὴ παρὼν ἐν σώματι τῇ πρὸς Θεὸν παρρησίᾳ σου τὸ δύνασθαι. Συμποίμαινον ὡς ζῶν * τὸ ποίμνιον, ὃ τοῖς οἰκείοις συμπόνοις συνεστήσω, ὑπὲρ οὗ τὰς ἐν βίῳ κακοπαθείας
30 ὑπέστης. Δεῖξον τοῦτο κατόπιν βαδίζων, κἀμὲ τοῖς σοῖς ἴχνεσιν ἑπόμενον τῇ ἀπαύστῳ σου πρὸς Θεὸν πρεσβείᾳ ἵνα πάντες ἐν σοὶ καταντήσαντες σὺν σοὶ τῶν αἰωνίων ἀγαθῶν ἐπιτύχωμεν, χάριτι καὶ οἰκτιρμοῖς καὶ φιλανθρωπίᾳ τοῦ Κυρίου ἡμῶν Ἰησοῦ Χριστοῦ, ᾧ πρέπει πᾶσα δόξα, τιμὴ καὶ προσκύνησις, σὺν τῷ Πατρὶ καὶ τῷ ἁγίῳ Πνεύματι, νῦν
35 καὶ ἀεὶ καὶ εἰς τοὺς αἰῶνας τῶν αἰώνων. Ἀμήν.

LE
PSEUDO-ARAVATIUS

PAR

GODEFROID KURTH
Professeur à l'Université de Liège.

En parcourant les dernières nouveautés hagiographiques, je constate avec surprise la résurrection de S. Aravatius, que je croyais avoir définitivement enterré. C'est M. B. Krusch qui a prononcé l'*Exi foras* (1), et ce sont les RR. PP. Bollandistes qui s'emploient à défaire les bandelettes du ressuscité (2). En réalité, il n'est sorti du tombeau qu'un fantôme, et j'espère l'y faire rentrer sans rémission cette fois.

Précisons tout d'abord la question en litige.

Pourquoi a-t-on imaginé, depuis Adrien de Valois, de couper le patron de Maestricht en deux personnages, dont l'un serait le S. Servais de l'histoire et l'autre l'Aravatius de la légende?

Pour deux raisons.

La première, c'est que le saint qui a prévu la destruction de sa ville par les Huns a dû nécessairement vivre dans un temps assez rapproché de cet événement, c'est-à-dire pas trop longtemps avant 451, et être par conséquent distinct de S. Servais, dont l'existence est attestée vers le milieu du IV⁰ siècle.

La deuxième, c'est que Grégoire de Tours, qui nous a conservé l'histoire de la vision prophétique et de son accomplissement, donne au héros de ce récit le nom d'Aravatius et non de Servatius, et confirme par conséquent la conjecture fournie par la contradiction des dates.

---

(1) Servatius et Aravatius inter episcopos Tungrenses omnino distinguendi sunt, écrit M. Krusch dans son commentaire intitulé : *Vita Servatii vel potius Aravatii episcopi Tungrensis*, Script. rerum merovingicarum, t. III, p. 83. — (2) Parlant du travail de M. Krusch, le bollandiste qui en rend compte écrit : " La distinction entre S. Servais et S. Aravace, évêques de Tongres, l'un au milieu du IV⁰ siècle, l'autre au milieu du V⁰, est nettement établie et solidement prouvée. „ *Anal. Boll.*, t. XVI, p. 85.

Ces deux raisons, déduites avec beaucoup de vigueur par Adrien de Valois (1), sont restées les seules qui ont formé la conviction des savants partisans de S. Aravatius, comme Lecointe (2) et Rettberg (3), et M. Krusch n'en invoque pas d'autres aujourd'hui.

Je dis qu'elles n'ont aucune valeur, et que les difficultés qu'on se crée à l'endroit de l'unique S. Servais proviennent simplement de ce qu'on ne s'est pas rendu compte de la vraie nature de la tradition conservée par Grégoire de Tours.

Cette tradition est une tradition orale. J'ai prouvé, en effet (4), contre Koepke (5), qu'avant Grégoire de Tours il n'a pas existé de biographie écrite de S. Servais; le R. P. De Smedt, après quelques hésitations, s'est rangé à ma manière de voir, et M. Krusch lui-même est, sous ce rapport du moins, de mon avis, bien qu'il évite de le dire, puisqu'il combat la thèse opposée à la mienne qui a été soutenue autrefois dans les *Analecta Bollandiana* (6), et qu'il conclut dans le même sens que moi en disant : *Biographi omnes e Gregorio pendent* (7).

Un point est donc acquis, et il domine toute la discussion : c'est que la tradition relative à S. Aravatius qui a été conservée par Grégoire de Tours, est une tradition orale. Grégoire ne l'a pas trouvée dans les livres; elle lui a été communiquée de vive voix. Il ne l'a pas recueillie sur place, car il n'a jamais été dans le pays de Tongres, et ne s'est avancé vers le nord que jusqu'à Coblence (8). Il la tient de quelqu'un qui y avait été, ou qui avait entendu parler de S. Servais. Dans de pareilles conditions, qui ne voit avec quelle facilité le nom de ce saint, d'ailleurs inconnu dans le centre de la Gaule (9), a pu être altéré? Il lui est arrivé un accident phonétique des plus ordinaires, c'est l'aphérèse de la lettre initiale. Prononcez *Sanctus Servatius* sans avoir soin de faire sentir la réduplication de l'*s*, et votre auditeur comprendra *Sanctus Ervatius* (10). Or il faut remarquer que l'absence de cette rédu-

---

(1) Dans son *Rerum Francicarum*, t. II, préface non paginée. — (2) LECOINTE, *Annales ecclesiastici Francorum*, t. I, pp. 57 et 73. — (3) RETTBERG, *Kirchengeschichte Deutschlands*, t. I, p. 204 et suiv. — (4) Dans mon étude intitulée : *Deux biographies inédites de S. Servais*, BULLETIN DE LA SOCIÉTÉ D'ART ET D'HISTOIRE DU DIOCÈSE DE LIÉGE, t. I, p. 214 et suiv., et t. III, p. 60 et suiv. — (5) Dans la préface de son édition de Jocundus (*Mon. Germ. hist.*, Scr. t. XII, p. 85; cf. le même, *ibidem*, t. VII, p. 143 not.) — (6) *Anal. Boll.*, t. I, pp. 87 et 88. — (7) KRUSCH, *op. cit.*, p. 84. — (8) Voir le relevé de ses voyages dans G. MONOD, *Étude critique sur les sources de l'histoire mérovingienne*, 1re partie, pp. 36 et 37. — (9) Dans les tables du *Corpus inscriptionum latinarum*, où les noms de Servatus et de Servata, avec leurs dérivés Servandus, Servanda, Servatilla, ne sont pas rares, surtout en Gaule Narbonnaise, et où l'on rencontre même une fois Servatianus (*C. I. L.*, t. XII, n° 5701), Servatius n'apparaît jamais, sauf une fois à Arles (*C. I. L.*, t. XII, n° 852) et encore faut-il remarquer que la lecture est douteuse. — (10) C'est de la même manière que dans Frédégaire, III, 9, on lit que Clodion demeurait *apud Esbargium* (*Script.*

plication est un des caractères de la prononciation latine ou française par les habitants germaniques de la Belgique orientale. Pour ce qui est de la substitution de l'*a* à l'*e*, je constate qu'elle se retrouve dans le nom donné à notre saint par S. Athanase d'Alexandrie, qui, à deux reprises, l'appelle Σαρβάτιος (1), tandis que Sulpice Sévère lui donne le nom de *Servatio* (génitif *Servationis*) (2). Ces variantes sont instructives ; elles prouvent que le nom de Servatius était peu répandu, et partant fort exposé à se voir altérer. Il ne faut donc nullement s'étonner qu'il soit devenu Aravatius ou Arvatius (3) sous la plume de Grégoire de Tours (4).

Ce n'est pas tout. Une tradition orale qui se conserve pendant plusieurs générations s'altère nécessairement selon la loi qui préside à l'évolution de tous les germes de ce genre, et devient bientôt une tradition épique (5). Tout est épique dans la tradition conservée par Grégoire de Tours : la prévision miraculeuse du saint, son aventure à Rome, l'ordre reçu de S. Pierre, la faveur surnaturelle dont était l'objet son tombeau. Si je ne me trompe, cette végétation poétique provient du besoin qu'éprouvait dans l'origine l'esprit public d'expliquer pourquoi la tombe de S. Servais était à Maestricht, au lieu de se trouver à Tongres près de son siège épiscopal. D'autre part, le nom des Huns, que la tradition désigne comme étant les barbares qui ont détruit Tongres, a au plus haut degré le caractère épique. En vertu de ce que j'ai appelé ailleurs

rer. merov., t. II, p. 95). Pourquoi ? Parce que le scribe a mal compris les mots *apud Disbargium* qu'on lui dictait, et qu'il n'a pas saisi la réduplication du *d*. Le phénomène inverse, qui consiste en ce que l'*s* final de *sanctus* s'incorpore au nom, quand celui-ci commence par une voyelle, est plus fréquent en français ; ainsi nous disons *Saint-Chamant* pour *Sanctus Amantius*, *Saint-Chély* pour *Sanctus Electus*, *Saint-Chinian* pour *Sanctus Anianus*, *Saint-Cybard* pour *Sanctus Eparchius* (QUICHERAT, *De la formation française des noms de lieu*, p. 68.) — (1) *Apologia contra Arianos*, n° 50, *P. G.*, t. XXV, col. 337; ID., *Apologia ad imperatorem Constantium* n° 9, *P. G.*, t. c., col. 605. — (2) Sulpice Sévère, *Chronicon*, II, 44. — (3) Dans l'un des deux passages de Grégoire de Tours *(Gloria confessorum)*, *Arvatius (Arvacius)* est la lecture des manuscrits 1ᵃ, 2, 3 et 1ᵇ; le seul 4 lit *Aravatius*. Dans l'autre *(Historia Francorum)*, C¹ seul lit *Eravatius*, les autres manuscrits *Aravatius*. — (4) Si M. F. Lot avait connu ces faits, auxquels je faisais allusion dans un passage de l'*Histoire poétique des Mérovingiens*, p. 66, il se fût dispensé de me donner cette leçon de linguistique : " Dans aucune langue romane ou germanique Servatius ne peut devenir Aravatius, d'après aucune loi phonétique. , *Le Moyen-Age*, t. VI (1893), p. 130. — (5) Je ne puis, à cette occasion, m'empêcher de manifester mon étonnement de voir certains critiques se méprendre au sujet de la portée que je donne au mot " épique , dans l'*Histoire poétique des Mérovingiens*. Est épique, selon moi, tout récit qui a passé par la bouche populaire en y subissant les transformations organiques connues. Qu'il soit rythmé ou non, cela importe peu au point de vue de l'historien. M'attribuer d'avoir soutenu que chacun des récits populaires étudiés par moi provient d'une *chanson épique*, c'est prouver qu'on n'a pas pris la peine de me lire.

le transfert épique, l'esprit populaire a l'habitude de ramener toujours
à certains noms connus tous les faits d'une même catégorie. A-t-elle
à désigner un roi puissant, un adversaire redoutable de l'Islam? Il
s'appellera pour elle Charlemagne, même quand ce serait Charles-Martel
ou Pépin le Bref. A-t-elle à parler d'un peuple barbare, destructeur de
la civilisation chrétienne? Elle ne nommera jamais que les Huns. Les
Huns sont pour les hommes du haut moyen âge ce qu'avaient été quelques siècles auparavant les Sicambres, ce que devaient devenir quelques
siècles plus tard les Sarrazins, c'est-à-dire les représentants poétiques
de la barbarie. Il était donc inévitable qu'ayant à parler des barbares
qui détruisirent Tongres, la voix populaire les appelât les Huns.

Cette substitution de noms, qui a si longtemps dérouté les érudits, est
un fait incontestable. Les Huns n'ont jamais passé à Tongres. A l'aller,
ils étaient partagés en deux corps d'armée, dont le plus septentrional a
franchi le Rhin aux environs de Mayence (1) et doit avoir ensuite opéré
sa jonction avec l'aile droite venant de Strasbourg sur Metz, d'où elle
aura continué sa marche vers le sud de la Gaule. Après leur défaite à
Mauriac, les Huns se sont hâtés de regagner la Pannonie, menés battant
fort jusqu'au cœur de la Germanie par Aétius, et perdant en route une
bonne partie de leurs troupes, comme toute armée en retraite et démo-
ralisée (2). Dans ces conditions, la destruction de la ville de Tongres
par les soldats d'Attila est chose absolument dénuée de vraisemblance. Par contre, la ville de Tongres a été réellement prise et
détruite par les Vandales en 406, lors de la terrible invasion qui,
forçant le Rhin à Cologne, versa sur la Gaule une avalanche de
peuples germaniques. Nous savons qu'à cette occasion toute la Belgique fut mise à feu et à sang, et que ses villes furent détruites. Tongres, il est vrai, n'est pas expressément cité dans le passage célèbre de
S. Jérôme qui parle de cette grande catastrophe (3), mais l'itinéraire
suivi par les barbares, qui les a menés de Cologne à Reims par la
chaussée passant à Tongres, et l'universalité des ravages subis par la Belgique ne permettent pas de croire que la ville de S. Servais ait échappé
au sort commun. L'archéologie confirme sous ce rapport d'une manière

---

(1) VON WIETERSHEIM, *Geschichte der Völkerwanderung*, t. II, p. 246. — (2) ID., *op.
cit.*, t. II, p. 259. — (3) Innumerabiles et ferocissimae nationes universas Gallias
occuparunt. Quidquid inter Alpes et Pyrenaeum est, quod Oceano et Rheno inclu-
ditur, Quadus, Vandalus, Sarmata, Halani, Gipedes, Heruli, Saxones, Burgundiones,
Alamanni, et, o lugenda respublica ! hostes Pannonii vastarunt. *Etenim Assur venit
cum illis* (Psalm. 82, 9). Moguntiacum, nobilis quondam civitas, capta atque subversa
est, et in ecclesia multa hominum millia trucidata. Vangiones longa obsidione
deleti. Remorum urbs praepotens, Ambiani, Attrebatae, extremique hominum
Morini, Tornacus, Nemetae, Argentoratus, translatae in Germaniam, etc. S. JÉROME,
epist. 123 *(ad Ageruchiam).*

éclatante le témoignage de l'histoire. Dans les ruines d'une multitude de villas romaines de la *civitas* de Tongres, la série des monnaies qu'on retrouve s'arrête au règne de Théodose le Grand († 395) ou, parfois, de ses fils.

Je puis citer d'autres exemples de cette substitution du nom des Huns à celui d'un autre peuple barbare. Ainsi, quand une légende rapportée par Grégoire de Tours nous parle du siège de la ville de Bazat (Gironde) par les Hûns, qui ne sont jamais arrivés jusqu'auprès de cette ville, c'est incontestablement des Vandales qu'il était question dans l'origine ; car on voit que le peuple dont il s'agit est arien, et son roi s'appelle Gauséric (1).

De même, quand Frédégaire raconte la légende de l'origine du nom des Lombards, c'est par un transfert épique qu'il substitue le nom des Huns à celui des Winiles ou Vandales, seuls nommés dans les sources lombardes, depuis l'*Origo gentis Langobardorum* qui est du VIᵉ siècle, jusqu'à Paul Diacre, qui, au VIIIᵉ, est l'écho fidèle des traditions de son peuple (2). Il est certain, d'autre part, que c'est le même procédé populaire qui a introduit les Huns dans la légende dite des XI mille vierges ; ces saintes, quel qu'ait été leur nombre primitif, étaient à Cologne l'objet d'un culte à partir du IVᵉ siècle, comme le montre l'inscription de Clématius, si souvent commentée dans ces derniers temps, et par conséquent elles ont vécu avant l'époque où l'Occident a vu apparaître le peuple d'Attila. Il serait facile de multiplier ces exemples : je crois n'en avoir pas besoin pour établir ma thèse, et je conclus.

S. Servais, évêque de Tongres, mourut vers la fin du IVᵉ siècle (3) et fut enterré à Maestricht. Vingt-deux ans après sa mort éclatait la catastrophe qui couvrit de ruines toute la Gaule-Belgique. Peu de temps après cet événement, on racontait à Maestricht une légende d'après laquelle le saint aurait prévu la destruction de sa ville épiscopale et fait choix de Maestricht pour abriter sa dépouille mortelle. Cette légende, transmise de bouche en bouche et ornée de détails merveilleux, fut modifiée après l'invasion hunnique en ce sens que la destruction de Tongres fut présentée comme l'œuvre des Huns : grâce à cette substitution de noms, elle devenait plus invraisemblable et plus épique à

(1) Grégoire de Tours, *Glor. martyr.*, c. 12. M. Krusch lui-même écrit au sujet de ce passage : " Gregorium de Geiserico Vandalorum rege neque de rege quodam Chunorum cogitasse ex iis intelligitur, quae infra scripsit : *Contra iniquam et Deo odibilem arrianam haeresim.* „ —— (2) Frédégaire, III, 65, dans M. G. H., *Script. rer. merov.*, t. II ; cf. G. KURTH, *Histoire poétique des Mérovingiens*, p. 149. —— (3) G. WENDELINUS, *Lex Salica*, c. 7, cité par HENSCHEN, *Acta Sanct.*, 13 mai, p. 213 c, dit avoir lu *in antiquissimo Traiectensis ecclesiae pittacio* que S. Servais mourut le 13 mai 384, *feria Pentecostes secunda.* En 384, le lundi de Pentecôte tombait, en effet, le 13 mai.

la fois, et provoquait en quelque sorte la conjecture hardie et ingénieuse d'A. de Valois, reprise de nos jours par M. B. Krusch. Cette conjecture tombe d'elle-même devant l'étude critique des origines de notre légende.

Je pourrais m'arrêter ici ; mais avant de terminer, je veux encore dire un mot des arguments développés par M. Krusch. Leur faiblesse achèvera, je pense, la démonstration que j'ai entreprise.

J'avais montré, en 1881, que tout au moins dès le VIII⁰ siècle, on était convaincu à Maestricht de l'existence d'un seul personnage, à savoir de S. Servais. Aux preuves que j'en fournissais alors, je puis ajouter celleci. Sous le règne de Charles-Martel, un prêtre du nom de Wando avait été exilé, pour raisons politiques, à Maestricht. Pepin le Bref le rappela en 742, et en fit un abbé de Fontenelle en Normandie. Wando y apporta des reliques de S. Servais, et construisit en l'honneur de ce saint une église où il se fit plusieurs miracles (1). C'est là, à mon sens, l'origine du culte de notre saint en Normandie et en Bretagne. Donc, encore une fois, à une date aussi haute que la première moitié du VIII⁰ siècle, c'est S. Servais qui est la vraie gloire de la ville de Maestricht. Du prétendu Arvais, il n'est jamais question.

M. Krusch est obligé de reconnaître que dès cette date on ne connaît que le seul S. Servais; seulement, il croit que c'est précisément au VIII⁰ siècle que s'est produite la confusion, et cela à l'occasion de la translation qui fut faite, avant 727, du corps de S. Servais. Cette translation devint, selon M. Krusch, le point de départ du culte de notre saint ; c'est à partir de cette date que son nom fut inscrit dans les martyrologes, c'est alors aussi qu'on se préoccupa d'écrire sa biographie. Trouvant dans Grégoire de Tours ce qui était raconté de S. Arvais, et ignorant d'ailleurs totalement l'histoire authentique de S. Servais, on imagina d'attribuer à ce dernier tout ce que le chroniqueur franc racontait du premier. A partir de ce jour, on ne connut plus à Maestricht qu'un seul saint, qui fut S. Servais, avec lequel venait de se confondre l'Arvais de Grégoire.

Voilà l'explication de M. Krusch. J'admets, par hypothèse, l'historicité de la translation de S. Servais sous le pontificat de S. Hubert, bien qu'elle n'ait d'autre témoin que le fabuleux écrivain qui, vers la fin du XI⁰ siècle, a écrit au sujet de notre saint une Vie qui est plutôt un roman pieux. Sous la même réserve, j'accorde encore à mon savant contradicteur que les deux biographies du saint que j'ai publiées, ont été composées à l'occasion de cette translation. Mais ce que j'ai le droit d'affirmer hautement, c'est que ce S. Servais est le même que l'Arvais de Grégoire de Tours, et qu'il n'a fallu aucune confusion pour raconter de l'un ce que l'historiographe écrivait de l'autre.

(1) *Gesta abbatum Fontanellensium*, c. 13.

Certes, qu'il arrive à des hagiographes de confondre en un seul deux personnages distincts, ou inversement de couper en deux un seul et même personnage, nul ne songera à le contester, pour peu qu'il soit au courant de la littérature hagiographique. Et si la question n'était qu'une question d'hagiographie, la conjecture de M. Krusch pourrait se justifier tout au moins au point de vue formel. Mais il s'agit ici d'une question de culte. S'il y a eu deux tombes, gardant chacune les reliques de deux personnages différents, il y a eu deux cultes et deux traditions, et l'identification des deux saints était chose impossible. Rien de plus tenace qu'une tradition de culte : la critique même ne parvient pas à la débusquer de ses positions, nous l'avons vu plus d'une fois, et ce n'est certes pas au VIIIe siècle qu'elle aurait eu un pouvoir qui lui fait encore défaut aujourd'hui.

Que serait devenue, dans l'hypothèse de M. Krusch, la tombe de S. Servais, une fois qu'il aurait été pris pour S. Arvais? Aurait-elle été détruite, ses cendres jetées au vent, et son culte supprimé? Car c'est bien dans la tombe d'Arvais — s'il y a eu deux personnages — que nous trouvons aujourd'hui S. Servais logé. Grégoire nous dit que son tombeau fut creusé près du pont de la chaussée publique, hors ville ; c'est bien à ce signalement que correspond l'emplacement de l'église de Saint-Servais actuelle. Mais dans l'insoutenable hypothèse défendue par M. Krusch, c'est précisément le contraire qui aurait dû arriver. Puisque, comme il le dit, on ne connaissait rien de S. Servais, alors qu'on avait de S. Arvais une légende si intéressante, c'est Servais qui aurait dû fondre sa personnalité dans celle d'Arvais, et l'église devrait s'appeler aujourd'hui encore Saint-Arvais et non Saint-Servais. Au lieu de cela, nous voyons les deux saints faire le plus bizarre et le plus incompréhensible des contrats : l'un fournit sa tombe, l'autre fournit son nom à l'être fictif qui résulte de leur contamination, et le clergé de Maestricht consacre cet accord en détruisant un des cultes et un des tombeaux et en biffant des diptyques un des noms. Cela est-il sérieux?

M. Krusch aurait diminué l'invraisemblance de sa thèse si, au lieu d'admettre deux tombeaux de saint au VIIIe siècle à Maestricht, il avait supposé, avec A. de Valois, que S. Servais avait été enterré à Tongres, que sa tombe y était depuis longtemps oubliée et inconnue, et qu'à un moment donné on crut qu'elle se confondait avec celle de S. Arvais (1). Je dis qu'il aurait diminué l'invraisemblance, il ne

---

(1) Servatii et natalis et tumulus ignoratur. Quem ego in seue sua Tungris decessisse, ac ibidem humatum esse non dubito, sed post eversam hancce urbem ab Attila Hunnorum rege, sepulcrum beati antistitis, una forsitan dirutum, nosci desiisse. A. DE VALOIS, *l. c.*

l'aurait pas supprimée ; car il resterait toujours à expliquer comment, à Maestricht, un saint dont le nom et le souvenir avaient presque entièrement disparu, pouvait avoir exproprié de sa tombe et de son nom un autre saint dont le culte était populaire et dont la gloire était rehaussée par un miracle éclatant. Donc, ni dans la forme sous laquelle elle est présentée par M. Krusch, ni dans celle qu'elle revêt chez Adrien de Valois, l'hypothèse de la dualité ne résiste à l'examen.

Un mot encore pour finir. M. Krusch estime que j'ai été téméraire en conjecturant que les vers et fragments de vers contenus dans la seconde Vie de S. Servais pouvaient provenir de l'épitaphe de ce saint (1). A cette opinion de M. Krusch, j'oppose celle de J.-B. de Rossi, dont mon savant contradicteur reconnaîtra sans doute l'autorité en pareille matière. Le regretté maître m'écrivait de San Marcello Pistoiese le 28 juillet 1884 : « La découverte de l'épitaphe métrique dans le texte » de la légende est incontestable. » D'autre part, sous la date du 1er août 1884, feu M. J. Habets, le savant archiviste de Maestricht, m'écrivait : « Il vous sera peut-être agréable d'apprendre que l'épitaphe : *Hic* » *pausant membra*, etc., a été replacée par M. le doyen de Saint-Ser- » vais sur la tombe du saint, *peut-être dix mois avant l'apparition de* » *votre brochure*. Nous aussi, nous avions soupçonné l'antiquité de cette » inscription et son importance hagiographique. Cela, me semble-t-il, » doit être un bon signe pour le sérieux de vos recherches. »

Enfin, dès 1882, Georges Waitz avait écrit dans le *Neues Archiv*, en rendant compte de mon premier mémoire : « Einige Reste von » Distichen in der jüngeren (Vita) scheinen dem Epitaph entlehnt zu » sein (2). » J'attache d'autant plus d'autorité à l'opinion de ce savant qu'à l'heure où il la formulait, mon deuxième mémoire sur S. Servais, bien que déjà composé, n'avait pas encore vu le jour. Une même idée venue spontanément et sans concert préalable à Waitz, à Habets, aussi bien qu'à moi chétif, et ratifiée par J.-B. de Rossi, est-elle vraiment si téméraire ? Et cette épithète n'est-elle pas méritée plutôt par M. Krusch lui-même, qui, au lieu de reconnaître le vrai caractère d'une pièce où il lit ce vers :

Hic pausant membra clari doctoris in antro

s'avise d'y voir un panégyrique de S. Auctor de Metz, parce qu'il y rencontre cet autre :

Angelico vultu splendebat fulgidus auctor.

(1) Dans *Nouvelles recherches sur S. Servais*, BULLETIN DE LA SOCIÉTÉ D'ART ET D'HISTOIRE, t. III; — (2) *Neues Archiv der Gesellschaft für ältere deutsche Geschichtskunde*, t. VII, p. 410.

S'il a existé au VIII° siècle un poëme en l'honneur de S. Auctor de
Metz, — et c'est ce qu'il faudrait prouver, — il n'est guère probable
que l'auteur de la *Vita Servatii* l'ait connu, ni qu'il y soit allé puiser.
Par contre, s'il a existé à la même date, une épitaphe sur le tombeau
de S. Servais à Maestricht, — et quoi de plus vraisemblable? — on ne
peut douter qu'il en ait eu connaissance, et il est légitime de supposer
que, dans son indigence de renseignements, il en aura tiré parti.

UNE LETTRE INÉDITE

DU

B. PIERRE FABER

Le 27 septembre 1543, le P. Faber écrit de Cologne à S. Ignace qu'il lui envoie une lettre du nonce Poggio " sobre las cosas universales „, et il ajoute qu'à Cologne, les menaces de l'archevêque Hermann de Wied inspirent une telle crainte qu'on n'ose même pas informer l'empereur de ses projets. On s'est donc adressé à lui, Pierre Faber, en lui demandant de se charger de tout. " Esta pobre gente está „ puesta en fuga por causa de las menazas de este Arzobispo, de manera que aun „ parà informar á Su Majestad de lo que pasa, non hay quien ese nada; sino que se „ remiten á mí, rogándome que yo supla por todos (1). „

On n'avait trouvé jusqu'ici aucune trace de cette intervention du bienheureux, et l'éditeur de ses lettres avoue que ses recherches à ce sujet ont été vaines (2). Ce fait a même fourni un argument de plus à ceux qui prétendent que Pierre Faber a mal connu et certainement mal caractérisé la situation. Son exposé ne répondrait aucunement à la réalité, et tout ce que l'on a dit jusqu'ici de l'activité qu'il aurait déployée pour les affaires générales de l'Allemagne, reposerait sur une légende (3).

La lettre suivante, que nous avons trouvée aux archives du Vatican (Concilio di Trento, t. XXXVIII, fol. 73), remettra les choses au point, et empêchera peut-être une nouvelle légende de se former sur une des circonstances principales de la vie du B. Pierre Faber.

C'est une relation officielle adressée le 3 septembre 1543 (4), au cardinal de Modène, Jean Morone, qui, en sa qualité de nonce apostolique, avait envoyé Pierre Faber dans les pays rhénans " a Spira, e a Magontia e a quel tratto del Rheno (5) „.

Nous publions la pièce d'après l'original. La souscription et le post-scriptum sont de la main du bienheureux.

B. Duhr, S. J.

(1) I. M. Velez, S. I., *Cartas del B. Petro Fabro*, Bilbao, t. I (1894), p. 194. — (2) *Ibid.*, n. 5. — (3) J. Hansen, *Die erste Niederlassung der Jesuiten in Köln, 1542-1547*, dans les *Beiträge zur Geschichte vornehmlich Kölns und der Rheinlande*. (Köln, 1895), p. 172-76. — (4) Elle devrait donc prendre place entre le n. 7 et le n. 8 du recueil récent de J. Hansen, *Rheinische Akten zur Geschichte des Jesuitenordens, 1542-1582*. Bonn, 1896. — (5) Quirini, *Epistolae Reginaldi Poli*, t. III, p. 27.

R^{me} et Ill^{me} domine,

Gratia domini nostri Iesu Christi et pax sit semper cum D. V. R^{ma}. De mea peregrinatione ad Colonienses, etiam quum adhuc esset futura, scripsi nuper ad D. V. R^{mam}. Visum nunc est ea dicere, quae tam mihi quam Coloniensibus in ista peregrinatione mea contigerunt, non quod omnia prescripturus sim, sed ea solum, quae de prosperitate status rerum fidei compendiose pro meo more dici posse videbantur, et illa potissimum, quae gesta sunt post intellectum Caesaris aduentum. In quo quidem solo (proh dolor) hoc tempore omnium ferme Germanorum salus et interitus, pax atque turbatio etiam spiritualis consistere videtur. Quippe columna fidei et veritatis firmamentum iam non tenetur. Ut autem hinc exordiar, universitas Coloniensis intelligens catholicum Caesarem aduenire, misit obuiam ei proprium nuntium, qui per litteras ad Ill^{em} Granuellanum datas, et per meas etiam scriptas (uti petierant) ad R^{mum} D. nuncium apostolicum et ad Caesareae Maiestatis confessorem, sic impetraret praesidium et remedium aliquod pro negotiis fidei circumquaque periclitantis; ut praeteream archiepiscopi conatus, ubique iam cognitos. Nuntius autem universitatis Moguntiae reperit Caesarem et quos de rebus istis turbatae fidei certiores reddi volebamus. Obtentae sunt igitur literae Caesaris ad universitatem, deinde ad senatum Coloniensem. Utraeque multum exhortabantur et animabant ad constantiam in fide conseruandam, promittentes etiam spem certam efficacis auxilii contra aduersarios. Literae R^{mi} D. nuntii ad universitatem rescriptae, similiter et ipsae magnum robur spei nostrae addiderunt. Illud commodissime ac opportunissime tunc euenit, quod literae quaedam pontificiae prima die iunii Bononiae datae, ad idem usque tempus fuissent reseruatae et ad me, qui eas disponerem, tunc pariter huc transmissae. Quas itidem adiunxerat R^{mus} D. nuntius et ad clerum et senatum Coloniensem. Verum nemo fuit qui mihi fauere auderet in reddendis pontificiis literis directis ad clerum et ad coadiutorem archiepiscopi, eo quod hinc timendum sibi archiepiscopum suspicarentur, et veriti, ne literae ad clerum primarium scriptae supprimerentur ab ipso decano. Sed vanus utrinque timor fuit. At universitas cum intellexisset Caesaris benevolentiam atque propitiationem erga se, fauorem quoque D. nuntii in confirmandis atque promovendis fidei negotiis, decreuit propterea pluribus agere et virilius contra suum archiepiscopum. Constituit igitur unanimiter, ut ad R^{mum} D. legatum apostolicum mitteretur, qui posset universitatem ipsam repraesentare clam et secrete. Sed nemini visum est hoc onus ita debere attentari. Quin potius per duos in hoc deputatos elegerunt atque rogarunt me, qui omnium suorum nomine mitterer ad legatum. Respondi me quidem ab ipso legato vocatum et ad ipsum esse me iturum statim, interim non decere tam praeclaram universitatem, ut in re tanti ponderis substitueret alienigenam pro toto tam eximio corpore suo. Sic mutata sententia, mihi Bonnam eunti tradiderunt solum memoriale quoddam. Est autem Bonna ciuitas archiepiscopi, distans a Colonia itinere quinque uel sex horarum. Porro quo die Bonnam abii, promulgatum est edictum Coloniae a senatu, cauens sub grauibus poenis, ne Lutherani praedicatores a quoquam reciperentur uel audirentur. Quod edictum eos maxime respicit, qui abituri erant ad Lutheranum praedicatorem ab archiepiscopo constitutum in pago Coloniae vicinissimo, quem non nisi Rhenus fluvius disiungit a Coloniensibus.

Quaenam huius edicti forma fuerit et quid Imp. Maiestas rescripserit Coloniensibus, videbit D.V.R᪲ᵃ ex his quae impressa coniunxi literis istis. Facile constabit pontificias literas una cum Caesariis euulgatas non esse; sed summatim dumtaxat comprehensae sunt, ut senatus Coloniensis effugeret inuidiam ac indignationem archiepiscopi sui, quem non facile volunt irritare. Ego vero Bonnam perueni, quo die Caes. Maiestas eodem pervenerat, videlicet 17 augusti. Deinde cum R᪲ᵒ D. nuntio et cum Caes. Maiestatis confessore contuli omnia ea, quae uel ex me uel per universitatem de fidei rebus intellexeram. Et haec fideliter ab ipsis denuntiata sunt D. Granuelano, me tum praesente, ut Caesarea Maiestas plenius super his informaretur a Granuelano. Sequenti statim dominica die archiepiscopus Coloniensis interfuit Bonnae summo sacro, una cum Caesare, cui tum administravit palam, non aliter quam catholici praelati solent. Neque parum admirati sunt plaerique, cernentes principem illum ibi tam deuote sacris rebus omnibus ad finem usque assistentem. Ex qua nova tantaque religione in archiepiscopo conspecta, laetificati multi crediderunt aliquam dexterae Excelsi mutationem reuera contigisse. Peractis iam rebus sacris, Caesarea Maiestas prouide per R᪲ᵐᵘᵐ D. nuntium atque per D. Granuelanum praemonita, constituit horam archiepiscopo ad mutuo iuter se conueniendum. In quo colloquio tria potissimum extorta et impetrata sunt ab archiepiscopo.

Unum quidem, quo promisit se ablegaturum contionatores Lutheranos de omni sua diocesi; alterum, quod supprimeret reformationem illam, quae ipsius authoritate sub praelo manebat prope iam aedita; tertium, quod promisit se nihil innovaturum de rebus fidei ante proximam Caes. Maiestatis declarationem, ac interea se sequuturum esse nutum Caesaris. Atque his ita peractis, dum Caesar cum suis breui post inuasisset ducatum Iuliacensem, ego redieram Coloniam, renuntians haec omnia doctoribus ac reliquis qui meum reditum auide expectabant. Et ipsi vehementer laetificati, recreati et in novam optimamque spem renouati fuere. Non dubito, quin ex his omnibus perspicuum fiat, quantum fidutiae, roboris et strenuitatis assumpserint

Colonienses ex pontificiis, Caesariis et ipsius legati literis diligen-
tiaque. Dominus quod cepit, hic perficiat. Haec sunt, R^me et Ill^me domine,
quae mihi merito scribenda videbantur de non iniucundo successu
negotiorum fidei, quoad universitatem et ciuitatem Coloniensem. Hoc
autem gaudium quod boni omnes ex praedictis conceperant, accepit
modo nonnihil detrimenti. Quamquam enim Bucerum, Pistorium et
Hegionem ab archiepiscopo recessisse sciamus, non desunt alii tamen
Lutherani contionatores, quos per archiepiscopum ablegandos esse
non audimus et multi non credunt. Unde statuit Universitas huius
rei commonere protinus Caesaream Maiestatem, quae fortassis (ut
confidimus) non dissimulabit archiepiscopi inconstantiam, quod is
non stet conventis et sancte promissis.

Atque sic inter spem et metum heremus, nescii quoque quid nobis
allatura sit praesens congregatio et mutuum colloquium electorum in
Bingia. Quod ad me pertinet, gaudeo nunc in Domino, quod in his
articulis mihi contigerit adesse Coloniensibus, quibus operam meam
omnem ac vitam ipsam obtuli lubenter et per Dei gratiam facile sum
impensurus. Iesus Christus sit cum D. V. R^ma et ipsam huic toti
nationi conseruet augeatque.

Coloniae 3° nonarum septembris anno 1543.

Do. V. R^mae et Ill^mae

Capellanus et seruus
PETRUS FABER.

Ego scripsi litteras eiusdem argumenti ad R^mum Card. Sanctae
Crucis iuxta unum ex primis praeceptis a R^ma D. V^a mihi factis, et
quod idem quoque a me exigeret R^dus dominus Poggius nuncius apo-
stolicus, qui et ipse nonnihil cogit me, ut non tam cito quam putabam
redeam ad R^mum Moguntinum, et pollicitus est se apud illius D. R^mam V.
excusaturum me, ita ut non sim reprehensibilis ex eo quod tamdiu
peregriner a Moguntia, licet ego non putem me peregrinari a voluntate Christi iuxta missionem meam, quamdiu ego fuero circa Rhenum.
Res meae particulares longe melius habent quam hactenus unquam
in Germania, quod hic videam longe plures pisces promptos ad
capturam quam unquam in Germania. Et tamen universalia haec, de
quibus scripsi epistolam, nonnihil me impediunt, ut ne possim singulis, qui volunt, partem mei impendere.

I   H̄   S

Sur le revers: R^mo in Christo Patri et Illmo domino D. Cardinali
Mutinensi, patrono meo colendissimo et
observandissimo

Mutinae.

UNE LETTRE

DU

BARON HENRI-JULES DE BLUM AU P. HENSCHENIUS

SUR LE MARTYROLOGE HIÉRONYMIEN

Dans l'édition récente du Martyrologe hiéronymien, feu M. de Rossi consacre tout un chapitre au manuscrit de Wissembourg, qui fut quelque temps la possession du baron Henri-Jules de Blum, conseiller aulique à la cour de Vienne (1). Le manuscrit n° 11322-26 de la bibliothèque royale de Bruxelles renferme, fol. 212ʳ-213ʳ, une lettre du conseiller de Blum au P. Henschenius (2), où il est question du Martyrologe hiéronymien. Il y. a donc, croyons-nous, quelque intérêt à publier ce document.

* f. 212ʳ

* Admodum (3) Reverende Pater,

Martium mensem, quem vestra Reverenda Paternitas prioribus suis literis ad me misit (4), cum manuscripto meo martyrologii (5) contuli, neque admodum ab illo differre cognovi; quin idem esse, si varias tantum lectiones excipias, quemadmodum vestra Reverenda Paternitas facile cognoscet ex primis septem diebus, quos ex meo

---

(1) *Martyrologium hieronymianum*, p. [xv-xvii]. J. H. de Blum ou Blume naquit à Brunswick en 1622 et mourut à Prague après l'année 1688. Voir A. Räss, *Convertiten seit der Reformation*, t. VI (Freiburg i. B., 1868), p. 558-71, et *Allgemeine deutsche Biographie*, t. II, p. 745-6. — (2) La lettre ne porte pas d'adresse, mais dans le post-scriptum, Blum fait saluer les PP. Bolland et Papebroch. Or, en 1665, outre ces deux bollandistes, il n'y avait attaché à l'œuvre que le P. Henschenius. D'autre part, on sait que c'est surtout le P. Henschenius qui s'est occupé de l'impression du Martyrologe d'Epternach. Cf. MAX ROOSES, *Bulletin de l'Académie d'Archéologie de Belgique*, 3ᵉ série, t. III, 1881, p. 295-300. — (3) En tête du document, on a placé dans le manuscrit le sommaire très inexact que voici : *D. Blum indicat, unde incipiat suum martyrologium hieronymianum.* — (4) Il s'agit d'une copie du manuscrit d'Epternach du martyrologe hiéronymien, qui se trouvait alors entre les mains du P. Rosweyde. Voir DE ROSSI-DUCHESNE, *Martyrol. hieronym.*, p. [viii-ix]. — (5) Cette copie est annexée à la lettre ; elle se trouve dans le manuscrit de Bruxelles, f. 210-211.

codice plane atque in illo exstant, exscriptos mitto (1). Character lite-
rarum idem quoque propemodum est cum vestro, et eiusdem etiam
aetatis (2), aut certe non multum recentioris, cum scriptus sit
anno 772. Praemittit enim quisquis illum descripsit brevem supputa-
tionem annorum ex Eusebii chronico, et illam his verbis finit : *Fiunt
ab initio mundi usque ad Christum anni V mil. DCLIII* (3), *ab incarnatione Christi DCCLXXII.* Sequitur deinde epistola Chromatii et
Eliodori ad Hieronymum, et illius responsum, tum *Breviarium aposto-*
*lorum** ex nomine vel locis ubi praedicaverunt,* (4) *orti, ubi obiti sunt.*
Demum martyrologium ipsum, cui manu recentiori passim obitus
quorundam episcoporum aliorumque adscripti sunt, e. g.

III Non. Ian.

Est transitus Domni Ermebi (5) *episcopi*

Prid. (6) *Non. Ian.*

Transitus Fustulfi (7) *episcopi anno DCCCX*

V kl. Febr.

Anno ab incarnatione XIIII (8) *V kl. Febr.*

Domnus Karolus imperator obiit.

IIII kl. Febr.

Est transitus Domni (9) *David episcopi.*

VIII id. Febr.

Est transitus Domni Ratfridi abbatis

XIIII kl. Mart.

Est (10) *natale sanctae Iulianae martyris et virginis.*

Si vestra Reverenda Paternitas tanti id esse existimaverit, faxo ut
integrum* mensem Martium accipiat. Sub initium IIII Non. Mart.
magna quidem utriusque codicis est diversitas. Vester enim sic
habet : *Romae martyrum X,* meus : *Natalis martyrum DCCC rum* (11).
Tam ingens numerus mihi suspectus est; quem alibi quoque in

(1) Comme nous l'avons dit, Blum avait alors entre les mains le manuscrit de
Wissembourg. *Martyr. hieronym.,* p. [xv]. — (2) Le martyrologe hiéronymien
du manuscrit d'Epternach a été écrit vers 702-706. *Martyr. hieronym.,* p. [vm]. —
(3) Cf. *Martyr. hieronym.,* p. [xvi]. Florentinius, qui donna la première édition
du manuscrit de Wissembourg, a très mal lu ce passage, quand, pour DCIII il a écrit
Deinde. Voir *Vetustius Martyrologium,* p. 1055. Mais Blum a mal transcrit aussi. En
réalité, le manuscrit a DCVIIL. — (4) Blum omet ici le mot *ubi.* Voir FLORENTINIUS,
Vetustius Martyrologium, p. 1056. — (5) Lire *Ermberti.* Voir *Martyr. hieronym.,*
p. [5]. — (6) Blum se trompe ; cette mention est inscrite *Non. Ianuarias.* Voir
Martyr. hieronym., p. [5]. — (7) La transcription exacte est *uistulfi.* Voir *Martyr.*
hieronym., p. [5]. — (8) Blum a oublié DCCC; le chiffre complet est DCCCXIIII.
Voir *Martyr. hieronym.,* p. [14]. — (9) Le manuscrit a *domne* (sic). Voir *Martyr.*
hieronym., p. [14]. — (10) En réalité, il y a *item.* Voir *op. cit.,* p. [21]. — (11) Cf.
Martyr. hieronym., p. [28].

Romano Martyrologio occurrentem ex manuscripto Lucensi codice sese correxisse gaudebat Holstenius. P. Dacherium cognovi olim Lutetiae. Optime utique de re literaria et Ecclesia meritus, quod plurima vetera scripta alias forte peritura situ et carie, Canisium imitatus (1), ut illi ad manus veniunt, in lucem profert. Priores tres tomos *Spicilegii* inspexi ante quadriennium Moguntiae; quartum vero, cui antiquissimum martyrologium, quod olim Corbeiensis monasterii fuit in Gallia, inseruit (2), una cum quinto et sexto, nondum mihi videre licuit (3). Eiusmodi enim libri huc nou perferuntur.

Memini me illius et Canisii exemplo saepius adhortatum fuisse Reverendum Patrem Gammans (4), utriusque amicum, ut pari ratione-sub titulo *Spicilegii* aut *Lectionum antiquarum* aut alio aliquo tandem in lucem ederet varia quae habet vetera scripta ad historiam maxime germanicam spectantia. Nam integris commentariis, atque ille instituit, explicare quae ad singula spectant, maximi est laboris, et timeo ut mors optimum patrem interea occupet, et nos plane careamus tot collectaneis, quae summa diligentia et fide passim in tota Germania conquisivit. Quaeso igitur ut vestra Reverenda Paternitas pro ea necessitudine, quae ipsi cum illo intercedit, eum adhuc semel hac de re moneat. Cum enim nihil ad * illustranda eiusmodi studia ex meo penu conferre possim, neque vitae meae condicio hactenus incerta et desultoria id patiatur, quia tamen illa plurimum amo, gaudeo si qua alia ratione iuvare quicquam possim. Quare etiam Lambecium (5) hortari non desisto, ut bibliothecae Caesareae praefectus utatur opportuna illa occasione, et, qua est eruditione et expedita industria, de re literaria bene mereri pergat. Sed haec hactenus, proxime plura. Nunc enim avocor, ut spectem in aula quo apparatu comes Waltherus Lesle (6), sacrae Caesareae Maiestatis ad Portam

* f. 213

---

(1) Blum fait allusion à l'ouvrage d'Henri Canisius, *Antiquae lectiones*, Ingolstadt, 6 vol. in-4°, 1601-1604. — (2) D'Achéry, *Spicilegium*, éd. in-4°, t. IV, p. 617 sqq. Cf. De Rossi-Duchesne, *Martyr. hieronym.*, p. [xi]-[xv]. — (3) L'édition in-4° du *Spicilegium* d'Achery comprend 13 volumes, elle a été publiée de 1653 à 1677. Les tomes IV et V ont paru en 1661, le tome VI en 1664, le tome VII en 1667. — (4) Le P. Jean Gamans, un des plus fidèles collaborateurs étrangers des Bollandistes, né à Eupen en 1606, entra dans la Compagnie de Jésus en 1623, et mourut à Aschaffenbourg en 1684. Sur ses travaux voir Mone, *Quellensammlung der badischen Landesgeschichte*, t. I, p. 20-22; *Der Katholik*, Septembre 1878; Sommervogel, *Bibliothèque de la Compagnie de Jésus*, t. III, p. 1148-50; *Allgemeine deutsche Biographie*, t. VIII, p. 357. — (5) Né à Hambourg, le 13 avril 1628, Pierre Lambeck fut nommé, le 16 mai 1663, bibliothécaire de la bibliothèque impériale de Vienne par l'empereur Léopold Iᵉʳ. Il mourut en 1680. Voir *Allgemeine deutsche Biographie*, t. XVII, p. 533-36. — (6) Sir Gauthier, comte de Leslie (1606-1667), feld-maréchal de l'Empire. Voir *Allgemeine deutsche Biographie*, t. XVIII, p. 437-44; Lee, *Dictionary of national Biography*, t. XXXIII, p. 109-10.

Ottomannicam extraordinarius orator, heri publice inter ordinis aurei velleris equites a Caesare allectus (1), cum splendido suo et numeroso comitatu vestibus turcicis more solito induto, commeatum a Caesare petet, intra quatriduum deinde iter suum initurus (2). Turcicus enim legatus iam Budam venit et discessum urget. Quod reliquum igitur est, me Vestrae Reverendae Paternitatis precibus et sanctis sacrificiis quam diligentissime commendo, maneoque

Vestrae Reverendae Paternitatis
observantissimus
Henricus Iulius de Blum.

Viennae, 7 Maii 1665.

Admodum reverendos Patres Iohannem Bollandum et Danielem Papenbrokium quam officiosissime salvere iubeo.

(1) Le comte de Leslie fut créé chevalier de la Toison d'or le 6 mai 1665, par l'empereur Léopold Ier. Voir Gundl, *Vellus aureum Burgondo-Austriacum*, (Viennae Austriae, 1728), p. 108. — (2) Sur cette mission, voir P. Tafferner, *Caesarea legatio quam... ad Portam Ottomanicam suscepit perfecitque Walterus comes de Leslie*. Vienne, 1672. Leslie quitta Vienne le 15 mai 1665 et arriva à Constantinople le 17 septembre.

BULLETIN

DES PUBLICATIONS HAGIOGRAPHIQUES

N. B. Les ouvrages marqués d'un astérisque ont été envoyés à la rédaction.

Avec une remarquable diligence, M. Harnack poursuit la continuation de l'œuvre grandiose qu'il a entreprise sur l'histoire de la littérature chrétienne. Un premier volume comptant plus de mille pages a été publié en 1893 (1); un second est aujourd'hui entre nos mains. Après avoir restitué, dans le premier volume, l'état de la littérature chrétienne des premiers siècles, tant celle qui a vu le jour que celle qui dort encore dans les manuscrits, M. Harnack aborde une tâche plus délicate, celle de préciser, aussi exactement que possible, la date de la composition de ces divers écrits, et il a mené cette étude jusqu'aux œuvres de S. Irénée. Comme base de cette chronologie littéraire, M. Harnack a pris l'*Histoire ecclésiastique* et la *Chronique* d'Eusèbe de Césarée. Il fallait d'abord justifier ce point de départ; car Eusèbe a été naguère fort discrédité, surtout quant à sa chronologie. Néanmoins, même à cet égard, M. Harnack le prouve longuement détail par détail, date par date, on peut tirer bon parti du cadre chronologique dressé par Eusèbe, et nul autre n'en a tracé de meilleur.

Après ce long travail préliminaire, mais indispensable, M. Harnack aborde le sujet propre de ses recherches, et examine un à un les divers écrits des premiers siècles. Pour chacun d'eux, il recueille avec une érudition à laquelle rien n'échappe, les moindres données propres à jeter quelque jour sur la question de date, les discute, les confronte, jusqu'à ce qu'une solution acceptable apparaisse. Cette solution est toujours proposée avec le degré de certitude ou de probabilité qu'elle comporte, et à cet égard, M. Harnack nous donne constamment l'exemple de la plus entière liberté d'esprit et de la plus scrupuleuse conscience scientifique. Il ne dissimule les difficultés d'aucun système, ni les objections d'aucune opinion.

Il ne nous est pas possible de résumer, même d'une façon générale, les résultats de la longue et consciencieuse étude à laquelle M. Harnack s'est livré. Nous nous contentons d'en signaler quelques-uns qui intéressent davantage les questions hagiographiques. M. Harnack a remanié de fond en comble la chronologie de la vie et des écrits de S. Paul; il rejette toutes les dates à cinq ans en arrière. Ainsi,

---

(1) Cf. *Anal. Boll.*, t. XIII, p. 162. — (2) * *Die Chronologie der altchristlichen Litteratur bis Eusebius.* Erster Band, *Die Chronologie der Litteratur bis Irenaeus.* Leipzig, Hinrichs, 1897, in-8°, xvi-732 pp.

l'Apôtre se serait converti en l'an 30 et serait mort en juillet 64. Ce système se heurte pourtant aussi à quelques difficultés, et l'une des moindres n'est pas celle qui met à peine dix-huit mois entre la mort du Christ et l'apparition sur le chemin de Damas. Dans son étude très approfondie sur les Actes des apôtres SS. Jean, André, Thomas et Pierre (p. 541-60), M. Harnack a remis au point plusieurs des prétendus critères invoqués par Lipsius pour déterminer dans ces œuvres l'influence gnostique. Le protévangile de Jacques n'est pas une pièce d'une seule venue; on distingue au moins quatre raccords d'époque diverse. Ainsi tandis que le Βίβλος Ἰακώβου semble avoir été composé peu de temps avant Origène, celui-ci ne connaît pas encore la légende de Zacharie. Quant aux Actes de Pilate ou Évangile de Nicodème, ils ne remontent pas au delà du IIIe siècle. On sait combien est discutée la date de la mort de S. Polycarpe. M. Harnack nous paraît avoir montré de la façon la plus convaincante que cette mort arriva le 23 février 155. Contre M. Ramsay, qui veut reculer la rédaction des Actes de Paul et de Thècle jusqu'au milieu du IIe siècle et qui en exagère la valeur historique (1), M. Harnack prouve que cette légende, qui date probablement de l'an 170, ne peut être reportée au delà de l'année 160, et qu'elle a un caractère purement romantique. Mêmes conclusions à peu près, au point de vue chronologique, pour les *Acta Pauli*. Il faudra aussi tenir soigneusement compte des observations de M. Harnack au sujet des *Acta Pauli*; pour ne citer qu'un détail, le *Martyrium Pauli*, quoiqu'en dise M. Zahn, ne faisait pas partie des anciens *Acta* ou πράξεις. Enfin, puisqu'il faut se borner, nous signalerons encore, comme particulièrement intéressantes pour nous, les notes de chronologie établies par M. Harnack au sujet de plusieurs Actes de martyrs, comme ceux d'Apollonius, des martyrs Carpus, Papylus et Agathonice, des martyrs de Lyon, de ceux de Scilli.

Nous ne pouvons pas, bien que ce point ne concerne pas directement nos études, passer sous silence l'importante déclaration que M. Harnack a placée en tête de son livre, comme pour mieux appeler sur elle l'attention. Le professeur de Berlin dénonce carrément l'insuffisance du procédé qui eut tant de vogue, mais dont on a aussi tant abusé en ces derniers temps, celui de la critique interne des documents. M. Harnack n'hésite pas non plus à s'inscrire en faux contre la croyance, naguère encore reçue à l'égal d'un axiome dans certains milieux, que l'ancienne littérature chrétienne, y compris les livres du Nouveau Testament, n'est qu'un tissu de fraudes. " Ce temps est passé, dit M. Harnack. Il n'aura été pour la science qu'un
, épisode pendant lequel elle a beaucoup appris, mais après lequel elle aura
, davantage à oublier., L'école de Tubingue est aussi résolument répudiée par M. Harnack, et il n'hésite point à déclarer que le résultat d'une étude sérieuse des documents de l'ancienne littérature chrétienne tendra à montrer que " le cadre
, chronologique dans lequel la tradition a renfermé les documents, est exact dans
, ses traits principaux, depuis les épîtres de Paul jusqu'à Irénée, et oblige l'historien
, à rejeter toute hypothèse qui ne rentrerait pas dans ce cadre. ,

(1) Cf. *Anal. Boll.*, t. XIV, p. 160.

Le tome IV. des *Acta martyrum et sanctorum* (1) publiés en syriaque par le R. P. Bedjan, contient les pièces suivantes, dont nous essaierons de déterminer la valeur historique et les sources, chose indispensable quand il s'agit de l'hagiographie syriaque, où, à côté d'éléments originaux, il y a une quantité considérable d'emprunts à la littérature grecque.

1° La Vie de S. **Clément**, disciple de S. Pierre, est un extrait des *Recognitiones*.

2° L'histoire de S. **Onésime**, disciple de S. Paul, traduit un texte grec encore inédit, dont voici le commencement et la fin : Χαίρει καὶ γένος οἰκετικὸν ἐπ' εὐσεβείᾳ γνωριζόμενον ... γυνὴ δέ τις βασιλικοῦ γένους ἔχουσα λαμπρότητα (2).

3° Le texte syriaque de la Passion de Sᵗᵉ **Sophie** et de ses trois filles reproduit fidèlement la recension grecque bien connue (3).

4° On ne possède aucun texte grec ou latin du martyre des **SS. Charisius, Nicéphore et Papias** ; le nom seul de ces martyrs est connu (4). Encore le traducteur syriaque a-t-il défiguré le dernier nom, qui partout ailleurs est *Agapius*. La recension araméenne ne manque donc pas d'intérêt, puisqu'elle est le seul document complet qui nous reste de ces saints. Malheureusement, elle ne contient que des renseignements assez vagues et ressemble plus à une homélie qu'à un texte historique.

5° La Passion de S. **Polycarpe** que donne le P. Bedjan, est un extrait de l'*Histoire ecclésiastique* d'Eusèbe (liv. IV, capp. 14 et 15).

6° Dans le texte syriaque du martyre de S. **Acace**, nous n'avons qu'une version de la rédaction grecque (5).

7° Pour ce qui concerne les Actes de S. **Grégoire le thaumaturge**, nous pouvons renvoyer à ce que nous en avons dit ici autrefois (6).

8° La Passion syriaque des SS. **Cosme et Damien**, publiée par M. Bedjan, reproduit le texte grec qui commence par les mots : Μετὰ τὴν κατὰ σάρκα (7).

9° Pour le martyre de S. **Eudoxe**, M. Bedjan fait justement remarquer que c'est la Passion grecque de Métaphraste (8).

10° Il n'y a pas de texte grec connu jusqu'à présent qui corresponde aux Actes syriaques très développés des SS. **Théopompe, Théonas** et de leurs compagnons. M. Bedjan fait erreur en disant que chez les Bollandistes (9) il n'y a qu'une simple mention d'un S. Théopemptus. S'il avait consulté l'appendice du tome I de janvier (10), il aurait trouvé des Actes latins d'une rédaction assez simple, dont la longue recension syriaque pourrait bien n'être qu'une paraphrase.

11° La Passion syriaque des SS. **Tarachus, Probus et Andronicus** est une simple version des textes latins et grecs très connus de ce récit (11).

---

(1) Parisiis, 1896, in-12, xi-691 pp. Cf. *Anal. Boll.*, t. X, p. 478; t. XII, p. 77; t. XIII, p. 298; t. XIV, p. 207. — (2) Cf. *Cat. cod. hagiogr. graec. bibl. nation. Paris.*, p. 119, ms. 1452. — (3) *Bibl. hagiogr. graeca*, p. 49. — (4) *Acta SS.*, Martii t. I, p. 28-29. — (5) *P. G.*, t. CXV, p. 217-40. — (6) *Anal. Boll.*, t. XIV, p. 443. — (7) *Bibl. hagiogr. graeca*, p. 29, Passio 4. — (8) *Act. SS.*, Sept. t. II, p. 511-17. — (9) *Ibid.*, Ian. t. I, p. 127. — (10) *Ibid.*, p. 1087-89. — (11) *Bibl. hagiogr. graeca*, p. 114, Passio 1.

184 BULLETIN

12° Dans le texte du martyre de S. **Léonce** publié par M. Bedjan, on ne reconnaît
plus grand' chose de la recension grecque (1). Pourtant il s'agit bien du même saint ;
car le texte syriaque met aussi au 18 juin la mort de S. Léonce. Nous relevons un
détail intéressant dans la rédaction syriaque. S. Léonce, y est-il dit, était originaire du
pays d'Hellade, ܗܘܐ ܕܝܠܗ ܐܬܪܐ ܕܗܠܕܐ ܗܢ ... ܐ. Telle est aussi la tradition de l'Église grecque, comme le montre la notice du
Synaxaire (2) et une autre recension grecque des Actes que les Bollandistes ont
mise en second lieu dans leur recueil (3).

13° M. Bedjan reproduit ensuite la Vie du pape S. **Eusèbe**, déjà publiée par
M. Hoffmann (4).

14° Le Panégyrique de S. **Basile**, par Amphiloque, évêque d'Iconium, est une
version du grec. Il y a d'Amphiloque deux textes sur S. Basile (5). N'ayant pas sous
la main les œuvres d'Amphiloque publiées par Combefis, je ne puis identifier le
morceau publié par M. Bedjan.

15° La pièce sur **Eusèbe**, évêque de Samosate, sera la bien venue; car on ne pos-
sédait sur le vaillant adversaire de l'arianisme que quelques extraits de Théodoret (6).
M. Bedjan y a ajouté deux lettres écrites à Eusèbe de Samosate par S. Grégoire de
Nazianze (7).

16° Le morceau suivant sur S. **Julien Saba**, solitaire en Mésopotamie, nous s
renseigne sur une personnalité intéressante de l'Église orientale. Malheureusement, le document n'a aucune valeur originale. M. Bedjan fait justement remarquer
que la rubrique du ms. syriaque n° 235 de la bibliothèque nationale de Paris attribuant cette pièce à S. Ephrem, ne mérite pas confiance. Le savant éditeur aurait
pu aller plus loin dans cette voie et nous dire que la Vie syriaque de S. Julien Saba
est une simple version du texte de Théodoret (8).

17° Sur S. **Andronic** et sa femme Ste **Athanasie**, les anciens Bollandistes ne
fournissent qu'un assez court récit tiré des Ménées (9). Il y a pourtant des textes
grecs (10), et une version latine publiée par Surius (11). La recension syriaque
dépend presque mot pour mot de la rédaction grecque encore inédite.

18° La Passion syriaque de S. **Éleuthère** répond trait pour trait au texte grec
que nous possédons (12). Notons seulement l'altération *Courbour* du nom de
l'éparque Κορήμων. Si M. Bedjan s'était référé au texte grec, il n'aurait pas cherché
à rétablir ce nom en celui de *Corribon* ou *Chorebin* (13).

19° La littérature syriaque fournit sur S. **Mammès**, martyr à Césarée, une double
recension. La première donne la Passion du saint seul, la seconde contient en outre
les Actes du martyre de son père S. Théodote et de sa mère Ste Rufine. Ces pièces

(1) *Act. SS.*, Iun. t. II, p. 555-68. — (2) *Ibid.*, p. 558. — (3) *Ibid.*, p. 562 sqq. —
(4) *Julianos der Abtrünnige.* — (5) *Bibl. hagiogr. gr.*, p. 19. — (6) *Act. SS.*, Iun.
t. IV, p. 237-42. — (7) Ce sont les lettres n°s LXIV et XLIV publiées en grec par
MIGNE, *P. G.*, t. XXXVII, pp. 126 et 91. — (8) Voir *P. G.*, t. LXXXII, p. 1305-24. —
(9) *Acta SS.*, Oct. t. IV, p. 998. — (10) Cf. *Catal. cod. hagiogr. graec. bibl. nat.
Paris.*, p. 349. — (11) Ad d. 27 febr. — (12) *Acta SS.*, April. t. II, p. 976-78. —
(13) P. 433.

ne sont que la traduction d'originaux grecs encore inédits (1). M. Bedjan a publié les deux textes syriaques.

20° M. Bedjan reproduit ensuite l'histoire de S. **Abraham Kidanaïa**, publiée dans cette revue par Mgr Lamy (2).

21° Le martyre de S. **Théodore** serait à comparer avec plusieurs textes grecs inédits (3) ; en tous cas, ici encore nous n'avons pas de document original. Il en est de même de l'histoire de S. **Domice** (4), le moine persan mis à mort par Julien. L'écrivain syriaque a fortement altéré son modèle grec.

22° J'ignore si **Abchaï**, évêque de Nicée au V° siècle, jouit d'un culte ecclésiastique ; on n'en trouve aucune trace dans les livres liturgiques. Les listes épiscopales de Nicée ne le connaissent pas non plus. Le texte de sa Vie, publié par M. Bedjan, est assez récent ; il fut rédigé en 1185 par **Michel le Grand**, patriarche d'Antioche (5), qui affirme cependant s'être servi de documents antérieurs. Ce morceau est le plus intéressant de tous ceux que donne M. Bedjan dans le volume que nous analysons.

23° Enfin, M. Bedjan réédite l'histoire de Ste **Pélagie** d'après la publication de M. Gildemeister (6), et publie deux discours de S. Jacques de Sarug sur les **SS. Sergius et Bacchus** et sur les **Quarante martyrs** de Sébaste.

En somme, l'apport hagiographique de ce sixième volume des *Acta martyrum et sanctorum* est assez mince. Il reste pourtant bien des pièces curieuses à publier et qui feraient connaître à l'Occident des personnages intéressants de l'Église orientale. Je sais bien que M. Bedjan écrit avant tout pour l'édification des chrétiens orientaux ; mais il y aurait un moyen aisé de concilier des intérêts qui ne sont opposés qu'en apparence. Nous souhaitons aussi que M. Bedjan donne plus d'extension et de précision aux introductions historiques et critiques qu'il met en tête de ses volumes. Ce qu'il fournit est vraiment trop peu de chose, et même des hagiographes de profession mettent un temps considérable à identifier les pièces qui sont publiées et les personnages dont il est question.

Les notes de M. P. Nikitin *sur quelques textes hagiographiques grecs* (7) constituent une importante contribution à nos études. Non seulement, dans les quatre-vingt-seize paragraphes de son mémoire, le savant auteur corrige d'une façon très heureuse plus de cent passages de divers documents, dont plusieurs cependant avaient été publiés par des maîtres ; mais de plus, par les fines observations qu'il a semées çà et là tant sur le grec ancien que sur le grec byzantin, il a ouvert la voie à de nouvelles corrections et donné un exemple qui sera sans aucun doute suivi. A peu d'exceptions près (8), les corrections qu'il propose se signalent par ce

(1) Cf. *Catal. cod. hagiogr. gr. bibl. nat. Paris.*, pp. 37 et 142. — (2) *Anal. Boll.*, t. X, p. 5-49. — (3) Cf. *Catal. cod. hagiogr. gr. bibl. nat. Paris.*, p. 366. — (4) Voir sur S. Domice *Acta SS.*, Iul. t. II, p. 225. — (5) Assemani, *Bibl. or.*, t. II, p. 363. — (6) *Acta S. Pelagiae*, Bonnae, 1879. — (7) Dans les *Mémoires de l'Acad. impér. des sciences de Saint-Pétersbourg*, VIII° série, t. I, n° 1. Saint-Pétersbourg, 1895, 4°, 67 pp. (en russe). — (8) Voir par exemple une bonne note de M. K. Krum-

double caractère, qu'elles sont à la fois et nécessaires et d'une rare simplicité au point de vue paléographique.

Comme il s'agit ici d'un travail tout de détails, je dois me contenter d'indiquer rapidement les documents dont un ou plusieurs passages ont été améliorés, soit quant à la teneur du texte, soit quant à la traduction ; j'indique entre parenthèse les paragraphes dans lesquels M. Nikitin s'en est occupé : Vie de Taraise de CPle par Ignace, éd. Heikel (§§ 1-19, 21-26, 69, 91); Vie de Nicéphore de CPle par le même, éd. de Boor (§§ 27-35); Vie de Grégoire le Décapolite par le même, éd. Theoph. Ioannu (§§ 20, 36-45); Vie de Georges d'Amastris, éd. Vasilievskij (§ 46-58); Vie de Théodore d'Édesse, éd. Pomjalovskij (§ 89-96). Voilà le gros de l'œuvre ; de plus, toute une série de documents qui, comme la Vie de Grégoire le Décapolite, ont paru dans les Μνημεῖα ἁγιολογικά de Th. Ioannu : Éloge de S. Démétrius de Thessalonique par Photin (§§ 64, 65) et par Nicolas Cabasila (§§ 66, 67) ; Discours de Théophane sur l'exil du patriarche Nicéphore (§ 68) ; Vie de Constantin et d'Hélène (§ 69), de Paul de CPle (§§ 70, 71), de Néophyte (§ 72), d'Hypace de Gangres (§ 73), Passion de S. Victor (§§ 73, 76), Vie de Ste Domnice (§ 75), Éloge de S. Menas (§§ 77, 78), Passion de S. Oreste (§ 79), de S. Mamas (§§ 80, 81), Vie de Théodore le Sicéote (§ 82-85). Enfin, la Vie d'Étienne de Suroz, éd. Vasilievskij (§§ 62, 63), de Théodose par Théodore, éd. Usener (§§ 86, 87), un texte d'un synaxaire relatif à S. Timothée (§ 86), la Vie de S. Jean l'Aumônier, éd. Gelzer (§ 88), les Actes des SS. Macaire (§ 20), des passages de l'*Historia Lausiaca* (§§ 18, 69) et du Pré spirituel (§ 18).

Il reste encore à signaler un point. Dans quelques pages particulièrement intéressantes (§§ 59, 60, soit p. 36-49), M. Nikitin signale de nombreux traits de ressemblance à ajouter à ceux qui avaient déjà été relevés, notamment par M. Vasilievskij, entre les Vies de Taraise, de Nicéphore et de Grégoire le Décapolite, toutes trois écrites par Ignace le Diacre, et la Vie de S. Georges d'Amastris. Ces nouvelles constatations rendraient-elles certaine la conjecture de M. Vasilievskij, lequel proposait de mettre aussi au compte d'Ignace la Vie de Georges d'Amastris? M. Nikitin ne se prononce pas catégoriquement, mais il penche visiblement pour l'affirmative. De son côté, M. Nikitin émet aussi une conjecture, savoir que Taraise pourrait bien être l'auteur du traité περὶ σχημάτων publié par Spengel, *Rhetores graeci*, t. III, p. 110 et suiv.

La maison Victor Lecoffre a entrepris la publication d'une série de Vies de saints, dont le programme (1) est des plus séduisants. Chaque Vie doit nous donner, dans un volume in-12 d'environ deux cents pages, sans appareil de démonstration et de

bacher, *Byzant. Zeitschr.*, t. V (1896), p. 229-30, sur un texte de la Vie de S. Théodose, que M. Nikitin avait cru devoir corriger. M. Krumbacher défend d'une façon convaincante la leçon des manuscrits. — (1) Ce programme a été publié sous la forme d'une lettre à ses collaborateurs par M. Henri Joly, ancien professeur à la Sorbonne et au Collège de France, qui a bien voulu se charger de la direction de l'œuvre.

polémique, mais avec toute la rigueur de vérité et de science que comportent les exigences de la critique moderne, et sous une forme littéraire attrayante, le portrait vivant du héros, placé dans le cadre du temps et du milieu où il a vécu et complété par le tableau de l'influence qu'il a exercée sur ce temps et ce milieu. M. Joly a réussi à s'assurer le concours d'un groupe nombreux d'écrivains, la plupart très avantageusement connus et classés au premier rang dans le monde savant et littéraire. Bornons-nous à citer, dans cette liste, les noms de notre éminent compatriote, M. le professeur Godefroid Kurth, et ceux des membres de l'Académie des Inscriptions MM. d'Arbois de Jubainville et Léon Gautier, et des membres de l'Académie française MM. le duc de Broglie, le comte d'Haussonville et Thureau-Dangin, l'auteur de l'étude récente sur S. Bernardin de Sienne, qui peut être regardée comme un modèle parfait du genre.

Il est permis d'attendre beaucoup d'un tel groupe, se présentant avec un tel programme, et d'en exiger beaucoup. Il ne suffit pas, pour répondre à l'attente, de ramasser et d'exposer dans un style élégant, — comme l'a trop fait Montalembert dans ses *Moines d'Occident*, — les traditions pieuses où l'histoire et la fantaisie se mêlent dans des proportions incertaines. Il faut que le lecteur savant puisse constater que toutes les sources authentiques ont été connues de l'auteur et qu'elles ont été minutieusement et judicieusement exploitées. Et cette constatation doit pouvoir être faite, non seulement sur l'ensemble de l'œuvre, mais sur tous les détails; chacun d'eux doit apparaître avec le degré de certitude ou de probabilité qui ressort de la valeur des documents auxquels il est emprunté. Aucun trait propre à mettre la figure du saint en relief ne peut être négligé, aucun ne peut être exagéré; tous doivent se trouver à la place que demande leur importance relative dans l'ensemble. Les légendes poétiques elles-mêmes ne doivent pas être passées sous silence : elles témoignent tout au moins des impressions et des souvenirs que le saint a laissés dans l'imagination populaire; seulement, on aura soin de marquer à leur égard les réserves de la saine critique.

A ce compte, certes, la composition de ces vies n'est pas un travail facile. Il faut y apporter une érudition vaste et sûre, une critique ferme, un art de mise en œuvre des matériaux puissant et exercé. On se tromperait fort si on n'y voyait qu'une sorte de distraction, que l'érudit se donnerait dans ses *horae subsecivae*, pour se reposer de travaux plus sérieux. Cette naïve illusion serait très funeste au succès de l'œuvre.

Il nous est parvenu jusqu'ici quatre volumes de la série, portant tous la date de 1897 : *Sainte Clotilde*, par G. Kurth; *Saint Augustin* (d'Hippone), par Ad. Hatzfeld; *Le Bienheureux Bernardin de Feltre*, par E. Flornoy; *Saint Augustin de Canterbury et ses compagnons*, par le R. P. Brou, S. I. Nous nous permettrons de les juger avec la liberté de critique dont nous tenons à faire le principal mérite de notre *Bulletin*.

Un mot d'abord de la forme littéraire. Celle-ci nous semble excellente dans les quatre volumes. Plus brillant et plus oratoire dans le premier, plus simple dans les trois autres, le style est toujours net, coulant et ferme.

Au point de vue de la science historique, si nous n'avions à apprécier que la Vie de S⁺⁺ Clotilde et celle de S. Augustin de Canterbury et de ses compagnons, notre jugement serait tout aussi sommaire et favorable. Ces deux Vies nous paraissent réaliser pleinement les promesses du prospectus. Elles nous offrent vraiment, dans un récit substantiel, parfaitement documenté, plein de vie et de lumière, un tableau fidèle et saisissant du caractère et de l'activité de la première reine chrétienne des Francs (1) et des fondateurs de l'Église anglo-saxonne. Le souci de l'édification n'y fait aucun tort à la vérité historique, ni l'histoire à l'édification. Elles sont tout à fait dignes de faire partie du splendide monument que la nouvelle société d'hagiographes veut élever aux plus pures gloires du christianisme.

Il ne nous est malheureusement pas permis d'étendre cet éloge au *Saint Augustin* de M. Hatzfeld et au *Bienheureux Bernardin de Feltre*.

Le premier de ces deux volumes est entièrement à refaire. Ce n'est pas que l'histoire y soit faussée; mais combien elle y est incomplète et combien terne! Sur les quatre-vingt-douze pages consacrées à la Vie de S. Augustin, soixante-quinze se composent d'une suite d'extraits, le plus souvent littéralement traduits, des neuf premiers livres de ses *Confessions*. Sans doute, l'histoire de la conversion du saint docteur, racontée par lui-même, est pleine d'intérêt; mais le besoin ne se fait pas sentir d'une nouvelle édition de son récit. La suite de la vie, depuis le retour d'Augustin en Afrique jusqu'à sa mort, est renfermée en moins de dix-sept pages. Le reste du volume (p. 93-179) est rempli par une analyse des doctrines philosophiques et théologiques de S. Augustin, où il n'est tenu compte d'aucun des travaux publiés dans ces derniers temps sur la matière, et en particulier de la toute récente et très remarquable étude du savant Bénédictin le R. P. Odilon Rottmannei (2). Assurément ce volume est loin de nous donner " une idée exacte, „ nette et attachante du personnage et de son milieu, de sa vie intime et de sa vie „ extérieure, de son œuvre et de son influence „, telle que M. Joly nous l'a fait espérer pour chacun des volumes de sa collection.

Il y a plus d'un reproche aussi à adresser à M. Flornoy.

Tout d'abord, il s'est mis trop imparfaitement au courant de la bibliographie de son sujet. A juger par la note où il indique ses sources (3), il ne semble pas connaître les remarquables opuscules et articles parus il y a trois ans à Pavie et à Feltre à

---

(1) Sans doute M. Kurth a dû bien des fois suppléer par des conjectures aux lacunes des maigres documents contemporains. Mais il apporte à ce procédé tant de finesse, de prudence et de loyauté scientifique, qu'on ne peut guère songer à lui en faire un grief. Je crois aussi devoir signaler, — au moins dans la première édition, peut-être la correction a-t-elle déjà été faite dans la seconde, — une légère faute d'impression qui pourrait dérouter l'esprit de quelques lecteurs. Deux sœurs de Clovis, dont l'une fut épousée par le roi d'Italie Théodoric le Grand, et l'autre baptisée en même temps que son frère, sont désignées par le même nom d'Alboflède *(Sainte Clotilde*, pp. 40, 61). La première s'appelait Aldoflède, comme l'auteur l'a bien marqué à plusieurs reprises dans son *Clovis* (pp. 236, 286, 300); il n'y a que la différence d'une lettre. — (2) *Der Augustinismus*, München, 1892. — (3) *Le Bienheureux Bernardin de Feltre*, p. 11-12.

l'occasion des fêtes du quatrième centenaire de la mort du bienheureux et qui lu auraient fourni une foule de précieux renseignements (1).

Ensuite, il règne dans la trame de son récit une confusion déplorable. Ainsi, il ne nous donne aucune idée de la suite chronologique des faits qui remplirent la vie de Bernardin pendant la période la plus importante, celle qui s'étend depuis l'année 1469, où il débuta dans la carrière de prédicateur, jusqu'en 1494, année de sa mort, ni de l'itinéraire de ses missions apostoliques et de l'étendue du théâtre de ces missions. Ce défaut est d'autant moins excusable que tout cela se trouve très nettement détaillé dans la substantielle et excellente *Vita del B. Bernardino Tomitano da Feltre* publiée par M. P. Moiraghi (2). Il en résulte que, malgré les nombreux traits fort intéressants recueillis par M. Flornoy dans les trois chapitres sur le prédicateur, sur le réformateur des mœurs et sur le pacificateur, le lecteur ne se rend compte que bien vaguement des péripéties et des fruits de l'activité apostolique de Bernardin. Même par rapport à l'œuvre que M. Flornoy, comme tous les autres biographes du bienheureux, présente comme son titre de gloire spécial, la création des monts de piété, il nous est bien difficile de préciser, au milieu des réflexions générales et des détails accessoires, la part de son rôle et le caractère pratique de son action. Ici encore, M. Moiraghi est tout autrement net et complet.

Enfin, nous relèverons encore comme regrettable, dans le travail de M. Flornoy, l'absence presque complète de références pour les détails relatifs à l'histoire de Bernardin. Ce n'est pas qu'on ne rencontre assez bien de notes au bas des pages; mais sauf une exhortation à la communauté des Bénédictines de Florence, publiée en 1881 par le P. Marcel da Civezza, on n'y trouve à peu près jamais, — deux ou trois fois au plus, — l'indication d'un document contemporain sur lequel s'appuie le récit. Impossible donc de vérifier l'exactitude de celui-ci, et de là, naturellement, quelque défiance par rapport à son autorité.

On trouvera peut-être que nous nous sommes montré bien sévère pour les deux volumes que nous venons de juger. Mais l'idée de M. Joly est si belle et si pratique, les noms des collaborateurs qui lui ont promis leur concours promettent tant de chances de succès pour l'exécution, que nous regardons comme un des premiers devoirs de la critique hagiographique de veiller à l'entière réalisation du projet, et elle ne peut l'obtenir qu'à la condition d'exiger une fidélité rigoureuse aux lignes du plan tracé dans le prospectus.

On a cru assez généralement jusqu'à ce jour qu'après l'Ascension de Jésus, la très Sainte Vierge Marie acheva à Jérusalem sa carrière mortelle, et qu'elle fut ensevelie près de cette ville à Gethsémani, là où s'élève aujourd'hui l'église dite de son tombeau. Mais cette opinion traditionnelle a été contredite dans les révélations d'Anne-Catherine Emmerich, qui affirme de la façon la plus catégorique que

(1) Cf. *Anal. Boll.*, t. XIV, pp. 126-27 et 453-54. Aux travaux indiqués en ces deux endroits, il faut joindre * VECELLIO, *Lettere di uomini celebri al B. Bernardino da Feltre*. Feltre, tip. P. Castaldi, 1894. Nous reparlerons de cet ouvrage dans un prochain bulletin. — (2) Pavia, 1894, in-16, p. 115.

la Sainte Vierge a séjourné à Éphèse, ou plutôt aux environs de cette ville, dans une maison bâtie pour elle par S. Jean. En ces derniers temps, on a eu la curiosité de vérifier sur place les dires de la religieuse de Dülmen, et on a, paraît-il, découvert, de la façon la moins contestable, les restes très reconnaissables de la maison de la très Sainte Vierge aux environs d'Éphèse, dans le lieu dit *Panaghia-Capouli* ou " Porte de la Vierge „. C'est du moins ce qu'affirme un livre récent (1), écrit par des sceptiques, qui attestent avoir été forcés de se rendre à l'évidence. Plans, cartes, croquis, rien ne semble manquer de l'appareil scientifique obligé en pareille matière. Puis viennent des attestations, toutes en faveur de l'opinion défendue dans l'ouvrage, qui est publié sous le haut patronage de Mgr Timoni, archevêque de Smyrne.

Que faut-il penser de cette thèse? A notre avis, ce qu'en pense le Dr JOSEPH NIRSCHL, qui a défendu, avec beaucoup d'érudition et de sens critique, l'ancienne opinion qui place à Gethsémani le lieu de sépulture de la Sainte Vierge.

Une première étude de M. Nirschl sur ce sujet a été publiée dans le *Katholik*, en 1894 (2). Elle fut assez vivement attaquée dans une brochure de M. P. Wegener (3). Pour y répondre, le Dr Nirschl a repris ses premiers travaux et en a donné une édition nouvelle, où il rencontre toutes les objections produites contre sa thèse (4).

L'ouvrage de M. Nirschl est divisé très nettement en deux parties. Dans la première, il examine les preuves de la thèse nouvelle; dans la seconde, il prouve que le tombeau de Marie est bien à Gethsémani. Quelles sont les preuves qui militent en faveur de Panaghia-Capouli, près d'Éphèse? Il y a le témoignage de Catherine Emmerich et la prétendue confirmation qu'ont cru pouvoir lui donner des fouilles récentes. Mais, comme le montre parfaitement le Dr Nirschl, Catherine Emmerich ne saurait avoir aucune créance en la matière; quant aux fouilles, si elles ont accusé quelques coïncidences, assez banales en somme, avec le texte de Catherine Emmerich, d'autre part, il y a aussi des contradictions ou plutôt des traits qui manquent. Après avoir montré l'inanité de l'opinion qui place le tombeau de la Sainte Vierge aux environs d'Éphèse, M. Nirschl reprend la défense de la thèse traditionnelle; il en examine à nouveau tous les arguments, il recueille tous les témoignages de l'antiquité qui ont parlé de la sépulture de Marie à Gethsémani. Nous croyons que la discussion très érudite et très serrée du Dr Nirschl prévaudra, aux yeux de la saine critique, contre les vivaces impressions de ceux qui ont visité Panaghia-Capouli. De fait, le travail du Dr Nirschl a reçu le meilleur accueil (5), et sauf quelques erreurs de détail qui ne touchent pas à la démonstration, on a été assez unanime à lui décerner en cette controverse la palme du vainqueur.

(1) * *Panaghia-Capouli ou maison de la Sainte Vierge près d'Éphèse*, Paris, Oudin, 1896, in-8°, 96 pp., douze gravures et cartes. — (2) T. II, p. 385 sqq. — (3) *Wo ist das Grab der hl. Jungfrau Maria? Eine alte Frage neu untersucht zu Ehren der hehren Gottesmutter.* Würzburg, 1895. — (4) * *Das Grab der heiligen Jungfrau Maria. Eine historische kritische Studie.* Mainz, Franz Kirchheim, 1896, in-8°, IX-118 pp. — (5) Cf. *Theologische Quartalschrift*, t. LXXVIII (1896), p. 699-702; *Revue biblique*, t. VI (1897), p. 136-38.

Toutefois le P. L. Fonck, S. I., qui a visité Panaghia-Capouli, demeure très convaincu que la Sainte Vierge vint habiter près d'Ephèse et que probablement elle y mourut (1). Il a fort habilement présenté les arguments qui militent en faveur de son opinion, essayé d'atténuer ceux qu'avait mis en valeur le Dr Nirschl ; mais, somme toute, il nous semble avoir laissé la question au point où ce dernier l'a placée.

L'examen des traditions romaines relativement à la prison Mamertine intéresse particulièrement l'hagiographie. Ce n'est pas seulement dans les Légendes des SS. Pierre et Paul et des SS. Processus et Martinien qu'on la trouve mentionnée. Elle est désignée comme la prison de plusieurs autres martyrs, et il serait important de se fixer sur la valeur de ces traditions. Le P. Grisar s'en est occupé dans un travail fort érudit (2), où les connaisseurs apprécieront sa science étendue des choses romaines, et le zèle qu'il déploie (p. 111) contre les sacristains et les cicerone qui mettent en circulation des légendes que la critique ne saurait accepter. Mais il n'y a pas d'illusion à se faire. La critique n'aura jamais raison des sacristains, et elle doit se réduire à éclairer les savants. Ceux-ci demanderont donc au P. Grisar si la prison Mamertine a quelque titre sérieux à être regardée comme la prison de S. Pierre, ou bien si l'on peut assigner quelqu'autre endroit où l'apôtre aurait été incarcéré, ou bien encore s'il faut se résigner simplement à ignorer.

La réponse de l'auteur ne se dégage pas aussi nettement qu'on le voudrait de ses doctes recherches. Il met en regard les traditions favorables à la prison Mamertine et les raisons qui semblent devoir faire préférer Saint-Pierre-aux-Liens. Les premières lui paraissent très faibles ; les secondes lui semblent ne pas manquer de poids. Et pourtant il conclut que la prison n'a rien à craindre de la concurrence de la basilique. Nous sommes également de cet avis.

Les témoignages les plus exprès et les plus anciens en faveur de la prison Mamertine sont les textes hagiographiques. Il fallait arriver à se rendre compte de la valeur de ces témoignages, en tant qu'indication topographique. Certainement, il y a dans le récit des invraisemblances et des impossibilités manifestes. L'étroite enceinte de l'ancien *Carcer Tullianus* ne pouvait contenir à la fois trente-neuf personnes, sans compter les apôtres. Nous voilà édifiés sur la valeur du nombre des compagnons ; mais sur le théâtre des événements ? Je me défie de beaucoup d'autres détails des Actes de Processus et Martinien, mais il faut admettre pourtant que, par exemple, l'indication du lieu de la sépulture est exacte. Pourquoi ne pas accepter celle qui concerne la prison ? Il y aurait ici bien des considérations à présenter sur les diverses catégories de renseignements topographiques contenues dans les Actes des martyrs. Nous les réservons pour une autre occasion. Pour le

(1) *Stimmen aus Maria-Laach*, t. LI (1890), p. 471-93 ; t. LII (1897), p. 143-56. — (2) * H. Grisar, S. I., *Der mamertinische Kerker und die römischen Traditionen vom Gefängnisse und den Ketten Petri*, Zeitschrift für katholische Theologie, t. XX (1896), p. 102-120.

moment, retenons qu'il y a une tradition ancienne qui fixe dans le *Carcer Tullianus* la prison des apôtres (1).

Y a-t-il une tradition semblable pour Saint-Pierre-aux-Liens? Il y en a bien une qui se rapporte à la relique matérielle des chaînes de l'apôtre, mais pas à un lieu de détention. Que sur cette partie de l'Esquilin se soient trouvés les locaux de la préfecture urbaine, que parmi ces locaux il y ait eu probablement des prisons, cela prouve qu'il n'est pas impossible que S. Pierre ait été emprisonné là. Mais pas davantage. L'ingénieux auteur trouve un argument, ou pour mieux dire, un indice à l'appui de ses suppositions dans l'évangile de la messe stationale du carême, à Saint-Pierre-aux-Liens. C'est la scène du jugement dernier, dans S. Matthieu, xxv, où le Sauveur dit à ses élus : " J'étais en prison et vous m'avez visité. „

Ceci est bien subtil. Et si je venais prétendre que S. Pierre a été non pas emprisonné, mais reçu charitablement *comme* hôte par quelque personnage habitant ce coin de l'Esquilin, où fut plus tard le *titulus Eudoxiae*, parce qu'il est dit dans ce même évangile : *Hospes eram et collegistis me*, j'apporterais un argument tout aussi fort pour appuyer une hypothèse presque aussi faible que l'autre.

. Car nous trouvons bien en présence une tradition et une hypothèse. Il n'y a pas lieu de recourir à celle-ci avant d'en avoir fini avec celle-là. Ce résultat préliminaire devrait être cherché par une méthode différente de celle que l'on vient de tenter.

Si M. l'abbé P. M. Renard avait entrepris de nous dire ce que l'histoire doit accepter des traditions concernant Ste Cécile, nous serions obligé de discuter ses arguments (2). Mais puisqu'il n'a prétendu donner à ses lecteurs qu'un récit élégant, appuyé tout entier sur la légende et suivi de quelques détails sur la fameuse translation au temps de Pascal Ier et la reconnaissance des reliques sous Clément VIII, nous devons nous abstenir d'examiner son livre au point de vue scientifique.

M. Ferdinand Vetter vient de publier une excellente édition du poème de Reinbot de Durne sur **S. Georges** (3), composé au XIIIe siècle en moyen haut-allemand. Au point de vue linguistique et critique, ce travail ne laisse rien à désirer. L'éditeur a pris soin d'établir son texte sur tous les manuscrits connus ; il a fixé, d'après les meilleures méthodes philologiques, la langue spéciale du morceau qu'il publie. C'était bien aussi le but principal qu'il avait en vue. Toutefois, M. Vetter n'a pu se résigner à donner le texte, sans marquer la place qu'il occupe dans la vaste littérature qu'a fait éclore la légende de S. Georges en toutes les langues de l'Europe et de l'Asie. A ce travail préliminaire sur les Actes du célèbre martyr de Diospolis est consacrée une partie considérable de l'ouvrage de M. Vetter. Tour

(1) L'auteur semble porté à croire que les Actes des SS. Processus et Martinien sont d'origine orientale. Cette opinion ne peut se soutenir un instant. — (2) *P.-M. Renard, *Vie de sainte Cécile.* Tours, Cattier, s. a., in-8°, 95 pp. — (3) *Der heilige Georg des Reinbot von Durne.* Halle a. S., Max Niemeyer, 1896, in-8°, cxc-298 pp.

à tour sont examinés le résidu historique de la légende, son texte primitif, les remaniements liturgiques, les recensions apocryphes, ce que l'auteur appelle les Actes mixtes, la rédaction de l'Europe orientale, et enfin le détail particulier de la lutte avec le dragon. On le voit, M. Vetter embrasse l'ensemble des problèmes variés que soulève la légende de S. Georges.

Quel fut le point de départ historique de cette légende ? Jusqu'à ce jour, on était bien près d'admettre qu'il n'y en avait point, et une opinion assez répandue ne donnait à S. Georges d'autre existence que celle que lui avait faite son biographe inconnu dans le pieux roman d'aventures brodé sur sa vie, inventée de toutes pièces. M. Vetter n'est point de cet avis. Pour lui, il y a eu un Georges en chair et en os, dont on a défiguré l'histoire vraie pour en tirer le récit merveilleux que nous connaissons. Ce Georges historique, prototype de celui de la légende, n'est autre que Georges, patriarche arien d'Alexandrie, mis à mort par Julien, et M. Vetter essaie de déterminer dans les Actes fabuleux de S. Georges de Diospolis ce qui provient et a surnagé de l'histoire vraie de Georges d'Alexandrie. Cette hypothèse déjà ancienne (1) est aujourd'hui fort discréditée, et la mise à neuf que lui donne M. Vetter ne lui ralliera pas les suffrages de la critique ; de vrai, les rapprochements qu'on cherche à établir sont d'un vague et d'une banalité peu faits pour entraîner la conviction. Du reste, Georges d'Alexandrie fut trop universellement exécré pour que sa mémoire ait eu la moindre influence sur la formation d'une biographie pieuse. Nous n'oserions pas non plus affirmer que M. Vetter a eu toujours la main heureuse dans la détermination du texte primitif de la légende. Problème bien délicat, en effet, et qui n'est peut-être pas mûr encore pour une solution définitive (2). Nous avons été surpris de voir M. Vetter négliger complètement les documents coptes (3), et Dieu sait pourtant si M. Amélineau s'est donné du mal pour leur revendiquer une bonne place, sinon la première dans la littérature *géorgienne* (3) ! Ce n'est pas qu'il eût fallu tenir compte de ces opinions, tant s'en faut ; mais dans le recensement très complet d'ailleurs que M. Vetter fait de tous les documents qui reproduisent la légende de S. Georges, le texte copte devait être mentionné au même titre que les versions arabe et éthiopienne. Une remarque semblable s'applique à l'omission faite par M. Vetter, dans les textes qu'il appelle liturgiques, des deux sermons de Jean des Euchaïtes publiés par Paul de Lagarde (4). D'André de Crète, M. Vetter ne semble connaître que le texte donné par les Bollandistes (5) ; il y a pourtant encore un autre éloge publié d'abord par Combefis (6) et plus récemment par Migne (7). Enfin, pour clore ces observations, nous ferons remarquer que

___

(1) Au XVIIe siècle, on la trouve chez Isaac Pontan ; cf. *Act. SS.*, April. t. III, p. 112, nn. 47-49, et naguère encore M. A. Réville l'a reprise pour son compte, *Revue de l'histoire des religions*, t. XIV, p. 15. — (2) Cf. *Anal. Boll.*, t. XII, p. 300. — (3) Publiés par M. E. A. WALLIS BUDGE, *The Martyrdom and Miracles of Saint George of Cappadocia*, London, 1888. — (3) *Les Actes des martyrs de l'Église copte*, p. 241-343. — (4) Voir *Bibl. hagiogr. gr.*, p. 48, nn. 9, 10. — (5) *Act. SS.*, April. t. III, p. xx-xxv. — (6) *S. Andreae Cretensis opp.*, p. 175-88. — (7) *P. G.*, t. XCVII, p. 1169-92.

si M. Vetter a consciencieusement analysé le morceau qui relate la lutte de
S. Georges contre le dragon, il ne nous paraît pas avoir fourni l'explication adé-
quate de ce curieux attribut du martyr de Diospolis.

Sur S. **Siméon**, qui fut, d'après le témoignage peu sûr de Paul Diacre, le
septième évêque de Metz, on ne possède pas de données vraiment historiques (1).
Il est depuis le VIII⁸ siècle honoré à Senones dans les Vosges, où l'on dit que l'abbé
Angelram fit déposer ses reliques.

M. l'abbé Mathias (2) a essayé de combler les lacunes de l'histoire, par le pro -
cédé dont on a tant usé ou plutôt abusé. Nous retrouvons en tête de l'ouvrage le
chapitre de rigueur sur l'origine apostolique de l'église de Metz, assaisonné des
ordinaires récriminations contre " Launoy et consorts ". Puis vient la Vie proprement dite de S. Siméon, dont le cadre, au lieu de faits positifs qu'il serait malaisé
de produire, ne contient que des considérations vagues d'un à propos douteux, où
M. de Champagny coudoie l'abbé Darras et Bossuet. Après le chapitre IV, qu i
s'occupe des reliques de S. Siméon à Senones, nous reprenons enfin pied sur le terrain de l'histoire, et dans cette partie de l'ouvrage, M. Mathias a groupé d'un e
manière utile les divers renseignements que l'on possède sur le culte de l'évêq u e
de Metz.

L'opuscule allemand du P. Michel Strunck, S. I., sur S. **Liboire**, évêque de
Paderborn, publié en 1736 et réédité en 1864, vient d'être réimprimé de nouveau (1).
Le pieux anonyme qui s'est chargé de ce soin, a accentué encore le caractère popu -
laire de l'ouvrage en supprimant toutes les références aux sources. D'autre part, il
a retouché, avec beaucoup de tact et de goût, la langue du vieil auteur, et ajouté ç à
et là, notamment en ce qui touche le culte du saint depuis 1736, des renseignement s
nouveaux et utiles.

M. E.-W.-B. Nicholson, bibliothécaire de la Bodléenne à Oxford, propose dans
l'*Academy* une opinion nouvelle sur la question si controversée du *lieu de naissance de* S. **Patrice** (1). Il remarque que le saint, dans sa *Confessio*, d'après le
texte du manuscrit le plus ancien, le *Livre d'Armagh*, dit qu'il est né à *Bannauem
Taberniae*, et il ressort d'autres endroits de la même pièce que sa patrie était la
Grande-Bretagne. Or, dans le célèbre document géographique connu sous le nom

(1) Voir *Act. SS.*, Febr. t. II, p. 859. — (2) *S. Siméon, septième évêque de Metz,
second patron de l'ancien monastère de Senones*. Saint-Dié, J. Horn, 1895, in-12,
106 pp., 10 ff. — (1) * *Ueber das Leben, die Reliquien und wunderbaren Geschichten
des heil. Bischofs Liborius...* verfasst von Michael Strunck, ... von neuen heraus-
gegeben von einem geistlichen Gymnasial-Oberlehrer. Paderborn, Bonifacius-
Druckerei, 1896, 16⁸, VIII-141 pp., grav.— (1) *St. Patrice Birthplace*, dans l'Academy,
t. XLVII (1895)), p. 402-3. Critiques de M. A.-L. Mathew, *ibid.*, pp. 445-46, 466,
485. Répliques de M. Nicholson *ibid.*, pp. 466 et 484.

de *Itinerarium Antonini*, on trouve au moins deux fois, — et probablement une troisième fois sous la forme corrompue *Isannauentia*, — la place de *Bannauenta*, marquée en un endroit qui doit être cherché aux environs de la ville actuelle de Daventrey. Il n'est pas douteux pour M. Nicholson que, dans l'original de la *Confessio*, on lisait *bannauetabrniae* (avec un signe d'abréviation sur le *e* au milieu du mot et un autre sur le *r* de l'antépénultième syllabe) et qu'il faut interpréter ce mot par *Bannaventa Britanniae*. Puis, pour expliquer la parenté de *Darentrey* avec *Bannaventa*, il rappelle que, d'après une règle établie par Zeuss, les consonnes *nd* sont généralement remplacées, dans les mots composés ou dérivés des idiomes celtiques, par le double *nn*; d'où il conclut que *Bannaventa* équivaut à *Ban-Daventa*. Le terme *Ban* signifie en gallois *éminence, colline*; le mot *Davent* (latinisé en *Darenta*) peut être regardé comme dérivé du verbe gallois *dafun* ou *davun*, couler, dégoutter : de manière que *Ban-Daventa* signifierait *colline des sources*. Or, à un demi-mille de Daventrey se trouve une colline, actuellement appelée *Borough Hill*, où prennent naissance de nombreuses sources d'une eau très pure, et qui fut certainement un campement romain, comme l'attestent les objets anciens qu'on y a déterrés. Daventrey se trouvant dans la plaine, entre plusieurs ruisseaux dont l'un descend de Borough Hill, le dénominatif *Ban* n'a pu lui être appliqué, et l'endroit s'est nommé simplement *Davent* ou *Darenta*. Quant à la syllabe finale *rey*, on peut la faire dériver du gallois *rhe*, qui signifie cours rapide ou, pris adjectivement et s'appliquant à des cours d'eau, *rapide*. De sorte que, en dernière analyse, Daventrey signifierait une localité entourée de cours d'eau rapides, et c'est dans son voisinage qu'il faut placer le lieu de naissance de S. Patrice.

Tout cela, certes, est fort ingénieux et assez plausible. Mais on ne peut s'empêcher d'être quelque peu effrayé de cette accumulation de conjectures, comme l'a été en effet M. F. Haverfield. Celui-ci, dans les quelques lignes qu'il a consacrées à la même question (2), se borne à relever la très remarquable similitude qui se trouve entre le vocable de lieu *Bannauenta* de l'Itinéraire d'Antonin et les quatre premières syllabes du *Bannauem Taberniae* de la *Confessio*; mais il n'ose pas suivre M. Nicholson dans l'interprétation de *berniae* par *Britanniae*, qui ne lui semble pas justifiable par les principes de la paléographie, ni dans les combinaisons qui tendent à mettre Daventrey en rapport de dérivation avec *Bannaventa*.

Et cependant M. Nicholson ne s'arrête pas là. Par une suite de nouvelles conjectures — qui, prises chacune à part, nous le reconnaissons volontiers, ne manquent pas de probabilité, — sur les leçons primitives des manuscrits et sur les transformations que ces leçons ont pu subir sous la plume des copistes, il arrive à identifier aussi avec Daventrey le nom de *Nemptor*, que la *Vie tripartite* marque comme le lieu de naissance du grand apôtre de l'Irlande. Enfin, il croit qu'on peut tirer une confirmation de sa thèse, sans cependant attacher à cette confirmation une grande importance, dans le rapprochement de la légende qu'on lit dans plusieurs Vies de S. Patrice, relativement à une source qui jaillit miraculeusement en forme de croix

____

(1) Dans l'*English historical Review*, t. IX (1895), p. 711.

pour fournir l'eau nécessaire au baptême du saint, et du titre de la principale église de Daventrey, laquelle est dédiée à la Sainte Croix.

Le livre de M. Georges Pfeilschifter, *Théodoric le Grand, roi des Ostrogoths et l'Église catholique* (1) est, paraît-il, l'œuvre d'un débutant. On ne le dirait vraiment pas, tant, d'un bout à l'autre de l'ouvrage, on constate une connaissance complète et approfondie des sources et de la littérature historique, un esprit sagace et pénétrant, et, dans ce domaine si hasardeux de l'histoire politico-religieuse, une sagesse et une modération de jugement également remarquables. Le héros du livre n'a pas précisément sa place marquée parmi les saints, et si cet ouvrage nous a été envoyé, c'est bien parce que des personnages honorés comme saints, par exemple les papes **Symmaque. Hormisdas et Jean I**er, les évêques **Épiphane** et **Ennode** de Pavie, jouent, dans la vie du monarque arien, beaucoup plus qu'un simple rôle épisodique. La partie de leur histoire qui touche à celle de Théodoric est examinée ici avec soin, avec netteté et en général aussi avec impartialité. Il faut le dire cependant, le voisinage de Théodoric leur a fait tort parfois dans l'esprit de l'auteur, et notamment pour Symmaque et pour Jean Ier, on pourrait apprécier autrement, et probablement non sans raison, les mobiles ou les conséquences de telle ou telle démarche. Quant à Théodoric, il a visiblement inspiré à M. Pfeilschifter un ardent enthousiasme. Le jugement d'ensemble qu'il porte sur son héros surprendra certaines personnes; mais en fait, ce jugement nous paraît juste et parfaitement fondé; Théodoric fut un homme droit, loyal, modéré, ami de la paix et de la justice. Durant son long règne, l'Église catholique eut grandement à se louer du monarque arien, dont la prudence politique et la bienveillance lui furent parfois bien utiles. Jamais, quoi qu'on en ait dit (2), il ne fut persécuteur; en particulier, la condamnation capitale de Boèce et les procédés de Théodoric envers Jean Ier n'ont rien à voir avec une hostilité quelconque envers l'Église; ce sont des faits d'ordre purement politique. " Théodoric mourut en paix avec l'Église, pour le bien de laquelle „ il avait, en toute loyauté, travaillé durant sa longue vie (3). „ Mais si le tableau des

(1) *Der Ostgotenkönig Theoderich der Grosse und die katholische Kirche.* Münster i.W., Schöningh, 1896, 8°, viii-271 pp. Forme les fasc. I et II du tome IV des Kirchengeschichtliche Studien publiées par les professeurs Knoepfler, Schroers et Sdralek. — (2) Voir par exemple *G. Minasi, M. A. Cassiodoro senatore. Ricerche storico-critiche.* Napoli, Lanciani e Pinto, 1895, 232 pp. De plus, dans cet ouvrage, Cassiodore est souvent loué aux dépens de Théodoric, et les mérites du roi sont libéralement portés au compte de son ministre. Au reste, quoique M. Minasi n'ait pas épargné sa peine pour composer ce livre, il est à regretter que la littérature historique moderne lui soit vraiment trop peu connue, en particulier diverses dissertations parues ces derniers trente ans en Allemagne. Il aurait aussi tiré bien bon parti de l'édition des *Variae* de Cassiodore par Mommsen, notamment des prolégomènes de cette édition. Nous signalerons, pour mémoire, la discussion que M. Minasi consacre, p. 208-220, à la translation du corps de S. **Grégoire le thaumaturge** à Staletti, dans la Calabre. — (3) Voir Pfeilschifter, *op cit.,* p. 213.

relations de Théodoric avec l'Église catholique est, selon nous, conforme à la réalité, l'auteur a peut-être exagéré çà et là sa valeur comme homme d'état. La comparaison de sa politique avec celle de Clovis. du sort de la race des Ostrogoths, qui disparaît si tôt du théâtre de l'histoire, avec celui des Francs, appelés à de si hautes destinées, tout cela amènerait sans doute à accentuer certaines ombres du brillant portrait que nous offre M. Pfeilschifter. Mais ce n'est pas ici le lieu de le faire.

Le livre de M. l'abbé Franz Emmerich sur S. Kilian (1) est le fruit de recherches sérieuses et marque un réel progrès sur les monographies consacrées jusqu'ici à l'apôtre de la Franconie. La première moitié du volume est remplie par les textes originaux relatifs au saint : la *Passio minor*, la *Passio maior*, un résumé tiré de la *Legenda ferrea*, la Vie métrique par Jean de Luterbech, deux sermons inédits du XII° siècle, une série de textes martyrologiques et liturgiques. Tout cela est publié avec le plus grand soin; pour les deux Passions notamment, M. Emmerich s'est donné la peine de collationner un grand nombre de manuscrits, et son édition peut être regardée comme définitive. La *Passio minor*, qui passait communément (Wattenbach, Potthast) pour dater seulement du X° siècle, il l'a trouvée dans un manuscrit du IX°. C'est un point important acquis désormais. Mais M. Emmerich va plus loin et croit pouvoir dire que ce document a été rédigé, dans sa forme actuelle, au milieu du VIII° siècle. Ceci est moins clair, et quand M. Emmerich établit (p. 67) au point de vue du style et de l'incorrection grammaticale, un parallèle entre la *Passio* et la Chronique dite de Frédégaire, on doit constater — ce que prouvent d'ailleurs les citations faites pp. 91, 99, 108, — qu'il n'a eu sous les yeux que des éditions vieillies et très insuffisantes de la Chronique et qu'il a négligé d'examiner l'excellent texte publié par M. Krusch *(MG.,* Scr. rer. merov., t. II). Néanmoins, la *Passio minor* est en tous cas notablement plus ancienne qu'on ne pensait, et son crédit s'accroît d'autant. Quant à la *Passio maior,* qu'on avait crue écrite au XII° siècle, M. Emmerich la met au compte de l'auteur de la plus ancienne *Vita Burchardi,* lequel écrivait au IX° siècle. C'est ce qu'avait déjà établi M. Holder-Egger *(MG.,* Scr. t. XV, p. 46, n. 5). L'auteur de la *Passio maior* a retravaillé la *Passio minor.* Ce qu'il ajoute de son crû, M. Emmerich le montre fort bien, ne mérite pas confiance. Par contre, la *Passio minor* serait, à part quelques traits, un document historique entièrement sûr. C'est à défendre cette thèse, à écarter les objections qu'on a fait valoir à l'encontre, à retracer en détail, d'après cette Passion la carrière de S. Kilian, qu'est consacrée l'autre moitié de l'ouvrage que nous examinons. M. Emmerich y fait œuvre de critique. et si sa tendance est conservatrice, il a soin toutefois d'assurer à ses recherches un caractère avant tout scientifique. Ce n'est pas à dire que sa manière de voir soit sur tous les points ou certaine, ou même probable. Ainsi, pour m'en tenir à un point capital, il ne prouve pas suffisamment que le récit de Raban Maur dépende de la *Passio minor.* Toujours

(1) * *Der hl. Kilian, Regionarbischof und Martyrer historisch-kritisch dargestellt.* Würzburg, A. Göbel, 1896, 8°, xii-136 pp., phototypie.

est-il que des travaux comme celui-ci, quand bien même ils n'apportent pas des résultats définitifs et acceptés de tous, sont de nature à susciter des discussions courtoises et fructueuses et à faire répandre un peu plus de lumière sur les loin taines origines du christianisme en Franconie.

Partant des travaux de M. Bruno Krusch et de Julien Havet, qui ont fait époque dans les questions de chronologie mérovingienne, M. l'abbé E. VACANCARD, dans un article très solide, sinon définitif (1), examine à nouveau la date de quelques faits de la fin du VII⁰ siècle, et aboutit sur plusieurs points à des résultats nouveaux. Je crois utile de consigner ici ses principales conclusions.

Thierry III commença à régner entre le 11 mars et le 15 mai 673, et mourut avant le 18 mai 690; les chroniqueurs qui comptent son règne à partir de la fin de 675 font allusion à sa restauration, et non à son premier avènement.

Childéric II est mort vers la fin de l'année 675.

S. **Wandrille** fonda l'abbaye de Fontenelle le 1ᵉʳ mars 649 et mourut le 22 juillet 668.

Son successeur S. **Lambert** gouverna l'abbaye durant dix ans et cinq mois environ, et monta sur le siège de Lyon en novembre-décembre 678, après S. **Genèse**, mort le 1ᵉʳ novembre de cette même année.

S. **Ansbert** fut abbé de Fontenelle depuis 678 et succéda sur le siège de Rouen à S. Ouen, mort, très probablement, après quarante-trois ans et trois mois d'épiscopat, le 24 août 684.

On a beaucoup discuté et on discute encore sur la date exacte du martyre de **S. Lambert**. Les années 696, 698, 701, 707, 708 et 709 ont été mises en avant, et si actuellement on veut, non sans quelque raison, reculer cette date après 705 (2), la chose cependant n'est pas absolument tirée au clair. Nous ne pouvons donc trouver à redire si les Liégeois, sans se préoccuper autrement des dissentiments du monde de l'érudition, ont célébré, et magnifiquement célébré, en septembre 1896, le douzième centenaire du patron de leur diocèse. A l'occasion des fêtes jubilaires, on a publié diverses biographies de l'évêque martyr. Trois nous sont parvenues.

La première est due à M. Joseph Demarteau (3). Écrite spécialement pour le monde ouvrier liégeois, c'est un récit tout populaire, simple, bref, intéressant. Au reste, on se rend tout de suite compte que l'auteur a lu et mis à profit toutes les publications de quelque importance qui regardent son sujet. Tout au plus, au point de vue scientifique, pourrions-nous regretter de le voir, p. 5-7, faire usage sans restriction de la *Vita Landoaldi*, document extrêmement peu sûr.

Ce même reproche atteint les deux autres Vies dont nous avons à parler, et cela d'autant plus qu'elles prennent, par endroits, l'allure d'un ouvrage d'érudition

---

(1) *Le Règne de Thierry III et la chronologie des moines de Fontenelle*, dans la REVUE DES QUEST. HIST., t. LIX (1896), p. 491-506. — (2) Voir *Anal. Boll.*, t. XIII, p. 173. — (3) * *Vie de S. Lambert*. Liège, Demarteau, 1896, in-12, 56 pp.

proprement dit. Au fond, ce sont sans doute des livres de vulgarisation pieuse;
mais la discussion scientifique y tient aussi une place assez large. Nous aurions
préféré qu'elle fût laissée de côté. Cela nous eût épargné le chagrin de critiquer
les deux vénérables auteurs, qui, écrivant tous deux dans un presbytère de
campagne, loin des bibliothèques, étaient mal armés pour une telle entreprise.
N'auraient-ils pas mieux fait de s'en tenir à un genre de publication proportionné
aux ressources dont ils disposaient?

Au début de son livre (1), M. l'abbé W. Dechêne nous apprend qu'en ces derniers
t emps on ne s'est guère occupé de S. Lambert (p. m); ces paroles, et plus encore
l'ouvrage tout entier, montrent que l'auteur ignore absolument les travaux importants publiés durant ces vingt dernières années : les études de M. Kurth sur
S. Lambert et sur les origines de la ville de Liège, de M. Demarteau sur S. Lambert et sur S. Hubert, de notre confrère le P. De Smedt sur S. Hubert, etc., etc.
Aussi bien, le livre, encombré de considérations morales, philosophiques, théologiques, fourmille d'inexactitudes et d'étrangetés : ici on nous dit que Liège
s'appelait *Legia* au temps de S. Lambert (p. 2); plus loin, on reproduit, comme
authentique, le soi-disant rapport adressé au sénat romain par Publius Lentulus,
gouverneur de Judée, au sujet de Jésus-Christ (p. 10); puis des observations éton-
nantes sur le village de Wintershoven (2), dont le nom même, paraît-il, aurait
disparu (p. 11); S. Remacle aurait obtenu du pape Martin (649-653) des indulgences
pour ceux qui visiteraient la chapelle des SS. Cosme et Damien à Liège (p. 42);
ailleurs, M. Dechéne dresse la liste des abbés de Stavelot antérieurs au XII⁰ siècle
" qu'il a pu découvrir „ (p. 61). Il aurait pu la prendre, par exemple, dans le *Gallia
christiana;* mais non, sa source est l'*Almonac wallon ae L samène po l'an 1891 du
Célestin diérin prince-abbé du Stôvleu e d'Mâmdi* (sic)... Ces exemples, que je
pourrais multiplier, montrent amplement combien l'auteur est peu chez lui dans
le domaine historique, et me dispensent, je crois, de discuter les opinions qu'il
émet çà et là sur l'histoire de S. Lambert.

M. l'abbé J. Vrancken (3) est, lui, relativement beaucoup mieux informé, au
moins en ce qui touche directement S. Lambert. Travailleur consciencieux et zélé,
l'auteur, en mettant en œuvre les travaux de MM. Kurth et Demarteau, qu'il avait
entre les mains (4), aurait pu faire un bon ouvrage de vulgarisation. Mais plus
d'une fois, il se lance dans des discussions critiques, avec grand appareil d'érudition. Cela fait tort à son livre; car cette érudition est bien vieillotte; l'auteur cite
à foison des érudits du XVII⁰ et du XVIII⁰ siècle; quant aux modernes, il les ignore

---

(1) * *Der hl. Lambertus. Sein Leben und seine Zeit.* Paderborn, Schöningh, 1896,
8°, iv-304 pp. — (2) L'auteur a eu tort de s'occuper de la géographie de la Belgique,
alors qu'il était fort mal préparé à cela. Ne nous dit-il pas que de Tongres à Liège
il y a " à peu près une heure de marche „ (p. 136); que *Moha* pourrait bien être
identique à *Malines* (p. 188), etc.! — (3) * *De H. Lambertus, bisschop van
Maastricht en martelaar.* Roermond, Waterreus, 1896, 8°, 153 pp., carte. —
(4) Toutefois il n'a pas connu les deux plus récents, que nous avons signalés dans
cette revue, t. XI, p. 119, et t. XIII, p. 173.

presque complètement. Et cependant, pour la chronologie des rois mérovingiens, par exemple, il y avait à tenir compte d'autre chose que de Chapeaville, de Miraeus et de Suyskens.

M. Vrancken place le martyre de S. Lambert en 709 (1); s'il avait connu le travail paru dans le tome I de novembre des *Acta Sanctorum* sur S. Hubert, il aurait certainement discuté les raisons qui y sont apportées pour avancer cette date d'au moins quatre ans; du même coup, il aurait aussi, sans aucun doute, modifié ce qu'il dit quelque part (p. 58) de l'origine de S. Hubert.

La belle édition de l'*Histoire ecclésiastique* de **Bède le Vénérable**, que vient de publier M. **Charles Plummer** (2), marque un progrès considérable sur toutes les précédentes, même sur celle de Smith (1722), la seule édition critique qui eût paru jusqu'ici. Au reste, le savant fellow de Christ College n'y fait pas seulement preuve de solides spécialités de philologue et d'historien, rompu aux bonnes méthodes scientifiques; il a mis aussi, dans l'exécution de son travail, une profonde sympathie pour l'homme admirable que fut le vieil historien anglo-saxon, et une parfaite intelligence de sa personne et de son œuvre.

Le premier volume débute par une longue et excellente introduction. On y trouve d'abord (p. ix-lxix) une étude sur la vie et les œuvres de Bède, étude très complète, très sérieuse, très vivante. M. Plummer s'est attaché tout particulièrement à mettre en relief le caractère de Bède, sa personnalité intellectuelle et morale. On pourrait difficilement mieux faire; toutes choses sont mises au point avec autant de mesure et de tact que de sens critique. Suit un examen soigneux des manuscrits et des éditions (p. lxx-cxliv), tant de l'Histoire ecclésiastique que des autres documents publiés plus loin, savoir l'Histoire des saints abbés de Wearmouth (l'opuscule anonyme et celui de Bède), et la lettre de Bède à Egbert d'York. Le dépouillement de plus de quarante manuscrits a permis à l'éditeur de faire une constatation intéressante : c'est qu'il faut distinguer deux recensions de l'Histoire ecclésiastique, toutes deux provenant de Bède et achevées l'une en 731, l'autre en 734. A part deux ou trois exceptions, M. Plummer a borné ses recherches aux manuscrits conservés actuellement en Angleterre; son édition, du reste, est principalement et presque uniquement fondée sur les quatre manuscrits les plus anciens (deux du British Museum, un de Cambridge, un de Namur, tous quatre du VIIIe siècle). Sans doute, en règle générale, un tel procédé n'est pas fort scientifique; toutefois, dans ce cas particulier et du moins en ce qui regarde l'Histoire ecclésiastique, il n'y a pas lieu de faire à M. Plummer un reproche de n'avoir pas utilisé les nombreux exemplaires du IXe, du Xe et du XIe siècle qui se rencontrent sur le continent. Vu le bon état de conservation du texte, c'eût été se donner une peine hors de toute proportion avec

(1) M. Dechêne se prononce pour 708 ou 709; quant à M. Demarteau, il se tait sur ce point, et pour cause. — (2) * *Venerabilis Baedae Historiam ecclesiasticam gentis Anglorum, Historiam abbatum*, etc... ad fidem codicum manuscriptorum denuo recognovit etc... Carolus Plummer. Oxford, Clarendon Press, 1896, deux vol. in-8°, clxxviii-456 et xl-545 pp.

le résultat à espérer. Par contre, je ne puis m'empêcher de regretter qu'il ne se soit pas procuré une collation d'un cinquième manuscrit du VIIIe siècle, lequel se trouve à la bibliothèque impériale de Saint-Pétersbourg (1) et n'est pas même mentionné par le nouvel éditeur. — La préface se termine par deux appendices ; le premier est consacré au classement chronologique des œuvres de Bède (p. CXLV-CLIX), l'autre renferme le texte de l'admirable lettre où l'abbé Cuthbert raconte la mort du saint moine (p. CLX-CLXIV).

Quant à l'édition elle-même de l'*Historia ecclesiastica*, il faut signaler une innovation très heureuse, qui contribue aussi à la placer bien au-dessus des précédentes. Selon la méthode moderne, M. Plummer a distingué partout, au moyen d'un caractère typographique différent, les passages et jusqu'aux moindres mots empruntés textuellement par Bède aux documents antérieurs qui sont parvenus jusqu'à nous.

Le second volume est en grande partie rempli par des notes relatives aux divers documents imprimés dans le premier. Ces notes portent sur l'histoire, la géographie, l'archéologie, le droit ecclésiastique, la grammaire, etc. L'examen d'un certain nombre d'entre elles, prises çà et là, nous a fait retrouver ici la même érudition (2), les mêmes qualités que nous avions constatées dans la préface du tome premier. Ce que n'avait fait aucun de ses devanciers, M. Plummer s'est attaché à rapprocher fréquemment, des textes qu'il commentait, les passages similaires des autres œuvres de Bède. Il fait ainsi beaucoup mieux connaître la tournure d'esprit, le caractère, l'âme tout entière du vieil auteur. Car il entend bien qu'on prenne Bède pour ce qu'il est, non pas seulement un historien, mais encore et surtout un penseur chrétien, un savant chrétien.

De plus, le second volume renferme un index chronologique de tous les faits mentionnés dans les textes ou dans les notes (p. VIII-XXXV), quelques appendices de moindre importance, et une fort bonne table des matières, qui ne compte pas moins de cent cinquante pages.

Presque en même temps que les deux volumes de M. Plummer, paraissait un article du R. P. BEDA PLAINE sur *Le Vénérable Bède, docteur de l'Église* (3). L'auteur y étudie, lui aussi, la vie et les œuvres de Bède. Ce travail était, paraît-il, " une carrière longue et semée d'écueils (4) „. Heureusement, l'auteur est arrivé au terme sans encombre. Sans doute, on pourrait désirer par endroits une plus grande fermeté dans le raisonnement, plus de largeur dans l'appréciation des choses, moins d'optimisme et un plus grand sens historique là où il s'agit uniquement de faits historiques proprement dits. Sans doute aussi, en comparant l'article en question avec les volumes de M. Plummer, on en arrivera parfois à corriger ou du moins

(1) Cf. *Neues Archiv*, t. V, p. 260. — (2) Parfois cependant M. Plummer eût fait chose utile en tenant davantage compte des travaux publiés sur le continent. Ainsi, les notes relatives à Prosper d'Aquitaine (t. II, p. 22), à Marcellin *(ibid.,* p. 26), à Gildas *(ibid.,* p. 35), n'auraient pu que gagner s'il avait connu ce que Mommsen a écrit sur ces divers personnages *(Mon. Germ. hist.,* auct. antiq., t. IX, XI, XIII). — (3) Dans la *Revue anglo-romaine*, t. III (1896). p. 49-96. — (4) *Ibid.* p. 96.

à mettre en doute telles et telles assertions du R. P. Plaine ; par exemple, en ce qui regarde la soi-disant sœur de Bède (p. 50), la priorité de la Vie anonyme de S. Cuthbert sur celle qu'a écrite Bède (p. 71), l'authenticité du Pénitential (p. 75-78), etc. Mais en général, les conclusions du R. P. Plaine sont acceptables, et nous avons le plaisir cette fois d'être de son avis sur la plupart des points (1). Nous signalons aussi, comme intéressants, les derniers paragraphes, dans lesquels il est question du culte de Bède (p. 86-93) et du titre de " docteur „ si bien mérité par le vieil auteur et qu'on désirerait voir reconnu officiellement par l'autorité ecclésiastique

Le R. P. Conrad Eubel a extrait de divers manuscrits de la Palatine au Vatican quelques textes relatifs au culte de S. Philippe de Zell (2) : notice martyrologique (X* siècle), mention dans les litanies en vers (X* siècle), messe avec oraisons et préface propres (XI*, XII* siècles). Dans ces manuscrits, qui proviennent originairement de Zell même, le nom de S. Philippe se trouve sans cesse rapproché de celui de S. Pirmin. Cela n'est pas étonnant ; car jusqu'au XIII* siècle, le prieuré de Zell fut une dépendance de Hornbach, l'abbaye de Pirmin.

S. Théophane, abbé du monastère de Sigriane, près de Cyzique, a eu un bon nombre de biographes et de panégyristes ; mais deux seulement des six documents qui le concernent ont été publiés jusqu'à ce jour (3). M. Krumbacher (4) édite d'après le manuscrit grec de Munich n° 3, un éloge de S. Théophane composé par Théodore, le premier secrétaire de l'empereur Constantin VII Porphyrogennète, entre les années 920 et 959. Outre sa valeur documentaire, assez mince, il est vrai, cette pièce offre un intérêt littéraire plus grand. C'est une sorte de dithyrambe en prose rythmée, dont M. Krumbacher, grâce à sa profonde connaissance de la langue byzantine, a déterminé, avec une parfaite précision, le caractère et l'allure métrique. Dans une étude préliminaire, M. Krumbacher a exactement établi les rapports qui existent entre les divers textes relatifs à S. Théophane, et il les divise en trois groupes. Il résulte de ce travail que l'hagiographie aurait beaucoup à gagner à la publication de la Vie encore inédite du célèbre chronographe écrite par le patriarche Méthode. Cette Vie est, en effet, la source primitive des autres documents ; elle se trouve dans le manuscrit n° 159 de la bibliothèque synodale de Moscou ; en voici le début : Ἔμπρακτον κάλλος καὶ προαιρετικὴν εὐμορφίαν.

L'étude de M. le D' August Mittag sur la manière dont Ruotger a écrit la Vie de S. Brunon de Cologne (5), contient beaucoup d'observations de détail ; elles sont,

____

(1) Pourquoi faut-il cependant que l'auteur emploie par endroits une langue si étrange, par exemple quand il nous dit que " l'*arome* de la sainteté ne saurait être *foulé aux pieds* sans qu'il perde de son prix et *de son parfum* „ ? — (2) * *Der hl. Philipp von Zell im Bisthum Speyer*. 8 pp. Extrait du *Katholik* de Mayence, 1896, t. I, p. 549-56. — (3) Voir *Bibl. hagiogr. graeca*, p. 132. — (4) *Ein Dithyrambus auf den Chronisten Theophanes*, Sitzungsberichte der philos.-philolog. und der hist. Classe der k. b. Akad. der Wissensch. zu München, 1896, p. 563-625. — (5) * *Die Arbeitsweise Ruotgers in der Vita Brunonis*. Programme. Berlin, R. Gaertners Verlagsbuchhandlung, 1896, 4°, 27 pp.

il faut l'avouer, pas mal disparates, et il faut un sérieux effort d'esprit pour s'en faire, après lecture, une idée nette et les classer d'une façon quelque peu systématique. Je me borne à relever quelques points principaux.

M. Mittag signale, dans la *Vita Brunonis*, un nombre considérable d'emprunts purement littéraires faits à la Vulgate (p. 4-10), aux classiques latins : Cicéron (pp. 10-13 et 19), Salluste (p. 14), Horace, Térence, Virgile, etc., enfin à Prudence (p. 16-18). La plupart des rapprochements faits ici sont convaincants ; d'autres sont moins décisifs. Quoi qu'il en soit, ces exemples ajoutés à ceux qu'on avait déjà recueillis auparavant, prouvent que Ruotger, homme de grande lecture, a beaucoup imité ces auteurs et que sa langue est notablement plus artificielle qu'on ne pensait jusqu'ici.

Par contre, on peut à peine signaler un seul emprunt fait par Ruotger à S. Augustin. Et cependant, le désir de déterminer l'influence du docteur africain sur le biographe de S. Brunon avait été le point de départ des recherches de M. Mittag. Mais si l'influence augustinienne sur le style de Ruotger est nulle, les idées de ce Père auraient au contraire laissé une forte empreinte dans la *Vita Brunonis*. M. Mittag croit devoir expliquer ainsi la fréquence avec laquelle reviennent, chez le biographe, les concepts de " justice „ et de " paix. „

Enfin, quoique Ruotger se montre fort épris de l'idéal monastique et envisage la vie en ascète, ces pensées n'ont pas influé sur la manière dont il conçoit la politique religieuse et les rapports de l'Église et de l'État. Il est plutôt animé de sentiments bienveillants envers le pouvoir civil, et c'est sous cette impression qu'il a raconté, dans un ouvrage excellent, la vie de l'archevêque de Cologne, un des plus illustres évêques et des plus grands hommes d'état de son temps.

La légende des Danseurs de Kölbigk, dans l'Anhalt, n'avait pas été jusqu'ici l'objet d'un travail d'ensemble. M. Edw. Schröder vient de combler cette lacune par une étude fort bien conduite et dans laquelle sont réunis des éléments d'information très nombreux (1). On y trouve, réimprimés d'après un bel ensemble de manuscrits, les deux textes connus, le récit d'Otbert et celui de Thierry, deux des " danseurs „ en question ; M. Schröder y ajoute un troisième texte, resté inédit et fort intéressant sous tous rapports. Il poursuit l'histoire du développement de la légende, à travers les innombrables ouvrages où elle se trouve consignée ; il détermine nettement le fondement historique de ces récits populaires ; il fait constater, dans les narrations d'Otbert et de Thierry, l'exploitation faite, par des mendiants vagabonds, du fait étrange qu'on disait être arrivé à Kölbigk ; enfin, il montre la diffusion de la légende en Allemagne, dans les Pays-Bas, en France, en Angleterre. Un point reste obscur, et pour cause : c'est l'identité de ce S. Magnus, martyrisé jadis à Kölbigk et au compte duquel est mis le miracle des " danseurs „. En réalité, c'est un saint imaginaire.

(1) *Die Tänzer von Kölbigk*, dans Zeitschr. für Kirchengeschichte, t. XVII (1896), p. 94-164.

On sait les obscurités presque impénétrables que présente l'examen critique des anciennes Vies de S. Étienne de Hongrie, et quelle étonnante divergence d'opinions s'est manifestée au sujet de leur date de composition et de leurs rapports mutuels. Un savant polonais, dont nous avons déjà eu l'occasion de citer les solides travaux, M. ADALBERT KENTRZYNSKI s'est attaché, à son tour, à résoudre ce difficile problème (1), et si la thèse qu'il défend n'est peut-être pas encore, dans tous ses détails, définitivement prouvée, du moins son travail met plusieurs choses parfaitement au point et mérite une sérieuse attention. M. Kentrzynski admet entièrement deux conclusions défendues naguère par M. Kaindl et auxquelles nous nous sommes rallié sans réserve (2) : 1° la Vie attribuée à l'évêque Hartwich est réellement de lui; 2° elle est moins ancienne que la *Vita maior Stephani regis*, et celle-ci a été copiée par Hartwich. Par contre, M. Kentrzynski se prononce nettement contre la troisième thèse de M. Kaindl, laquelle aussi nous avait paru moins solide. Il s'agit des rapports de l'ouvrage d'Hartwich avec la *Vita minor* et avec cette Vie de S. Étienne qu'on a pris l'habitude d'appeler " Chronique hongro-polonaise „. Deux points ressortent clairement, à mon avis, du travail que nous annonçons : 1° l'ouvrage d'Hartwich, même dans sa rédaction primitive, contenait des emprunts faits à la *Vita minor*. Il faut dès lors expliquer autrement que M. Kaindl, comment il se fait que la Chronique hongro-polonaise n'en contient pas. La raison en est que 2° cette soi-disant Chronique est antérieure à l'ouvrage d'Hartwich et qu'elle a été copiée par ce dernier. On avait jusqu'ici pensé le contraire; mais M. Kentrzynski donne, me semble-t-il, à la thèse nouvelle qu'il défend une solide probabilité. Peut être toutefois fait-il trop état d'un document inédit qu'il introduit dans le débat. C'est une Vie de S. Étienne, dont il publie le texte d'après un manuscrit du XV° siècle, et dans laquelle il reconnaît avec raison un abrégé de la " Chronique hongro-polonaise „. Certains passages de la Chronique manquent naturellement dans le texte abrégé; mais M. Kentrzynski distingue : si tels et tels passages manquent, dit-il, c'est que l'abréviateur les a omis. Fort bien. Mais, ajoute-t-il, si tels ou tels autres manquent, ce n'est pas qu'il les ait omis, c'est qu'ils manquaient dans le texte original de la Chronique; et si on les y trouve actuellement, c'est par suite d'une interpolation postérieure. Cette distinction n'est pas invraisemblable; mais elle a l'air quelque peu arbitraire, et il faudrait, pour la faire admettre, des raisons convaincantes.

Beaucoup d'autres idées, quelques-unes fort neuves, toutes très intéressantes, sont présentées au cours de ce travail, dont je ne puis guère que résumer ici les principales conclusions : 1° la *Vita maior* a été probablement écrite avant 1083, date de la canonisation des SS. Étienne et Émeric. Cette Vie est restée inachevée, telle qu'on la trouve dans les manuscrits du " Grand Légendaire autrichien „ ; 2° la

(1) *O Kronice węgiersko-polskieij. Vita S. Stephani, regis Ungarine, ungarico-polona*. Cracovie, 1897, 8°, 38 pp. Extrait des BULLETINS DE L'ACADÉMIE DES SCIENCES, sect. d'hist. et de philol., t. XXXIV, p. 355-92 (en polonais). — (2) Voir *Anal. Boll.*, t. XV, p. 93.

Chronique, qui mentionne déjà cette canonisation, aurait été composée vers 1086, à Cracovie, par un ecclésiastique hongrois, slovaque de naissance ; 3° la *Vita minor*, où le roi Ladislas est appelé *piae memoriae* (1), est postérieure à l'année 1095, date de la mort de ce prince ; 4° Hartwich a dédié son ouvrage au roi Coloman. Il écrivait donc entre les années 1095 et 1114. Il s'est servi des trois ouvrages précédents. Ce prélat était allemand de naissance ; mais on a eu tort d'en faire un évêque de Ratisbonne ; il faut chercher en Hongrie son siège épiscopal et peut-être le ranger dans la liste, très obscure et très incomplète, des évêques de Veszprem.

En 1886, l'archimandrite russe Arsenij publia, d'après le manuscrit n° 363 de la bibliothèque synodale de Moscou, un ἐγκώμιον de Georges de Chypre εἰς τόν μέγαν Εὐθύμιον ἐπίσκοπον Μαδύτων (2). C'est la seule pièce que l'on possède jusqu'à ce jour sur S. Euthyme, évêque de Madyte dans l'Hellespont (3).

Malheureusement, l'édition du P. Arsenij laissait beaucoup à désirer. A divers endroits, le texte n'était pas lisible, tellement il a été mal transcrit. Une nouvelle édition s'imposait donc ; elle nous a été donnée par M. B. Antoniades, de façon à satisfaire toutes les exigences de la critique (4).

S. Théobald est à Thann en Alsace, depuis le XV° siècle, l'objet d'une vénération spéciale, et il y a là en son honneur un pèlerinage fameux, où l'on se rendait des contrées les plus septentrionales du Danemark, de l'Allemagne, de la Hollande, de la Flandre. M. F. Techen s'est intéressé d'une façon spéciale aux anciens pèlerins du Mecklembourg (5), et dans le *Tomus miraculorum sancti Theobaldi* publié en 1875 par M. Georges Stoffel, il a relevé les noms de bon nombre de ses compatriotes, auxquels il a plu à S. Théobald de manifester sa bienfaisante puissance. En somme, le travail de M. Techen intéresse davantage l'histoire locale du Mecklembourg que le culte de S. Théobald. Ce n'est pas un reproche que nous faisons ; mais il faut bien fournir cette indication au lecteur qui, en voyant le titre du travail de M. Techen, pourrait aller y chercher des choses que l'auteur n'a point songé à y mettre.

L'Histoire de l'abbaye de Silos (6) par le R. P. Dom Marius Férotin, doit, dans la pensée de son auteur, servir à la fois d'introduction et de complément au beau *Recueil des chartes de l'abbaye de Silos*, qu'il vient de publier en même temps (7). Il faut ajouter qu'elle en est en même temps le digne pendant. La vieille abbaye castillane a enfin trouvé un historien, et un véritable historien, connaissant à fond

(1) Ch. 8 (*M. G.*, Scr. t. XI, p. 229). — (2) Voir *Bibl. hagiogr. graeca*, p. 46. — (3) *Act. SS.*, April. t. II, p. 583. — (4) Dans Δελτίον τῆς ἱστορικῆς καὶ ἐθνολογικῆς ἑταιρίας τῆς Ἑλλάδος, t. IV (1894) p. 387-422. — (5) *Der Nothhelfer St. Theobald (Ewald)*, Jahrbücher des Vereins für mecklemburgische Geschichte und Alterthumskunde, t. LX (1895), p. 169-78. — (6) * Paris, Leroux, 1897, gr. 8°, x-368 pp., avec 2 plans et 17 planches hors texte. — (7) Paris, Imprimerie nationale, 1897, gr. 8°, xxiv-624 pp., carte.

les nombreuses sources imprimées et manuscrites, rompu aux bonnes méthodes, également sincère et bien informé. Aussi l'*Histoire de Silos* est-elle un ouvrage d'un bout à l'autre intéressant, bien souvent entièrement neuf, toujours solide. Rédigée avec une élégante sobriété, elle laisse cependant au lecteur un regret, ou plutôt elle lui inspire un souhait. Des documents curieux retrouvés et recueillis pour composer son livre, le R. P. Férotin n'a mis en œuvre qu'une partie (1). Bien des fois, on sent qu'il a voulu, qu'il a dû se borner; il le dit du reste lui-même. Il est bien désirable que le savant auteur ne laisse pas dormir dans ses cartons les richesses qu'il y a amassées, mais qu'il les emploie par exemple à retracer quelque autre page de l'histoire bénédictine en Espagne.

Le présent ouvrage intéresse surtout nos études par l'excellent chapitre consacré à S. Dominique de Silos, le grand abbé à qui le monastère dut, au XI⁰ siècle, sa restauration matérielle et spirituelle (p. 26-67); la suite du volume nous donne aussi du reste, sur le culte du saint dans les siècles suivants, sur les translations de ses reliques, sur les églises qui lui sont dédiées, des renseignements précis et abondants. Je signalerai encore, p. 218-19, d'utiles rectifications apportées à la notice publiée jadis par notre prédécesseur Victor De Buck sur S. Frutos (2), et l'appendice VII (p. 334-44) sur *Les Reliques de l'abbaye de Silos*.

L'étude de M. Ernest Hauviller (3) sur S. Ulrich de Cluny (4) est une œuvre de début, où il y a à prendre et à laisser. Ce qui regarde le côté plutôt externe — si j'ose ainsi dire — de cette vie de moine, est parfaitement traité et marque un progrès sur les travaux publiés antérieurement au sujet du saint. Détails biographiques, données chronologiques, rôle joué par Ulrich dans l'introduction et la propagation de la réforme de Cluny en Allemagne, tout cela est en général clair, solide, bien mis au point.

Quant à la personnalité même d'Ulrich, M. Hauviller l'a mal comprise et mal présentée. Son jugement, les procédés critiques qui l'y ont amené, ont quelque chose d'excessif et de trop absolu, bien excusable sans doute chez un débutant, mais que nous devons signaler. Certes, les deux biographies d'Ulrich appartiennent à cette catégorie d'écrits dont la littérature clunisienne est riche, et où la tendance à l'édification se fait sentir plus encore, si possible, que dans les autres récits de sainteté. Il est légitime, il est nécessaire, de procéder avec prudence dans l'emploi de ces sortes de sources; il faut savoir les interpréter et trouver la réalité des faits sous

(1) Je m'en voudrais de ne pas mentionner au moins les deux premiers appendices, l'un (p. 257-88) sur *Les Manuscrits de Silos*, le second (p. 289-320) où sont publiées cent inscriptions trouvées à Silos et dans ses dépendances, et presque toutes inédites. — (2) *Act. SS.*, Oct. t. XI, p. 692-704. — (3) * *Ulrich von Cluny. Ein biographischer Beitrag zur Geschichte der Clunyacenser im 11. Jahrhundert*. Münster i. W., Schöningh, 1896, 8⁰, v111-86 pp. Forme le troisième fascicule du tome III des Kirchengeschichtliche Studien publiées par les professeurs Knœpfler, Schroers et Sdralek. — (4) On l'appelle communément *Udalricus Cellensis*, cause du prieuré qu'il fonda à Zell en Brisgau. M. Hauviller pense, avec raison, que le trait caractéristique du saint est d'avoir été moine de Cluny.

les formules onctueuses. Mais M. Hauviller est tombé dans l'excès contraire. Passe encore s'il se contentait de conjectures, de suppositions plus ou moins probables; mais trop souvent il semble dominé par je ne sais quel parti pris de dénigrement, et nous présente un Ulrich plus fantaisiste, beaucoup moins réel, que celui dont les biographes nous ont donné un portrait un peu banal, un peu embelli sans doute, mais vrai au fond. Parfois même M. Hauviller est entraîné si loin qu'il devient tout à fait injuste, par exemple dans l'étonnante manière dont il défigure, p. 61-62, le récit contenu dans le ch. 41 de la seconde Vie. Moins de hâte et de fougue dans les appréciations n'aurait pas nui; au reste, même dans des détails moindres, l'auteur aurait pu, en y allant plus lentement, plus prudemment, corriger de trop nombreuses négligences : certaines traductions sont peu exactes, et surtout les textes latins cités en note sont souvent très incorrects (1), au point d'être même parfois inintelligibles.

Nous avons annoncé jadis (2) la publication de la Vie latine de la bienheureuse **Alpais**, par M. l'abbé P. BLANCHON, curé-doyen de Marly. Zélé client de la sainte, il vient de publier une traduction française de ce document (3). Il nous dit dans sa préface, page 2, pourquoi il a entrepris ce travail : il a dû céder " aux réclamations , de ceux qui ignorent le latin, de ceux surtout qui aiment à lire les vies des , saints dans leurs sources, non en amateurs d'érudition et d'archéologie seule- , ment, mais avec le désir de les mieux connaître et de s'en édifier davantage. ,

M. EDWARD VAN EVEN vient de consacrer à la B^{se} **Marguerite de Louvain** un bon et intéressant petit livre (4). Sur l'histoire assez légendaire de la vierge martyre, il ne fait et ne pouvait faire que répéter ce que d'autres ont écrit avant lui. Mais il en est tout autrement quant au culte rendu à la bienheureuse. Sur ce point, M. Van Even nous fournit des détails que pouvait seul relever et coordonner un chercheur consciencieux qui, comme lui, a durant des années remué en tous sens les archives d'une grande et antique cité. Aussi cette monographie est-elle un complément nécessaire du commentaire publié dans les *Acta Sanctorum* (5).

Les belles pages consacrées par M. ÉMILE GEBHART à Ste Catherine de Sienne (6) nous sont présentées comme un " essai de psychologie historique ,. Ce n'est pas

____

(1) Par exemple p. 32, note 3, lire *tam ad suas*, et plus loin *instituta*, et non *iustitia*; p. 34, note 1, *redit* et non *rexit*; note 4, *gradum* et non *gradus*; p. 38, note 6, *credens* et non *credere*; p. 39, note 1, *asperitatibus* et non *asperitates*; p. 40, note 8, *pro responsis imperialibus in Italiam*, et non *pro respondis in Italiam*, etc., etc. — (2) *Anal. Boll.*, t. XIII, p. 187-88. — (3) * *Vie de sainte Alpais, vierge de Cudot, traduite d'un ms. latin contemporain et suivie de l'histoire de son culte.* Marly-le-Roi, chez l'auteur, 1896, 8°, 169 pp., grav. — (4) * *La bienheureuse Marguerite de Louvain, dite Marguerite la Fière. Sa légende, son culte, sa chapelle.* Louvain, Charles Peeters, 1896, in-8°, 68 pp., grav. — (5) Sept. t. I, p. 582. — (6) * *Moines et papes.* Essais de psychologie historique. Paris, Hachette, 1896, in-16, 306 pp. *(Sainte Catherine de Sienne*, p. 63-133). Nous nous permettons de regretter que M. Gebhart ait jugé bon d'ajouter, à la fin du volume, quelque trente

cependant qu'on y trouve suffisamment expliqués les mystères de la vie psychologique de la sainte. M. Gebhart affirme que " c'est par la politique et la diplomatie „ que Sᵗᵉ Catherine a été grande dans l'histoire de l'Italie et dans celle de l'Église „ (p. 66); elle a, dit-il, résolu au XIVᵉ siècle l'éternelle question romaine *(ibid.)* „. Mais il ne met en pleine lumière ni le système politique qui guida la sainte, ni les moyens diplomatiques dont elle usa; de plus, on cherche en vain au cours de cette étude, une analyse qui, dans les démarches faites par Catherine à Florence, à Avignon, à Rome, dégage avec finesse et sûreté les éléments humains de ce qu'on peut plus directement imputer à l'action immédiate de Dieu. Car si intimes qu'aient été les communications de la sainte avec Dieu, elle a subi l'influence de son temps et des personnes avec lesquelles elle conversait d'ordinaire. Cette analyse serait d'autant plus intéressante que le seul fruit durable des voyages politico-religieux de Catherine a été le retour de Grégoire XI à Rome. Elle a vaincu les hésitations du pontife. Aurait-elle pu l'empêcher de suivre l'exemple d'Urbain V et de rentrer en France? Si le retour du pape à Rome résolvait au XIVᵉ siècle l'éternelle question romaine, Catherine l'a résolue. Mais elle n'a pu arrêter le schisme, et du reste, elle ne semble pas avoir eu une claire vision de ce que deviendrait la puissance temporelle des papes dans l'Europe qui se transformait. Quoi qu'il en soit, ces pages palpitantes d'intérêt montrent dans sa mâle beauté cette grande sainte qui ne respirait que paix et charité; elles révèlent aussi, dans leur auteur, une profonde connaissance de la vie et des écrits de la vierge de Sienne.

Toute différente d'allure, de ton, parfois aussi d'appréciations, est la Vie de Sᵗᵉ Catherine écrite par le R. P. E.-J.-B. Janssen, O. P. Comme on l'apprend par la préface, cette Vie est destinée aux membres du Tiers-Ordre dominicain, dont Catherine de Sienne est la patronne.

Si donc, pour juger de la valeur du livre, nous tenons compte du but que s'est proposé l'auteur, nous devons reconnaître que le R. P. Janssen a fait un bon et beau livre, composé d'après les sources originales.

En parcourant les matériaux que M. l'abbé Ach. Ratti a rassemblés avec un soin pieux sur le développement du culte eucharistique à Milan (1), on pourra se faire une juste idée de la part qu'y a prise S. **Charles Borromée**. Sans doute, pas plus dans ce domaine que dans bien d'autres sphères de sa prodigieuse activité, l'illustre prélat ne créa rien de nouveau; mais il y laissa d'ineffaçables traces de son puissant génie d'organisation. Sur ce terrain, un autre grand serviteur de Dieu, le bienheureux Bernardin de Feltre avait déjà exercé son zèle, en y marquant sa profonde empreinte.

.

pages à tout le moins enfantines, fond et forme, sur *le dernier pape-roi*. Son ouvrage gagnerait sous tous rapports à les voir disparaître. — (1) * *Het leven van de H. Catharina van Siena.* Rotterdam, G.-W. Van Belle, 1896, 8º, VIII-472 pp., grav. — (1) * *Contribuzione alla storia eucharistica di Milano.* Milan, 1895, in-8º, XII-75 pp.

L'AMPHITHÉÂTRE FLAVIEN

ET SES ENVIRONS

DANS LES TEXTES HAGIOGRAPHIQUES

En 1675, le pape Clément X fit placer au-dessus de deux arcades opposées de l'amphithéâtre Flavien deux inscriptions dont le texte a été conservé dans plusieurs ouvrages (1), et qui ne diffèrent pas, pour le sens, de la suivante, que le visiteur peut lire sur place, en s'arrêtant devant l'entrée qui regarde Saint-Jean de Latran :

†

AMPHITHEATRVM . FLAVIVM

TRIVMPHIS . SPECTACVLISQ . INSIGNE

DIIS . GENTIVM . IMPIO . CVLTV . DICATVM

MARTYRVM . CRVORE . AB . IMPVRA . SVPERSTITIONE

EXPIATVM

NE . FORTITVDINIS . EORVM . EXCIDERET . MEMORIA

MONVMENTVM

A . CLEMENTE . X . P . M

ANNO . IVB . MDCLXXV

PARIETINIS . DEALBATIS . DEPICTVM

TEMPORVM . INIVRIA . DELETVM

BENEDICTVS . XIV . PONT . M

MARMOREVM . REDDI . CVRAVIT

AN . IVB . MDCCL . PONT . X

Au-dessus de l'entrée qui regarde le forum, se trouve le même texte augmenté d'un court appendice mentionnant les travaux du règne de Pie IX.

L'inscription résume bien l'impression que produisaient, il y a peu d'années encore, sur les voyageurs pieux, les ruines imposantes de

---

(1) CARLO FONTANA, *L'Anfiteatro Flavio descritto e delineato* (nell' Haia, 1725), p. 157-158; G. MARANGONI, *Delle memorie sacre e profane dell' anfiteatro Flavio* (Roma, 1746), p. 65-66.

l'amphithéâtre. La première pensée du pèlerin, à la vue de l'arène, se portait sur les martyrs, et il entrait dans l'édifice moins pour admirer le plus grandiose des monuments de la magnificence romaine que pour satisfaire sa dévotion dans un sanctuaire vénérable.

Pour peu que l'on essaie de poursuivre, à travers l'histoire, les vicissitudes de l'amphithéâtre Flavien, on s'étonne de trouver, dans les temps antiques, si peu de traces du respect religieux que le monument a inspiré aux générations qui ont précédé la nôtre. Il nous a paru intéressant de rechercher quand et comment le Colisée a commencé à revêtir ce caractère sacré aux yeux des fidèles. Après avoir essayé de remonter le courant de la tradition populaire, il a fallu nous arrêter aux textes hagiographiques, dont elle dérive en dernière analyse, comme nous espérons le montrer. Rechercher la valeur historique de ces textes, déterminer avec toute la précision possible la signification et la source des données topographiques qu'ils renferment, tel est l'objet principal de ce travail.

La nature même du sujet, et plus encore la méthode employée par ceux qui l'ont abordé jusqu'ici, n'a point permis de s'y renfermer strictement, et il a été impossible d'écarter bien des questions générales, qui paraissent, à première vue, n'avoir pas un lien fort étroit avec l'histoire du Colisée. Et puisque l'on a souvent relevé dans les Actes des martyrs des formules topographiques se rapportant à des lieux voisins de l'amphithéâtre, nous saisirons cette occasion de nous expliquer sur les principales d'entre elles. Tous les lecteurs se souviendront d'avoir rencontré dans les Passions des saints de Rome, l'Hippodrome du palais, la statue du Soleil près de l'amphithéâtre, le Lac des pasteurs, la Pierre scélérate, et le lieu désigné ordinairement sous le nom de *in Tellure* ou *in Tellude*. Les régions limitrophes III, IV, X comprennent tous les endroits que nous venons de désigner. Ils sont renfermés dans une plage à peu près circulaire d'un rayon de 400 mètres, en prenant pour centre la *meta sudans*. Nous aurions pu aisément agrandir ce cercle, et nous occuper de bien d'autres lieux désignés par les hagiographes romains. Le lecteur verra que cela n'est point nécessaire, et que la méthode employée permettra d'étendre nos conclusions au delà des limites que nous nous sommes tracées.

I.
L'amphithéâtre dans la tradition populaire.

Le moyen âge nous a légué une série assez considérable de petits écrits qui nous renseignent parfaitement sur les sanctuaires de Rome que les pèlerins étrangers avaient coutume de visiter. Grâce à leurs itinéraires et à leurs descriptions sommaires des points remarquables, nous parvenons à reconstituer la topographie de Rome et des cimetières souterrains, et l'on sait que ces manuels, ou mémoires succincts, attachent une importance particulière aux souvenirs religieux de la Ville éternelle. Or, aucun d'entre eux ne mentionne l'amphithéâtre Flavien parmi les monuments ayant quelque rapport avec le culte des martyrs.

Pourtant, Dieu sait combien les pèlerins ont été impressionnés par cette masse colossale, dont les destinées étaient, à leurs yeux, intimement liées à celles de Rome, et partant, du monde entier :

> *Quandiu stat Colisaeus, stat et Roma,*
> *Quando cadet Colisaeus, cadet et Roma,*
> *Quando cadet Roma, cadet et mundus* (1).

Néanmoins, jamais ils n'ont songé à cette circonstance que cette merveille avait été consacrée par le sang des martyrs. On sait que le petit livre des *Mirabilia Romae*, dont la plus ancienne rédaction remonte au milieu du XII⁰ siècle, et qui a été si souvent remanié plus tard, renferme un paragraphe intitulé : *Haec sunt loca quae inveniuntur in Passionibus sanctorum martyrum* (2). Certainement, l'auteur de cette compilation n'a pas procédé à un dépouillement systématique des Actes des martyrs de Rome, et il s'en est tenu à un petit nombre de Passions plus célèbres (3). Mais s'il y avait eu une tradition rattachant l'amphithéâtre Flavien aux martyrs en général ou à quelques-uns en particulier, comment expliquerions-nous l'omission de l'endroit qui aurait tenu le premier rang parmi les *loca sanctorum martyrum* ? Or, il cite bien le *Circus Flaminius ad pontem Iudaeorum*, désigné dans les Actes de S. Marcel (4). Mais l'amphithéâtre n'est nommé qu'en passant, dans un éclaircissement étymologique de la formule *in Tellude* si fréquente dans les Actes romains : *In Terlude, id est, inter duos ludos, id est clivus Scauri, qui est inter amphitheatrum et stadium.*

Il suffit, d'ailleurs, de se rappeler les diverses destinations du Colisée durant le cours du moyen âge et bien avant dans les temps modernes, pour voir aussitôt que ce monument ne jouissait point alors du prestige des souvenirs religieux qui s'y attachèrent plus tard.

Vers la fin du XI⁰ siècle, il est devenu la propriété des Frangipani, qui plus tard en firent leur principale forteresse (5). Si l'histoire des tournois et des combats de taureaux qui se seraient livrés dans le

---

(1) *Bedae Collectanea*, dans GREGOROVIUS, *Geschichte der Stadt Rom im Mittelalter*, t. II², p. 157. — (2) JORDAN, *Topographie der Stadt Rom* (Berlin, 1871), t. II, p. 605-643. — (3) *Ibid.*, p. 615; cf. p. 380. — (4) *Acta SS.*, Ian. t. II, p. 371. — (5) Nous ne voulons pas entrer ici dans plus de détails. On trouvera tous les textes soigneusement indiqués dans la dissertation de NIBBY, *Dell' anfiteatro Flavio*, dans son édition de NARDINI, *Roma antica*, t. I, (1818), p. 233-59.

Colisée au XIV⁰ siècle, repose sur des documents apocryphes (1), il est
certain qu'on y donna des fêtes et des représentations dramatiques (2).
Celles-ci, d'après l'esprit du temps, prirent fréquemment un caractère
religieux, et à une époque qu'il est difficile de préciser, l'usage s'intro-
duisit de représenter le vendredi-saint, au Colisée, le mystère de la
Passion (3). Mais ni ces solennités, ni la juridiction de la confrérie du
Sauveur *ad Sancta Sanctorum* (4), ni les églises ou chapelles bâties à
l'intérieur ou dans le voisinage de l'amphithéâtre (5), n'ont aucune relation avec le caractère sacré que l'on aurait attribué à l'édifice. Lorsque,
en 1622, la confrérie *del Gonfalone* restaura la chapelle placée dans
l'amphithéâtre, elle ne songea même pas à associer le souvenir des
martyrs au titre de *Mater pietatis* que portait ce petit sanctuaire (6).

M. Lanciani a publié récemment une pièce intéressante, où se reflètent
les idées qui, au XV⁰ siècle, avaient cours dans les milieux officiels (7).
C'est une ordonnance d'Eugène IV, datée de Florence et ayant pour objet
de protéger les ruines de l'amphithéâtre contre le vandalisme des entre-
preneurs et des architectes de Rome. *Non potuimus non turbari*, écrit
le pape, *audientes sive ab altero vestrum sive ab aliis nostris offitialibus
concessum fuisse ut quedam Colisei pars, que Cosa vulgariter nuncupatur, pro restauratione quarumdam domorum deiciatur. Nam demoliri
urbis monumenta nihil aliud est quam ipsius urbis et totius orbis excel-
lentiam diminuere. Itaque vobis harum serie iniungimus et sub indigna-
tionis nostrae pena precipiendo mandamus, ut si quid huiusmodi sive a*

(1) GREGOROVIUS, *op. cit.*, t. VI, s'est servi, dans les deux premières éditions, du
Diario di Ludovico Monaldeschi, où se trouve raconté un grand combat de taureaux qui aurait eu lieu au Colisée le 3 septembre 1332 ; dix-huit jeunes gens y
auraient trouvé la mort, et la fête aurait eu pour épilogue les obsèques solennelles
des victimes à Saint-Jean de Latran et à Sainte-Marie-Majeure. Dans sa troisième
édition, t. VI (1879), p. 673, et dans la quatrième, p. 686, il raconte encore le
fait, mais ajoute que la source porte tous les caractères de l'inauthenticité. Et en
effet, on a démontré plusieurs fois que ce fameux *Diario* est une falsification du
XVII⁰ siècle. On trouvera l'indication des principaux travaux sur cette question
dans FUMI, *Codice diplomatico della città d'Orvieto* (Firenze, 1884), p. V-VII. —
(2) Les sources dans GREGOROVIUS, *op. cit.*, t VI, pp. 615, 690. — Une délibération du
chapitre de Sain-Jean de Latran, en date du 21 mars 1517, est résumée en ces
termes dans le *Summ. decretorum capituli* (Archiv. Later. K. LXXV, 58) : *Decreverunt ne quis ex beneficiatis relinquat ecclesiam, et si reliquerit causa festi Colossei,
multetur non tantum in distributionibus eius diei; quas ammisserit, sed etiam in
distributionibus eiusdem mensis.* Nous n'avons rien trouvé qui permette de préciser en quoi consistait cette fête du Colisée. — (3) MARANGONI, *Memoria dell' anfiteatro Flavio*, p. 59. — (4) *Ibid.*, pp. 55-60. — (5) LANCIANI, *Pagan and christian
Rome* (London, 1892), p. 161, en cite sept. Nous aurons l'occasion d'en parler plus
loin. — (6) Voir l'inscription dans MARANGONI, *op. cit.*, p. 59. La chapelle « della
Pietà al Colosseo », fut fondée en 1517. L. RUGGERI, *L'Archiconfraternita del
Gonfalone* (Roma, 1866), p. 147. — (7) *Notizie inedite sull' anfiteatro Flavio*, RENDI-
CONTI DELLA REALE ACCADEMIA DEI LINCEI, serie V, t. V (1896), p. 3.

vobis (1) *sive a quibusvis aliis concessum exstitit, penitus revocetis, nec quovis modo permittatis ut etiam minimus dicti Colisei lapis seu aliorum aedificiorum antiquorum deiciatur* (2). Les considérants du décret sont particulièrement intéressants. On y retrouve un écho du dicton : *Quandiu stabit Colisaeus* etc., et c'est l'unique raison qui provoque l'indignation du pape. Combien celle-ci aurait été plus vive s'il se fût agi, non pas seulement de l'*excellentia urbis* et d'un monument quelconque menacé par les démolisseurs, mais d'un sanctuaire consacré par le culte des martyrs !

Durant tout le XVI⁰ siècle, les mêmes idées continuent d'avoir cours. On cite bien un mot de S. Pie V, plus conforme à celles qui se répandirent plus tard. Ce pape aurait dit que, pour avoir des reliques, il n'y avait qu'à prendre la terre du Colisée toute imprégnée du sang des martyrs (3). En supposant le fait suffisamment garanti, tout ce que l'on peut en conclure c'est que la vénération pour l'amphithéâtre fut particulière au saint pontife ; ce ne fut nullement une dévotion partagée par les contemporains. On cite aussi, dans le même siècle, trois autres grands saints auxquels on prête les mêmes sentiments : S. Philippe de Néri, S. Ignace de Loyola, S. Camille de Lellis. On chercherait en vain chez Marangoni, qui a mis ces histoires en circulation (4), la moindre preuve de ce qu'il avance. Il s'agit simplement de grâces obtenues par les trois saints à des moments où, par hasard, ils passaient précisément aux environs du Colisée. L'intervention des martyrs auxquels Marangoni attribue ces faveurs, est une pure supposition ; l'auteur ne manque pas d'ailleurs de le faire ressortir en employant des formules comme : « *senza dubio, sembra potersi credere* ».

On dit que le vulgaire d'alors regardait le Colisée non comme un lieu saint, mais comme le repaire des démons (5). Le pape Sixte V ne partagea certainement pas cette croyance. Mais jamais non plus il ne manifesta pour le noble édifice le respect religieux que l'on eût pu attendre de lui. La mort seule l'empêcha de le transformer en une sorte de cité ouvrière et d'établissement industriel (6).

On n'est donc point étonné de ne pas trouver l'amphithéâtre Flavien mentionné dans les petits manuels de piété à l'usage des pèlerins de l'année sainte 1575, ou dans les guides composés pour les fidèles qui visitent les sanctuaires de Rome, alors même que ces opuscules ont pour auteurs des érudits comme Panvinio (7).

---

(1) La copie manuscrite porte *nobis*, mais le sens exige évidemment *vobis*. — (2) Arch. Vatic. armad. XXXIX, t. VII₁. Nous avons corrigé, sans avertir le lecteur, plusieurs erreurs de transcription évidentes. — (3) Marangoni, *op. cit.*, p. 64. — (4) *Ibid.*, pp. 62, 64. — (5) Voir Gregorovius, *Geschichte der Stadt Rom*, t. VIII², p. 390. — (6) Domenico Fontana. ap. Marangoni. *op. cit.*, p. 60. — (7) *Le Cose maravigliose dell' alma città di Roma*, Roma, 1575. 12° ; Onofrio Panvinio, *Le Sette chiese*

Ni en 1600, ni en 1625, Panciroli, qui écrit également à l'occasion du jubilé et met entre les mains du pèlerin le guide de Rome le plus complet qui eût paru jusqu'alors, ne se préoccupa d'autre chose que des souvenirs classiques du Colisée (1). Chose curieuse, en 1630, Severano, qui visite avec son lecteur les sept églises et lui suggère de pieuses pensées à propos de tous les monuments de quelque importance qu'il rencontre, dit quelques mots des martyrs de l'amphithéâtre. Mais ce n'est pas du Colisée qu'il entend parler, c'est de l'*amphitheatrum castrense*, situé près de Sainte-Croix de Jérusalem. C'est là, dit-il, qu'ont souffert les martyrs antérieurs à la construction du Colisée, et d'autres, peut-être (2). On s'attendrait à ce qu'après avoir visité Saint-Jean de Latran, il leur montre de loin l'amphithéâtre Flavien témoin de tant de massacres, et leur suggère une courte invocation aux martyrs. Il passe outre, sans même y songer.

Pourtant nous sommes à l'époque où l'attention se porte sur les Actes des martyrs de Rome, grâce surtout à Baronius, qui leur fait de larges emprunts. La critique hagiographique naissait à peine, et il n'est pas étonnant que le grand annaliste n'ait pas songé à discuter plusieurs parties de ces pièces, que nous n'acceptons pas sans défiance. Mais qu'il ait pu, comme on l'a dit, se former l'opinion que dès les premiers siècles les fidèles eurent pour l'amphithéâtre une dévotion qui a été à peine égalée par les modernes, au point de traverser l'arène à genoux, c'est ce qui paraît difficile à admettre (3).

Un de ceux qui doivent avoir contribué le plus à former l'opinion en cette matière, c'est Martinelli. Dans son ouvrage bien connu, publié en 1653, il refait à sa façon le *De locis sanctorum martyrum* (4), et il commence par le Colisée auquel il rattache avec raison la *Statua solis*; puis il cite le *templum Telluris*, la *petra scelerata iuxta amphitheatrum* et plusieurs autres lieux hagiographiques. C'est dans la seconde moitié du XVIIe siècle que l'idée de considérer le Colisée avant tout comme le théâtre du supplice des martyrs se popularisa dans le monde pieux. Il se trouva des zélateurs pour tourner de ce côté la dévotion des fidèles. Le cardinal Ulric Carpegna (†1679) avait pris l'habitude, en passant devant l'amphithéâtre, d'arrêter sa voiture et de faire la commémoraison des martyrs (5). En 1671, on essaya de rendre l'arène à sa destination

principali di Roma tradotte da M. Marco Ant. Lanfranchi, Venezia, 1575, 16°. — (1) O. PANCIROLI, *I Tesori nascosti nell' alma città di Roma*, Roma, 1600, 12°; autres éditions en 1625, et plus tard. — (2) *Memorie delle sette chiese* (Roma, 1630), part. I, p. 616; part. II, p. 136; " *Nell' anfiteatro*. Ci ricordaremo di tanti martiri che qui , sono stati tormentati. , — (3) CARLO FONTANA, *L'anfiteatro Flavio* (Haia, 1725), p. 159, attribue à Baronius cette affirmation, que nous n'avons pas encore réussi à trouver chez lui. — (4) FLORAVANTIS MARTINELLI *Roma ex ethnica sacra* (Roma, 1653), p. 37-46. — (5) C. TOMASSI ap. MARANGONI, *op. cit.*, p. 64.

primitive, et le cardinal Altieri avait déjà accordé l'autorisation d'y orga-
niser des courses de taureaux. Mais le pieux Carlo Tomassi, oncle du
bienheureux Joseph-Marie Tomassi, s'en émut. Il publia un petit écrit,
dans lequel il attirait l'attention sur la sainteté du lieu que l'on allait
profaner par de pareils spectacles (1). Les raisons qu'il fit valoir et
les démarches qui les appuyèrent firent retirer la permission accordée,
et c'est à partir de ce moment que le Colisée devint définitivement un
sanctuaire. A l'occasion de l'année sainte 1675, les arcades extérieures
furent fermées par ordre de Clément X, et les deux inscriptions que
nous avons rappelées en commençant, consacrèrent solennellement
les pieux efforts de Tomassi (2).

Nous n'avons plus à poursuivre l'histoire de l'amphithéâtre Flavien
sous les successeurs de Clément X. Il devient de plus en plus un lieu
de prières, et l'un des plus aimés de Rome. Benoît XIV fut un des grands
promoteurs de cette dévotion, qui cadrait bien avec ses goûts d'érudit.
Ce fut lui qui, à l'instigation de S. Léonard de Port-Maurice, érigea dans
le Colisée le chemin de la croix que la génération précédente a pu y voir
encore (3). Il y eut même un projet de bâtir une église à l'intérieur de
l'amphithéâtre, en l'honneur des martyrs. L'architecte Carlo Fontana en
dressa les plans, qu'il publia avec des commentaires (4). Heureusement,
on en demeura là, et on se souvint qu'il y avait à Rome assez de
terrain libre pour élever des églises sans ruiner les monuments.

De tout ce que nous venons de dire, il ressort assez clairement, nous
semble-t-il, qu'aucune tradition populaire n'a gardé la mémoire du
Colisée comme d'un lieu sacré. Ni le culte des martyrs en général, ni
celui d'aucun martyr en particulier n'y fut rattaché avant le milieu du
XVIIe siècle. C'est alors que se forma une tradition littéraire et érudite. Elle donna naissance à une dévotion nouvelle, qui obtint une
adhésion unanime. Il nous reste à examiner les titres que l'on a fait
valoir, depuis cette époque, pour appuyer cette tradition.

Mais avant de nous occuper des documents antiques, réglons une
question qui trouve bien sa place ici. Il s'agit d'une inscription publiée

(1) MARANGONI, *op. cit.*, p. 63-64. — (2) *Breve relazione dell' anfiteatro consecrato
col sangue prezioso d'innumerabili martiri serrato e dedicato ad onore de' medesimi
l'anno del giubileo* 1675. Ap. MARANGONI, *l. cit.* — (3) FRANCESCO ROVIRA BONET
*Metodo pratico che usa l'arciconfraternita dell' amanti di Gesu e Maria nel fare
al Colosseo il santo esercizio della via crucis* (Roma 1759), p. 155 suiv.; ARMELLINI,
Le Chiese di Roma, 2 edit., p. 155. On peut lire dans les OPERE DEL B. LEONARDO DA
PORTO MAURIZIO t. XIII (Roma, 1854), p. 39-62, un *Discorso fatto nell' istituzione
della Via crucis eretta nel Colosseo di Roma.* — (4) C. FONTANA, *L'Anfiteatro Flavio,*
nell' Haia, 1725, fol.

par Aringhi d'abord (1), par beaucoup d'autres après lui (2), et que l'on peut voir aujourd'hui encore dans les souterrains de Sainte-Martine, au forum romain. En voici le texte :

SIC PREMIA SERVAS VESPASIANE DIRE
PREMIATVS ES MORTE GAVDENTI LETARE
CIVITAS VBI GLORIE TVE AVTORI
PROMISIT ISTE DAT KRISTVS OMNIA TIBI
QVI ALIVM PARAVIT THEATRVM IN CELO

Ce serait, ni plus ni moins, l'épitaphe de l'architecte du Colisée (Aringhi, Marangoni, Venuti, Visconti), ou au moins d'un chrétien qui, après avoir travaillé à l'édifice, aurait été martyrisé sous Vespasien (Nibby). Muratori se montre plus réservé. *Agitur heic de Gaudentio qui sub Vespasiano Augusto pro christiano nomine vitam dedit. Ubinam vero sit mortem passus, et quaenam civitas ossa exceperit illius martyris, clarissimi patres bollandiani fortasse nobis aliquando aperient* (3).

Si l'illustre érudit, au lieu d'une copie *ex schedis Ptolemaeis*, avait pu voir le marbre original ou seulement un estampage, il n'aurait point pris au sérieux une inscription dont chaque lettre pour ainsi dire révèle la fausseté ! Ce serait perdre notre temps que de nous arrêter davantage à cette grossière falsification, aujourd'hui reconnue de tout le monde (4). De Rossi en fait remonter l'origine au temps d'Urbain VIII (1623-1634). C'est bien l'époque où l'idée de la sainteté de l'arène imbibée du sang des martyrs, commence à prendre possession des esprits.

Ce qui vient d'être dit des souvenirs chrétiens du Colisée, vaut, à plus forte raison, pour les lieux voisins dont nous aurons à nous occuper. Il n'existe aucune tradition, remontant aux temps antiques, qui les associe à la mémoire des martyrs. Nous aurons l'occasion, dans le cours de ce travail, d'examiner les arguments que l'on pourrait opposer à notre manière de voir.

(1) Aringhi, *Roma sott.*, t. III, c. 20, p. 602. De Rossi affirme que le premier éditeur et ceux qui l'ont suivi, ont supprimé les points sur les i de l'original. Cela est vrai de quelques éditeurs, mais Aringhi et Visconti les ont fidèlement reproduits. — (2) Muratori, *Thesaurus veterum inscriptionum*, t. IV, p. 1878, n. 4; Marangoni, *op. cit.*, p. 18; Venuti-Piale, *Descrizione topografica di Roma* (Roma, 1824), t. I, p. 51; Pietro Visconti, *Sposizione d'alcune antiche iscrizioni cristiane*, Atti dell' Accademia romana di Archeologia, t. II (1925), p. 629; Nibby, *Roma nel anno 1838*, t. I, p. 400. — (3) Muratori, *op. cit.*, p. 1878. — (4) C. Promis, *Gli Architetti e l'architettura presso i Romani* (estr. delle Memorie della R. Accademia delle scienze di Torino, ser. II, t. XXVII, Torino, 1871), p. 146; De Rossi, *Musaici cristiani*, fasc. XXIII (musaico della nicchia della confessione della basilica vaticana) ; Marucchi, *Il Foro Romano* (Roma, 1883), p. 128.

II
Les textes hagiographiques.

Depuis Martinelli, la plupart des auteurs qui regardent l'amphi-théâtre Flavien comme un lieu sanctifié par le sang des martyrs. ont dressé la liste des saints qui y ont trouvé la mort. Presque tous ces auteurs s'occupent aussi des endroits voisins du Colisée, et leurs énu-mérations sont plus ou moins allongées, suivant le but qu'ils se proposent et les sources auxquelles ils vont puiser. Il serait assez peu intéressant d'examiner minutieusement ces petits martyrologes. Marti-nelli a le sien (1). C. Fontana l'amplifie notablement (2), aux dépens de plusieurs amphithéâtres situés hors de Rome, comme Marangoni l'a déjà fait remarquer. C'est ainsi qu'il parvient à y faire entrer Ste Féli-cité, compagne de Ste Perpétue (3). Il ne fait du reste qu'une compilation de seconde main, et ne songe pas à discuter les textes. Marangoni applique à la question une critique d'une sévérité relative (4). Il rejette plusieurs noms que Fontana avait acceptés, et distingue entre les mar-tyrs dont on peut affirmer avec certitude qu'ils ont souffert dans l'amphithéâtre et les autres pour lesquels cette circonstance est douteuse.

Les manuels de piété, naturellement, offrent les listes les plus fournies. Comme tout peut donner matière à des considérations édi-fiantes, les auteurs de ces opuscules se sont emparés de tous les noms de saints dont la vie présente la moindre particularité permettant de les rattacher au Colisée. Outre le prétendu S. Gaudentius, l'architecte du monument, on y trouve énumérés S. Pie V, S. Philippe de Néri, S. Ignace de Loyola, S. Camille de Lellis, et S. Grégoire le Grand, ce dernier parce que sa demeure, sur le Célius, n'était pas éloignée de l'amphithéâtre (5).

A en croire Martigny (6) « on doit tenir pour à peu près certain que » toutes les fois que les Actes des martyrs portent qu'ils furent exposés » aux bêtes, ce fut invariablement au Colisée » et il énumère, princi-palement d'après Marangoni, « la série des martyrs que nous savons » avec certitude avoir été exposés aux bêtes dans l'amphithéâtre » Flavien. » Voici les noms dont elle se compose : S. Ignace, les SS. Eustache, Théopiste et leurs compagnons, Ste Martine, Ste Tatiana, Ste Prisca, une troupe de deux cent soixante soldats, les SS. Sym-phronius et Olympius, les SS Abdon et Sennen, S. Jules sénateur,

---

(1) *Roma ex ethnica sacra*, p. 37-40. — (2) *L'Anfiteatro Flavio*, p. 117-155. — (3) *Ibid.*, p. 151. — (4) *Op. cit.*, p. 25. — (5) Fr. Rovira Bonet, *Breve e divota notizia di alcuni santi dell' anfiteatro Flavio*, Roma, 1759, p. 51. — (6) *Dictionnaire des antiquités chrétiennes*, s. v. Colysée.

S. Alexandre, S. Marinus, S. Potitus, S. Éleuthère, les SS. Vitus et Modesta, Ste Daria, S. Almachius.

M. Kraus (1) se montre plus réservé. Il cite le catalogue de Martigny, mais n'oublie pas de faire remarquer qu'il est construit tout entier sur des documents d'époque tardive, qui ont besoin d'être soumis, un à un, à l'épreuve de la critique.

Nous allons commencer par mettre sous les yeux du lecteur les textes des Actes des martyrs ou des écrivains ecclésiastiques anciens, dont il semble que l'on puisse s'autoriser pour localiser au Colisée la passion de tel ou tel martyr déterminé. On verra, par la suite de ce travail, qu'il n'y a pas lieu de tenir compte de certains auteurs de date récente. Ce que nous aurons à dire des Passions antiques, s'applique, à plus forte raison, à des documents postérieurs. A l'exemple de Martinelli, nous comprendrons dans la même énumération tous les saints dont le martyre ou du moins l'interrogatoire aurait eu lieu dans les environs de l'amphithéâtre. Comme il a été dit plus haut, nous n'entendons pas seulement parler du voisinage immédiat de l'édifice. Le Palatin et l'aire à laquelle le temple de Tellus donnait son nom, y sont également compris.

Acta S. Martinae, ian. 1, t. I, p. 11-17. — N. 38. *Iustinus praefectus... dixit imperatori : "Obsecro meum dominum venire in amphitheatrum. „ Cum ipso vero protinus ambulavit, et fecerunt eam utrique inter feras iactari.*

Acta S. Tatianae, ian. 12, t. I, p. 720-721. — Le texte de ces Actes, identique à celui des Actes de Ste Martine, n'a pas été publié.

Acta S. Priscae, ian. 18, t. II, p. 184-187. — N. 13. *Haec audiens praefectus nimis iratus dixit imperatori : " Obsecro dominum meum ut veniat mecum in amphitheatrum. „ Imperator vero protinus ambulabat cum ipso, et fecerunt eam utrique inter feras iactari.*

Acta S. Potiti, ian. 13, t. I, p. 754-757. — N. 16. *Tunc imperator misit praecones, ut qui non aspectaret spectaculum, gladio puniretur. Et impletus est in amphitheatrum populus quasi triginta milia expectantium, et iussit S. Potitum de carcere adduci. Et ingressus S. Potitus amphitheatrum, facto signaculo crucis, stetit ante tribunal.*

Acta S. Marcelli, ian. 16, t. II, p. 5-9. — N. 7. *Laodicius praefectus iussit sibi tribunal parari in urbe in Tellude; et post dies quadraginta duos misit et exhibuit sibi Saturninum et Sisinnium diaconum. — N. 18. Carpasius vicarius mittens ad custodiam adduxit Cyriacum diaconum, Largum, Smaragdum et Crescentianum et iussit eos in Tellude praesentari. — N. 20. Post dies vero quatuor resedit in eodem loco in Tellude.*

(1) *Real-Encyclopaedie der christlichen Alterthümer*, s. v., Colosseum.

ACTA SS. MARII, MARTHAE ET SOC., ian. 19, t. II, p. 216-219. —
N. 2. *Claudius... praecepto divulgato, tenuit ducentos sexaginta christia-*
nos via Salaria, qui arenam fodientes damnati fuerunt pro nomine
Christi; quos in figlina foras muros portae Salariae fecit includi et in
civitatis amphitheatro sagittis iussit interfici. — N. 6. *Tenuit*
Claudius quemdam venerabilem virum Valentinum nomine, presbyte-
rum ...quem post biduum iussit sibi praesentari in palatio suo iuxta
amphitheatrum. — N. 13. *Tunc iussit [Gelasius] sibi editionem*
in amphitheatro parari et beatum Asterium sibi et omnes sanctos
praesentari. — N. 17. *Iussit sibi [Muscianus vicarius] in Tellude*
gremium praeparari et omnia genera tormentorum deferri.

ACTA S. SEBASTIANI, ian. 20, t. II, p. 265-278. —.N. 86. *Irene...*
adduxit eum ad domum suam in scala excelsa ubi manebat ad
palatium. — N. 87. *Stans super gradus Heliogabali, venientibus*
imperatoribus, dixit. — N. 88. *Tunc iussit eum in hippodromo*
palatii duci et tamdiu fustigari, quamdiu spiritum exhalaret. Tunc
tulerunt corpus eius nocte et in cloacam maximam miserunt... In
cloaca illa, quae est iuxta circum, invenies corpus meum pendens
in gompho.

ACTA SS. CALOCERI ET PARTHENII, maii 19, t. IV, p. 302-304. — N. 3.
Libanius igitur urbis praefectus sedens in Tellude in secretario
iussit eos singillatim intromitti.

ACTA SS. GORDIANI ET EPIMACHI, maii 10, t. II, p. 552-553. — N. 4.
Eodem tempore praecepit Clementianus in Telludis templo sibi
tribunal praeparari et vinctum catenis beatum Gordianum ante se
praesentari. — N. 5. *Haec audiens impius Clementianus iussit eum*
capite truncari ibi ante templum in Tellude. Cuius corpus iussit
iterum ante templum Palladis iactari in loco infra dicto, ut non
sepeliretur per dies quinque.

ACTA SS. VITI ET MODESTI, iun. 15, t. II, p. 1021-1026.— N. 14. *Tunc*
Diocletianus furore succensus iussit arenarium praeparari dicens :
« Bestiis ferocissimis tradam eos »; ... et cum introducti fuissent in
amphitheatrum, S. Vitus admonuit papatem suum ut non expa-
vesceret.

ACTA STEPHANI, aug. 2, t. I, p. 139-144. — N. 12. *Iussit Valerianus*
Symphronium sibi publica audientia praesentari, missisque militibus
adduxerunt eum vinculis ferreis oneratum, nudumque ac capistratum,
et Olympium cum uxore sua Exuperia et eorum filium Theodolum, et
introducti sunt in locum Telluris. — N. 13. *Valerianus itaque*
iussit statim sanctos igne consumi et data sententia ducti sunt ante
statuam solis iuxta amphitheatrum fixisque stipitibus... incen-
dio concremari fecerunt.... Relicta autem sunt eorum corpora post
triumphum ante simulacrum solis iuxta amphitheatrum.

Acta SS. Abdon et Sennen, iul. 31, t. VII, p. 137-138. — N. 5. *Decius autem iratus iussit sibi editionem in amphitheatro parari, et factum est, cum venissent ad amphitheatrum, noluit Decius introire... Furore repletus duxit eos ante simulacrum solis iuxta amphitheatrum et praecepit militibus ut compellerent eos ad sacrificium.* — N. 6. *Tunc iussit Valerianus sub voce praeconia ut cum plumbatis caederentur dicens: Deos blasphemare nolite, et iussit eos introduci in amphitheatrum ut ferarum morsibus consumerentur... Et facto signo crucis introierunt in amphitheatrum.* — N. 7. *Valerianus furore plenus iussit ut gladiatores introirent cum tribus dentibus gladiatorum et ipsi eos interficerent. Qui cum percussi fuissent, ligaverunt pedes eorum ex iussu Valeriani et traxerunt et iactaverunt eos ante simulacrum solis, et iacuerunt corpora ad exemplum christianorum tribus diebus.*

Acta S. Sixti p., aug. 6, t. II, p. 140-141. — N. 1. *Venientes Romam Decius Caesar et Valerianus praefectus iusserunt sibi Syxtum episcopum cum clero suo praesentari noctu intra civitatem in Tellude.* — N. 7. *Et eadem hora exiens inde et ecce beatus Syxtus ducebatur in Telludem ut audiretur.*

Acta SS. Eusebii, Pontiani et soc., aug. 25, t. V, p. 115-116. — N. 4. *Vitellius vicarius fecit eum in custodia coarctari, et post triduum iussit sibi tribunal parari in Tellure... Cuius [Iulii] corpus praecepit ante amphitheatrum iactari.* — N. 11. *Ipsa autem die iussit sibi tribunal parari in Tellure.... Eadem hora dedit sententiam dicens: ante amphitheatrum plumbatis exhalent. Qui ducti ad petram sceleratam cum plumbatis sub voce praeconia necati sunt.*

Acta S. Cornelii, sept. 14, Schelstrate, Antiquitas ecclesiae illustrata, t. I (Romae, 1692), p. 188-90. — *Iussit [Decius] mitti Centumcellas et adduci beatissimum Cornelium papam urbem Romam; quem et praecepit sibi noctu in Tellure praesentari ante templum Palladis.*

Acta SS. Abundii et Abundantii, sept. 16, t. V, p. 300-301. — N. 5. *Iussit sibi Diocletianus imperator produci sanctos Dei de custodia Abundium presbyterum et Abundantium diaconum, et praesentari in Tellude in foro ante templum.*

Acta SS. Eusebii, Marcelli, Hippolyti et soc., De Rossi, Roma sotterranea, t. III, p. 201-208. — P. 206. *Et iussit Valerianus post triduum nocte in Tellude omnia genera tormentorum praeparari. Et veniens post triduum nocte in Tellude cum omnibus generibus tormentorum ante templum Palladis ibi iussit sibi tribunal parari.... Iussit Eusebium et Marcellum capitis subire sententiam. Qui vero ducti ad petram sceleratam iuxta amphitheatrum ad lacum pastoris ibidem decollati sunt.* — P. 207. *Ducantur ad petram sceleratam Hippolytus et Hadrias, et si non consenserint, in conspectu eorum filii eorum occidantur. Et ducti ad petram sceleratam in conspectu Hadriae et Hippolyti gladio sunt consummati Neon et Maria et iactati sunt in eodem loco.*

Acta SS. Eustachii et soc., sept. t. VI, p. 134. — N. 20. Θεασάμενος ὁ βασιλεὺς τὸ ἀμετάθετον αὐτοῦ τῆς εἰς Χριστὸν πίστεως, ἐκέλευσεν αὐτὸν καὶ τὴν γυναῖκα αὐτοῦ καὶ τὰ τέκνα εἰσαχθῆναι εἰς τὸ στάδιον καὶ ἀπολυθῆναι αὐτοῖς λέοντα.

Acta alia, *Anal. Boll.*, t. III, p. 107. — Ἀπάγει τοιγαροῦν τοὺς ἀθλητὰς εἰς τὸ στάδιον.

S. Iohannis Chrysostomi Homilia in S. Ignatium m. *P. G.*, t. L, p. 593. — N. 5. Ἵν᾽ οὖν ταῦτα ἔργῳ μάθωσιν οἱ τὴν Ῥώμην οἰκοῦντες ἅπαντες, συνεχώρησεν ὁ Θεὸς ἐκεῖ τελειωθῆναι τὸν ἅγιον. Καὶ ὅτι αὕτη ἐστὶν ἡ αἰτία ἐξ αὐτοῦ τοῦ τρόπου τῆς τελευτῆς τοῦτο πιστώσομαι. Οὐ γὰρ ἔξω τειχῶν ἐν βαράθρῳ, οὐδὲ ἐν δικαστηρίῳ *(al. ἐν δεσμωτηρίῳ)* οὐδὲ ἐν γωνίᾳ τινὶ τὴν καταδικάζουσαν ἐδέξατο ψῆφον, ἀλλ᾽ ἐν μέσῳ τῷ θεάτρῳ, τῆς πόλεως ἄνω καθεζομένης ἁπάσης, τὸν τοῦ μαρτυρίου τρόπον ὑπέμεινε, θηρίων ἐπ᾽ αὐτὸν ἀφεθέντων ... Οὐ γὰρ ὡς ζωῆς ἀπορρήγνυσθαι μέλλων, ἀλλ᾽ ὡς ἐπὶ ζωὴν καλούμενος βελτίω καὶ πνευματικωτέραν, οὕτως ἀσμένως ἑώρα τὰ θηρία. Πόθεν τοῦτο δῆλον; ἀπὸ τῶν ῥημάτων ὧν ἀποθνήσκειν μέλλων ἐφθέγξατο. Ἀκούσας γὰρ ὅτι οὗτος αὐτὸν τῆς τιμωρίας ὁ τρόπος μένει· Ἐγὼ τῶν θηρίων ἐκείνων ὀναίμην, ἔλεγεν.

S. Ignatii Acta Antiochena. Lightfoot, *Apostolic Fathers*, t. II, sect. i, p. 487. — N. 6. Ἀπήχθη μετὰ σπουδῆς εἰς τὸ ἀμφιθέατρον· εἶτα εὐθὺς ἐμβληθεὶς κατὰ τὸ πάλαι πρόσταγμα τοῦ Καίσαρος ... οὕτως θηρσὶν ὠμοῖς παρὰ τῶν ἀθέων παρεβάλλετο.

S. Ignatii Acta Romana. Lightfoot, *Ibid.*, p. 527, 530. — N. 10. Τῇ τρίτῃ ἡμέρᾳ ὁ Τραϊανὸς προσκαλεσάμενος τὴν σύγκλητον καὶ τὸν ἔπαρχον πρόεισιν ἐπὶ τὸ ἀμφιθέατρον ... Καὶ ταῦτα αὐτοῦ εἰπόντος, ἔδραμον ἐπ᾽ αὐτὸν οἱ λέοντες.

Evagrii *Hist. eccl.*, I, 16, De S. Ignatio. *P. G.*, t. LXXXVI, p. 2465. — Τότε καὶ Ἰγνάτιος ὁ θεσπέσιος, ὡς Ἰωάννῃ τῷ ῥήτορι σὺν ἑτέροις ἱστόρηται, ἐπειδή τε ὡς ἐβούλετο τάφων τὰς τῶν θηρίων ἐσχηκὼς γαστέρας ἐν τῷ τῆς Ῥώμης ἀμφιθεάτρῳ καὶ διὰ τῶν ὑπολειφθέντων ἀνδροτέρων ὀστῶν ἃ πρὸς τὴν Ἀντιόχου ἀπεκομίσθη ἐν τῷ καλουμένῳ κοιμητηρίῳ μετατίθεται.

Theodoreti *Hist. eccl.*, V, 26. — Ὀνώριος .... τὰς ἐν Ῥώμῃ πάλι γινομένας μονομαχίας κατέλυσεν ἀφορμὴν τοιάνδε λαβών. Τηλέμαχός τις ἦν τὸν ἀσκητικὸν ἀσπαζόμενος βίον. Οὗτος ἀπὸ τῆς Ἑῴας ἀπάρας καὶ τούτου χάριν τὴν Ῥώμην καταλαβὼν τῆς μυσαρᾶς ἐκείνης ἐπιτελουμένης θέας εἰσελήλυθε καὶ αὐτὸς εἰς τὸ στάδιον καὶ καταβὰς εἰν ἐπειρᾶτο τοὺς κατ᾽ ἀλλήλων κεχρημένους τοῖς ὅπλοις. Τῆς δὲ μιαιφονίας οἱ θεαταὶ χαλεπήναντες καὶ τοῦ τοῖς αἵμασιν ἐκείνοις ἐπιτερπομένου δαίμονος εἰσδεξάμενοι τὴν βακχείαν, κατέλευσαν τῆς εἰρήνης τὸν πρύτανιν. Τοῦτο μαθὼν ὁ θαυμαστὸς βασιλεὺς τὸν μὲν τοῖς νικηφόροις συνηρίθμησε μάρτυσι, τὴν δὲ πονηρὰν ἐκείνην ἔπαυσε θεωρίαν.

III
Valeur absolue des données topographiques.

Avant de rechercher à quelle source peuvent avoir été puisés les renseignements topographiques soulignés dans les textes qui précèdent, il faut se rendre compte de la signification précise des formules, essayer de fixer les points qu'elles désignent, et recueillir les principaux textes classiques servant à les éclairer.

Occupons-nous d'abord d'une question préliminaire qui nous aidera beaucoup dans l'examen critique des sources hagiographiques. Indépendamment de ce que nous apprennent les Passions des martyrs, que savons-nous au sujet de la place où les condamnés à mort subissaient leur sentence?

Les anciens textes qui désignent, à Rome, le lieu réservé à l'exécution des criminels, ne font expressément mention que du supplice des esclaves; ce qui est tout naturel (1). La place est désignée avec assez de précision : *extra portam Esquilinam, in campo Esquilino.* C'est là qu'on les mettait en croix :

> *Credo ego istoc exemplo tibi pereundum extra portam*
> *dispessis manibus patibulum cum habebis* (2).

C'est aussi l'endroit que Tacite désigne en parlant du supplice de Plautius Lateranus : *in locum servilibus poenis repositum* (3). Mais il est visible que le lieu d'exécution ordinaire, pour les condamnés de condition libre, devait être au moins très voisin de celui qui était spécialement affecté à la punition des esclaves. P. Marcius est exécuté *extra portam Esquilinam... more prisco* (4), et Claude fit décapiter *in campo Esquilino* ceux qui usurpaient le titre de citoyen romain (5).

Plutarque parle de l'endroit où l'on exécutait ceux qui étaient condamnés par les Césars, et il lui donne, d'après une correction très probable, le nom de *Sessorion* : Ἔρριψαν ᾗ τοὺς ὑπὸ τῶν Καισάρων κολαζομένους θανατοῦσιν· ὁ δὲ τόπος Σεσσώριον καλεῖται (6).

(1) Les textes qui se rapportent à cette question ont été réunis par Becker, *Handbuch der römischen Alterthümer*, t. I (1843), p. 554 et suiv. — (2) Plaute, *Mil.*, II, 4, 6. — (3) Tacite, *Annal.*, XV, 60. — (4) *Ibid.*, II, 32. — (5) Suétone, *Claudius*, 25.— (6) Plutarque, *Galba*, 28. Sur la correction Σεσσώριον, lire Becker, *De Romae vet. muris atque portis*, p. 120. Voir aussi dans Becker, *Handbuch*, p. 557, les textes

Le Sessorium, désigné aujourd'hui par l'emplacement de Sainte-Croix en Jérusalem, est à une certaine distance de la porta Esquilina, et bien au delà des limites du campus Esquilinus. Quoi qu'il faille penser des textes que l'on cite à ce propos, on comprend que le lieu d'exécution des criminels se soit déplacé avec les accroissements de la cité, entraînant avec lui la dénomination populaire de *campus Esquilinus*, qui pouvait parfaitement subsister avec celle de Sessorium, sur l'origine de laquelle, d'ailleurs, nous sommes très mal renseignés.

A cette région, située en dehors de la porte Esquiline, et plus ou moins rapprochée, suivant les temps, de l'enceinte de Servius Tullius, se rattache une circonstance que nous ne pouvons négliger. Dès les temps de la république, lorsqu'il est question d'une aggravation de la peine de mort par le refus de sépulture, c'est hors de la ville que l'on jette les cadavres, qui deviennent la proie des oiseaux et des chiens. Les restes des rebelles de Rhegium sont traînés εἰς ἀναπεπταμένον τι πρὸ τῆς πόλεως χωρίον, ὑπὸ οἰωνῶν καὶ κυνῶν διεφθάρησαν (1). Il s'agit du campus Esquilinus :

> *Post insepulta membra different lupi*
> *et Esquilinae alites* (2),

comme dit Horace, qui l'appelle ailleurs : *ager albis ossibus informis* (3). Le scoliaste d'Horace, publié par Cruquius, applique la même chose au Sessorium : *Esquilina porta Romae dicitur ad Sessorium, ubi certus erat locus sepulcrorum ad corpora pauperum aut sceleratorum viliumque comburenda aut canibus proicienda* (4). Il n'était point permis de jeter les cadavres ailleurs, et nous avons une inscription (5) antérieure à l'empire qui nous a conservé les règlements de police en cette matière.

```
C . SENTIVS . C . F . PR
DE . SEN . SENT . LOCA
TERMINANDA COERavit
B . F . NEIQVIS . INTRA
TERMINOS . PROPIVS
VRBEM . VSTRINAM
FECISSE . VELIT . NIVE
STERCVS . CADAVER
INIECISE . VELIT
```

du scoliaste d'Horace où il est question du Sessorium. Cf. De Rossi, *Roma sotterranea*, t. III, p. 408. En 500, il est parlé d'un officier de Théodoric, décapité *in palatio quod appellatur Sessorium (Excerpta Valesiana*, c. 69). Ce texte prête à quelques difficultés, et nous préférons ne pas l'employer ici. — (1) Ap. Mai, *Script. vet. nova coll.*, t. II, p. 525. — (2) Horace, *Epod.*, V, 99. — (3) *Sat.*, I, 8, 16. — (4) Cruquius, p. 264, ad. Hor., *Epod.*, V, 100. Cf. ad *Sat.*, I, 8, 12. — (5) *Notizie dei scavi*, 1882; Lanciani, *Supplementi al volume VI del Corpus. I. L.*, Bulletino

Dans les temps de troubles et d'anarchie, ces prescriptions ont été souvent violées, cela va sans dire. Mais peut-on admettre, sur la foi des auteurs des Actes que nous avons cités, qu'une sentence régulière a condamné certains martyrs à être jetés en pâture aux chiens, après leur mort, et cela dans le plus beau quartier de la ville, devant l'amphithéatre et tout près du palais des empereurs? Je me contente ici d'indiquer la difficulté. Nous verrons bientôt jusqu'à quel point on peut s'en rapporter à ces pièces hagiographiques.

D'après ce que nous venons de dire, l'endroit officiellement destiné aux exécutions capitales était situé en dehors de la porte Esquiline. Vouloir prétendre que la plupart des exécutions ont eu lieu à cette place, ce serait se faire une idée inexacte des procédés de la justice romaine, surtout au temps de l'empire. Nous savons, par exemple, qu'Alexandre Sévère fit brûler vif un condamné *in foro transitorio* (1), et pour ne pas nous écarter trop de notre sujet, parlons immédiatement de ces cruels divertissements dont les condamnés à mort faisaient si souvent les frais.

Si dès la période républicaine on commença à transformer en spectacle la punition des criminels (2), c'est surtout de l'époque impériale que datent les nombreux témoignages se rapportant à cette coutume barbare. Il en ressort que dans le monde romain, et particulièrement dans la capitale, toutes les catégories d'édifices destinés à l'amusement du peuple ont été ensanglantés tour à tour par des supplices (3).

Auguste fit battre de verges un acteur dans les trois théâtres avant de l'envoyer en exil (4). Philon accuse Flaccus d'avoir cherché son plaisir à voir torturer les Juifs ἐν μέσῳ τῷ θεάτρῳ (5). C'est au théâtre que se passèrent les scènes répugnantes dont Tertullien fait de si vifs reproches aux païens, et parmi lesquelles se trouvait la représentation, au vif, des épisodes les plus cruels de la fable (6).

Le cirque, réservé habituellement aux courses des chars, servait parfois aux combats de bêtes fauves, où un grand nombre de malheureux périssaient ordinairement. Androclès, à ce que raconte Aulu-Gelle, condamné à combattre contre les bêtes (7), fut introduit au

---

COMUNALE, 1882, p. 159; BRUNS, *Fontes iuris Romani antiqui*, ed. 6ª, Freiburg, 1893, p. 181. L'inscription se trouve actuellement au musée Capitolin. — (1) *Script. hist. Augustae*, Alex. Sev., 36. — (2) MOMMSEN, *Die Geschichte der Todesstrafe im römischen Staat* (aus COSMOPOLIS), p. 10. — (3) On trouvera difficilement à ajouter quelque chose à la peinture que fait des jeux romains L. FRIEDLAENDER, *Sittengeschichte Roms*, 6ª Aufl., t. II (1889), p. 295-637, et l'article *Die Spiele* dans MARQUARDT, *Römische Staatsverwaltung*, 2ª aufl., t. III (1885), p. 482-589. — (4) Suétone, *Octavian.*, 45. — (5) Philon, *In Flaccum*, c. 10. — (6) Tertullien, *Apologet.*, c. 15. — (7) A. Gellius, *Noct. Attic.*, V, 14.

grand cirque, *in circo maximo*, où il fut reconnu et sauvé par le lion dont il avait autrefois guéri la blessure.

Mais c'est surtout dans l'amphithéâtre, spécialement organisé pour les combats et les chasses, que le sang des condamnés coula pour le plaisir des Romains, qui savaient odieusement raffiner les supplices, pour satisfaire la curiosité blasée des spectateurs. ᵀes faits sont trop connus pour avoir besoin d'être rappelés. Les quelques traits rapportés par Martial, le poète de l'amphithéâtre, en disent long sur ces horreurs (1).

La passion des jeux sanglants n'était point particulière à Rome. Elle avait passé, comme un présent de la civilisation des vainqueurs, dans les autres parties de l'empire, et c'est loin de la capitale qu'il faut aller chercher des exemples certains de martyrs immolés dans les fêtes populaires. S. Polycarpe, à Smyrne, est conduit dans le stade : ἀγόμενος εἰς τὸ στάδιον (2); les martyrs de Lyon dans l'amphithéâtre (3); de même, à Thuburbo, les saintes Perpétue et Félicité (4); à Césarée en Palestine, S. Agapius est introduit dans le stade, en même temps qu'un malfaiteur, et exposé aux bêtes : Φέρεται δὴ εἰς μέσον τὸ στάδιον σὺν καί τινι κακούργῳ (5).

Rome, sous les empereurs, devait une partie de sa splendeur aux vastes et nombreux édifices destinés aux spectacles de tout genre. Abstraction faite de ceux dont nous ne savons presque rien ou qui n'eurent pas un caractère permanent, comme cet amphithéâtre en bois que Néron fit construire au champ de Mars (6), la cité posséda, à cette époque, le grand cirque, le cirque Flaminius, le Gaianum (cirque de Caligula ou de Néron), le cirque d'Hadrien. Elle avait les théâtres de Pompée, de Balbus, de Marcellus, et au moins deux amphithéâtres : l'amphithéâtre Flavien, et l'*amphitheatrum Castrense*. Ajoutez encore le stade de Domitien, qui remplaça l'amphithéâtre durant les restaurations que nécessita l'incendie arrivé sous Macrin (7), et vous aurez une idée des ressources qu'offrait la ville impériale pour les représentations de tout genre, et aussi pour les spectacles sanglants. Car, nous l'avons vu, ni le cirque, ni le théâtre, ni le stade, sans parler de l'amphithéâtre, n'excluaient ces horribles exhibitions.

Or, en faisant abstraction, pour le moment, des sources hagiographiques, dont la valeur sera examinée plus loin, nous n'avons qu'un seul texte qui établisse historiquement une relation entre les martyrs de Rome et l'une des diverses enceintes que nous venons d'énumérer; et ce n'est pas à l'amphithéâtre Flavien qu'il se rapporte, mais au Gaianum.

(1) Martial, *De Spectac.*, 7; *Epigr.*, l. VII, 30; l. X, 25. — (2) *Eccl. Smyrn. epist.*, n. 8, 9. — (3) *Epist. eccl. Vienn. et Lugdun.*, Eusèbe, *Hist. eccl.*, V, 1, 2, 3. — (4) *Acta SS. Perpetuae et Felicitatis*, n. 18. — (5) Eusèbe, *De Mart. Palaest.*, VI, 4. — (6) Tacite, *Annal.*, XIII, 31. — (7) Dion Cassius, LXXVIII, 25.

Nous voulons parler du célèbre passage de Tacite sur les martyrs immolés dans les jardins de Néron (1).

C'est bien à Rome que la populace criait : *Christianos ad leonem*, lorsque le Tibre débordait (2). Mais la phrase de Tertullien ne nous renseigne sur aucun fait déterminé. Elle ne dit pas même que les magistrats aient cru devoir assouvir la rage populaire en jetant les chrétiens aux bêtes, et encore moins que ce soit à l'amphithéâtre Flavien, plutôt qu'au grand cirque, que la scène se serait passée.

Il est intéressant de rapprocher de ce passage le traité *de Spectaculis* où Tertullien accumule les motifs pour détourner les chrétiens d'assister aux jeux du cirque ou de l'amphithéâtre (3). Une circonstance qui aurait dû leur inspirer une particulière horreur pour ce lieu maudit, c'était que le sang de leurs frères y avait coulé et y coulerait encore (4). Mais Tertullien semble ne connaître que deux classes d'hommes qui périssent dans l'amphithéâtre : les criminels (parmi lesquels il peut se trouver, par hasard, des victimes d'une erreur ou d'une condamnation injuste) et les gladiateurs. Tertullien, qui séjourna longtemps à Rome, ne doit donc pas être invoqué comme témoignant en faveur des souvenirs chrétiens du Colisée.

De ce que nous venons de dire, il ne résulte nullement qu'il n'y ait pas eu de martyrs immolés en cet endroit. L'amphithéâtre était plus spécialement affecté aux chasses et aux combats de fauves. Il semble dès lors assez probable que les chrétiens condamnés aux bêtes ont été martyrisés là plutôt qu'ailleurs. Pourtant, en dehors d'un témoignage formel, il n'est pas permis de l'affirmer. Il y avait à Rome au moins deux amphithéâtres ; il y avait des cirques, où l'on organisait également des combats ; et pendant plusieurs années, le stade remplaça l'amphithéâtre en restauration : ὅθεν ἡ θέα τῶν μονομαχιῶν ἐν τῷ σταδίῳ ἐπὶ πολλὰ ἔτη ἐτελέσθη, dit Dion Cassius (5). Il faut donc une attestation positive pour localiser dans l'amphithéâtre les supplices des martyrs qui ont servi aux amusements de la foule.

Parmi les lieux de spectacle de Rome, nous n'avons pas compté, dans ce qui précède, l'*hippodromus palatii*, dans lequel les Actes de S. Sébastien placent le martyre de ce saint. On sait que cet hippodrome

(1) Tacite, *Annal.* XV, 44. — (2) Tertullien, *Apologet.*, 40. — (3) M. E. NOELDECHEN, *Tertullian und das Theater*, nebst Anhang : *Tertullian und das Amphitheater*, ZEITSCHRIFT FÜR KIRCHENGESCHICHTE, t. XV (1894), p. 161-203, n'examine pas la question dont nous nous occupons spécialement. — (4) Dans cet écrit, Tertullien a surtout en vue l'amphithéâtre de Carthage ; cf. NOELDECHEN, *Tertullian* (Gotha, 1890), p. 80 ; *Die Abfassungszeit der Schriften Tertullians*, TEXTE UND UNTERSUCHUNGEN, t. V, 2, p. 37. Mais il savait ce qui se passait à Rome, et il n'ignorait pas que les mêmes scènes devaient tôt ou tard se renouveler dans son pays. — (5) Dion Cassius, LXXVIII, 25.

n'est cité dans aucun texte classique, et que les Actes sont seuls à nous parler de cet endroit (1). Sans vouloir anticiper sur ce que nous avons à dire au sujet de l'autorité des *Acta S. Sebastiani*, nous devons faire observer que les découvertes archéologiques semblent confirmer l'exactitude de cette indication topographique, trop précise dans sa forme pour avoir été inventée.

L'absence de textes parallèles avait fait imaginer par les anciens commentateurs diverses identifications de l'*hippodromus palatii*. Quelques-uns d'entre eux, hallucinés par le voisinage de la sépulture de S. Sébastien *ad catacumbas*, ont proposé le cirque de Maxence (2). D'autres ont donné une explication beaucoup plus acceptable, en indiquant le grand cirque. Sa situation, au pied du Palatin, pourrait à la rigueur, bien que très improprement, justifier l'appellation d'*hippodromus palatii* (3). Mais le nom de *circus maximus* était trop usuel pour qu'on puisse admettre la vraisemblance d'une dénomination nouvelle ; et d'ailleurs, un autre passage des Actes désigne nettement le grand cirque, et lui donne le nom de *circus* par opposition à l'hippodrome : *Cloaca illa quae est iuxta circum, invenies corpus meum ;* or, dans le contexte, c'est de la *cloaca maxima* qu'il est question. Les archéologues contemporains ont abandonné les anciennes interprétations, et sont unanimes à chercher l'*hippodromus palatii* dans une partie de ce vaste ensemble des palais impériaux qui couvre le palatin.

Rien n'est plus naturel que de songer aussitôt à la grande enceinte rectangulaire entourée de portiques, au milieu desquels s'ouvre une tribune immense, et qui s'étend le long de la *domus Augustana* et de ses prolongements (4). On a pris l'habitude de la désigner sous le nom de Stade.

(1) De Rossi, *Piante icnografiche di Roma* (Roma, 1879) p. 122-29 a publié sous le titre de *Antica descrizione icnografica del palazzo imperiale*, avec des notes de Lanciani, la description d'un palais dont une des parties est désignée sous le nom d'*hypodromum*. Ce serait l'hippodrome du Palatin. Le texte est connu depuis longtemps, et on y a vu d'abord une description du palais de Spolète. Cette explication, déjà rejetée par Fatteschi, *Memorie istorico diplomatiche dei Duchi di Spoleto* (Camerino, 1801), p. 165-67, n'a aucune vraisemblance. Mais il s'en faut que l'on puisse, avec certitude, se prononcer pour le Palatin. La pièce que l'on a trouvée isolée dans un certain nombre de manuscrits, fait partie de la *Passio S. Thomae.* (Voir Bonnet, *Acta Thomae*, p. 140). L'apôtre, invité par un roi indien à lui bâtir un palais, trace le plan de l'édifice, et en énumère les parties dans les termes mêmes de notre texte. Il serait intéressant de savoir où l'auteur de la Passion a trouvé les éléments de ce passage. A-t-il pris une description toute faite, qui pourrait être celle du palais impérial, ou bien a-t-il décrit un palais imaginaire ? Tant qu'on ne sera pas fixé sur ce point, il conviendra de ne pas faire usage du document dans les questions de topographie romaine. — (2) Palladius, *Delle antichità di Roma* (1609). p. 33 ; Gamucci, *Antichità di Roma*, t. III, p. 160. — (3) Bianconi-Fea, *Descrizione dei cerchi* (Roma, 1788), p. 12. — (4) On a proposé plusieurs belles reconstructions

En y regardant de près, on s'aperçoit aisément que cet édifice n'a jamais pu servir aux courses de chevaux. Le nom d'*hippodromus* semblait donc ne pouvoir s'y appliquer, et l'on a pensé qu'il fallait chercher sur un autre point du mont Palatin, plus vraisemblablement du côté du Colisée, dans la vigna Barberini, l'endroit désigné par les Actes (1).

Récemment, M. Marx a montré par d'excellents arguments (2), auxquels s'est rallié M. Huelsen (3), que l'identification du « stade » avec l'hippodrome est fort probable. *Hippodromus* est un terme technique, désignant une disposition particulière que l'on donnait parfois aux jardins de luxe, et dont Pline le jeune nous a donné une longue et minutieuse description, dans la lettre où il énumère les beautés de sa villa (4). Les détails de ce tableau s'adaptent si naturellement aux diverses parties et à l'ensemble des ruines, qu'à moins que de nouvelles fouilles ne viennent mettre en question les résultats acquis, on fera bien de remplacer le nom de Stade du palatin par celui d'Hippodrome, entendu dans le sens de parc ou de jardin.

La formule topographique *Hippodromus palatii*, selon toute probabilité, a donc une valeur réelle, et répond à une partie bien déterminée des palais impériaux.

La *Statua solis iuxta amphitheatrum* n'est autre que la statue colossale de Néron que cet empereur avait fait dresser à l'entrée du vestibule de la Maison d'or. On peut suivre dans les auteurs les diverses transformations que les vicissitudes de l'empire et le caprice des maîtres firent subir à l'œuvre de Zénodore. Primitivement elle représentait Néron lui-même (5). A lire certains textes, on croirait qu'elle garda, longtemps après Néron, les traits de ce prince (6). Rien n'est plus

de cette partie des édifices impériaux. DE GLANE, *Le Stade du Palatin*, MÉLANGES D'ARCHÉOLOGIE ET D'HISTOIRE, t. V (1889), rétablit le portique avec un seul étage. Il y en a deux dans le dessin des archéologues italiens. Voir BARNABEI-COZZA-MARIANI-GATTI, *Nuovi scavi dello stadio Palatino*, MONUMENTI ANTICHI DELLA R. ACCADEMIA DEI LINCEI, t. V (1895), p. 17-84. — (1) R. LANCIANI, notes au document publié par DE ROSSI, *Piante icnografiche di Roma*, p. 129; STURM, *Das Kaiserliche Stadium auf dem Palatin*. Programm des kgl. neuen Gymnasiums zu Würzburg (Würzburg, 1888), p. 11; DE GLANE, *op. cit.*, p. 206. — (2) MARX, *Das sogenannte Stadium auf dem Palatin*, JAHRBUCH DES K. D. INSTITUTS, 1895, p. 129-143. — (3) HUELSEN, *Untersuchungen zur Topographie des Palatin*, MITTHEILUNGEN DES K. D. ARCHAEOLOGISCHEN INSTITUTS, t. X (1895), p. 277. — (4) Pline, Ep. V, 6. Cf. WINNEFELD, *Tusci und Laurentinum des jüngeren Plinius*, JAHRBUCH DES K. D. INSTITUTS, 1891, p. 201-217. — (5) Suétone, *Nero*, 31 : *Vestibulum eius fuit, in quo colossus centum viginti pedum staret ipsius effigie;* Pline, *Nat. Hist.*, t. XXXIV, 7 : *Zenodorus... Romam accitus a Nerone, ubi destinatum illius principis simulacro colossum fecit ex pedum longitudine, qui dicatus soli venerationi est, damnatis sceleribus illius principis.* — (6) Dio Cassius, LXVI, 15 : Φασὶ δὲ αὐτὸν ... καὶ τὸ εἶδος τὸ τοῦ Τίτου ἔχειν; *Script. Hist. Aug.*, Hadrianus 19 : *Et cum hoc simulacrum post Neronis vultum,*

invraisemblable. Déjà du temps de Pline, le colosse était dédié au soleil (1), et il est question, sous Vespasien, du *colossi refector* (2). Martial nous renseigne sur le genre de transformation qu'il subit :

> *Nec te detineat mira radiata colossi*
> *quae Rhodium moles vincere gaudet opus* (3).

Le colosse représentait le soleil : la tête était entourée de rayons. Lorsqu'après d'autres transformations, on rendit à la statue sa tête radiée, les rayons avaient une longueur de six mètres et demi (4). Nous ignorons si l'auréole que vit Martial avait les mêmes dimensions. Toujours est-il qu'il fallut nécessairement remplacer la tête, à l'occasion du premier changement. Celui-ci s'opéra au moment où Vespasien entreprit de faire disparaître la trace des odieuses folies de Néron. Comment admettre que l'on ait donné au dieu-soleil les traits du tyran dont on voulait abolir la mémoire? Il est probable que la persistance des appellations populaires est la source de l'erreur des historiens qui semblent dire que le colosse continua de représenter Néron. On lui donna, sous Vespasien, la figure idéale du soleil, qu'il garda jusqu'au règne de Commode. Ce fou le fit refaire à son image, et la statue du soleil devint celle de Commode-Hercule (5), que rappelle peut-être le fameux buste du palais des Conservateurs (6). Après Commode, une nouvelle transformation s'imposait. Les rayons reparurent, et la statue gigantesque resta définitivement la *Statua solis* dont parlent nos Actes des martyrs.

Ceux-ci la placent à côté de l'amphithéâtre, et c'est à cet endroit aussi que nous la voyons sur les monnaies (7). Les fouilles exécutées en 1828, sous la direction de Nibby, firent apparaître les restes du piédestal, que l'on voit encore aujourd'hui entre la Colisée et le temple de Vénus et de Rome (8). Ce n'est pas la place primitive de la statue, comme nous l'apprend Martial :

> *Hic ubi sidereus propior videt astra colossus*
> *et crescunt media pegmata celsa via*
> *invidiosa feri radiabunt atria regis*
> *unaque iam tota stabat in urbe domus* (9).

cui antea dicatum fuerat, soli consecrasset. Commodus, 17 : *Colossi autem caput dempsit, quod Neronis esset, ac suum imposuit.*— (1) Pline, *Nat. Hist.* XXXIV, 7.— (2) Suétone, *Vespasianus*, 18.— (3) Martial, *Epigr.* I, 71, 7, 8. — (4) *Curiosum urbis*, Regio IV. JORDAN, *Topographie des Stadt Rom*, t. II, p. 546. — (5) *Script. hist. Augustae*, Commodus, 17 ; Dion Cassius, LXXII, 22. — (6) Voir une belle reproduction de ce buste dans P. E. VISCONTI, *Commodo rappresentato come Ercole Romano*, BULLETINO COMUNALE, t. III (1875) p. 3-15, tav. I, II. — (7) Sur les monnaies représentant l'amphithéâtre Flavien, voir DONALDSON, *Architectura numismatica* (London, 1859), p. 79. — (8) A. NIBBY, *Roma nel anno 1828*, t. II (1839), p. 443-44. — (9) Martial, *De spectaculis*, 2, 1-4.

Ce texte ne nous indique malheureusement pas avec assez de précision l'endroit où se dressait le colosse, et les diverses parties de la *domus aurea* sont difficiles à fixer. Dion affirme, il est vrai, que c'est sous le règne de Vespasien que le colosse fut placé sur la voie Sacrée. Mais on voit si bien, par tout le contexte, que l'historien est mal renseigné sur ce monument, qu'il n'y a pas lieu d'attacher grand prix à ce qu'il en dit. Suétone ne parle que d'une transformation de la statue ; et en se rappelant ce qu'il en coûta sous Hadrien de la rapprocher de l'amphithéâtre, il devient difficile d'admettre le fait d'un transfert antérieur, opération qui aurait pris les proportions d'un événement. Il doit y avoir dans le récit de Dion plus d'une confusion, et il est probable que Vespasien laissa le colosse en place, c'est-à-dire, sur un des points de l'aire occupée par les temples de Vénus et de Rome. C'est à l'occasion de la construction de ces temples que Hadrien le fit transporter, *de loco ubi nunc templum urbis est* (1), plus près de l'amphithéâtre. Il y resta jusqu'à une époque impossible à déterminer. Le calendrier philocalien mentionne encore, au VIII des ides de juin, la dédicace du colosse (2). Après ce moment, il ne paraît plus dans les textes historiques, et il est probable que le plan dont se servit le compilateur de l'Itinéraire d'Einsiedeln, n'en faisait plus mention (3). Un document de la fin du X⁰ siècle parle d'une maison située *regione quarta non longe a colossus* (4). On ne songera pas à invoquer ce texte pour prouver l'existence du colosse à une époque aussi tardive. C'est évidemment du Colisée qu'il y est question.

Les Actes des martyrs grecs mentionnent le *lacus pastoris*, près de l'amphithéâtre. C'est certainement le *lacus pastorum* mentionné par la *Notitia* et le *Curiosum* dans la III⁰ région (5). Mais nous n'avons aucun autre texte permettant de préciser la position de ce lac, ni même de savoir exactement ce que désignait la formule. Plus tard, on signale une *ecclesia S. Pastoris prope S. Clementem* (6). Il est fort possible que le « lac des pasteurs » ait attiré le vocable de S. Pasteur. Mais outre qu'il n'est pas absolument certain qu'il y ait autre chose ici qu'une simple coïncidence, on n'oserait se servir de ce renseignement, à moins de savoir que l'église de Saint-Pasteur a été élevée sur l'emplacement du lac. Tout cela nous l'ignorons.

En relation immédiate avec le *lacus pastoris*, se trouve la *petra scelerata iuxta amphitheatrum*, dont les hagiographes parlent quel-

---

(1) *Script. hist. Aug.*, Hadrianus. 19. — (2) *C. I. L.*, t. I, 379. — (3) JORDAN, *Topographie der Stadt Rom*, t. II, p. 510. — (4) Document de l'année 972, cité par GALLETTI, dans le Cod. Vatic. 8054, fol. 58. Voir DE ROSSI, *Piante icnografiche di Roma*, p. 76, note 1.—(5) JORDAN, *Topographie der Stadt Rom*, t. II, p. 545; cf. p. 119-120.—(6) ARMELLINI, *Chiese di Roma*, p. 135; MAI, *Spicilegium Romanum*, t. IX, p. 437.

quefois, mais dont ils sont seuls à parler. L'expression *petra scelerata*
rappelle d'autres dénominations analogues, garanties par les classiques. Il y a le *campus sceleratus*, où l'on enterrait vivantes les
vestales infidèles; le *vicus sceleratus*, fameux par le crime de la fille de
Servius; la *porta scelerata* ou la *porta Carmentalis*, par où les 306 Fabius
étaient sortis pour aller chercher la mort sur les bords de la Cremera (1).
On donna le nom de *castra scelerata* au camp où mourut Drusus (2).
Comme on le voit, l'épithète *sceleratus* sert à rappeler un grand crime
ou un grand malheur. Y a-t-il eu, aux environs de l'amphithéâtre,
une pierre à laquelle s'attachait quelque mauvais souvenir?

Voici l'explication de Martinelli : *Petra scelerata erat locus in urbe
unde supplicia de reis sumenda exprimebantur voce per praeconem, ut
omnibus causa notesceret* (3). On voudrait pouvoir suivre cette opinion,
qui a du moins l'avantage d'être moins invraisemblable que d'autres.
Malheureusement, elle est fort peu démontrée, et les seuls textes dont
on pourrait songer à l'appuyer, parlent de la *petra scelerata* plutôt
comme d'une pierre destinée aux exécutions capitales (4). Il ne paraît
guère possible d'admettre l'existence d'une pareille pierre aux environs
de l'amphithéâtre.

On montre à Rome au moins deux « pierres scélérates », à propos
desquelles les archéologues ont exprimé des idées bien singulières. Il
y en a une dans les grottes Vaticanes (5), laquelle provient de l'ancienne
basilique de Saint-Pierre. Elle porte l'inscription suivante :

SVPER . ISTO . LAPIDE
MVLTA CORPORA SANCTORVM
MARTIRIO CAESA SUNT .
ERAT IN VETERI BASILICA AD
LAEVAM PORTAE IVXTA
SACELLVM SANCTISSIMI
SVDARII . ANNO MDCVI .

Cette pierre, au dire de Grimaldi, proviendrait de l'église voisine de
S. Salvatore in Terrione (6). L'épithète de *scelerata* lui aurait été appliquée par les païens, en haine du sang chrétien qui l'aurait arrosée (7).

---

(1) Festus, ed. THEWREWK, t. I, p. 494-97. — (2) Suétone, *Claudius*, 1. — (3) Fl. Martinelli, *Roma ex ethnica sacra*, p. 39. — (4) Martinelli cite les Actes de S. Pontien.
Mais le texte qu'il en donne est absolument inintelligible. La leçon que nous avons
reproduite plus haut dit tout autre chose. — (5) Il semble qu'on l'ait changée plusieurs fois de place et qu'elle ait reparu quelque temps dans la nouvelle basilique.
C. B. PIAZZA, *Efemeride vaticana* (Roma, 1687), pp. 12, 36. — (5) FORCELLA, *Iscrizioni delle chiese di Roma*, t. VI, n. 421². — (6) Voir TORRIGIO, *Le sacre grotte vaticane* (Roma, 1639), p. 511-512. — (7) *Ibid.*, p. 512.

Aringhi se fait l'écho de cette explication naïve : *Haec olim petra scelerata a gentilibus appellabatur. Cum hanc christianorum sanguine iugiter madentem viderent, eam summopere detestantes, hoc nomine infamare conati sunt. Verum summo eandem in honore christiani semper habuerunt et veluti rem sacram suscipiebant* (1).

L'église S. Vito prétend posséder elle aussi une pierre scélérate. On la voit encore encastrée dans le mur, à droite, et protégée par une grille, *frequentibusque manuum attactibus religiosi popelli in medio attritus* comme parle De Winghe. Elle s'appelle *scelerata*, dit un archéologue, parce qu'elle provient du *vicus sceleratus* où l'on prétend que beaucoup de martyrs ont été mis à mort (2). Nous savons que le *vicus sceleratus* ne tire pas son nom des martyrs. Cette explication ne peut donc se soutenir un instant. Vérification faite, cette prétendue pierre sacrée n'est autre chose qu'une épitaphe païenne ; *aeternae memoriae L. Aeli Terti causidici* (3). C'est probablement le titre de *in macello* donné à S. Vito, en souvenir du *macellum Liviae*, et devenu plus tard *in macello martyrum*, qui a fait prendre ce marbre, un peu creusé en son milieu, pour une pierre sur laquelle avait coulé le sang des chrétiens « *perche i gentili uccidevano quivi come bestie i cristiani* (4). »

Mais tout cela ne nous donne aucune lumière sur l'expression *petra scelerata*, que nous rencontrons déjà dans les Actes des SS. Eusèbe et Marcel, qui sont probablement du VIe siècle, comme nous le dirons. Aucun indice ne nous permet de remonter jusque dans l'antiquité classique pour en retrouver l'origine et la véritable signification. Elle est probablement de provenance chrétienne, et doit avoir été suggérée par des formules analogues à celles que nous avons citées. Qu'elle ait été appliquée à une pierre déterminée, dont le vulgaire connaissait la place, et qu'elle ait ainsi une valeur topographique, c'est ce qu'il est impossible de savoir, et rien n'empêche d'y voir une de ces compositions artificielles que la fantaisie du narrateur invente quelquefois.

L'expression topographique qui revient peut-être le plus fréquemment sous la plume des hagiographes romains, c'est celle de *Tellus, locus Telluris, templum Telluris*. C'est dans cet endroit qu'ils fixent ordinairement les scènes d'interrogatoire devant le préfet de Rome.

La dénomination *in Tellure* est garantie par la *Forma urbis Romae* (5) fragm. 6 : IN TELLV[RE], et les *Tellurenses* sont nommés dans une inscription (6). Elle dérivait évidemment du *templum Telluris*, situé,

(1) ARINGHI, *Roma subterranea*, l. II, c. IV, p. 219, n. 8. — (2) ARMELLINI, *Le Chiese di Roma* (1891), p. 811. — (3) *C. I. L.*, t. VI, 9240. — (4) VENUTI-PIALE, *Descrizione topografica delle antichita di Roma* (Roma 1824), t. I, p. 211. — (5) JORDAN, *Forma urbis Romae*, p. 57. — (6) GATTI-HUELSEN, *Frammenti epigrafici di editti prefettizi del secolo IV*, BULLETINO COMUNALE 1891, pp. 344, 357.

comme l'indiquent des témoignages connus depuis longtemps et souvent discutés, *in Carinis*. On n'a point trouvé de restes de ce temple, et il est impossible d'assigner exactement l'aire qu'il occupait. Il faut se contenter de savoir qu'il s'élevait sur l'Esquilin, aux environs de la basilique de Saint-Pierre-aux-liens. On arrivera à préciser davantage la position de l'antique édifice, à mesure que l'on pourra circonscrire plus étroitement la place couverte par les constructions dépendant de la préfecture urbaine. Celle-ci, en effet, se trouvait dans le voisinage du temple de Tellus, comme il ressort d'une série de découvertes récentes. On devine aussitôt l'importance de ce fait pour la critique des Actes des martyrs romains.

Une inscription bilingue de Scaptoparene, publiée par M. Contoleon et commentée par Mommsen (1), contient l'indication suivante : *Bona Fortuna. Fulvio Pio et Pontio Proculo cons. XVII Kal. ian* (2) *descriptum et recognitum factum ex libro libellorum rescriptorum a domino n*[ostro] *imp. Caes. M. Antonio Gordiano pio felice aug. et propositum Romae in porticu termarum Traianarum in verba* q[uae] s[upra] s[cripta] s[unt]. Il s'agit ici d'un portique des thermes de Trajan, destiné à l'affichage des actes publics. M. Lanciani a montré par de bonnes raisons qu'il est difficile de prendre l'expression à la lettre, et qu'on ne peut placer, avec vraisemblance, le portique dont il s'agit dans les thermes de Titus et de Trajan (3). Il doit avoir été simplement voisin des thermes, et attenant à un des bâtiments de la préfecture urbaine, près du temple de Tellus. Une inscription du IV⁰ siècle, trouvée dans le jardin des Pères maronites, voisin de l'emplacement des thermes et de la via della Polveriera, parle d'un portique *scriniis tellurensis secretarii tribunalibus adhaerentem*. Mommsen (4) et Lanciani (5) s'étaient occupés à plusieurs reprises de cette inscription dont une partie seulement avait été mise au jour, et avaient proposé diverses restitutions. Une récente trouvaille permet enfin d'en donner à coup sûr le texte complet (6).

> *Salvis d* D . NN . INCLYTIS SEMPER . AVGG .
> *po*RTICV*m* CVM SCRINIIS TELLVRENSIS
> SECRETARII TRIBVNALIB . ADHERENTEM
> IVNIVS VALERIVS BELLICIVS . V̅C̅ . PRAEF . V̅R̅B̅ .
> VICE SACRA IVDICANS RESTITVTO
> SPECIALITER VRBANAE SEDIS HONORE
> PERFECIT

(1) *Mittheilungen des k. d. archaeologischen Institut*s (Athen, 1891), pp. 275, 278, 279, 282. — (2) Le 16 décembre 238. — (3) LANCIANI, *Gli Edificii della prefettura Urbana fra la Tellure et le Terme di Tito e di Traiano*. BULLETTINO COMUNALE, 1892, p. 29. — (4) Voir *Bullettino comunale*, 1882, p. 162. — (5) *Ibid*., 1882, pp. 161-162; 1892, p. 31. — (6) G. GATTI, *Di una iscrizione relativa agli uffici della prefettura Urbana*, RENDICONTI DELLA REALE ACCADEMIA DEI LINCEI, 1897, p. 105-188.

S'agit-il ici du même portique que dans l'inscription de Scapto-parene, et le préfet Bellicius se contenta-t-il de le restaurer avec d'autres parties de l'*Urbana sedes* ? On ne saurait le dire. Mais la teneur de l'inscription, la découverte des fragments sur la hauteur de Saint-Pierre-aux-liens, qui a fourni tant d'autres monuments épigraphi-ques, fragments d'édits, bases de statues de préfets, etc. (1), confirme pleinement les conclusions relatives à l'emplacement de la préfecture urbaine. Elle devait occuper une partie de l'aire délimitée par la via S. Pietro in Vincoli, via della Polveriera, via del Colosseo, via dell' Agnello.

Tout récemment, M. Chr. Huelsen a rappelé l'attention sur un passage de Martial, qui fait évidemment allusion à certaines dépendances de la préfecture, auxquelles les textes hagiographiques donnent un intérêt particulier (2).

> *Tonstrix Suburae faucibus sedet primis*
> *cruenta pendent qua flagella tortorum*
> *Argique letum multus obsidet sutor.*

« Une tondeuse est assise tout à l'entrée de la Subura, là où sont suspendus les fouets sanglants des bourreaux, et où l'Argiletum est occupé par une foule de cordonniers. »

Les meilleurs commentateurs, Friedländer, par exemple (3), ont cru que les fouets dont parle Martial ne sont qu'un des articles mis en vente chez les cordonniers de l'Argiletum. M. Huelsen fait remarquer que l'épithète *cruenta* appliquée à des fouets d'esclaves suspendus dans la boutique du marchand, formerait une prolepse un peu exagérée, et on admettra difficilement qu'un romain du premier siècle ait donné le nom de *tortor* au maître qui fouette son esclave. Les données topogra-phiques imposent une autre explication. Les édifices de la préfecture urbaine s'étendaient sur le versant nord des *Carinae*, au-dessus des *primae fauces Suburae*. Il y avait dans ces locaux une place où se don-nait la question, et là s'étalaient, menaçants, au milieu de tout l'appareil de la torture, les fouets ensanglantés. Les chrétiens appelés au tribunal du préfet de Rome, ont dû être amenés *in Tellure*, et ils ont pu rougir de leur sang les fouets dont parle Martial.

Il n'est pas nécessaire de s'arrêter aux diverses formules des Actes des martyrs où nous trouvons le mot Tellus. Celle qui paraît la plus précise, est tirée des Actes des SS. Parthenius et Calocerus : *in Tellure*

---

(1) Voir l'énumération de tous ces textes dans HUELSEN, *Vierter Jahresbericht ueber Topographie der Städt Rom*, MITTHEILUNGEN DES K. D. ARCHAELOGISCHEN INSTI-TUTS 1893, p. 209-301. — (2) HUELSEN, *Zu Martial, II, 17*, RHEINISCHES MUSEUM, 1894, p. 629-30. — (3) FRIEDLAENDER, *M. Valeri Martialis epigrammaton libri*, t. I, p. 243; de même JORDAN, *Zur römischen Topographie*, dans HERMES, t. IV (1870), p. 240.

in secretario. Le *secretarium Tellurense* est expressément attesté par l'inscription citée plus haut, et on connaît le texte : *Arae in secretariis ac pro tribunali positae* du traité *de Mortibus persecutorum* (1).

On voudrait pouvoir expliquer l'expression *in Tellude ante templum Palladis.* Le temple de Minerve ou de Pallas, du forum de Nerva ou *forum transitorium*, que Martial appelle *Palladium forum* (2), n'était pas fort éloigné de la préfecture urbaine. Mais il est impossible d'admettre que l'aire qui recevait son nom du temple de Tellus embrassât le forum de Nerva. La formule citée est donc absolument vide de sens au point de. vue topographique.

IV.
Critique des textes hagiographiques.

Nous venons de voir que, considérées en elles-mêmes, les indications topographiques contenues dans les textes que nous avons réunis plus haut, ne sont point dépourvues d'une certaine valeur. La plupart des dénominations se justifient par les sources parallèles, et, en général du moins, il n'est pas contraire à la vraisemblance de regarder les endroits désignés comme le théâtre des scènes rapportées par les hagiographes. Rien n'empêche, en particulier, que l'amphithéâtre ne soit le lieu du martyre d'un grand nombre de chrétiens, et que beaucoup d'entre eux n'aient été torturés et jugés aux environs du temple de Tellus.

Mais autre chose est la vraisemblance, autre chose le fait. Est-il suffisamment établi qu'un martyr déterminé, qui a pu être livré aux bêtes dans l'amphithéâtre Flavien, a réellement trouvé la mort dans ce supplice et en ce lieu? Les sources qui l'affirment, ont-elles, sur ce point, l'autorité voulue pour le faire admettre? La précision des renseignements topographiques est-elle garantie par une information suffisante? Telle est la question à résoudre.

Ceux qui ont touché le problème se sont servis, pour aboutir à des conclusions opposées, de deux méthodes presque également commodes, mais également peu sûres.

Le point de départ des uns est le manque absolue d'autorité de nos Actes. On ne doit y voir qu'un tissu de fables, où il serait inutile et insensé de chercher n'importe quel renseignement. Il n'y a donc pas eu de martyrs du Colisée, comme on l'a toujours prétendu (3).

---

(1) Ch. xv, *P.L.*, t. VII, p. 216.— (2) Martial, I, 2, 8.— (3) C'est le procédé employé par M. Fabio Gori, *Le Memorie storiche del anfiteatro Flavio ed i pretesi martiri cristiani del Colosseo* (Roma, 1875), p. 54-73. Dans cette conférence donnée au Colisée même, l'auteur exagère beaucoup le travail de critique auquel il a dû se livrer. Son exposition, comme sa méthode, n'est point rigoureusement scientifique. Nous nous abstiendrons de relever les innombrables erreurs dont fourmille le chapitre consacré aux martyrs.

L'autre école ne professe pas le même dédain pour les textes hagiographiques, et n'hésite pas à accepter leur témoignage sur le point qui nous occupe.

Les défenseurs des Actes des martyrs romains — je ne parle que de ceux qui les défendent d'une manière raisonnable — admettent que, dans leur forme actuelle, ils présentent un fond de vérité, obscurci par beaucoup de fables. Telles que nous les avons, ces Passions sont interpolées, remaniées, altérées en bien des points; mais elles contiennent de précieux restes antiques, et parmi les bonnes parties qu'elles renferment, il faut mettre au premier rang les données topographiques, si souvent vérifiées par les monuments. Pour les tenants de l'opinion conservatrice, cette dernière circonstance est une confirmation de l'authenticité relative des Actes des martyrs, en d'autres termes, de la pureté des sources d'où ils dérivent.

Ces principes sont bien vagues, et mènent à des conclusions qui peuvent avoir, et ont eu, trop souvent, de graves conséquences dans la chronologie et l'histoire des persécutions. Nous essayerons de suivre une autre voie qui semble plus sûre.

Disons d'abord deux mots des Passions romaines en général.

J'entends ici, par Passions romaines, ces récits bien connus, qui forment le fonds commun des passionnaires latins, et qui ont pour objet les saints qui souffrirent le martyre à Rome ou dans les environs et y furent honorés d'un culte public dans le sanctuaire qui renfermait leur tombeau (1). Beaucoup de ces Passions appartiennent à des groupes parfaitement caractérisés et se présentent comme les parties d'un récit unique, dont le personnage principal est un martyr plus célèbre, que l'on peut appeler le héros du cycle. Nous pouvons citer parmi les cycles principaux ceux de S. Laurent, de Ste Cécile, de S. Sébastien, de Ste Domitille, de S. Chrysogone. La plupart d'entre eux mettent en scène un grand nombre d'acteurs, des martyrs dont la fête se célèbre à des dates et dans des lieux divers. Il y a des cycles plus restreints, qui n'englobent qu'un petit nombre de personnages. Il y a enfin les Passions isolées, qui ne s'occupent que d'un saint ou d'un groupe de saints qui ont souffert ensemble et sont honorés au même endroit.

D'après ce que nous venons de dire, il ne faut pas comprendre parmi les Passions romaines les Actes authentiques de S. Justin, ni les Actes de S. Ignace. Ni l'un ni l'autre de ces illustres martyrs n'ont été, à Rome, l'objet d'un culte traditionnel ayant leur tombeau pour centre. Nous donnerons donc, dans l'examen des textes que nous avons cités, une place à part aux Actes de S. Ignace.

(1) Quelques-unes des Passions faisant partie du légendaire romain semblent ne pas rentrer dans cette catégorie. Il est inutile, pour le but que nous poursuivons, de pousser plus loin la classification.

D'autres Passions, que nous avons citées, semblent n'avoir aucun droit non plus à être assimilées aux Actes des grands martyrs de Rome. Nous n'insisterons pas sur ces exceptions, qui n'ont point d'importance à notre point de vue spécial et il nous paraît inutile d'en faire ici une classe distincte. Nous pouvons, sans inconvénient, les ranger, jusqu'à nouvel ordre, dans la catégorie des Passions romaines.

Il ne sera pas superflu de rappeler que la fortune des Passions romaines est de date relativement récente. Deux textes célèbres, que l'on ne saurait répéter trop souvent à l'usage de ceux qui professent à l'égard de ces pièces un respect exagéré, nous renseignent sur le degré d'autorité dont elles jouissaient dans l'église de Rome. Le décret dit Gélasien, sur lequel la critique n'a pas encore dit son dernier mot, mais qui est un document romain ayant toujours joui de la plus haute considération, s'exprime en ces termes au sujet des Actes des martyrs : *Secundum antiquam consuetudinem, singulari cautela, in sancta Romana ecclesia non leguntur, quia et eorum qui conscripsere nomina penitus ignorantur, et ab infidelibus et idiotis superflua aut minus apta quam rei ordo fuerit esse putantur* (1). Il est difficile d'exprimer plus fortement le dédain que l'on avait pour les Passions connues alors. Le témoignage de S. Grégoire n'est pas moins significatif. Il écrit à Euloge d'Alexandrie : *Praeter illa enim, quae in Eusebii libris de gestis sanctorum martyrum continentur, nulla in archivo huius ecclesiae vel in Romanae urbis bibliothecis esse cognovi, nisi pauca quaedam, in unius codicis volumine collecta* (2). Il fallait que les Passions des martyrs eussent bien peu de crédit dans l'église de Rome, pour que l'auteur des *Dialogues* en parlât en ces termes, à une époque où les plus importantes existaient certainement, par exemple, celles de Ste Cécile et de S. Sébastien. On comprend à peine, après cela, que l'on ait pu arriver à reporter sur leurs Actes le respect et la vénération auxquels les martyrs seuls ont droit.

C'est un fait admis de tous que pas une des Passions romaines n'est antérieure au Ve siècle; quelques-unes sont du VIe, et d'autres sont de plus basse époque encore. Il est donc hors de contestation qu'aucune de ces pièces n'est contemporaine des événements (3).

Pour dire clairement notre pensée sur leur valeur historique, distinguons trois sortes de récits hagiographiques : 1° les Actes historiques, documents officiels, ou récits de témoins oculaires ou bien renseignés; 2° les paraphrases ou arrangements d'autres Actes appartenant à la catégorie précédente ; 3° les pièces indépendantes d'un récit autorisé et formées de la combinaison d'un petit nombre d'éléments historiques

(1) THIEL, *Epistolae Romanorum pontificum*, t. I, p. 458. Cf. DUCHESNE, *Liber pontif.*, t. I, p. CI. — (2) JAFFÉ, *Reg. pontif. rom.*, n. 1517. — (3) DE ROSSI, *Roma sotterranea*, t. I, p. 124.

dans un cadre imaginaire. Disons tout de suite que c'est à la troisième classe, celle des récits indépendants d'une source écrite, qu'appartiennent les Passions romaines.

C'est ce qu'on nous accordera sans difficulté pour un certain nombre d'entre elles, dont le caractère légendaire est par trop évident. Il ne se trouvera personne pour défendre les Actes de Sᵗᵉ Martine, par exemple, où avec la meilleure volonté du monde on ne parviendrait pas à découvrir un trait historique. Il faut en dire autant des Actes de Sᵗᵉ Tatiana et de Sᵗᵉ Prisca qui ne diffèrent de ceux de Sᵗᵉ Martine que par les noms des saintes. Les Passions des SS. Vitus et Modestus, de S. Potitus, de S. Eustache doivent de même être rangées parmi les légendes fabuleuses. Les scènes de l'amphithéâtre qu'elles racontent sont un des lieux communs de ce genre de compositions, et ce serait perdre son temps que de les discuter.

Restent les Actes des SS. Marius, Marthe et Ambacum, de S. Sébastien, des SS. Calocerus et Parthenius, de S. Marcel, de S. Étienne, des SS. Eusèbe et Pontien, de S. Corneille, des SS. Abundius et Abundantius, des SS. Eusèbe, Marcel et Hippolyte, des SS. Abdon et Sennen, de S. Sixte (1). On ne va pas, habituellement, jusqu'à les ranger dans la première catégorie, celle des Actes originaux, mais on les fait rentrer volontiers dans la seconde, en imaginant je ne sais quelles sources perdues dont elles seraient dérivées. Cette opinion, à l'appui de laquelle on n'a jamais apporté une raison sérieuse, a été partagée par de bons esprits, et on ne peut le regretter assez ; car elle a été l'origine d'un nombre considérable d'erreurs, sans compter cette erreur capitale qui fait concevoir, par quelques-uns, l'histoire de l'église au temps des persécutions 'comme se la figurent les pieux et ineptes hagiographes du moyen âge.

Pourtant, toutes les recherches concordent à démontrer que, à l'époque où furent rédigées les Passions romaines, on ne possédait à Rome aucune collection d'Actes des martyrs que l'on aurait extrait des archives de la préfecture ou qui auraient eu pour auteurs des témoins oculaires. Je ne parle pas des prétendus notaires ecclésiastiques, qui auraient été spécialement institués pour recueillir les *Gesta martyrum*. Cette corporation n'a point existé, comme on l'a démontré sans réplique (2). Nous avons vu que S. Grégoire ne connaissait point de collection d'Actes romains, et qu'il ne faisait aucun cas des quelques pièces qu'il avait rencontrées, au point de ne pas même prendre la

---

(1) La teneur du passage des Actes des SS. Primus et Félicianus (9 juin), où il est question d'un amphithéâtre *(iuxta forum ciritatis Numentanae)*, suffit à faire rayer leurs noms de la liste, sans discussion. Au point de vue de la composition, cette pièce appartient à la classe des Passions que nous étudions en groupe. — (2) L. Duchesne, *Liber pontif.*, t. I, p. c-ci.

peine de les envoyer à l'évêque d'Alexandrie. On avait à Rome un martyrologe, mais bien concis, et sans aucune notice historique : *Non
tamen in eodem volumine quis qualiter sit passus indicatur, sed tantummodo nomen, locus et dies passionis ponitur* (1).

L'état de la tradition historique sur les martyrs après l'ère des persécutions ne se reflète nulle part avec plus d'évidence que dans les inscriptions dont le pape Damase orna les sanctuaires les plus vénérés de
Rome. Il suffit de les parcourir pour constater combien on était peu
renseigné sur les détails de l'histoire des martyrs. Plusieurs poèmes
damasiens indiquent tout simplement le nom des saints et constatent,
en termes généraux, le fait du martyre (2). Souvent, Damase atteste
qu'il n'est que l'écho d'une tradition orale, dont il ne se porte pas
garant (3). Sur les SS. Marcellin et Pierre, il a été exceptionnellement
bien renseigné ; il tient certains détails de la bouche de leur bourreau
lui-même (4). Mais si, dans un certain nombre de cas, il apporte quelques traits bien précis, nulle part nous ne trouvons le moindre vestige
d'un document écrit. Un récit de martyre aurait fait couler de la veine
du poète autre chose que les centons virgiliens vagues et incolores dont
ses pièces sont le plus souvent composées.

On sait qu'une seule inscription — elle n'est pas damasienne — fait
expressément mention d'une source écrite. C'est la première des deux
inscriptions métriques (5) relatives aux « martyrs grecs » dont J.-B. de
Rossi a publié la Passion (6).

Comme le groupe des martyrs grecs, c'est-à-dire, des SS. Eusèbe,
Marcellus, Hippolyte et leurs compagnons, est un de ceux dont les Actes
nous ont fourni des textes (7), nous ne pouvons omettre d'en parler.

Horum virtutes quem passio lecta docebit,

dit l'inscription, que le seul manuscrit de Klosterneuburg nous a conservée (8). Voilà la mention formelle d'une Passion de nos saints.
Serait-ce la pièce que nous possédons, ou une autre plus ancienne ?

De Rossi admet cette seconde alternative. Les inscriptions ne lui
semblent pas de basse époque. Ni le style, ni la versification n'accusent
la barbarie qui prévalut à Rome dès le VIIᵉ siècle. De plus, la teneur
des deux pièces supposerait une rédaction des Actes différente de celle
qui nous est parvenue (9).

Après avoir bien pesé les arguments de l'illustre archéologue, nous
ne pouvons nous décider à nous ranger à son avis. On peut admettre
sans difficulté que les deux inscriptions ne sont pas postérieures au

(1) JAFFÉ, *Reg. pontif. rom.*, n. 1517. — (2) IDEM, *Damasi epigrammata*, n. 7, 30,
31, 42, 43, 44. 47, 58. — (3) *Ibid.*, n. 37, 40. — (4) *Ibid.*, n. 29. — (5) *Ibid.*, n. 77. —
(6) *Roma sotterranea*, t. III, p. 201-208. — (7) Plus haut, p. 220-21. — (8) IDEM,
Damasi epigrammata, n. 77 v. 9. — (9) DE ROSSI, *Roma sotterranea*, t. III, p. 194-95.

VI⁰ siècle. La paléographie du fragment qui en a été retrouvé indique cette époque (1). Mais comme rien ne s'oppose à ce que la Passion elle-même ait été rédigée au VI⁰ siècle, et que cela est même fort probable, vu les affinités qu'elle présente avec plusieurs pièces du même temps, il n'y a aucun argument à tirer de l'antiquité relative des inscriptions. A peine les Actes des martyrs grecs avaient-ils paru, qu'ils ont inspiré un poète.

Mais la Passion que nous possédons n'est, pour M. de Rossi, qu'un remaniement d'un texte plus ancien, et l'existence de cette rédaction primitive lui semble attestée par les inscriptions métriques qui supposent un récit plus complet et autrement ordonné. Nous pourrions comparer, trait pour trait, la double inscription avec la Passion, et montrer sans aucune difficulté que les moindres détails du poème se retrouvent dans celle-ci, quoique mis dans un relief différent. Quant à l'ordonnance de la narration, elle est sensiblement la même, pourvu qu'on lise d'abord l'inscription que le manuscrit de Klosterneuburg met en second lieu. La remarque est de M. l'abbé Duchesne (2).   .

Nous n'insisterons pas davantage sur ces Actes qui seront publiés et commentés dans un des prochains volumes des *Acta Sanctorum*. Retenons seulement qu'ils rentrent dans la catégorie où nous avons rangé toutes les autres Passions.

Une autre de nos pièces a été jugée très favorablement par M. de Rossi : c'est la passion des SS. Parthenius et Calocerus (3). Je ne trouve pourtant, dans son savant commentaire, aucune raison convaincante pour faire accepter l'existence d'une source historique. Et quant à l'antiquité qu'il attribue à la pièce et qui lui semble une raison décisive pour écarter des soupçons fâcheux, je ne sais si elle peut se soutenir (4). Toujours est-il que certains arguments apportés par l'illustre auteur sont peu probants. Ainsi, on avait relevé justement, comme une marque de rédaction tardive, l'emploi du mot *pronomen* pour indiquer le surnom. M. de Rossi croit en avoir trouvé un exemple antique, et cite l'épitaphe, provenant d'un colombaire païen, d'une VSSIENA IVCVNDA PRONOMINE IVCVNDISSIMA. Henzen avait interprété, avant lui, l'inscription dans le même sens (5) et l'exemple a passé dans les répertoires pour justifier cette acception extraordinaire du mot *pronomen* (6). Pourtant, en rapprochant cette formule de quelques autres inscriptions, on verra qu'il est difficile

(1) DE ROSSI, *Bullettino di archeol. crist.*, 1887, p. 60-65, et fac-similé.— (2) *Revue du monde catholique*, t. LII (1877), p. 326. — (3) *Roma sotterranea*, t. II, p. 210-219. — (4) Voir sur cette passion les excellentes réflexions de TILLEMONT, *Hist. eccl.*, t. V, p. 617 ; *Histoire des empereurs*, t. III, p. 272. — (5) *Bullettino dell' Istituto di corrisp. archaeol.*, 1866, p. 174. — (6) FORCELLINI-DE VIT s. v.

de soutenir l'explication proposée. En voici une qui provient également d'un colombaire (1) :

ANNIA
CALE . PRO
NOMINI . V.A.XXVI

c'est-à-dire : *Annia* καλή *pro nomine vixit annis XXVI*, elle a vécu de manière à vérifier son nom, en d'autres termes καλῶς. L'épitaphe d'Ussiena doit s'entendre de même :

*u*SSIENA P . P . L
IVCVNDA
PRO NOMINE
IVCVNDISSIMA . HIC
sita est.

Ussiena Jucunda a été, ce qu'indiquait son nom, une personne charmante.

Il reste acquis que l'usage du mot *pronomen* accuse bel et bien une composition de basse époque, et qu'il n'est point possible de tirer argument de l'antiquité de la Passion actuelle, pour lui accorder une valeur historique supérieure à tant d'autres pièces de même famille.

Après avoir écarté cette double difficulté, nous pouvons revenir à l'ensemble des Passions romaines (2). Elles ont été composées à une époque où l'on ne possédait presque plus aucun document sur les martyrs, et lorsque nous les comparons avec les maigres vestiges d'une tradition plus ancienne qui nous sont parvenus, par exemple, avec les inscriptions de Damase, nous les en trouvons indépendantes, souvent même en contradiction avec elles. Il faut nécessairement arriver à cette conclusion, que nos Passions sont des récits d'imagination, composés avec un petit nombre d'éléments historiques. Cela ne veut pas dire que les hagiographes ne se soient point inspirés d'autres pièces analogues et qu'ils aient tiré de leur cerveau tout ce qui ne leur était point fourni par les sources. Ils avaient des modèles ; ils y apprenaient à nouer la trame d'un récit, à peindre des situations, à développer des entretiens ou des interrogatoires. Certaines circonstances historiques leur étaient indiquées par les chroniques, et il ne leur fallait même pas se livrer à

___

(1) *C. I. L.* t. VI, 11776. Voir la remarque de Mommsen à cet endroit. — (2) Il y aurait un classement à faire parmi les nombreuses pièces qui composent le Légendaire romain. Quelques-unes sont relativement anciennes, d'autres sont de très basse époque. Il y en a qui sont, en quelque manière, des œuvres originales, par opposition à d'autres qui ne sont que des compilations faites de pièces de rapport absolument disparates. Pour ne pas compliquer la discussion, nous parlerons toujours des plus anciennes et des meilleures parmi les Passions romaines. Il faudra conclure *a fortiori* pour les autres.

de longues recherches pour trouver à peu près exactement les noms des consuls correspondants à une période déterminée.

Il serait plus long que difficile de montrer, par le détail, que toutes les Passions romaines que nous avons citées sont des compositions artificielles. Cette critique par le menu se fera un jour; on peut même dire qu'elle est achevée, et qu'il ne reste qu'à en réunir les éléments dispersés. Mais cela nous mènerait bien loin, et ce travail n'est pas indispensable ici. La démonstration a été faite pour quelques-unes des Passions romaines qui ont joui de la plus grande autorité, par exemple pour celles de Ste Félicité, de Ste Cécile, des SS. Nérée et Achillée (1). Or toutes les pièces qui constituent le Légendaire romain sont si étroitement apparentées par le cadre, le style, les procédés de composition, la conception religieuse et historique, que l'on doit, sans hésiter, les ranger dans une même catégorie, et leur reconnaître, globalement, la même valeur. Ce sont tout simplement des récits pieux, les petits livres populaires écrits dans un but d'édification. On les a assez bien caractérisés, au point de vue historique, en les comparant au célèbre roman du cardinal Wiseman, Fabiola.

On se tromperait, pourtant, en voulant juger les romans historiques du Ve ou du VIe siècle, comme nous jugeons ceux de notre époque. Il faut tenir compte des habitudes littéraires, et de l'état d'esprit du public auquel ils étaient adressés. Toujours et partout, dans ce genre de compositions, il y a eu des limites à la liberté d'invention; mais je crois que l'on accordera sans peine que, sous ce rapport, on est plus difficile de nos jours qu'au moyen âge. On citerait aisément vingt romans contemporains qui contiennent de nombreux éléments historiques. Je ne parle pas de certaines peintures de mœurs et de caractères qui supposent l'étude approfondie d'une époque. Mais bien souvent la fiction se détache sur un cadre parfaitement réel, et les circonstances de temps et de lieux au milieu desquelles se meuvent les personnages, sont d'une complète exactitude. Notre culture raffinée comporte cette recherche. Mais il ne faudrait pas la transporter dans une époque que la barbarie commençait à envelopper de ses ténèbres, ni dans un milieu populaire comme celui qui vit éclore les Passions romaines.

Les hagiographes romains placés, comme nous l'avons vu, en dehors de toute influence et de surveillance même de l'autorité ecclésiastique, pouvaient se donner libre carrière, suppléer au silence des documents et de la tradition, et chercher, par les moyens les plus convenables, à édifier leur public tout en l'intéressant. Ils ont largement pro-

---

(1) J. FÜHRER, *Ein Beitrag zur Lösung der Felicitas-Frage*, Freising, 1890; *Zur Felicitas-Frage*, Leipzig, 1894: ERBES, *Die hl. Caecilia in Zusammenhang mit der Papstcrypta*, ZEITSCHRIFT FÜR KIRCHENGESCHICHTE, t. IX (1888), p. 1-66; ACHELIS, *Acta SS. Nerei et Achillei*, dans TEXTE UND UNTERSUCHUNGEN, t. XI, 2.

fité de cette situation. Pourtant, sur quelques points, ils étaient forcés, par la nature même des choses, à une certaine fidélité et même à une exactitude rigoureuse, et c'est ce qui explique que, dans des pièces dépourvues, dans leur ensemble, de toute valeur historique, nous trouvions des données précieuses. Ceci mérite explication.

Je n'insisterai pas sur cette considération que, à l'époque où plusieurs de nos Actes ont été rédigés, la vie romaine n'était point éteinte, et qu'en bien des points les conditions extérieures n'étaient point sensiblement différentes de celles de l'ère des persécutions. Les formes de l'administration, la procédure criminelle en particulier n'avaient point subi d'interruption, et il eût fallu, en ces matières, la préoccupation voulue de l'inexactitude pour commettre certaines erreurs. Aussi, la présence de détails techniques et de bonnes formules juridiques dans les Actes des martyrs ne révèle-t-elle nullement l'existence d'une source primitive, et l'on doit regretter que la grande érudition de M. Le Blant ait contribué à répandre à ce sujet une erreur d'une telle gravité (1).

Il y a deux sortes de renseignements qui, à des degrés divers, méritent notre confiance : c'est d'abord la date de la mort ou de la fête des martyrs, et ensuite, la topographie des Passions.

Pour le jour de la fête, on l'accordera sans difficulté. Il était entré dans les mœurs des Romains de célébrer l'anniversaire des martyrs, et l'homme le moins instruit n'avait qu'à consulter ses souvenirs pour trouver aussitôt la date exacte du *natalis* de l'un d'entre eux.

La question de topographie est plus compliquée. On peut dire, en général, qu'en ce point encore certaines erreurs étaient difficiles ou même impossibles. Un romancier français qui placerait Notre-Dame de Paris à côté de l'arc de l'Étoile ne se ferait lire par personne ; il ne pourrait même pas inventer impunément les noms des places et des rues de la capitale sans se discréditer. Mais il peut, sans le moindre inconvénient, faire mouvoir des personnages historiques dans des endroits où ils n'ont peut-être jamais mis le pied. La vérification est impossible, et s'il se trompe, il ne choquera personne.

On n'encourt donc pas le reproche d'inconséquence en accueillant, avec la réserve voulue, les données topographiques de certaines pièces d'ailleurs détestables, et il est raisonnable de reconnaître, en

____

(1) Nous faisons allusion au mémoire dont le titre seul indique la tendance : *Les Actes des martyrs. Supplément aux Acta sincera de Dom Ruinart*, Paris, 1882. — Ces idées ont eu beaucoup trop d'écho dans le livre érudit de M. VIGNEAUX, *Essai sur l'histoire de la praefectura Urbis à Rome*, Paris, 1896. Voici son appréciation sur les Passions romaines : " Ce ne sont là malheureusement que des sources " souvent troublées, et l'on sait combien cette littérature des hagiographes " éveille les suspicions légitimes de la critique. Certaines pièces cependant sont " authentiques, d'autres basées du moins sur d'anciens Actes sincères, " (p. 134).

général — sauf à discuter les cas particuliers — une valeur relative à la topographie des plus anciennes légendes romaines.

Mais pour arriver à la solution de la question qui nous occupe spécialement dans ce travail, il faut nécessairement distinguer deux classes de *loca martyrum*.

Au moment où écrivaient nos pieux romanciers, il y avait un certain nombre d'endroits auquel le souvenir de saints bien déterminés était attaché d'une façon sensible par des monuments qui frappaient les yeux de tous. C'étaient les tombeaux des martyrs, ornés de marbres et de peintures, au-dessus desquels s'élevait souvent une basilique. Le peuple romain les visitait assidûment, et les montrait aux étrangers avec plus d'orgueil que les monuments de l'antiquité. Au milieu de ces souvenirs si apparents et si vivants, il était d'autant plus impossible au rédacteur de la légende d'un saint de se tromper sur le lieu de sa sépulture et le centre de son culte, que c'était vraisemblablement dans les sanctuaires eux-mêmes que se composait la légende. Le clerc Théodore, arrivant de Constantinople à Rome, trouva la légende de Ste Anastasie ἐν τῇ οἰκίᾳ τῆς ἁγίας Ἀναστασίας, et la fit traduire en grec pour la rapporter dans son pays (1). On conçoit donc que les indications concernant la sépulture des martyrs soient généralement vérifiées par les sources authentiques, et en particulier par les découvertes archéologiques. Mais il ne faut pas s'y tromper, cette circonstance ne suffit nullement à donner à l'ensemble d'une pièce une autorité historique quelconque.

Il y a, dans les Actes romains, une autre classe de renseignements topographiques à propos desquels la question se complique. Ces indications peuvent être considérées en elles-mêmes, ou dans les rapports qu'elles ont avec les martyrs. Ainsi, par exemple, l'existence du temple de Mars sur la voie Appienne, en dehors de la porte Capène, si souvent cité dans les Actes, est hors de doute. Il faut en chercher l'emplacement aux environs de la porte actuelle de S. Sébastien. Mais quelle garantie avons-nous pour admettre que les scènes de sacrifices décrites par les hagiographes s'y soient passées en réalité? Il n'y avait en cet endroit aucun monument rappelant les martyrs, et tout porte à croire que la mémoire du peuple n'en gardait aucun souvenir précis. Tout ce que l'on peut admettre, c'est que le temple de Mars avait laissé dans les esprits l'impression d'un foyer intense d'idolâtrie. C'était probablement un des endroits préférés du culte populaire, un des sanctuaires que respecta le plus longtemps le flot montant de la réac-

---

(1) Dans le manuscrit de Paris 1451, et dans d'autres encore, le texte grec de la Passion de Ste Anastasie est suivi d'une note de Théodore qui nous renseigne sur ce fait. USENER, *Beiträge zur Legendenliteratur*, JAHRBÜCHER FÜR PROTESTANTISCHE THEOLOGIE, t. XIII, p. 245.

tion chrétienne. Il était naturel que les auteurs de nos légendes fissent de ce temple le théâtre des scènes d'idolâtrie qu'ils avaient à dépeindre.

Appliquons ceci aux indications topographiques qui font l'objet de cette étude.

En ce qui concerne le lieu du supplice de nos martyrs, on peut affirmer que, sauf certains cas exceptionnels, on n'avait gardé aucune tradition particulière. Toute la dévotion des fidèles se concentrait autour du tombeau, et devant ce souvenir sensible, tous les autres s'effaçaient promptement. Ainsi, il est historiquement constaté que des martyrs ont souffert la mort dans les jardins de Néron. Le peuple n'en a point conservé la mémoire. Le pape Damase, qui a certainement pu apprendre du bourreau même des SS. Pierre et Marcellin, l'endroit précis de leur martyre, semble ne pas s'en être préoccupé; il s'est contenté d'orner leur tombe d'une inscription monumentale (1).

Ce ne sont point là des faits isolés. Une lecture rapide des Passions romaines fera comprendre que la règle est générale. Aucune vénération spéciale n'avait consacré les endroits arrosés du sang des martyrs; et après peu d'années, personne n'était plus en mesure de les désigner. Les hagiographes sont si peu renseignés sur ce point que souvent ils n'indiquent point le lieu du supplice; ou bien, ils font mourir leur héros dans un lieu qui rehausse l'éclat de son martyre, au cirque, au forum, à l'amphithéâtre; ou, ce qui est plus fréquent et trahit le procédé, ils font coïncider le lieu du supplice avec l'emplacement du cimetière où ils sont enterrés, ou d'un cimetière voisin. Le bourreau conduit le martyr, ordinairement à la distance moyenne des cimetières suburbains; quelquefois, on lui fait faire, pour marcher au supplice, un trajet invraisemblable, comme aux SS. Abundius et Abundantius que l'on entraîna jusqu'au XIVᵉ mille de la voie Flaminienne où ils furent décapités (2).

D'après cela, nous ne sommes pas autorisés à admettre, uniquement d'après le témoignage de nos hagiographes, que tel martyr a souffert le dernier supplice dans l'amphithéâtre. Le plus grandiose des monuments de Rome, où tant de sang avait été versé, devait avant tout attirer l'attention de ceux qui mettaient en scène la mort héroïque des martyrs. Je ne veux pas nier qu'il y ait eu des martyrs de l'amphithéâtre Flavien; mais nous ne savons pas non plus s'il y en a eu, et en tout cas, leurs noms nous sont inconnus. Comme la plupart du temps les auteurs des légendes ignoraient jusqu'au genre de mort des martyrs, il est possible que plusieurs de ceux qu'ils font périr par le glaive aient été en réalité dévorés par les bêtes de l'amphithéâtre, et réciproquement.

(1) Ibid., *Damasi epigrammata*, n. 29. — (2) *Act. SS.*, Sept. t. V, p. 301.

La statue du Soleil par son caractère idolâtrique, ses proportions et sa situation dans le voisinage de l'amphithéâtre, devait doublement solliciter nos pieux romanciers. Je crains fort que ce ne soit par un caprice de leur imagination que les SS. Abdon et Sennen ont été suppliciés en cet endroit. Sans vouloir transformer en argument décisif un simple indice, nous ferons remarquer que leur sépulture sur la voie de Porto, si éloignée de ces parages, n'est point pour affaiblir nos doutes. Il semble qu'un des cimetières de la voie Appienne fût le lieu tout désigné.

Nous ignorons ce qu'il faut entendre par la *petra scelerata*. Mais en supposant l'existence d'une pierre ainsi dénommée dans le langage populaire, on ne saurait admettre qu'une tradition sérieuse la rattache aux martyrs.

L'endroit le plus fréquemment désigné dans les Actes, est le quartier de Tellus, et comme on l'a vu, il cadre parfaitement avec les scènes de jugement et de torture qui forment le fond principal de ces récits. Pourtant, ici encore le lien historique qui relie la donnée topographique à la personnalité de tel ou tel martyr, est tout aussi lâche que dans les cas précédents. Une tradition conservant le souvenir précis du lieu du jugement est encore plus difficile à admettre que celle qui concernerait le lieu du supplice (1). Et, en réalité, on constate qu'ici les auteurs de nos légendes procèdent avec beaucoup de liberté. Non seulement ils transportent le tribunal du préfet en divers points de la ville, — ce qui, du reste, ne manque pas de vraisemblance, — mais ils le placent parfois à des endroits où jamais un juge n'a siégé, par exemple, dans la prison Mamertine (2). Quoi qu'il en soit, à moins d'admettre que tous les chrétiens qui ont été condamnés à Rome, ont été jugés par le *praefectus Urbi*, et que tous les jugements ont été prononcés dans les locaux de la préfecture, on ne saurait compter avec certitude le *in Tellure* parmi les *loca martyrum*.

La localisation d'un si grand nombre de procès dans cet endroit s'explique par le fait, qu'au moment où se rédigeaient les Actes, la préfecture urbaine subsistait toujours. C'était le lieu par excellence où se prononçaient les sentences. Lorsque sera terminé le vaste palais de

(1) M. Vigneaux, *Essai sur l'hist. de la praefectura Urbis*, p. 125, s'est servi des Actes romains pour localiser la préfecture à une époque déterminée : " Sous les „ Antonins ou dans les premières années de Marc-Aurèle, l'auditoire des préfets „ devait être situé au forum d'Auguste. C'est bien cette place, en effet, que désigne „ la Passion de Sᵗᵉ Félicité et de ses enfants. „ Ni la chronologie de cette pièce, ni les renseignements topographiques, dans les limites que nous avons indiquées, ne peuvent être acceptées avec confiance. — (2) *Sapricius praefectus tribunal sibi praeparari jussit in loco qui dicitur privata Mamertini. (Acta S. Stephani*, n. 16).

justice qui, en ce moment, s'élève lentement sur la rive droite du Tibre, personne ne songera plus qu'il fut un temps où la Cour d'assises de Rome siégeait dans un couvent d'oratoriens. C'est ainsi qu'au V⁰ siècle la pensée se portait tout naturellement au palais de justice d'alors, situé *in Tellure.* D'ailleurs, avec son appareil de torture qui s'étalait au-dessus des *fauces Suburae,* ce dut être un des endroits de Rome dont le peuple retint le plus longtemps le souvenir et bien des années après sa disparition, le nom seul de *in Tellure* dut continuer d'évoquer des souvenirs de sang et de mort, quelque chose comme la place de Grève à Paris.

On trouvera une confirmation de ce que nous venons de dire, dans la Passion de S. Corneille, écrite à la fin du V⁰ siècle. Contrairement aux données historiques concernant ce pape (1), elle le fait revenir de son exil de Centumcellae, et juger à Rome par l'empereur Dèce. Le narrateur a voulu donner de la vraisemblance au récit du martyre de Corneille et de sa comparution devant l'empereur, en mettant la scène de la condamnation *in Tellude.* Dans le cas présent nous pouvons constater qu'il a inventé. Dans d'autres cas, il faut se contenter de dire que les hagiographes ont deviné. Plusieurs fois, ils doivent avoir deviné juste ; mais, je le répète, ils n'ont fait que deviner.

Les Actes de S. Sebastien semblent, au premier abord, contenir des matériaux qui échappent à la règle générale. L'Hippodrome du palais, l'escalier d'Héliogabale, tout un ensemble de détails topographiques fort satisfaisants, n'appartiennent pas à la classe des lieux communs de l'hagiographie romaine, et ils paraissent si bien d'accord avec la réalité historique que l'on est tenté d'admettre ici une antique tradition. D'autant plus qu'un sanctuaire élevé de bonne heure au Palatin, et consacré à S. Sébastien, fixe vraisemblablement en cet endroit le lieu de son martyre.

Ce qui paraît hors de doute, c'est que les Actes de S. Sébastien ont été écrits en présence des monuments. Mais rien ne me dit qu'ils forment une exception dans la série des Passions romaines et qu'un document antique leur ait servi de source. Bien au contraire, ils portent dans presque toutes leurs parties, plus encore que d'autres Actes romains, la marque d'une œuvre d'imagination. Que le rédacteur ait songé à mettre la scène du drame sur le Palatin et dans les environs, cela s'explique par la circonstance que S. Sébastien, selon lui, appartenait à la garde palatine. Mais on sait quel fond il faut faire sur ces qualifications. Dans la légende de S. Laurent, S. Hippolyte est aussi transformé en soldat, et les SS. Nérée et Achillée, dont Damase dit

(1) Duchesne, *Liber pontif.,* t. I, p. xcvi.

expressément qu'ils appartenaient à la milice, *militiae nomen dederant*, deviennent dans la Passion deux eunuques au service de Domitille. J'admettrais donc, ici encore, que les formules topographiques des Actes de S. Sébastien ont une valeur absolue réelle ; mais leur relation avec le martyr est sujette à caution.

On apporte comme argument, en faveur d'une tradition immémoriale, l'antique église de Saint-Sébastien in Pallara. Il faudrait prouver qu'elle ne doit point son titre précisément aux indications de nos Actes. Dans des temps plus rapprochés de nous, des traditions dépourvues de toute valeur historique ont fait surgir des monuments, comme le « tempietto » de Bramante, sur le Janicule, au lieu où S. Pierre aurait été crucifié. Ce pourrait bien être le cas de S. Sébastien in Pallara. Et encore. L'explication paraît bien plus simple. Ce n'est qu'à partir du XIe siècle qu'apparaît le vocable de S. Sébastien, réuni à celui de S. Zoticus (1). Primitivement, l'église semble avoir été dédiée à la Ste Vierge (2). Il n'est pas invraisemblable qu'une tradition relative à S. Sébastien n'a été pour rien dans la fondation de cette église. Plus tard, les idées propagées par la légende y auront transporté son culte, et peu à peu, le nom du saint populaire aura supplanté l'antique vocable (3).

Ceci nous amène à dire un mot de quelques autres églises, qui dans les divers endroits que nous avons parcourus avec le lecteur, auraient consacré le souvenir des martyrs.

Il y a d'abord l'église appelée dans le catalogue de Turin *S. Salvatoris in Ludo* (4), et que d'autres textes nomment *S. Salvatoris in Tellure, in Tellumine* (5). M. Lanciani est d'avis que ce sanctuaire fut bâti en mémoire des martyrs qui ont confessé la foi devant le préfet de Rome, *in Tellure*. Il croit même avoir vu les restes de la construction, lors des travaux exécutés pour le percement de la Via Cavour, et pense pouvoir en tirer parti pour déterminer avec plus de précision la position de la préfecture (6).

(1) E. STEVENSON. *Il Cimitero di Zotico* (Modena, 1876), p. 72. — (2) DE ROSSI, *Bullettino di arch. crist.*, 1867, p. 15-16 ; 1869, p. 7 ; 1878, p. 53 ; 1884-85, p. 143. ARMELLINI, *Le Chiese di Roma*, 2e éd., 1891, p. 524. — (3) A l'occasion de la restauration de l'église Saint-Sébastien, sous Urbain VIII, des mémoires furent demandés aux archéologues de l'époque, au sujet de l'origine du sanctuaire. Le texte de plusieurs de ces mémoires a été publié par P. A. UCCELLI, *La Chiesa di S. Sebastiano m. sul colle Palatino e Urbano VIII P. M.* s. l. a. 112 pp. On y trouve bien des choses contestables. Mais il est intéressant de savoir que l'on n'était pas unanime à voir dans l'église Saint-Sébastien un monument élevé au lieu de son supplice. Voir par ex. le mémoire de LONGO, p. 56-61. — (4) ARMELLINI, *Le Chiese di Roma*, 2e éd., 1891, p. 54. — (5) Voir les textes dans HUELSEN, *Vierter Jahresbericht ueber Topographie der Stadt Rom*, MITTHEILUNGEN DES K. D. ARCHAEOL. INSTITUTS, t. VIII (1893), p. 301. — (6) LANCIANI, *Gli Edificii della prefettura urbana*, BULLETTINO COMUNALE, 1892, p. 33-34.

Mais outre que la forme primitive du nom semble n'avoir été ni *in Tellude*, ni surtout *in Tellure*, la vraie situation de l'église *S. Salvatoris in Ludo* exclut toute idée de relation avec l'antique préfecture urbaine. Elle se trouvait, non point du côté des Carinae et du temple de Tellus, mais entre le Palatin et le Capitole, entre Saint-Théodore et la Consolazione. Après la destruction de cette église, dont il n'y a plus de trace dans les documents après les premières années du XVIe siècle, le nom de *S. Salvatoris in Tellure* est donné à l'église connue d'abord sous le nom de *S. Salvatoris de tribus ymaginibus*, vis-à-vis de Saint-Pierre-aux-liens. L'origine de cette dénomination nouvelle (1) n'est pas difficile à expliquer. Ce sont les érudits du XVIe siècle, qui, en attirant l'attention sur la vraie situation du temple de Tellus, ont fait passer de l'autre côté du Forum le nom de *S. Salvatoris in Tellude* (2). L'église voisine de S. Pantaléon *in tribus foris* a reçu vers la même époque un surnom identique auquel on n'avait jamais songé auparavant. Au lieu d'un titre traditionnel, nous n'avons donc qu'une combinaison purement artificielle, sans aucun rapport avec les martyrs, et qui ne saurait par conséquent fournir un indice sur le véritable emplacement de la préfecture.

Pas très loin de là on voit encore, près de la Via Alessandrina, la petite église de S. Maria *de arcu aureo* ou bien *in macello*, et encore *in macello martyrum*. Armellini prétend, sans indiquer sa source, que cette dernière dénomination remonte au moins jusqu'au XIIe siècle (3), et semble dire qu'elle est fondée sur le voisinage des lieux sanctifiés par les martyrs. L'origine qu'il donne au nom *in macello* suffit à montrer toute l'invraisemblance de son explication : « La denominazione *in macello* » le proviene da un anticho mercato adiacente alla chiesa nel campo » Torrechiano. » Le cas est analogue à celui de S. Vito, qui reçut son nom du *macellum Liviae*, et fut successivement appelé S. Vito *in macello*, S. Vito *in macello martyrum* (5). La succession des vocables s'explique très simplement sans qu'il soit nécessaire de recourir à une tradition concernant les martyrs. *In macello* est une simple dénomination topographique. Mais le peuple habitué à christianiser tous les anciens souvenirs, et nourri de la lecture des scènes de carnage racontées dans les Passions des protecteurs de Rome, a tout naturellement associé l'idée du supplice des martyrs à celle de boucherie.

(1) M. Huelsen, l. c., p. 302, la trouve pour la première fois dans l'édition de la *Urbis Romae topographia* de Marliani par Ferrucci, Venetiis, 1588. — (2) Sur tout ceci, voir Huelsen, l. c., p. 301-302. — (3) Armellini, *Le Chiese di Roma*, ed. 2, 1891, p. 171. — (4) Venuti-Piale, *Descrizione topografica delle antichita di Roma* (Roma, 1824), t. I, p. 211. — (5) S'il faut en croire quelques auteurs, l'église de S. Salvatore in Terrione, dont on voit l'abside dans la via del s. Uffizio, aurait également porté le nom de S. Salvatore in Macello, et on y aurait conservé, comme à S. Vito, une *petra scelerata*. Piazza, *Efemeride Vaticane*, p. 736, Torrigio, *Grotte Vaticane*, p. 512; Armellini, *op. cit.*, p. 765.

Il est fait mention, dans le catalogue dressé sous Pie V, d'une église *SS. Abdon e Sennen al Coliseo*. Dans le catalogue de Turin, il n'y a que le nom du sanctuaire *ecclesia SS. Abdon et Sennen* (1). Sa position est indiquée vaguement, et on ne saurait admettre, sans preuves, qu'elle ait été située près de la base du colosse, où les saints auraient subi le martyre ; d'autant que cette base doit être restée invisible durant une grande partie du moyen âge. Ce n'est que dans les fouilles de 1828 que les restes en sont venus au jour (2). Certainement, l'existence d'une église des SS. Abdon et Sennen au lieu présumé de leur martyre, ou dans les environs, n'est point fortuite. Mais il est probable que la lecture des Actes aura suggéré la pensée d'honorer leur mémoire précisément en cet endroit.

Les textes que nous venons de commenter et les monuments qui s'y rapportent, appartiennent à une classe de documents étroitement apparentés entre eux, et il a été possible de les considérer en groupe. Les Actes de S. Ignace doivent être examinés à part.

S. Ignace est considéré comme le plus illustre des martyrs de l'amphithéâtre, et son supplice dans l'arène du Colisée est regardé comme un fait au-dessus de toute contestation. Une cérémonie mémorable, qui eut lieu en 1868, devint comme la consécration de cette croyance. Les reliques du saint furent processionnellement portées de la basilique de S. Clément jusqu'à l'amphithéâtre, et déposées un instant, au milieu des chants et des prières, à l'endroit désigné comme le lieu du triomphe du grand martyr (3).

Les Actes de S. Ignace dans leur différentes formes sont des documents d'une valeur intrinsèque fort inégale. La pièce que l'on désigne sous le nom d'Actes romains n'est qu'une compilation légendaire, dont on peut s'abstenir de tenir compte. Les Actes d'Antioche sont certainement d'époque tardive, mais composés avec de meilleurs matériaux que les précédents. Il n'est pas improbable que, sur quelques points du moins, ils soient tributaires de la source citée par Evagrius, sous le nom de *Iohannes rhetor*. Mais nous n'avons pas à reprendre la critique de ces pièces, qui a été faite avec tant de sagacité par Lightfoot (4). Nous devons nous expliquer sur l'origine probable de la tradition qui fait mourir le saint dans l'amphithéâtre Flavien.

Ici toutes les sources paraissent unanimes. Je n'insiste pas sur l'expression de S. Jean Chrysostome ἐν μέσῳ τῷ θεάτρῳ, qui prise à la lettre ne s'appliquerait point au Colisée ; ne rappelons pas même qu'il y

---

(1) ARMELLINI, *op. cit.*, p. 523. — (2) Plus haut, p. 229. — (3) J. MULLOOLY, *S. Clement und his basilica in Rome*, 2ᵉ édit., Rome, 1873, p. 411-19. — (4) LIGHTFOOT, *The apostolic Fathers*, part. II, vol. II, sect. 1, p. 363-472. Cf. FUNK, *Theologische Quartalschrift*, 1884, p. 484-490 ; 1886, p. 678.

avait à Rome plus d'un amphithéâtre, et que ni les Actes, ni Evagrius ne précisent. Tous entendent parler du plus célèbre des lieux de spectacle de Rome. Avait-on à ce sujet un document ou une tradition antique? Il est permis d'en douter.

Le plus ancien de nos témoignages, et le plus circonstancié aussi, est celui de S. Jean Chrysostome. Or, la peinture qu'il fait des derniers moments du martyr n'a pas seulement le caractère fortement prononcé d'un développement oratoire; la source s'y trouve mentionnée de la façon la plus expresse. C'est l'épître de S. Ignace aux Romains : Πόθεν τοῦτο δῆλον; ἀπὸ τῶν ῥημάτων ὧν ἀποθνήσκειν μέλλων ἐφθέγξατο. Ἀκούσας γὰρ ὅτι οὗτος αὐτὸν τῆς τιμωρίας ὁ τρόπος μένει ... S. Ignace était condamné à être livré aux bêtes; on sait avec quelle ardeur il désirait son sacrifice et en quels termes enflammés il en parle dans la lettre aux Romains. S. Jean Chrysostome n'en a point su davantage. Mais que fallait-il de plus à l'orateur pour avoir le droit de dépeindre la foule réunie à l'amphithéâtre, et les bêtes se jetant sur le martyr? Il n'a probablement pas pensé à l'amphithéâtre Flavien, qu'il ne connaissait point, peut-être; et ces mots ἐν μέσῳ τῷ θεάτρῳ, désignent sans doute, dans sa pensée, l'arène en général.

Je serais disposé à admettre la même source pour les trois autres textes qui parlent de l'amphithéâtre. Le plus précis des trois, celui d'Evagrius, est encore bien vague. La lecture de l'épître aux Romains devait nécessairement donner l'idée d'un spectacle qui, à Constantinople(1) et dans beaucoup de villes d'Orient, se serait passé à l'amphithéâtre. Comme tout donne à croire que dès le quatrième siècle, il n'existait aucun document ni aucune tradition sur le supplice de l'illustre martyr, l'expression ἐν τῷ τῆς Ῥώμης ἀμφιθεάτρῳ n'a aucune valeur historique ni topographique, et doit être regardée comme à peu près équivalente à cette formule vague que l'on pourrait employer de nos jours : « L'exécution a eu lieu sur une des places publiques de la capitale. »

Ce que nous venons de dire ne revient pas à nier le martyre de S. Ignace dans l'arène du Colisée; il y a des probabilités pour l'admettre, et si nous étions mieux fixés sur les problèmes de chronologie qui se rattachent à son histoire, on oserait les accentuer, sans arriver pourtant à une affirmation catégorique. L'absence de toute tradition à ce sujet, et la possibilité de localiser en d'autres endroits de Rome un supplice par les bêtes, ne permettra jamais de dépasser les limites de la conjecture.

(1) Sur les exécutions dans l'amphithéâtre de Constantinople, voir le mémoire de C. P. BOCK, *L'amphithéâtre de Constantinople*, BULLETINS DE L'ACADÉMIE ROYALE DE BELGIQUE, t. XV, 2 (1848), p. 426-62.

Reste à dire un mot de S. Télémaque (1) que l'on cite comme le
dernier des martyrs du Colisée. C'est à lui que revient l'honneur
d'avoir fait cesser, l'an 404, les combats de gladiateurs (2). Bien que le
fait ne soit rapporté que par Théodoret, et que quelques circonstances
puissent donner matière à discussion, aucune raison sérieuse n'a été
apportée pour révoquer en doute la substance de l'histoire. Mais se
passa t-il réellement dans l'enceinte du Colisée? Il n'est pas même
permis de l'inférer des paroles de Théodoret : εἰς τὸ στάδιον, dit-il.
Admettons qu'il ne faille pas les prendre à la lettre. Il restera
alors que l'historien était ou mal renseigné ou qu'il a parlé incor-
rectement ; et ce n'est que par conjecture que nous transportons dans
l'amphithéâtre un fait qu'il place dans le stade. A quel point pareille
conjecture est-elle légitime? Nous nous sommes suffisamment expliqué
là dessus.

(1) TILLEMONT, *Histoire des empereurs*, t. V, p. 805-806, note XVIII sur Honorius,
montre qu'il faut le distinguer d'un S. Almachius, honoré comme lui le premier
janvier. — (2) Voir DE ROSSI, *Bullettino di archeol. crist.*, 1867, p. 87.

S. STANISLAI KOSTKAE

conscripta a P. Urbano Ubaldini, S. I.

(Continuatur. Vide t. XV, p. 285-315.)

Caput octavum

De illustribus miraculis, quibus beatum Stanislaum honoravit Deus.

Nicolaus Cichovius in suo *Tribunali SS. Patrum orientalium* testatur : " Cum totam Terraturgiam decurrissem, non inveni per „ omnes sanctos Pieczanienses, — quamquam ego non eis, sed „ Beatissimae Virginis imagini acceptum refero, si quid ibi praeter-„ naturale accidit, — tot indulta hominibus beneficia, quot Deum „ precibus beati Stanislai Kostkae contulisse in solo Leopolitano et „ Lublinensi processu legitur. „ Vera scripsisse celebrem hunc theologum evincit exercitus prodigiorum beati, non ille quidem integer, sed in minores divisus turmas, ut repraesentet aciem ordinatam, usui aptiorem sine confuso multitudinis onere.

§ 1. Reliquiae beati Stanislai et flores illi attacti variis et gravibus morbis medentur.

Ut ab eo, qui pro cultu beati Stanislai apud Sedem Sanctam Apostolicam institit, illustrissimo Andrea de Bnin Opolanski, episcopo Posnaniensi, ordiamur, in ipsius aula aulicus et thesaurarius Ioannes Zadorski sub tempus comitiorum generalium Varsaviae in gravem morbum diversis casibus plenum incidit; in quo post duas septimanas, alias validis viribus sanus, ita debilitatus est, ut illi medici ne regii quidem, quos sollicita domini sui cura, tanquam de carissimo sibi famulo, omnem laborem suscipere compulerat, mederi possent. Iam et loquelam amiserat et morientis signa omnia comparuerant. Et cum, recedentibus medicis, omnes de ipsius vita desperassent, quod iam agonizare inciperet, sacramentis munitus ante, instinctu **5** absque dubio divino illustrissimus episcopus insimul cum aliquibus ecclesiasticis commendare infirmum beato Stanislao coepit, voto pro agonisante concepto, et acceptam reliquiam beati supra pectus morientis posuit. Res miranda, statim os infirmus aperuit, loqui coepit statimque cibum, quem ab aliquot diebus ante abhorruerat, **10** postulavit, atque sic convalescens celeriter saluti integre restitutus. Hoc testantur in Posnan. proc. testis 3, fol. 38, et testis 58, fol. 89, presbyter canonicus uterque, de visu uterque. Hoc idem affirmat testis 20 in Leopoliensi particulari. Hoc ipsiusmet episcopi testimonium dicit, in Posnan., fol. 38, productum anno 1622. Quod et alteri de eiusdem **15** episcopi aula evenisse moribundo post attactum reliquiae recenset oculatus testis in Posnan., fol. 38 a tergo, et medicus, fol. 11 a tergo.

Nobilis Carolus Wilczogorski adeo gravi morbo confectus fuit per annum et amplius, ut nulla spes salutis illius humanitus loquendo superesset. Ulcus aliquod magnum in renibus intus natum fuerat ex **20** vulnere ab acuto calculo, quem patiebatur; cuius signum habebatur pus cum sanguine aliquando insimul copioso. Haec purulenta materia adeo cum ingenti dolore diffluebat, ut a se frequenter recederet adeoque exinde graviter aruit, ut vix cutis haereret ossibus; at debilitas tanta, ut illi usum membrorum in corpore adimeret; si allevaretur, **25** deliquium patiebatur, ideoque per octo septimanas non moveri debuit meo imperio, ait medicus. Terminum itaque suum assequebatur, quod ego, ait ille, ex multis signis conieci; iam corpus frigescere, pulsus vix cognosci, sudor erumpere frigidus incipiebat, os et oculi ita hebetati, ut nec videre quempiam, nec loqui, nec audire **30** alloquentes posset, et alia signa probata mortis, in facie, naribus, pedibus apparuerant. Tales tenebrae oculis illius irrepserant, ut nec plures candelas accensas, nec eam, quam consecratam tenebat in manibus, videre posset, et conaretur manu oculos detergere, ut quidpiam videret; nec ego amplius quidquam reperiebam, quod prodesset, **35** cum nulla iam medicamenta, quibus antea feliciter utebatur, natura susciperet. Iam litanias et commendationem animae recitare inceperant, quando frater ipsius maior natu votum pro illo fecit ad beatum Stanislaum et reliquia beati illi superposita. (Alii testes asserunt ipsi post communionem ablutionem ossis beati.) Statim oculos, qui iam **40** obtenebrati fuerant, aperuit primo, et post respirans clare et diserte haec verba loqui coepit : " O Deus, ubi fui? quid mecum agitur? „ et convalescens rediit ad sanitatem. Hoc totum deposuit in actis con-

sistorialibus medicus in Posnan., fol. 113, consul Posnan., fol. 57 a
tergo, sacerdos in Leopol., fol. 53, sacerdos in Cracov., fol. 125, de
visu.

P. Stanislaus Broniewski, rector collegii Societatis Iesu Iaroslaviensis, anno 1618 cum poesin doceret Leopoli, prae labore nimio
circa dialogum de beato Stanislao exhibendum incidit in febrim continuam et ex hac prae ardore nimio in apoplexiam, quae post con-
versa in lethargum, in quo tribus diebus quasi mortuus decubuit;
sensu nullo utebatur, licet pungeretur, ureretur, cruentaretur, ut in
talibus morbis fieri solet. Dum et medici et domestici omnes de vita
desperassent, ita ut extreme unctum Deo commendarent, P. Premislaus Rudnicki, tunc rector, votum ad beatum Stanislaum, flexis ad
lectum genibus, fecit. Infirmo vero tunc visum fuit se in aliquo tetro
carcere detineri rogareque Deum, ut se ex illo carcere liberaret. Et
ecce, P. Stanislaus Szumowski, minister collegii, infert reliquiam
beati in cubiculum lethargo oppressi, ad cuius ingressum quasi
radius solaris oculos infirmi percurrit, et cum quodam terrore, quasi
de somno experrectus, inquisivit, quod lumen esset, quod ipsi illuxit.
Responsum esse allatam reliquiam beati Stanislai. Quam ille osculatus pectori suo applicuit et statim lethargus plene abscessit, adeo
ut in crastinum de longo et gravi illo morbo fere duarum septimanarum se senserit ita convaluisse, ut cibos viles postularit sibi dari et
datos sapide comederit, et nisi vulnera, quae ex adustione passus
erat, impedissent, redire ad scholae labores potuisset. Hoc ipse de se
primo iuratus refert in Premisliensi, fol. 36, medicus in Leopol.,
fol. 212, et alter medicus, fol. 210; in Caliss. sacerdos qui reliquiam
tulit, fol. 22 et fol. 29, de visu.

P. Premislaus Rudnicki anno 1621, cum theologiam scholasticam
Posnaniae doceret, adeo acrem dolorem dentium passus, ut sibi a
phrenesi timeret. Dolor vero hic erat illi quasi ordinarius et naturalis
atque iam ideo duos evelli sibi fecerat, tertioque huic idem fieri ius-
serat; sed cum evelli non posset, fractus tantum a chirurgo magisque
gingivis inhaerens exulceratus ; unde et dolor accessit maior, et cum
et omnem somnum levaret, apparebat iam sibi compos non esse.
Cumque humanae vires occurrere non possent malo, P. Nicolaus
Lancicius dentem B. Stanislai, quem secum Roma apportatum
habuerat, ad locum morbidi dentis applicuit, statimque in eodem
momento cessavit dolor adeo perfecte, ut nunquam amplius rediret.
Quod attestatur ipse in Posnan., fol. 121, qui reliquiam applicuit; in
Cracov., fol. 99, in Leopol., fol. 58, fol. 60, de visu; in part. Leopol.
testis 6, fol. 96 a tergo.

Illmus et Rmus Mathias Petrokonski, episcopus Premisliensis, de
nocte repentino et periculoso morbo correptus, particula tumbae, in

qua conditum corpus beati fuerat, loco affecto admota, derepente
dolore cessante sanatus. Super quo testimonium manu sua subscriptum et sigillo munitum reliquit anno 1604, et exstat appensum ad
sepulcrum beati; et deposuit in Leopol. qui reliquiam dedit, fol. 47;
in Premisl., fol. 37.

Anno 1621 mense decembri Barii in Podolia, regni Poloniae provincia, Nicolaus Rogniero, serenissimi tunc principis Vladislai aulicus
et militiae praefectus, mensae cum commilitonibus accumbens, osse,
quod illi in gutture haeserat, acerbissime enecabatur, adeo ut praesentes de vita desperarent, cum nullo modo, quamvis ope chirurgorum adhibita, nec extrahi nec depelli de loco suo posset. Tussiebat
horrende et tussi suffocabatur usque fere ad mortem. Ac dum iam
livescere et viribus destitui coepisset, confessarium advocari fecit.
Interim qui tum illius loci superior Societatis fuerat, P. Andreas
Lavicius, abluta reliquia beati Stanislai vino, misit per eum qui confessarium advocaturus venerat, ut illud concitato in se dolore de
peccatis et fide de ope beati Stanislai experienda biberet. Quod ubi
fecit, os de gutture repente discessit. Quod ipsemet deponit in
Leopol., fol. 69, fol. 216; ibidem alius; in Posn., fol. 45; in Cracov.,
fol. 42.

. Idem sibi testatur anno 1625 evenisse virgo Hedvigis Maluzkowi-
cowna, quae osse piscis ex utraque parte acuto suffocabatur absque
ullo remedio. Sed ubi reliquia beati Stanislai collo ipsius apposita,
ex nunc os exsiluit. In Leopol., fol. 178, fol. 186, fol. 177, omnes
de visu.

Anno 1607 Calissii domus Petri Grabowski a daemone terricula-
mentis et inquiete infestabatur, non sine magna inhabitantium
molestia, quos variis temporibus varie proiectis lapidibus, lateribus,
lignis ac similibus impetebat. Post multa spiritualia remedia et exor-
cismos adhibitos a Patre Nicolao Ossinski, Soc. Iesu, qui et ipsemet
eiusmodi infestationes domi illius pertulit, cum nihil proficeret, illatam
reliquiam beati per noctemque detentam daemonium pati non potuit,
sed abscessit, nunquam post rediens et quietem domui restituit. Hoc
deponitur in Posnan., fol. 130, aliique duo de visu, fol. 64 a tergo et
fol. 126.

Petrus Ciemierzynski nobilissimae familiae in Russia iuvenis
annorum 13, dum studiis navaret operam in collegio Iaroslaviensi
anno 1606, a fratre suo in eadem domo et in eodem collegio litteris
incumbente incaute ludente ex sclopeto in media cervice traiectus,
adeo ut vestis statim flammam ex ictu conceperit. Hinc quamvis
chirurgus vulnus bene ligasset, tertia tamen post ictum nocte sanguis
prorupit adeo abundanter, ut sisti ab eodem chirurgo nequaquam
posset. Nam et ossa fracta ex utraque parte apparebant. Accessit ad

haec febris continua et mortalis, atque sic et medicus spem de eius
vita amisit, et deliquia continua, quae patiebatur, non immerito periculum minabantur. Admonitus sacramenta ad iter vitae alterius
suscepit. Interim visitatus a Patribus eiusdem collegii, cum reli-
5 quiam beati Stanislai cum eiusdem imagine impositam recepisset
votumque ad eundem concepisset, ex nunc cum admiratione praesentium sanguis stetit, febris abiit, somnus, qualem antea habere non
poterat, occupavit, brevique integre convaluit. Hoc duo testes de visu
in Premisl., fol. 39, fol. 56, fol. 94, testantur, et producitur instrumen-
10 tum publicum factum super ea re.

Ita in morbo gravi a medicis desperatus Mathias Hayder, consul
Leopoliensis, per applicationem reliquiae beati se sanatum testatur in
Leopol. part., fol. 115. Ita illustriss. Anna de Sztemberg, ducissa
Ostrogiensis, in periculo partus constituta reliquia beati pectori
15 admota levatam se doloribus et feliciter enixam dixit in Premisl.,
fol. 80; in Leopol., fol. 47. Ita Constantinum, filium ducis Zasloviensis,
moribundum, reliquia beati attactum, morbus reliquit, ut testatur
sacerdos in Premisl., fol. 37. Ita Andreas braxator in ferventis cere-
visiae cadum lapsus, cute liquefacta moribundus, reliquiam beati
20 osculatus, voto facto, convaluit, ut ait ipse in Posnan., fol. 94, fol. 79
a tergo, fol. 46 a tergo. Ita filium suum de peste suspectum in morbo
et iam moribundum reliquia beati apposita statim sanatum testatur
mater in Leopol., fol. 184. Ita infantem febri in cunis diuturna pro-
stratum, posita super illum reliquia beati, repente referunt in Premis-
25 liens., fol. 36, fol. 65, testes de visu.

Ita Ioannes Skuvara nimio ferri pondere fractus, ter lateri applicata reliquia beati sanatus, ut dicit instrumentum publicum productum in Premisl., fol. 167, et ipse fol. 98, ubi narrat etiam beatum
sibi apparuisse. Ita Adelbertum Serafinowicz, oleo sacro extreme
30 unctum, animam agentem, apposita reliquia beati ita statim sanatum,
ut consurgens instrumentum musicum tangeret in gratiarum actionem, refert fidei probatae sacerdos in Leopol., fol. 49, de visu. Ita
nobilis Kliszewska sensibus in morbo destituta, attacta reliquia beati,
se sanatam testatur ipsa in Premisl., fol. 129, et ducissa de visu,
35 fol. 82. Ita Ursulam triennem ab epileptico morbo, attactu reliquiae,
mater in Leopol., fol. 134, pater fol. 76. Ita duodecim septimanarum
Stanislaum per dies quinque simili morbo afflictum, supposita capiti
reliquia, eadem nocte sanatum mater in Leopol. part., fol. in alio
Leopol., fol. 91, medicus fol. 215, de visu referunt. Ita dux Zaslaviensis
40 aliquot annis infirmus, applicata ad cor reliquia beati, prout et de
aliis pluribus dicit testis 21 in Leopol. part., fol. 96, et in Sendom.
testes duo n. 1. Ita Hedwigem Wulfowiczownam febri maligna periculose afflictam vino, in quo reliquia beati abluta fuit, epoto sana-

tam narrat sacerdos in Leopol. part., testis 7. Ita se in genu de casu
fracto attactu reliquiae beati sanatum fatetur testis 10 in Leopol.
part., fol. 131 a tergo. Ita illmum Kuczborski, castellanum Sierpcensem,
pedum dolore afflictum eodem attactu reliquiae sanatum testis 13 in
Leopol. part., fol. 157, de visu asserit. Ita se convaluisse a morbo 5
colico testis 15 in Leopol. part. Ita Romae Romulus vicarius, in uno
oculo videndi facultate paene amissa variisque remediis frustra
susceptis, facto ad sepulchrum beati voto, et particula de tumba, in qua
primo beatus sepultus fuit applicata, se sanatum sensit et suo testimonio comprobatum reliquit. Ita Mediolani Floida Hyacintha de 10
Spernozatis copiosissimi sanguinis repentino vomitu se suffocari sentiens, quam primum invocavit B. Stanislaum, cuius imaginem et reliquias in cubiculo habebat, eodem momento et profluvium sanguinis
destitisse et cum stupore adstantium se sanatam sensit. Ita alii
innumeri, qui prae multitudine tacentur. 15

Flores seu herbae e sepulchro beati Stanislai in Poloniam allati
post tantum in itinere temporis transacti et post diuturnitatem, qua
conservati, adeo recentes manserant, ut viderentur quasi modo
quidem e terra decerpti. Hos ex collegio Iaroslaviensi Soc. Iesu impetravit sibi dari et diu asservari a fratre suo curavit, et semper eundem 20
vigorem in eis, quoties attrectari contigit, vidit et testatus est archiepiscopus Leopoliensis ritus Armeni cum Ecclesia Romana unitus, in
Leop. part., fol. 46 a t. ad 39.

Illmus Nicolaus de Zurow Danielowicz, supremus regni Poloniae
thesaurarius, gravissimis podagrae doloribus vexatus in castro oppidi 25
sui, Uchanie dicti, adeo ut, cum vim et acerbitatem morbi ferre non
posset, frequentius inclamaret : " Occide, occide „, ad divina remedia
recurrendum ratus, qui praesens aderat P. Franciscus Phaenicius
Soc. Iesu florem rosaceum, quem secum Roma de sepulchro beati
tulerat; obtulit, ut eundem spe intercessionis et auxilii a beato Sta- 30
nislao ferendi sumeret. Sumpsit, et se voto audiendi missam commu-
nicandique in honorem beati obstrinxit, ac derepente somno correptus, ubi evigilasset, morbo se liberatum ita sensit, ut licet ante
saepissime eodem morbo affligeretur, post non amplius usque ad
mortem morbus recurreret. Quod miraculo ope beati facto adscribens, 35
testimonium manu sua subscriptum et sigillo munitum reliquit et
post productum in Premisl. a teste 9, fol. 44, et deposuit oculatus
testis qui florem obtulit, in Lublin., fol. 13.

Anno 1626 Ioannes Olszanowski annorum 11, nobilis Laurentii
Olszanowski filius, maligna eaque continua duarum septimanarum 40
febri iam fere exanimis, morti ab omnibus adiudicatus, medicamentis,
quae iam medicorum prohibitu dari desierant, non proficientibus.
Interim abbatissa monasterii Iaroslaviensis, Ordinis Sancti Benedicti,

in quo soror infirmi degebat, florem e sepulchro beati Roma ablatum
obtulit, ut contritum puer infirmus expotaret. Factum ex abbatissae
consilio; et iuvenis florem sumens, etiam chartam, qua flosculus
fuerat involutus, deosculatur, ac statim cibum sibi dari cum clamore
5 poposcit, anteaque viribus diuturnitate morbi exhaustus, ex nunc
feliciter convaluit. Hoc totum deposuit pueri pater in Premisl., fol. 87,
ipseque idem recognoscendum statuit, et alius fol. 126, alius fol. 82,
alius fol. 71.

Romae Clarici Camajanal, matronae honestissimae, pestilens car-
10 cinoma mamillam occupaverat, eamque gravissimo dolore et maximis
febribus repletam et ingenti tumore sine ullo gustu quietis ac spe
remedii relictam excruciabat; ast ubi ad sepulchrum beati accessit
eumque invocavit, ac flosculum ex sepulchro acceptum affectae
mamillae applicuisset, subito tumor ille disparere coepit, dolor ces-
15 savit, apostema evanuit. Alio tempore similem in altera mamilla
dolorem sentiens, applicato eodem flosculo, in eodem instante liberata,
et de utroque hoc beneficio testimonium iuratum reliquit.

Illud mirabile refertur ab eo, qui probavit in se, teste in Lubl.,
fol. 44, quod cum ante tempus frigorum Rossmanni frutices 400 ex
20 horto colligere non posset, quod vicinae suae peste infectae illum
multoties contrectassent, timens ne sic peste inficeretur, si eum atti-
gisset, damno non exiguo se obiecit; nam prae frigoribus arefactum,
marcidum, nigricans, virgarum cacumina iam demiserat. Interim spe et
voto ad beatum Stanislaum concepto aridam aliam Rosmanni vir-
25 gulam ex altari B. Stanislai accepit et illi, quod domi habuit, inter-
seruit, et tam haec quam omnes alii frutices refloruere ac reviruere.

Isabella octennis nobilium Thomae et Sophiae filia, morbo gravissimo adeo confecta fuit, ut plane iam semimortua decubuerit. Parens
de filiae malo maestus votum pro ea ad beatum fecit, floresque ex
30 altari ipsius acceptos domum allatos in pectore semimortuae repo-
nens addidit: " Surge et sis sana. „ Ad haec puella : " Sentio ecce, „
ait, " odores quosdam „; ac post quadrantem horae ita sanitati
restituta, ut quasi nunquam infirmata, sequenti die ad imaginem
beati praesentata sit. Hoc affirmant pater et mater in Lublin., fol. 4.
35 Sub tempus grassantis Leopoli gravissimae pestis Dorothea Aber-
manowa ulcus seu bubonem maximum in gutture passa, qui ita
linguam ex faucibus extrusit, ut ad medium collum pendens horrende
ex ore attingeret; quare refocillari nullo modo poterat nec cibo, nec
potu, nec somno, mortem tantum cum gravi dolore operiebatur; nam
40 et chirurgus peste infectus, qui ad medendum accesserat, tanto plus
timoris adiecit. Divinitus fere factum, ut apothecarius collegii illam
invisens flores de sepulchro beati Stanislai allatos afferret et expotan-
dos daret. Nam statim ulcus ruptum, sanies effluxit, dolor abscessit,

et brevi convaluit. Hoc testatur ipsa in Leopol., fol. 169, fol. 65, fol. 170.

Sub idem tempus contigit, ut quamvis infectam peste habuisset domum, omnes se salvarint sumentes flores beati, exceptis iis qui non sumpserant. Quod deponunt ibidem et in Leopol. partic., fol. 68, 5 fol. 776 a tergo, fol. 226 a tergo.

Hoc idem experta Eva Avissa Lublinensis, quae ex maligna febri amissa loquela, a medicis desperata animam agens, voto pro se ad beatum facto et floribus attactis reliquia eiusdem beati appositis, ita sanata, ut sequenti die incederet; in Lublin. ipsa et maritus, fol. 4.   10

Hoc Catharina annorum 11, civis Lublinensis filia, animam de peste agens, iam et cereum accensum tenens, floribus beati capiti suppositis et epotis, et bubonibus et morbo liberata in Lublin., fol. 9.

Hoc Ioannes infans mensium 6, ex raptationibus violentis animam agens, floribus beati superpositis repente sanatus, pluribus testibus in 15 Lublin. affirmantibus de visu, fol. 22.

Hoc R. D. Petrus Kaluski, concionator Brzezanensis, ex asthmate periculose laborans, sumptis floribus beati ex nunc convalescens in Leopol., fol. 62, fol. 196.

Hoc mille alii, qui brevitatis causa subticentur, experti; ita ut per 20 tot experientias admirabiles videatur illud vetustissimum et alias ab universo orbe probatissimum axioma in suo robore vacillare, quando per eiusmodi flores contra vim mortis crevit in amplissimis Poloniae regnis medicamentum in hortis.

§ 2. Mortui ad invocationem et vota ad B. Stanislaum   25
facta ad vitam revocati.

Anno 1622 Stanislaus annorum 10 circiter, Martini chirurgi et civis Posnaniensis haeretici filius, supra faciem fluvii congelati cum coaetaneis ludens ab uno illorum insolenter protrusus in foramen cavatum in glacie incidit et vi aquarum currentium abreptus, demersus et in 30 fundo per glaciem transparentem visus, discreto etiam colore vestium, qualis esset, ibidemque non parvo tempore sub glacie detentus, quasi per duorum stadiorum tractum ab aquis perlatus. Interim clamore exorto, multitudo concurrit variorum admirantium pariter et iuvare volentium, instrumentaque conquirentium et iam de vita illius actum 35 esse clamantium. Interim ubi spes nulla remaneret, adveniunt casu duo ex Patribus Societatis redeuntes ex loco recreationis, adhibitaque cura, ut iuvari posset, sed nullo alio subveniente, modo prostrati cum omnibus praesentibus in genua Deo commendare coeperunt votaque ad B. Stanislaum interponere, cuius opem celebrem iam in Polonia 40 experiebantur in diversis locis plurimi; cum ecce conspicitur ferri ab aquis per fundum canalis molendini rota alluentis resupinus lacero

naso, frustraque ut rotae molendini sisterentur conclamantibus, et
concurrentibus, una cum aqua sub rotam currentem proiectus, ac
iterum exinde emergens sub alias rotae molas devehitur, ultima con-
sistente a quodam extrahitur gelidus totus, lividus, oculis distortis,
5 manibus compressis, sensu omni destitutus, positusque in terram
resupinus. Adveniunt interim duo celebriores cives; quorum unus
medicus, cum pulsum diligenter explorasset, an in eo vitae quidpiam
superesset, sed nullo superstante signo, sententia quod non viveret
lata, abscessit. Tanto ergo instantius beato commendatur, et iterum
10 facie versus terram in trunco componitur, orantibus omnibus, cum
ecce derepente gemitum edit vitaeque restituitur. Calefactus post
simplicibus fomentis adhibitis, patri sanus restitutus. Cui ille, qui
haereticus fuerat, potestatem fecit fidem catholicam amplectendi;
quod ille una cum duabus sororibus fecit, et duobus annis supervivens
15 sancte dispositus obiit. Hoc testantur in Posnan., fol. 42 et fol. 30 a
tergo; in Cracov., fol. 77; in Premisl., fol. 64, omnes oculati.

Anno 1630 Stanislaus Wolfgangi et Annae, annorum 7, in civitate
Lublinensi sabbati die, quae in sextam iulii illius anni inciderat,
expeditus a matre una cum sorore puella annorum quatuor ad
20 hauriendam de puteo aquam. Supra quem dum se aliquantum incli-
nat cum vase, incidit capite in puteum supra staturam viri altum.
Casu fratris viso, puella nec dandi auxili compos, planctum acrem et
lamenta exorsa huc et illuc circa puteum cursitans iteransque cum
lacrimis: " Veni Stanislae, veni Stanislae! „ Per mediam horam puer
25 in puteo haesit, antequam veniret mater, quae circa poliendas herbas
in una horti parte, occupabatur distante a puteo stadii unius et
amplius spatio. Et quamvis sentiret fletum et clamorem filiae, non
tamen cucurrit, nec se loco movit, existimans, quod ideo puella fleret,
quod filius cerasa decerptum arborem ascendisset, et ipsa parvula
30 et annorum quatuor colligere et attingere eadem non posset, ideoque
fleret ac vociferaret. Et licet huius opinionis esset mater, atque ideo
occurrere tardaret, nihilominus, quia duravit fletus, irata accurrit
castigatura filium, qui occasionem tanti fletus parvulae, uti illa
credebat, dedisset. Accurrens invenit iam puellam raucam et
35 ploratu fatigatam; inquirit causam; dicit Stanislaum ingressum in
puteum et non velle egredi. Aspicit puteum et iam exanimem et
supernatantem videt, in vanasque voces et fletus prorumpens et ipsa
vicinos multitudinemque ad concursum concitavit. Extractus sine
ullo vitae signo, rigidus, gelidus, lividus, plenus in tantum aqua, ut
40 non viscera tantum sed et caput intumuisset, positus supra dolium,
capite deorsum inclinato, versatus partim in hanc, partim in illam
partem, ne unica tamen gutta, prout alias in talibus, qui necdum
plene suffocantur aqua, fieri solet, egressa. Duravit sic versatus multo-

tiens et rigidus hora una integra, postquam ex puteo fuisset extractus. Interim ad vesperam unus de studiosis collegii Lublinensis,
Augustinus Svievicius, accurrens ad puteum exclamat: " Offerte illum
B. Stanislao Kostka. „ Ad has voces risum ciere ceteri, quod remedium quasi inefficax pro eo qui iam mortuus erat adferat. Mater   5
genuflexa: " Succurre afflictae, succurre, beate Stanislae Kostka. „
ait. Ad voces extendit manum mortuus et intra brevissimum tempus
totum se movit, et post surrexit ac loqui coepit, non sine magna admiratione populi totius praesentis; tanto magis, quod cum totum corpus
aqua plenum vidisset, ne unicam tamen, nec ante, nec post guttam   10
effluxisse. Adductus est ad tribunal regni ibi celebrari soliti et prae-
sentatus. Quod examinari oculatos testes, praevio ab iis iuramento,
fecit in trium medicorum peritissimorum praesentia, quorum unus
catholicus, alter haereticus lutheranus, tertius fuerat calvinista; quorum, exauditis testium relationibus, sententias pono.   15

Et primo quidem, excellens et eximius D. Christophorus Falęcki,
philosophiae et medicinae doctor, publicus medicus, catholicus et
consul Lublinensis, in haec verba ait :

*Resuscitationem a morte praedicti pueruli divinitus factam et miracu-
losam esse, nemo ibit inficias. Si etenim naturae interpretes vera dicunt, a*   20
*privatione ad habitum non dari regressum, quomodo secundum demor-
tuum, ut ex testimoniis colligere licet, suadet imprimis ratio. Cum etenim
inspiratio et respiratio sit instrumentum vitae, nec absque hoc praeter
mulieres hystericas, uno quadrante praesertim homini vivere sit concessum, quod et experientia rerum magistra docuit in strangulatis et suffoca-*   25
*tis et auctoritas gravissimorum artis medicae peritorum, ut Rondeletius
in c. de suffocatis, Ludovici Mercati de respiratione impedita et abolita,
Plateri in enarratione historiae de submersis in aqua, et aliorum quam
plurimorum testatur ; quomodo fuit possibile, puerum vivere plus quam
mediam horam infixum luto et submersum aquis, extractum postea ex*   30
*iisdem exanimem, variis hinc inde plus quam per integram horam agi-
tatum motibus, gelidum, sine omni sensu et motu, sine quavis respiratione, artibus iam contractis, corpore toto livescente, omnibus signis
immo reipsa mortui, nullis viventis hominis adstipulantibus? Quem si
calor naturalis deseruit, si sensus et motus dereliquit, si spiritus omnes*   35
*evanuerunt, impossibile profecto fuit, deficiente naturali et animali
facultate, vitalem in ipso conservari. Ac proinde nihil aliud restat, nisi
ut concludamus idque firmiter teneamus pro officio christiani hominis, puerulum hunc vere mortuum divinitus ac miraculose revocatum
fuisse ad vitam, patrocinante B. Stanislao Kostka, cuius auxilium*   40
*devote mater defuncti implorabat votisque solemnibus stringere non
desiit.*

Iam vero, Vincentius Liscovitius medicus e secta Lutheri in haec

verba, quae etiam litteris consignata voluntarie libenterque tradidit,
testatus est :

*Requisitus ab illustri iudicio tribunalitio Lublinensi regni, an puer
quidam proxime in puteum prolapsus illicque per dimidium horae,*
5 *ut accurrentes vicini affirmarunt, aquis immersus haerens, post extractus
rigidus, lividus et mortuus per horam, ut iidem asserunt iuramento-
que confirmant, — nam mihi videre non licuit, — exsistens, naturaliter
supervivere potuerit, respondi : considerata quantitate putei, casu, ut
fertur, in caput, diuturnitate morae in aqua, aetate puerili non consi-*
10 *stente, naturaliter fieri non potuisse, sed divinitus singulari Dei gratia
et misericordia ad vitam a morte revocatum, superstitem in vivis esse.*

Medicus tertius Samuel Maskowski ex secta Calvini in haec verba,
quae ibidem litteris tradita hic inserenda ultro praesentavit, dixit :

Iussus ab Illmis DD. VV. de puero hoc submerso meam aperire sen-
15 *tentiam, dicam id quod e praeceptis medicinae et ipsa experientia didici.
Puer hic septennis in puteum quatuor ulnas altum lapsus in eoque suf-
focatus, tandem a matre summo maerore perculsa, post dimidiam horam
elapsam extractus exanimatusque in sicco iacens et sine ulla spe resti-
tuendae ipsi vitae omnino mortuus a matre deploratus, subito praeter*
20 *omnium spem et exspectationem non sine maxima omnium circumstan-
tium admiratione et gaudio summo redivivus, non naturaliter sed supernaturaliter vitae restitutus est; quod in conscientia assero. Quomodo
enim aquis obrutus tantoque tempore in fundo exsistens sine naturali
respiratione puer id aetatis vivere potuit? Maximum autem argumen-*
25 *tum mortuum iam fuisse in aquis puerum ab experientia desumo. Vidi
ego plus quam quadraginta aquis submersos, qui, quia non erant mortui,
cum post agitationem et versationem corporis ad se redirent, aquam
ex ore abundanter evomebant. Quia vero pueruli istius, licet aqua repleti,
cavusque venter ad modum utris seu tympani intumuerat, ne minimum*
30 *quidem aquae expulsiva potentia per os eiecit, certissimum et manifestis-
simum signum est animam in corpore suffocati non fuisse, sed divinitus
et supernaturaliter revocatam.*

Accessit iis medicorum sententiis generalium iudiciorum tribunalis
regni decretum tenoris sequentis.

35 *Quibus tam testium depositionibus quam medicorum iudicio et attestationibus prolatis, exauditis et trutinatis expensisque, nos quoque
omnes et singuli supra et infra scripti supremorum generalium iudiciorum tribunalitiorum iudices, quidam oculati testes profunditatis
putei et distantiae loci a puteo, non aliter etiam quam quod praedictus*
40 *puer non naturaliter, sed divinitus supernaturaliter et miraculose a
Deo per intercessionem beati Stanislai Kostka, ex antiquissima et
praeclarissima in regno Poloniae Kostkarum prosapia oriundi regni-
que Poloniae patroni, cui ab afflicta matre suppliciter dotatus erat,*

ad vitam pristinam a morte redierit, sentiendum, immo et credendum
testamur Deum Trinum et Unum in sanctis suis mirabilem sanctosque
suos nimis honorantem, laudantes et praedicantes, qui, sicut olim cum
admiratione totius orbis christiani magnum illum episcopum Cra-
coviensem et gloriosum Christi martyrem Stanislaum Szczepanovium, 5
nostrae patriae Polonae illustrissimum ornamentum, resuscitatione a
mortuis Petrovini precibus et intercessione dilecti sui famuli glorificavit,
sic nostris temporibus beatum cognominem sancti praesulis et mar-
tyris, Stanisluum Kostkam Soc. Iesu resuscitatione a mortuis ad vitam
aquis suffocati pueri gloriose illustravit, quem puerum resuscitatum 10
nostris oculis vidimus coram nobis in nostro iudicio tribunalitio
praesentatum. Quae omnia et singula praemissa gratia firmioris fidei
meliorisque certitudinis, manibus nostris subscripsimus ac sigillis
pensilibus munivimus, requirentes nostris et totius collegii Lublinensis
Societatis Iesu Patrum, Dei maiorem gloriam honoremque beati 15
Stanislai Kostka promoventium nominibus, infrascriptum publicum
sacra apostolica authoritate notarium, praedictae inquisitionis
scribam, quatenus eiusmodi inquisitionis publicum instrumentum in
forma solita et consueta conficeret.

Et est confectum instrumentum ea de re cum depositionibus 20
testium octo oculatorum, subscriptionibus et sententia supradicta
iudicum ac medicorum et sigillis. Et referunt ea de re testes in
Cracovien., fol. 40, fol. 86, fol. 88, fol. 84; 49.

Anno 1625 post festum Circumcisionis Domini, Gaspar, Andreae
Powaga pictoris et Catharinae civium Iaroslaviensium filius, duarum 25
ultra septimanarum, a nutrice incauta vel ignara fasciis supra nimium
constrictus cunisque pro nocte impositus, oriente die, cum nullum
ederet viventis signum, absque spiritu et vita repertus, totus lividus,
gelidus totus ita, ut et fasciis exsolutus ac in terra depositus eundem
livorem frigusque ac torporem detineret. Parentibus casu insperato 30
in eiulatus lamentaque erumpentibus, domestici accurrunt; num
viveret infans, explorant, sed nullis vitae repertis indiciis, solari
parentes incipiunt, recursum ad opem et invocationem beati Stanislai
suadent, accensoque cereo benedicto, se in genua prosternunt
votaque ad beatum concipiunt. Aliquot horis ita infans sine vita 35
iacuit; nam et non statim compertum est a matre illum non vivere,
et antequam accurrerent variique, num viveret, explorarent, tempus
non unius horae effluxit. Et ecce, dum in genua provoluti orant,
infantulus spirare ac vivere incipit cum magno parentum et praesentium gaudio et admiratione. Statutus post sub tempus processus 40
authoritate Sedis Apostolicae facti in dioecesi Premisliensi Iaroslaviae coram iudicibus delegatis, et attestantibus oculatis in eodem
processu Premisliensi, fol. 120, fol. 121, fol. 142, fol. 143.

Anno 1630 mense augusto, Eva nobilium Alexandri et Potentianae de Swieprawice Swieprawski filia, annorum duorum, in cisternam plus quam quatuor ulnarum profunditatis, nemine domesticorum conscio, incidit ibique aquis suffocata in profundo demersa per unam
5 citra vel ultra horam permansit. Antequam enim mater ex agro, ubi messoribus adfuit, rediens filiam conspexit abesse, antequam per domum universam a familia frustra inquisita loca diversa lustrata sunt, non mediocre temporis intervallum intercessit. Tandem ubi sibi unus e famulis revocasset in memoriam se illam versus cisternam
10 euntem conspexisse, eo accurrunt, et solum vas parvulum seu canta-rum, quem puella gestabat, supra aquas natantem advertunt, certumque indicium sumunt, illam in profundo esse. Instrumenta itaque conquirunt, quibus exinde extrahi possit infans, cum illisque redeunt, et ecce expansis manibus, diducto ore, exertaque lingua
15 emergens aquis supernatat, artubus torpidis gelidisque. Varie post per moram non exiguam versata est et agitata. Cum nulla vitae signa remediaque adessent, clamore fratris ad B. Stanislaum confu-gitur. " Opitulare „, aiebat, " o beate Stanislae Kostka, suffocatamque vitae restitue „. Et ecce, statim respirat sensimque ad se et pristinam
20 vitam redit plene ac integre. Hoc in Lublinensi deponunt plures testes, fol. 42, omnes quotquot aderant oculati.

Attingo tantum, filium triennem Jacobi Haur, civis Varsaviensis, peste exstinctum, revixisse ad invocationem beati, ut refertur in Posnaniensi, fol. 118; anno 1623, Alexandrum Wolfowicz in vase
25 aqua pleno puerum suffocatum, invocato beato rediisse ad vitam, in Leopol., fol. 124; Laurentium Arnolphi a parentibus pro mortuo relictum, voto facto ad beatum, spiritum recepisse, ut deponitur in Leopoliensi, fol. 80, et Leopolien. partic., fol. 86 et fol. 131; Andream infantem mensium novem in natabulo submersum et suffocatum ad
30 invocationem beati vitae restitutum, in Lublinensi ex attestationibus plurium, fol. 44; aliosque plurimos minus principales taceo et ad ulteriora progredior.

§ 3. AGONIZANTES, SENSIBUS DESTITUTI, A MEDICIS DESPERATI.

Anno 1623 nobilis Ioannes Brzechwa, annum 18 aetatis agens, dum
35 studiis litterarum in collegio Calissiensi Soc. Iesu vacaret, in gravem ac diuturnam febrim, cuius malignitatem papulae, vulgo, " petechie „, prodiderant, incidit. Accessit et continuus alvi fluxus. Quibus adeo premebatur, ut viscera intra putrescerent et vermes intus nati pro-dirent. Medico, qui ipsius curam susceperat, cum nulla prodessent
40 remedia, desperante, iamque privato sensibus visu loquelaque infirmo, ut eum ad mortem disponeret advocatus unus e Societate; qui periculum advertens, voce altiore intimavit, ut aeger voto se beato

Stanislao obstringeret eiusque signum, cum loqui non posset, manus
compressione daret. Quod fecit aeger, et statim ut fecit, visum illi
est aliquid intra se ruptum ad instar ollae vel testae, in quo simul
momento videndum se illi beatus praebuit, et interrogavit, an sanus
esse vellet? Respondit aeger : " Volo „. Et hoc fecit primum illius 5
verbum auditum a praesentibus, quibus statim rem secum gestam
narravit statimque convalescere coepit. At quia huius tanti beneficii
post aliquot annos immemor factus, eo tempore, quo Calissii institue-
batur processus anno 1628, in somniis apparuit illi senex canus et
grandaevus in vestibus albis, et ait perterrefacto : " Meministine te 10
„ beneficium a beato Stanislao accepisse? Itane oblitus es? Abi, et
„ narra magistro tuo „. Explevit iuvenis monitas subito, ac post
testatus est in Calissiensi, fol. 33; medicus fol. 32; confessarius
fol. 29, fol. 32 a tergo, fol. 30, oculati.

Anno 1612 Eva de Pigłowice Leśniewska variis muliebribus 15
morbis et diuturnis febrique adacta ad ultimum agonem, pluribus
antea curam illius valetudinis medicis habentibus, cum nulla sibi
medicamenta proficerent, desperata sacramentisque munita. Ad
haec, qui eam disponebant religiosi ac unus potissimum de Societate,
qui Roma recenter venerat, ut spe in Deum concitata beati Stanislai 20
intercessioni se commendaret, admonuit et imaginem eiusdem obtulit;
quae ita ut illam intueri posset, ad lectuli partem affixa. Annuente
illa seque beato commendante, viribus destitui mortaliterque sudare
coepit, visum sensusque demum amisit. Ita agonisantem religiosi
sancti Dominici ac eiusdem tertii ordinis virgines per solitas agoni- 25
santium Ecclesiae preces, commendabant Deo; duravitque id per
duarum horarum intervallum. Et ecce rediens ad se derepente loqui
incipit : " Iam me relinquite, iam vici, auxiliante mihi beato Stanislao
„ Kostka „; atque sic illam debilitas morbusque reliquit. De quo
fidem facit ipsa in Posnaniensi, fol. 58, et alii testes de visu, fol. 75, 30
fol. 76, fol. 50 a tergo.

Anno 1625 R. D. Mathias 'Sliwski, praepositus Przeworscensis,
dioecesis Premisliensis, canonicorum Sacri Sepulchri, annum 40 agens,
in febrim continuam incidit eamque mortalem, quam per tres
septimanas passus, a medicis, quod spem vivendi amisissent, 35
derelictus, eo vi morbi devenit, ut pro mortuo iam reputaretur. Viso
tanto vitae periculo, patruus illius, archidiaconus cathedralis
Premisliensis, ad opem beati Stanislai confugit petiitque, ut ante
imaginem beati pro infirmo sacrum fieret, voto insuper concepto,
si restitueretur sanitati; atque adeo tempus et hora, quo fieri missa 40
debuit, condictum est, ut si in illo tempore sanaretur, certo constaret
non alterius cuiuspiam, quam beati Stanislai auxilio id adscribendum.
Factum ut ea hora missa inciperet, et ut ea, qua incepit, somnus

ingens infirmum corriperet, melius valeret; evigilans nullum febris
vestigium invenit, nisi quod de capite barbaque omnes capilli sponte
excidissent gravitate mali. Hoc deponit ipse in Premisliensi, fol. 28,
alii fol. 20, fol. 29, de visu.

5   Sebastianus Liffel, iuvenis annorum 14, dum de imperio magistratus per omnem civitatem Cracoviensem aqua ad exstinguendum
ignem, quem ex certis de aliquorum latronum malitia indiciis timebant, in separatis omnium domibus apparatur et in ea, in qua ipsemet arti pellionariae studuit, supra tectum in vase traheretur, rupto
10 fune, vase praegrandi ex alto decidente, in caput et brachium ictus
adeo graviter, ut ultra horam sensibus destitutus et exanimis
iacuerit. Varie agitabatur et commovebatur corpus; frigida, sicut qui
deliquium pati solent, perfundebatur; aromata ori, suffitus naribus
admovebatur; nullis tamen remediis ad sensuum usum poterat revo-
15 cari. Solius divinae opis desiderabatur auxilium; ad quam una ex
domesticis confugiens, votum pro laeso ad B. Stanislaum fecit, statimque repente, non secus ac si de gravi somno expergefactus, ad se
rediit brevique vulneribus sanatis restitutus sanitati. Testes sunt in
Cracoviensi, fol. 45, fol. 51, fol. 52, fol. 53, fol. 56, de visu ut plurimum.

20 Nobilis Christina Horina de nocte morbo repentino et omnibus
praesentibus ignoto correpta, ita ut sensum omnem perderet,
quamvis huc et illuc versaretur, aceto, vino confectionibusque
variis medicinalibus iuvaretur, ut ad se rediret effici non potuit, sed
tanquam truncus aut saxum immobile sine spiritu et vita decubuit.
25 Exclamat una de praesentibus matronis, non minus pietate, quam
educatione honorata : " O sancte Stanislae, succurre matronae huic,
 ne sine sacramentis moriatur, quomodo tu impetrasti prolem. „
Et nunc spirare, moveri, vivere coepit repositaque in certo ad
quietem loco, nocte tota dormivit ac de mane suis sponte viribus,
30 quasi nihil unquam passa fuisset, consurrexit. In Leopoliensi de visu,
fol. 138, fol. 140, fol. 98.

Ioannes Sztametus, burgrabius arcis Posnaniensis, annorum
tunc 36, febri maligna correptus, papulis certis mortis indiciis apparentibus, a medicis desperatus et derelictus, sensu tactus deperdito,
35 — nam et ad investigandum num sentiret, aciculis in pedibus pun-
ctus, motum edebat nullum, — haec tantum frequentius ingeminabat:
" Sancte Kostka, sancte Kostka! „ duas circiter hebdomadas quid aut
ubi esset ignorans. Rediit interim ad se, et cur toties verba illa inge-
minasset, interrogatus, respondit quod hic sanctus patronus sibi
40 salutem impetrasset. Morbus hic adeo gravis quasi reliquias sui
adhuc reliquerat, pedum illi usum adimens, ut incedere non posset.
Recurrit iterato ad patrocinium beati, et ab hoc etiam malo liberatum se testatus est in Posnaniensi, fol. 110, et medicus fol. 111.

Simile patrocinium B. Stanislai experti Hedvigis coniux Alexandri
Unger, civis Posnaniensis, agonisans et voto ad beatum facto convalescens, in Posnaniensi, fol. 61, fol. 71; Barbara Ioannis Unger desperata a medicis et agonisans, sub tempus, quo sacrum pro se ante
imaginem beati factum, rediens ad se et ad sanitatem, in Posnaniensi, 5
fol. 60, fol. 55; Andreas Szołdra civis Posnaniensis ex 12 septimanarum febri desperatus et a medicis adiudicatus morti, sub tempus
auditi pro se sacri ante imaginem beati, morbo cessante, intra triduum vires recipiens, in Posnaniensi, fol. 83, fol. 88; Bartholomaeus
anni unius infans sensibus et spiritu per horam destitutus, voto pro 10
se ad beatum facto, sanatus, in Lublinensi, fol. 4; nobilis Telesphorus
Sarnowski triennis in fervens lixivium incidens, cute et carne
diffluente, febri gravissima ad sensuum destitutionem adactus, voto
pro se ad beatum facto, in Leopoliensi, fol. 142; P. Nicolaus
Cyrowski Soc. Iesu, cum morti a medico destinatus, quod in die 15
anniversaria beati moriturus esset, voto ad beatum facto, die anniversaria convaluit, in Premisliensi, fol. 53, Leopoliensi, fol. 64; Martinus Anczewski, infans moribundus, ad factum pro se ad beatum a
parentibus votum, in Leopoliensi, fol. 75, fol. 202, et in Leopoliensi
partic., fol. 122; Ioannes triennis sensu et respiratione destitutus, in 20
Premisliensi, fol. 100; Ioannes trimestris, rigidis torpidisque membris, in Lublinensi, fol. 41: Mathias Hayder, consul Leopoliensis, sensibus destitutus, voto pro se ad beatum facto, in Leopoliensi partic.,
fol. 114 a tergo; Marcianus Grozwager, medicinae doctor, post quatuor septimanarum febrim desperatus, in Leopoliensi partic., fol. 240, 25
fol. 182 a tergo, eodem die quo votum pro se factum. Similia experti
innumeri alii, qui solius brevitatis intuitu subticentur.

§ 4. Usum deperditum variorum membrorum recipiunt.

Anno 1602 Anna Theodora de Lenguille, illustrissimae in Gallia
familiae virgo, veneno ab inimicis clam propinato et hausto et male- 30
ficiis adiunctis, diversis variisque doloribus afflictata, eo tandem ex
diuturno morbo devenerat, ut per 14 menses tibiis omnino arefactis
et extenuatis, musculis et nervis contractis omnique vita ac motu
prorsus destitutis, incedere aut se movere nullatenus posset, in
sellaque gestatoria, si quopiam opus esset, deferretur. Multis diver- 35
sisque diversorum medicorum eorumque praecipuorum consiliis et
medicamentis adhibitis, non tamen proficientibus, spes sanitatis
abiecta, ac cum ab hominibus ea habere non posset, ad Deum et
sanctos factus est recursus. Acceperat a fratre suo, Societatis Iesu
sacerdote Roma veniente, imaginem et reliquiam beati Stanislai, 40
miraque per eundem Deum in diversis orbis partibus operari audiens,
tanto se fidentius beato commendabat, quanto magis doloribus pre-

mebatur; eoque sua profecerat fiducia, ut palam diceret se nonnisi intercessione beati Stanislai persanandam. Durante morbo, non fuit intermissa spes et invocatio beati, ac tandem 24 novembris allata pro more ad ecclesiam, inter missae sacrificium, dum sacerdos
5 hostiam et illa preces ardentius ad beatum Stanislaum elevaret, incidit in quandam syncopen, quae illam brevissime tenuit, statimque rediens ad se, sanatam se sensit ac, ne populum missam audientem interturbaret, a consurgendo de sella se continuit. Finito vero sacrificio, in pedes se erigens exclamavit : "·Benedictus sit Deus! ecce me
10 , sanatam non medicorum auxilio, sed meritis ac intercessione , beati Stanislai Kostka, , atque sic sola de templo rediit ad arcem, cum omnium, qui ipsam viderant, noverant portarantque, admiratione. Hoc totum a 14 testibus oculatis et ab ipsamet depositum est in toto processu Tullensi authoritate apostolica facto.
15 Anno 1628 mense iulio Iustina Geldina vidua, civissa Bucensis, annorum 70 et amplius, e nimio dolore, quem patiebatur, capitis, per aliquot menses visum oculorum amiserat, ita ut per medium annum nequidquam videre posset; ac simul spe de remediis deperdita, cum magna fiducia ad beati Stanislai intercessionem recurrit, hacque
20 intentione confessione communioneque ante imaginem beati peracta ac facie cerea in testimonium supplicationis oblata, ante imaginem visu recuperato, absque ductore, quo alias utebatur, domum rediit. Quod testata est ipsa, soror, filia, domestici de visu in Posnaniensi, fol. 107, fol. 97, fol. 100 a tergo.
25 Anno 1629 sabbato sancto subitanea oculi infirmitate affecta, intumescente ac defluente sanie, dolore cruciata Barbara arcularii religionis graecae, adeo ut nihil videre posset, spectantibus vero horrorem ac nauseam provocaret, certamque amittendi luminis in perpetuum timeret et ipsa et alii orbitatem. Audito vero in publico
30 civitatis foro plurimos loqui inter se de admirandis donis Dei per intercessionem beati Stanislai collatis conferrique in dies solitis, si qui ad eius opem recurrant, animo et fide concepta, se ad templum et imaginem beati auxilium imploratura contulit, ibique statim et lumen et sanitatem recepit instantanea. Quod refertur in Leopoliensi,
35 fol. 154 et fol. 107, de visu.
Anno 1619 Dorothea sexennis, dolore ingenti capitis aliquot diebus se cruciante, fere ad deperditionem oculorum devenerat. Iam enim et dextri oculi visum amiserat, ulcere turpissimo et simul pessimo in ipsa pupilla nato, ita ut oculus extra extrusus dependeret, unde nec
40 somnum nec cibum capere, nec nisi sorbitiunculis refocillari potuit, parentibus maerore fere tabescentibus, quibus a medicis, ne quid forte mali maioris causarent, ab omnibus medicamentis abstinere prohibitum fuerat. Ad ultimum ad beati Stanislai intercessionem

recursum est, ante cuius imaginem tribus consequenter diebus sacrificio adfuerunt cum precibus ferventibus. Et ecce, tertio die, antequam de templo rediissent domum, sponte ulcus ruptum, sanie triduo
fluente, oculus ita purgatus, quasi numquam quidquam passus
fuisset. In Premisliensi, fol. 102, fol. 155, et ipsa statuta ad iudices. 5

Anno 1627 Mathias textor de villa Więzownica, annorum 70, usum
manus dextrae, quo casu aut morbo ignotum, ita perdiderat, ut ne
movere, non operari tantum, aut signum sanctissimae crucis supra se
facere potuisset; sollicitus plurimum, quod medio, quo ad victum
sibi filiisque utebatur hactenus, destitutus, mendicitati propior esset, 10
tanto magis, quanto medicamenta, quae adhibuit, non proficerent
tantum, sed officerent doloremque augerent. Contigit ut in oppidi
Iaroslaviensis foro de beneficiis, quae beati Stanislai ope et intercessione consequebantur, et ad consequenda se invicem homines ani-
marent, referri, tacite secum considerans quae dicebantur, audiret 15
atque simul animum conciperet ad eundem implorandum pro suae
manus restitutione. Die itaque Natalis Domini templum ingreditur, et
sacrificio ante imaginem beati adest opemque submisse implorat. Eo
finito, concionem, quae tunc statim incipiebat, auditurus, constitit in
medio auditque nomen sanctissimum Iesu nominari et oblitus penitus 20
affectae manus, qua hactenus uti non poterat, illam allevat caputque
aperit, ac tum advertit se sanatum, dum se commendaret. Totum id
cum admiratione domum suam reversus rettulit ac, dum processus
formaretur, sponte ut id beneficii in sancti honorem iudicibus remissorialibus constaret, venit et testatus est in Premisliensi, fol. 125, 25
fol. 149, fol. 161.

Per annum et medium manum vulneribus affectam plures chirurgi
curabant Hedvigi Pielanka virgini; sed nec dolori, nec vulneribus
medebantur. Nam si una vulneris pars convalesceret, in altera caro
sana diffluens novumque vulnus pandens comparebat. Abscindebatur 30
quasi mortua et infecta caro; nihil tamen proficiebat. Accidit ut ad
anniversariam B. Stanislai solemnitatem tabellas votivas, quae ad
imaginem eiusdem affixae fuerant, de pulvere abluens, intra se cogi-
taret: " Tanti talesque beneficia recurrendo ad beatum suscipiunt;
„ cur non et ego recurro ut accipiam? Sane faciam. „ Atque sic ante 35
imaginem beati se confert sacroque adest hac intentione, cum ecce
post elevationem sanctissimi sacramenti, quasi ventus quidam ab
altari veniens illam afflat et illa mutationem sensit, doloremque
abscedere, qui non amplius rediit; vulnera sanata sponte, remanen-
tibus tantum cicatricibus, ubi caro a medicis fuerat rescissa ab 40
humero ad brachium. Idem beneficii consecuta in pede ulcerato, de
quo chirurgi penitus desperaverant, ut refertur in Leopoliensi,
fol. 172, fol. 195, fol. 147.

Catharina Ossińska civissa Calissiensis per 27 annos continuam
surditatem et dolorem capitis patiebatur ex eo quod lapillus, dum
insolentius in infantia colluderet, in aurem laevam incidens haereret ita fortiter, ut nullis medicorum chirurgorumque curis ac
5 industriis, nullis sumptibus ac medicamentis erui ullatenus potuerit,
magno ipsius dolore et aliquando usque ad sanguinem exulceratione.
Exhinc frequenter illi accidere solebant convulsiones capitis, ut ad
extremum auditum amiserit sinistrae auris. Anno 1627 die ipso
Natalis Domini cum praeter solitum lapillus illam affligeret dolo-
10 remque concitaret, quo cum maiore devotione solemnitatem tantam
obiret, maiore cum fervore se beato Stanislao, quem tanquam patronum suum colere solita fuerat, coeperat commendare, atque obversa
ad imaginem beati Stanislai, quam domi suae affixam observabat,
cum magna fide ait : " O beate Stanislae Kostka, adiuva me tandem,
15 „ ut lapilli huius molestia eliberer. „ Et ecce lapis sponte subito
exsilit, quo per 27 annos premebatur, absque ullo adhibito remedio
aut capitis inclinatione, statimque dolor et surditas abscessit. Hunc
lapillum argenteae insertum tabellae affigi ad imaginem B. Stanislai
in templo collegii Societatis Iesu curavit, ut rettulit de supradictis
20 ipsa in Calissiensi, fol. 28, mater fol. 27, confessarius in Premisliensi,
fol. 48.
Annecto hic dolorem gravissimum capitis mira beati Stanislai ope
levatum. Anno 1622 P. Martinus Fusserius Societatis Iesu acerrimo
dolore capitis, dum in collegio Torunensi in Prussia maneret, cor-
25 reptus fuit ex eo, quod occulta intus duo ulcera prognata duobus
mensibus summam inflammationem concitarent; quae duo medici
regii celeberrimi variis medicamentis et emplastris ac inunctionibus
usi, cum magno studio emollire et evocare ad extra non poterant ullo
modo, aut saltem acres ac ultimos fere dolores mitigare tam internos,
30 quam externos continuo in dies accrescentes. Advertens se frustrari
humanis remediis et morbum intendi vires sensusque adimi, praecipue
auditus, ad caelestia et divina recurrit, patrocinio se in ultimo fere
valetudinis periculo sancti Ignatii et sancti Francisci Xaverii, necdum
tunc canonisatorum, commendans. Sed cum nec hinc opem ferret,
35 quod eam filio suo sancti patres ad illum cohonestandum reser-
vassent, sensit sibi intus inspirari, ut beatum iuvenem Stanislaum
Kostkam, cui antea vix aliquid afficiebatur, invocaret, sic secum
locutus : " Tu quidem iuvenem hunc parvi aestimas et aliquatenus
„ contemnis; sed puer hic magnus est coram Domino multosque
40 „ senes superat. „ Sic se ipsemet ad devotionem et affectum concitans,
magnis doloribus pressus, suspirans cum lacrimis in haec verba ad
beatum Stanislaum orare incepit : " Quoniam patres senes me inve-
„ teratum et indignum peccatorem iuvare tardant, tibi, beate iuvenis,

„ sanandi mei gloria relicta, ad humiliandum me et melius de meritis
„ tuis ante Deum existimandum. Dimitte mihi, postulo, quod te ali-
„ quando ex fragilitate mea verbis incautis offenderim, praecipue
„ dicens : " Ecquid mihi cum hoc puero? „ " Iuvenes ad iuvenem, ego
„ senex ad senes Patres nostros ibo „ — quod usurpabat, cum a sacri- 5
stiano ante imaginem B. Stanislai sacrum dicturus, invitaretur. —
" Ecce nunc humilio me ante maiestatem Dei mei et ante tuam iuve-
„ nilem quidem, sed maturam sanctitatem, confidens in illa ante
„ conspectum Trinitatis sanctissimae. Iuva me, o beate adolescentule,
„ annis iuvenis, perfectione senex. „ His dictis, se ad quietem com- 10
posuit morti se apparans, lacrimisque perfundens, spe tamen certi
auxilii per B. Stanislaum affuturi. Interim somno forti corripitur,
quod illi prae doloribus inflammationeque capitis per duos menses
non contigerat, statimque ulcera absque ullo sensu effluere, duobus
ad dextram aurem meatibus sibi factis, cum tanta copia, ut medicis 15
causam ignorantibus in crastinum admirationem adferrent, dicen-
tibus : " Sunt vobis, ut videmus, alii medici. „ Quod ille non tantum
tunc coram advocatis superioribus ceterisque domesticis professus se
per opem beati accepisse, sed et iuramento comprobavit in Calissiensi, fol. 23 a tergo, in Leopoliensi, fol. 58, in Posnaniensi, fol. 121 a 20
tergo, in Leopoliensi partic., fol. 96 a tergo.

Praetereo Catharinam filiam nobilis de Piglowice Leśniewska ad
invocationem beati Stanislai visum recipientem, in Posnaniensi,
fol. 59; Elisabetham Campiani medici uxorem ab annis 13 dolore
oculorum vexatam, unius visu amisso, cogitanti beati Stanislai ima- 25
ginem pro domo sua emendam, visum recepisse, ipsa testante in
Leopoliensi, fol. 107; Sophiam, civissam Lublinensem, ad visum
amissum anteim aginem beati sub tempus elevationis sanctissimi
sacramenti redeuntem, in Lublinensi, fol. 10; Christinae filiae civis
Lublinensis, unius oculi orbitatem, voto ad beatum facto, lumine 30
restituto amotam, in Lublinen., fol. 29; filiam cuiusdam Ariani suscepta
fide catholica, ad invocationem beati visum recepisse, in Cracovien.,
fol. 39; Iacobum triennem, cum nec incedere nec loqui posset, matre
redeunte ex templo, ubi beati pro ipso implorabat auxilium, et
incedere et loqui incepisse, iuxta instrumentum publicum coram 35
illustrissimo nuntio apost. factum in Posnanien., fol. 119, et testes
fol. 123 a tergo; chiragricam nobilem Dorotheam de Będzimysle
Drożecka ad invocationem beati sanatam, in Leopolien., fol. 86 ;
illustrissimam Belzecka, castellanam Haliciensem, manus tanto
dolore cruciatam, ut eam peteret amputari, ad suasum medici 40
nihil proficientis voto ad beatum facto, intra mediam horam
integre sanatam, teste episcopo in Leopol. partic., fol. 47; Thomam
Scorugomicz ex doloribus intensis capitis surdastrum, coronam

B. Virginis attactam ad imaginem beati capiti et auribus appli-
cantem, auditum recepisse, in Premislien., fol. 105, fol. 49, cete-
rosque innumeros.

§ 5. CALCULUS, EPILEPSIA, PHRENESIS, PARALYSIS, HYDROPIS ALIIQUE
PERICULOSI MORBI.

Anno 1636 serenissimus et invictissimus Vladislaus IV, rex Poloniae et Suetiae, Tyssoviae magnis et irremediabilibus calculi doloribus correptus, a medicis ceterisque praesentibus desperatus, et,
quod mederi nullatenus possent, derelictus, iam et ipsemet dubitare
gravissime de vita inceperat, quod morbus, quo diutior esset, eo
intenderetur magis. Positum se itaque in manifesto periculo advertens, alteram, caelestis nimirum, auxilii implorandi partem amplexus,
ad eum, quem alias coluerat, B. Stanislaum Kostkam se convertit,
voto concepto procurandi canonisationem eiusdem apud sedem
apostolicam, si beneficium tantum recepisset, quanti vita tanti principis et monarchae poterat aestimari, per intercessionem beati, idque
proclamari per totam aulam regiam voluit, ut omnibus de pia hac
voluntate constaret in beatum, et, si secutus fuisset optatus eventus,
de B. Stanislai in regem beneficio. Statim vero ut votum tale concepit,
calculus in quatuor partes confractus, sponte absque dolore excessit,
Suaque Maiestas ita convaluit statim viresque resumpsit ac si nunquam, non adeo gravi et periculoso, sed ne levissimo quidem morbo
fuisset attentata. In memoriam gratiae acceptae, quadringentorum
aureorum ungaricorum pondere duas votivas tabellas fieri fecit,
quarum unam ad imaginem B. Stanislai gratissimus princeps appendit, alteram divae Virgini Czenstochoviensi dedicavit, authenticumque
testimonium ad felic. rec. Urbanum VIII pontificem una cum litteris
et solemni legatione misit. Et refertur in Rom., fol. 104; in Leop.
part., fol. 132.

Catharina Zimorowiczowa ante initum matrimonium hydropisi
affecta, unius fere anni decursu decubuit; huic adeo gravi et longae
infirmitati accessit epilepsia ita vehemens, ut viginti quatuor horis
absque ulla intermissione impetita iactaretur. Vocati, ut consulerent,
medici, cum nullum prodesse medium adverterent, certae morti
adiudicarunt; iamque incipiebat mori, presbyteris, quo ritu catholico
decederet, circumdata. Adfuit eidem matertera sua, quae, quamvis
prohiberet ne quidquam ori eius ingereret, ne sic citius suffocata
moreretur, voto tamen ad B. Stanislaum praeconcepto eiusque ope
invocata, aquae benedictae aliquantum ori eius infudit. Subsecutum
est ex nunc, ut signa vitae manu fricans caput et ingemiscens daret,
epilepsia cederet, medicoque attestante, fol. 209 in Leopol., et fol. 74
ac fol. 95, supernaturaliter ope beati sanaretur.

Martinus Auczewski, a die quo natus est, epilepsia impeti iacta-
rique coepit in tantum, ut eo morbo quatuordecies in diem recurrent e
per annum et medium teneretur. Varius ad medicos récursus factus,
varia illorum ordinatione medicamenta adhibita, sed omnia conatu et
labore irrito, praecipue in tam tenero et imbecilli corpusculo. Contigit 5
ut una die solito vehementius debaccharetur matrem, iamque desperato infanti et quasi exanimi funeralia appararentur, cum mater
suasu ac consilio praesentium ad caelestium opem recurrit, humanis
non proficientibus auxiliis, ac in genua provoluta penes cunas
infantis, voto ad B. Stanislaum facto, opem eiusdem implorabat. Et 10
ecce, ferox morbus cum omnium stupore ita protinus destitit, ut non
amplius unquam ad eum redierit. De quo agitur in Leopolien., fol. 201,
fol. 203; in Leopol. partic., fol. 122.

Ab eodem morbo Andream Starkowiecki ultra annum vexatum et
voto ad beatum facto sanatum, refertur in Posnanien., fol. 109; Elisa- 15
betham Wotkowicovam, epilepsia in paralysi correptam sola invoca-
tione B. Stanislai, cuius nomen ore distorto vix pronuntiabat infirma,
liberatam, in Leopolien., fol. 212, fol. 132, fol. 134; Hedvigim, filiam
Simonis Woysza, repente ab eadem infirmitate sanatam, in Leopolien.
fol. 91, fol. 215; epilepticam a nativitate Reginam post cantatas pro 20
se litanias ante imaginem beati a morbo liberatam, in Lublinen.,
fol. 9, et alios innumeros.

Anno 1617 Simon Woysza, maligna et ardentissima febri prostratus, in gravem phrenesim incidit, ita ut iam viribus debilitatus, absque
cibo et potu, quatriduo quasi semimortuus decubuerit, medicis de vita 25
ipsa desperantibus. Sollicita dé salute mariti uxor, ad eam, quam frequenter iam experiebátur sibi suisque plurimum prodesse, opem et
intercessionem B. Stanislai, confugit, sacrumque missae sacrificium
ante imaginem beati fieri fecit. Nec vana spes cecidit; adfuit clientibus
suis cum auxilio opportuno beatus. Nam sub id ipsum tempus, vires 30
colligere, ad se redire, morbo phrenesique destitui coepit, plene convalescens; medicorum duorum testimonio, illam adeo gravem et a se
nonnisi morti adiudicatam infirmitatem, sola supernaturali ope
abactam; quod uterque testatus est in Leopolien., fol. 215, fol. 213,
fol. 90, fol. 95 et fol. 96. 35

Petrus Szady, mortifero affectus morbo, in phrenesim incidit, antequam sacramentis pro illo agone et longinquo itinere muniretur.
Quod vel maxime coniugem amicosque afficiebat, cupientes ne ita
imparatus excederet. Reliquia itaque S. Stanislai caput eius attactum
est, et statim ad rectum rationis usum rediit, munitusque sacra- 40
mentis catholice obiit. In Posnan., fol. 113, in Cracovien., fol. 125.

Anno 1648, rebellium Cosacorum exercitus, adscita Tartarorum
cum suis copiis multitudine, Leopolium, Russiae ducum olim sedem,

nunc caput et metropolim, obsidione tenebat, hinc inde reboantibus
tormentis, clamoribus et oppugnatione, ut in talibus occasionibus
fieri solet. Puella metu nimio perculsa timoreque acta vehementi in
delirium incidit, quod adeo multis et extraordinariis indiciis demon-
5 strabat, ut plurium sacerdotum et religiosorum iudicio obsessa a
daemone crederetur. Mater casu inexspectato afflicta, memor bene-.
ficii, quod alias ipsamet in se, dum sibi manus bullienti aqua perfusa
exindeque contracta nullis chirurgorum remediis, sed sola ope
B. Stanislai, ad quem votum fecerat, eo ipso die levamen senserat,
10 restituta fuisset, ad templum se conferens, ante imaginem beati pro
filia deprecatur; et exaudita etiam nunc est. Nam redux de templo
sanam et incolumem reperit. In Leopolien. part., fol. 193 a tergo.

Gravem morbum ac nullis medicis curabilem patiebatur. quidam
Lublini, — non vana suspicio est, eumdem ipsum, qui rettulit, fuisse,
15 sed suum nomen subticuisse, — cuius violentia in phrenesim incidit,
spe evadendi naturaliter frustratus; accidit ut ita desperatus invise-
retur ab uno ex patribus Societatis, suadereturque ut se commendaret sancto, cui potissimum affectus et devotus esset. Suscepto
salubri in necessitate consilio, B. Stanislao, singulari suo, ut aiebat,
20 patrono, voto se destrinxit ante ipsius imaginem se missam, recepta
sanitate, dicturum, aliquidque amplius in signum grati animi factu-
rum. Accepit beatus votum, et aeger eo ipso die sanitatem, tertio post·
obligationem exsecutus. In Leopolien. part., fol. 58.

Subticetur hic Stephanus, filius medici Posnaniensis, ex febri phre-
25 neticus, voto ad beatum facto, ad se et rationem redux, in Posnanien., fol. 12 a tergo; nobilis Anna de Bystrzejowice ex deliquio
animi insaniens, maledictis et convitiis ceteros quosque, nec ecclesiasticis obviis parcens, per pagos villasque vagata, invocato beato,
phrenesi liberata, ut ipsa plurimique simul testantur in Lublinens.,
30 fol. 5.

Anno 1621 Mathias Budziejowski, praepositus Podecensis, permittente sic ad sui suorumque sanctorum manifestandam gloriam Deo,
paralysi tactus per medium, unius manus ac pedis, ut solitum tali
morbo est, amisit usum; continuo proinde lecto afflxus haereret
35 necesse fuit a 4 martii ad 4 mai. Postea se ad celebrem Maioris
Poloniae medicum Oleizoviam contulit, qui, adhibitis variis medicamentis, cum nullatenus restituere pristinae sanitati posset, despe-
rans de ulteriore vita, monuit manifeste illum vivere nonnisi ad
festum S. Bartholomaei potuisse. In talibus terminis constitutus
40 aeger, breviarium, in quo imaginem sibi semper dilectissimam B. Stanislai tenebat, semper illi devotissimus, aperiens, ferventem instituit
orationem, auxilium poscens in periculoso statu, fusis lacrimis. Dum
sic illam imaginem, capite inclinato, quod iam prac debilitate susti-

nere firmiter iam non poterat, intuetur, precesque fundit, somno de
repente corripitur; et ecce, nocte illa comparet B. Stanislaus forma
quam imago praeferebat, et ait : " Non amplius moras in hac domo
„ trahas; nam si diutius hic manseris, certo morieris. „ Haereticus
ille medicus fuerat, apud quem decumbebat. Accepto hoc divino 5
paene monito, ex nunc illucescente die itineri se commisit, statimque
melius valere incipiens, redditus integrae sanitati, hanc morbi sui
affectionem cum alteri medicorum post aperuisset, miratus medicus
non absumptum ea vi. Hoc testatur ipse in Calissien., fol. 43, et alter,
fol. 45 a tergo.   10

Idem in se expertus P. Sigismundus Brodowski Societ. Iesu, qui
anno aetatis suae 61 die 19 septembris 1621, Calissii paralysi
tactus ac iam extrema unctione delibutus, voto ad B. Stanislaum
nuncupato, dexteri pedis manusque usum recepit. In Calissien.,
fol. 22 a tergo.   15

Nobilis Albertus Lipniewski, qui motu et loquela ex paralysi
amissa, pro se per uxorem voto ad beatum facto, restitutus est motui
et loquelae, in Posnanien., fol. 54, fol. 59. Romae, ubi ad sepulcrum
beati delata fuisset, Martha Jaślikowska paralytica, consecuta ut
ipsa absque portatoribus, cum quibus venerat, domum rediret, in 20
Leopol., fol. 74, fol. 57; in Posnanien., fol. 46. Anna Peregrinowa,
toto anno ex paralysi decumbens, voto ante imaginem beati facto et
missa audita, relicto fulcro, cui innixa fuerat, viribus propriis domum
cum omnium admiratione venerat, in Leopolien., fol. 157, fol. 85,
fol. 152. Hedvigis Siedmioracka, voto facto, ab eodem morbo convaluit, 25
in Leopol., fol. 297, fol. 147, fol. 95, fol. 92. Hoc in suo filio Ioanne
unius anni, qui phtysi tabescebat, voto ad beatum facto, probasse
testatur in Posnaniensi pater medicus, fol. 90 a tergo, fol. 74, fol. 101;
et in Stanislao bienni, qui simili morbo consumebatur, in Posnanien.,
fol. 99, fol. 109.   30

Hydropem, accedentibus aliis affectionibus et morbis, dum gemellis
gravida incideret, Leopoli anno 1610 Christina Woyszyna adeo
periculosam patiebatur, ut et medicorum iudicio vel ad foetus
intempestivum abortum, vel ad vitae amissionem damnata, et iam
desperata, sacramentisque munita ac extreme uncta, ultimum 35
operiretur dierum suorum terminum. In tali constituta statu, votum
beato fecit, ac utroque malo ope eiusdem liberata, et feliciter
partum enixa, et ipsamet periculo defuncta, sanitati restituta, non
naturae sed miraculosa ope, ut deponit medicus in Leopolien.,
fol. 215, et alter medicus fol. 213, ipsa fol. 63; quod iterato recensuit 40
in Leopolien. partic., fol. 218 a tergo.

Similis morbus hydropis ope B. Stanislai abactus ab Alberto
Podlawski circa annum 1626 iam ab omnibus desperato; nam ubi

ante imaginem beati pro se sacrificari fecit, ad tertium diem tumor
malignus abscessit, in Posnanien., fol. 99, fol. 96, fol. 102. Itidem
Eva de Piglavice Leśniewska ex eodem morbo desperata, ubi voto
se beato obstrinxit, in Posnanien., fol. 58. Stanislaus Szczerbicz, civis
5 Lublinensis, ubi se beato commendasset, paralyticus hydropicusque
esse desiit, in Lublinen., fol. 10.

Anno 1628 Alberto Miaskowski succamerario terrae Leopoliensis
Starogostyni in Maiore Polonia, spina acuta ex osse piscis come-
denti in gutture per transversum haeserat adeo pertinaciter, ut nullis
10 medicis, quibus variis et competentibus usus erat, vel extrahi vel
protrudi vel loco moveri posset; immo magis exacerbaret dolor,
cruentaretur et exalceraretur guttur, intumesceretque cum gravi ac
fere iam desperato vitae periculo. Ad quod iam sese, de confessione
cogitans, disponere incipiebat. Meminerat simile quid accidisse uni de
15 magnatibus, quem supra nominavimus, ac simul quod ei nulla
remedia profecissent, B. Stanislai intercessio apud Deum et invocatio
profuisset; una et media hora afflictus inopinato casu, voto se
B. Stanislao obstringit, pollicitus statim se imaginem ipsius miraculis
claram Posnaniae invisurum, si voti compos et periculo liber
20 exstitisset. Et ecce, in eodem instanti spina sponte sua cum saliva
cruenta supra linguam comparuit, quam sublatam cum omnium
admiratione in memoriam beneficii et erepti morti, quo se impetebat,
instrumenti per auxilium B. Stanislai, iudicibusque examine iuratus
demonstravit, et beneficium recognovit in Leopol., fol. 216, in
25 Posnanien., fol. 45, in Leopolien. partic., fol. 212.

Idem periculum incurrerat Anna Duchnina, cum inter prandendum
os illi adeo firmiter haesisset in gutture, ut per octiduum dimoveri
e loco suo non posset, pluribus nihil tamen iuvantibus adhibitis
remediis. Ergo ad ultimum accurrit ad templum Societatis Iesu, ante
30 imaginem beati se prosternit, confessioneque peracta sacram synaxim
ibidem recipit, beato se suumque periculum commendans. Inter
haec os evanescit, illa periculo perfuncto sana domum revertitur,
et cum iuramento deponit in Leopolien., fol. 49, fol. 92, fol. 174, et in
Leopol. partic., fol. 219.

35 Duo hic admiranda addo. Primum. In cunis infans Sophia nomine
se, ut infantes solent, annulo ex collo pensili huc et illuc volutando
occupabat, quem abruptum ori imponens deglutiensque strangulatur;
spumat, vagit atque vix iam obstrepit eiulando. Incognita insperati
eiulatus causa, accurrit mater, annulumque abesse advertit, ac tum
40 demum causam mali. Ergo varie, ut in talibus consuevit, in caelum
tunditur, ad patremque ut succurrat portatur a matre, ac interim
B. Stanislaus corde ac ore inclamatur. Res mira, annulus sponte e
gutture tanto impetu erupit ad has voces, ut exsiliens ad fores

alliserit, quasi vi aliqua occulta protrusus esset. In Leopolien., fol. 191,
fol. 59, in Premislien., fol. 49.

Alterum. Anno 1631 intentus adornando altari auleisque affigendis,
die Corporis Christi Domini ad solemnem processionem Iacobus
Kilianowicz, ex impositis ori claviculis, unum magnitudinis duorum
articulorum digiti delapsum in angustias gutturis cum sensu doloris
non exiguo passus est per 18 horarum spatium, periculo iamiam
suffocandi imminente. " Credo „, aiebat votum B. Stanislao vovens,
" beate, et spero per tuam intercessionem me futurum sanum,
„ huncque claviculum eiecturum „. Atque statim ad ecclesiam
imaginemque beati se confert, dumque paulisper orat, praesentibus
pluribus fide dignis, eicit, et in memoriam gratitudinis, una cum
argentea tabella votiva, ad imaginem affigit. In Leopolien., fol. 132,
fol. 86, fol. 176.

§ 3. Daemonia, veneficia.

Non insero huic paragrapho de industria famari illum Nicolaum de
Nursia anno iubilaei 1600, Romae in templo S. Stanislai, nationis
Polonae, de quo oculati testes duo referunt in processu Aginensi et
Cracoviensi, fol. 70, nec illam in Hispania Huete 1604, in Sabina
1605, a pluribus daemoniis obsessos, ad manifestandam B. Stanislai
in caelo gloriam, per nomen illius obiurgatos, liberatos, quod iam
typis vulgata, manifesta orbi sint ac fuerint. Ea, quae ex processibus
remissorialibus auctoritateque apostolica factis excerpta, adduco.

Sophia Dmornikowna, annorum prope 50, voto castitatis obstricta,
famulae moribus excitata ad iram gravissimeque indignata, maledictis illam seque ipsam appetens, mala omnia imprecata, ex eoque
tempore a daemonio obsessa, duorum et medii annorum curriculo,
pessimi hostis cruciabatur tormentis. Cum ecclesias adiret, praecipue
maximeque cum concionibus adesset, clamoribus replebat omnia;
daemonium populum interturbabat praesentem, ipsosque praedicatores infestabat persequebaturque, concutiebat homines, occulta
peccata plurium manifestabat. Quo se et ecclesiasticis et saecularibus
odiosam ita reddiderat, ut sibi aditus templorum praecluderetur.
Adhibita ea quae possibilia videbantur remedia, uno integro anno
Przeworscii exorcismi facti, quibus malus ille genius excluderetur.
Lezaysci pluries a PP. Bernardinis laboratum, sed irrite; licet enim
daemonium aliquantum intermitteret, nihilominus irritatum magis,
mirabilia (verba ipsiusmet virginis deponentis sunt) quaeque patra-
bat. Accidit ut anno 1629 dominica infra octavas sanctissimi Corporis
Christi adesset in parochiali Przeworscensis oppidi templo quae
tunc habebatur concioni, ab illa audienda vexatione daemonis impedita; et cum, finita concione, promulgaretur intimareturque conficien-

dns in causa canonisationis B. Stanislai processus, attentius aure
applicata, incipit beato se malumque diligentissime commendare,
procumbensque in genua supplicare, ut sua intercessione efficeret a
malo adeo gravi et molesto eliberationem. Inter has preces sensit ceu
5 compedes aut torques ferreos de corpore decidisse, atque exinde non
amplius eo malo vexata est. Et post, tanti beneficii gratia, ad imaᵣ
ginem beati Iaroslaviae argenteam tabellam curavit appendi; quae
hisce plane, prout rettuli, verbis ipsamet attestatur in Premislien.,
fol. 141, et confessarius fol. 69, et alius fol. 24.

10 Gravis ac diuturnus morbus prostravit, ut ait ipse de se, nobilem
Stanislaum Grąpczynski, sub finem mensis iulii anni 1629; in quo
statim confessus sanctissimam Eucharistiam sumpsit. Invalescebat
in dies morbus adeo, ut iam etiam desperavisset de vita; dumque iam
ultima, ut solent moribundis, irruerent taedia, ac non amplius de
15 salute, sed mortem cogitans, vigilaret, immane daemonis spectrum
comparet et se ad lecti partem sistit, lecto decumbentis tremente;
tum ait: "Morieris, et ad infernum descendes „.Vehementi tunc timore
concussus, signo se crucis communit sanctorumque patronorum,
beatissimae Virginis ac divi Stanislai episcopi martyris, tutelae com-
20 mendat, ac simul B. Stanislai Kostkae opem implorat. Et ecce, in
eodem instanti B. Stanislaus ordinis sui habitu ad dexteram lecti
partem videndum se vigilanti praebuit, solaturque, "[Ne timueris „
inquiens, " sanus eris; Deum unum in Trinitate Virginemque san-
„ ctissimam invoca; „ et disparuit. Aeger vero subito convalescere
25 coepit, et eadem hora surgens de lecto, ad aliud se cubiculum transtulit. In Calissien., fol. 25, fol. 44; in Cracovien., fol. 126.

Sophia de Litogniew Lipska veneficis praestigiis ad tantam redacta
fuerat morborum vim, ut tabida lue consumeretur sensim ac tandem
quasi iam moribunda decumberet, nihil proficientibus mediis, quae
30 chirurgi opera adhibebat. Filiorum orbitati futurae consulturus
unus e Patribus Societatis suasit ut ad divina pro salute matris
recurrerent auxilia, potissimumque B. Stanislai implorarent intercessionem. Ad quod illis quasdam oratiunculas, in quibus eorumdem
pro matre vota continebantur, descriptas tradidit, ut eas ante ima-
35 ginem beati recitarent. Fuerant duo, Stanislaus et Venceslaus, filii
prostrati in genua primo ante beati aram domi, rursum ad lectum
infirmae matris procumbentes; eademque die ita restituta sanitati
est, ut ante morbum fuerat; praestigiorumque signa in lectisterniis
decumbentis deprehensa. In Calissien., fol. 39 a tergo, fol. 40; in
40 Leopolien., fol. 63.

Nobilis Petrus Onga, notarius terrestris Leopoliensis, praestigiorum maleficiis tam acri capitis dolore cruciabatur, ut pro maniaco
reputaretur. Medicorum, post adhibitas non paucas nec leves curas,

iudicio, sicut non ex naturalibus causis ortum ac ipse ...batur
infirmitas, ita quoque ad alia, quam ipsorum ars posset, remedia
confugiendum erat. Quare ad eum, quem aliis propitium sciebat in
similibus, recurrit, intercessionem nimirum B. Stanislai, votum
vovens se imaginem eiusdem exornaturum; praemissaque confes- 5
sione, dum ante imaginem, quae in Leopoliensi Societatis Iesu
templo magna devotione ac miraculorum frequentia celeberrime
colitur, sacram communionem suscipit, ab omni praestigiorum vi
infirmitateque quasi a vinculis absolutus, liber et sanus repente
evasit; atque votum expleturus, imaginem totam beati argento puro, 10
non exiguo pretio, labore et artificio, vestivit. In Leopoliensi partic.,
fol. 106, fol. 145 a tergo.

§ 7. Varia morborum et gratiarum genera

Venerabilis virgo Anna Kostczanka, abbatissa monialium Sancti
Benedicti in civitate Iaroslaviensi, beati consanguinea, annorum 15
ultra sexaginta, sub tempus, quo anno 1629 processus in Premisliensi dioecesi super vitae sanctitate ac miraculis B. Stanislai
formaretur, quia singularia tam ipsa quam sui monasterii alumnae
expertae fuerant dona Dei ad B. Stanislai memoriam, una cum
iisdem adcitata monitaque iuridice, ut se examini ad horam, qua 20
iudices remissorii ad portam sui monasterii advenissent, sisteret,
aegre id rei tulit, ac non sine aliqua murmurantis impatientia obloqui
coepit : " Sanctus, „ inquiens, " ille erit absque eo ; non interturbet
„ nos, „ etc. Derepente eodem die calculi dolores eandem arripiunt,
licet illi consuetus morbus, sed multo quam ante acrius et gravius, 25
adeo ut periculum metuere domesticae incepissent, arguereque abba-
tissam quaepiam de senioribus, quod oblocuta beati causae talem
poenam promeruisset; quod et ipsa cum dolore fassa, offerebat se
ad promptiorem in posterum obedientiam, ubi quidpiam honor beati
exposceret. Indicta itaque communis omnibus monialibus precatio; 30
quam illae ultra quam monebantur, adiunctis piis operibus, ut per
merita beati sanitas restitueretur abbatissae, exsequi susceperant.
Sed ut certiorem redderent suorum votorum effectum ac evidentius
appareret non casui cuipiam, sicut ante, aut medicamentis sanatam
infirmitatem attribuendam, sed mere intercessioni B. Stanislai, una- 35
quaeque secreto signum quodpiam elegit, unde id agnosci potuisset ;
uti fuit : si hac hora sanabitur, si dormierit, si hac hora calculum
grandem eiecerit, si processioni vespertinae — octava Corporis
Dominici haec fuerat — adesse poterit, certum ac indubitatum sit
beatum succurrisse. Omnia haec ad amussim evenerunt, eoque 40
tempore, quo una, ignota alteri intentione, designaverant; nam et
calculum insolitae magnitudinis abiecit, et vesperarum tempore,

dum *Credidi propter quod locutus sum,* etc. psalmus decantatur, et
processioni adesse potuisset, si non aliter ab illma D...... Lacosla-
viensi, Palatina Volyniae, suasum fuisset. Hanc admirandam res dutae
sibi sanitatis, cum iisdemque circumstantiis, licet non sine c... isione
5 sui, libenter tamen ipsamet rettulit una cum aliis, quibus es haec
insolita comperta fuit, in Premisliea., fol. 71, fol. 72, fol. 7 ., fol. 74,
fol. 76.

Marcella, Melchioris Wolfovicii consulis Leopoliensis uxor,
anno 1613 diebus bacchanaliorum una cum filiabus ad domum
10 fratris sui Pauli Boim medicinae doctoris caenatura sub vesperum
pergens, incidit in unum militem confederatorum tunc ex bello
Moschovitico, ab aliquot suorum de famulitio comitatum. Frontis
apparet et animi inhonesti ac impudici; qui una cum famulis easdem
insecutus, et face, quae praeferebatur accensa, excussa, illam, cum
15 ceterae huc et illuc quo poterant et licebat evasissent, cursu insequi
coepit. Haec in gravi se constitutam periculo manifeste advertens,
timore correpta ingenti, voce magna eum, cui devotissima semper
exstitit, B. Stanislaum, implorat : " Adiuva, o S. Stanislae! „ Interim
miles sceleratus et ebrius, qui iamiam cum stricta framea appre-
20 hensurus erat fugientem, Deo permittente, concidit lapsusque super
saxa seu super strictum ferrum vulnere se concidit adeo ut erumpens
violenter sanguis fugientem resperserit. Tempus interim fugienti
matronae concessum et occasio ad gratias beato patrono suo Stanislao referendas oblata. In Leopoliensi, fol. 45, fol. 123, fol. 206,
25 fol. 112, fol. 98.

Anno 1646 malevolentia insolentium ingens Premisliensi civitati
incendium concitaverat nocte immediate anniversariam diem B. Stanislai consequente. Cum periculo plena essent omnia, populus
memor beneficiorum, quae pro contione ad beati intercessionem
30 obtenta ab aliis audiverat, praecipue vero a semetipsis sub tempus
pestis, communibus votis et vocibus ad beatum recurrit. Nec defuit
auxilium; in instanti enim cessavit flamma et ignis, omnium etiam
infidelium admiratione. Grati animi ergo in crastinum in cathedrali
ecclesia imago beati exposita in altari, sacrum solemne de SS. Tri-
35 nitate decantatum, uno de capitulo officiante, et omni genere hominum ad eam gratiarum actionem confluente, magistratu ad hoc
incitante, qui mulctam decem marcarum statuerat in eos qui
abessent. In Leopoliensi partic., fol. 244 a tergo.

Anno 1609 Anna Ostrogorska, octennis circiter, coaetaneis suis
40 puellis colludens, casu an violenter ab insolentioribus protrusa, e
superiore domus contignatione per fenestram prolapsa in stratam
acutis lapidibus aream domus, capite alliso, procidit. Vidit haec
nobilis matrona et exclamavit : " O beate Stanislae Kostka, opitulare

„ puellae, neque casu adeo infelici filiae emori afflictam matrem
„ permitte! „ Tunc enim gravida aliis etiam premebatur doloribus.
Inquit mater, ac confestim ex superiori domus parte accurrens, reliquiam beati, quam penes se thecae inclusam gestabat, apposuit,
iacentemque loco sustulit. Et dum existimat gravi casu passam non 5
leviter, omnis doloris expertem proprio incedentem gressu, capite,
manibus totoque illaesam corpore deduxit. Ut provideretur puellae
melius, medicamenta apparata tradebantur; " Sed omnis „ inquie-
bat illa, " doloris expers sum. Cibum porrigite potius. „ Atque sic
Deo et beato adscripta sanitate, gratiae actae recensentur a matre 10
in Leopoliensi, fol. 97, et a medico fol. 216; in Leopoliensi partic.,
fol. 145, fol. 182, fol. 240.

Dorotheae, Stephani Adamowicz, advocati Calissiensis, dum
infantem lactaret, ubera utraque ulcus pessimum carcinomatis exe-
debat, non minus dolore quam vitae periculo in dies peius ac peius 15
dilatatum. Recurrit, malo quaesitura remedium, ad B. Stanislai intercessionem, voto facto tabellaque argentea, ad imaginem eiusdem
appendenda, confecta; quam antequam afferret, uberibus primo
male sanis applicuit, beatum invocans, et in eodem tempore cessavit
acerbus quo tenebatur dolor, carcinoma evanuit perfecteque sanata 20
votum, quod voverat, Deo et B. Stanislao reddidit, tabellamque perpetuae memoriae ac gratitudinis, in qua uberum expressa imago,
appendit. In Calissiensi, fol. 27, fol. 28.

Ioannes Zuchowicz, anno aetatis 15, ab adventu Christi 1618,
octobris initio quartana usque ad februarium sequentis anni male 25
tractatus, inter alia dolore nimio pedum torquebatur, magnis latis
profundisque fistulis seu foraminibus decem in fistulis sponte apertis,
nullisque chirurgorum medicaminibus ac emplastris remediantibus,
sed magis dolorem ac vulnera exulcerantibus, ita ut ab ea cura ces-
sandum esset. Dolor hic adeo illi gravis, ut omnem alium laborem 30
operamque impediret, ad vesperamque prolabente die acrius gras-
saretur, lacrimas, eiulatus planctusque adolescentis afflicti extor-
quens. Insuper ultimis ianuarii diebus pustullae erumpentes a plantis
usque ad genua, nulla sana pedum relicta parte, extra lectum efferre
pedem prohibuerant. In his constitutus angustiis, cum ad primas 35
vesperas purificationis B. Virginis campanas sonari audiret, indoluit
profusis lacrimis, quod festo tanto adesse solitaeque suae pietati
vacare non posset. Sed et statim mente sibi suggerente, votum con-
cipere ad B. Stanislaum cogitavit, nec quidquam moratus fecit, ut, si
eo adiuvante sanitati restitueretur, ante ipsius aram sacra se com- 40
munione reficeret, confessione peracta, ac quovis vespere cubitum
concessurus, unum *Pater, Ave* et *Credo* recitaret; ac insuper voto se
obstrinxit perpetuo beatum imitandi. Brevissime post sanatus votum

in crastinum nuncupatum explevit, ut ipse confessus est in Calissiensi, fol. 47.

Anna Iacobi Maleński uxor, gravida partuique proxima, casu
infelici prolapsa, prolem mortuam nullatenus prodere potuit; graviter
5 cum ingentibus doloribus conflictata, adeo ut et obstetrices de
remediis frustra adhibitis et vita desperantes, adesse illi amplius
recusarent. Dolens maritus, ad sui domini aulam, cui famulabatur,
accurrit in Skarszewo prope Calissium, consilium petiturus, quo uxorem morti proximae eriperet. Hoc unicum, aliis non suppetentibus,
10 accepit ut ad B. Stanislai intercessionem recurrerent, visitaturi
uterque imaginem illius miraculis in templo Calissiensis collegii
celebrem, si Deus sanam praeservasset. Audiit, et consilium acceptavit, et domum rediit, uxorem sanam ac cadavere illo mirabiliter
exsolutam invenit. In Calissiensi, fol. 26 et a tergo fol. 36.

15 Anno 1628, dum Posnaniae fabricaretur processus, concionatorum
intimationibus per templa, qui Dei gratiam per B. Stanislai intercessionem percepissent aut de admirandis aliquibus eventibus ad eius
invocationem accidentibus audivissent, ut se iudicibus sisterent et
referrent, populi incitarentur, " incidit tum „, ait mater, " filia mea
20 „ Eva in febrim gravem et periculosam, qua per tres dies, — anni
„ unius infans fuerat, — continue premebatur, apparentibus signis
„ quibusdam ad instar petechie, mortem futuram, ut putabatur, desi-
„ gnantibus. Ego illa concionatoris admonitione permota, votum ad
„ B. Stanislaum concepi, missam scilicet ad eius altare audiendi et
25 „ cereum offerendi, si Deus me solari dignaretur in salute filiae.
„ Favit divina clementia; filia enim iam desperata et morti adiudi-
„ cata eodem die, quo votum fecit, circa medium noctis melius habere
„ coepit; febris abscessit, disparuere mortis indicia ac saluti resti-
„ tuta „. In Posn., fol. 94 a tergo, fol. 93 a tergo.

30 Anna Iacobi sartoris Bucowiensis uxor periculosissimo morbo
decubuit; sibi prolique, quam gestabat, malum non leve exinde
metuens, beati Stanislai, sicut toto illo morbi, ita approximantis
partus tempore, ut vivam prolem edere posset, auxilium implorabat.
Et ecce, una noctium astitit lecto persona religioso Societatis
35 vestitu amicta, manuque super caput infirmae posita, ait : " Forte
„ tu, mulier, metuis et dubitas de tua valetudine „. Respondit illa :
" Ita est, metuo „. " Non metuas ergo „, ait, " neque dubites; invoca
„ auxilium et intercessionem B. Stanislai Kostkae, a quo huc ad te
„ missus veni „. Dataque illi ac toti domui ipsius benedictione,
40 disparuit. Adveniente partus tempore, eo ardentius patrocinium beati
advocabat; unde absque ullis doloribus et sensu soluta partu ex
nunc consurrexit. Paulo post infans ille matrem maerore affecit, cum
illi nescio quo ex morbo os incurvatum et unus oculorum loco suo

motus et eversus. Cucurrit cum puerulo ad templum ante imaginem
beati, ut, quemadmodum illam in partus difficultate et ante appa-
ritione solatus adiuvit, ita nunc casum hunc periculosum et gravem
manu sua averteret. Factum ut postulabat. Vix enim domum rediens
infantem lactandum ad ubera admovit, in momento et os et oculus 5
suae formae locoque reddita sunt. In Posnan., fol. 104 a tergo.

Anno 1628 Anna Stanislai Pozerzecki uxor magna difficultate
partus integra septimana atrocibus pressa doloribus laborabat ac
cum nullis remediis peritarum mulierum potuisset iuvari, ut mortuo
infantis cadavere absolveretur, consilio tam illarum quam aliorum 10
praesentium non acquiescens suadentium, ut in eo periculo salutis
propriae ac dolorum immanium pateretur prolem illam mortuam
frustratim ex utero excerpi. Petiit a parocho suo, ut suo nomine
votum B. Stanislao voveret, reddita sanitate persolvendum, ad altare
ipsius sacrae communionis et sacrificii audiendi, spe praeconcepta 15
certi ab eodem beato auxilii. Quod dum sacerdos ille ad preces
infirmae fecit, necdum finitis voti verbis, sub illud ipsum tempus
cadaver illud absque ullo humano auxilio sponte absque dolore ex
utero egressum. Libera periculo, morbo ac certa morte, Leopolin
venit, votivas gratiarum actiones exsolvit Deo atque elata in 20
conspectu populi voce, tam spiritualium quam saecularium utriusque
sexus praesentia totam rei seriem ac gratiam intercessione beati
iuvenis receptam evulgavit ibidem in templo. In Leopol., fol. 55.

Petrus Ozga subiudex terrestris Leopoliensis, cuius in alia occasione memini supra, anno 1620 in turcica captivitate detentus, spe 25
eliberationis deperdita, quod bellum gravius turcicum appropinquaret, votum B. Stanislao emisit, ut, si eo anno ante octobrem,
quando festum beati celebrari in Polonia solet, ex servitute illa
eliberaretur ipsius intercessione, quovis anno festo ipsius die ad
sacram synaxin accessurus esset ad altare ipsius. Evenit ut petiit; 30
nam eo ipso mense ante festum ex vinculis egressus, votum fideliter
exsecutus quoad vixit. Leopol., fol. 70.

Anno 1625 quinta aprilis die Sophia Krasnopolska, triennio manum
adeo doloribus confectam, ut movere nullatenus posset nec ulli labori
applicare, passa, ubi inquisitionem per processus fieri super miraculis 35
B. Stanislai inaudiit, quamque plurimi essent quos sua juvisset intercessione, Nicodemum Zagroba domesticum precibus induxit, ut eam
beato in tam gravi malo commendaret, pollicitam quod quicquid
primo labore manus illius lucraretur, totum id pro missae dicendo
sacrificio ante altare beati iuvenis esset in gratiarum actionem obla- 40
tura. Quod ubi petitus fecit, eodem die eademque hora integre sanata
ex nunc labori manum apposuit, doloribus non amplius redeuntibus
lucrumque, ut promiserat, destinato sacrificio attribuit. Leopol., fol. 83.

§ 8. Victoriae ex hostibus ad intercessionem B. Stanislai obtentae.

Ad commune omnium patriae incolarum bonum non minus
propensa benignitas B. Stanislai quam in privatorum exstitit semper,
profitente id toto regno totaque Polona republica, gravibus ac fere
extremis necessitatibus et periculis suam se debere beato suo civi
salutem. Ac ut ordine prosequar ea, quibus sibi patriam obligavit,
beneficia, primum mihi se sistit Chocimense cum Turcis bellum
anno 1621, Sigismundo III regnante, ac relata de barbaris victoria.
Sed quia de hoc iam superius egi, dum de gloria B. Stanislai a Deo
manifestata agerem, insignemque illam apparitionem sub id tempus
et diem pactae pacis ac quasi contra hostes expeditionem una cum
Dei genitrice in caelesti curru per aera susceptam a Stanislao ad
opem patriae ferendam, cum universa nobilitas ad bellum sub nobili-
tatis amissione confluebat, se quoque tanquam eadem lege obligatum
teneri nobilissimus iuvenis arbitraretur, accurrit, non iterabo. Hoc
tantum ad dicta adiungo, fatale Ottomanicae lunae nomen Stanislai
esse, et ad ipsius deprimendam arrogantiam tanquam ad Philisthaeo-
rum Goliathique superbiam humiliandam Davidem hunc, non minus
aspectu quam sanctitate ac virtute decorum adolescentem, statutum
in caelo, ut pro patria genteque sua dimicaret. Quod et alias compertum, probatumque est in ea quam subiungo a Turcis Poloniae
invasione.

Anno 1633, cum Vladislaus IV patri Sigismundo successisset in
regnum, infida, foedifraga ac barbara Moschorum gens, pactorum,
quae sub Sigismundo cum Polonis inierat, immemor, Smolenscium,
ultimum et potissimum versus illorum regionem fortalitium, derepente cum exercitu invadens obsidione cinxerat. Rex, ut succur-
reret, non minore numero ac apparatu exercitum secum duxit,
cumque fortuna non tardante premere adversa foedifragorum castra
inciperet, callida ac versuta Graecorum astutia imminuere potentiam,
si vi maiore superveniente aliunde distraheret, attentavit, et expeditis
Constantinopolim legatis speciosis satis, prout illis moris est, dum
seducere conantur et premuntur, promittere omnia et nihil observare,
nimirum omnes belli impensas suppeditare ac certas Tartarorum
provincias circa mare Caspium sibi controversas cedere liberaliter
pollicebatur, promissis induxit, ut, recenti sub Chocimo prace spreta,
Poloniam bello aggrederetur Turca. Commissum Abati Bassae fuerat
id negotii, qui, praemissis Tartarorum copiis, non leviter, magna
hominum bonorumque praeda abducta, vexavit iunii ultimis diebus
Podoliam. Mox tamen generali exercitum Stanislao Koniecpolskio,
pauca militum collecta manu, illos persecuto, tota praeda erepta,
domum rediit ac Tartari bene castigati profugere. Instabat ipse Abati

Bassa sexaginta circiter et amplius millium exercitum ex 80 millibus
Turcarum, quindecim Tartarorum, decem Moldavorum ceterisque
populis coactum ducens, et sabbati die, quae in 22 octobris inciderat,
in prospectus aciei Polonicae, quae octo circiter militum millia
tantummodo numerabat, sub Kamenieciam venit. Koniecpolski 5
imparem se multo nimium viribus et numero considerans, spem in
caelesti auxilio collocavit, et quia pervigilium solemnitatis B. Stanislai
is dies festus fuit, illum invocans, tesseram militibus conflicturis
hisce verbis designavit : *Stanislaus Kostka.* Pugnatum igitur, irruen-
tibus in castra multitudine Turcarum, Tartarorum Moldavorumque ; 10
sed non retusus tantum hostium impetus est, verum in fugam etiam,
strenue instantibus nostris, qui omnes ad invocationem beati
conspiraverunt, acti ita, ut receptui Abati Bassa cani fecerit et
concitato passu in seram noctem recessum ultra tres leucas cum toto
exercitu continuarit, nec redire amplius ausus. Hanc a tam pauco 15
milite primo ingressu insignem partam victoriam primorum praeci-
pui, qui tunc in castris aderant, palam universo regno cum celebri
B. Stanislao gratiarum actione fecere, nominatimque litteris ad
collegii Leopoliensis patres ea de re datis testati sunt id quicquid
securitatis nacta tum patria fuerat, beato adolescenti post Deum et 20
Matrem sanctissimam adscribentes. Has litteras ego tum puer pro
concione ex cathedra ad populum lectas audivi et universum regnum
contestatur. Leopol. partic., fol. 106, fol. 132 a tergo.

Anno 1648, dum insolentia rebellium Ukrainensium Cosacorum
eo usque excrevisset, ut sub interregni tempora post Wladislai IV 25
mortem in viscera regni numerosissimo plebis exercitu in societate
immensarum copiarum Scythicarum—ultra ducenta millia hominum
censebantur — velut exundans mare aut igneum absumens omnia
diluvium per caedes ferocissimas, depopulationes vastationesque
bonorum ac alia crudelissima ac ultra tyrannidem horrenda scelera 30
infudisset, nemine prorsus resistente, Chmielnicius rebellium caput
metropolim Russiae Leopolim aliquot septimanarum obsidione cinxit.
Humana tunc et divina in ea urbe pro hostibus repellendis remedia ;
nam instructi armis incolae cum se strenue defenderent et irruentes
ad expugnationem fortiter explosionibus tormentorum exciperent et 35
retunderent, ne prodessent pro latebris inimicis suburbanae domus
circumcirca vallum longe lateque sitae, clam expeditis qui incende-
rent, totum quod oberat, exuri fecerunt non sine gravi ipsius urbis
periculo flammaque scintillisque copiosissime involantibus; a . quo
tamen ope divina exstitit illaesa, decidente aliquanto imbre, qui tecta 40
humectarat, et vento alio flammam avertente. Ad divinam quoque
opem, ut in talibus fit, recursum est, et ad intercessorem ac media-
torem suum apud illius Maiestatem ex more B. Stanislaum. Et

primo in cathedrali ecclesia imago ipsius ad continuas supplicationes populi exposita, ultra quod in Societatis templo, — nam ingentem populi multitudinem, quae eo se salvatum confugerat, unicum capere templum non poterat, — idem fieret. Tum e contrario illi, quo vel
5 maxime hostis urgebat et quasi timebatur, loco ex alta turri curiae, quo ad tribunalia senatus convenire solet, in fori et urbis medio, imagine beati appensa, ac civitas se voto reddendarum gratiarum servatori suo Stanislao obligavit. Neque defuit suo muneri erga devotam sibi urbem in caelo; sed et animum incolarum quasi vi
10 quadam occulta confirmavit, et cum res eo deductae essent, ut hostis certa pecuniae summa contentaretur, qui non aliud quam praedam desiderabat, ipso annuo solemnitatis B. Stanislai die ab urbe soluta obsidione abscessit. Quod factum est, ut in simili loquitur Chrysostomus *(Hom. 28 in Gen.)* in honorem justi; consuetudo enim miseri-
15 cordiae Dei est, honorem hunc dare servis suis, ut propter eos salventur et alii. Recognovit beneficium urbs adeo manifesta significatione per beatum iuvenem obtentum, cuius dies solemnis nubem hostium velut sol irradians dissipavit, et solemnem gratiarum actionem ante aram ipsius in collegii templo instituens veluti illi qui a muris
20 hostem pepulisset, muralem coronam appendit. Totam enim urbem muris ac turribus in coronam ex argento compactam ad ipsius imaginem collocavit. Leopol. part., fol. 176 a tergo, fol. 226 a tergo·
Successit brevi post aliud malum, quod bella post se trahunt, pestis nimirum anno 1650, et cum urbem graviter divexaret ac privato
25 pro suo quisque desiderio ac devotione supplicaret beato servatori suae urbis ·Stanislao — hoc enim nomen illi a magistratu inditum supra dixi, — publica quoque totius urbis repetita invocatio. Nam qui tum magistratui praeerat, ex communi consilio die annua solemnitatis beati ante aram ipsius votum pro urbis incolumitate repetenda
30 emisit. Et res mira, quasi id exspectaret percutiens angelus, gladium furoris in vaginam remittere coepit; non solum enim ab eo die deficere lues coepit, sed observatum, — quod ego in eadem urbe ex ore viri consularis accepi, — est ut illo die nemo contagione obiret. Restituto sibi in integrum brevi salute, et voti exsolvendi ab eo, qui fecerat,
35 monita civitas, tanta alacritate id suscepit, ut ante omnia, quae tractari iure aut quopiam alio modo debuissent, id quod promissum est, expleretur. Et vero factum solius urbis incolarum interventu, ipso etiam pastore oves suas praeeunte archiepiscopo Nicolao Krosnowski et altero archiepiscopo Nicolao Torozsowicz Armeni ritus,
40 unito cum Ecclesia catholica, inter missarum solemnia, quae episcopus Nicopolitanus suffraganeus loci de sanctissima Trinitate in gratiarum actionem ante aram beati decantavit, ac ex manibus magistratus insigne et praegrande argenteum votum, apposita eliberationis a

peste per B. Stanislai intercessionem memoria, me praesente et horum
quae agebantur optime conscio, ad eandem offerens appendit.

Sub idem fere tempus, quo soluta Leopolis obsidio fuit, Zamosciam
obsidione idem rebellis exercitus Cosacorum premebat, sed non integer; nam pars illius una avulsa Premisliam, quatuordecim leucarum 5
itinere distantem Leopoli, expugnare attentavit. Nec levis ibi potiundae
ab hostibus civitatis timor fuit, praecipue cum caeca quadam perti-
nacitate rusticana plebs irrueret, nec adeo muniti, qui intus se con-
cluserant, essent. Nihilominus pro civitate Deus stetit et fortuna, ut
spe concidens recederet rebellium praedonum vis et quasi vi maiore 10
repulsa retro contentiosius abiret. Insperati licet optati omnibus suc-
cessus cum non nisi divinae id benignitati esset attribuendum, a tam
ferociter obstinatae multitudinis manibus et impetu liberari, cum
publicum nihil invocationis, quod praecessisset, adhibitum esset, indubitatum tamen maneret omnibus alicuius caelestium pro civitatis 15
conservatione apud divinam Maiestatem intercessisse, ecclesiastica,
quae praelucere omnibus voluit, ut debuit, gratitudine, auctoritas
inquiri iuridice, adhibitis testium inquisitionibus, fecit, cuinam potissimum sanctorum patronorum ab obsidione et incursu Cosacorum
eliberatio esset adscribenda; qui in illo periculo invocati; ad quos 20
vota, dum retunderetur hostis, concepta. Constitit ex eo plurimorum
tam spiritualium quam saecularium examine communem omnium
tam fidelium quam schismaticorum, immo vero etiam Iudaeorum audi-
tam sub tempus propugnationis vocem, beatum Stanislaum Kostkam
invocatum, qui post Deum et Matrem sanctissimam adesset, confi- 25
tentibus omnibus illi esse tam grande victoriae opus adscribendum,
illi cum choro virginum concinendum : " Percussit solus tot hostium
millia. „ Ergo decreto perill. et adm. R. D. Friderici Alembek, canonici
et officialis generalis Premislensis, sancitum est, ut inter alios sanctos
in memoriam beneficii accepti imago beati Stanislai Kostka publice 30
in templo cathedrali in arcu triumphali exponeretur ; quod factum,
altero eiusdem ecclesiae praelato perill. et adm. R. D. Andrea
Podolski ad populum pro concione dicente, in qua plures universae
patriae ad intercessionem beati Stanislai collatas a Deo gratias pro-
fuse stylo recensuit. Leopol. part., fol. 245. Instrumentum authenti- 35
cum adducitur.

In coepta rebellione et tumultibus gente eadem perfida persistente,
anno 1650 expeditionem universalem Ioannes Casimirus rex contra
eosdem Cosacos apparavit, nobilitate cuncta secum ad bellum evo-
cata, praeeuntibusque exercitibus usque ad Beresturkum castra 40
metati sunt; quo rex cum ceteris accelerans ad 28 iun. SS. apostolorum Petri et Pauli pervigilium, cum ultra 150 millium capita censeret
ad pugnam, hostem quoque non minore manu obvium et ad confli-

gendum promptum invenit. Erat tum praesens ad 120 millium multitudine stipatus magnus chan Tartarorum; erat Cosacorum numerus,
si non excedens, certe paulo aut nullo minor, cum suo capite Chmiel-
niecio e contrario pugnaturi, non minoremque terrorem multitudo,
5 quam toties non ad desiderium et vota facta alius expeditione, impri-
mebant. Piissimus rex ad bellum iturus sanctorum auxilia implorabat, ac dum in itinere Lublini esset, ut paucis supra attigi, ante aram
beati Stanislai prostratus, ne sibi patriaeque deesset in tempore
opportuno, qui invocatus alias semper aderat, votum vovit : si conci-
10 liasset in caelo victoriam, auream se pro defensa regia purpura
vestem, quasi spolium de inimicis, in eo loco ad imaginem pretiosius
contegendam appensurum. Vovebant et alii privatim-pro se quisque,
quod animus propensaque in indigetem suum voluntas proponebat.
Pugnatum est non feliciter tantum, sed ita fortiter, ut chan Tartaro-
15 rum cum exercitu suo impetum ferre nequiens, concitatissimo cursu
omnibus, quae secum suo commodo tulerat ad bellum, relictis, in
Scythiam usque fugerit, non parva manu suorum amissa. Rebelles
vero cum plurimi in acie cecidissent ac obsidionem, qua cincti
fuerant, ferre diutius non possent, qua poterant per stagna paludesque
20 et palabundi profugere, castris omnique commeatu deperdito.
Quotquot vero voto se obligarunt, incolumes rediere ad propria. At
rex beneficii, quod postulaverat receperatque, memor, ut pollicitus,
liberalissima gratitudine exsecutus, auream vestem mille ungaricorum pondus dono dedit victor ex pugna reversus, pauloque post
25 singularis obligationis suae apud apostolicam sedem esse affirmavit,
ut pro tanti auxiliatoris honoribus multiplicandis apud eandem
instaret, ut in litteris eiusdem legitur. Stanislaus autem caelo terraeque edixit illis, quibus olim Christus a Martino in paupere vestitus,
verbis gloriatus : " Iohannes Casimirus victor me hac veste contexit. „
30 Contigisse sub id tempus fertur Cracoviae caelesti id visione prae-
nuntiatum paulo ante; nam uni non minus honestae quam piae ac
rarae virtutis personae sanctorum diversorum longa per urbis plateas
processio ire visa, in cuius principio ad crucifixi pedes, qui praeferebatur, in genua provolvebatur beatus Stanislaus, supplicans et pro
35 patria, qui iratum placaverat per crucem mundo Patrem, Christum
cruci affixum placans. Transibat illud celebre agmen aream, quae
templo SS. Petri et Pauli, in quo caput eiusdem beati iuvenis asservatur, proxima est, atque universi versus basilicae portam obversi
profundam reverentiam exhibebant, exinde emanaturam non nutu
40 hocce tantum, sed voce quadam de medio audita Poloniae victoriam
profitentes, ubi sollicitum pro suis Stanislai caput quiescebat.
Appono hic, quod in simili occasione illma et excma ducissa in
Ostrog palatina Anna de Sztemberg Kostka in se comprobavit

experta, iis plane quibus ipsa locuta est verbis : " Ill^{mus} olim Stani-
„ slaus de Stadnicki, genere licet nobilissimus, caedibus tamen
„ ipsaque detestanda haeresi plus quam infamis, terror, si licet
„ loqui, hominum, adeo ut ipse nomine diaboli ab omnibus insigniri
„ mereretur passimque vocaretur diabolus. Is adscitis Hungaris, 5
„ Slavis, Bohemis, Valachis aliisque multis gregariis haereticis et
„ barbaris, nobilitatem districtuum vicinorum, tum maxime Premi-
„ sliensis urbis, multis annis infestabat, ecclesias bonaque earum
„ expilabat, bella etiam principibus in regno movebat, mihi meis-
„ que infensissimus villas oppidaque mea depraedabatur. Rem cum 10
„ multoties Deo omnipotenti commendarem, tandem ille ut hostis
„ patriae regno proscriptus, cum nihilominus magis ac magis pessima
„ quaeque armis et milite prosequi contenderet prosequereturque,
„ nec suae vires infringi a cetera nobilitate quoquo modo potuissent,
„ tandem cum anno Domini 1610 celeberrimae in civitate mea 15
„ Iaroslaviensi mense augusto imminerent nundinae, quidam regni
„ senator certiorem me per litteras fecit, dictum Stadnicki copias in
„ partem suam ex Ungaria, Slavonia, Bohemia et Silesia adscivisse,
„ meque ac civitatem Iaroslaviensem propediem mercibus opulen-
„ tissimam depraedari instituisse. In iis posita angustiis, cum vix 20
„ pauca manus consanguineorum militumve praesto mihi esset,
„ hostisque numeroso praedaeque cupidissimo milite veniens, villas
„ circumcirca spolians, ulteriora iamiam aggressurus, civitatem oppu-
„ gnaturus, ne civitas ulteriore cum advenis opibusque metu et peri-
„ culo conflictaretur, captato consilio, die illo, quo obitus beati 25
„ Stanislai Kostkae, mense videlicet augusto, sollemniter devotissime-
„ que celebraretur, rem beato Stanislao, certo voto emisso praevioque
„ ad altare eiusdem sacro missae sacrificio, ardentissime commen-
„ davi militemque numero exiguum, summa spe in beato reposita,
„ contra hostem expedivi ita feliciter, ut qui multis annis multisque 30
„ copiis multoties frangi vincique nequierat, tunc a pauco milite
„ caesus ipsemet omnium gaudio occubuit. Quae omnia, interveniente
„ beato Stanislao Kostka, ita feliciter acta in toto victoriae auctori
„ refero tribuoque. „ Haec illa in Premisl., fol. 87.

Anno Domini 1628 cum in Prussia, infestante illam periuro Gustavo 35
Adolpho, Sudermaniae duce et regni Sueciae, quod iure naturae ad
Sigismundum III regem Poloniae fuerat devolutum post patrem
suum, invasore, sacra profanaque omnia susdeque miscebantur,
triennio fere incursiones illae haereticae grassabantur. Multi pro
patria privatique pro suis, quos sanguine contingebant, in illa Poloniae 40
parte habitantibus solliciti, eundem beatum iuvenem, quem proximis
ante annis contra Turcas celebrem viderant, contra haeresin votis
praeconceptis in subsidium militiae regni invocabant. October mensis

erat, quo per universum regnum sollemnis beati Stanislai dies obiri
solet dominica ante SS. Simonis et Iudae festivitatem, ingressu
eiusdem sancti adolescentis in Societatis Iesu religionem notatam,
et in diversis regni provinciis, uti Cracoviae in Minore Polonia, Leo-
5 poli in Russia, publicis supplicationibus cum beati Stanislai imagine
institutis pro salute patriae felicique exercitus nostri, qui iam cum
suo generali Stanislao Koniecpolski illas partes defensurus attigerat,
agebatur; cum ecce eodem die, audito primum divino sacrificio,
castra contra hostem mota, cognitoque per exploratores adventu
10 hostili, ita feliciter pugnatum est, ut, strage non modica Suecicis
cohortibus illata, celeberrimus illarum ductor Baldis ab ipso generali
Poloniae sclopeto traiectus iisdemque manibus in vincula abductus
sit, victorque exercitus loca insigniora ab hoste occupata receperit.
In Cracov., fol. 113; Premisl., fol. 81.

15 §9. IMAGINUM BEATI STANISLAI PRODIGIA.

Talibus, quae hic referam, portentis in imaginibus beati Stanislai
ab omnipotenti divina manu expressis, cum id quoque in pluribus
aliis sanctorum effigiebus occurrisse testentur historiae, tamquam
meritis iam ante consimilem gloriae ac admirandis operibus beatum
20 hunc adolescentem coaequavit. Et vero recte id quod accidit por-
tenta appellari, et prodigia non levia quae consueta sunt in totam
Poloniam portenderunt, ut dicam ita; ita ut quoniam lacrimari et
sudare visa sunt, sicut benignissimi Salvatoris oculi non frustra super
Ierusalem flevisse narrantur, sed, Gregorio Magno affirmante, flevit
25 pius Redemptor ruinam perfidae civitatis, isti quoque alias benignissime omnium necessitates respicientes oculi, suffusi lacrimis
super flagellis et ruina patriae ac sibi devotarum urbium consecu-
turis maduerint.

Lublinum universi regni iudiciis tribunalitiis in tota Polonia cele-
30 berrimum, qua devotione erga B. Stanislaum, quem in patronum
coram officio consistoriali et ecclesiastico anno 1630, 20 novembris,
a peste ope illius praeservatum per magistratum delegit et assumpsit, feratur, non pauca superius innui et iam particularia quaedam
eius devotionis signa adduxi; hoc inter alia dixi, nullam exstare
35 domum, quae imagine beati careat. Erat suburbanus quidam
Iohannes Kuchart dictus, rectus et simplex ac timens Deum, qui
domi suae affixam longo tempore parieti imaginem beati Stanislai
tenebat. Contigit, ut dum anno 1632, 31 iulii, vespere ad somnum
concedente illo, uxor sua aliquantum precum pro more recitaret et
40 in imaginem beati oculos converteret, cum ecce conspicit guttas in
genis ac facie beati comparere, ac cum iam aliquot ante horis puella
quaedam idem annuntiasset, sed id, tanquam si quid vanum esset,

neglexissent cuncti, non leviter perterrita, maritum excitat, ut surgat,
et quod accidit consideret. Sed cum ille, quasi magnum quidpiam
esset, respuisset, tandem iteratis vocibus commotus consurgit, guttas
abstergit manumque iisdem humefacit, ac quemadmodum usu venire
solet, ut nova insperata admirati ulteriorem eventum non praesto- 5
lemur, quid esset rei alias nusquam domi suae visae inter se collo-
cuti, iterum se quieti dedere omnes. Illucescente primo augusti
mensis die ac cum eo dominica, qua evangelium illud legi consuevit :
" Cum appropinquasset Iesus Ierusalem, videns civitatem, flevit super
„ illam „, divinis absolutis, cum reduces assiderent mensae, patrifa- 40
milias prandenti sub imagine beati locus obtigit, et ecce derepente
aliquot illi in collum guttae decidunt. Admiratus iterato hospes ad
collegium accedit evocatoque uno ex patribus totus compunctus et
lacrimabundus ait : " Pater mi, imago beati Stanislai in domo mea
„ flet. Veni et vide, ac consilii quidpiam suggere. „ Adest pater 45
domumque ingressus aliquantum flexis super terram ante imaginem
pendulam ac a pariete magno spatio dissitam, immo et pulveribus ac
aranearum telis a parte posteriore obsitam genibus orat, propiorque
factus, curiosius picturam contemplatus, advertit ab oculo sinistro
rivulum aquae promanantis in pallium oramque vestimenti decur- 20
rere aliquotque alias sub mento ad instar sudoris guttulas. Huc et
illuc ergo scrutatur melius parietes, lecti, aliarumque imaginum
vicinarum, num quidpiam simile continerent, situm, causasque, si
quae naturalis humiditatis aut madefactionis esse possent, rimatur,
ac totum id, quicquid sudoris et humoris fuerat, diligenter detergit; in 25
abitu domesticos monet, ut si quid eiusmodi iterato contigisset, significare sibi non negligerent; neque eo contentus, aliquot obvios sacerdotes saeculares dirigit, ut domum illam adeant, videant advertant-
que, si quid opus esset. Adeunt tres simul ac aliquot alii saeculares,
ac cum iam advesperasceret, accensa candela, nomen Iesu, quod ad 30.
latus fuerat, radios circa caput ac ipsam beati faciem utrumque
oculum lacrimis ac guttis sudore obsita ita, ut rivuli defluerent
manusque detergentium humectarent, probaverunt, precibus iteratis,
postquam abstersissent. Abeuntibus hisce, circa horam secundam
noctis adeo sudor et lacrimae invaluere, ut magistratum sae- 35
cularem paterfamilias censuerit advocandum, qui id quod de lacrimis et sudore abundanti ac continuo comperiens viderat, scripto
eidem, de quo memini, instrumento inserto testatus est. Summo
sequentis diei mane iterato hospes ad collegium advolat eius-
demque magistratus testimonium patri eidem, — Franciscus Stani- 40
slaus Phaenicius is fuerat, de sua erga beatum devotione Poloniae
universae notissimus, — tradit. Qui consistorii notario secum
abducto, cum siccam a lacrimis sudoreque imaginem repperisset, ex

pleni cordis fiducia ita intra se beatum alloquitur : " O beatissime
„ Stanislae, itane ego indignus sum tuas uberes lacrimas videre, et
„ sudorem, quem alii saeculares sacerdotes cum plurimis aliis sim-
„ plicibus hominibus viderunt? Numquid non servus, licet indignissi-
5 „ mus, et frater tuus ego sum? „ Et ecce tibi derepente (ita ipse
loquitur), sub dextero oculo comparuit gutta lucida ex pauca quantitate nuclei cerasini, quasi radiolos quosdam in modum stellulae
referens. Mox et in parte sinistra ad auriculam altera similis prodiis-
se visa est. " Exclamavi, „ inquit, " ostendi guttulas notario et
10 „ circumstanti confertissimae turbae probavique manibus, et aquam
„ repperi, detersi, tandemque in genua provoluti omnes litanias de
„ Beata Virgine coram eadem imagine magno pietatis et devotionis
„ sensu recitavimus. „ Commota adeo admirabili prodigio universa
civitas, ecclesiasticum aeque ac saeculare regni tribunal honore
15 praeveniendum censuerunt, si quid forte malorum praesagiret, atque
supplicatione sollemni indicta, imaginem beati domo, in qua steterat,
elatam, sub nobili ac pretioso tentorio, ipsis tribunaliorum iudicibus
succollantibus, processionaliter inter musicos cantus populique innu-
meram fere multitudinem praecedentis subsequentisque ad Socie-
20 tatis templum detulerunt; ubi hucusque asservatur magna reverentia
et devotione ac votivarum tabellarum gratitudinem ob beneficia
accepta testantium multitudine.

Ad 1600 annum Thomas Oborski, episcopus Laodicensis, Cracoviensis suffraganeus, Roma in Poloniam imaginem beati Stanislai
25 magno devotionis sensu expressam picturisque similitudinem apprime
assecutam miserat, quam primam earum, quae Roma venerant,
constans traditio est, domuique professae Societatis Iesu ad Sanctae
Barbarae Cracoviae dono cesserat. Haec cum ad annum usque 1632
in communi domus illius, ad quod ab omnibus certis horis con-
30 veniri solet, hypocausto parieti affixa maneret, nono septembris
eiusdem anni a pluribus patrum tam seorsim quam coniunctim adeo
copiose visa est sola inter ceteras desudare, ut rivulis toto corpore,
facie ac veste guttae ad usque margines defluerent; ac cum refixa ac
hinc et inde pulverulenta strophiolo detergeretur, novae comparebant
35 guttulae magnitudinis uvarum vineacearum, idque quasi integro die
primum, quo etiam, ubi abstersus cessabat sudor, facies apparebat
valde solliciti et vehementer agentis ac rubicundi, collum inflatius
tumescentibus venis manusque rubentes, postero vero die tanquam ex
morbo consurgentis, pluribusque post diebus madida et collucens
40 humore illo conspecta. Immo hucusque, — quod egomet ipse, cum
post hosce sudores in sacrarii thesauro conservaretur et postquam in
templo eiusdem domus in altari exposita est, vidi et probavi, —
in genis sub oculis manet ita expressum, quomodo post fletum aut

sudorem detersis oculis et vultu maculatae aliqua nigredine genae
apparere solent. Res haec prodigiosa auctoritate eminentissimi cardinalis et serenissimi principis Poloniae, episcopi tunc Cracoviensis,
probata tabulis publicis est consignata anno 1634, 23 iunii.

Erumpente veluti universali diluvio plebis Ukrainensis insolentia 5
totamque Russiam et magnam Poloniae partem inundante, anno 1648
Olykam Volhyniae civitatem, ducali titulo atque adeo residentia
celebrem, invaserat tumultuans multitudo strage magna, feritate
immani, nil sanum ex praeclaro aedificio magnificentiaque templi
ditissimi relinquens. Ac cum immaniter in ecclesiam collegiatam 10
grassarentur, sacra omnia profanarent, everterent altaria, ferro
barbare imagines sanctorumque effigies lacerarent, appulere ad altare
imagine beati Stanislai adornatum. Cumque iam unus strictam secu-
rim infigere manu sublata intentabat, copiosissimis lacrimis manare
oculos rivisque lamentabiliter defluere conspexere omnes, ac pientior 15
ceteris, quasi misericordia motus esset, exclamat : " Absistite; pue-
„ rulus in lacrimas solvitur, „ atque sic intactam reliquere, effre-
natum impetum stupore vi divina cohibente. Haec ex eorundem
insolentium ore accepta paucis post mensibus prope praesenti mihi
anno eodem relata fuere.   20

Rettuli superius, aliquot eiusdem beati adolescentis imagines inter
flammas et ignem intactas et illaesas post incendium repertas. Est
collegio Leopoliensi una in lamina, quae apparitionem Beatae Virginis cum puero Iesu beato Stanislao Viennae aegrotanti factam
repraesentat. Per hanc Deus mira circa infirmorum sanationem 25
operari solet ; unum hic tantum de mea certa scientia attingo, quia,
dum puer 14 circiter annorum essem, eam uni infirmae per me
submissam attulere. Cordis doloribus, quos continuae stomachi eie-
ctiones vomitusque, ut tum dicebatur, usque ad ventriculi inversio-
nem frequentes causaverant desperareque de vita fecerant, oppressa, 30
hanc ubi devote cordi applicuit, omnem infirmitatem, somno insperato
irrumpente, repente sustulit.

§ 10. Detractores severe a Deo puniti.

Virtus et sanctitas nusquam sine hostibus et contradictoribus est,
et quemadmodum id in servorum suorum in terris viventium exerci- 35
tium, ita in secum in caelis regnantium gloriam a Deo permitti solet,
at non sine malignantium detractorum poena. Respondet enim Deus
pro illis, quemadmodum in simili factum ait S. Bernardus in ultionem
detrahentis virtutibus S. Malachiae, et plenae sunt horum historiae,
quod et hic observatum in aliquot casibus videbis.   40

Natalitiis beati Stanislai insolenter quidam nomine Martinus
Zborowski, senatoriae licet familiae, utpote castellani filius, sed vilis

et abiectae, ut apparet, linguae homo, nescio quid blasphemi effuti-
ens detraxerat in praelati unius, quo et autore hoc constat, praesentia.
Sed non abiit inultum. Auris enim zeli, quae audit omnia, dilectissimi
sibi iuvenis honorem non tutata solum, sed brevi amentia blasphe-
5 mum hominem castigavit, ut, cum de potestate mentis exiisset, nunquam ad rectum illius usum redierit, sed ita, sicut stulte locutus, amens
loqui et vivere desierit. In Premisl., fol. 20.

Virum quoque quempiam nobilem, cuius nomen in occulto est,
cum diceret " Stanislaum Kostkam Iesuitae sanctum faciunt, cum non
10 „ sit „, repentina mox surditas invasit in poenam audacis et blasphemi dicti, quae illum perenniter ac perpetuo affligens, ad usque
mortem detinuit. In Leopol. part., fol. 211.

Cultui et venerationi, quam beatus iuvenis condignam sua sanctitate et meritis habet, sacerdos quidam Iacobus de nomine, vicarius
15 metropolitanae Leopoliensis ecclesiae de officio, obloqui auditus est.
Cui rem alter indigne ferens et zelo honoris Dei ac sanctorum
accensus, mortem in poenam comminatus est; quae adesse non
distulit. Nam intra duarum septimanarum decursum subitanee
exstinctus et e vivorum numero sublatus est, forte, si impaenitens
20 decessit, nec in caelo honores illius visurus, qui illos in terra caelestium aemulos pati non potuit; quod Deus avertat. Leop. partic.,
fol. 208.

Sub tempus obsessae a Cosacorum Tartarorumque multitudine
Leopolis in anno 1648, ad intercessionem sibi pluries probatam
25 beati Stanislai urbs tota recurrit, ut se, quemadmodum ante a
flammis, ita ab hostium accenso furore, velut clypeo quopiam, pallio
suae pietatis obtegeret; ideoque in summitate turris in urbis medio
supra curiam sitae imaginem beati ex ea, qua maxime pugnabatur
parte, exposuit. Quae cum ibidem continuaretur detineri in perpe-
30 tuam memoriam beneficii, tempestate aeris pluviarumque non parum
attrita, in anno 1658 sollemni pompa inter tormentorum reboatus
proxime diem beato sacram accommodata et talibus iniuriis melius
provisa. de novo in aere inter marmoris margines loco eodem inclusa.
Male res haec aliquos religiosos accepit, an invidia, prout non semel
35 accidisse compertum, quod non suae religionis sanctis is honor
daretur, aut etiam quopiam alio non tam indiscreto quam minus
sapienti zelo rerumque forte ignaro. Tentare primum ecclesiasticam
potestatem, ut prohiberet; tum, cum in vanum accidissent intenta,
palam ex cathedris varia multis gravi omnium scandalo obloqui,
40 nedum effutire. Non probavit eas voces caelum, immo vero castigavit.
Nam intra octo dies a dicta in octobri celebrari solita festivitate unus,
— familias religiosorum honoris causa non nomino, — concionator,
homo alias turbulentus et male cum suis superioribus conveniens, et

qui a Societate digressus secum malum in eam animum in aliam
religionem tulit, — ut ipse oculatus turbarum, quas in eodem loco
alias contra superiorem excitaverat, testis et quasi mediator recon-
ciliationis fui, — tum etiam contra superiorem immodestius, postquam ex cathedra multa insulse contra beatum dixisset, exarsit. 5
A quo cum pro merito castigari deberet, elapsus e suorum manibus
praecipitem se dedit ex fenestra, ruptisque visceribus malum linguae usum terminavit. Alius sibi ipsi gulam praecidit, quam contra
sanctorum honores diduxerat. Tertius a sui ordinis laico securi vulnus in capite accepit, fere ad mortem dicacitatis castigatus. Alius, 10
quod mirum dictu, dum in medio confertae multitudinis forum
transiret, tabula ex eadem turri decidente, ipse solus ictus et concussus, cum nemo alius de numeroso populo tactus fuerit. Haec
ad me iisdem diebus, re recentissima, P. Rector collegii Leopoliensis
in litteris dedit. 15

CODICUM HAGIOGRAPHICORUM GRAECORUM

BIBLIOTHECAE CHISIANAE

DE URBE

Bibliothecae *in palatio nobilis et antiquae familiae Chisiae in platea columnae Antonianae de Urbe constitutae* (1) codices hagiographicos graecos excutere aggredimur eadem prorsus ratione methodoque, qua Parisinos bibliothecae Nationalis tractavimus, neque iteranda videntur quae hac occasione lectorem monitum volebamus (2). In mentem revocasse sufficiat littera B nostram *Bibliothecam hagiographicam graecam* designari, numerumque appositum ad ordinem documentorum de unoquoque sancto in eadem allatorum referri.

Laborem minime arduum cum voluptate nos suscepisse intelleget quisquis recordetur quanta cum benignitate Alexander VII Chisius, tum in minoribus constitutus (3), tum in summi sacerdotii cathedra sedens, maioribus olim nostris consilio, opere et propriis commodatis codicibus semper praesto fuerit (4). Nec minor fuit hodierni principis Marii Chisii benevolentia, qui, cum suorum librorum describendorum amplam copiam fecerit, optime de nobis omnibusque rei hagiographicae cultoribus meritus est. Maximas quoque gratias habemus cl. v. Iosepho Cugnoni, Chisianae bibliothecae praefecto (5).

(1) Ex litteris Alexandri VII die 31 augusti 1660 cardinali Flavio Chisio, ex fratre germano nepoti, datis. Exstant in opere *Catalogo della biblioteca Chigiana giusta i cognomi degli autori ed i titoli degli anonimi... sotto gli auspici del eminentissimo e reverendissimo principe Flavio Chigi della S. R. C. diacono cardinale di S. Maria in Portico, da Monsignor* STEPHANO EVODIO ASSEMANI, *arcivescovo d'Apamea.* Roma, 1764, fol., p. XI. — (2) *Catalogus codicum hagiographicorum graecorum bibliothecae nationalis Parisiensis,* ediderunt HAGIOGRAPHI BOLLANDIANI et HENRICUS OMONT, Bruxellis, 1896. — (3) *Act. SS.,* Febr. t. II, epist. dedicatoria. — (4) PITRA, *Études sur la collection des Actes des Saints* (1850), p. 42. — (5) Chisianos codices laudarunt quotquot Urbis bibliothecas lustrarunt, ex quibus indicasse sufficiat MONTFAUCON, *Diarium Italicum* (Parisiis, 1702), p. 236-38; MABILLON, *Museum Italicum,* t. I (Parisiis, 1724), p. 92-95; MONTFAUCON, *Bibliotheca bibliothecarum,* t. I (Parisiis, 1739), p. 174-175; PERTZ, in *Archiv der Gesellschaft für ältere deutsche Geschichtskunde,* t. IV (1822), p. 528-38; BLUME, *Iter Italicum,* t. III (Halle, 1830), p. 186-89; GACHARD, *La Bibliothèque des princes Chigi à Rome,* BULLETIN DE LA COMMISSION ROYALE D'HISTOIRE, sér. III, t. X, p. 219-44; G. CUGNONI, *Aeneae Silvii... opera inedita.* ATTI DELLA R. ACCADEMIA DEI LINCEI, ser. III, t. VIII (1883), p. 323-38, appendix secunda.

Codex signatus R. IV. 7.

Membraneus, foliorum 168, 10ᵐ,20 × 0ᵐ,16, binis columnis saec. XI exaratus. Continet varia ascetica, inter quae *Scalam Paradisi*, cui praeit, ut fere solet,

(Fol. 19-22). Βίος ἐν ἐπιτομῇ τοῦ ἀββᾶ Ἰωάννου τοῦ ἡγουμένου τοῦ ἁγίου ὄρους τοῦ Σινᾶ τὸ ἐπίκλην σχολαστικοῦ τοῦ ἐν ἁγίοις ἀληθῶς. — B1.

Codex signatus R. IV. 12.

Codex chartaceus, miscellaneus, saec. XV exaratus, ex quo unum documentum hagiographicum obiter indicasse sufficiat, scil. fol. 7 sqq. encomium Gregorii Cyprii de S. Georgio = B 8.

Fol. 1 legitur : *Iste liber est mei Ieronimi de Modoetia.*

Codex signatus R. IV. 15.

Chartaceus, foliorum 28, 0ᵐ,17 × 0ᵐ,105, lineis plenis saec. XVI exaratus.

Initio schedula libro inserta est his verbis concepta : " *Vita Spiridioni epi. Michael archiepiscopus Castoriae Cyprius exscripsit ex libris Vaticanis. V. in fine. Fuit d. Constantini Caietani. Ms., non est impressus.* „ Eadem fere nota ad calcem graece legitur, tandemque : *Venetiis, 1594, in cenobio S. Georgii maioris.*

Totum codicem complet

Βίος καὶ πολιτεία τοῦ ἐν ἁγίοις πατρὸς ἡμῶν Σπυρίδωνος τοῦ θαυματουργοῦ ἐπισκόπου Τριμιθούντος Κύπρου συγγραφεὶς παρὰ Θεοδώρου ἐπισκόπου Πάφου. — B1.

Codex signatus R. V. 34.

Membraneus, foliorum 256, 0ᵐ,255 × 0ᵐ,19, binis columnis saec. XI exaratus, praeter folia nonnulla manu recenti restaurata. Folio 139ᵛ legitur πίναξ ἀρίστη τῆς παρούσης πυκτίδος, ex quo indice constat codicem integrum non esse.

1. (Fol. 1-9.) Μαρτύριον τοῦ ἁγίου μεγαλομάρτυρος Τ ρ ύ φ ω ν ο ς.— B.   [Febr. 2.]

2. (Fol. 9-20ᵛ). Βίος καὶ πολιτεία καὶ θαυμάτων διήγησις τοῦ ἐν ἁγίοις πατρὸς ἡμῶν Π α ρ θ ε ν ί ο υ ἐπισκόπου Λαμψάχου.   Febr. 7.

Inc. Τὰ κατὰ τὸν μέγαν Παρθένιον εἰδέναι μὲν ἀκριβῶς — Des. τοῖς αὐτὸν ἐπιβοωμένοις βοηθὸς ἑτοιμότατος νόσους διώκων... ἀμήν.

3. (Fol. 21-23ᵛ). Μαρτύριον τοῦ ἁγίου μεγαλομάρτυρος Θεοδώρου
τοῦ στρατηλάτου.   Febr. 8.

> Inc. Λικιννίῳ τῷ βασιλεῖ πολλῇ κεχρημένῳ τῇ περὶ τὰ εἴδωλα δεισιδαι-
> μονίᾳ — Des. ἄραντες δὲ τὸ ἱερὸν αὐτοῦ λείψανον οἷς τε δὴ καὶ προσέ-
> τακτο... ἀμήν.

4. (Fol. 24-92). Vita S. Lucae iunioris in Hellade. — B. [Febr. 11.]

> Inc. acephala; sed paucissima desunt.

5. (Fol. 92-101ᵛ). Μαρτύριον τοῦ ἁγίου καὶ ἐνδόξου μεγαλομάρτυρος
Νικηφόρου.   Febr. 9.

> Inc. Οὐδὲν ἔοικεν ἀγάπης εἶναι μακαριώτερον ὥσπερ οὖν καὶ μίσους —
> Des. χωρὶς ἱδρώτων καὶ κινδύνων καὶ πόνων... καὶ δικαίως οἶδε μόνη
> τὰς ἀμοιβὰς διαμένειν, κοσμηθῆναι στεφάνους... ἀμήν.

6. (Fol. 102-133ᵛ). Πολιτεία τῶν ἁγίων καὶ ἐνδόξων καὶ φιλευσεβῶν
μεγαλοβασιλέων Κωνσταντίνου καὶ Ἑλένης καὶ φανέρωσις τοῦ
τιμίου καὶ ζωοποιοῦ σταυροῦ.   Maii 21.

> Inc. Τοῦ μακαριωτάτου καὶ ἁγιωτάτου καὶ πρώτου τῆς τῶν χριστια-
> νῶν εὐσεβείας Θεοῦ χάριτι πιστοῦ καὶ φιλοχρίστου — Des. καὶ τὸν
> πιστὸν λαόν σου ἐν εἰρήνῃ φύλαξον καὶ ὁμονοίᾳ... ἀμήν.

7. (Fol. 134-139). Τοῦ ἐν ἁγίοις πατρὸς ἡμῶν Ἰωάννου ἀρχιεπισκόπου
Κωνσταντινουπόλεως Χρυσοστόμου ἐγκώμιον εἰς τὸν προφήτην Ἠλίαν.

> Inc. Πρότερον μὲν τῶν Ἰουδαίων ὁ δῆμος τῇ τῶν προφητῶν.

8. (Fol. 139ᵛ-150ᵛ). Νικήτα φιλοσόφου λόγος διηγηματικὸς περὶ τῆς
εὑρέσεως καὶ ἀνακομιδῆς τῶν λειψάνων τοῦ ἁγίου πρωτομάρτυρος
καὶ ἀρχιδιακόνου Στεφάνου.

> Inc. Ὁ κύριος ἡμῶν Ἰησοῦς Χριστὸς ὁ σωτὴρ πάντων τῶν ἐλπιζόν-
> των — Des. τούτου τῆς μερίδος καὶ τῆς χάριτος καὶ ἁγιότητος... πρεσ-
> βείαις τῆς ὑπεράγνου θεομήτορος καὶ πάντων τῶν ἁγίων... ἀμήν.
> Latine apud Lipomanum VI, 152ᵛ-156ᵛ.

9. (Fol. 152-156). Τοῦ ἁγίου καὶ πανευφήμου ἀποστόλου καὶ εὐαγγελιστοῦ Ἰωάννου τοῦ θεολόγου διήγησις εἰς τὴν πάνσεπτον κοίμησιν
τῆς ὑπερενδόξου εὐλογημένης Θεοτόκου.

> Inc. Ἡ ἁγία ἔνδοξος Θεοτόκος καὶ ἀειπαρθένος Μ. κατὰ τὸ εἰωθὸς ἐν
> τῷ ἁγίῳ μνήματι — Des. ἐπὶ τῇ ἀναλύσει τῆς μητρὸς τοῦ κυρίου καὶ
> Θεοῦ καὶ σωτῆρος ἡμῶν Ἰ. Χ... ἀμήν. Cf. B 41.

Codex signatus B. V. 35.

Chartaceus, paginarum 100, 0ᵐ,235 × 0ᵐ,17, complectens Vitam S. Mariae
Aegyptiacae (= B), duplici descriptam columna, hinc graece illinc latine, ex
versione Federici Metii episcopi Termolensis. Praefixa est codici epistula dedicatoria, ex qua nonnulla excerpsisse iuvabit.

Doctissimo ac religiosissimo viro Francisco Peniae Sacrae Rotae
Romanae pontificiae xııᵐ viro Christodulus Anaxius felicitatem *(in
margine adscriptum legitur :* Est doctor Federicus Metius, episcopus
Termolensis).

Sanctae Mariae cognomento Aegyptiacae vitam a S. Sophonio
patriarcha Hierosolymitano graece conscriptam cum duobus exemplaribus manuscriptis ac vetustissimis diligenter collatam, alacri
animo latinam fecimus... Sanctae istius reliquias omni veneratione
dignas vetus opinio est, e Palaestina, dum sacrum quod dictum fuit
bellum ibi ferveret, in Italiam translatas, in eam praecipue partem
quae Lucania dicitur, et in monasterio archimandritatus sancti
Heliae prophetae de Carbone ordinis Sancti Basilii a quodam Bartholomeo monacho ac magnae sanctitatis viro collocatas. Quae dum
non ea fortasse, qua par erat, cura ac pietate servarentur, sacrum
caput Neapolim, Roberto religiosissimo principe regnante, deportatum fuit, et in coenobio sacrarum virginum, quod Sancta Maria
Aegyptiaca nuncupatur, adhuc servatur et colitur. Singulis item
annis sacrae illae virgines diem festum sollemniter celebrant, et
proprio, ut dicitur, officio, summi pontificis consensu, vel octo post
festum diebus eius laudes et miracula recensent. Quae vero sancti
corporis reliquiae in monasterio remanserunt temporis diuturnitate,
ac hominum zelo, ut fit, imminuto, parum abfuit ut vel contemptui
vel non decenti cultu haberentur, cum Deus ille zelotes qui tum
suimet, tum servorum suorum honoris praecipuam curam gerit,
effecit ut Gregorius XIII Sancti Heliae archimandritatus administrationem domino cardinali Sanctae Severinae concederet, cui nihil
potius fuit quam ut Aegyptiacae, aliaeque ibi repertae sanctorum
sacrae reliquiae, quas pluris archimandritatus opibus omnique
thesauro faciebat, thecis argenteis collocarentur et omni cultu
venerarentur, pristinaque illis religio restitueretur.

Codex signatus R. VI. 39.

Membraneus, foliorum 218, 0ᵐ,23 × 0ᵐ,18, binis columnis, praeter folia ultima
duo quae illius codicis non sunt, saec. XII exaratus.

1. (Fol. 1-10ᵛ.) Βίος καὶ πολιτεία τοῦ ὁσίου πατρὸς ἡμῶν Συμεὼν
τοῦ στυλίτου.

> Inc. Ξένον καὶ παράδοξον μυστήριον ἐγένετο ἐν ταῖς ἡμέραις ἡμῶν
> ἔδοξέ μοι τῷ ἁμαρτωλῷ Ἀντωνίῳ — Des. πάρεσχεν ὡς ὤμοσεν· ἐγὼ οὖν
> ὁ ταπεινὸς καὶ ἐλάχιστος Ἀντώνιος ...... καὶ μακάριος ὁ προσκομίζων ἐν
> ἐκκλησίᾳ... ἀμήν.
>
> Latine in *Act. SS.*, Ianuarii I, 264-68.

2. (Fol. 10ᵛ-13.). Μαρτύριον τοῦ ἁγίου Σώζοντος. — B1.

3. (Fol. 13-18ᵛ). Τοῦ μακαρίου Ἀνδρέου ἀρχιεπισκόπου Κρήτης τοῦ Ἱεροσολυμίτου λόγος εἰς τὸ γενέθλιον τῆς ἁγίας Θεοτόκου Μαρίας.—B9.

4. (Fol. 18ᵛ-24). Εὕρεσις τοῦ τιμίου καὶ ζωοποιοῦ σταυροῦ. — B3.

5. (Fol. 24-31). Μαρτύριον τῶν ἁγίων μαρτύρων Συνάτωρος, Βιάτωρος, Κασσιοδώρου καὶ τῆς μητρὸς αὐτῶν Δωμινάτας.

Inc. Ἐν τοῖς καιροῖς Ἀντωνίνου τοῦ βασιλέως ἦν διωγμὸς μέγας τῶν χριστιανῶν — Des. τῷ τοιούτους ἁγίους ἡμῖν θαυματουργούς, ἰατροὺς ψυχῶν τε καὶ σωμάτων ἡμῖν χαρισαμένῳ... ἀμήν.

Passio de qua in *Act. SS.* ad diem 14 sept., t. IV, p. 349, n. 11.

6. (Fol. 31-42ᵛ). Βίος καὶ μαρτύριον τοῦ ἁγίου Εὐσταθίου τοῦ στρατηλάτου καὶ τῶν δύο αὐτοῦ υἱῶν καὶ τῆς γυναικὸς αὐτοῦ. — B1.

7. (Fol. 42ᵛ-50). Μαρτύριον τῆς ἁγίας μάρτυρος τοῦ Χριστοῦ καὶ πρωτάθλου Θέκλης. — (Paulus et Thecla) B.

8. (Fol. 50-53). Θαῦμα πρῶτον τῆς ἁγίας μάρτυρος Θέκλας.

Inc. Μετὰ τοὺς ἀγῶνας τοῦ μαρτυρίου — Sequitur : β'. Περὶ τοῦ δαιμονιζομένου παιδίου. — γ' Θαῦμα τὸ ἐν τῷ Μυρσεῶνι.

9. (Fol. 53-59). Βίος καὶ πολιτεία τῆς ὁσίας καὶ ἐνδόξου δούλης τοῦ Θεοῦ Εὐφροσύνης. — B1.

Inc. Ἀγαπητοί, ἐγένετο ἐν τοῖς ἔτεσιν ἡμῶν ἀνήρ τις ἐν τῇ Ἀλεξανδρέων μεγαλοπόλει ἔνδοξος — Des. καταλείψας τὰ ἐπίγεια ταφῆς πλησίον τῆς αὐτοῦ θυγατρὸς Εὐφροσύνης.

10. (Fol. 59-105). Προχώρου τοῦ ἐπὶ ταῖς χρείαις διακόνων κατασταθέντος ἀνεψιοῦ Στεφάνου πρωτομάρτυρος περὶ Ἰωάννου τοῦ θεολόγου καὶ εὐαγγελιστοῦ. — B1.

Numeris in margine adscriptis distinctus est liber in capita 60.

11. (Fol. 105-106ᵛ). Μαρτύριον τοῦ ἁγίου ἀποστόλου Ἀνανίου.

Inc. Ἀνέτειλεν μετὰ τὴν ἀνάληψιν τοῦ κυρίου ἡμῶν Ἰησοῦ Χριστοῦ πρὸς τὸν ἴδιον πατέρα — Des. ἐγὼ δὲ Βαρσαφθὰς ἔγραψα τὰ ὑπομνήματα ... ᾧ ἡ δόξα... ἀμήν.

12. (Fol. 106ᵛ-115). Πράξεις τοῦ ἁγίου ἀποστόλου Θωμᾶ.

Inc. Ἐγένετο μετὰ τὸ ἀναστῆναι τὸν κύριον ἡμῶν Ἰησοῦν Χριστὸν ἐκ νεκρῶν συνήθροισεν τοὺς δώδεκα — Des. καὶ διηγήσατο αὐτῷ ἕκαστος ἅπαντα τὰ συμβεβηκότα αὐτῶν... ἀμήν.

13. (Fol. 115-116ᵛ). Κοίμησις τοῦ ἁγίου ἀποστόλου καὶ εὐαγγελιστοῦ Λουκᾶ. — B2.

Des. καὶ τὸν τῆς ἀφθαρσίας στέφανον ἀνεδύσατο... ἀμήν.

14. (Fol. 116ᵛ-120). Μαρτύριον τοῦ ἁγίου καὶ ἐνδόξου μεγαλομάρτυρος τοῦ Χριστοῦ Δημητρίου. — B1.

15. (Fol. 120-123ᵛ). Μαρτύριον τῆς παρθένου Ἀναστασίας τῆς φαρμακολυτρίας.

Inc. Κατὰ τοὺς καιροὺς Διοκλητιανοῦ τοῦ βασιλέως καὶ τοῦ αὐτοῦ συγκαθέδρου Βαλλεριανοῦ — Des. κατέθηκαν τὸ ἅγιον αὐτῆς λείψανον μετὰ τῶν λοιπῶν ἁγίων … ἐτελειώθη δὲ… ἀμήν.

16. (Fol. 123ᵛ-126ᵛ). Χάρις καὶ δωρεὰ ἰαμάτων τῶν ἁγίων ἀναργύρων Κωσμᾶ καὶ Δαμιανοῦ. = B3.

17. (Fol. 126ᵛ-132). Διήγησις καὶ ἀποκάλυψις τοῦ ἁγίου καὶ ἐνδόξου ἀρχαγγέλου Μιχαὴλ καὶ τοῦ ὁσίου πατρὸς ἡμῶν Ἀρχίππα τοῦ καὶ προσμοναρίου τοῦ ἐνδόξου καὶ πανσέπτου ναοῦ τοῦ ἀρχιστρατήγου ἐν Χώναις. = B1.

18. (Fol. 132-136). Μαρτύριον τοῦ ἁγίου μεγαλομάρτυρος Μηνᾶ τοῦ Αἰγυπτίου.

Inc. Ἔτους δευτέρου τῆς βασιλείας Γαΐου Οὐαλερίου Διοκλητιανοῦ καὶ ἔτους πρώτου Γαΐου Οὐαλερίου Μαξιμιανοῦ — Des. ἐπιτελοῦντες τὴν μνήμην αὐτοῦ μηνὶ νοεμβρίῳ ἑνδεκάτῃ… ἀμήν.

19. (Fol. 136-143ᵛ). Τιμοθέου ἀρχιεπισκόπου εἰς τὰ θαύματα τοῦ ἁγίου Μηνᾶ.

Inc. Ἐγένετο μετὰ τὴν τελευτὴν τοῦ ἀσεβεστάτου Διοκλητιανοῦ τοῦ βασιλέως — Des. ὑπέστρεψαν εἰς τοὺς οἴκους αὐτῶν δοξάζοντες τὸν Θεόν… ἀμήν.

Latine apud Lipomanum, V, 62-65ᵛ, et Surium ad d. 10 novembris.

Insunt sequentes miraculorum inscriptiones : Fol. 138 : β′. Περὶ Εὐτροπίου τοῦ πλουσίου καὶ περὶ τῶν δίσκων. — Fol. 139: γ′. Περὶ τῆς γυναικὸς τῆς καλουμένης Σοφίας. — Fol. 140ᵛ : δ′. Περὶ Ἑβραίου τοῦ πραγματευτοῦ. — Fol. 142 : ε′. Περὶ τοῦ κιλλοῦ καὶ τῆς βοβῆς. — Fol. 142ᵛ : ϛ′. Περὶ τῶν τριῶν ἀδελφῶν.

20. (Fol. 143ᵛ-153ᵛ). Βίος καὶ πολιτεία τοῦ ὁσίου πατρὸς ἡμῶν Μαρτίνου.

Inc. Κατὰ τοὺς καιροὺς Γραππιανοῦ καὶ Οὐαλεντιανοῦ τῶν αὐτοκρατόρων. — Des. καθὼς ἐπηγγείλατο ὁ ἁγιώτατος ἐπίσκοπος Μαρτίνος καὶ μακαριώτατος… ἀμήν.

Insunt sequentes partium inscriptiones : Fol. 147: α′. Περὶ τοῦ τεθνεῶτος ἀνθρώπου καὶ τοῦ συκοφάντου. — Fol. 147ᵛ : β′. Περὶ τοῦ ἀπαγξαμένου νεανίσκου. — Fol. 148 : γ′. Περὶ τοῦ ὑπὸ δράκοντος πνιγέντος ἀνθρώπου. — Fol. 148ᵛ : δ′. Περὶ τοῦ αἰτησαμένου ἐλεημοσύνην τὸν ἅγιον. — ε′. Περὶ τῆς τελευτήσης γυναικὸς καὶ βαπτισθείσης. — Fol. 149ᵛ : ϛ′. Περὶ τῆς μημάδος μετανοησάσης κόρης. — Fol. 151 : ζ′. Περὶ τοῦ χρεοστοῦντος τοὺς τριακοσίους χρυσίνους. — Fol. 151ᵛ : η′. Περὶ τοῦ Ἕλληνος τοῦ γενομένου χριστιανοῦ. — Fol. 154ᵛ : θ′. Περὶ τῆς ἀβροχίας.

21. (Fol. 154-167ᵛ.) Ὁμιλία Θεοδώρου ἐπισκόπου Τριμιθούντων περὶ τοῦ βίου καὶ τῆς ἐξορίας καὶ τῶν θλίψεων Ἰωάννου τοῦ μακαριωτάτου ἀρχιεπισκόπου Κωνσταντινουπόλεως τοῦ Χρυσοστόμου. = B2.

22. (Fol. 167ᵛ-174). Ἐπάνοδος τοῦ τιμίου λειψάνου Ἰωάννου τοῦ Χρυσοστόμου.

Inc. Ἤκουσται πάντως ὑμῖν, ὦ φιλόχριστος πανήγυρις καὶ φιλάγιον ἄθροισμα — Des. καὶ ταῖς διδασκαλίαις σου πείθεται καὶ τὰς εὐχὰς ἐπιζητεῖ... ἀμήν.

23. (Fol. 174ᵛ-182). Μαρτύριον τοῦ ἁγίου ἀποστόλου Φιλίππου.— B1, xv.

24. (Fol. 182ᵛ-190). Θαύματα τῶν ἁγίων ὁμολογητῶν Σαμωνᾶ Γουρία καὶ Ἀββιβος (sic).

Inc. Νῦν καιρὸς εὔκαιρος μετὰ τοῦ πνευματοφόρου Δαβὶδ εἰπεῖν — Des. τὸν τῆς πίστεως καὶ ὑπομονῆς στέφανον ἀνεδύσατο... ἀμήν.

Prologus latine in *Catal. codd. hagiographicorum latin. bibl. nationalis Parisiensis*, III, 58-59.

25. (Fol. 190-191). Πράξεις καὶ τελείωσις τοῦ ἁγίου ἀποστόλου καὶ εὐαγγελιστοῦ Ματθαίου.

Inc. Ματθαῖος ὁ ἀπόστολος καὶ εὐαγγελιστὴς ἦν μὲν ἐκ πόλεως Ἱερουσαλὴμ — Des. ἐκοιμήθη ἔνδοξος Μ. μηνὶ νοεμβρίῳ ις'... ἀμήν.

26. (Fol. 191ᵛ-200ᵛ). Μαρτύριον τῆς ἁγίας καὶ ἐνδόξου μεγαλομάρτυρος τοῦ Χριστοῦ Ἐκατερίνης τῆς Βιργιλίου καὶ ῥήτορος.

Inc. Ἔτους τριακοστοῦ πέμπτου βασιλεύοντος τοῦ ἀσεβοῦς καὶ παρανόμου βασιλέως Μαξεντίου. — Des. ταῦτα ἐγὼ Ἀθανάσιος ταχυγράφος... ἐτελειώθη δὲ ἡ ἁγία Ἐκατερίνη μηνὶ νοεμβρίῳ κε'... ἀμήν.

Initium ed. VARNHAGEN, *Zur Geschichte der Legende der Katharina von Alexandrien*, Erlangen 1891, 4-5; latine apud MOMBRITIUS, I, 163-0; *Bibl. Casin.*, Floril., III, 74.

27. (Fol. 200ᵛ-207.) Μαρτύριον τοῦ ἁγίου ἀποστόλου Ἀνδρέου. — B1.

28. (Fol. 207-211.) Μαρτύριον τῆς ἁγίας καὶ ἐνδόξου μεγαλομάρτυρος τοῦ Χριστοῦ Βαρβάρας.

Inc. Κατὰ τοὺς καιροὺς ἐκείνους βασιλεύοντος Μαξιμιανοῦ τοῦ παρανόμου καὶ ἀσεβεστάτου, ἡγεμονεύοντος δὲ Μαρκιανοῦ — Des. ἀπέθετο ἐν τόπῳ ἐπικαλουμένῳ Ἡλιουπόλει τῆς νήσου ἐν Γελασίοις τῷ χωρίῳ... ἀμήν.

29. (Fol. 211ᵛ-216ᵛ). Πρᾶξεις τοῦ ὁσίου πατρὸς ἡμῶν Νικολάου ἀρχιεπισκόπου τῆς Μυρέων μητροπόλεως. = B2.

Des. ὑπέστρεψαν ἐν ἀγαλλιάσει δοξάζοντες τὸν φιλάνθρωπον Θεὸν ἐπὶ τῇ παραδόξῳ αὐτῶν σωτηρίᾳ... ἀμήν.

Codex signatus R. VII. 48.

Membraneus, foliorum 229, 0ᵐ,30 × 0,22, binis columnis saec. XI exaratus.
Fol. 1 : Πίναξ ἄριστος τῆς παρούσης πυκτίδος.

1. (Fol. 2-22ᵛ.) Βίος καὶ πολιτεία τοῦ ὁσίου πατρὸς ἡμῶν Συμεὼν τοῦ ἐν τῇ Μάνδρᾳ. = B 2.   Sept. 1.

2. (Fol. 22ᵛ-30). Ἄθλησις τοῦ ἁγίου καὶ ἐνδόξου μάρτυρος τοῦ Χριστοῦ Μάμαντος. = B 1.   Sept. 2.

3. (Fol. 30-36). Ἄθλησις τοῦ ἐν ἁγίοις πατρὸς ἡμῶν καὶ ἱερομάρτυρος Ἀνθίμου ἐπισκόπου Νικομηδείας παθόντος ὑπὸ Μαξιμιανοῦ. = B.   Sept. 3.

4. (Fol. 36-42). Ἄθλησις τοῦ ἐν ἁγίοις πατρὸς ἡμῶν Βαβύλα ἀρχιεπισκόπου Ἀντιοχείας παθόντος ὑπὸ Νουμεριανοῦ τοῦ ἀσεβοῦς. = B 3.   Sept. 4.

5. (Fol. 42-47ᵛ). Διήγησις μερικὴ περὶ τοῦ γενομένου θαύματος παρὰ τοῦ πανενδόξου Μιχαὴλ τοῦ ἀρχιστρατήγου ἐν ταῖς Χώναις. = B 3.   Sept. 6.

6. (Fol. 47ᵛ-53ᵛ). Μαρτύριον τῶν ἁγίων μαρτύρων Εὐδοξίου, Ῥωμύλου, Ζήνωνος καὶ Μακαρίου. = B.   Sept. 6.

7. (Fol. 53ᵛ-56). Ἄθλησις τοῦ ἁγίου καὶ ἐνδόξου μάρτυρος Σώζοντος ἐν Κιλικίᾳ. = B 2.   Sept. 7.

8. (Fol. 58-62ᵛ). Μαρτύριον τοῦ ἁγίου μάρτυρος Σευηριανοῦ. — B 2.   Sept. 9.

9. (Fol. 62ᵛ-68ᵛ). Μαρτύριον τῶν ἁγίων γυναικῶν Μηνοδώρας, Μητροδώρας καὶ Νυμφοδώρας. = B.   Sept. 10.

10. (Fol. 68ᵛ-80ᵛ). Βίος καὶ πολιτεία καὶ ἀγῶνες τῆς ὁσίας καὶ μακαρίας μητρὸς ἡμῶν Θεοδώρας τῆς ἐν Ἀλεξανδρείᾳ. = B 2.   Sept. 11.

11. (Fol. 80ᵛ-84). Ἄθλησις τοῦ ἁγίου καὶ ἐνδόξου μάρτυρος τοῦ Χριστοῦ Αὐτονόμου. — B.   Sept. 12.

12. (Fol. 84-92ᵛ). Πρᾶξις καὶ τελείωσις τοῦ ἁγίου Κορνηλίου τοῦ ἑκατοντάρχου. = B.   Sept. 12.

13. (Fol. 92ᵛ-96). Μαρτύριον τοῦ ἁγίου μεγαλομάρτυρος Νικήτα. = B.   Sept. 15.

14. (Fol. 96-105ᵛ). Μαρτύριον τῆς ἁγίας καὶ πανευφήμου μάρτυρος Εὐφημίας. = B 1.   Sept. 16.

15. (Fol. 105ᵛ-113ᵛ). Μαρτύριον τῶν ἁγίων γυναικῶν Σοφίας καὶ τῶν θυγατέρων αὐτῆς Πίστεως, Ἐλπίδος καὶ Ἀγάπης. = B 1.   Sept. 17.

16. (Fol. 113ᵛ-121ᵛ). Μαρτύριον τῶν ἁγίων μαρτύρων Τροφίμου, Σαββατίου καὶ Δορυμέδοντος. — B2.   Sept. 19.

17. (Fol. 121ᵛ-141). Μαρτύριον τοῦ ἁγίου μεγαλομάρτυρος Εὐσταθίου καὶ Θεοπίστης καὶ τῶν δύο τέκνων αὐτῆς Ἀγαπίου καὶ Θεοπίστου. — B2.   Sept. 20.

18. (Fol. 141-145ᵛ). Ἀστερίου ἐπισκόπου Ἀμασίας ἐγκώμιον εἰς τὸν ἅγιον καὶ ἔνδοξον ἱερομάρτυρα τοῦ Χριστοῦ Φωκᾶ.   Sept. 22.

> Inc. Ἱερός μὲν ἅπας καὶ θεσπέσιος ὁ τῶν γενναίων μαρτύρων κατάλογος — Des. καὶ ταῦτα μετὰ τὴν ἐνθένδε ἀφιξῖν καὶ τὸν τοῦ σώματος χωρισμόν... ἀμήν.
>
> Latine apud Lipomanum, VI, 274ᵛ-76.

19. (Fol. 145ᵛ-157). Ἄθλησις τῆς ἁγίας ἐνδόξου καὶ καλλινίκου μάρτυρος τοῦ Χριστοῦ Θέκλας τῆς ἐν Ἰκονίῳ. — B3.   Sept. 24.

20. (Fol. 157ᵛ-165). Βίος καὶ πολιτεία καὶ ἀγῶνες τῆς ἁγίας μητρὸς ἡμῶν Εὐφροσύνης τῆς ἐν Ἀλεξανδρείᾳ. — B2.   Sept. 25.

21. (Fol. 165-176). Ὑπόμνημα εἰς τὸν ἅγιον ἔνδοξον ἀπόστολον καὶ εὐαγγελιστὴν τοῦ Χριστοῦ Ἰωάννην τὸν ἐπὶ στῆθος τοῦ Χριστοῦ ἀναπέσοντα. — B4.   [Sept. 26.]

22. (Fol. 176-184). Μαρτύριον τοῦ ἁγίου καὶ ἐνδόξου μάρτυρος Καλλιστράτου καὶ τῶν σὺν αὐτῷ ἀθλησάντων. — B.   Sept. 27.

23. (Fol. 184-193ᵛ). Βίος καὶ πολιτεία τοῦ ὁσίου πατρὸς ἡμῶν καὶ ὁμολογητοῦ Χαρίτωνος. — B.   Sept. 28.

24. (Fol. 193ᵛ-204.) Βίος καὶ πολιτεία καὶ ἀγῶνες τοῦ ὁσίου πατρὸς ἡμῶν Κυριακοῦ τοῦ ἀναχωρητοῦ. — B2.   Sept. 29.

25. (Fol. 204-229ᵛ). Βίος καὶ πολιτεία καὶ μαρτύριον τοῦ ἁγίου ἱερομάρτυρος Γρηγορίου τῆς μεγάλης Ἀρμενίας. — B2.   Sept. 30.

Codex signatus R. VII. 49.

Membraneus, foliorum 203, 0ᵐ,295 × 0ᵐ,25, binis columnis saec. XI exaratus. (Fol. 1ᵛ.) Πίναξ ἐγὼ πέφυκα τῆσδε τῆς βίβλου.

Ex inscriptione fol. 203 constat librum emptum fuisse a Iohanne τοῦ Φασουλᾶ pro quodam monasterio Beatae Mariae Virginis.

1. (Fol. 2-23ᵛ). Σύγγραμμα Εὐσεβίου τοῦ Παμφίλου εἰς τὸν τῆς ὁσίας μνήμης ἐπίσκοπον Σίλβεστρον καὶ Κωνσταντῖνον τῆς θείας λέξεως.   Ian. 2.

> Inc. Ὁ ἡμέτερος ἱστοριογράφος Εὐσέβιος ἡνίκα τὴν ἐκκλεσιαστικὴν — Ὁ Σίλβεστρος οὗτος ἐν νηπίᾳ ὢν ἡλικίᾳ — Des. καὶ μακάριος Σίλβεστρος μετὰ χρόνον τινὰ πρὸς Κύριον ἐξεδήμησεν... ἀμήν.
>
> Latine apud Mombritium, II, 279ᵛ-293ᵛ.

2. (Fol. 23ᵛ-29ᵛ). Μαρτύριον τοῦ ἁγίου μάρτυρος Πολυεύκτου. —
B 2.   Ian. 9.

3. (Fol. 29ᵛ-41). Βίος καὶ πολιτεία τοῦ ὁσίου Μαρκιανοῦ πρεσβυ-
τέρου καὶ οἰκονόμου γενομένου τῆς μεγάλης ἐκκλησίας. — B. Ian. 10.

4. (Fol. 41-75). Βίος καὶ πολιτεία τοῦ ὁσίου πατρὸς ἡμῶν Θεοδο-
σίου τοῦ κοινοβιάρχου. — B 3.   Ian. 11.

5. (Fol. 75-80ᵛ). Μαρτύριον τῶν ἁγίων τοῦ Χριστοῦ μαρτύρων
Ἑρμύλου καὶ Στρατονίκου. — B.   Ian. 13.

6. (Fol. 80ᵛ-107ᵛ). Νείλου μοναχοῦ εἰς τὴν ἀναίρεσιν τῶν ἐν Σινᾷ
καὶ Ῥαϊθοῦ ἁγίων πατέρων. — B.   Ian. 14.

> Des. καὶ ἀγαθότητι τῆς ἁγίας καὶ ὁμοουσίου Τριάδος τῶν ἁγίων
> ἀββάδων.
>
> Ita des. cod. Sfortianus ab Allatio citatus. *P. G.*, LXXIX, 693.

7. (Fol. 107ᵛ-116ᵛ). Βίος καὶ πολιτεία τοῦ ὁσίου πατρὸς ἡμῶν Παύλου τοῦ Θηβαίου. — B 2.   Ian. 15.

8. (Fol. 116ᵛ-126ᵛ). Βίος καὶ πολιτεία τοῦ ὁσίου πατρὸς ἡμῶν
Ἰωάννου τοῦ διὰ Χριστὸν πτωχοῦ.   Ian. 15.

> Inc. Τυραννικόν τι χρῆμα τεκόντων στοργὴ καὶ δεσμὰ φύσεως — Des.
> τὰ δὲ διαδόντες τοῖς δεομένοις ἵν' ἔχοι τι καὶ τὸ δένδρον... ἀμήν.
>
> Latine in *Act. SS.*, Ianuarii I, 1031-1035.

9. (Fol. 126ᵛ-141). Λόγος εἰς τὴν προσκύνησιν τῆς τιμίας ἁλύσεως
τοῦ ἁγίου καὶ κορυφαίου τῶν ἀποστόλων Πέτρου.   Ian. 16.

> Inc. Ὅσοι τῷ κορυφαίῳ τῶν ἀποστόλων θείῳ ἔρωτι γενόμενοι κάτο-
> χοι — ἤρεμον καὶ ἡσύχιον διανύωμεν βίον δοξάζοντες τὸν ἀληθινὸν
> Θεόν... ἀμήν.
>
> Latine apud Lipomanum, VII, 242-48.

10. (Fol. 141ᵛ-179ᵛ). Βίος καὶ πολιτεία τοῦ ὁσίου πατρὸς ἡμῶν
Ἀντωνίου συγγραφεὶς καὶ ἀποσταλεὶς πρὸς τοὺς ἐν τῇ Ξένῃ μονα-
χοὺς παρὰ τοῦ ἐν ἁγίοις πατρὸς ἡμῶν Ἀθανασίου ἀρχιεπισκόπου
Ἀλεξανδρείας. — B.   Ian. 17.

11. (Fol. 179ᵛ-203). Βίος καὶ πολιτεία τοῦ ἐν ἁγίοις πατρὸς ἡμῶν καὶ
ὁμολογητοῦ Ἀθανασίου ἀρχιεπισκόπου γενομένου Ἀλεξανδρείας. —
B 1.   Ian. 18.

Codex signatus R. VII. 50.

Membraneus, foliorum 196, 0ᵐ,345 × 0,26, binis columnis exaratus saec. XI.

In fol. 195ᵛ et 196ᵛ legitur inscriptio : Ἡ βίβλος αὐτὴ τῆς μονῆς τοῦ προδρόμου τῆς κυμένης ἔγγιστα τῆς Ἀετίου· ἀρχαιακῆ δὲ τῇ μονῇ κλίσει Πέτρα. — Fol. 196 fragmentum hagiographicum nullius momenti ad hunc cod. non pertinens.

1. (Fol. 1-24ᵛ). Βίος τοῦ ὁσίου πατρὸς ἡμῶν Ἀρσενίου. Mai 8.

Inc. Ἀλλὰ τῶν σπουδαίων ἄρα καὶ φιλαρέτων ἀνδρῶν αἱ πρᾶξεις — Des. ταύτητοι καὶ μαρτυρικῶν στεφάνων καὶ ἄθλων ἠξίωται· οὗ ταῖς πρεσβείαις...

Latine apud Lipomanum, VI, 1-9ᵛ.

2. (Fol. 24ᵛ-34ᵛ). Μαρτύριον τῶν ἁγίων καὶ ἐνδόξων μαρτύρων Μανουήλ, Σαβὲλ καὶ Ἰσμαήλ. ═ B2. Iun. 17.

3. (Fol. 34ᵛ-47). Βίος τοῦ ὁσίου πατρὸς ἡμῶν Σαμψὼν τοῦ ξενοδόχου. ═ B. Iun. 27.

4. (Fol. 47-60ᵛ). Ὑπόμνημα διαλαμβάνον μερικῶς τοὺς ἀγῶνας καὶ ἄθλα καὶ ἀποδημίας καὶ τελείωσιν τῶν ἁγίων καὶ κορυφαίων ἀποστόλων Πέτρου καὶ Παύλου. ═ B3. Iun. 29.

5. (Fol. 61-83ᵛ.) Μαρτύριον τοῦ ἁγίου καὶ ἐνδόξου μεγαλομάρτυρος Προκοπίου. ═ B1. Iul. 8.

6. (Fol. 83ᵛ-90ᵛ). Μαρτύριον τοῦ ἁγίου μεγαλομάρτυρος Παντελεήμονος. ═ B1. Iul. 27.

7. (Fol. 99ᵛ-104ᵛ). Ἄθλησις τοῦ ἁγίου μάρτυρος Καλλινίκου. ═ B. Iul. 29.

8. (Fol. 104ᵛ-113). Βίος καὶ πολιτεία τοῦ ὁσίου καὶ δικαίου Εὐδοκίμου. ═ B. Iul. 31

9. (Fol. 113-131). Διήγησις Ἰωσήππου εἰς τὸ μαρτύριον τῶν ἁγίων Μακκαβαίων. Aug. 1.

Inc. Φιλοσοφώτατον λόγον ἐπιδείκνυσθαι μέλλων — Des. ψυχὰς ἁγνὰς καὶ ἀθανάτους ἀπειληφότες... ἀμήν.

10. (Fol. 131ᵛ-161ᵛ). Λόγος διαλαμβάνων τὰ ἀπὸ τῆς σεβασμίας γεννήσεως καὶ ἀνατροφῆς τῆς ὑπεραγίας δεσποίνης ἡμῶν Θεοτόκου τῆς θεοπρεποῦς τε γεννήσεως Χριστοῦ τοῦ Θεοῦ ἡμῶν καὶ ὅσα μέχρι τῆς ζωηφόρου αὐτῆς συνέδραμε τελευτῆς, προσέτι καὶ περὶ τῆς φανερώσεως τῆς τιμίας αὐτῆς ἐσθῆτος καὶ ὅπως ὁ μέγας οὗτος πλοῦτος χριστιανοῖς τεθησαύρισται. Aug. 15.

Inc. Ἔχρῆν ἀληθῶς τὴν παρθένον ὥσπερ αὐτὴ Θεοῦ πρὸς ἀνθρώπους ἐπιφοιτᾶν μέλλοντος — Des. οὐδεὶς πρὸς ἀλήθειαν λόγος ἐξαρκεῖ· εὐχαριστίᾳ δὲ μόνῃ τὸ πρᾶγμα δοτέον... ἀμήν.

Latine apud Lipomanum, VI, 168-182.

11. (Fol. 162-176ᵛ). Κωνσταντίνου ἐν Χριστῷ βασιλέως Ῥωμαίων διήγησις ἀπὸ διαφόρων ἀθροισθεῖσα ἱστοριῶν περὶ τῆς πρὸς Αὔγαρον ἀποσταλείσης ἀχειροποιήτου θείας εἰκόνος Χριστοῦ τοῦ Θεοῦ ἡμῶν καὶ ὡς ἐξ Ἐδέσσης μετεκομίσθη πρὸς τὴν πανευδαίμονα ταύτην καὶ βασιλίδα τῶν πόλεων Κωνσταντινούπολιν. = (Iesus Christus) B 2.

Aug. 16.

12. (Fol. 177-195ᵛ). Λόγος διαλαμβάνων τὰ ἀπὸ τῆς γεννήσεως ἀνατροφῆς καὶ ἀποτομῆς τοῦ ἁγίου καὶ ἐνδόξου καὶ βαπτιστοῦ Ἰωάννου τοῦ προδρόμου καὶ περὶ τῆς εὑρέσεως τῆς τιμίας αὐτοῦ κεφαλῆς.

Aug. 29.

Inc. Ἰωάννην τὸ μέγα κλέος τῆς οἰκουμένης τὸν βαπτιστὴν — Des. οὗ καὶ τὴν ἑορτὴν ἄγομεν σήμερον τῷ ἀθανάτῳ βασιλεῖ παρασταίημεν... ἀμήν.

Latine apud Lipomanum, VI, 199ᵛ-203.

Codex signatus R. VII. 51.

Membraneus, foliorum 202 (desunt 1-6), 0ᵐ,30 × 0ᵐ,21, binis columnis saec. XII exaratus.

Primos quaterniones manus recentior ex veteribus exscripsisse videtur manum antiquam imitata. Forma scribendi plerumque in iis pessima est.

1. (Fol. 7). De inventione S. Crucis. = B4.

Ultima pars tantum.

2. (Fol. 7-20). Πρᾶξις τοῦ ἁγίου ἀποστόλου Θωμᾶ ἐν Ἰνδίᾳ καὶ ὅτε τὸ οὐράνιον παλάτιον ᾠκοδόμησεν. = B1.

Lacunosa, et stilo satis diversa ab editis. Primo legitur B1 I, dein II usque ad n. 18 incl. ed. Bonnet; inter fol. 14 et 15 lacuna est. Fol. 15, respondet pp. 80²⁶ — 95 eiusdem editionis.

3. (Fol. 20-25). Μαρτύριον τοῦ ἁγίου καὶ ἐνδόξου μεγαλομάρτυρος Δημητρίου. = B1.

4. (Fol. 25-48). Παντολέοντος διακόνου καὶ χαρτοφύλακος τῆς μεγάλης ἐκκλησίας διήγησις μερικὴ περὶ τῶν θαυμάτων τοῦ παμμεγίστου ἀρχαγγέλου Μιχαήλ.

Inc. Μεγάλαι καὶ πολλαὶ καὶ ποικίλαι τῆς ἀσωμάτου καὶ μεγαλοπρεποῦς — Des. fol. 34ᵛ πλάνη καὶ εἰδωλολατρία διατελούντων καὶ οὐδαμῶς συνιδέναι... ἀμήν. Sequuntur miracula hoc ordine :

Fol. 34ᵛ : Θαῦμα α΄ περὶ τοῦ θεοφιλοῦς Ἀβραάμ. — Fol. 37ᵛ : Θαῦμα περὶ τοῦ Ἰησοῦ τοῦ Ναυὶ κατάρξαντος· τοῦ Ἰσραὴλ λαοῦ. — Fol. 40 : Περὶ τοῦ Μώσεως σῶμα. — Fol. 41ᵛ : Περὶ τῶν ἁγίων τριῶν παίδων. — Fol. 42 : Περὶ Ἀυβακκούμ τοῦ προφήτου. — Fol. 42ᵛ : Περὶ Ἰεζεκιήλ. — Περὶ Φιλίππου τοῦ ἀποστόλου. — Περὶ Ἑνώχ. — Περὶ τοῦ παραλύτου. — Fol. 45 : Περὶ Κωνσταντίνου τοῦ μεγάλου βασιλέως. — Fol. 45ᵛ : Περὶ Σωσθενίου ἐν τῷ Ἀνάπλῳ. — Fol. 46 : Ὀπτασία τοῦ μεγάλου βασιλέως

Κωνσταντίνου. — Fol. 46ᵛ : Περί του κουφού καΐ άλάλου. — Περί των Άββάρων. — Fol. 47 : Περί των Περσών. — Περί των Άγαρηνών. — Fol. 47ᵛ : Έτερον περί των Άγαρηνών. — Des. fol. 48 : άδιαλείπτως τελούμενα ποία δέ πόλις ούκ ἔχει... άμήν.

5. (Fol. 48-53). Διήγησις καΐ άποκάλυψις Άρχίππου προσμοναρίου του άρχαγγέλου Μιχαήλ περί του γενομένου θαύματος ἐν ταῖς Χώναις. == Β1.

6. (Fol. 53-57). Μαρτύριον του αγίου καΐ ἐνδόξου μάρτυρος Νικήτα.

Inc. Τῶν ἁγίων μαρτύρων καλόν μέν τήν μνήμην ἐπιτελ:ῖν, καλόν δέ — Des. τά δέ θαύματα του ἁγίου μάρτυρος Νικήτα πολλά τε ὄντα ... ἐτελειώθη ὁ ἅγιος μάρτυς... ἀμήν.

7. (Fol. 57-62ᵛ). Μαρτύριον του ἁγίου καΐ ἐνδόξου μάρτυρος Μηνᾶ.

Inc. Έτους δευτέρου βασιλεύοντος Γαΐου Ούαλερίου Διοκλητιανοῦ καΐ έτους πρώτου Γαΐου Ούαλερίου Μαξιμιανοῦ — Des. καΐ οὕτως ἐτελείωσεν τήν μαρτυρίαν γενναίως ἀγωνισάμενος... ἀμήν.

8. (Fol. 62ᵛ-74). Πρᾶξις του ἁγίου ἀποστόλου Ματθαίου ὅτε ἀπῆλθεν εἰς τήν χώραν τῶν ἀνθρωποφάγων.

Inc.Ότε ὁ του Χριστοῦ ἀπόστολος Άνδρέας ἐν τῷ Πόντῳ ἐν πόλει Άμασία ἐδίδασκεν — Des. ὁ δέ Άνδρέας τήν ὁδόν αύτοῦ ἐπορεύετο ἅμα τοῖς μαθηταῖς αύτοῦ... ἀμήν.

9. (Fol. 74-94ᵛ). Μαρτύριον τῶν ἁγίων καΐ ἐνδόξων του Χριστοῦ μαρτύρων Εύστρατίου, Αύξεντίου, Εύγενίου, Όρέστου καΐ Μαρδαρίου. == Β.

10. (Fol. 94ᵛ-104ᵛ). Μαρτύριον του ἁγίου ἱερομάρτυρος Χαρελαμπίου.

Inc. Βασιλεύοντος του κυρίου ήμῶν Ί. Χ. πᾶσα δαιμονική λατρεία κατέπαυσεν — Des. οὕτως παρίσταται ἐκ δεξιῶν του θρόνου τῆς μεγαλωσύνης... ἀμήν.

Latine in *Act. SS.* ad diem 10 februarii, II, 382-86.

11. (Fol. 104ᵛ-126). Βίος καΐ πολιτεία τῆς ὁσίας Μαρίας τῆς Αίγυπτίας τῆς άπό ἐταιρίδων ὁσίως ἀσκησάσης πέραν του Ίορδάνου ἐν τῇ ἐρήμῳ συγγραφεΐς παρά του ἐν ἁγίοις πατρός ήμῶν Σωφρονίου άρχιεπισκόπου Ίεροσολύμων. == Β.

12. (Fol. 126-142). Μαρτύριον του ἁγίου καΐ ἐνδόξου μεγαλομάρτυρος Γεωργίου. == Β1.

13. (Fol. 142-153ᵛ). Διήγησις περί του παραδόξου θαύματος του ἁγίου καΐ πανενδόξου μεγαλομάρτυρος Γεωργίου του παρ' αύτοῦ

γεγονότος εἰς τὸν αἰχμαλωτισθέντα παῖδα καὶ παρ' ἐλπίδα διασω-
θέντα. — B1.

> Non omnino integra; paucissima nempe desunt in fine.

14. (Fol. 154-156). Vita S. Symeonis Stylitae.

> Vitae a. Antonio ultima pars. Initium textus graeci respondet medio
> n. 27 versionis latinae in *Act. SS.*, Ianuarii I, p. 264-68.

15. (Fol. 156ᵛ-166). Βίος καὶ θαύματα τοῦ ἁγίου καὶ ἐνδόξου μεγαλομάρτυρος Μηνᾶ.

> Inc. Ἐγένετο μετὰ τὴν τελευτὴν τοῦ ἀσεβεστάτου καὶ παρανόμου
> Διοκλητιανοῦ τοῦ βασιλέως κατ' εὐδοκίαν Θεοῦ — Des. διηγούμενος
> αὐτοῖς ἅπερ ἴδεν ἐν ὀνείρῳ, καὶ ἐδόξασαν τὸν Θεὸν ἅπαντες... ἀμήν.

16. (Fol. 167-189.) Βίος καὶ πολιτεία τοῦ ὁσίου Φιλαρέτου.

> Inc. Βίον θεάρεστον καὶ πολιτείαν ἄμεμπτον ἀνδρὸς δικαίου — Des.
> τῶν πάλαι ἐμπρησθέντων ναῶν ὑπὸ τῶν ἀθέων Περσῶν δωρησαμένη...
> ἀμήν.

17. (Fol. 189-202ᵛ). Βίος καὶ πολιτεία τῶν ὁσίων πατέρων ἡμῶν
Ἰωάννου καὶ Συμεὼν τοῦ διὰ Χριστὸν ἐπονομασθέντος Σαλοῦ συγγραφεῖσα ὑπὸ Λέοντος ἐπισκόπου Νεαπόλεως τῆς Κυπριονίσσου
(sic). — B.

> Lacunosa est et mutila desinit.

LES
MÉNOLOGES GRECS

Nous sommes fort en retard avec les importants travaux de M. Alb.
Ehrhard, professeur à l'Université de Wurzbourg, sur l'hagiographie
byzantine. Coup sur coup, on a vu paraître l'esquisse de la littérature
théologique dans la nouvelle édition du manuel de M. Krumbacher (1),
une étude sur la collection de légendes de Syméon Métaphraste (2) et de
nouvelles recherches sur l'hagiographie de l'Église grecque (3).

Nous ne pourrions rien ajouter aux éloges unanimes qui ont
accueilli, dès son apparition, le chapitre de la théologie dans l'Histoire
de la littérature byzantine. Il conviendrait, toutefois, de faire ressortir
le mérite de ce travail en ce qui concerne l'hagiographie. L'entreprise
était singulièrement hardie. Le manque presque absolu de travaux préparatoires, l'extrême dispersion des matériaux et les lacunes énormes
de l'information auraient fait reculer tout autre que M. Ehrhard. Il faut
le féliciter autant d'avoir osé que d'avoir réussi. Le livre de chevet des
byzantinistes est devenu également celui des hagiographes, grâce à la
collaboration du savant professeur de Wurzbourg.

Nous aurions mauvaise grâce de nous arrêter à rechercher les imper-
fections ou les lacunes qui pourraient être signalées dans un pareil
travail. L'auteur, tout le premier, a constaté qu'une question capitale
en hagiographie, à peine touchée dans son livre, pouvait être abordée
résolument ; et avant même que le nouveau Krumbacher fût entièrement sorti des presses, il s'était mis à étudier les légendes attribuées à
Métaphraste. Le premier des deux articles que nous avons cités s'en
tient presque exclusivement aux matériaux fournis par notre catalogue
des manuscrits grecs de la bibliothèque nationale de Paris. Dans
le second, l'auteur s'attache plus spécialement à l'étude des manuscrits
de Munich, de Milan et de Moscou.

(1) *Geschichte der byzantinischen Litteratur* von KARL KRUMBACHER, 2ᵉ Auflage
unter Mitwirkung von A. EHRHARD und H. GELZER, München, 1897. Theologie, p. 37-
218. (Hagiographie, p. 176-206.) — (2) *Die Legendensammlung des Symeon Metaphrastes.* FESTSCHRIFT DES DEUTSCHEN CAMPO SANTO IN ROM. Freiburg, Herder, 1896,
p. 46-82. — (3) *Forschungen zur Hagiographie der griechischen Kirche, vornehmlich auf Grund der hagiographischen Handschriften von Mailand, München und
Moskau.* Roma, 1897, 141 pp. Extrait de la RÖMISCHE QUARTALSCHRIFT, t. XI, p. 67-206.

Les collections de Vies de saints peuvent se diviser, dans une première classification, en deux catégories principales : la collection de Métaphraste d'une part, et de l'autre, celles qui lui sont antérieures. Tout le reste doit être considéré comme accessoire en ce moment. M. Ehrhard s'occupe des deux groupes, nous dirons tantôt avec quel succès.

En ce qui concerne le recueil de Métaphraste, il nous sera permis de dire que des recherches indépendantes de celles de M. Ehrhard nous ont conduit à des résultats sensiblement identiques, et que, sauf certains numéros douteux du catalogue de l'œuvre et le principe de la méthode, nous nous étions rencontrés sans le savoir. C'est avec une vive satisfaction que nous avons constaté cette coïncidence ; et lorsqu'il nous arrivera de nous écarter, en certains points, de la voie tracée par le docte professeur, c'est uniquement dans la pensée de tirer du choc des opinions quelque lumière nouvelle dans une des questions les plus obscures de l'hagiographie.

I
La collection de Métaphraste.

Tout le monde sait que l'on ne possède que des renseignements fort vagues sur la personne et sur l'œuvre de Métaphraste. Partout où il y a quelques manuscrits de Vies de saints, on peut être sûr que Métaphraste se trouve, et il est impossible de se tromper sur sa présence. Mais dès qu'on veut le saisir, il se dérobe, et lui qui a tout envahi, occupe à peine une place dans l'histoire littéraire. Je crois utile, pour expliquer le fait et aussi pour l'intelligence de ce qui va suivre, de rappeler par quelle voie la connaissance de Métaphraste a été introduite dans les milieux occidentaux, et quelles ont été les principales recherches scientifiques entreprises pour nous restituer son œuvre.

C'est à l'évêque de Vérone, Aloisi Lipomani, qu'il faut faire remonter l'honneur d'avoir fait connaître Métaphraste, et la responsabilité d'une grande part des erreurs accumulées autour de ce nom. Les trois derniers volumes de son recueil de Vies de saints comprennent des Vies traduites du grec, respectivement pour les mois de novembre, décembre, janvier, février (1), ceux de mai, juin, juillet, août, septembre, octobre (2), enfin, ceux de mars et d'avril (3). Comme l'auteur

---

(1) *Tomus quintus vitarum sanctorum patrum numero nonaginta trium per Simeonem Metaphrastem auctorem probatissimum conscriptarum et nuper instante R. P. D. Aloysio Lipomani episcopo Veronense latinitate donatarum.* Venetiis, 1556, 4°. — (2) *Tomus sextus vitarum sanctorum priscorum patrum quae instante R. P. D. Aloysio Lipomano episcopo Veronensi nunc primum ex Symeone Metaphraste graeco auctore latinas factae sunt.* Romae, 1558, 4°. — (3) *Septimus tomus vitarum sanctorum patrum quae a R. P. D. Aloysio Lipomano episcopo Veronensi*

s'en explique dans ses préfaces, les traductions ont été faites par Gentien Hervet, Fr. Zino de Vérone, et par Sirlet, sur des manuscrits qui sont d'ordinaire assez clairement désignés pour permettre de les retrouver encore. Pour le tome V, il a employé des manuscrits du Vatican et un manuscrit appartenant à un particulier, probablement, le manuscrit de Vienne, *Hist. gr.* XI, comme nous l'avons montré ailleurs (1). Pour le tome VI, il a en outre puisé à la bibliothèque de Saint-Marc, et pour le tome suivant à celle de Grotta-Ferrata.

Le bon évêque s'imaginait donner à ses lecteurs un Métaphraste complet et authentique. Voici d'ailleurs l'idée qui le guidait dans le choix des manuscrits. *Quascumque vitas sanctorum sine nomine auctoris inscriptas legeris (invenies autem plurimas) non eas tamquam apocryphas abicias (etenim incertas pro certis proponere longe ab instituto nostro alienum est), sed ut vere ab ipso Symeone Metaphraste compositas lubens percurras. Illis namque auctoris ipsius titulum praefigere noluimus, ne te toties repetito eius inscriptionis onere gravaremus* (2). Évidemment, Lipomani avait lu en tête de certains ménologes le nom de Métaphraste, que les Grecs ont inscrit avec si peu de discernement sur la plupart de leurs collections hagiographiques, et il avait cru que toutes les Vies anonymes étaient l'œuvre du logothète. Ainsi, un des manuscrits qu'il a employés, le Venetus S. Marci 339, porte cette mention d'une main postérieure, mais relativement ancienne : αὕτη ὑπάρχει ἡ μετάφρασις τοῦ ἐπισκόπου Νικολάου (3). Or ce ménologe est certainement antérieur à Métaphraste, de même que le manuscrit de Vienne dont il a été question tantôt. Une partie seulement des manuscrits de Lipomani étaient des Métaphrastes véritables. Son recueil représente donc bien mal l'œuvre de celui qu'il appelait *auctorem probatissimum... virum sanctissimum et apud patres beatorum catalogo ascriptum, unde plenissima fides eius scriptis adhiberi possit* (4). C'est pourtant d'après cette compilation que l'on a le plus souvent cité Métaphraste ; et grâce à Lipomani, on lui a fait honneur de plusieurs pièces excellentes, entre autres, de diverses Passions qui n'étaient rien moins que de l'Eusèbe authentique (5). Les citations du bréviaire romain *apud Metaphrastem* sont empruntées à Lipomani, et c'est de lui encore que proviennent les traductions latines que l'on a l'habitude de citer d'après Surius.

On le voit, tout se réunissait pour dérouter les recherches scientifiques : le manque d'information, et la fausse direction imprimée aux études hagiographiques par la publication, si méritoire d'ailleurs, de Lipomani.

ex praeclaris auctoribus graecis latine redditis in hoc volumen collectae sunt. Romae, 1558, 4°. — (1) *Anal. Boll.*, t. XVI, p. 119. — (2) *Tomus sextus*, in praefatione. — '(3) *Anal. Boll.*, t. XVI, p. 118. — (4) *Tomus quintus*, Ad lectorem. — (5) *Anal. Boll.*, t. XVI, p. 113-139.

Parmi les travaux critiques du XVII⁰ siècle ayant pour objet le recueil des métaphrases, on peut se contenter de citer la *Diatribe de Symeonum scriptis* de L. Allatius. Malgré son immense érudition, ce savant a fort peu contribué à éclaircir le problème. Au lieu de s'attacher d'abord à l'étude de la collection qui porte le nom de Métaphraste, il a considéré celui-ci comme un auteur et un styliste, qui n'a point signé ses ouvrages, mais dont on peut désigner à coup sûr certaines œuvres authentiques. Il s'attacha particulièrement à la vie de Ste Théoctiste. Ailleurs, nous avons montré combien ce choix était malheureux (1). Le catalogue d'Allatius n'offre aucune garantie dans les cas particuliers. Il y a réuni toutes les pièces anonymes qu'aucune raison évidente n'obligeait à attribuer à un autre temps ni à un autre milieu.

Les travaux de Hancke (2), de Nessel (3) et de Fabricius (4) ne marquent aucun progrès sérieux sur celui d'Allatius, et il faut arriver aux trois volumes de la Patrologie grecque de Migne, où Mgr Malou, évêque de Bruges, a publié pour la première fois le texte grec d'une série de Vies de saints attribuées à Métaphraste, pour trouver quelques nouveaux matériaux à exploiter. Malheureusement, le choix des pièces de cette utile publication avait été presque uniquement inspiré par les listes d'Allatius et le recueil de Lipomani. Le critère permettant de distinguer à coup sûr une « métaphrase » de toute autre Vie de saint anonyme, manquait toujours.

L'incertitude où l'on était devant chaque Vie en particulier, aurait dû suggérer depuis longtemps une autre méthode. Il fallait étudier tout d'abord la collection, chercher à déterminer sa composition générale et de là descendre aux éléments. C'est ce que M. Ehrhard a fait.

Voici son point de départ. Le manuscrit 382 de Moscou, de l'année 1063, contenant des Vies de saints pour les mois de mai, juin, juillet, août, porte la souscription suivante du calligraphe : Εἴληφε τέλος ἡ ὑστάτη αὕτη δέλτος τῶν δέκα βίβλων τῶν μεταφράσεων τοῦ λογοθέτου, etc. (5). D'après ce texte, le volume appartient donc à la collection de Métaphraste, et c'est le dixième de la série. M. Ehrhard n'a pas de peine à trouver les neuf autres : septembre 1, octobre 2, novembre (en deux parties) 3, 4, décembre 5, 6, janvier 7, 8, février, mars, avril réunis 9. Presque toutes ces parties de ménologe ont été trouvées avec le titre μεταφράστης.

(1) *La Vie de saint Paul le jeune et la chronologie de Métaphraste*, REVUE DES QUESTIONS HISTORIQUES, juillet 1893, p. 79-82. — (2) *De Byzantinarum rerum scriptoribus*, Lipsiae, 1677; *P. G.*, t. CXIV, p. 293-300.—(3) *Catalogus codd. graecorum bibliothecae Vindobon.* (Vindobonae, 1690), part VI, p. 108-111; *P. G.*, t. CXIV, p. 299-304. — (4) *Bibliotheca graeca*, t. X, Vitae et encomia sanctorum. — (5) VLADIMIR, *Catalogue des manuscrits de la bibliothèque synodale de Moscou* (en russe), t. I (1894), p. 576.

Comment la souscription du manuscrit de Moscou, qui était connue depuis longtemps, puisque Matthiae l'a publiée dans son catalogue, n'a-t-elle pas donné plus tôt la clef du Métaphraste? Serait-ce que personne n'aurait entrevu le parti qu'on pouvait en tirer? Peut-être. Le cas ne serait pas isolé dans l'histoire des lettres. Mais l'explication me paraît plus simple. C'est qu'en effet ce texte n'a pas la portée qu'on vient de lui attribuer. Il ne prouve pas que la collection de Métaphraste ait été divisée en dix livres, et la valeur de son témoignage au sujet de l'attribution à Métaphraste est fort problématique. Ce qui veut dire que si M. Ehrhard a réussi à ouvrir la porte, il s'est servi d'une fausse clef.

Parlons d'abord de la division en dix livres. Il nous paraît peu probable que cette division soit primitive. A en juger par les souscriptions des manuscrits et par les citations, il faudrait plutôt conclure que la collection était partagée en douze mois. Ainsi, le ms. de Paris 1558, porte après les Vies du mois de septembre : Τέλος τοῦ σεπτεμβρίου μηνὸς τῆς μεταφράσεως τοῦ λογοθέτου Συμεών; le ms. 1489 : Τέλος σὺν Θεῷ τοῦ σεπτεμβρίου μηνός; le ms. 1541 : Πίναξ ἄριστος τῶν λόγων νοεμβρίου οὓς ἐγγραφέντας ἔσχεν ἡ πρώτη βίβλος; le ms. 1550 : Μηνὶ δεκεμβρίῳ ιε΄ · ὧδε πέφηκεν ἀρχὴ τῆς δέλτος τῆς μετάφρασις μηνὸς δεκεμβρίου; le ms. 693 : ὁμοῦ λόγοις τῶν μεταφράσεων τοῦ νοεμβρίου μηνὸς τοῦ δευτέρου βιβλίου ιβ΄; le ms. de Moscou 375 : Μεταφράστου ἰαννουάριος μήν. Nous pourrions multiplier ces exemples. Les volumes du ménologe sont désignés par les mois ou par une subdivision du mois : septembre; novembre tome I; novembre tome II. Dans les cas exceptionnels, comme celui du ms. de Moscou, ce ne sont pas les volumes de la collection, mais ceux de l'exemplaire qui sont désignés. Ce nombre de volumes variait suivant le format employé, et d'après la disposition adoptée par le calligraphe. Dans le format moyen, tous les textes des mois de septembre, de même que ceux d'octobre, tiennent sans difficulté dans un seul volume. Les mois de novembre et de décembre, qui renferment des Vies beaucoup plus longues, sont généralement divisés en deux tomes. Le mois de janvier également. Le dernier semestre, qui comprend un petit nombre de textes, ne remplit en tout que deux volumes. Mais, dans les mois divisés, le partage des pièces n'est pas uniforme. Ainsi, le premier volume de novembre contient tantôt les Vies du premier au quinze, tantôt celles du premier au seize; d'autres fois, il va jusqu'au treize seulement. Parfois aussi, un seul volume comprend en entier les mois qui remplissent ordinairement deux volumes. On rencontre réunis deux mois entiers et même tout un trimestre. La division en dix volumes, pour être assez fréquente, n'en est donc pas moins accidentelle; rien ne prouve qu'elle remonte à l'auteur de la collection.

La souscription du ms. de Moscou porte la mention des « métaphrases du logothète ». Peut-on se fier à cette attribution et à d'autres semblables qui n'ont d'autres garants que les scribes du XI⁰ ou du XII⁰ siècle, pour ne pas parler de témoignages plus récents? Ici encore je crois devoir mettre un grand point d'interrogation. A une époque qu'il est difficile de préciser, mais certainement de bonne heure, on commença à désigner sous le nom de « métaphrases » ou de « métaphrastes » n'importe quels ménologes se rapprochant, pour la disposition extérieure, du célèbre recueil qui finit par supplanter tous les autres. Ce dernier, originairement, était anonyme. En effet, la très grande majorité des exemplaires ne porte point le nom de l'auteur, et dans ceux qui nomment Métaphraste, ou Syméon, ou le Logothète, il règne une telle diversité de formules que l'on ne peut songer à un titre primitif dont elles seraient dérivées.

M. Ehrhard attache plus d'importance encore aux titres isolés de certaines pièces où figure le nom de Syméon Métaphraste (1).

Dans les manuscrits de l'Ambrosienne il a trouvé les attributions suivantes : Vie de S⁺⁰ Théoctiste de Lesbos (10 novembre). — Miracle de S. Michel à Chonae (6 septembre). — Passion de S⁺⁰ Catherine (25 novembre. *Inc.* Τοῦ παρανόμου καὶ ἀσεβεστάτου). — Passion de S. Blaise (deux fois ; *Inc.* Βλάσιος ὁ μάρτυς ἄξιον τοῦ τοιοῦδε τέλους τῆς μαρτυρίας). — Hypomnema sur S. Thomas (6 octobre. *Inc.* Πάλαι μὲν κατὰ γῆν διατριβὰς). — Vie de S⁺⁰ Anastasie (28 octobre). — Pièce sur l'Assomption de la S⁺⁰ Vierge (Κατὰ τὸν καιρὸν τῆς πεντεκοστῆς). — Passion de S⁺⁰ Eugénie (24 décembre). — Passion de S. Pantaléon (27 juillet). — Hypomnema sur S. Jean-Baptiste (29 août). — Vie de S. Théodore Graptos (27 décembre). Nous regrettons que l'auteur n'ait point songé à transcrire les en-tête de ces pièces, et nous croyons faire œuvre utile de citer quelques textes analogues que nous avons sous la main et qui complètent la liste précédente. Comme dans notre catalogue des manuscrits de Paris, la lettre B renvoie à la *Bibliotheca hagiographica graeca*.

Vatic. 1279, fol. 79. Βίος καὶ πολιτεία τοῦ ἐν ἁγίοις πατρὸς ἡμῶν καὶ ὁμολογητοῦ Ἀθανασίου ἀρχιεπισκόπου γενομένου Ἀλεξανδρείας συγγραφεὶς παρὰ τοῦ Συμεῶνος τοῦ μεταφράστου. — B1.

Vatic. 800, fol. 61ᵛ. Βίος καὶ πολιτεία καὶ μαρτύριον τῆς ἁγίας ὁσιομάρτυρος Ἀναστασίας τῆς Ῥωμαίας. Κυροῦ Συμεὼν τοῦ μεταφράστου. — B1.

Vatic. 1190, fol. 327. Βίος καὶ πολιτεία τοῦ ἐν ἁγίοις πατρὸς ἡμῶν Ἰωάννου ἀρχιεπισκόπου Κπόλεως τοῦ Χρυσοστόμου συγγραφεὶς παρὰ τοῦ σοφωτάτου κυροῦ Συμεῶνος τοῦ μεταφράστου. — B4.

____

(1) *Forschungen*, p. 8.

Paris. 1519, fol. 17. *(Catal. Paris.,* p. 211.) Συμεὼν μαγίστρου καὶ λογοθέτου μετάφρασις ἐγκωμίου τάξιν ἐπέχων εἰς τὸν βίον τοῦ ἐν ἁγίοις πατρὸς ἡμῶν καὶ οἰκουμενικοῦ φωστῆρος Ἰωάννου τοῦ Χρυσοστόμου.

Inc. Ἐβουλόμην μέν, ὦ ἄνδρες, μηδέποτε ἐμαυτὸν εἰς τοῦτον καθεῖναι.

Vatic. 1246, fol. 73. Συμεὼν μαγίστρου καὶ λογοθέτου μαρτύριον τοῦ ἁγίου ἱερομάρτυρος Βλασίου.

Inc. Βλάσιος ὁ ἱερομάρτυς ἄξιον τοῦ τοιοῦδε τέλους.

Vatic. 1246, fol. 83. Συμεὼν μαγίστρου καὶ λογοθέτου λόγος εἰς τὸν ἅγιον μεγαλομάρτυρα Γεώργιον. = B 4.

Paris. 401, fol. 117. *(Catal. Paris.,* p. 6.) Μαρτύριον τοῦ ἁγίου καὶ ἐνδόξου μεγαλομάρτυρος Γεωργίου συγγραφὲν παρὰ Συμεὼν μαγίστρου καὶ λογοθέτου τοῦ δρόμου. = B5.

Vatic. 567, fol. 143. Λόγος τοῦ μεταφράστου εἰς τὸ μαρτύριον τῶν ἁγίων καὶ ἐνδόξων μαρτύρων Εὐσταθίου καὶ τῆς αὐτοῦ γυναικὸς Θεοπίστης καὶ τῶν τέκνων αὐτῶν Ἀγαπίου καὶ Θεοπίστου. = B2.

Vatic. 2098, fol. 111. Μαρτύριον τοῦ ἁγίου μάρτυρος Νεοφύτου ὑπὸ Συμεὼν τοῦ μεταφράστου συγγραφέν. = B.

Oxon. Barocc. 197, fol. 544. (Coxe, p. 348.) Μαρτύριον τοῦ ἁγίου καὶ ἐνδόξου μεγαλομάρτυρος Δημητρίου συγγραφὲν παρὰ τοῦ κυροῦ Συμεὼν τοῦ μεταφράστου. = B2.

Paris. 1021, fol. 169ᵛ. *(Catal. Paris.,* p. 63.) Συμεὼν μαΐστρου καὶ λογοθέτου τοῦ δρόμου μετάφρασις τοῦ μαρτυρίου τοῦ ἁγίου μεγαλομάρτυρος καὶ θαυματουργοῦ Δημητρίου τοῦ μυροβρύτου = B2.

Oxon. Barocc. 234, fol. 393. (Coxe, p. 403.) Ὑπόμνησις τοῦ μεταφράστου εἰς τὰς εὑρέσεις τῆς τιμίας κεφαλῆς τοῦ Προδρόμου.

Inc. Μοναχοὶ δύο τῆς ἑῴας μὲν ἐξορμώμενοι.

Oxon. Cromwell. 6, fol. 125. (Coxe, p. 422.) Τοῦ λογοθέτου κυροῦ Συμεὼν λόγος διαλαμβάνων τὰ περὶ τῆς γεννήσεως ἀνατροφῆς καὶ ἀποτομῆς τοῦ ἁγίου καὶ ἐνδόξου προφήτου προδρόμου καὶ βαπτιστοῦ Ἰωάννου καὶ περὶ τῆς εὑρέσεως τῆς τιμίας αὐτοῦ κεφαλῆς.

Inc. Ἰωάννης τὸ μέγα κλέος τῆς οἰκουμένης.

Paris. Coisl. 304, fol. 8. *(Catal. Paris.,* p. 313). Συμεῶνος μαγίστρου καὶ λογοθέτου εἰς τὸν βίον καὶ εἰς τὰ μερικὴ θαύματα τοῦ ἐν ἁγίοις πατρὸς ἡμῶν Νικολάου ἐπισκόπου Μύρων τῆς Λυκίας τοῦ θαυματουργοῦ = B3.

Paris. 146, fol. 151. *(Catal. Paris.*, p. 1.) Συμεὼν μαγίστρου καὶ λογοθέτου λόγος εἰς τὸν ὅσιον Συμεὼν τὸν ἐν τῷ στύλῳ. — B 2.

Mosq. 391, fol. 10. (VLADIMIR, p. 588). Ὑπόμνημα εἰς τὴν ἐπωνυμίαν τῆς ἀχράντου καὶ προσκυνητῆς εἰκόνος τῆς παναμώμου δεσποίνης ἡμῶν Θεοτόκου καὶ ἀειπαρθένου Μαρίας τῆς Ῥωμαίας συγγραφὲν παρὰ Συμεὼν καὶ *(sic)* λογοθέτου τοῦ μεταφράστου. — B 61.

On pourrait ajouter beaucoup d'autres titres de ce genre, en particulier ceux qui indiquent simplement une μετάφρασις, par exemple, le ms. de Paris, 1458, fol. 41, 49 (Ste Barbe, S. Nicolas), et le ms. du Vatican, fol. 47^r : Μετάφρασις σὺν ἐγκωμίῳ εἰς τοὺς ἁγίους καὶ ἐνδόξους τοῦ Χριστοῦ ἱερομάρτυρας Νίκανδρον καὶ Ἑρμαῖον.

Pas plus que le titre de « métaphraste » donné à des collections entières, le nom de Syméon placé en tête des pièces que nous venons d'énumérer ne saurait être invoqué comme argument dans la question présente. On peut affirmer avec certitude que, dans le recueil de Métaphraste, les pièces étaient anonymes, et il est probable que ceux qui s'avisèrent, plus tard, d'indiquer le nom de l'auteur, n'avaient, pas plus que nous, le moyen de discerner les œuvres du logothète de tant d'autres productions similaires. Comme elles étaient plus répandues que d'autres, il y eut plus de chance de deviner juste. Mais le hasard ne servit pas toujours à souhait les scribes ou les compilateurs de ménologes. N'a-t-on pas vu les moines du mont Latros se tromper au sujet de la Vie de leur patron principal, écrite sur les lieux mêmes par l'un d'eux, et en faire honneur à Métaphraste (1)? Et pour nous en tenir aux exemples cités plus haut, la Passion de Ste Catherine (cod. Ambros. L. 113 sup.), celles de S. Néophyte (Vatic. 2098), de S. Georges (Paris. 401), les pièces sur S. Jean Chrysostome (Paris. 1519) et sur la Ste Vierge (Mosq. 391) qui sont attribuées expressément à Syméon Métaphraste, n'ont jamais fait partie de sa collection. Il en est de même des trois « métaphrases » que nous avons indiquées.

On nous dira qu'en récusant tous ces textes, nous renversons par la base le système de M. Ehrhard, et que notre procédé tend à replonger la question dans les ténèbres d'où elle semblait définitivement sortie. Pas précisément. Car, si la voie qui a été suivie nous paraît peu sûre, il en est une autre, presque aussi courte, mais par laquelle il ne s'introduit dans la discussion aucun élément étranger, capable de fausser certaines conclusions. Nous allons l'indiquer. Une fois les principes posés, et les volumes de la grande collection nettement désignés, nous

____

(1) Voir *La Vie de S. Paul le jeune,* l. c., p. 81-82.

procéderons comme M. Ehrhard pour déterminer la composition de chacun d'eux.

Voici, nous semble-t-il, comment on pourrait raisonner. Il se rencontre dans tous les dépôts de manuscrits grecs des volumes d'un ménologe bien déterminé, qui doit avoir joui d'une très grande vogue. Il a été multiplié à un grand nombre d'exemplaires, dont une bonne partie présente des caractères paléographiques qui les ferait attribuer à une même officine, fonctionnant à Constantinople vers le milieu ou la fin du XI° siècle. Quoi qu'il en soit de l'aspect extérieur des volumes de ce ménologe, la composition des mêmes subdivisions est sensiblement identique. Ce sont les mêmes saints aux mêmes dates, et la même Vie de chaque saint. De plus, chacune de ces pièces présente un texte invariablement fixé. Une lecture rapide des Vies qui constituent le recueil permet de constater en outre que la très grande majorité sont des remaniements de pièces plus anciennes, dont un certain nombre existent encore. En d'autres termes, c'est une collection de *métaphrases*, et la collection est si bien caractérisée que l'on ne se trompera pas en la désignant comme l'œuvre la plus considérable et la plus célèbre en ce genre : celle qui est attribuée à Syméon Métaphraste.

Il reste à dresser la liste des pièces qui composaient le recueil primitif. On conçoit, en effet, que, en parlant de l'identité des divers exemplaires, nous l'avons entendue dans la mesure que comportent les collections de ce genre. Les diverses parties du ménologe ont subi des modifications ou des interpolations, dont il n'est pas toujours facile d'indiquer l'origine, mais dont le caractère adventice se reconnaît ordinairement par la comparaison de quelques exemplaires. Nous allons parcourir rapidement les douze grandes divisions du ménologe de Métaphraste. Autant que possible nous renverrons le lecteur à des manuscrits connus qui expriment le mieux le type de chacun des mois.

Septembre. La composition de ce mois est fort bien représentée par le ms. de Paris 1489 (1). On y remarquera l'absence des dates suivantes : 5, 8, 14, 18, 21, 23. Les trois premières se rencontrent quelquefois dans les manuscrits (ms. Paris. 1521), les trois dernières jamais.

Les manuscrits offrent assez souvent des erreurs de date en passant d'un jour à l'autre après une lacune. Cette remarque est à retenir également pour la suite.

Octobre. Représenté par le ms. de Paris 1495 (2). Manquent régulièrement les 5, 9, 11, 17, 27.

---

(1) *Catal. codd. hag. graec. bibl. nation. Paris.*, p. 172. — (2) *Ibid.*, p. 181-83. La Passion de S. Varus, non datée dans le ms., doit être mise au 19. Celle de S⁹ Charitina est le plus souvent placée au 4.

Novembre. Le ms. de Paris 1522 donne exactement toute la suite des pièces du 1ᵉʳ jusqu'au 15 novembre (1). La seconde partie du mois (16-30) se trouve, par exemple, dans le ms. 1513; mais il faut mettre en tête du volume « l'hypomnema » du 16, qui a été accidentellement rejeté à la fin (2). Les dates des 8, 19, 21, 22, 29 sont libres.

Remarque. La Vie de Sᵗᵉ Théoctiste (10 nov.), qui avait paru si importante à Allatius, au point qu'il l'avait prise pour base de sa chronologie de Métaphraste, existe en deux recensions. L'une est attribuée à un certain Nicetas; à l'exception de la préface, l'autre reproduit la première, pour ainsi dire mot pour mot. Il serait souverainement intéressant, à cause des traits personnels à l'auteur de cette pièce, de déterminer laquelle des deux recensions est la primitive, et l'étude de la collection de Métaphraste faisait espérer un bon résultat. Par une exception à peu près unique, cette pièce se trouve précisément représentée dans les manuscrits, tantôt par la seconde, tantôt par la première recension (Paris. ms. 1541, Vatic. 811, Vatic. 1798, Venet. S. Marc. 361). On devine les conséquences de ce fait, qui n'a pas été remarqué par M. Ehrhard.

Décembre. Pour la première partie (4-13), voir le ms. de Paris, 1461; pour la seconde le ms. 1535 (3). Dates libres : 1, 2, 3, 9, 16, 25, 26, 30. Il faut ajouter que la Passion de S. Sébastien, au 19, manque très souvent, et qu'en conséquence, il nous paraît douteux qu'elle ait fait primitivement partie de la collection. En revanche, au 27 se trouve fréquemment l'homélie de S. Grégoire de Nysse sur S. Étienne, et je ne voudrais pas nier que le logothète l'ait admise dans son recueil. Remarquons aussi en passant que, au 15, un certain nombre de manuscrits contiennent la Vie de S. Paul ἐν τῷ Λάτρῳ. Nous avons dit ailleurs qu'on avait pris occasion de là pour l'attribuer à Métaphraste (4).

Janvier. Les pièces contenues dans les manuscrits de Paris 1473 (du 4 au 18) et 1471 (du 20 au 31) appartiennent certainement à la collection (5); ce qui nous donne un mois de janvier avec les lacunes suivantes : 1, 2, 3, 5, 6, 7, 8, 12, 19, 21, 29, 30. Il n'est pas improbable qu'aux deux premières de ces dates, elle comprenait respectivement les Vies de S. Basile (= B 4) et de S. Silvestre (Inc. Ὁ ἡμέτερος ἱστοριογράφος Εὐσέβιος). Les exemplaires qui nous restent de la première moitié de janvier ne permettent pas de trancher la question.

Février, mars, avril. Ces trois mois sont d'ordinaire réunis. Les exemplaires non interpolés sont rares, et il n'y a aucun des manuscrits

____

(1) *Ibid.*, p. 215-16. Remarquer seulement que la date de S. Joannice n'est pas le 3, mais le 4. — (2) *Ibid.*, p. 203-204. — (3) *Ibid.*, pp. 135-36, 234-35. La première pièce, à la date du 14, est la Passion enregistrée dans la *Bibliotheca hagiographica graeca* sous le nom de *Thyrsus, Leucius et soc.* — (4) *La Vie de S. Paul le jeune*, l. c., p. 83. — (5) *Cat. Paris.*, pp. 152, 153.

de Paris qui donne la série primitive dans sa pureté. Voici les pièces dont
elle se composait. Nous mettons avant les noms des saints la date, et
après, la subdivision du ms. 1500 de Paris, qui comprend toutes ces
Vies, avec quelques autres.

1er février. *Trypho* = 1. — 7. *Parthenius* = 3. — 7. *Lucas iunior* = 4.
— 8. *Theodorus stratelates* = 8. — 9. *Nicephorus* = 5. — 11. *Blasius* = 6. — 13. *Martinianus* = 7. — 17. *Theodorus tiro* = 9. —
6 mars. *Martyres XLII* = 11. — 19. *Martyres XL* = 12. — 1er avril.
Maria Aegyptiaca = 15. — 23. *Georgius* = 16 (quelquefois B 1). — 26.
Basilius Amaseae = 17.

Il faudrait peut-être y ajouter, entre mars et avril, la Διήγησις ὠφέλιμος … εἰς τὴν ἀκάθιστον (= *Maria Deipara* B 59), qui se trouve dans
beaucoup de manuscrits.

Celui du Vatican 1245, qui pour le reste est exactement conforme
à la liste ci-dessus, contient également cette pièce.

M. Ehrhard donne plusieurs raisons pour l'exclure (1). La seule qui
me paraît avoir un certain poids, c'est qu'elle formerait une exception
dans l'ensemble des légendes du ménologe, qui toutes se rapportent à
des martyrs et à des saints, et non point à des anniversaires, comme
celui de la délivrance de Constantinople. En tout cas, le fait que ce
morceau serait d'une époque antérieure à Métaphraste n'est nullement
concluant. La collection en renferme plusieurs autres.

S. Georges, à la date du 23, ne manque jamais ; mais le texte qui le
concerne n'est pas toujours le même. Le cas est analogue à celui de
Ste Théoctiste au mois de novembre.

MAI, JUIN, JUILLET, AOUT. Un seul volume, d'ordinaire, réunit ces quatre
mois. Le ms. de Paris 1527 est un bon spécimen (2), dont il faut peut-
être retrancher le dernier numéro : Ὑπομνήματα τῶν ιβ΄ προφήτων.
Nous disons peut-être, car plusieurs manuscrits se terminent par cette
pièce.

Ici, comme dans les mois précédents, on remarquera les grandes
lacunes du calendrier. Voici les seuls jours représentés dans le volume :
mai 8 ; juin 17, 27, 29 ; juillet 8, 27, 28, 31 ; août 1, 15, 16, 29.

On parvient donc à déterminer dans ses grandes lignes une collection
hagiographique très répandue, et suffisamment connue pour qu'on
puisse désormais se contenter de l'étudier dans ses éléments incer-
tains. Sans aucun doute, c'est le *Métaphraste*. Mais dans quelle mesure
le logothète est-il l'auteur de cette collection ? Est-il simple compilateur, ou rédacteur, ou les deux à la fois ?

(1) *Forschungen*, p. 21. — (2) *Cat. Paris.*, p. 223-24. Le ms. Chigi R. VII. 50
(ci-dessus, p. 306-8) est également un bon exemplaire de ce volume.

Voici d'abord un point qui n'a pas été suffisamment mis en lumière, et qui est capital dans la question : la collection de Métaphraste contient un certain nombre de textes originaux plus anciens et non remaniés.

La preuve est facile à fournir. Il y a d'abord les Vies qui ont gardé le nom de leurs auteurs (1) : l'histoire des martyrs de Sina et de Raïthu par Nil (14 janvier); la Vie de S. Antoine par S. Athanase (17 janvier) ; la Vie de S. Grégoire de Nazianze par le prêtre Grégoire (25 janvier); la Passion des XLII martyrs par Evodius (6 mars); la Vie de Ste Marie Égyptienne par Sophrone (1er avril); l'histoire de l'image d'Édesse par l'empereur Constantin (16 août). Ajoutez-y la Vie de S. Jean l'aumônier par Jean Moschus et Sophrone (12 novembre) et plusieurs pièces anonymes, par exemple la Passion de S. Eustratius et de ses compagnons (13 décembre), qui se rencontre dans les manuscrits antérieurs à Métaphraste; la Vie de S. Luc le jeune (8 février); probablement la Passion de S. Lucien (15 octobre), et d'autres peut-être, que l'étude fera découvrir.

Quant aux pièces qui ont été visiblement remaniées, ont-elles été empruntées à des recueils préexistants, sont-elles dues à la même plume, ou bien ont-elles été écrites par divers rédacteurs, sous une direction unique ? Autant de questions auxquelles on est très embarrassé de répondre, et qui nous avertissent que toutes les difficultés ne sont pas résolues. Dans une seule pièce, la Vie de S. Sampson (27 juin), écrite après le règne de Jean Zimiscès (2), il y a une mention assez distincte d'une entreprise hagiographique : εἰ πολλῶν ἑτέρων ἁγίων τῶν μὲν μαρτύρων, τῶν δὲ καὶ ἄλλως εὐαρεστηκότων Θεῷ τῶν μὲν ἄθλους καὶ πόνους, τῶν δὲ καὶ βίους καὶ πράξεις κατὰ σπουδὴν συνταξάμενοι (préface). C'est bien, semble-t-il, Métaphraste lui-même qui parle, et par le fait, l'opinion qui le place dans la seconde moitié du Xe siècle reçoit un appui sérieux (3). M. Ehrhard (4) n'est pas éloigné d'attribuer à Métaphraste la Vie de S. Luc le Jeune (8 février). Cette attribution nous paraît sans fondement, et nous ne saurions l'admettre que moyennant de bonnes preuves.

M. Ehrhard énumère les pièces de la collection qui sont encore inédites, et exprime l'espoir qu'elles seront bientôt publiées (5). Il ne sera pas inutile peut-être de faire remarquer que plusieurs d'entre elles sont connues par des traductions latines fort bien faites, qui dispensent souvent de recourir à l'original. Ainsi S. Phocas non cité par M. Ehrhard, 22 septembre (Lipomani, t. VI, 274); S. Thomas,

(1) Bien entendu, nous ne garantissons pas l'exactitude de ces attributions. — (2) La conjecture du P. Verhoeven, *Acta SS.*, Iunii t. V, p. 263, n. 12, qui remplace le nom Ἰω [= Ἰωάννην] par celui de Κωνσταντῖνον n'est pas soutenable, surtout depuis que l'ancienne chronologie de Métaphraste est fortement ébranlée.— (3) Voir *Die Legendensammlung*, p. 73. — (4) *Ibid.*, p. 66-67. — (5) *Forschungen*, p. 130-31.

6 octobre *(ibid.*, 314); S. Hilarion, 21 octobre *(ibid.*, 360); S. Sabas,
5 décembre *(ibid.*, V, 198); S. Jean Calybite, 15 janvier *(Act. SS.*,
Ian. t. I, 1031); fête des chaînes de S. Pierre, 16 janvier (Lipomani,
VI, 242); S. Arsène, 8 mai *(ibid.*, VI, 1); Vie de la Ste Vierge, 15 août
(ibid., VI, 168); Vie de S. Jean-Baptiste, 29 août *(ibid.*, VI, 199).

II
Ménologes antérieurs à Métaphraste.

Le catalogue des pièces qui composent la collection de Métaphraste
débarrasse le terrain de l'hagiographie grecque d'une quantité considérable de matériaux encombrants, et permet de se mouvoir avec plus
de liberté au milieu des restes tout autrement importants des monuments plus anciens. Déjà M. Ehrhard est parti en explorateur de ce
côté (1), et nous ne demanderions pas mieux que de nous mettre à la
suite d'un guide aussi entreprenant. Mais nous l'avouerons bien simplement, le moment ne semble pas encore venu de tenter l'aventure.
Trop de matériaux sont encore à exhumer pour qu'une reconstruction
puisse être essayée avec quelque chance de succès. Le dépouillement
méthodique des manuscrits hagiographiques n'est pas assez avancé, et
le nombre de pièces que nous ne connaissons que par un bref *incipit*
est si considérable que l'on ne doit espérer pour le moment aucun
résultat définitif. Ce n'est point par défaut de méthode, mais par manque de matériaux que M. Ehrhard n'est point parvenu ici à des conclusions aussi certaines et aussi nettes que dans ses recherches sur
Métaphraste. Nous ne voudrions pas laisser croire que le savant auteur
se fasse illusion à ce sujet. Il présente son travail comme un essai, et il
ne nous en voudra pas d'indiquer brièvement quelques parties de la
thèse qui nous paraissent moins solidement établies.

D'abord une question de mots. L'auteur parle souvent de *ménologes
abrégés,* et il donne à cette expression un sens purement paléographique. Pour éviter toute confusion, nous appellerions plutôt ces
exemplaires qui ne contiennent pas toute la série des pièces d'un ménologe, des *ménologes incomplets* ou *fragments de ménologes*. L'autre
formule fait trop penser à ces recueils de Vies de saints abrégées dont
nous avons ailleurs distingué plusieurs espèces. Cette remarque n'est
pas superflue, on le verra.

En effet, nous voudrions que, dans l'étude des ménologes antérieurs
à Métaphraste ou indépendants de sa collection, on introduisît dès

(1) Déjà dans son premier travail *(Legendensammlung)*, il y a quelques indications à ce sujet. Dans le second *(Forschungen*, p. 46), l'auteur déclare qu'il ne fait
que commencer l'entreprise de reconstitution des ménologes de l'Église grecque.

l'abord une classification, sans laquelle on restera toujours dans le vague. On diviserait les recueils hagiographiques disposés suivant l'ordre du calendrier en trois classes :

1° Les grands ménologes, ou *ménologes* proprement dits. Ce sont les recueils formés d'une série de pièces hagiographiques complètes et développées.

2° Les *ménologes abrégés*, composés de ces βίοι ἐν συντόμῳ, de quelques pages, dont le type est trop connu pour qu'il soit nécessaire de les définir davantage. Ces pièces plus courtes tiennent le milieu entre les grandes Vies des ménologes et les *notices* de la classe suivante.

3° Les *synaxaires*, qui sont une suite de *notices* très condensées, d'une bonne demi-page, en moyenne (1).

1° GRANDS MÉNOLOGES.

Les ménologes développés se partageraient naturellement en ménologes *complets* et en ménologes *fragmentaires*. Un type de ménologe complet, serait par exemple le mois de mai dans le ms. de Munich 366, restitué, bien entendu, d'après la table qui le précède (2). Les fragments de ménologe seraient représentés, par exemple, par le ms. de l'Ambrosienne L. 113 sup. (3). Comme la plupart des manuscrits que nous possédons sont postérieurs à l'époque de Métaphraste, il est assez naturel que les recueils incomplets, qui ne renferment qu'un choix de pièces, présentent parfois un peu de mélange, et que les pièces anciennes y côtoient les métaphrases. C'est à la critique de faire le triage. Les ménologes complets ont en général mieux gardé leur pureté.

La division précédente est purement extérieure. Il en est une autre bien plus importante, qui atteint la composition même des recueils. Il faut distinguer entre les ménologes *orientaux* et *occidentaux*, ceux qui proviennent de Constantinople et en général des pays grecs, et ceux qui sont originaires d'Italie. La provenance occidentale se reconnaît souvent au premier coup d'œil à la paléographie des manuscrits. M. Ehrhard n'a pas manqué de remarquer cette particularité (4). Évidemment, il ne suffit point de ce caractère extrinsèque pour classer un ménologe. En Calabre et en Sicile on a souvent copié, sans aucune adaptation, des manuscrits venus de Byzance. D'autre part, il serait à rechercher si des ménologes italo-grecs n'ont pas été importés à Constantinople. Ce qui est certain, c'est qu'il y a eu des échanges réciproques de légendes. L'étude des ménologes occidentaux jettera un grand jour sur cette question. Nous espérons que la publication pro-

---

(1) Voir *Le Synaxaire de Sirmond*, ANAL. BOLL., t. XIV (1895), p. 400 suiv. — (2) EHRHARD, *Forschungen*, p. 59-63. — (3) *Ibid.*, p. 101-102. — (4) *Ibid.*, p. 66.

chaine du catalogue des manuscrits hagiographiques de la Vaticane contribuera quelque peu à avancer cette étude.

Faisons remarquer à ce propos, au sujet du ms. de l'Ambrosienne B 1 inf., qui a été écrit à Rossano (1), que M. Ehrhard a parfaitement raison de rayer du rang des hagiographes *Laurentius Rutiensis*, sous le nom duquel nos prédécesseurs ont publié plusieurs pièces tirées de ce manuscrit (2). Le moine Laurent n'est qu'un scribe, et nullement un rédacteur.

2° MÉNOLOGES ABRÉGÉS

Les ménologes abrégés méritent d'être étudiés à part. Nous n'avons pas actuellement le moyen de décider si ces recueils de βίοι ἐν συντόμῳ, ἐν ἐπιτομῇ dépendent, dans leur ordonnance générale, des grands ménologes préexistants, ou si ce sont des compilations nouvelles dont les éléments ont été cherchés un peu partout. Nous en sommes réduits ici aux conjectures. Il est vraiment regrettable que, pour les manuscrits de Moscou 376 (février et mars), et de Jérusalem 17 (juin, juillet, août), que M. Ehrhard étudie dans son dernier travail (3), il faille se contenter, dans la plupart des cas, d'un maigre *incipit*, et qu'on ne puisse à coup sûr se prononcer sur le caractère des textes. Mais il nous paraît presque certain que ces deux manuscrits ne sont autre chose que des recueils de βίοι ἐν συντόμῳ; et, jusqu'à nouvel ordre, ces collections ne doivent pas être confondues avec les ménologes. L'examen des quelques Vies publiées que nous possédons (4) nous confirme pleinement dans cette idée. Toutes, sans exception, sont des abrégés, et celle de S. Eudocimus (31 juillet), qui a intrigué M. Ehrhard, rentre dans la catégorie.

Il est possible que toutes les pièces des manuscrits en question soient non seulement des Vies brèves, mais de vrais résumés de pièces plus développées. Il se peut même que l'ensemble de ces dernières ait formé un grand ménologe, dont le ménologe abrégé serait la réduction exacte. Les recueils abrégés devront être spécialement étudiés à ce point de vue. Mais pour le moment, nous sommes en présence de pures hypothèses.

M. Ehrhard se pose aussi la question de savoir si les ménologes qu'il analyse, en particulier le ms. de Moscou 376, le ms. de l'Ambrosienne B1 inf. et le ms. 17 de Jérusalem (mars, juin, juillet, août) ne seraient pas issus de la pensée de compléter le Métaphraste pour les mois où il

---

(1) EHRHARD, *Forschungen*, p. 64-66. — (2) Voir *Bibliotheca hagiographica graeca*, p. 142. — (3) EHRHARD, *Forschungen*, pp. 54,71. — (4) Outre les Vies que nos prédécesseurs ont tirées du ms. de l'Ambrosienne B1 inf., il y a celles que M. PAPADOPOULOS-KERAMEUS vient de publier dans les Ἀνάλεκτα Ἱεροσολυμιτικῆς σταχυολογίας, t. IV, Saint-Pétersbourg, 1897.

offre les lacunes considérables signalées plus haut, et il est porté à la résoudre par l'affirmative (3). Ces recueils seraient donc postérieurs à Métaphraste et en dépendraient dans une certaine mesure. M. Ehrhard entrevoit des indices de dépendance et de postériorité dans certaines formules d'*incipit* qui sont communes à ces ménologes et au Métaphraste; la présence d'un certain nombre de textes empruntés à ce dernier ou étroitement apparentés à ceux-ci, marquerait avec plus d'évidence encore les rapports mutuels des collections.

En premier lieu, nous aurions beaucoup à dire sur les prétendus emprunts faits au Métaphraste. De ce qu'un ménologe, transcrit après le X⁺ siècle, renferme des pièces qui se rencontrent également dans cette collection, on ne doit rien conclure quant à sa composition primitive.

D'abord, les interpolations sont possibles, et toutes naturelles. Le ms. de l'Ambrosienne B 1 inf. en offre précisément un exemple. Ce ménologe dérive d'un exemplaire identique au ms. 17 de Jérusalem. Or dans ce dernier manquent tout juste les pièces empruntées au Métaphraste. C'est probablement à Rossano qu'elles ont été introduites dans la série.

Ensuite, la présence d'un texte de Métaphraste ne permet d'attribuer à un ménologe une date postérieure à celui-ci, qu'à la condition d'être l'œuvre personnelle du logothète ou de son entourage. Nous savons, en effet, qu'il a admis dans son recueil des morceaux préexistants, et qu'il faut renoncer, dans l'état actuel de nos connaissances, à désigner l'auteur de la plupart de ces textes anonymes. Ainsi, il est fort probable que la Vie de S. Eudocimus (51 juillet) est une des pièces qui ont été incorporées, sans changement, à la collection. Le βίος ἐν συντόμῳ du ms. de Jérusalem peut, par conséquent, dépendre de la Vie de S. Eudocinus sans être pour cela postérieur à Métaphraste.

Il y a fort peu à tirer aussi des formules initiales dont M. Ehrhard a dressé la liste (1). Je ne veux pas dire qu'il soit inutile de les relever, et qu'elles ne puissent rien nous apprendre sur la composition de certains recueils. Mais il faut remarquer que, dans les ménologes abrégés, la répétition fréquente des mêmes débuts tient à la nature de la collection, tout comme dans les synaxaires. Il n'y a pas cent manières de commencer, *ex abrupto* et sans prologue, une biographie, et rien n'était plus facile pour des auteurs indépendants que de se rencontrer sur ce détail, alors surtout que, certaines tournures un peu frappantes étaient devenues comme des lieux communs de l'hagiographie. En tout cas, pour conclure de la ressemblance des formules de ce genre à une relation de dépendance vis-à-vis de Métaphraste, il faudrait établir que c'est lui qui les a employées le premier. Et il se fait que, dans bien des cas, il les a

(1) *Forschungen*, p. 122-33. — (2) *Ibid.*, p. 75, 132.

prises à d'autres. Ainsi, le fameux Συμεὼν τὸν πάνυ τὸ μέγα κλέος τῆς οἰκουμένης qui ouvre la collection des métaphrases et qui a été si souvent imité, est transcrit littéralement de la notice de Théodoret sur Syméon Stylite (1). Pour nous en tenir au seul Théodoret, voici quelques-uns de ses *incipit* qui ont parfaitement pu servir de modèle et qui montrent combien ces formules sont anciennes : Μαρκιανὸν δὲ τὸν πάνυ πῶς ἂν ἀξίως θαυμάσαιμεν (2); Συμεώνην δὲ τὸν πρεσβύτην εἴ τις ἑκὼν παραλείποι (3); Ῥῶσός ἐστι Κιλίκισσα πόλις ἐν δεξιᾷ εἰσπλέοντι τὸν Κιλίκιον κόλπον (4); Ὁ μὲν οὖν μέγας Θεοδόσιος ἀπὸ τῆς Ἀντιοχέων ὁρμώμενος (5); Ζήνωνα τὸν θαυμάσιον οὐ πολλοὶ μὲν γινώσκουσιν (6); Ὁμήρου κώμη τίς ἐστι παρ' ἡμῖν καλουμένη (7): Τιλλίμα κώμη τίς ἐστι παρ' ἡμῖν (8).

L'hagiographie latine, elle aussi, a de ces formules devenues banales, et qui ne donnent généralement aucun indice chronologique. Il est souvent impossible de décider si les auteurs qui débutent par *Religiosorum vita virorum*, *Scripturus vitam beati N.*, *Post passionem et resurrectiorem Domini nostri Iesu Christi*, *Fuit vir venerabilis vitae*, etc. ont puisé directement dans S. Jérôme et dans S. Grégoire, ou s'ils ont imité quelqu'un de leurs obscurs prédécesseurs qui avait déjà transcrit les mêmes textes.

Nous concluons donc que l'hypothèse de M. Ehrhard au sujet des compléments du Métaphraste ne nous paraît pas suffisamment appuyée. Les ménologes de Moscou et de Jérusalem sont plutôt indépendants de cette collection, et, jusqu'à preuve du contraire, de date plus ancienne. A notre avis, c'est un des caractères propres aux ménologes antérieurs d'être plus fournis que celui de Métaphraste. Ce dernier présente les énormes lacunes que l'on sait. On arrivera à démontrer, croyons-nous, qu'auparavant tous les jours du mois étaient représentés dans chacun des douze volumes qui formaient les grands ménologes; on établira même, peut-être, qu'il y a eu plusieurs séries de ce genre, ayant, sans doute, des parties communes, mais aussi d'autres pièces caractéristiques, qui permettront de les grouper par catégories Tout concourt à donner une grande idée des richesses de l'hagiographie antérieure à Métaphraste, et les fragments de ces ménologes sont arrivés jusqu'à nous, et les ménologes abrégés, et plus encore, les grands synaxaires.

3° Synaxaires.

Si l'on pouvait étudier en détail quelques-uns de ceux-ci, on arriverait certainement à éclaircir bien des points obscurs dans le sujet qui nous occupe, et nous espérons fournir une ample matière à la critique

---

(1) *Hist. relig.*, c. XXVI. — (2) *Ibid.*, c. III. — (3) *Ibid.*, c. VI. — (4) *Ibid.*, c. X. — (5) *Ibid.*, c. XI. — (6) *Ibid.*, c. XII. — (7) *Ibid.*, c. XX. — (8) *Ibid.*, c. XXII.

des ménologes en publiant le synaxaire de Sirmond. Il est impossible de traiter, avec le développement qu'il comporte, le sujet des sources du recueil, avant d'en posséder le texte complet imprimé. Mais nous pouvons dire en général que ce synaxaire et d'autres qui lui sont étroitement apparentés, dérivent en dernière analyse des grands ménologes, et que les collections antérieures à Métaphraste leur ont fourni beaucoup plus d'éléments que Métaphraste lui-même. Une idée que M. Ehrhard défend, non sans une certaine vivacité (1), c'est que, en matière de textes anciens, nos pertes sont moins considérables qu'on ne se l'imagine généralement, et il s'étonne de ce que nous ayons pu attribuer une funeste influence à Syméon Métaphraste (2).

En y réfléchissant bien, nous n'avons trouvé aucune bonne raison de retirer l'épithète de *funestissimus homo* dont on a eu l'air de se formaliser ; car nous persistons à croire que, à l'heure qu'il est, nous ne sommes en possession que d'une assez petite fraction de l'œuvre hagiographique recueillie dans les anciens ménologes. Un seul exemple suffira à faire apprécier nos pertes. Plusieurs synaxaires nous apprennent que les ménologes dont ils dérivent, contenaient presque tout entière la rédaction définitive du livre d'Eusèbe sur les Martyrs de Palestine. Le synaxaire de Sirmond ne contient pas moins de vingt-trois résumés de fragments de cette œuvre importante (3). Or, malgré toutes les recherches, trois seulement des Passions originales ont été retrouvées (4). Le reste du livre, et tant d'autres pièces, n'ont laissé d'autres traces que les notices des synaxaires. Il faut bien se rendre à l'évidence, et conclure que, à moins d'une heureuse surprise, nous devons considérer comme perdus la plus grande partie des ménologes antérieurs à Métaphraste.

Qui donc est responsable de la disparition de tous ces textes, si ce n'est le logothète, dont l'œuvre a éclipsé celle de ses prédécesseurs? Loin de nous de songer à une destruction systématique. Syméon Métaphraste n'a vraisemblablement pas eu conscience du résultat auquel son entreprise devait fatalement aboutir. Rien n'est irrésistible comme les caprices de la mode. La multitude des exemplaires de Métaphraste et la rareté des autres ménologes permet d'assister au mouvement que produisit l'apparition du nouveau recueil. Le succès fut énorme; les scribes ne suffirent pas à en multiplier les exemplaires, et l'on ne songea plus, sauf certains cas exceptionnels, à renouveler par la transcription les vieux manuscrits qui tombaient en pièces. C'est ainsi que Lipomani et Surius, au XVIᵉ siècle, supplantèrent

<hr>

(1) *Die Legendensammlung*, p. 80-81. — (2) *Bibl. hag. graeca*, p. VIII.— (3) VIOLET, *Die Palästinischen Märtyrer des Eusebius*, p. 110-119; cf. *Anal. Boll.*, t. XV, p. 430-31. — (4) Plus haut, p. 113-139.

Mombritius, dont le précieux *Sanctuarium* n'a jamais été réimprimé
et est devenu une rareté de premier ordre. Et il ne serait pas permis
d'en vouloir quelque peu à l'homme qui nous a privés d'un si grand
nombre de textes, qui, sans être tous des monuments historiques d'une
grande valeur, n'en ont pas moins une importance considérable au
point de vue hagiographique?

De tout ce qui précède, les points suivants sont à retenir :

1° A part trois ou quatre pièces, le catalogue de l'œuvre attribuée à
Métaphraste peut être considéré comme définivement fixé.

2° La collection comprend deux éléments principaux : les pièces originales qui lui ont été incorporées intégralement, et les remaniements.
Le départ de ce double élément n'est pas entièrement achevé.

3° La plupart des numéros du catalogue sont déjà publiés dans leur
texte original ; parmi ceux qui restent, un certain nombre sont connus
par des traductions latines ; d'autres, peu nombreux, n'existent qu'en
manuscrit.

4° Sur la personne de Métaphraste, sur la part qu'il a prise à l'exécution du recueil qui porte son nom, les dernières recherches n'ont
jeté que peu de lumière. Tout au plus possède-t-on quelques indices
nouveaux pour rattacher son entreprise à la seconde plutôt qu'à la
première moitié du X° siècle.

5° L'étude des ménologes antérieurs à Métaphraste est trop peu
avancée pour donner déjà des résultats bien précis. Tant que l'on ne se
mettra pas résolument à tirer des manuscrits les nombreux textes inédits qu'ils renferment, on ne pourra procéder à coup sûr.

6° L'inventaire des documents hagiographiques grecs conservés
actuellement dans les bibliothèques d'Europe et d'Orient n'est pas
assez complet pour qu'on puisse établir une proportion exacte entre
les ménologes antérieurs à Métaphraste arrivés jusqu'à nous et la série
complète de ces recueils. Il semble plus probable que notre avoir est
notablement dépassé par les pertes.

BULLETIN

DES PUBLICATIONS HAGIOGRAPHIQUES

**N. B. Les ouvrages marqués d'un astérisque ont été envoyés
à la rédaction.**

Dans sa notice du manuscrit franç. 6447 de la bibliothèque nationale de Paris (1),
M. Paul Meyer nous donne une nouvelle et utile contribution à l'étude des textes
hagiographiques en langue vulgaire, dont il dressera un jour, nous l'espérons,
pour la partie française, un inventaire complet (2). Le manuscrit en question a été
écrit vers 1275 dans la Flandre française, et il a fait longtemps partie de la bibliothèque des ducs de Bourgogne. On y trouve, outre une traduction de divers livres
de la Bible, soixante-huit légendes de saints, dont M. Paul Meyer a fait le relevé
avec toute la précision désirable.

Le second volume du *Manuel d'iconographie chrétienne* de M. H. Detzel (3), dont
le premier a été annoncé à nos lecteurs (4), a paru récemment. Il s'occupe des
saints de l'ancien et du nouveau Testament. Les noms sont disposés par ordre
alphabétique. Quelques indications sur la vie du saint, l'énumération des symboles
ou des attributs avec lesquels on le figure, les représentations traditionnelles, en
particulier les scènes que les artistes ont le plus souvent exprimées dans leurs
compositions, tel est le cadre que l'auteur s'est tracé. Visiblement, il n'a pas
travaillé pour les hagiographes. Il ne leur fournit pas même, ce qui est toujours
bien venu, l'indication des sources auxquelles il a puisé. Le développement des
types iconographiques, leurs modifications suivant les temps et les lieux, sont
fort légèrement esquissés. Le système de morcellement qu'entraîne l'ordre
adopté, se prêtait d'ailleurs assez peu à un tableau de ce genre ; des vues générales
sur les principales écoles, depuis les temps antiques jusqu'à nos jours, auraient
seules conduit à un résultat. Il ne nous appartient pas de porter un jugement sur
l'illustration de ce livre. Mais il ne faut pas être grand artiste pour la trouver fort
inégale, et surtout pour regretter la prépondérance donnée aux productions contemporaines. L'auteur a-t-il voulu démontrer la stérilité et le manque absolu

---

(1) * Paris, 1896, in-4°, 78 pp. Tiré des Notices et extraits des manuscrits,
t. XXXV, 2° partie, p. 435-510. — (2) Voir *Anal. Boll.*, t. XV, p. 350, note. —
(3) * *Christliche Ikonographie*. Zweiter (Schluss-) Band : Die bildlichen Darstellun-
gen der Heiligen. Mit 318 Abbildungen. Freiburg im Breisgau, Herder, 1896, in-8°,
xviii-713 pp. — (4) *Anal. Boll.*, t. XIV, p. 203.

d'inspiration de l'art chrétien en notre siècle? Si telle a été son intention, il a parfaitement réussi.

On nous envoie un livre de près de 800 pages intitulé : *Le Célibat ecclésiastique au premier siècle de l'Église depuis Notre Seigneur Jésus-Christ jusqu'à l'an 100* (1). A première vue, aucun sujet n'est plus étranger à nos études. En fait, il est peu de livres où les Bollandistes soient plus souvent cités et où les Actes des saints tiennent une plus grande place. Cela prouve qu'on peut abuser de tout. Ne nous plaignons pas. On abuse bien de l'Évangile. Le livre commence par un chapitre intitulé : *L'exemple du Christ et de son entourage.* J'y rencontre, parmi les précurseurs du célibat ecclésiastique, Zacharie et Élisabeth, les bergers, les anges et les mages. Inutile d'aller plus loin. Le titre seul de l'ouvrage dispense d'ailleurs de tout commentaire.

Le dernier volume paru de la collection des poèmes carolingiens dans les *Monumenta Germaniae historica* (2) renferme un bon nombre de pièces hagiographiques, particulièrement une Vie anonyme de S. Léger, écrite entre 826 et 857 par un clerc poitevin (p. 5-37); l'églogue de Paschase Radbert sur la mort de S. Adalhard de Corbie (p. 45-51); l'éloge du même Radbert par Engelmod (p. 62-66); la Passion de S. Julien par Audrade (p. 89-121); le beau dialogue d'Agius sur Sᵗᵉ Hathumode (p. 372-388); le poème de Berthaire du Mont-Cassin sur les miracles de S. Benoît (p. 394-402); la Vie de S. Germain d'Auxerre par Heiric (p. 428-517); la Vie de S. Amand par Milon (p. 561-610). M. Louis Traube a préparé à l'impression ce volume, qui contient encore bien d'autres poèmes intéressants. Le nom de l'éditeur dit assez avec quel soin exquis et quelle connaissance de la littérature carolingienne ils ont été publiés.

Nous sommes heureux de signaler l'apparition du premier fascicule d'un recueil de documents relatifs à l'Ordre des Servites (3). Les RR. PP. Pérégrin Soulier et Augustin Morini ont conçu le dessein de publier, avec l'aide de leurs confrères, les textes juridiques et historiques, les bulles, chartes et autres pièces qui intéressent l'histoire de leur Ordre. L'esprit qui les anime est nettement scientifique, et l'ensemble de ce premier fascicule, le soin avec lequel les textes sont publiés, les intéressantes préfaces qui leur servent d'introduction, tout nous fait espérer d'excellents résultats pour la suite de l'entreprise. Le présent fascicule est en grande partie rempli par deux textes qui méritent de fixer l'attention : les anciennes Constitutions des Servites, réunies et coordonnées pour la première fois par S. Philippe Benizzi vers 1280, environ quarante ans après la naissance de

____

(1) * Par l'abbé Auguste Vassal, professeur au Grand-Séminaire de Saint-Louis (Missouri). Poitiers, Oudin, 1896, in-8°, vm-791 pp. — (2) *Poetae latini aevi carolini.* Tomus III. Berolini, apud Weidmannos, 1896, in-4°, x-823 pp., sept planches en phototypie. Le volume a paru par parties en 1886, 1892, 1896. — (3) * *Monumenta Ordinis Servorum Sanctae Mariae.* Tomus I. fasc. I. Bruxelles, Société belge de librairie, 1897, in-8°, 112 pp.

l'Ordre (p. 7-54); la *Legenda de origine Ordinis* (p. 55-106), écrite vers 1317, et qui, dans l'intention de son auteur, devait servir de préambule à la Vie de S. Philippe, dont un prochain fascicule nous donnera le texte.

Je serais bien porté à formuler quelques critiques au sujet de certaines notes que le P. Morini a mises au bas du ch. 13, relativement à l'origine du nom *Servi B. V. Mariae* et à la part respective qu'eurent, dans la fondation de l'Ordre, l'évêque Ardingus et S. Pierre de Vérone. Mais je préfère attendre encore; peut-être les documents que nous trouverons dans les prochains fascicules permettront-ils d'apprécier plus sûrement cette Légende, qui a conservé, au moins dans une certaine mesure, la tradition des premiers âges.

M. l'abbé Le Bourgeois publie le commencement d'une série d'études archéologiques sur les martyrs de Rome (1), appuyées principalement, dit la préface, sur les travaux de MM. de Rossi, Duchesne et Allard. " Cet ouvrage a pour but de " faire connaître les confesseurs les plus illustres de la Cité éternelle, de dégager " autant que possible leurs Actes de tout ce qui appartient à la légende, et de suivre " l'histoire de leur culte. L'auteur a adopté l'ordre topographique des itinéraires " que nous ont laissés les pèlerins de Rome aux VIIe et VIIIe siècles. Le premier " volume est consacré aux martyrs ensevelis sur les voies Nomentane et " Tiburtine. "

Voilà un excellent programme, que l'auteur s'est appliqué de tout son cœur à réaliser le mieux possible. Il n'a épargné ni lectures, ni recherches, ni voyages, pour y parvenir, et les résultats de son travail pourront être utiles à plus d'un. Mais il lui a manqué, pour nous donner, sur les saints de Rome, le livre définitif que l'on attend toujours, une idée nette sur la valeur des Actes qu'il cherche à éclaircir. Il n'est pas seul, du reste, dans ce cas; mais pour être en compagnie de MM. Le Blant et Allard, pour ne pas citer d'autres critiques moins en vue, il ne s'en est pas moins trompé de route. La plupart des Passions romaines ne sont pas seulement de basse époque; elles sont dépourvues de ce noyau historique dont on s'obstine à parler, et que personne n'a jamais touché. M. Le Bourgeois (p. xiii-xiv) admet que les Actes des martyrs ont été recueillis par des notaires chargés de cette fonction (2). On a plus d'une fois réfuté cette opinion, et nous n'y reviendrons pas. D'ailleurs, en l'admettant, on n'aurait rien ajouté à la valeur des textes que nous possédons. Toutes ces pièces, à très peu d'exceptions près, ne contiennent d'autres éléments historiques que les noms des martyrs. la date de leur fête et le lieu de leur sépulture. Il ne peut donc pas être question de " dégager " tout ce qui appartient à la légende; ce qui resterait ne vaut pas la

---

(1) " *Les Martyrs de Rome d'après l'histoire et l'archéologie chrétiennes.* Tome I (Les martyrs des voies Nomentane et Tiburtine). Paris, Lamulle et Poisson, 1894, in-8°, xxxi-415 pp. — (2) Il a trouvé dans De Rossi, *Bullet.* 1881, pp. 52, 53 (lisez p. 48, 49), que S. Damase fit partie de ce corps de notaires ou fut *puer exceptor*, avant de franchir les degrés de la hiérarchie ecclésiastique. M. de Rossi n'a jamais donné à cette expression le sens que lui attribue M. Le Bourgeois.

peine, et se trouve attesté par des monuments d'une authenticité absolue. Tant qu'on ne se décidera pas à ne plus traiter les Passions romaines comme des documents historiques, on ne pourra écrire sérieusement l'histoire de l'église de Rome, ni l'histoire des persécutions. On ne pourra non plus empêcher beaucoup de gens, trop peu au courant des choses, de croire et de répéter que le culte des saints, chez les catholiques, est surtout alimenté par des fables et des légendes sans autorité.

Dans le livre de M. l'abbé S. Borrani, prévôt de Losone, consacré aux souvenirs religieux du Tessin (1), l'hagiographie occupe une place respectable. Un chapitre entier de la première partie a pour objet l'apostolat de S. Charles Borromée, archevêque de Milan (p. 34-47). La seconde partie offre tout un groupe de saints, de bienheureux et de vénérables serviteurs de Dieu (p. 79-121); en tête figure S. Anicet, pape et martyr, « originaire de Vico Morcote ». La troisième partie traite des corps saints honorés dans le canton du Tessin (p. 158-204), la quatrième, des sanctuaires et autres fondations religieuses (p. 207-316). Naturellement, l'évangélisation de la contrée, voisine de Côme et de Milan, est l'œuvre de l'apôtre S. Barnabé, à qui S. Hermagoras, disciple de S. Pierre, donna un bon coup de main.

Ce qu'il convient de louer dans cet ouvrage, c'est le soin diligent que M. Borrani a mis à rassembler les traditions populaires et les vestiges du culte local. Il faut être du pays pour bien s'acquitter de cette besogne. Au demeurant, le but de l'auteur n'a pas été de défricher le sol de l'hagiographie tessinoise, couvert dé ronces et d'épines, mais d'offrir *non altro che uno schema per chi potrà e vorrà più tardi occuparsi di tale argomento* (p. 7).

La ville de Trino, dans le pays de Verceil, province de Novare, est célèbre par les typographes qu'elle donna à l'Italie, et par l'abbaye de Sainte-Marie de Lucedio, fondée sur son territoire par les marquis de Monferrato. Dans une monographie sérieuse, pour laquelle les archives locales ont été largement mises à contribution, M. C. Sincero a réuni tout ce qui intéresse l'histoire de sa ville natale et des environs (2), et il est regrettable que l'absence d'une table alphabétique empêche de voir d'un coup d'œil ce que ce livre renferme de renseignements variés. L'hagiographie n'a pas été oubliée. Outre les saints étrangers au pays, mais dont le culte ou les reliques y auraient été importés (p. 119, les SS. Gaius pape et Fantine; p. 203, S. Janvier de Rome; p. 231, S. Bovon), les saints locaux y sont l'objet d'une notice appuyée sur une ample bibliographie. Citons le B. Oglierius (p. 242-44), abbé de Sainte-Marie, mort le 10 septembre 1214 et auquel est dédiée l'église paroissiale de Lucedio (3), la bienheureuse Arcangela Girlani (p. 164-167), religieuse carmélite,

---

(1) * *Il Ticino Sacro.* Memorie religiose. Lugano, 1896, in 8°, 544 pp. — (2) * *Trino, i suoi tipografi e l'abazia di Lucedio.* Memorie storiche con documenti inediti. Torino, Bocca, 1897, in-8°, 304 pp. — (3) Dans les *Acta SS.,* Sept. t. III, p. 482, parmi les *praetermissi* du 10.

morte le 25 janvier 1495 (1), et la bienheureuse Madeleine Panattieri (p. 167), dont
la fête se célèbre le 13 octobre (2). La note relative à un prétendu S. Atilus (p. 13-15)
est particulièrement intéressante. Un fragment d'inscription où l'on ne lit plus que
les lettres ATILVS, a fait croire aux bonnes gens de Trino qu'il avait existé un
saint de leur pays du nom d'Atilus, dont on ne connaissait rien d'ailleurs, à tel point
qu'il n'y avait pas même de jour fixé pour sa fête. On prétendit pourtant savoir
que ce saint avait fait partie de la légion thébéenne. M. Sincero fait observer
justement que la paléographie de l'inscription, à elle seule déjà, est incompatible
avec la légende. Le culte de ce saint, pour le moins suspect, n'a du reste jamais
été reconnu.

Plusieurs églises se sont disputé l'honneur de posséder le chef de Ste Anne (3).
Les chanoines de Saint-Étienne de Mayence se croyaient bien certains de compter
cette relique insigne parmi leurs plus précieux trésors, lorsqu'elle leur fut dérobée
par un ouvrier, qui la porta à Düren. La nouvelle se répandit aussitôt, et l'église
paroissiale de Düren devint rapidement un lieu de pèlerinage très fréquenté. Ceux
de Mayence firent de vains efforts pour récupérer leur bien. Toutes les interven-
tions furent inutiles, et le pape Jules II, par une bulle datée du 18 mars 1506,
décida en faveur de Düren : *quodque propter maximam devotionem populi non sine
scandalo ab eadem parrochiali ecclesia, in quam divinitus postremo collocatum
fore censendum est,... volumus dictum caput S. Annae in prefata parrochiali
ecclesia dicti oppidi Durensis de cetero, ut inceptum est, honorifice perpetuo conservari et nullatenus inde amoveri debere.* M. OTTO R. REDLICH vient d'esquisser
l'histoire de ce vol de reliques et de publier les principales pièces qui s'y rappor-
portent (4). C'est un intéressant supplément au commentaire du P. Cuperus sur
Ste Anne (5).

Comment les restes mortels de l'apôtre S. Mathieu sont-ils parvenus de
l'Orient à Salerne ? L'histoire est muette à cet égard; mais en revanche, l'imagination des chroniqueurs du moyen âge a brodé sur cet exode mystérieux une
légende invraisemblable. La Bretagne joue dans cette fiction le rôle principal (6).
Comme le bréviaire de l'église salernitaine s'est approprié la substance de ce
récit, M. l'abbé HYACINTHE CARUCCI a assumé la tâche ingrate de défendre à
outrance chacune des particularités de ce texte liturgique (7). Le résultat est ce
qu'on devait attendre, absolument négatif. Inutile d'insister. L'auteur, qui se
donne pour un fouilleur des archives locales, aurait mieux placé sa peine en rele-

---

(1) Parmi les *praetermissi* du 1er juin, *Acta SS.*, Iun. t. I, p. 3. — (2) *Auctaria
Octobris*, p. 169. — (3) *Acta SS.*, ad diem 26 iul., t. VI, p. 255-57. — (4) *Zur
Geschichte der St-Annen-Reliquie in Düren*, ZEITSCHRIFT DES AACHENER GESCHICHTS-
VEREINS, t. XVIII (1896), p. 312-36. — (5) *Act. SS.*, t. cit., p. 256, n. 106. — (6) *Act.
SS.*, Sept. t. VI, p. 198, n. 17-19, et p. 210, tout le § V. — (7)* *Le Lezioni del Brevia-
rio Salernitano intorno S. Matteo. Se sono leggendarie nel senso dei critici di mala
fede ovvero rilevate dalla storia.* Studio critico. Salerno, Fruscione, 1897, in-12,
IV-121 pp.

vant les plus anciennes traces de la vénération spéciale de Salerne pour son saint patron. Il est incontestable qu'en 1049 on y fêtait une fête de la translation (1). Quant à la multiplicité des reliques considérables de S. Mathieu que revendiquent un certain nombre d'églises, l'auteur s'en tire avec une désinvolture étonnante. Voici sa conclusion : *Le reliquie di S. Matteo : 1° non sono interi capi, nè intere braccia; 2° o vennero da Salerno, ed esse sono autentiche, o da altrove, ed allora quelle chiese furono ingannate, e di questo pietoso inganno diremo con S. Ambrogio :* " *Fides purgat facinus* „ (2). Ce dernier trait est fort commode, mais peu intelligible dans l'espèce, et encore moins concluant. Le malheur de l'auteur a été de se préoccuper à l'excès d'écrivains ennemis systématiques du culte des images et des reliques des saints. M. Carucci démontre fort bien que ce culte est éminemment raisonnable. Il a toujours été en honneur dans l'Église catholique; mais quand on descend aux cas particuliers, la question préalable est de savoir si nous sommes en présence d'une véritable relique. Cet examen est exclusivement du domaine historique, et la foi n'a rien à y voir.

Les Maltais reconnaissent comme leur premier évêque S. Publius qui serait le Πόπλιος ὁ πρῶτος τῆς νήσου des Actes des apôtres *(Act.* XXVIII, 7). M. A.-A. CARUANA, dans une monographie récente (3), soumet à un nouvel examen les sources de cette légende, dont la première trace se trouve dans le petit martyrologe romain, au 21 janvier : *Athenis S. Publii episcopi, qui Melitensis a Paulo episcopus ordinatus...* Il a raison de rejeter les inventions de quelques historiens de Malte, qui prétendent en savoir long sur la famille de Publius (p. 22). Mais pourquoi s'arrêter en si beau chemin et accepter tant d'autres histoires apocryphes, d'après lesquelles Publius le Maltais est identifié avec l'évêque d'Athènes du même nom, et donné comme successeur immédiat à Denys l'Aréopagite, ordonné par S. Paul? Ces fables incohérentes ont été cent fois réfutées, et on nous permettra de n'y pas revenir (4).

On a beaucoup discuté, à Malte, la question de la grotte de S. Paul. Il y a eu une dissertation " critique „ pour prouver que S. Paul, après avoir converti les Maltais, a transformé en oratoire la grotte qui porte actuellement son nom; qu'il y a exposé une madone de S. Luc; qu'avant de partir, il a ordonné évêque S. Publius; que, par suite, la grotte de S. Paul est la cathédrale primitive de l'île; elle l'est restée jusqu'à ce que, au temps de Constantin, on ait bâti une église sur l'emplacement du palais de S. Publius. Cette thèse extraordinaire a été combattue dans une dissertation " anti-critique „ où l'on prouve que la cathédrale primitive de Malte a été consacrée dès le commencement par S. Paul lui-même, à la place où s'élève la cathédrale actuelle, alors occupée par le palais de Publius. La grotte de S. Paul ne

___

(1) *Ibid.,* p. 2. — (2) *Ibid.,* p. 29. — (3) " *San Publio protovescovo della chiesa di Malta e martire.* Monografia critica. Malta, tip. della casa di S. Giuseppe, 1896, in-8°, 65 pp. — (4) Voir un bon travail sur les origines chrétiennes de Malte par ALB. MAYR, *Zur Geschichte der älteren christlichen Kirche von Malta,* HISTORISCHES JAHRBUCH, t. XVII (1896), p. 475-496.

fut dès lors qu'un oratoire " o chiesa filiale della cattedrale „. M. Gatt Said, auteur du premier mémoire, répliqua à son contradicteur, le chanoine Galea, en maintenant ses positions, et on en resta là jusqu'à ce que M. Caruana vint donner tort aux deux champions (1), en prétendant que la grotte de S. Paul n'est autre chose que la prison où l'apôtre fut détenu durant son séjour à Malte; on la transforma plus tard en chapelle. L'auteur fait remarquer que les étrangers qui ont parlé de la grotte sans l'avoir vue, ont eu tort d'accepter des interprétations qui avaient besoin de contrôle (p. 7). Il a raison, et nous profiterons de cet avertissement si sage.

En étudiant l'histoire des origines du christianisme à Lyon (2), M. O. HIRSCHFELD ne pouvait manquer de s'occuper de la lettre aux églises d'Asie et de Phrygie rapportée par Eusèbe. Il établit, d'après ce document, que ce n'est pas à Vienne, mais à Lyon que les saints souffrirent la mort. L'amphithéâtre n'est point celui du " pagus Condate „ mais celui de la ville, situé sur la hauteur de Fourvière.

Dans son Histoire, Eusèbe ne cite que dix noms, et renvoie pour la liste complète (*H. E.*, V, 4) à la μαρτυρίων συναγωγή, où la lettre entière se trouvait insérée. Mais la liste nous est parvenue dans d'autres documents, qui tous, probablement, dérivent en dernière analyse du recueil perdu d'Eusèbe. L'auteur compare les textes du martyrologe hiéronymien, de Grégoire de Tours, celui du codex Velseri publié par Krusch, et ceux d'Adon et de Notker. Il n'est point aisé de reconstituer, avec ces éléments, la liste primitive. Une remarque intéressante sur des successions de noms, qui sont peut-être de simples accouplements de *cognomina* à des gentilices, est de nature a rendre plus incertain que jamais le nombre des martyrs. Ainsi, Silvius Primus, Ulpius Vitalis, Cominius October, Pompeia Rhodana, Quartia Materna, Cornelius Zozimus, Iulia Albina, Aemilia Iamnica (?), Mamilia Iusta, représentent un groupe qui peut varier entre neuf et dix-huit personnages, et Titus, Iulius, Zoticus pourraient bien être les trois noms du même martyr.

M. Hirschfeld n'a peut-être pas donné à la présence du nom de Zacharie dans la liste des martyrs, l'importance qu'elle mérite. On dit généralement que le nom de Zacharie, père de Jean-Baptiste, simplement cité dans la lettre, a passé, grâce à une traduction peu exacte de Rufin, dans l'énumération des martyrs. Cela se conçoit, en admettant une liste extraite du récit et dressée par un lecteur de la traduction latine. Mais nous savons qu'un catalogue des martyrs, divisé en quatre parties, se trouvait dans la μαρτυρίων συναγωγή à la fin du récit, et Zacharie n'y avait certainement pas trouvé place. L'auteur du martyrologe grec, une des sources de l'hiéronymien, qui a puisé dans la collection d'Eusèbe et qui a transcrit le catalogue, n'aurait donc pas mentionné Zacharie. Or, le martyrologe hiéronymien le met au nombre des martyrs. C'est un fait difficile à expliquer. Faut-il admettre que le compilateur latin a interpolé, d'après Rufin, la liste grecque, ou bien

---

(1) " *Monografia critica della Grotta di San Paolo nel sobborgo di Melita, l'antica capitale di Malta*. Malta, tip. della casa di S. Giuseppe, 1893, in-8°, 27 pp. — (2) O. HIRSCHFELD, *Zur Geschichte des Christenthums in Lugdunum vor Constantin*. SITZUNGSBERICHTE DER K. PREUSS. AKADEMIE DER WISSENSCHAFTEN, 1895, t. I, p. 381-409.

Zacharie figurait-il dans cette dernière? Les deux alternatives paraissent également embarrassantes.

Il est aussi question, dans la dissertation de M. Hirschfeld, du martyre de S. Irénée. L'auteur ne croit pas le fait suffisamment établi. L'épiscopat de ce grand évêque et de ses successeurs immédiats semble avoir été, pour l'église de Lyon, une période de paix et de développement normal.

Le manuscrit latin 10861 de la bibliothèque nationale de Paris, du VIIIe siècle, au jugement de MM. Krusch et Wattenbach, et d'une paléographie un peu singulière, est celui où J.-B. de Rossi a découvert une recension de la *Passio sanctorum IV coronatorum* plus pure et plus ancienne que celle qui a été publiée. L'illustre archéologue s'était contenté d'en donner un court extrait, et de montrer le parti qu'on peut en tirer pour la critique de cette pièce fameuse (1).

M. W. WATTENBACH vient d'en publier le texte intégral, accompagné d'un fac-similé du manuscrit, et d'une introduction résumant les principales solutions que l'on a proposées d'un des problèmes les plus ardus de l'hagiographie (2). On constate avec regret que cette publication ne nous conduit pas au dela des recherches antérieures. Les mêmes difficultés subsistent, et c'est à se demander si elles seront jamais écartées. L'auteur a indiqué les variantes principales de quelques manuscrits de la recension connue, entre autres d'un manuscrit du IXe siècle de la bibliothèque des Bollandistes. Il eût peut-être été préférable de collationner le texte du ms. VIII de la bibliothèque Vallicellane, qui se rapproche beaucoup plus que tous les autres du manuscrit de Paris. Nous comptons donner cette collation dans le prochain volume des *Acta SS.*, en même temps qu'un texte grec Μαρτύριον τῶν ἁγίων τετραστεφάνων μαρτύρων, conservé dans le ms. grec 1608 de la bibliothèque du Vatican. C'est une traduction de la Passion latine.

S. **Fidèle**, martyr, que l'on dit être un des soldats de la légion thébéenne, est honoré comme patron de Palazzolo sull' Oglio, en Lombardie. L'archiprêtre F. CREMONA publie, à l'usage de ses paroissiens, une petite histoire du saint (3) écrite " en grande hâte „, comme il le dit dans sa préface. Elle est suivie de quelques notes sur les reliques du martyr, dont le corps reposerait à Côme, dans la collégiale de Saint-Fidèle.

Dans un court article sur **S. Cyriaque** (4), le P. HELMLING résume les recherches de M. Krusch à propos d'un appendice des Actes de Ste Afra, dont nous avons parlé plus d'une fois (5), et il admet, ce qui est démontré d'ailleurs à l'évidence, qu'il n'y a pas lieu d'admettre un groupe de saints d'Augsbourg, homonymes des mar-

---

(1) *Bullettino di archeol. cristiana*, 1879, p. 68 et suiv. — (2) * W. WATTENBACH, *Ueber die Legende von den heiligen vier Gekrönten.* SITZUNGSBERICHTE DER K. PREUSSISCHEN AKADEMIE DER WISSENSCHAFTEN, 1896, t. II, pp. 1281-1302. — (3) * *Memorie intorno alla vita di S. Fedele M. protettore di Palazzolo sull' Oglio.* Como, Romeo Longatti, 1896, in-8°, 33 pp. — (4) *Die heiligen Märtyrer Cyriacus von Rom und Quiriacus von Augsburg*, dans DER KATHOLIK, 1896, t. I, p. 62-67. — (5) *Anal. Boll.*, t. XIII, p. 64; t. XVI, p. 42, note 2.

tyrs romains. Ce n'est probablement pas au chronographe de 354 (lisez *VI idus aug.* au lieu de *id. aug.*) que le compilateur a emprunté les éléments de sa note, mais à un martyrologe dépendant de la même source. Je n'oserais pas dire que l'auteur de l'appendice se soit trompé en mettant au 8 août le martyre de S. Cyriaque et de ses compagnons. D'après le P. Helmling, cette date serait celle de leur translation; l'anniversaire de leur mort tomberait au mois de mars ou d'avril.

Cette distinction repose sur un document assez suspect; elle est empruntée à la légende de S. Marcel. Ni le chronographe de 354, ni le martyrologe hiéronymien ne connaissent d'autre fête des martyrs de la voie d'Ostie, compagnons de S. Cyriaque, que celle du 8 août. Jusqu'à nouvel ordre, nous admettons que cette date est celle de leur mort.

A propos *Di un poema sardo Logudorese del sec. XVI* (1), qui chante *la vita, il martirio e la morte* des glorieux martyrs **Gavin, Prote** et **Janvier**, M. le professeur G. CALLIGARIS tâche de remonter le courant de la tradition écrite. Il est à remarquer que leurs noms sont inscrits au martyrologe hiéronymien. Quant à leurs faits et gestes, nos prédécesseurs avaient dû se contenter du récit de Jean Arca, hagiographe sarde du XVI° siècle (2). M. Calligaris produit un document du XIV° siècle, se rapportant à la fondation et à la consécration de la basilique de Saint-Gavin de Torrès, et montre comment la tradition est toujours allée depuis lors se développant et s'embellissant. Le contraire eût étonné. Toute cette étude est conduite avec méthode et sens critique.

Les deux nouvelles études de M. l'abbé R. FLAHAULT sur le culte des saints dans la Flandre française (3) méritent les mêmes éloges et appellent, jusqu'à un certain point, les mêmes réserves que les précédentes (4). La tradition d'après laquelle **S. Firmin**, évque d'Amiens, aurait en personne évangélisé le village de Morbecque, n'est ni bien ancienne, ni bien solide, puisqu'elle ne se trouve consignée que dans des ouvrages de très basse époque; le seul document un peu ancien qu'on puisse consulter, les Actes du saint évêque, est silencieux sur cette partie de sa vie (5). Quant à **S. Folquin de Thérouanne**, il est à regretter que l'auteur, au lieu de s'en référer à des chroniqueurs récents, n'ait pas consulté la Vie du saint écrite par son petit-neveu, Folquin de Lobbes, et publiée par M. Holder-Egger (6). Il eût de plus trouvé, dans cette édition, quelques détails curieux pour l'histoire du village d'Esquelbecq au XII° siècle : *Hii Deo et sancto Folquino ex hereditate propria partem in Ikelesbeka largiti sunt...* (7).

(1) *In-8° de 106 pages. Extrait des *Mémoires de l'Académie de Vérone*, série III, vol. LXXII (1896). — (2) *Acta SS.*; t. XII d'Oct., p. 560 et suiv. — (3) * *S. Firmin vénéré à Morbecque.* Notes et documents. Dunkerque, Paul Michel, 1897, in-8°, 29 pp., grav. * *S. Folquin vénéré à Volkerinckhove, à Pitgam et à Esquelbecq.* Notes et documents. *Ibid.*, 1897, in-8°. 42-vii pp., grav. — (4) Voir *Anal. Boll.*, t. XV, p. 81. — (5) *S. Firmin*, p. 10. — (6) *Mon. Germ.*, scr. t. XV, p. 423 et suiv. — (7) *Ibid.*, p. 424, note 4.

Les fêtes du XIV° centenaire du baptême de Clovis (496-1896) ont fait naturellement éclore toute une littérature, dans laquelle l'hagiographie est largement représentée. Aussi bien, autour du royal catéchumène, les vieux historiens ne nous montrent-ils pas, au premier rang, la sainte reine Clotilde, le grand évêque de Reims, Remi, et S. Vaast, le " catéchiste „ du roi des Francs ? Et combien d'autres saints personnages n'ont pas été, à tort ou à raison, rattachés par leurs biographes au souvenir et à l'histoire de Clovis. Il nous faut, à ce propos, réparer un oubli et signaler dans le *Clovis* de M. Godefroid Kurth quelques pages qui nous intéressent plus spécialement. A la fin de ce bel ouvrage, dans l'appendice I, *Sources de l'histoire de Clovis*, tout un paragraphe (p. 596-610) est consacré aux Vies des saints. Si, comme nous avons eu auparavant l'occasion de le dire, nous ne partageons pas, sur tous les points, l'avis du savant professeur, toujours est-il que ces pages, fruit d'un travail personnel et bien au courant de la science, contiennent beaucoup d'observations fort justes et fort utiles.

Presque tous les livres écrits à l'occasion des fêtes jubilaires de Reims sont, dans une mesure plus ou moins large, tributaires des savantes recherches de M. Kurth.

C'est surtout le cas pour la Vie de S. **Remi** de M. l'abbé A. Haudecœur (1). Dans cet ouvrage, qui unit les charmes du style à une rare élégance typographique, l'auteur " a cru bien faire en citant souvent M. Godefroid Kurth „ (p. xv). De fait, un tiers du volume, peut-être beaucoup plus encore, est extrait mot à mot du *Clovis* (2). Et il faut bien le dire, ces pages empruntées sont de loin les meilleures. Ailleurs, l'auteur n'est pas toujours heureux, soit qu'il s'écarte de son guide (3), soit que celui-ci lui fasse défaut. Ainsi il exagère tout, comme jadis Hincmar, le rôle de S. Remi auprès de Clovis; ce rôle est déjà assez beau dans sa réalité, pour qu'on se contente de le mettre en lumière d'après les documents authentiques, sans aller recueillir au cours des siècles et combiner dans un ensemble fantaisiste des renseignements la plupart du temps de nulle autorité.

Les plus anciennes sources, dit M. Haudecœur (p. xiii), " ont des lacunes regret- „ tables et ne nous apprennent que peu de chose sur le rôle prééminent que „ S. Remi joua de son temps „. Or, Hincmar est déjà compté parmi ces sources les plus anciennes. Mais notre auteur fait flèche de tout bois. De là, cette phrase vraiment étonnante de la préface (p. xiii) : " Larisville, qui écrivait au commence-

---

(1) *Saint Remi, évêque de Reims, apôtre des Francs. 436-532.* Reims, H. Lepargneur, 1896, in-8°, xv-253 pp., six gravures. — (2) L'auteur a parfois, mais bien rarement en somme, indiqué ses emprunts par des guillemets. Il eût mieux fait ou d'en mettre partout où il y avait lieu, ou de les supprimer entièrement. Ainsi, le premier chapitre se retrouve tout entier chez M. Kurth. Souvent, trop souvent, le nouveau biographe a, par quelques changements insignifiants, démarqué son texte; encore ces changements ne sont-ils pas toujours heureux, par exemple quand, p. 84, il parle du " trône de France „, alors que M. Kurth, p. 295, avait écrit, et beaucoup mieux certes : " au trône des Francs „. — (3) Je note un point : p. 111, M. Haudecœur transcrit, à l'éloge de S. Remi, le début de la *Collatio episcoporum;* il aurait pu voir dans le *Clovis*, p. 615, que c'est là une pièce apocryphe.

„ ment du XV° siècle, peut avoir découvert quelques mémoires échappés à
„ Hincmar; car il a ajouté à la *Vie de saint Remi*, qu'il composa, plusieurs circon-
„ stances qu'on ne trouve pas dans l'ouvrage de ce prélat. „

Le *Saint Remi* de M. l'abbé L. Carlier (1) a été précédé, nous dit l'auteur (p 12),
" d'une étude loyale et consciencieuse des sources „ ; et l'auteur dit vrai. Il ajoute
que son ouvrage est imparfait, que c'est un simple essai ; et ici encore, je crois qu'il
a raison. Ce livre a l'air d'avoir été composé avec quelque hâte ; on croirait que
l'auteur a rassemblé pêle-mêle ses notes, sans se donner le temps de les rédiger.
De là, des incohérences et des contradictions (2), souvent, dans le style, un laisser-
aller et une familiarité qui sont peu de mise en histoire, une abondance de parenthèses, de points de suspension, voire aussi de fautes d'impression, qui déconcertent
le lecteur et le laissent quelque peu ahuri. Il faudra, pour que l'ouvrage définitif,
qu'on nous annonce, réponde aux intentions excellentes de l'auteur, que cette
exubérance cède la place au travail calme, minutieux, patient, d'où seul peuvent
sortir des œuvres historiques solides. Alors M. Carlier, je n'en doute pas, sera
lui-même étonné en relisant certaines phrases qui lui ont échappé. Ainsi il admet
l'authenticité des deux testaments de S. Remi, du grand comme du petit ; et voici
par quel raisonnement sommaire il se tranquillise sur ce point (p. 102, note) : " La
„ réflexion qui vient la première à l'esprit de tout lecteur de ces pièces est celle-ci :
„ " Y a-t-il un intérêt à fabriquer des testaments attribués à S. Remi ? „ La réponse
„ est négative ; par suite, il n'y a pas lieu d'opposer une fin de non-recevoir à ces
„ testaments „. Et c'est tout. Pour faire cette réponse négative il fallait, croyons-
nous, être bien distrait ou bien mal informé.

A signaler encore une biographie écrite pour le grand public par M. Ét. d'Aveniry (3). L'éloquent ouvrage du R. P. F. Tournier, S. I., *Clovis et la France au
baptistère de Reims* (4), est moins une étude historique proprement dite qu'un
ensemble de considérations philosophiques et religieuses sur l'histoire du premier
roi Franc. Les appendices toutefois renferment des recherches critiques sur les
sources de l'histoire de Clovis, notamment sur les Vies de S. Remi et de S. Vaast.
Avec M. Kurth et contre M. Krusch (5), l'auteur est d'avis que Grégoire de Tours

---

(1) " *Vie de S. Remi, évêque de Reims et apôtre des Francs*. Tours, A. Cattier,
1896, in-8°, 208 pp., grav. — (2) M. Carlier a surtout à cœur d'établir que S. Remi
est né et passa ses premières années à Laon. " Émilius, père de S. Remi, y résidait „,
dit-il (p. 28, note) ; " c'était de Laon qu'il exerçait la surveillance dont il était
; chargé, puisqu'il était comte romain „. Mais quelques pages plus haut (p. 14),
l'auteur venait d'expliquer comme quoi c'est le P. René de Ceriziers qui le premier,
en 1633, attribue à Émilius le titre de comte. — (3) *S. Remi de Reims, apôtre des
Francs*. 437-533. Ouvrage illustré d'après les tapisseries anciennes de Saint-Remi
de Reims. Société de Saint-Augustin, Desclée, De Brouwer et Cⁱᵉ, in 8°, 186 pp. —
(4) " Société de Saint-Augustin, Desclée, De Brouwer et Cⁱᵉ, 1896, in-8°, 215 pp. —
(5) Au cours de l'ouvrage, l'auteur se livre parfois, contre ceux qui pensent
autrement que lui, à des excès de langage qu'excuse à peine le ton oratoire du
livre (voir p. 49). Au reste, que signifient ces sorties contre une soi-disant " critique
protestante allemande ? „ Ces procès de tendance, toujours fâcheux, sont ici tout

a puisé le récit du baptême de Clovis dans une Vie de S. Remi actuellement perdue (1). Il croit même pouvoir montrer que, dans Grégoire, il y a " plus qu'un
„ résumé ou un remaniement, mais une transcription textuelle de la Vie de
„ S. Remi „ (p. 185-89). Le discours que Grégoire prête à Clotilde " *Nihil sunt dii
quos colitis „*, etc... et dont " personne n'admet l'authenticité matérielle „ (p. 186),
aurait figuré, lui aussi, mot à mot, dans la *Vita Remigii* perdue. La démonstration
nous a paru peu convaincante.

On se souvient des doutes fort graves soulevés jadis par M. Br. Krusch, dans son
étude sur la Vie de **S. Vaast**, notamment quant au lieu du baptême de Clovis(2).
Cette question a été naturellement étudiée à nouveau à l'occasion des fêtes jubilaires. On la trouvera traitée, en même temps que plusieurs points connexes, par
le R. P. F. Tournier dans l'appendice de son ouvrage (3), par M. L. Demaison, à la
fin du *Clovis* de M. Kurth (4), par le R. P. F. Jubaru, S. L, au cours d'un solide et
intéressant article (5), enfin par l'auteur anonyme d'une courte biographie de
S. Vaast (6). En somme, et bien que tout ne soit pas encore absolument clair, il y a
tout lieu de s'en tenir à l'opinion traditionnelle et de placer le baptême de Clovis à
Reims, et non pas à Tours.

La récente Vie de S. Vaast, dont il vient d'être question, est, nous dit-on, l'œuvre
de début d'un jeune moine bénédictin, qui a voulu, par modestie, garder l'anonyme.
Écrite avec une simplicité voulue, elle n'en atteste pas moins, particulièrement dans
les appendices, une solide connaissance des sources et de la littérature (7), une vraie
intelligence des méthodes historiques, et elle nous promet une bonne recrue pour
les études d'hagiographie scientifique.

M. A.-J. Nürnberger (8) vient d'ajouter une nouvelle monographie à l'intéressante collection d'opuscules qu'il a déjà publiés sur **S. Boniface de Mayence** (9).
Il s'agit cette fois des deux noms portés par le saint évêque, le nom saxon *Vynfreth*
et le nom latin *Bonifatius*. A peu près cent pages consacrées à un tel sujet, c'est
peut-être beaucoup. Quoi qu'il en soit, nous retrouvons ici l'ampleur d'informations

à fait hors de mise. De plus, où l'auteur a-t-il bien pu voir (p. 85) que " la critique
rationaliste et protestante s'obstine à préférer Frédégaire à Grégoire de Tours „ ?
Cela n'est pas sérieux. — (1) Nous croyons devoir nous en tenir, après étude attentive des derniers travaux, à ce que nous avons dit *Anal. Boll.*, t. XV, p. 348. —
(2) Voir *Anal. Boll.*, t. XIII, p. 64. — (3) *Op. cit.*, p. 191-97. *Le Pèlerinage au tombeau de S. Martin*, etc. — (4) P. 616-28. *Le Lieu du baptême de Clovis.* — (5) *Clovis
a-t-il été baptisé à Reims?* dans Études religieuses, t. LXVII (Paris, 1896), p. 292-
320. — (6) " *La Vie et les miracles de S. Vaast ou Gaston.* Société de Saint-
Augustin, Desclée, De Brouwer et Cie, 1896, in-16, 96 pp., grav. — (7) L'auteur n'a
pas pu se servir de la toute récente édition de la *Vita Vedastis* par M. Br. Krusch
(voir ci-dessus, p. 87-88). Il y aurait vu que le récit de la translation de S. Vaast par
S. Aubert ne figure pas dans le texte authentique d'Alcuin (*La Vie...* p. 46). —
(8) " *Die Namen Vynfreth-Bonifatius.* Ein historisch-kritisches Referat. Breslau,
Müller und Seiffert, 1896, in-8°, 96 pp. (Extrait du 28e rapport de la Société " Philomathie „ de Neisse). — (9) Voir *Anal. Boll.*, t. XII, pp. 306, 477; t. XIV, p. 340.

et la fermeté de critiques auxquelles l'auteur nous a habitués. La diffusion, l'orthographe, l'étymologie des deux noms remplissent les quarante-trois premières pages. Une seconde partie étudie le cas spécial de l'évêque de Mayence, et tout particulièrement l'époque et les circonstances où lui fut donné ce surnom de Boniface. Bien des opinions proposées au sujet de ce problème si souvent débattu, sont réfutées avec succès par M. Nürnberger. Mais devant le silence des documents anciens, il n'arrive pas à éclaircir, par une théorie certaine et complète, tous les détails qui se rattachent à la question. Il ressort toutefois de l'ensemble des recherches, que le surnom de Bonifatius avait déjà été donné au saint en Angleterre, avant son premier voyage à Rome, et que le pape Grégoire II, quand il le consacra évêque, préféra, pour des raisons qu'on ne peut plus déterminer, employer ce nom latin, qui devait presque entièrement éclipser, auprès de la postérité, le nom primitif de Vynfreth.

L'ouvrage de M. Léopold-Charles Goetz, curé vieux-catholique à Passau, sur les SS. Cyrille et Méthode (1), est divisé en deux parties, l'une consacrée à la critique des sources, l'autre à l'exposé de l'histoire de ces deux illustres apôtres des Slaves. A la suite et d'après les conseils de M. Jean Friedrich, à qui le livre est dédié, l'auteur a pris à tâche de refaire cette histoire sur une base nouvelle (2). Le point de départ, c'est la lettre d'Anastase le Bibliothécaire à Ganderic de Velletri, publiée naguère par M. Friedrich. Cette lettre présente assurément un sérieux intérêt ; mais nous avons déjà dit que M. Friedrich, à notre avis, en a notablement exagéré l'importance (3). M. Goetz va au moins aussi loin que son maître. Pour lui, toute l'histoire de Cyrille doit reposer principalement sur cette lettre et sur son pendant, la *Translatio Clementis*, autrement dit la légende italique. Sans doute, une des grandes utilités qu'offre la lettre d'Anastase, c'est qu'elle fournit des éléments pour distinguer ce qui, dans la *Translatio*, provient d'un récit que Ganderic lui-même avait écrit sur le même sujet. Il est en effet certain que l'ouvrage de Ganderic a été ou copié ou du moins utilisé dans une certaine mesure par le rédacteur de la *Translatio*. Mais on ne s'est pas encore mis d'accord sur les rapports réels de ces deux écrits. D'après M. Friedrich, l'ouvrage de Ganderic se composait des ch. 2-5 et 7-9 de la *Translatio* publiée dans les *Acta Sanctorum* (4), en défalquant néanmoins quelques additions faites aux ch. 2 et 9; de plus, le texte de Ganderic ne nous serait parvenu que dans deux remaniements, dont l'un est représenté par la *Translatio*, l'autre par un récit renfermé dans la Légende dorée et attribué à Léon d'Ostie. M. Goetz n'est pas de cet avis. A l'en croire (p. 27), les ch. 1-9 de la *Translatio* représentent le texte original de Ganderic, sans retouches ou interpolations d'aucune sorte. La longue démonstration par laquelle il s'efforce

(1) * *Geschichte der Slavenapostel Konstantinus (Kyrillus) und Methodius* quellenmässig untersucht und dargestellt. Gotha, F.-A. Perthes, 1897, in-8°, vm-272 pp.— (2) *Ibid.*, p. 8. — (3) *Anal. Boll.*, t. XII, p. 320. — (4) Mars, t. II, p. 19-21. En appendice, M. Goetz a réimprimé (p. 241-270) la lettre d'Anastase, la *Translatio Clementis* et la Vie de S. Méthode dite " légende pannonienne „.

d'établir ce point capital (p. 27-37) est, ce nous semble, fort peu convaincante. M. Goetz n'arrive pas du reste (p. 36) à expliquer comment, si sa manière de voir est vraie, Ganderic aurait pu, au ch. 9, commettre une erreur manifeste et faire de Cyrille un évêque. En tous cas, ce que M. Goetz dit dans ces dix pages revient, tout au plus, à une hypothèse, et encore à une hypothèse fort discutable. Et c'est cependant sur cette base si peu sûre que l'auteur prétend bâtir son édifice. La *Translatio,* jointe à la lettre d'Anastase, est pour lui la pierre de touche qui servira à déterminer la valeur de toutes les autres sources (p. 38).

Par contre, plusieurs de ces dernières sont traitées avec une sévérité étonnante et certainement injuste (1). Des documents de tout premier ordre, comme la *Vita Constantini* et la Vie de Méthode (légende pannonnienne), M. Goetz les regarde comme des pièces de mince autorité, dans lesquelles toutefois il ne peut s'empêcher de signaler, au moins par endroits, des renseignements excellents. Mais ce qui les lui rend suspects, c'est que ce sont des œuvres de parti, qu'ils représentent une tendance politico-religieuse : ils prétendent nous faire croire que l'usage de la liturgie slave a été approuvé et permis par certains papes (p. 138). Or, d'après M. Goetz, il n'en est rien. Aussi, les deux lettres d'Hadrien II et de Jean VIII (JAFFÉ-EWALD, nᵒˢ 2924 et 3319) qui légitiment cette liturgie, sont tout simplement des faux. La lettre de Jean VIII a beau figurer au registre (2), elle a beau contenir des détails tout à fait sûrs et de tout point excellents, n'importe; huit pages durant, M. Goetz affirme qu'elle est falsifiée, et cela suffit. Le terrain est ainsi déblayé; après ce massacre de documents, M. Goetz peut combiner à son aise les quelques sources auxquelles il veut bien faire grâce et tracer " un exposé nouveau, un „ exposé vrai cette fois et impartial, de l'activité des deux apôtres des Slaves „ (3).

M. Goetz fait volontiers, à ceux qui ne pensent pas comme lui, un procès de tendance; il ne se gêne même pas pour accuser autrui de s'être proposé *a priori* un but à atteindre, et d'avoir arrangé ou dénaturé les faits pour arriver à prouver ce qu'on voulait prouver (p. 70). Ces procédés de polémique ne nous semblent pas dignes d'un historien uniquement soucieux de la vérité. Aussi quoique le ton employé parfois par M. Goetz soit de nature à faire prendre son livre pour " une œuvre de parti „ nous préférons croire, jusqu'à nouvel ordre, qu'il a abordé son sujet par un mauvais côté. Comme il s'était d'abord, on ne sait pas comment, profondément persuadé que jamais la liturgie slave n'avait reçu l'approbation de Rome, toute l'histoire des apôtres slaves, tous les documents qui s'y rapportent, lui sont apparus sous cet angle, et il a été de l'avant, renversant tout ce qui contrariait cette intime persuasion, refaisant d'après elle une histoire qu'il

---

(1) Voir ce que dit aussi à ce sujet M. E. Dümmler, *Neues Archiv,* t. XXII, p. 583. — (2) Quand bien même on ne se serait pas laissé entièrement persuader par l'intéressante " Histoire du registre „ que nous devons au P. Arthur Lapôtre (*L'Europe et le Saint-Siège à l'époque carolingienne,* t. I, p. 1-29), du moins semble-t-il impossible de ne pas reconnaître que la copie conservée jusqu'à nous offre les meilleures garanties; " die so zuverlässige Abschrift des Registrums, „ écrivait naguère M. E. Dümmler (*l. c.*). — (3) Goetz, p. 131.

croit objective, mais qui a grande chance de ne l'être pas du tout. Aussi son livre marque-t-il, à notre avis, un recul considérable sur le chapitre où le P. Arthur Lapôtre a naguère retracé la carrière de Cyrille et de Méthode dans un esprit bien autrement impartial (1).

Après avoir raconté, avec le détail que l'on sait, le règne de Nicéphore Phocas, M. G. SCHLUMBERGER consacre un nouveau volume à son successeur Jean Tzimiscès, et aux premières années du règne commun de Basile II et de Constantin VIII (2). Un prochain volume ira jusqu'à la mort de Basile, et nous espérons bien que l'auteur pourra réaliser tout son plan, qui est de rédiger les annales d'un siècle d'histoire byzantine, jusqu'à l'avènement d'Isaac Comnène.

Nous n'insisterons pas sur les qualités qui distinguent ce travail. Le lecteur sait que M. Schlumberger est un des érudits de notre époque qui ont le plus contribué à faire avancer les études byzantines et à y intéresser le public. L'auteur n'exagère rien en disant que les vingt années dont il s'occupe dans ce volume, comptent parmi les plus inconnues de Byzance. Grâce au travail énorme qu'il s'est imposé, cette période devient une de celles où on s'oriente avec le plus de facilité. Le livre de M. Schlumberger ne laisse rien à désirer sous le rapport de l'information.

Outre les sources grecques, dont plusieurs sont étudiées ici pour la première fois, il a mis à contribution les annalistes orientaux, qui comblent si heureusement les énormes lacunes de l'historiographie byzantine. Quant aux études critiques, qui se sont tant multipliées en ces dernières années, il serait difficile d'en signaler qui aient échappé à l'auteur; et les lecteurs fort nombreux qui ne connaissent pas les langues slaves, lui doivent une reconnaissance particulière pour leur avoir rendu accessibles, par des analyses et des extraits, plusieurs excellents travaux des byzantinistes russes.

Parmi les sources nouvelles dont l'historien a su tirer parti, nous tenons à citer les Vies de saints, qui ne sont pas seulement importantes pour l'histoire du mouvement religieux, mais qui éclairent souvent d'une façon inattendue certains épisodes de l'histoire profane, et donnent sur les mœurs de l'époque des détails qu'on chercherait en vain ailleurs.

Les Vies de S. Nil de Calabre (3), de S. Nicéphore de Milet (4), de S. Nicon (5), de S. Sabas le Jeune (6), ont fourni de bons traits au tableau. La Vie de S. Sampson, si importante pour l'histoire littéraire de l'époque, n'a pas été mise à contribution

---

(1) *Op. cit.*, p. 91-170, Ch. III. *Les Moraves.* — (2) * G. SCHLUMBERGER, *L'Épopée byzantine à la fin du Xᵉ siècle... Jean Tzimiscès. Les jeunes années de Basile II, le Tueur de Bulgares* (969-989). Paris, Hachette, 1896, gr. in-8°, avec de nombreuses illustrations, vi-800 pp. — (3) *Acta SS.*, Sept. t. VIII, p. 282-342. Je ne sais pourquoi M. Schlumberger l'appelle, p. 462, la *Vie manuscrite* de S. Nil. Il en est de même de la suivante (p. 62), dont l'édition est pourtant citée par lui d'une manière très précise. — (4) *Anal. Boll.*, t. XIV, p. 133-161. — (5) En latin dans MARTÈNE et DURAND, *Amplissima coll.*, t. VI, p. 867. — (6) L. COZZA-LUZI, *Historia SS. Sabae et Maximi iuniorum*, Rome, 1893.

Il y aurait eu à citer aussi, à propos des mesures contre les Pauliciens qui préludèrent à celles de Tzimiscès, un passage de la Vie de S. Paul de Latros (1).

Ce Xe siècle, si important dans l'histoire du culte des saints, donne à l'annaliste mainte occasion de relever des faits qui nous intéressent spécialement. Ainsi les translations de S. Pantaléon à Cologne, à l'occasion du mariage de Théophano (p. 195), de S. Jacques de Nisibe à Constantinople (p. 284). Jean Tzimiscès lui-même nous renseigne sur cette dernière, ainsi que sur les reliques qu'il rapporta de Gabaon : les sandales du Christ, l'image miraculeuse du Sauveur transpercée par les Juifs, la chevelure de S. Jean-Baptiste (p. 290, 294). Ailleurs (p. 482, n.), il s'agit de la tunique en poil de chameau du Précurseur. Notons également le fait du roi bulgare Samuel (p. 618), qui enlève de l'église de Larissa les reliques de S Achillée. En Orient, comme en Occident, tous, depuis l'empereur jusqu'au dernier homme du peuple, rivalisent de respect et de dévotion pour tout ce qui touche au Sauveur et aux saints.

Quelques observations sur des points de détail. P. 474. S. Nil au lieu de faire punir un voleur qui s'est emparé du cheval du monastère, lui fait cadeau du cheval volé avec la selle et la bride. L'auteur pense qu'il fait cela " uniquement pour exécuter à son tour un des actes des apôtres „ (?). Et il ajoute : " Ce n'était donc pas du bien fait par amour du bien en lui-même, mais uniquement par esprit d'imitation. „ Est-ce bien sûr ? — P. 14. L'épithète de ἰσαπόστολος n'était pas devenue un titre impérial. Les biographes la donnent volontiers à des empereurs qui ont particulièrement bien mérité de l'Église, surtout à Constantin. — P. 522. Le monastère dont il est question dans la Vie de Sabas, est celui de Saint-Césaire. — P. 453. Il s'est glissé un peu de confusion dans les notions sur le ménologe de Basile et les synaxaires. L'article cité en note pourra les mettre au point. — P. 710. La fête de S. Jean Chrysostome tombe tous les ans le 13 novembre, et la fête de la Vierge qui se célèbre le même mois (le 21), est celle de la Présentation, et non celle de la Dormition.

Comme dans *Nicéphore Phocas*, M. Schlumberger a pensé aux archéologues, en mettant à leur portée un beau choix de monuments, en partie inédits, qui complètent heureusement le texte. On est un peu surpris de les voir accompagnés parfois de légendes laudatives qui font valoir une " miniature d'une grande beauté „, " un des plus précieux manuscrits de la bibliothèque nationale „. Mais qu'importe de s'écarter un peu du style sévère des étiquettes ? On regrette davantage que certains manuscrits, dont les pages sont reproduites, soient désignés d'une façon trop vague, sans aucune cote.

Signalons quelques numéros qui nous intéressent davantage. D'abord une série de vues du monastère de S. Syméon Stylite à Qala'at Sem'ân (p. 557 etc.), qui fut saccagé, M. Schlumberger le prouve, en 985. P. 672, une bulle de plomb, sur laquelle est représenté S. Syméon sur sa colonne, est désignée comme un " sceau ou bulle de plomb d'un monastère de Saint-Syméon Stylite. „ Ne serait-ce peut-être

____

(1) *Anal. Boll.*, t. XI, p. 156.

pas une médaille de pèlerinage, comme semble l'indiquer la légende du revers : Εὐλογία τοῦ ἁγίου Συμεών? Remarquer, p. 589, le curieux ivoire représentant les quarante martyrs. P. 609. Le stylite figuré sur la miniature ne peut être S. Syméon, si le titre οἱ ἅγιοι τοῦ δευτέρου βιβλίου τοῦ νοεμβρίου μηνός est exact. Ce sera S. Alypius, honoré le 26 novembre.

Il faut regretter vivement qu'un livre si plein de choses soit dépourvu d'une table alphabétique. Espérons que M. Schlumberger aura la bonne pensée d'en ajouter une au prochain volume, et qu'elle donnera en même temps le dépouillement de *Nicéphore Phocas* et de l'*Épopée byzantine*.

Non loin de l'antique abbaye de la Chaise-Dieu, en Auvergne, à deux lieues au nord, se trouve le village de Saint-Alyre (1), qui dans les documents du XIIIe siècle s'appelle *parrochia beatae Illidiae*. Qu'est-ce donc que la bienheureuse **Alyra, Ilidie, Élidie, Hélidie**? C'est une jeune servante, qui, au XIe siècle, paya de son sang la défense de sa virginité et qui depuis ce temps jouit dans la région d'un culte célèbre. Dans le bréviaire de la Chaise-Dieu, la fête de Ste Hélidie est marquée sous le rite double, à la date du 28 septembre, et aujourd'hui encore la paroisse de Saint-Alyre célèbre sa patronne le troisième dimanche de juillet.

L'hagiographie savante a été jusqu'à ce jour bien ignorante de tous ces détails, qui pourtant ne manquent pas d'intérêt. Ni les anciens Bollandistes, ni aucun autre recueil de ce genre ne mentionnent le nom de Ste Hélidie. M. MAURICE FAUCON vient de recueillir tous les traits de la légende populaire de la sainte d'Auvergne et les curieuses particularités de son culte local, qui persévère depuis bientôt huit siècles (2). Cet intéressant travail devra être pris en considération par tous ceux qui auront à s'occuper de la légende de Ste Hélidie, si peu connue et si peu étudiée jusqu'à ce jour.

Nos prédécesseurs n'ont pas donné place dans les *Acta Sanctorum* à S. **Thiémon de Salzbourg**. Outre que ses Actes leur paraissaient, et non sans raison, peu sûrs, ils n'avaient trouvé, ni dans les livres liturgiques, ni ailleurs, les preuves d'un culte public décerné à Thiémon (3). Aussi bien, en 1878, l'ordinariat de Salzbourg, interrogé par la Congrégation des Rites, répondait également que le nom de Thiémon " ne figure dans aucun calendrier, dans aucun livre liturgique, soit „ imprimé, soit manuscrit „. Et cependant il en est tout autrement, comme on peut le voir dans la troisième partie d'une intéressante étude de M. K. MUTH (4). Des textes et documents qu'il a rassemblés lui-même ou que lui a fournis le R. P. Willibald Hauthaler, il résulte clairement que le nom du saint figure dès le XIIe siècle

(1) A. TARDIEU, *Grand dictionnaire historique du département du Puy-de-Dôme*, p. 298. — (2) *La Légende de sainte Hélidie*, dans LE CORRESPONDANT, 10 avril 1896, p. 132-57. — (3) *Act. SS.*, Sept. t. VII, p. 596. — (4) * *St. Thiemo, Erzbischof von Salzburg und Kreuzfahrer*. Eine historische Skizze. Passau, Buchdruckerei Passavia, 1896, in-8°, 54 pp.

et assez souvent par la suite, dans des martyrologes ou des missels locaux, et que, malgré bien des vicissitudes et des interruptions, S. Thiémon a été l'objet d'un culte liturgique traditionnel.

Les deux premières parties de l'ouvrage de M. Muth sont consacrées à l'histoire de S. Thiémon. La première contient une esquisse biographique, dans laquelle ont été réunis avec beaucoup de soin tous les renseignements dignes de foi. La seconde traite d'une question bien embrouillée, le " martyre „ de S. Thiémon. Les récits, tous fabuleux, qui nous en sont parvenus, ont fait jadis l'objet d'un mémoire du comte Riant (1). A la suite de ce guide éminent, M. Muth a repris l'examen critique de ces documents, où il est si difficile de discerner la vérité au milieu des légendes manifestement fausses. Plus sévère encore que Riant, M. Muth arrive cependant, après une discussion approfondie, à affirmer comme historiquement probable, le fait même du martyre de Thiémon. Les circonstances de ce martyre, beaucoup moins faciles à déterminer, sont étudiées elles aussi avec un soin minutieux, et quoi que l'on pense de l'opinion à laquelle s'arrête l'auteur, on ne lira pas sans profit ni sans intérêt l'ensemble des conclusions qu'il énonce p. 45 et 46.

M. Ch. Huygens, professeur à l'Athénée royal d'Anvers, a rassemblé dans quelques pages bien travaillées (2) tout ce que l'on sait au sujet de Tanchelm. Il va de soi que l'auteur rencontre et contredit, à peu près à chaque instant, le singulier article que M. Wauvermans a écrit jadis sur ce remuant personnage (3). " Le „ rôle de Tanchelm, conclut-il, ne fut pas un rôle politique; il fut social et „ religieux „. C'est la note vraie.

Une splendide publication, que nous avons déjà sommairement annoncée (4), met à la disposition des historiens un texte hagiologique fort important et d'autant plus désiré qu'on semblait avoir perdu tout espoir de le retrouver (5). Ce sont les Actes de S. Guillaume de Norwich, qui nous y est présenté comme ayant été mis à mort, en 1144, par les Juifs, en haine de la religion chrétienne. Il serait, au moyen âge, la première victime de ce qu'on a appelé " le meurtre rituel „. Ce précieux document avait été retrouvé naguère par M. Montague Rhode James dans un manuscrit qui, après avoir appartenu autrefois au prieuré de Norwich, a été récemment acquis par la bibliothèque de l'université de Cambridge. Pour le publier, M. James s'est associé M. Aug. Jessopp, et de leur collaboration est sorti un ouvrage fort soigné et d'un vif intérêt.

(1) *Revue des quest. hist.*, t. XXXIX (1886), p. 218-37. — (2) * *Tanchelm.* Extrait de la Revue de l'instruction publique en Belgique, t. XL (1897), p. 101-110. — (3) Voir *Anal. Boll.*, t. XII, p. 441-46. — (4) Voir ci-dessus, p. 105, note 5. — (5) * *The Life and miracles of St. William of Norwich*, now first edited from the unique manuscript, with an introduction, translation and notes by Augustus Jessopp and Montague Rhodes James. Cambridge, University Press, 1896, in-8°, xc-303 pp., 5 phototypies, un plan.

Tels qu'ils se lisent dans l'unique exemplaire manuscrit connu, les Actes de Guillaume de Norwich ont été rédigés avant 1174 (1); car ils sont dédiés à l'évêque de Norwich, Guillaume Turbe, qui mourut en cette année. Ils ne sont donc postérieurs que de trente ans au plus à la mort du jeune héros de cette histoire. L'auteur du récit, Thomas de Monmouth, entré au prieuré de Norwich en 1149, prit part, dès 1150, à tout ce qui se faisait pour l'exaltation et la glorification du " saint enfant martyr „. Nous avons donc sous la main un document à peu près contemporain. Quelle créance faut-il lui accorder ? Cela dépend du jugement que chacun se fera sur la valeur morale et intellectuelle de l'auteur. Pour le moment, sans nous préoccuper des opinions des autres, disons ce que nous pensons de Thomas de Monmouth. C'est sans doute un écrivain de mérite, maniant avec élégance la langue latine et très versé dans la littérature sacrée et dans la littérature profane. Mais sa critique est celle de son temps; sa foi au merveilleux est trop absolue ; sa vive imagination, encore exaltée par le récit des mystérieux voyages dans les régions d'outre-tombe, a bientôt traduit en réalité ce que nous regarderions tout simplement comme un rêve. D'autre part, il a recueilli avec soin ce qui se disait dans le peuple; il a interrogé la mère et les parents du jeune Guillaume; il a visité la maison où aurait été torturé ce malheureux enfant. Ce qu'il a vu ou entendu, il nous le communique presque sans discernement; et de tous ces détails il forme un récit incohérent et qui, par endroits, pèche contre la vraisemblance. Toujours est-il que cela le met à l'abri du reproche d'imposture qu'on serait parfois tenté de lui faire. Que quelques moines peu éclairés dans leur piété aient vu dans l'invention et l'exaltation de Guillaume un moyen de multiplier pour leur église les offrandes des fidèles; qu'ils aient poussé Thomas, qui était comme leur porte-voix, à certaines exagérations, je n'oserais le nier. Mais je ne sais pas s'il est juste de suspecter ou la bonne foi des uns, ou la sincérité de l'autre. Du récit de Thomas il faut retenir ceci : un jeune chrétien vertueux et intelligent fut durant quelque temps en apprentissage chez un tanneur de Norwich, qui avait pour clients de riches juifs. Le 25 mars, ce même enfant portant, dit-on, sur le corps quelques traces de violence, fut trouvé pendu à un arbre dans le bois dit Thorpe Wood. Ce crime est-il imputable aux Juifs ? On peut en douter. Car nous ne devons pas accepter

(1) Le prologue du VIIe livre semble indiquer que, même avant l'année 1155, Thomas avait commencé la rédaction des Actes. *Aliquanta*, dit-il, *temporis intercurrente mora, cum, beatissimi martyris virtutem a miraculorum signis iam cessasse existimans, arma scriptoria deposuissem multoque scribendi labore defatigatus quietis optatas modicum degustarem, forte laboris iterati laberintum incurri. Subito etenim, inopinantibus nobis, anno ab incarnatione Domini M°.C°.LV°.quasi renovata virtus sancti martyris ampliori quam prius signorum effulsit frequentia* (p. 262). Dans ce cas, il faudrait admettre que Thomas aurait, assez longtemps plus tard, remis la main à l'œuvre, revu et corrigé son travail, et modifié quelques détails dans les six premiers livres. Car dans le texte actuel, on lit, au livre VI, au sujet d'une femme qui s'était rendue à Rome pour raconter au pape Adrien IV (1154-1159) le prodige opéré en sa faveur par les mérites du martyr : *Exinde sospes remeans multo tempore ad testimonium miraculi in hac luce permansit* (p. 250).

sans réserve le témoignage d'un certain Théobald, juif converti et moine au prieuré de Norwich, qui contribua principalement, dans l'occurence, à accréditer l'accusation proprement dite de " meurtre rituel , (1). Les éditeurs lui dénient toute valeur et l'infirment, en rappelant à ce propos les inconcevables extravagances de la malignité et de la sottise humaines. D'autre part, en supposant Théobald de bonne foi, serait-il impossible de trouver dans les rituels juifs une cérémonie qui, mal interprétée, aurait amené Théobald, par je ne sais quelle application du principe général de l'expiation par le sang, à croire lui-même et à faire admettre par d'autres cette grave accusation ?

Dans la préface (2), nous trouvons des détails curieux et précis sur l'iconographie du saint, sur la juiverie de Norwich, sur la topographie et l'administration de la ville au XII° siècle.

Trois facteurs ont contribué au succès considérable du volume de M. le professeur Fr. Prudenzano sur S. François d'Assise (3) : un réveil de popularité pour la sympathique figure du glorieux patriarche, les brillantes qualités du style de l'écrivain et la multitude de choses intéressantes qu'il est parvenu à grouper sous cette enseigne commode : " S. François d'Assise et son siècle ,. L'auteur n'a pas le tempérament du fouilleur patient et critique ; il semble même étranger aux problèmes délicats que la science historique, mise en éveil par la découverte de nouveaux documents et une étude plus attentive des anciens, se pose sur les origines franciscaines. Son livre n'a point l'aspect sévère d'une œuvre d'érudition, et l'on y chercherait vainement une trace de la querelle, pourtant bien grave, des *zelanti* et de leurs adversaires. Mais M. Prudenzano est au courant de la littérature traditionnelle, où il se contente de puiser, sans y regarder de trop près. Il possède en outre, à un haut degré, le don de vulgariser avec art ; cette précieuse faculté, il l'exerce bien moins sur S. François lui-même — la biographie du saint occupe à peine 50 pages — que sur les alentours du sujet principal. Ces alentours

(1) *Referebat quidem in antiquis patrum suorum scriptis scriptum haberi, iudeos sine sanguinis effusione nec libertatem adipisci nec ad patrios fines quandoque regredi. Unde ab ipsis antiquitus decretum est omni anno in obprobrium et contumeliam Christi christianum ubicunque terrarum Deo litare altissimo, ut sic suas in illum ulciscantur iniurias, cuius mortis causa ip:i et a sua exclusi sunt patria et tanquam servi exulant in aliena. Qua de re principes et rabite iudeorum qui Hispaniam inhabitant apud Narbonam, ubi semen regium et eorum maxime viget gloriâ, pariter conceniunt atque universarum regionum quae iudei inhabitant sortes ponunt. Quam vero sors designaverit regionem, eius metropolis urbium ceterarum et oppidorum sortes applicabit, atque illud decretale explebit negotium cuius sors exierit* (p. 93-94). — (2) La présence d'un pénitencier dans l'église cathédrale et le pardon du jeudi-saint ne sont vraiment pas une objection sérieuse contre le précepte divin de la confession auriculaire. Il n'est pas non plus exact de dire qu'hagiographie et mythologie chrétienne sont synonymes. — (3) * *Francesco d'Assisi e il suo secolo, considerato in relazione con la politica, cogli svolgimenti del pensiero e colla civiltà.* 12° edizione riveduta dall' autore. Napoli, 1896, in-8°, 448 pp.

sont vastes. Ils ne se bornent pas aux horizons du siècle où vécut le *poverello*
d'Assise. Pour les temps antérieurs, ils s'étendent jusqu'aux persécutions de l'ère
chrétienne; et pour l'époque qui suivit, ils confinent au XVIIe siècle. Dans ce
cadre presque illimité, l'ingénieux auteur a pu se mouvoir à l'aise; et son âme
profondément croyante, douée de sensibilité, d'un goût délicat et d'une facilité
merveilleuse d'effleurer les sujets les plus divers, sans en épuiser aucun, a esquissé
de jolis tableaux où les lettres et les arts occupent une très large place. Pour comprendre comment cette expansion de civilisation est partie de l'humble religieux
d'Assise, pensez à l'adage philosophique : *Causa causae est causa causati*, appliqué
dans son acception la plus large. Il est clair que la critique scientifique ne peut avoir
la naïveté de s'exercer sur cet ouvrage. C'est un livre bien écrit, que l'on peut
recommander aux gens qui désirent acquérir par une lecture facile et attrayante
quelque notion d'un vaste mouvement religieux, politique, social, littéraire et
artistique, conduit par des personnages demeurés célèbres.

Le livre de M. P. Sabatier sur S. François d'Assise a été l'occasion pour
M. G. Salvadori de retracer en deux remarquables articles la carrière merveilleuse du séraphique patriarche (1). Il serait malaisé de dégager jusqu'à quel point
le nouveau biographe est tributaire de l'écrivain français. Mais ce qui frappe, à
coup sûr, c'est une grande indépendance de jugement, un sens profond de l'âme
du saint, la préoccupation de ne puiser qu'aux sources, un souci constant de
la chronologie, un tact littéraire exquis, imprégné de poésie et de simplicité. L'har-
monieux assemblage de ces qualités a produit un récit captivant d'un bout à l'autre,
d'une émotion d'autant plus forte que l'auteur se contient davantage. Le portrait
du saint est bien plus réel et plus ressemblant que chez M. Sabatier. Comme
M. Salvadori le dit à la fin de son second article, François n'avait pas l'étroitesse
de vues que lui prête l'historien français; et jamais dans ses paroles ni dans sa
conduite, il ne se manifeste le moindre antagonisme contre le Saint-Siège.

Toutefois nos éloges ne vont pas sans quelques critiques. La première, c'est que
M. Salvadori s'en est rapporté trop aveuglément à la discussion des sources faite
par son devancier. A la fin de son esquisse (p. 790-2) il tente bien — si peu que
rien — une rectification à propos des *Fioretti* et du *Speculum perfectionis*, qu'il
confond d'ailleurs avec le *Speculum vitae*. Mais M. Della Giovanna (2) a péremp-
toirement démontré que toute cette littérature du XIVe siècle, en tant qu'elle
s'écarte des plus anciennes Vies du saint, est " una pozza inquinata e infida „ (3), un
arsenal de combat, créé de toutes pièces, avec beaucoup d'art, par les rigoristes
franciscains. Si jamais M. Salvadori revient à un sujet qui lui semble cher, je ne
doute pas qu'éclairé par le travail critique de son compatriote, il ne se décide à

(1) *Su S. Francesco d'Assisi. A proposito d'una sua Vita recente*, dans NUOVA
ANTOLOGIA, 3ª ser., t. LV (1895), pp. 497-525 et 758-92. — (2) *S. Francesco d'Assisi
giullare e le " Laudes creaturarum „*, dans le GIORNALE STORICO DELLA LETTERA-
TURA ITALIANA, t. XXV (1895), p. 29-57. Cf. *Anal. Boll.*, t. XIV, p. 227-29. —
(3) *Ibid.*, p. 49.

retrancher de la Vie de S. François toute une série d'historiettes, que son tempérament poétique lui a fait accueillir avec trop de faveur.

En second lieu, il importe qu'il étudie à fond les faits et gestes du frère Élie, si intimement mêlé à l'organisation de l'institut naissant. A cet effet, les Pères A.-M. Azzoguidi (1) et J. Affò (2) lui seront d'utiles auxiliaires. Ainsi, M. Salvadori place la mort du vicaire général Pierre Cattani et la nomination de son successeur Élie, en 1221 (p. 763), comme on l'affirme communément. Or Affò a prouvé (3) que l'un et l'autre événement n'eurent lieu qu'en 1224. Cette correction est un précieux fil conducteur pour dépister les anachronismes et les fables dont on a farci la Vie d'Élie, et qui atteignent, par ricochet, le caractère du saint fondateur. Car s'il fallait ajouter foi à toutes les vilenies que les *selanti* franciscains ont répandues sur le compte de leur fameux confrère, et au profond relâchement qu'il aurait d'après eux étalé, au su et au vu de S. François lui-même, la confiance illimitée dont le maître investit son disciple deviendrait pour l'historien une déconcertante énigme. N'est-ce pas Élie que le saint *loco matris elegerat sibi, et aliorum fratrum fecerat patrem* (4), qu'il bénit si tendrement avant de mourir en lui confiant les destinées de son ordre, et à qui il rendit ce glorieux témoignage : *In manibus tuis fratres meos et filios augmentavit Altissimus* (5)? Comprend-on, après cela, que M. Salvadori ait pu écrire que le vicariat-général d'Élie fut pour François une période de douleurs (p. 763)?

Mais en réhabilitant la mémoire du nouveau général, ses deux biographes franciscains ne se sont pas dissimulé le moins du monde ses tristes écarts. Par un fatal concours de circonstances, le pauvre Frère, au déclin de ses jours, faillit gravement. Les plus anciens historiens de l'Ordre ont même élevé des doutes sur sa conversion finale (6). Toute incertitude de ce genre disparaît à la lumière du procès qui s'intruisit quelques jours après la mort d'Élie. L'importance de cette enquête saute aux yeux. M. A. Carducci s'est empressé de la publier, comme document inédit (7), d'après l'original découvert à Assise par M. Cristofani. Nous ferons seulement remarquer que la pièce était connue et appréciée depuis longtemps. Déjà Wadding l'avait mise largement à profit dans ses *Annales Minorum* (8) et le P. Azzoguidi a publié au siècle dernier, avec une exactitude scrupuleuse et un renfort de judicieuses observations " *acta illa a Waddingo praetermissa et ex ipso pergameno Assisiensi autographo a me descripta* „ (9).

La plupart de ceux qui se sont occupés de la Vie de S. François d'Assise, par M. Paul Sabatier, ont critiqué, parfois très vivement, la conception, sur certains

---

(1) *S. Antonii Patarini Sermones in psalmos*, nota XXVI (p. XLIX-LXXV), faisant suite à la Vie de S. Antoine de Padoue par Sicco Polentonus, publiée en tête du volume. Bononiae, 1757, fol. — (2) *Vita di frate Elia*, Parma, 1783, 18°. — (3) *Ouvr. cité*, p. 27. — (4) THOMAS DE CELANO, 1ª Vita, L. II, cap. 2, n. 98 dans *Acta SS.*, t. II d'Oct., p. 711. — (5) *Ibid.*, n. 108, p. 713. — (6) J. AFFÒ, *ouvr. cité* p. 102. — (7) *La penitenza di frate Elia*, dans STUDI STORICI de Pise, t. IV (1895), p. 41-54. — (8) T. III, anno 1253, p. 312-3, n. XXX-XXXII. Romae, 1732. — (9) *Ouvr. cité*, p. LXVIII-LXXIII.

points fausse, que l'auteur s'est faite du saint réformateur. Bien d'autres réserves encore, comme l'a fait très justement observer M. le comte G. Grabinski (1), s'imposent sur les idées religieuses dont cet ouvrage est imprégné. Mais l'attention même qu'il a provoquée et la manière dont on en a parlé, prouvent qu'il renferme de réels mérites, et personne, dans le monde savant, n'avait songé jusqu'ici à traîner le livre aux gémonies. Il a fallu l'humeur irritable de M. R. Mariano, professeur à l'université de Naples, pour commettre ce déni de justice; et il a mis dans le même sac quelques-uns des critiques italiens qui ont dit du bien ou du mal de l'ouvrage de M. Sabatier. Tel est le point de départ et le fond du mémoire de M. Mariano (2). C'est une sorte de pièce en deux actes. Dans le premier, M. Sabatier, entouré de partisans et d'adversaires, joue le rôle principal. Pour ménager des contrastes, on lui adjoint deux comparses, R. Bonghi, auteur de plusieurs études sur S. François d'Assise et H. Thode (3). Franchement, on pouvait laisser ce dernier dans l'ombre; il est beaucoup parlé dans son livre du mouvement franciscain, mais si peu du patriarche! Quant à Bonghi, M. Mariano le couvre de fleurs; ce qui ne l'empêche pas de lui donner parfois en passant quelques bons coups de griffe. Tous les autres personnages sont rabroués d'importance. Ce n'est pas sur le terrain des faits que le critique napolitain se place pour les combattre; car il affiche le plus profond dédain pour les minuties de l'érudition et les rigueurs de la méthode historique actuelle, pour ces " molti ricercatori perditempo, dei quali il mondo oggidì „ rigurgita, che passano la vita acchiappando mosche che nel loro concetto battez- „ zano per elefanti „. Il aime mieux rencontrer ses victimes dans les sphères philosophiques. Ce qu'il leur reproche donc avec insistance, c'est d'avoir fait du subjectivisme, toujours du subjectivisme, au lieu de peindre S. François d'Assise dans sa réalité objective. Je suis loin de prétendre que sa censure ait toujours tort. Mais le malheur a voulu que dans le second acte, qui a les allures d'un monologue sentencieux, où le critique entreprend à son tour l'analyse psychologique du séraphique patriarche, il tombe en plein dans les mêmes incohérences, dans les mêmes excès de subjectivisme. On le lui a bien fait voir. Pour ceux que ces représailles intéressent, nous nous contentons de les renvoyer à trois publications d'esprit très différent (4).

Un mot encore sur deux de ces publications. Celle de M. Labanca n'est pas seulement un plaidoyer *pro domo;* le critique y apprécie encore, avec sens et impartialité le plus souvent, bon nombre de ses compatriotes qui ont écrit en ce siècle

(1) *Una Vita di S. Francesco d'Assisi,* dans la Rassegna Nazionale, t. LXXXVIII (1896), p. 641-72. — (2) * *Francesco d'Assisi e alcuni dei suoi più recenti biografi.* Napoli, 1896, in-8°, 208 pp. Extrait du t. XXVIII des Atti della R. Accademia di scienze morali e politiche di Napoli. — (3) *Franz von Assisi und die Anfänge der Kunst der Renaissance in Italien.* Berlin, 1885. — (4) *Civiltà cattolica,* série XVI, t. VI (1896), p. 441-57. * B. Labanca, *Sguardo agli scrittori Italiani di Francesco d'Assisi nel secolo XIX,* p. 28-49. Extrait du Pensiero Italiano, fasc. LXX-LXXI (Milano, 1896); reproduit dans les *Miscellanea Francescana,* t. VI, p. 169-95. I. Della Giovanna, *Ancora di S. Francesco d'Assisi e delle* " *Laudes creaturarum* „ dans Giornale stor. della Letteratura italiana, t. XXIX (1897), p. 284-300.

sur S. François d'Assise. Toutefois il est regrettable qu'il ait négligé un ouvrage d'un mérite très réel : PANFILO DA MAGLIANO, *Storia compendiosa di S. Francesco e de' Francescani* (Rome, 1874-77, 2 vol., 661 et 658 pp.), et qu'il se soit laissé entraîner à juger choses et gens du XIII° siècle avec les préoccupations politico-religieuses de l'Italie du XIX°. C'est faire dégénérer l'histoire en pamphlet. La deuxième partie du travail de M. DELLA GIOVANNA (1) est une défense de ses idées sur le cantique *Laudes creaturarum*, attribué à S. François; il s'attache surtout à réfuter un argument paléographique très spécieux de M. FALOCI PULIGNANI (2). Sa réponse m'a paru satisfaisante, ainsi que la note (p. 311-2) où il maintient sa manière de voir sur le *Speculum* contre M. le Dr STADERINI (3). Celui-ci n'a guère tenu compte du travail antérieur de M. Della Giovanna.

Entre autres insignes reliques du séraphique S. François, le couvent d'Assise expose l'autographe même de la *bénédiction* que le patriarche écrivit pour son compagnon et disciple, le frère Léon. Autour de ce précieux parchemin s'est élevé en ces derniers temps un débat contradictoire, dans lequel sont intervenus d'éminents paléographes. On peut lire un bon résumé de cette controverse publié par le P. H. GRISAR dans la *Civiltà cattolica* (4). Désormais, on sera mal venu à révoquer encore en doute l'authenticité de ce document et, — autre conclusion non moins importante, — à contester à S. François la paternité du fameux hymne *Laudes Creatoris*, écrit au revers de ce vélin.

L'indulgence de la Portioncule concédée par Honorius III à S. François d'Assise a stimulé la plume féconde et enthousiaste de M. P. SABATIER. Des trois dissertations qu'il a consacrées à ce sujet, la plus importante est l'*Étude critique sur la concession de l'indulgence de la Portioncule ou Pardon d'Assise* (5). Elle consiste dans une rétractation motivée de ce que l'auteur avait écrit auparavant contre l'authenticité de ce privilège. La plupart des documents qui ont amené cette conversion, avaient déjà été produits par les Bollandistes (6). Mais M. Sabatier en a repris l'examen approfondi; il a séparé le bon grain du mauvais et enrichi

(1) *Op. cit.*, p. 300-17. — (2) *Miscell. francescana*, t. VI, p. 46. — (3) *Sulle fonti dei Fioretti di S. Francesco* dans BOLLETT. DELLA SOC. UMBRA DI STORIA PATRIA, t. II (1896), p. 339-64. — (4) Sér. XVI, t. V (1896), p. 723-28 : [GRISAR], *La « Benedizione manoscritta di S. Francesco.* Cet article a été reproduit dans les *Miscellanea francescana*, t. VI, p. 129-32. Voir aussi ÉDOUARD D'ALENÇON, *La Bénédiction de S. François. Histoire et authenticité de la relique.* Paris, imp. Mersch, 1896, in-8°, 15 pp., 3 planches. — (5) * Paris, in-8°, 37 pp. Extrait de la *Revue historique*, t. LXII (1896). L'autre brochure, * *Un nouveau chapitre de la Vie de S. François d'Assise* (Paris, 1896, in-8°, 24 pp.) est une mise en œuvre de la lettre bien connue de Jacques de Vitry et des plus anciens documents en faveur de la Portioncule. Une traduction italienne de ce travail, sous le titre de *Il perdono di Assisi*, a paru dans la NUOVA ANTOLOGIA, t. CXLVIII (1896), p. 599-611. Enfin * *Un nuovo documento sulla concessione del Perdono di Assisi (Testimonium Michaelis Bernardi).* extrait du BOLLETTINO DELLA SOC. UMBRA DI STORIA PATRIA, t. II (1896), p. 539-46, n'offre qu'un intérêt littéraire. — (6) *Act. SS.*, t. II d'Oct., p. 879-919.

d'une annotation solide et lumineuse les témoignages les plus convaincants. Seules les explications tentées par l'auteur pour atténuer le silence des premiers biographes m'ont paru peu solides.

Ce qui a surtout changé les idées du savant écrivain, c'est, je crois, un document de la plus haute importance récemment mis au jour par les vaillants éditeurs franciscains de Quaracchi. Dans un petit traité d'un caractère polémique, écrit vers 1279, le fameux Pierre-Jean Olivi examine sous toutes ses faces la question de l'indulgence de la Portioncule (1). Nulle part l'auteur n'insiste sur les témoignages de la tradition; mais les traits épars qu'il en détache pour le besoin de son argumentation et la confiance avec laquelle il s'exprime à ce sujet, donnent à cette tradition tout le poids d'une véritable preuve historique. De plus, cet opuscule répand une vive lumière sur l'esprit des premières générations franciscaines.

Dans le dédale des origines de l'Ordre séraphique, bien des recoins obscurs restent encore à explorer. Ils ont le don d'attirer et de retenir l'attention de M. Sabatier. A preuve, ses recherches sur le premier lieu habité par le séraphique patriarche et ses compagnons (2). La dissertation donne plus qu'elle n'annonce. Le résultat de cette perquisition topographique permet de maintenir l'accord entre les anciens biographes, pour la période la plus effacée de la vie du saint. Toutefois, je m'étonne de ce que l'auteur puise avec une parfaite sérénité dans le *Speculum Vitae*, sans discuter au préalable les fortes raisons que M. Hildebr. Della Giovanna a fait valoir contre cette source d'informations (3). Si ce traité est sorti au commencement du XIV* siècle de l'officine des *Zelanti*, on comprend fort bien pourquoi ils ressuscitent à cette époque la mémoire du vieux Rivotorto, en y rattachant des souvenirs de vie crucifiée et misérable. D'autre part, M. Sabatier a très bien montré les défauts de la légende du jeune S. Rufin d'Arce, martyrisé en 1286, et il a porté un rude coup au crédit de l'historien conventuel Papini.

M. Antoine-Marie Locatelli poursuit sa magnifique publication des sermons de S. Antoine de Padoue. Un second fascicule est venu s'adjoindre à celui que nous avons naguère annoncé (4). Il comprend (p. 73-168) les sermons depuis le troisième dimanche de carême jusqu'au troisième dimanche après Pâques.

Le martyrologe romain place la mort de Ste Claire d'Assise au 12 août [1253] ; d'autres témoignages, plus dignes de foi, au jour précédent. C'est ce que feu

(1) * *Fr Petri Ioannis Olivi quaestio hucusque inedita de veritate indulgentiae vulgo dictae de Portiuncula.* In-12°, 23 pp. Extrait des ACTA ORDINIS MINORUM, Ann. XIV, fasc. VII (1895). — (2) * *Dissertazione sul primo luogo abitato dai Frati Minori, su Rivotorto e sull'Ospedale del lebbrosi di Assisi,* 24 pp. Publiée en appendice à la version italienne de la Vie de S. François par le même auteur. A part cet appendice, l'édition italienne a peu gardé de l'appareil critique de l'original français. Ce n'est plus qu'un livre de lecture à l'usage du grand public. — (3) *S. Francesco d'Assisi giullare,* p. 29-57; cf. *Anal. Boll.,* t. XIV, p. 227-8. — (4) *Anal. Boll.,* t. XV, p. 99.

Mgr NICANOR PRIORI, évêque d'Assise, n'a pas eu de peine à montrer (1). Mais quand il s'évertue à prouver que la vierge mourut de bon matin, la chose n'est plus aussi claire. J'avoue que les bouts de phrase qu'il commente semblent quelque peu parler en sa faveur. Encore ne faut-il point appliquer à l'interprétation de la latinité du moyen âge les délicatesses philologiques de la langue classique; et l'on sait qu'à force de tourner et de retourner d'obscures parcelles de texte, on s'expose à subir une sorte de fascination.

A l'occasion du sixième centenaire de la mort de Ste Marguerite de Cortone, le R. P. Émile Crivelli, O. S. F., vient de donner une nouvelle édition de l'œuvre de son confrère, le frère Louis de Pelago (2). Celui-ci publia en 1793, d'après le ms. original, la Vie de la sainte pénitente, écrite par son confesseur le fr. Giunta Bevegnati, texte latin avec une traduction italienne en regard, de nombreuses notes et un appendice de douze longues dissertations. Le R. P. Crivelli a compris que, dans cette masse indigeste d'érudition, il y avait à prendre et à laisser. Il a donc eu soin d'élaguer les éclaircissements inutiles et d'écourter considérablement, peut-être même un peu trop, les dissertations de la fin. La traduction ellemême a reçu des retouches discrètes; le texte latin, plus complet et plus correct que celui des Bollandistes (3), est demeuré strictement conforme à l'original; les mots insérés çà et là pour suppléer à l'insuffisance du sens, se reconnaissent à un caractère distinct. Bref, la nouvelle édition satisfait à toutes les exigences de la critique.

Une petite chicane pour finir. L'instrument notarial de 1318 que le P. Crivelli produit pour prouver que le biographe de la sainte vivait encore à cette époque (p. ix), fait sans doute mention de lui, mais je me demande s'il n'en parle pas plutôt comme d'un défunt : *religiosi viri fratris Iunte q u o n d a m Bevegnatis de Cortona, ordinis Fratrum Minorum* (4).

Nous regrettons de n'avoir pas annoncé en son temps un bon article de M. L.-H. LABANDE sur *Le Cérémonial de Jacques Cajétan*, cardinal Stefaneschi (5). Ce traité, dont la première rédaction se conserve dans un ms. de la bibliothèque d'Avignon, n'avait pas échappé aux recherches du R. P. Ehrle, S. I. (6). M. Labande

(1) *Del giorno e dell'ora della morte di S. Chiara di Assisi*, dans l'ECO DI S. FRANCESCO D'ASSISI, 30 novembre 1894, p. 781-8. — (2) * *Antica Leggenda della vita e de' miracoli di S. Margherita di Cortona, scritta dal confessore di lei Fr. Giunta Bevegnati dell' Ordine de' Minori, con traduzione italiana dal testo originale latino, con note e dissertazioni del P. Lodovico da Pelago Min. Oss.* Siena, tipogr. S. Bernardino, 1897, gr. in-8°, xx-385 pp. — (3) Le chapitre des miracles et la liste des réviseurs contemporains de la Vie font défaut dans l'édition des *Acta SS.*, t. III de Févr.. p. 304 et suiv. — (4) Le P. Crivelli a encore publié un excellent petit livre de propagande : * *Vita di S. Margherita da Cortona, raccontata da un parroco di campagna a' suoi popolani.* Prato, Giachetti, 1897, in-12, 255 pp. — (5) *Bibl. de l'École des chartes*, t. LIV (1893), p. 45-74. — (6) *Zur Geschichte des päpstlichen Hofceremoniells im 14. Jahrhundert*, dans ARCHIV FÜR LITERATUR-UND KIRCHENGESCHICHTE, t. V, p. 565-87.

complète les observations de notre savant confrère et donne, de l'opuscule lui-même, deux extraits fort intéressants, qui renferment des détails sur la canonisation de S. Thomas de Canteloup (1320) et plus particulièrement de S. Pierre Célestin (1313). Le second document aurait été profitable à tous ceux qui se sont occupés naguère du saint pape ermite. Il y est question à deux reprises (p. 63 et p. 65-66) du cardinal de Bayonne. Ce personnage, que M. Labande n'est point parvenu à identifier, n'est autre que le *frater Guillelmus Petri de Godino Baionensis, magister in theologia, lector euriae, de Ordine Praedicatorum* (1). La double mention qui est faite de lui dans le Cérémonial, comparée avec certains passages de la Bulle de canonisation de Célestin V, montre assez clairement que le cardinal dominicain est le rédacteur de la partie biographique du document pontifical. Ce précis de la carrière du saint est, souvent même mot à mot, emprunté au procès.

En compulsant ce qui reste du procès aux Archives de la cathédrale de Sulmone, sans négliger les autres sources contemporaines, M. le chanoine Jos. Celidonio a écrit une nouvelle Vie de S. Pierre Célestin (2), bien plus louable pour la solidité du fond que pour ses qualités littéraires. L'art de la composition semble avoir fort peu préoccupé l'auteur ; de plus la correction typographique laisse beaucoup à désirer. Ceci est désagréable et parfois embarrassant pour le lecteur ; l'autre défaut nuit à la belle et forte impression du sujet. Pour dissiper l'ignorance et la défaveur qui enveloppent le pape ermite, — c'est le but du docte auteur, — il n'était guère à propos d'entrecouper à chaque instant le récit par des discussions de détails et d'y insérer de longues citations, puisées d'ailleurs aux meilleures sources. Le seul procédé convenable était d'isoler de ces passages le trait saillant et de résumer le reste dans une langue alerte et colorée. Les discussions elles-mêmes, ramenées à quelques chefs principaux, auraient été mieux à leur place, sous tout rapport, dans un appendice spécial. Ainsi débarrassé d'un bagage indispensable, mais encombrant, le livre ne pouvait manquer d'être excellent. Car on sent par intervalles que l'auteur sait écrire, et son érudition marche de pair avec une critique sagace, ferme et judicieuse. C'est un hommage que lui rendront sans doute tous ceux qui s'occuperont sérieusement de son ouvrage. L'introduction surtout est remarquable (p. 7-55). L'auteur y discute la valeur des sources de la Vie de Pierre de Murrone. Nous nous sommes occupé de ses conclusions dans un travail que nous publions ci-après sur *S. Pierre Célestin et ses premiers biographes* (3). Grâce aux documents nouveaux que nous avons pu consulter, la probité littéraire de L. Marino et de C. Telera nous semblent au-dessus de tout soupçon ; on ne peut leur reprocher qu'une excessive crédulité.

Dans cette carrière extraordinaire de S. Célestin, les points obscurs s'échelonnent en grand nombre. M. Celidonio n'en dissimule aucun ; sur plusieurs même,

---

(1) Baluze, *Vitae paparum Avenionensium*, t. I, p. 78. — (2) * *Vita di S. Pietro del Morrone Celestino papa V, scritta su' documenti coevi.* Sulmona, tipogr. Angeletti, 1896. Quatre fascicules in-8° de 179-135-180-194 pag., avec un portrait. — (3) *Anal. Boll.,* t. XVI (1897), p. 365 et suiv.

ses explorations minutieuses dans le poème du cardinal Stafaneschi et dans la biographie des disciples contemporains du saint ont répandu une abondante lumière. Il a surtout bien fait d'utiliser une bulle inédite de Nicolas IV (1). Elle permet de s'orienter dans le dédale des premières fondations de Pierre de Murrone.

L'attitude franche et résolue que M. Celidonio a prise dans la plupart des questions ne pouvait manquer de lui susciter des contradicteurs. Il a déjà fait cette expérience, surtout à propos de l'authenticité des opuscules attribués à S. Pierre Célestin. Le nouveau biographe la nie carrément; son compatriote, M. l'abbé Carbone, reprend avec vigueur la thèse contraire (2) et se réclame trop bénévolement, entre autres preuves, du jugement que nous avons porté sur ces opuscules, en rendant compte de son travail antérieur (3). Et le digne chanoine de Sulmone, ainsi relancé, de décocher à son adversaire une dissertation, où il bat surtout en brèche l'autorité de Marino et Telera, qui furent les premiers à révéler l'existence de ces opuscules (4). A son tour, M. le professeur V. Moscardi est descendu dans l'arène (5), et M. Celidonio ne s'est pas tenu pour battu (6). Nous ne pouvons nous étendre davantage sur ce fastidieux débat, envenimé par des personnalités regrettables. A quoi bon d'ailleurs s'appesantir sur le fond même de ces petits traités? Je crois avoir prouvé que l'un d'eux est un pur résumé très succinct de quelques chapitres des Collations de Cassien; l'autre, une mosaïque des miracles de la Sᵗᵉ Vierge. Le moindre clerc quelque peu frotté de latin et faisant avec attention sa lecture spirituelle serait capable d'en produire autant. Quant aux autres traités, d'un caractère plus scolastique, qui ne sait qu'au moyen âge il courait partout de ces petites sommes théologiques? La vraie voie à suivre serait de rechercher si ces opuscules ne renferment point des indications chronologiques postérieures à CélestinV, ou si on ne les rencontre pas à une époque antérieure. A cette seconde catégorie semble appartenir le traité sur les péchés qu'on lit dans un ms. du XIIIᵉ siècle de la bibliothèque de Bourges (7) sous la rubrique : *De septem principalibus peccatis et eorum diffinitionibus.* L'âge du ms. et le fait que cet opuscule se présente ici tout seul, sans être accompagné d'aucun autre traité de provenance soi-disant célestinienne, induisent à penser que Pierre de Murrone n'en est pas l'auteur.

On peut de même discuter à perte de vue sur l'indulgence plénière que Célestin V accorda le 29 août 1294 à l'église de Collemaggio, près d'Aquila, dans les Abruzzes.

(1) Le texte intégral en a paru depuis dans la *Rassegna Abruzzese di storia ed arte*, anno I (1897), p. 36-44. — (2) * *L'autenticità degli Opuscula Coelestina.* Caserta, 1896, in-8°, 36 pp. Cf. les judicieuses observations de M. le Dʳ J. Mercati, dans la *Rivista bibliogr.* de Florence, 1896, n. 13. — (3) *Anal. Boll.*, t. XV, p. 103-4. — (4) *Ouvr. cité*, fasc. IV, p. 151-90. Aussi en brochure séparée, de 48 pag. : * *La non-autenticità degli Opuscula Coelestina. Risposta.* — (5) * *Rassegna critica di pubblicazioni storiche celestine uscite nel 1896*, extrait du Bollettino della Società di storia patria negli Abruzzi, Anno IX, Puntata XVII, p. 102-15. Tout le compte rendu de l'ouvrage de M. Celidonio m'a paru bien sévère. — (6) * *Quistioni Celestine*, extrait de la Rassegna Abruzzese, an. 1, p. 51-54. — (7) Le n° 115. *Catal. génér. des mss. des bibl. de France*, Départements, t. IV, p. 29.

La dissertation de M. le professeur V. Moscardi (1) considère le sujet sous toutes ses faces. Encore ne fallait-il pas soulever tant de doutes sur cet exercice, extraordinaire d'ailleurs pour l'époque, du souverain pouvoir spirituel dans l'Église, comme l'a fait observer avec mesure M. le chanoine Celidonio (2). Il est incontestable d'ailleurs que l'indulgence du 29 août fut accordée non seulement de vive voix, mais par écrit : *Quam etiam bullato privilegio confirmavit.* Ainsi s'exprime le premier biographe du saint.

Des douze cardinaux promus dans le consistoire du 18 septembre 1294, le dernier demeure toujours énigmatique. L'opinion traditionnelle est en faveur d'un certain Pierre, religieux célestin, qui mourut au mois d'octobre de la même année. Mais de nos jours, l'érudition abruzzaise est plutôt portée à désigner un personnage plus notable du même Ordre, le **B. François Ronci** d'Atri (3). Cette manière de voir, vigoureusement attaquée par M. Celidonio (4), a recruté un nouveau défenseur dans Mgr P.-M. Baumgarten (5). Le critique s'appuie surtout sur une glose interlinéaire, insérée dans deux copies manuscrites de l'œuvre poétique du cardinal Stefaneschi : *Nam statim post promotionem suam ad cardinalatum mortuus fuit frater Franciscus, qui erat de Ordine papae Caelestini.* Je doute que la citation ait toute la valeur qu'on lui prête. Le plus ancien de ces mss., le Vatic. lat. 4932, et ses apostilles en prose, sont du XVe siècle. J'ai relevé ailleurs quelques anomalies introduites dans cet exemplaire par une main étrangère et montré qu'il faut écarter du débat le codex Ottobon. 954, qui n'est qu'un minutieux décalque de l'autre (6). En face de la variante *Franciscus* du seul Vatic. 4932, l'édition de Papebroch et toutes les autres copies mss. du poème de Stefaneschi offrent *Petrus;* notamment le codex 86 de la bibliothèque Corsini (fonds Rossi), qui est du XIVe siècle : *Nam statim post promotionem suam ad cardinalatum mortuus fuit frater P. qui erat de Ordine pp. Celestini* (7). Au demeurant, le travail de Mgr Baumgarten est émaillé d'excellents détails puisés aux Archives Vaticanes (8).

(1) * *La Perdonanza concessa da S. Celestino Papa V alla chiesa di S. Maria di Collemaggio,* Aquila, 1897, in-8°, 42 pp. — (2) *Vita di S. Pietro del Morrone,* fasc. III, p. 77-82. — (3) *Anal. Boll.,* t. XV. p. 102. — (4) *Ouvr. cité,* fasc. III, p. 90 et suiv. — (5) *Die Cardinalsernennungen Cölestins V. im Sept. und Oct. 1294,* dans le *Festschrift zum elfhundertjaehrigen Jubilaeum des deutschen Campo Santo in Rom,* pp. 165 et suiv. Freiburg i. B., Herder, 1897. — (6) *Anal. Boll.,* t. XVI, p. 383-84. — (7) La sigle p. est développée en *Petrus* dans le ms. H. 46 (XVIe s.) de la Vallicellane. Ce p. est devenu B. dans d'autres copies : telles, Vallicellane I, 36 et Barberine XXXIII, 121. C'est manifestement une erreur de transcription, qui provient du ms. Corsini. Ici en effet la glose interlinéaire déborde dans la marge, de façon que sous le trait inférieur de la panse du p. vient se coller le trait supérieur de la lettre *l* de *Celestini.* Cet enchevêtrement graphique forme à s'y méprendre un B. — (8) Je signale pour mémoire : 1° une conférence de Mgr Baumgarten sur *Il Regesto di Celestino V,* Chieti. 1896, in-8°, 15 pp. (Extrait de l'Abbruzzo cattolico, anno IV). Il faut attendre, pour la juger, l'appareil scientifique promis par l'auteur; 2° une dissertation de M. Vinc. Zecca, *Dante e Celestino V,* studio critico (Chieti, 1896, in-8°, 90 pp.), qui ne renferme rien de neuf.

M. H. Schulz a complété sa dissertation doctorale sur Pierre de Murrone, en publiant, dans la *Zeitschrift für Kirchengeschichte* de Brieger (1), deux articles, ayant surtout pour objet les actes posés par le pape ermite durant son court pontificat et le fait extraordinaire de son abdication. Mais en résumant brièvement, au début, l'exposé des causes qui amenèrent l'élection de Célestin V, l'auteur n'a tenu aucun compte des observations que nous lui avons présentées à ce sujet (2). Il continue aussi à ignorer le texte important de la biographie publiée dans les *Analecta Bollandiana* (3). De même, les documents des registres angevins, conservés aux archives de Naples et mis au jour par Cantera (4), ainsi que l'étude du R. P. Denifle sur la querelle de Boniface VIII et des cardinaux Colonna (5), auraient rendu à M. Schulz de précieux services. Partout ailleurs, le critique a poussé ses investigations avec soin, et le plus souvent avec succès. Il est certain que le pontificat de Célestin V a surtout profité à ses confrères en religion et au roi de Naples. Il résulte encore d'une discussion minutieuse que Célestin lui-même conçut le premier l'idée de déposer la tiare ; le Sacré Collège fut naturellement convié à donner son avis. Dans ce conseil Benoît Gaetani, le futur pape, joua-t-il un rôle prépondérant ? L'ensemble des témoignages est de nature à le faire croire.

M. le c^{te} de Moucheron commence ainsi son avant-propos à la Vie de Ste Élisabeth de Portugal : « L'hagiographie paraît être, de nos jours, l'une des branches les plus délaissées de l'histoire. » De cette déclaration nous devons bien conclure qu'il n'entre pas dans les habitudes de l'auteur de parcourir notre bulletin. Il y aurait en effet certainement vu que les travaux hagiographiques abondent et se présentent sous toutes les formes : publication de textes, dissertations, biographies toutes scientifiques, ouvrages de vulgarisation et d'édification. Ces derniers, on le sait du reste, sont loin d'avoir tous la même valeur ; les uns sont viciés par tout ce que la légende a de plus fabuleux ; d'autres, au contraire, à peu près exempts de cet alliage, présentent sous une forme plus agréable les aridités de l'histoire. C'est dans cette catégorie que nous devons classer l'ouvrage de M. de Moucheron. Car outre qu'il est vraiment bien écrit, il représente de plus des recherches diligentes et considérables. Mais s'il faut louer l'érudition de l'auteur, sa critique n'est pas, à beaucoup près, aussi rigoureuse qu'il serait désirable. Il use de certains livres, de certains documents, en exagérant notablement leur valeur et leur autorité. Ainsi en est-il des leçons du bréviaire, des relations faites en cour de Rome au XVIe siècle, de l'éloquente histoire de Ste Élisabeth par Montalembert.

La confirmation du culte rendu de temps immémorial au **B. Jacques de Cerqueto** (1284-1367), prêtre profès de l'Ordre des Ermites de Saint-Augustin, a

(1) T. XVII (1896-97), p. 363-97 et p. 477-507. — (2) *Anal. Boll.*, t. XIV, p. 223-4. — (3) T. IX, p. 147-200, et t. X, p. 385-92. — (4) *Cenni storici-biografici riguardanti S. Pier Celestino.* Napoli, 1892. — (5) *Archiv für Literatur-und Kirchengeschichte*, t. V, p. 483-529. — (6) **Sainte Élisabeth d'Aragon, reine de Portugal, et son temps.* Paris, Firmin-Didot, 1896, in-8°, xxxx-229 pp., héliogravure, dessins.

inspiré à M. le chanoine ANAST. ROTELLI l'idée d'écrire sa notice biographique (1).
L'auteur s'excuse du maigre fruit de ses recherches, par la raison que ce saint
homme passa dans la plus complète obscurité les quatre-vingt-trois ans de son
existence et que les Archives de son Ordre ont été dispersées aux quatre vents
du ciel.

De tous les monuments que la gratitude des habitants de Feltre a élevés à leur
compatriote, le bienheureux **Bernardin Tomitano**, pour célébrer le quatrième
centenaire de sa mort, le plus durable et le plus éloquent est sans contredit la publication, entreprise par Mgr ANT. VECELLIO, de la correspondance que des hommes
célèbres ont échangée avec cet éminent religieux (2). Cent trente-six lettres ont
ainsi vu le jour, sauvées comme par miracle de la destruction (voir la préface),
et embrassant les huit dernières années de sa vie, qui furent aussi les plus
fécondes. Dans une bonne introduction, le consciencieux éditeur a tâché de donner
une idée de la valeur de ce trésor. S'il y a un reproche à lui faire, c'est d'être resté
en dessous de la vérité, plutôt que de l'avoir outrée. Rien qu'en se servant des
Bollandistes (3) et des annalistes franciscains les plus à la main, il n'aurait pas eu
de peine à montrer combien ces lettres rectifient et enrichissent ce que l'on sait de
cet homme puissant en œuvres et en paroles. Elles aident encore à préciser le
diaire de ses nombreuses stations de prédicateur, à mieux comprendre la création
et le fonctionnement des Monts-de-piété, les embûches de toutes sortes qu'on leur
dressa, — les Juifs eux-mêmes cherchaient à se glisser dans leur administration,—
et le bien immense qu'ils réalisèrent. L'usure rongeait les gens de la campagne ;
parlant de la cessation de ce fléau, les conservateurs du Mont-de-piété de Padoue
écrivaient à Bernardin le 16 octobre 1491 : *Alterum, quod maius est et maioribus
rapinis occurrit, quibus involvebantur et devorabantur rurales seminibus egentes,
qui tertiam partem et aliqui dimidiam totius grani colligendi pro ipso semine
dabant* (p. 46). Si on voulait un jour promouvoir la canonisation du saint, ces lettres,
toutes d'affaires, écrites sans la moindre arrière-pensée, même inconsciente, con-
stitueraient une déposition de la plus haute importance, telle qu'on n'en rencontre
pas toujours dans les procès de canonisation. Seulement il faudrait collationner le
texte imprimé sur les originaux ; car des défaillances grossières accusent à chaque
instant la main inhabile de l'apprenti paléographe qui les copia.

Enfin il faut noter que ce recueil renferme dix-sept lettres du bienheureux
Ange de Chivasso. C'est une bonne aubaine pour la biographie de ce frère
mineur. Malgré la charge de vicaire général qu'il remplit en Italie, les chroniques
de son Ordre sont à peu près muettes à son égard (4).

(1) * *Il B. Giacomo da Cerqueto Agostiniano. Memorie della sua vita e del suo
culto.* Perugia, Santucci, 1895. in-16, 95 p. — (2) * *Lettere di uomini celebri al B. Bernardino Tomitano da Feltre pubblicate nel quarto centenario dalla morte di lui.*
Feltre, Castaldi, 1894. in-12, xxx-132 pp. — (3) *Acta SS.*, Sept. t. VII, p. 874 et suiv. —
(4) Citons encore pour mémoire l'opuscule * *Il Quarto Centenario Bernardiniano
nella cattedrale di Feltre.* Feltre, Castaldi, 1895, in-12, xxxii-59 pp. C'est le récit

Le bienheureux Marc, originaire de Montegallo, dans la Marche d'Ancône (1425-96), appartient à cette vaillante génération franciscaine du XV° siècle, qui étonna le monde par le spectacle des plus héroïques vertus et des plus généreux dévouements. Avant son entrée en religion, Marc exerça l'art de la médecine; depuis, tout en prêchant le royaume des cieux, il ne se désintéressa pas des misères de la terre. Sa pitié pour les souffrances de ses semblables est le trait distinctif de ce grand homme de bien. Une place à part doit lui être réservée parmi ces hardis frères mineurs qui prirent l'initiative de créer pour le peuple des Monts-de-piété, autrement dits encore, à cette époque, *Monti di Cristo* ou *Depositi apostolici*. Lui-même, dans son opuscule *La Tabula della salute*, nous a transmis de précieux renseignements sur cette institution salutaire. Le premier établissement de ce genre fut créé à Pérouse, en 1462, par le bienheureux frère franciscain Michel de Milan. Depuis lors, cette nouveauté, malgré la guerre acharnée que lui firent même des théologiens, se répandit avec rapidité dans toute l'Italie. Marc s'y employa avec ardeur; et des documents indiscutables ont conservé le souvenir des trois principaux Monts-de-piété qu'il érigea à Fabriano (1470), à Piceno (1471) et à Vicence (1486). Il ne prodigua pas moins de charité durant les différentes pestes qui sévirent au cours de sa carrière apostolique. Son influence comme directeur spirituel fut aussi considérable; ce fut à lui que s'adressa la bienheureuse Baptiste Varani, et elle lui dédia son autobiographie, qui renferme des détails intéressants sur le bienheureux.

Cette existence si méritoire a été racontée avec talent et érudition par le R. P. Candide Mariotti, O. M. (1). Certaines digressions, certains développements parénétiques, trahissent à quelle catégorie de lecteurs le livre est destiné. Mais ces longueurs ne dénotent ni stérilité d'informations, ni manque d'exactitude, et n'empêchent pas de reconnaître que cette biographie est un utile complément aux notices recueillies par nos prédécesseurs (2).

Nous venons de mentionner le nom et un des ouvrages de la bienheureuse Baptiste Varani (1458-1526), abbesse des Clarisses de Camerino, sa patrie (3). Douée d'une remarquable culture intellectuelle, elle-même a fait connaître les particularités les plus saillantes de sa vie, non seulement dans son autobiographie, mais encore dans des lettres et des traités spirituels. Toute cette production littéraire est pénétrée d'un parfum très subtil d'ascétisme. Ses écrits jouissaient de la faveur de S. Philippe de Néri et du B. Juvénal Ancina. Le grand nombre de copies mss. qui en restent encore et les fragments qui en furent publiés du vivant même de l'auteur, attestent avec quelle avidité les âmes religieuses y cherchaient du réconfort. Ces documents, d'un haut intérêt pour l'histoire de la mystique à la veille de

des fêtes religieuses qui se célébrèrent à Feltre, du 28 au 30 septembre 1894, outre un panégyrique du R. P. G. Zocchi, S. I. — (1) * *Il B. Marco da Montegallo Francescano Min. Oss. in occasione del IV centenario della sua morte*. Quaracchi, 1896, in-12, viii-187 pp. — (2) *Acta. SS.*, t. III de Mars, p. 71-74. — (3) Voir *ibid.*, t. VII de Mai, p. 467-505.

la Réforme, forment aussi le dossier le plus sincère de la Vie de la bienheureuse. Une édition complète de ses œuvres, soigneusement revue sur les originaux et les meilleurs textes déjà imprimés, est donc la bienvenue, et le distingué bibliothécaire de l'université de Camerino, M. le chanoine M. Santoni, en assumant cette tâche (1) a droit à nos éloges. Dans sa préface, écrite avec ordre et clarté, l'érudit professeur épuise les questions de bibliographie, et touche, d'une main peut-être trop légère, à divers points d'authenticité et de remaniements. Je ne sais, par exemple, si devant les doutes soulevés par de graves écrivains, il suffit de quelques phrases, de quelques concepts familiers à la bienheureuse et qu'on retrouve dans ses Considérations sur la Passion de J.-C., pour prouver que ce traité lui appartient en propre. A signaler dans le corps de l'édition, de peur que la chose ne passe inaperçue, deux récits sur les derniers jours du bienheureux franciscain Pierre de Mogliano, religieux très peu connu d'ailleurs, l'un (p. 61-95) fait par Baptiste Varani elle-même, l'autre (p. 95-101) par le frère François de Monteprandone, neveu du bienheureux Jacques de la Marche, qui assista Pierre à la mort (2).

Il n'y a guère d'œuvre à laquelle S. Ignace de Loyola se soit appliqué durant les dernières années de sa vie avec plus de sollicitude et de ténacité qu'à l'érection et à l'organisation du Collège Germanique de Rome ; il y voyait un des moyens les plus efficaces de rétablir la foi catholique en Allemagne. C'est ce dont témoigne la collection des pièces publiées par le R. P. Fr. Schröder, S. I. (3); au moins une douzaine des plus intéressantes voient le jour pour la première fois. Il faut savoir gré au savant éditeur d'avoir ainsi conçu et exécuté un recueil de documents qui retracent en détail l'histoire de ce célèbre institut jusqu'à la mort de S. Ignace. Sans doute, les grandes lignes de l'action simple et vigoureuse du saint ont été indiquées dans la belle monographie de Son Émin. le cardinal A. Steinhuber (4); mais l'historien du Collège Germanique à travers ses trois siècles d'existence, a dû se borner le plus souvent à noter les résultats. Le livre du P. Schröder, au contraire, nous fait assister à la construction progressive et détaillée de cet organisme fort délicat. Il y avait tant de susceptibilités à ménager, tant de bonnes volontés, un peu lentes, à stimuler, tant d'intérêts divers à concilier. Le génie et la prudence d'Ignace vinrent à bout de toutes les difficultés. Il statua notamment que les membres de la Compagnie de Jésus, chargés du soin spirituel du Collège, ne s'occuperaient pas du temporel et vivraient à leurs propres dépens,

---

(1) * *Le Opere spirituali della B. Battista Varani dei Signori di Camerino, fondatrice del monastero di Camerino in patria*, ora la prima volta insieme riunite e corrette sopra gli antichi codici a penna e a stampa. Camerino, Savini, 1894, in-8°, xvi-367 pp. — (2) M. Santoni vient aussi de publier, avec une fine préface et des variantes critiques, le texte plus complet d'un * *Canto in ottava rima della B. Battista da Varano de' Signori di Camerino* (Camerino, 1897, in-8°, 25 pp.), composé par la bienheureuse avant son entrée en religion. — (3) * *Monumenta quae spectant primordia Collegii Germanici et Hungarici*, cum effigie S. Ignatii et duabus tabulis. Roma, 1896, in-8°, xxii-311 pp. — (4) *Geschichte des Collegium Germanicum Hungaricum in Rom*. Freiburg i. Br., Herder, 1895, deux tomes.

sans grever le budget de l'établissement; d'autre part, que le gouvernement en
serait toujours confié à des Allemands, plus à même que les jésuites des autres
nations de comprendre le caractère et les besoins des élèves (p. 22). Ces garanties
de désintéressement et de direction intelligente désarmèrent les défiances les plus
ombrageuses. De là, pourtant, à une existence stable du nouvel institut, il y avait
encore du chemin à faire. A la mort de S. Ignace (31 juillet 1556), la situation
financière du Collège germanique n'était pas prospère, par suite de la défection
des bienfaiteurs et du peu de sympathie que lui témoignait Paul IV. L'annotation
de ces *Monumenta* est de l'érudition de bon aloi, qui dit tout ce qu'il faut, ni plus
ni moins, et qui le dit fort clairement.

Après plusieurs années d'infatigables recherches dans plus de 260 bibliothèques
et dépôts d'archives, le R. P. O. BRAUNSBERGER, S. I., vient de commencer la publication intégrale des Lettres du B. **Pierre Canisius**, S. I. (1521-97) et d'une foule
d'autres documents relatifs à la vie et aux œuvres du célèbre jésuite. L'ouvrage
entier sera probablement terminé en huit volumes. Le premier, qui vient de
paraître (1), se rapporte aux années d'études de Canisius et aux débuts de sa
carrière publique (1541-1556). Ce que le bienheureux accomplit alors, suffirait
pour illustrer une vie ordinaire. A juger des soins que le savant éditeur a mis à
réunir les matériaux, de l'élasticité de son plan et de la façon remarquable dont il
l'a exécuté dans ce premier volume, amis et adversaires du grand apôtre de l'Allemagne pourront se réjouir de posséder bientôt un splendide monument d'histoire
ecclésiastique, civile et littéraire. Après une longue introduction et les fragments que
l'éditeur a retrouvés de l'autobiographie de Canisius (pag. 1-68) — c'est moins un
précis historique qu'un journal spirituel, – les documents sont répartis en deux catégories distinctes. A la première appartient la série chronologique des lettres de Canisius et de ses correspondants. La seconde catégorie comprend ce que le P. Braunsberger appelle *Monumenta Canisiana*. Les sous-titres, *Mon. moguntina, coloniensia,
tridentina, bononiensia, ingolstadiensia, viennensia, pragensia*, représentent, sauf
le premier, de 1541 à 1555, les centres de l'activité de Canisius. Cette distribution
géographique est un principe d'ordre lumineux, d'autant plus nécessaire que l'éditeur a groupé dans cette partie une foule d'extraits, plus ou moins longs, concernant le bienheureux, et empruntés à des sources manuscrites ou imprimées de la
même époque. Ces témoignages accidentels de tierces personnes, écrits en dehors
de tout souci de plaire ou de froisser, sont et surtout deviendront dans les volumes
suivants une mine de renseignements plus précieuse que les lettres elles-mêmes,
pour juger du personnage principal et de ses œuvres.

A l'aide des données fournies par ces matériaux, le P. B. a dressé dans l'introduction un très utile tableau chronologique des 35 premières années de Canisius. Bien
des faits, bien des dates même approximatives ont été malaisés à déterminer; car

(1) * *Beati Petri Canisii Soc. Iesu epistulae et acta*. Tomus I, 1541-1556, cum
effigie beati Petri Canisii. Friburgi Brisgoviae, Herder, 1896, gr. in-8°, LXIII-816 pp.

ils ne ressortent pas de documents datés du même jour ou du même mois. Dès lors une brève référence, permettant le contrôle, n'eût pas été déplacée au bas des pages. Je ne m'explique pas ici la réserve du savant éditeur, tandis que partout ailleurs son annotation est exubérante, très riche en bibliographie. On serait même tenté de la taxer parfois d'excessive, pour un ouvrage scientifique. Quoi qu'il en soit, cet appareil d'érudition, encadrant souvent l'inédit, corrige mainte inexactitude, mainte bévue accréditée ailleurs, et ajoute beaucoup à notre connaissance des hommes et des choses de cette époque.

Tous les documents sont publiés dans leur langue originale ; s'ils ont été écrits en allemand ou en italien, l'éditeur y a joint une traduction latine. N'est-ce pas là un luxe superflu ? Évidemment, le P. B. a pris ce surcroît de besogne pour que son livre pût servir de lecture édifiante à la partie du grand public qui comprend suffisamment le latin. Illusion, nous paraît-il ; car c'est trop présumer de ce genre de lecteurs. Rien que l'aspect du volume les terrifiera. Du reste, ceux d'entre-eux qui y chercheront un aliment à leur piété, auront bien assez de savourer les lettres écrites dans la langue qu'ils comprennent. Mieux eût valu, nous paraît-il, conserver à l'ouvrage un caractère exclusivement scientifique.

Le volume se clôt par d'excellentes tables qui ne laissent rien perdre du trésor d'érudition, disséminé dans les notes. Du coup, le R. P. B. a pris la tête parmi les éditeurs critiques des documents du XVI° siècle ; et son premier volume est un modèle plus admirable, je crains, qu'imitable (1).

La Vie de S. Camille de Lellis, par le P. Athanase Zimmermann, S. I., doit être rangée parmi les livres de sérieuse vulgarisation. Avec un souci constant de la vérité historique, l'auteur nous y fait connaître le saint et apprécier les œuvres de bienfaisance qu'il a fondées ou sagement réformées..

(1) Cf. le compte rendu de B. Duhr, S. I., dans *Stimmen aus Maria-Laach*, t. LI (1896), p. 545-8. L'article de H. Chérot, S. I., *Le bienheureux Pierre Canisius d'après sa correspondance*, dans la Rev. des quest. hist., t. LXI (1897), p. 530-35, donne une bonne idée du contenu de ce volume. — (2) * *Der heilige Camillus de Lellis, der Patron der Kranken*, Freiburg im Br., Herder, 1897, in-12, viii-180 p.

S. PIERRE CÉLESTIN

ET SES PREMIERS BIOGRAPHES

En tête de sa récente biographie de S. Pierre Célestin V, M. le chanoine J. Celidonio a consacré un chapitre intéressant à la critique des premières sources de la Vie du pape ermite (1). Il étudie notamment ce qu'on est convenu d'appeler l'autobiographie du saint (2), et l'ouvrage de ses disciples, publié dans les Analecta Bollandiana (3) d'après deux manuscrits de la Bibliothèque nationale de Paris. Ces mêmes textes se rencontrent dans un codex des Archives Vaticanes; l'examen que nous en avons fait nous permet de compléter et de rectifier le consciencieux travail du docte chanoine.

I. Autobiographie.

Le ms. des Archives Vaticanes, coté Armadio XII, cassetta I, n. 1, est un in-4° de 57 feuillets en papier, écrit à pleines lignes et d'une seule main au XIV° siècle, comme l'atteste d'ailleurs une note écrite au XVI° siècle: Martius Mansuetus scribebat Ananiae anno Domini 1373 *(au bas du dernier feuillet). On constate des mutilations au commencement et à la fin; de plus, les premiers feuillets sont assez détériorés. Ils renferment des débris d'un office et d'une messe en l'honneur de S. Célestin (f. 1-5*), et l'*Officium nove sollempnitatis corporis D. N. J. C., celebrandum singulis annis *(f. 6-19*), conforme à la liturgie actuelle. Le reste est dans un état de bonne conservation. On y lit successivement :*

1° Vita sanctissimi patris fratris de Murrone seu Celestini papae quinti. In primis tractatus de vita sua, quam ipse propria manu scripsit et in cella sua reliquid *(fol. 20-26*) ;*

2° De continua conversatione eius, quam quidam suus scripsit devotus *(fol. 26*-30*) ;*

(1) *Vita di S. Pietro del Morrone Celestino papa V, scritta su'documenti coevi.* Libro primo, p. 16-54. Sulmona, 1896. — (2) *Act. SS.,* t. IV de Mai, p. 422-26. — (3) T. IX (1890), p. 147-200; cf. t. X, p. 385-92.

3° Tractatus de vita et operibus atque obitu ipsius sancti viri, quam quidam de suis discipulis seriatim scripsit a tempore quo ipse sanctus vixit et ipse frater sub eius discipulatu permansit *(fol. 30ʳ-57ʳ)*.

De ces trois traités, se suivant dans le même ordre et avec les mêmes rubriques, il existe une copie, faite à la fin du siècle dernier, dans le ms. 8884 de la Bibliothèque Vaticane, qui est un recueil de pièces pour une Vie de S. Pierre Célestin. La preuve matérielle que l'un a été transcrit sur l'autre, nous est fournie par cette observation du scribe le plus récent : " Ex codice Archivii Arcis S. Angeli „ (1), *placée au fol. 26, en regard du vieux texte des disciples. Ensuite, fol. 21, il constate :* Hic folium deest in codice. *Or, précisément à l'endroit correspondant, un feuillet a été arraché dans le ms. des Archives Vaticanes; il devrait faire suite au feuillet 35.*

Dans les deux manuscrits de Paris, l'un du XIVᵉ siècle, l'autre du XVᵉ, qui ont servi à notre édition de la plus ancienne biographie en prose de S. Célestin, les trois mêmes opuscules forment aussi série (2). Seulement, il leur manque la troisième rubrique, fort significative, que nous avons transcrite plus haut et où l'auteur est clairement indiqué comme un religieux célestin, ayant vécu sous la conduite du nouveau chef d'ordre. Ce titre a d'autant plus de valeur que le prologue des miracles a été à son tour laissé de côté dans le manuscrit des Archives Vaticanes. Or ce prologue fournit une des prémisses de la conclusion que nous avons jadis tirée sur la qualité de l'écrivain (3).

Ainsi, l'ouvrage des premiers disciples fait corps dans les plus anciens manuscrits avec l'autobiographie latine du saint. Qu'on ne vienne donc pas la discréditer, en répétant, après Ciacconius, que Telera le premier (4) l'aurait traduite de l'italien. Bien avant lui, Pierre d'Ailly (5) et Maffée Vegio de Lodi (6), qui ont écrit chacun une Vie de S. Célestin, l'un vers 1408, l'autre en 1445, ont résumé ce petit ouvrage de l'anachorète dans une latinité qui rappelle à chaque pas celle des manuscrits antérieurs. Il n'y a aucune trace d'une recension italienne.

Le texte latin, au contraire, apparaît de bonne heure. Déjà, comme le remarque fort justement M. Celidonio (7), les deux premiers biographes,

---

(1) On sait que tous les ms. des Archives Vaticanes classés sous la cote générale *Armadio* proviennent des archives du Château Saint-Ange. — (2) *Catal. cod. hagiogr. lat. Bibl. nat. Paris*, t. II, p. 460, et t. III, p. 429. — (3) *Anal. Boll.*, t. IX, p. 147.— (4) Telera publia à Naples, en 1640, l'autobiographie et quelques opuscules attribués à Célestin. — (5) Cf. *Act. SS.*, t. cit., p. 485-9. — (6) Cette Vie n'a pas été publiée que je sache. On la rencontre dans le cod. 3492 de la Bibliothèque Vaticane et dans le ms. 1253 du fonds Ottobonien. Nos prédécesseurs, qui en possédaient un exemplaire, en ont donné de longs extraits en note à Pierre d'Ailly et à Marini. — (7) *Ouvr. cit.*, liv. I, p. 33.

disciples et contemporains de Pierre, y renvoient à plusieurs reprises.
« Iste vir Domini Petrus, *disent-ils au début de leur récit,* ab infantia
sua omnipotentem Deum pure ac devote colere coepit, et in observatione mandatorum illius avide anhelavit, sicut patet in iis quae
idem pater manu sua scripsit (1). *Et plus loin :* Et licet vir iste
sanctus in corde suo proprio proposuisset a principio suae religionis
semper solus manere et congregationem fratrum non facere, tamen
aliter cogitat Deus, aliter homo (2). *C'est bien la même pensée qui est
exprimée dans l'autobiographie :* Iste quantum poterat renuebat eos
[venientes ad se] accipere, dicens se simplicem esse, et desiderium
suum fuisse, ut semper solus maneret ; sed quandoque victus caritate
assensum dabat (3). *Dans le même écrit il est parlé assez longuement
des miracles que Dieu opéra par l'intervention du petit Pierre et de sa
mère (4). C'est ce que le second biographe a soin de rappeler en ces
termes :* Iste vero a sua infantia Deo devotissime coepit servire et ita
acceptum gratissimumque fuit Deo suum servitium, quod etiam cum
sua genetrice adhuc puerulus commorando quam plurima miracula
per eum Deus ostendit (5).

*Il y a plus. Le cardinal Cajétan Stefaneschi, dans son poème histo-
rique sur S. Pierre Célestin, a décrit, à la fin du livre II de la première
partie, l'enfance du saint et les débuts de sa vie anachorétique (6). Cette
première partie s'étend jusqu'à l'abdication de Célestin V. L'auteur
déclare au cours de sa préface (7) qu'il la composa vers le temps de son
élévation au cardinalat, février 1296. L'ouvrage complet fut remis à
l'abbé du monastère du Saint-Esprit de Sulmone en 1319. Entre l'autobiographie et le récit correspondant chez Stefaneschi, on ne peut mécon-
naître une ressemblance frappante ; l'un des deux auteurs a certainement
copié l'autre. En les comparant et en y regardant d'un peu près, on
s'aperçoit bien vite que l'emprunteur est le cardinal, et que sa narration
est un fidèle résumé de l'autobiographie (8), si ce n'est qu'il a omis un
certain nombre de prodiges.*

*Ces prodiges, ou mieux cette suite de visions, forment la seconde partie
de l'autobiographie (9), et méritent de fixer un instant notre attention. Pierre a déjà réuni un noyau de prosélytes. Une colombe miraculeuse leur tient fidèle compagnie à l'autel et à table. Ils ont des luttes
fréquentes et parfois meurtrières à soutenir contre les démons. Des
sonneries mystérieuses leur inculquent l'exactitude aux exercices com-*

---

(1) Plus loin, p. 399, n. 9. — (2) *Ibid.,* p. 400. — (3) *Act. SS.,* t. cit., p. 424,
n. 11. — (4) *Ibid.,* p. 422, n. 4. — (5) Plus loin, p. 416, n. 27. — (6) *Act. SS.,*
t. cit., p. 453-54. — (7) *Ibid.,* p. 438, n. 7. — (8) Ce qui n'empêche pas qu'il ait pu
dire de l'ensemble de son ouvrage que *impactam compegit metrisque refudit historiam.* (Préface, dans *Act. SS.,* t. cit., p. 438, n. 5.) — (9) *Act. SS.,* t. cit., p. 424-25,
n. 11-16.

muns. Des voix mélodieuses d'esprits célestes leur inspirent l'amour de l'office divin et de la stricte abstinence; elles chantent la dédicace du monastère et de l'église du Saint-Esprit de Majella, confirmée par le miracle d'une lampe qui se promène dans le sanctuaire d'ici de là, sans que l'huile en déborde. Enfin, Pierre a la consolation d'assister à la messe, célébrée par des hommes extraordinaires, vêtus de blanc. Parce que ces merveilles d'un caractère assez choquant n'ont point passé dans le poème de Stefaneschi, M. Celidonio conclut qu'elles n'appartiennent pas à la rédaction primitive de l'autobiographie (1). Mais dans la première partie de celle-ci, il en est d'autres non moins étranges, et que le cardinal s'est appropriées. Pas toutes cependant. Faut-il voir aussi dans cette nouvelle omission l'indice d'une interpolation postérieure? Mais Stefaneschi déclare lui-même, à cet endroit de son poème (2), qu'il n'entre pas dans son plan de rapporter les nombreux miracles opérés par Pierre de Murrone au cours de sa carrière érémitique de cinquante ans, attestés par l'opinion populaire et auxquels le cardinal lui-même ajoutait foi. On conçoit dès lors qu'il ait été encore plus sobre pour les débuts de l'anachorète; et partant le silence du poète en cette matière ne prouve absolument rien.

Concluons. La partie même la plus ancienne du poème de Stefaneschi est postérieure à l'autobiographie. Celle-ci est la source lointaine des prodiges que le cardinal a insérés dans son récit pour cette première étape de la vie de Célestin; sa rédaction l'atteste. Mais l'arbitraire qui a présidé à son choix laisse intacte la question : l'autobiographie est-elle bien l'œuvre du saint anachorète? Néanmoins, indépendamment du témoignage de Stefaneschi, on peut, je crois, aboutir à une solution. En effet, le merveilleux dont ce texte est imprégné, est de nature à provoquer de bien légitimes défiances. S'imagine-t-on Pierre, pour simple qu'on le suppose, racontant lui-même qu'il naquit revêtu d'un habit religieux (3); que durant son enfance il vit les images peintes de la Ste Vierge Marie et de S. Jean, qu'il ne connaissait pas, quitter la place qu'elles occupaient aux côtés d'un crucifix et venir chanter près de lui dans son livre; que des anges l'avaient un jour menacé de leurs verges, parce qu'il avait prononcé inconsciemment des paroles malsonnantes; qu'il fut comblé alors déjà de visions et qu'il se reconnut, dans un songe de sa mère, comme le futur pasteur d'un troupeau d'élite; sans compter les apparitions diaboliques, et celle de son père à sa marraine? Sur la plupart de ces prodiges, sa mère lui recommandait le plus profond

---

(1) *Ouvr. cit.*, liv. I, p. 42. — (2) *Act. SS.*, p. 454, vers 546-52. — (3) Les biographes postérieurs, tel que Telera, se sont avisés d'atténuer cette assertion par une explication telle quelle : *Pellicula parvulum involvens sic fuerit nigro et albo variegata, ut referret colores eius habitus, quo donandus erat ordo ab eo nasciturus.* En note dans *Act. SS.*, t. cit., p. 489.

silence. Bonne précaution, défiant tout contrôle. Ainsi on s'explique que, parmi les nombreux témoins qui déposèrent au procès de canonisation de Célestin V (1), *aucun n'ait fait allusion à ces prodiges, pas même par une de ces formules, si fréquentes dans ce genre de littérature juridique :* " *J'ai ouï dire.* „ *Pourtant, il y avait là des compagnons de la première heure, et des laïcs qui avaient connu Pierre dans la première phase de sa vie solitaire.*

L'autre série d'apparitions et de visions, que nous venons d'esquisser, est marquée d'une empreinte encore plus tendancielle. Leur but évident est d'inculquer, sous une forme surnaturelle, aux recrues de l'Institut naissant quelques points capitaux de l'observance religieuse et de les remplir d'une profonde vénération pour le berceau de l'Ordre, Saint-Esprit de Maiella. On ne relève aucune trace de ces merveilles au procès de canonisation. Les témoins les mieux qualifiés sont muets à cet égard. Tel, Barthélemy de Trasacco, religieux célestin, qui put à l'aise considérer son abbé " dum moraretur cum eo in loco Sancti Spiritus de Magella in principio suae conversationis (2). „ *C'est d'autant plus surprenant que le narrateur de ces prodiges nous assure en terminant :* Omnia vero quae dicta sunt, continuo audierunt per spatium trium annorum, dum videlicet esset oratorium parvum; *mais il ajoute aussitôt :* postea vero raro et paucis hominibus acciderunt (3).

En somme, l'emploi du merveilleux dans cet opuscule est de la mise en scène assez grossière, mais capable de séduire des âmes simples et douées d'une imagination prompte à s'enflammer. Je me refuse à croire que Pierre ait trempé dans cette pieuse supercherie. Sans doute, au cours de ses conférences à ses moines, il leur aura révélé, pour les soutenir et les encourager, quelques détails, quelques-unes des tentations de sa vie antérieure. Sur ce canevas édifiant, un des premiers disciples, plus zélé que scrupuleux, aura brodé des arabesques fantaisistes et mis le tout en circulation, sous le nom du fondateur (4), *pour le plus grand profit de ses confrères.*

Du reste, il ne semble pas que Pierre de Murrone fût capable d'écrire en latin cette soi-disant autobiographie. Sans être un chef-d'œuvre de style,

---

(1) On peut lire un bon aperçu et des extraits de ce procès chez Giov. Pansa, *Celestino V ed i solitari del Monte Maiella*, p. 41-51. M. Celidonio l'a mis aussi largement à profit. Marino, le biographe le plus complet, a eu le procès entre les mains; il a pu en combler les lacunes, moins considérables alors, par un excellent sommaire qui existait de son temps au monastère de Collemaggio. Malgré un examen attentif de ces documents, il n'en a rien su tirer pour confirmer la partie merveilleuse de l'autobiographie. — (2) G. Pansa, *l. cit.*, p. 51. — (3) *Act. SS.*, l. cit., p. 426, n. 16. — (4) Les plus anciennes copies de ce traité portent cette attribution en vedette.

la forme en est cependant très supportable pour l'époque. Or Stefaneschi, fort au courant de ce qui se passait à la cour pontificale, fait observer que, le pape ermite ne sachant guère le latin, le sacré collège se voyait contraint de parler italien dans les consistoires (1). *Il nous est parvenu des fragments de conversation latine, comme il s'en tenait dans ces sortes de réunions. Il eût été bien plus à la portée du saint d'y prendre part, que de rédiger dans cette langue le texte qu'on lui prête.*

II. Biographies contemporaines du saint.

A. Biographies écrites par ses disciples

a) Conservation du texte

En publiant en 1890, d'après un manuscrit de la bibliothèque nationale de Paris, le Vita et miracula S. Petri Caelestini (2), *il nous fut aisé d'établir que l'auteur était un moine célestin, contemporain du saint. Dès l'année suivante, nous trouvions dans le même dépôt un second manuscrit du même texte. L'importance du document nous amena à en comparer les deux copies* (3), *que nous appellerons respectivement A et B, pour plus de commodité. Leurs divergences affectent moins le corps de la biographie que la section des miracles. B fait l'histoire de l'abbaye de Sainte-Marie de Fayfoles, que Célestin résigna au bout de quelques années. Il n'est pas question dans A des vicissitudes de ce monastère. Aucune autre différence remarquable n'est à signaler pour le texte de la Vie. Celui des miracles n'est pas aussi ressemblant de part et d'autre. D'abord, ils ne se succèdent pas dans le même ordre; ensuite B omet des faits rapportés par A, et réciproquement* (4); *enfin, A a sacrifié un certain nombre de noms propres, que B nous a conservés. En somme, les deux recensions se complètent, et l'on ne saurait à laquelle donner la préférence.*

Mais l'une et l'autre perdent beaucoup de leur valeur, quand on fait entrer en ligne de compte le manuscrit des Archives Vaticanes, Arm. XII, cass. I, n. 1, que j'ai décrit au début et que j'appelle désormais C. Pour n'être pas resté tout à fait inaperçu, on peut dire cependant qu'il a été fort peu utilisé jusqu'ici. On n'en a guère extrait que deux ou trois petits

---

(1) *Act. SS.*, t. cit., p. 457, vers 199-207. — (2) *Anal. Boll.*, t. IX, p. 146 sqq. — (3) *Ibid.*, t. X, p. 385-6. — (4) C'est par distraction que nous avons jadis indiqué pour B l'omission des nn. 58, 73, 115 et 116 de A. Le n. 53 est le miracle raconté dans la fondation de Sainte-Marie de Fayfoles (*Anal. Boll.*, t. X, p. 388, n. 15c); les autres sont une rédaction abrégée des nn. 7, 2 et 3 (*ibid.*, p. 391 et p. 389-90).

*passages, très caractéristiques d'ailleurs, à propos de Boniface VIII (1).
Les voici. Quand l'idée vint à l'esprit de Célestin de quitter le souverain
pontificat,* ad hos suos cogitatus convocavit unum sagacissimum
atque pro batissimum cardinalem tunc temporis, dominum Benedictum; qui, ut hoc audivit, gavisus est nimium et respondit ei dicens
quod posset libere; etiam dedit eidem exemplum aliquorum pontificum, qualiter olim renuntiaverant. *Toutefois le pape recula encore de
huit jours l'exécution de son dessein.* Sed infra octo dies convocavit ad se
istum, quem praediximus, cardinalem dominum B., et fecit se doceri et
scribi totam renuntiationem, qualiter et quomodo facere deberet. *La
cérémonie de l'abdication fut émouvante; après avoir lu sa renonciation,
Célestin se dépouilla devant le sacré collège de ses insignes pontificaux.*
Quod cardinales videntes, quod numquam ante viderant, coeperunt
omnes plorare, licet quam plures illorum essent magis gaudentes
quam dolentes. *De tous ces traits mordants et d'autres réflexions
malveillantes à l'adresse de Boniface VIII, on chercherait en vain
trace dans les deux exemplaires de Paris. Telle est encore l'esquisse
des impressions des cardinaux, quand ils eurent vent de la prochaine
abdication de Célestin. Celui-ci* occulte cum illo, quem diximus, cardinale tantum hoc ordinabat; et hoc iam perventum erat ad aures
quam plurium cardinalium, qui omnes unanimiter adsensum dabant,
credentes se ad meliorem statum devenire. Sed non sicut illi cogitabant, evenit illis, quia, disponente Domino, pro columba simplici
serpentem prudentissimum acceperunt (2). *Plus tard quand Pierre
se fut soustrait par la fuite aux perquisitions de son successeur, voici
comment le biographe dépeint l'épouvante du vieillard :* Illa hora sanctus
pater manebat in latibulo cum tremore nimio, sicut antiqui sancti,
quando eos tyranni persequebantur (3). *Il finit par tomber aux mains
du nouvel élu et les cardinaux eurent à délibérer sur son sort. Quelques-
uns penchaient pour sa réclusion perpétuelle.* Alii dicebant quod, si ad
cellam frater Petrus rediret, ipse papa esse non poterat. Quod ille
audiens atterritus est et extunc deliberavit numquam illum ad cellam
redire permittere (4). *Le dénûment du saint captif durant sa dernière
maladie arrache à son biographe ce cri d'indignation :* Ipse enim infir-

(1) En appendice à son travail sur *Peter von Murrhone als Papst Cölestin V.*,
dans la revue de Brieger ZEITSCHR. FÜR KIRCHENGESCHICHTE, t. XVII, p. 504-6,
M. Schulz a groupé ces découpures, avec les variantes qu'elles présentent chez
Rubeus, Wiseman, Tosti et Balan. C'est bien dommage que l'érudit allemand n'ait
pas consulté lui-même les manuscrits. Il se serait aperçu que Rubeus a puisé
ailleurs, à savoir dans le codex Vatic. lat. 8883, qui est déjà une refonte du texte
original. Chez les autres écrivains, la cote du manuscrit des Archiv. Vatic. est
fautive. On doit lire Arm. XII, au lieu de Arm. VII. — (2) Plus loin, p. 420-22, n. 34. —
(3) Cf. *ibid.*, p. 425, n. 39. — (4) *Ibid.*, p. 429, n. 44.

mus in tabula sic iacebat; ille vero, cui papatum reliquerat, quasi deus in aureis et purpureis lectis dormiebat (1). *L'auteur anonyme raille même, avec une naïveté malicieuse, ses confrères, vexés de ce que le ciel eût ratifié par un miracle l'acte de profonde abnégation de leur père. Un pauvre boiteux venait de recouvrer l'usage libre de la marche, sur l'ordre exprès du pieux anachorète.* Quem fratres statim de camera expulerunt, prohibentes illi ne diceret alicui, sed Deo gratias referret. Hoc ideo faciebant, quia nimium timidi et tristes erant de iis quae acciderant (2).

Dans toutes ces citations on pourrait voir, à la rigueur, des interpolations postérieures. A la rigueur, dis-je; car le phénomène inverse présente bien plus de vraisemblance. En effet, il est naturel que le biographe, zélé partisan de Célestin, ait parfois épanché son animosité contre Boniface. Plus tard, les passions une fois calmées, on aura trouvé ces sorties trop vives hors de saison et jugé bon de les supprimer. Mais bien d'autres indices montrent à l'évidence que le manuscrit C est le représentant le plus fidèle du texte primitif. Entre C d'une part, et le groupe A, B de l'autre, il y a une foule de variantes qui ont pour objet la correction du style. La phrase dans C est bien plus lourde, plus fruste, plus encherêtrée de mots et d'incises inutiles; souvent le récit se traîne et revient sur lui-même. Dans A et B, on a porté remède à ces défauts, en retranchant les redondances et les répétitions oiseuses, en condensant les détails, parfois même en remaniant des passages entiers. Les deux manuscrits A et B ont jadis appartenu aux Célestins d'Avignon et de Paris. Les copistes de ces monastères ont-ils pensé qu'il y aurait médiocre intérêt à conserver le nom des acteurs italiens qui furent mêlés aux incidents divers de la vie et de la gloire posthume de leur fondateur ? Le fait est qu'on constate chez eux une pénurie de noms propres qui contraste singulièrement avec le texte C. Celui-ci seul nous a conservé, par exemple, le nom de l'abbé bénédictin qui se mit à la poursuite du fugitif à travers les forêts de l'Apulie (3), et celui des deux religieux, qui accompagnèrent le nouveau fondateur d'Ordre à Lyon (4). Au retour de ce périlleux voyage, Pierre de Murrone ne dut son salut qu'à une intervention extraordinaire du ciel. A deux reprises au moins des serpents délivrent les pieux pèlerins d'une attaque de voleurs. Ce prodige est raconté au long et au large dans C (5), tandis que A et B en ont singulièrement décoloré et raccourci la description; notamment voleurs et serpents n'y font qu'une seule apparition. La preuve qu'ici la version de C est originale, c'est qu'elle a servi de source au cardinal Stefaneschi (6), qui insère pourtant si peu de miracles dans la

(1) Plus loin, p. 431, n. 46. — (2) *Ibid.*, p. 422, n. 35. — (3) *Ibid.*, p. 426, n. 40. — 4) *Ibid.*, p. 401, n. 11. — (5) *Ibid.*, p. 402-3, n. 13. — (6) *Act. SS.*, t. c., p. 481, vers 130-92.

troisième partie de son poème; il s'en tient, en effet, presque exclusivement à la bulle de canonisation.

Il serait aisé de relever bien d'autres lacunes dans A et B, et surtout un certain vague, là où C s'exprime avec précision. Voici deux cas, qui ne sont pas indifférents pour apprécier le mérite de la biographie. Sur les durs traitements que Pierre subit dans la prison de Fumone, A et B se contentent d'invoquer le témoignage de ses compagnons de captivité : ut ipsi fratres rettulerunt. *L'anonyme dans C déclare qu'il en tient le récit directement d'eux-mêmes :* ut ipsi fratres mihi rettulerunt (1). *Auparavant, au moment même où les émissaires de Boniface VIII conduisaient l'auguste vieillard vers leur maître, bien des gens engageaient Pierre à ressaisir le souverain pouvoir dans l'Église. Mais le saint protesta avec énergie :* Absit hoc a me ut talem dissensionem in Ecclesia Dei faciam, quia non resignavi ad resumendum, sed illam, quam tunc habui, modo habeo voluntatem. *C'est tout dans A et B. Mais C achève la pensée du pape en ces termes :* Si fiendum adhuc esset, ego facerem. *Et il ne permet pas qu'on doute de l'exactitude de ce propos :* Nam ego hoc verbum ex eius ore audivi prolatum (2).

Je ne sais s'il y a lieu d'insister davantage sur la supériorité de la recension C. J'ajouterai seulement qu'elle a servi de type à un autre biographe célestin de la première moitié du XIVe siècle (3), et à Maffée Vegio de Lodi (4). Ces deux auteurs reproduisent, souvent dans leur teneur textuelle, tout ce qui différencie C de ses congénères. D'autre part, on y trouve réunies les particularités qui ne sont pas communes à A et à B, sauf pour ce dernier les miracles 8 et 9 (5), qui ne se rencontrent pas dans C. Ces omissions ne doivent pas étonner. Avec le temps, le chapitre des miracles était évidemment exposé à subir le plus de modifications. L'ordre a été certainement bouleversé dans la classification de B. Après avoir énuméré plusieurs prodiges qui suivirent la mort du saint, l'auteur conclut en rapportant un miracle arrivé du vivant de Célestin; et beaucoup d'autres, ajoute-t-il, non potuerunt scribi propter velocitatem quam habebat camerarius domni Papae ducendi praedictum patrem ad Papam (6). *Ce miracle et cette observation sont mises à leur place chronologique dans C. Si celui-ci, dans le récit des prodiges, garde la même marche que A, en revanche il se rapproche de B pour leur rédaction.*

Il semble donc intéressant de faire connaître dans son intégrité la recension C. Mais la forte lacune que l'on constate dans le corps de la biographie (7) et l'amputation de la fin nous laissaient indécis; et

---

(1) Plus loin, p. 430, n. 45. — (2) *Ibid.,* p. 427, n. 43. — (3) Cette vie nous a été transmise dans le Cod. Vat. 8683. Il en sera question plus bas. — (4) Voir plus haut, p. 366. — (5) *Anal. Boll.,* t. X, p. 392. — (6) *Ibid.,* n. 17. — (7) Voir plus haut, p. 366.

*peut-être nous serions-nous contenté d'en relever les multiples variantes,
si fastidieux que ce tableau dût être pour le lecteur. Par bonheur, nous
avons pu mettre la main sur une excellente copie du même texte, faite
au XVIe siècle par Constantin Cajétan, moine de la congrégation du
Mont-Cassin (1), d'après un codex différent de celui qui a servi au
scribe de C.*

*Les papiers de l'infatigable bénédictin constituent le fonds important
des manuscrits de la bibliothèque Alexandrine, à Rome. Parmi cet
amas de matériaux, figure un grand nombre de documents hagiographiques, et il suffit d'en parcourir l'inventaire et la distribution par
mois (2) pour deviner qu'ils étaient destinés à une publication d'Actes
inédits des saints (3), d'après le plan adopté plus tard par les Bollandistes. Le discrédit qui a frappé quelques opinions extravagantes de
l'auteur en matière d'érudition historique, ne doit pas s'étendre à ses
transcriptions. Le compilateur valait beaucoup mieux que le critique.
D'une lettre que le jésuite Pierre Salerno lui adressait de Palerme,
le 29 octobre 1640 (4), il résulte que l'idée de Cajétan était qu'il fallait
publier les Actes antiques des saints sans y introduire le moindre changement. Je ne sais si l'éditeur serait resté fidèle à ce principe ; mais en
examinant les pièces réunies sur S. Pierre Célestin (5) et connues par
ailleurs, j'ai pu constater que les copies, tant faites par lui que par ses
correspondants, sont d'une scrupuleuse exactitude. La correction est à
l'avenant.*

*La Vie écrite par les premiers disciples du saint n'a pas échappé aux
investigations de Cajétan. Il en a pris le texte de sa propre main sur un
manuscrit de Sainte-Marie de Collemaggio, près d'Aquila (6). Lui-
même a soin de le noter à la fin :* Haec excerpsi ex ms. codice S. Mariae
de Colle madio Patrum Coelestinorum, anno 1597, 3°, 4° et 5° iunii.
Signé : D. Constantinus Caetanus Syracusanus monasteri¹ Casinensis (7). *La ressemblance avec la recension C est telle qu'on serait
tenté de croire à un modèle commun, n'était la rédaction un peu diffé-*

(1) Sur sa vie et sur son activité littéraire, voir Marianus Armellini, *Bibliotheca
Benedictino-Cassinensis*, pars prima (Assisii, 1731), p. 123-36. — (2) Cf. H. Narducci,
*Catalogus codicum ms. praeter orientales qui in bibliotheca Alexandrina Romae
adservantur*, cod. 89-96, p. 18-61. — (3) Dans la liste des mss. de Cajétan, dressée
par M. Armellini, *loc. cit.*, cette collection semble désignée sous ce titre : *Vitae
Sanctorum adhuc ineditae, cum notis et scholiis quam plurimae, nempe CCC.*
(n. 17.) — (4) Cod. 89, f. 48. — (5) Cod. 93, f. 173-410ᵛ. — (6) Cod. 93, f. 177ᵛ-209. —
(7) Ce texte se retrouve encore, transcrit par une autre main, dans la même
collection ; il est divisé en deux tronçons, l'un actuellement dans le Cod. 89, f. 173-
180ᵛ, et l'autre dans le Cod. 93, f. 264-303ᵛ. Les deux tronçons se soudent mot pour
mot, et l'écriture est identique. Cette seconde copie est faite sur celle de Cajétan,
car elle renferme un bon nombre de petits vides, correspondant à des abréviations
malaisées à lire dans la transcription de Cajétan.

rente de la complainte qui termine la Vie (1). *A cet endroit, la transcription du bénédictin est plus voisine de A et de B, que de C. Ce qui prouve encore avec quelle conscience il a exécuté son ouvrage, c'est la remarque qu'il fait, après avoir transcrit les prodiges que Pierre Célestin accomplit en allant rejoindre Boniface VIII :* Item .... * deest folium miraculorum. *Cela signifie que le reste du feuillet est demeuré vacant, pour insérer des miracles qu'on apprendrait plus tard, comme le prouve la suite :* Ad finem dicit [auctor] quod multi in illa via fuerunt liberati, sed propter velocitatem itineris non scripti fuere (2). *Avec le secours de Cajétan, nous pourrons donc de confiance combler les lacunes de C et porter remède à ses distractions.*

Dans cette nouvelle édition de la biographie contemporaine de Pierre Célestin, nous garderons autant que possible, pour aider au contrôle, la division et la numérotation des paragraphes de l'ancienne. Sera-ce une édition définitive, reproduisant fidèlement le texte primitif? Nous voudrions l'espérer; mais nous n'en sommes pas convaincu. Les deux manuscrits qui servent de base à notre texte, ne contiennent ni l'un ni l'autre le fameux prologue aux miracles qu'on lit dans A et B. Or ce prologue a bien la tournure d'un morceau original; et dans les quatre manuscrits l'auteur renvoie, dans le cours de la biographie, au chapitre des miracles qui doit suivre. Le récit d'un certain nombre de prodiges faisait donc partie intégrante de la rédaction première (3), et ce prologue est bien à sa place. Sa disparition de C et du ms. de Cajétan, ainsi que les variétés de la complainte sont des indices suffisants d'une altération de l'original. Le découvrira-t-on jamais? J'en doute, à juger des recherches que nous avons faites. Toutefois les similitudes et les divergences accusées par les quatre recensions qui sont encore à notre portée, permettraient une reconstruction idéale, dont le texte que nous nous proposons de publier ici, semble le mieux fixer le prototype réel.

* sic.

b) Date de la composition

Il nous reste à discuter les éléments fournis par le texte sur la date de sa composition et sur le nom de son auteur Pierre Célestin mourut l'an 1296; l'Église proclama solennellement sa sainteté en mai 1313. Or il n'est nulle part question dans la Vie, ni du fait, ni de la bulle de sa canonisation; on peut donc en conclure que la Vie est antérieure à cet événement. Sans doute, dans le ms. C on remarque que partout où le nom de Pierre se rencontre, l'épithète de sanctus *lui est accolée. Mais cette anomalie s'explique parfaitement, puisque la copie C fut exécutée long-*

---

(1) *Anal. Boll.*, t. IX, p. 183-5; plus loin, p. 432-35. — (2) Cod. 93, f. 205. — (3) Tels sont, notamment, les miracles opérés par du pain bénit, au monastère d'Orfente, et sur la route qui conduisit le saint anachorète captif chez le pape à Anagni. Le biographe en promet le récit aux nn. 18, 22 et 43 de la Vie.

*temps après la canonisation du saint; tout au plus pourrait-on conjec-
turer que le modèle de C date de l'époque où l'on instruisait la cause.*

*Il n'est pas fait davantage allusion aux travaux de procédure juri-
dique que Clément V inaugura en 1306 pour placer Pierre sur les autels.
On ne comprend pas ce silence, si la Vie date de cette époque; car les religieux célestins furent très mêlés à l'enquête comme témoins — Marino a
recueilli la liste de leurs noms (1), — et il est manifeste qu'il faut chercher parmi eux l'auteur ou les auteurs de la biographie qui nous occupe.
Mais, d'autre part, Marino a éparpillé dans son volumineux ouvrage le
dépouillement minutieux du procès. Or un certain nombre de miracles
rapportés dans la Vie paraissent également au procès, et ici toujours avec
le nom des témoins à l'appui. On serait donc tenté de croire à un emprunt
et de placer la rédaction de la Vie après 1306. Mais d'abord, celle-ci renferme des miracles qui ne figurent pas au document officiel, et réciproquement. Cela ressort des annotations de Marino, qui a toujours soin de
citer ses sources pour chaque prodige. Ensuite, le prologue des miracles
nous apprend qu'aussitôt après la mort de Pierre Célestin, ses religieux
instituèrent une enquête privée sur sa vertu de thaumaturge, pour satisfaire au désir de leur confrère Thomas, cardinal du titre de Sainte-
Cécile. C'est le résultat de ces recherches, accru de ce qu'il a vu lui-même
durant son long commerce avec le saint, que le biographe entend consigner dans son traité des miracles. Quoi d'étonnant enfin que quelques
années plus tard, en 1306, il se rencontre, au cours du procès ordonné
par Clément V, quelques faits attestés par les mêmes témoins ? Ainsi, il
faut encore reculer au delà de cette date la composition de la biographie.*

*Dans la longue complainte, qui fait suite immédiate au texte de la
Vie proprement dite, on déplore en termes vifs et désordonnés la perte
récente du fondateur, et l'on redoute une ère de malheurs pour ses religieux (2). S'il y avait des raisons pour admettre que ce morceau élé-
giaque est d'une même venue que le reste, il semblerait que la Vie a été
composée peu de temps après la mort de Pierre Célestin. Mais cette
complainte forme un tout à part, sans lien avec ce qui précède ni avec
ce qui suit. L'auteur de la Vie, l'ayant trouvée à sa convenance, a fort
bien pu l'insérer dans son ouvrage au bon endroit. Toutefois cela suppose que le biographe écrivait à une époque où ce langage outré de la
tristesse ne devait pas trop détonner aux oreilles de ses contemporains.
Du reste, les traits même les plus forts ne visent pas Boniface VIII,
si peu favorable qu'il fût aux Célestins. Leur fondateur, traînant
une misérable vieillesse dans sa prison de Fumone, ne les aurait pas
protégés contre une persécution ouverte de son successeur. Sa mort ne*

(1) *Vita et miracoli di S. Pietro del Morrone già Celestino papa V*, lib. IV,
p. 496-7. — (2) *Anal. Boll.*, t. IX, p. 183-55; plus loin, p. 432-35.

modifiait donc pas leur situation vis-à-vis de Boniface, et leur infortune venait d'ailleurs. Ecce discipulis tuis, quos deseruisti, et pro discessu tuo in diversis partibus iniuriantur adversarii nostri, et a diversis dominis opprimuntur, et in diversis locis eis adversantur, et bona eorum monasteriorum tolluntur (1). *Il en avait déjà été ainsi quand Célestin présidait encore aux destinées de son Ordre (2). Contre ces voisins méchants et rapaces, l'auteur de la complainte pouvait s'imaginer que le prestige du nom de Célestin eût été de quelque secours. Admettons même que la révocation de l'indulgence plénière (3) octroyée par le pape ermite à l'église de Collemaggio (4), ait paru aux yeux de la multitude comme un signe de la défaveur de Boniface VIII à l'égard des religieux de son ordre, et que certaines clauses de sa bulle du 8 avril 1295, annulant toutes les grâces et les libéralités prodiguées par son prédécesseur (5), leur aient créé bien des contestations injustes et encouragé la malveillance de leurs ennemis. Il est à croire que ces litiges et ces exactions n'auront cessé qu'à la longue et que les victimes en auront ressenti quelques tristes effets jusqu'aux débuts du pontificat de Clément V. Par conséquent, le contenu de la complainte suppose une situation vécue et perdurant quelque temps; et ce texte, fût-il même originairement partie de la biographie, n'oblige pas à circonscrire la rédaction de la Vie dans les limites du règne de Boniface VIII.*

Le prologue des miracles et les passages de la Vie où il est parlé du successeur de Célestin, offrent des jalons plus solides pour fixer la date la plus approchée de la composition. Il semble bien que ce prologue (6) a été écrit avant la mort du cardinal célestin Thomas, arrivée en 1300. D'un autre côté, l'auteur, en travaillant la Vie, avait sous les yeux le recueil des miracles qu'il avait rassemblés de tous les coins de la Campanie (7). Une fois les matériaux réunis, l'achèvement de la biographie n'a guère dû tarder. Ce ne put être néanmoins du vivant de Boniface VIII. La prudence la plus élémentaire aurait commandé à l'auteur une extrême réserve à l'égard de ce pape. Or, tout au contraire, le biographe s'exprime très librement sur son compte. Il insinue clairement le grand

---

(1) V. plus loin, p. 435, n. 49. — (2) *Ibid.*, pp. 403, 405, nn. 14, 15ᵇ. — (3) A. Thomas, *Registres de Boniface VIII*, n. 815 (lettre du 18 août 1295). — (4) Cf. plus loin, p. 419, n. 31. — (5) Notamment cette clause-ci a dû jeter du trouble au sein même de l'Ordre naissant : *Concedimus quoque ut religiosae personae, quae monasticum nigrum vel canonicorum regularium habitum in suis monasteriis regularibus, canoniis seu prioratibus deferebant, antequam ipsa incorporata, unita, supposita vel submissa essent Ordini, monasteriis sive locis regulas vel observantiae praefati antecessoris ante eius assumptionem ad apicem apostolicae dignitatis, priorem habitum libere reassumant et in eo Domino famulentur* (A. Thomas, ouvr. cité, n. 770). Ce fut en effet une des principales visées du saint anachorète de faire adopter sa réforme monastique par toute la famille bénédictine. — (6) *Anal. Boll.*, t. IX, p. 185-6. — (7) Cf. plus haut, p. 375, note 3.

scandale que son élection suscita dans l'Église : Ne scandalum magnum in Ecclesia Dei generaretur, sicut postea accidit (1), *faisant allusion aux démêlés de Boniface avec les cardinaux Colonna. Il a soin d'observer que la mort de Célestin V réjouit fort son successeur, bien qu'il eût l'air de s'en affliger :* Quibus papa auditis, nimium gaudens effectus est, licet monstraret de hoc se dolere (2). *Qu'on relise les autres réflexions où perce le mécontentement du biographe* (3). *Tout cet ensemble forme un réquisitoire, qui n'aurait pu manquer d'irriter Boniface VIII, s'il fût venu à sa connaissance. Or l'auteur devait appréhender cette éventualité pour une Vie destinée à l'édification de ses frères, et partant à une diffusion rapide. Avant de mettre la dernière main à son ouvrage, il aura certes attendu la mort du pontife, qui advint en octobre 1303. C'est donc entre 1303 et 1306 qu'il faut placer la composition définitive de ce document hagiographique.*

c) Les auteurs.

Jusqu'à présent nous avons toujours raisonné sur la biographie des contemporains du saint, comme si elle ne formait qu'un seul ouvrage. De fait, il y en a deux parfaitement distincts, dont le premier s'arrête au paragraphe 8 (4). *Les rubriques très expressives de la recension C* (5) *et du ms. de Cajétan en font foi; la fin du n. 7 renferme une allusion à la mort de Pierre Célestin; le n. 8 est une manière de conclusion, où il est fait brièvement mention de son exaltation au souverain pontificat et de son abdication; le n. 9 sert d'introduction au second traité. Le premier envisage la vie contemplative d'ascète pénitent que Célestin mena dans les plus âpres solitudes; l'autre embrasse sa carrière publique de fondateur d'Ordre et de vicaire de J.-C., les vicissitudes des deux dernières années de sa vie, et ses œuvres de thaumaturge. L'un et l'autre opuscule a été écrit par un moine célestin, qui vécut dans l'entourage du saint. La déclaration n'en est pas formelle pour le* devotus *qui raconte son existence érémitique; mais les détails sont si précis, si circonstanciés et si intimes, l'empreinte du récit est si monastique, qu'un religieux seul, familier de Pierre, a pu traiter ainsi la matière. Nulle part le second auteur n'empiète sur ce terrain. Ce qui suppose qu'il a eu connaissance de l'ouvrage de son confrère, ou que les deux auteurs se sont au préalable partagé la besogne.*

Quels sont ces auteurs? La facture du premier traité est tellement impersonnelle que le champ est ouvert aux conjectures. Une des plus plausibles est de l'attribuer au frère Barthélemy de Trasacco. Cité en 1306 devant les commissaires de l'enquête pontificale, ce moine déposa surtout sur la vie mortifiée de son maître (6); *c'est aussi le morceau le*

(1) Plus loin, p. 421, n. 34. — (2) *Ibid.*, p. 432. — (3) Plus haut, p. 371-72. — (4) Plus loin, p. 393-99. — (5) Voir plus haut, p. 365-66. — (6) M. Celidonio, *ouvr.*

plus considérable de l'opuscule que nous examinons. Malgré quelques légères divergences, qui sont plutôt des compléments d'informations, l'accord des deux textes est frappant pour le fond des choses. Or le témoignage de Barthélemy est de toute première valeur. Car " interrogatus in causa scientiae dixit quod iam sunt quadraginta anni elapsi quod audita fama sanctae vitae et conversationis, quae divulgabatur de fratre Petro per totam patriam et provinciam in qua ipse testis ʹiabitabat, quia ab omnibus dicebatur et vocabatur sanctus, disposuit ipse testis assumere habitum sui Ordinis et cum eo morari; quod et fecit. Et dum moraretur cum eo in loco sancti Spiritus de Magella in principio suae conversationis, et alias in aliis locis et temporibus vidit dictum fratrem Petrum commorantem in heremis et locis aridis et asperis, scilicet in montibus et in carcere seu in cella, de quibus non exibat, nisi causa mutandi locum, vel quando ibat ad generale capitulum confratrum suorum, quod per ipsum ordinabatur. Et vidit ipsum in praedictis heremis et locis tam montis Magellae quam montis de Murrone, Aprutinae provinciae, quam etiam in quibusdam locis Campaniae et in Urbe, ducere vitam excellentem et conversationem sanctam continue in abstinentiis, ieiuniis et orationibus multis (1)... *Puis il se met à détailler sommairement ce qu'il a vu. La plupart de ces particularités trouvent leur équivalent dans la Vie. Il fait encore observer* quia morabatur cum eo, dum esset papa et serviebat ei (2), *et répète vers la fin que* ipse testis multis in locis, multis quoque temporibus cum eo fuit conversatus (3). *Des plaies vives, creusées dans les chairs de Pierre par l'application raffinée de rudes cilices, y engendraient parfois des vers. Voici comment le fait est décrit par le biographe anonyme et par Barthélemy de Trasacco.*

<table>
<tr><td align="center">ANONYME
(Voir plus loin, p. 398, n. 7.)</td><td align="center">FR. BARTHÉLEMY DE TRASACCO
(Procès, témoin 162.)</td><td></td></tr>
<tr><td>Pilorum nodosa cilicia, quae manibus suis ipse fecerat, quadragenis temporibus carne continue nuda ferens, ut cilicia membris eius tenacius adhaererent; super ipsis lorica magni ponderis super ipsum utebatur. Ob quod in aestate frequentius concussa carne nodis pre-</td><td>Et (4) in aliquibus [quadragesimis] usus est ciliciis et panzeria [lorica] ferrea desuper cilicio. Et addidit quod aliquando nodi ipsius cilicii propter ponderositatem panzerea * desuper ipsam existentis rumpebant carnem suam, ita quod putrefiebat et aliquando</td><td>* sic.</td></tr>
</table>

cité, lib. I, p. 138-41, a publié en italien tout ce qui reste de son témoignage au procès, fort mutilé d'ailleurs, qui se conserve aux archives de la cathédrale de Sulmone. Cf. pour une partie de l'original latin, G. PANSA, *ouvr. cité,* p. 15, note, et p. 51. — (1) PANSA, *ibid.,* p. 51. — (2) *Ibid.,* p. 16, note. — (3) *Ibid.* — (4) Je dois la transcription de ce passage de l'original à l'obligeance de M. Celidonio.

mentibus, humor ad illuc defluus, tam caloris aestuatione quam crebra concussione infectus, nonnullos vermes plagis in illis pariebat : quos sanctus ille nimio pruritu fastidiens latenter precabatur ex fratribus aliquem per eum exinde cuspidis unco extrahi.

vermes generabantur in ea. Tamen dixit quod rupturam carnis et vermes ipse testis non vidit, sed audivit tam ab ipso fratre Petro, qui hoc patiebatur, quam a fratre Placido (1), qui asserebat hoc se vidisse (2).

Quand on songe que cette Vie est antérieure au procès et que la façon d'exposer doit naturellement différer dans des pièces d'un genre si tranché, ce parallèle achève, me semble-t-il, de rattacher le nom de Barthélemy de Trasacco à la composition du premier opuscule anonyme.

La seconde biographie nous apprend, au sujet de son auteur, les détails suivants. D'abord il tient le récit de la captivité de Pierre Célestin, de la bouche même de ses compagnons d'infortune : ut ipsi fratres mihi rettulerunt (3). *Ensuite, il fut l'un des deux moines célestins qui partagèrent les hasards de la vie errante de leur père, après son abdication. Au début, Pierre n'avait avec lui qu'un seul de ses religieux :* assumpsit secum unum de fratribus suis nocte (4). *C'est sur le témoignage de ce frère que le biographe rapporte les premières alertes de cette fuite à la dérobée :* Rettulit frater ille qui cum illo iverat (5). *Plus tard, un autre religieux célestin alla rejoindre Pierre.* Iam alius frater de suis ad ipsum post venerat caritatis amore ductus (6). *C'est dans celui-ci qu'il faut reconnaître le biographe. Car, dans la suite du voyage, comme des gens mal avisés conseillaient à l'auguste vieillard de ressaisir le souverain pontificat; le saint leur opposa son inébranlable résolution :* Si fiendum adhuc esset, ego facerem (7). *Cette fois, l'auteur rapporte cette réponse, non sur le témoignage d'autrui, mais pour l'avoir entendue de ses propres oreilles :* Nam ego hoc verbum ex eius ore audivi prolatum.

Chemin faisant, le vénérable prisonnier opéra de nombreuses guérisons extraordinaires, qu'au jour le jour le chef de l'escorte " ipse patriarcha fecit scribere „. Le biographe en rapporte plusieurs (8); mais à la fin il avertit le lecteur que beaucoup non potuerunt scribi propter

(1) Il est question de lui dans la seconde Vie. — (2) La substance de la déposition de B. de Trasacco, touchant les mortifications du saint, a passé dans la bulle de canonisation (*Act. SS.*, t. cit., p. 434, n. 7). Preuve que; sur ce sujet, il n'y avait pas mieux à tirer du procès. Le document pontifical expose ensuite les habitudes de piété et de travail de Pierre Murrone. Chaque détail trouve son équivalent dans la Vie (plus loin, p. 893-95, n. 2 et 3). Or il faut remarquer que le ms. du procès a subi des avaries et que la déposition de B. de Trasacco y est tronquée. — (3) Plus loin, p. 430, n. 45. — (4) *Ibid.*, p. 425, n. 40. — (5) *Ibid.* — (6) *Ibid.*, p. 426, n. 41. — (7) *Ibid.*, p. 427, n. 43. — (8) Plus bas, n. 97-106ᶠ; cf. *Anal. Boll.*, t. IX, p. 197; t. X, p. 392.

festinantiam quam imponebat eis, postquam ipse camerarius venit ad eos missus a papa. *Les miracles accomplis au cours de ce voyage triomphal, furent l'objet d'un examen spécial devant la commission officielle de 1306* (1). *Plusieurs sont attestés par le frère Thomas de Sulmone, et l'on ne recueillit sur cette série de prodiges le témoignage d'aucun autre religieux célestin. Ce Thomas de Sulmone figure au procès comme le 171ᵉ témoin ; il était prieur du monastère du Saint-Esprit à Sulmone* (2) *et comptait, en 1306, trente-cinq ans de vie religieuse* (3). *Il serait donc entré dans l'Ordre en 1271. Vers ce temps-là, en 1273, Pierre de Murrone entreprit un voyage à Lyon, pour obtenir de Grégoire XI la confirmation de son ordre. C'est par le récit détaillé de cet événement que commence la seconde biographie. Tout comme la première, elle laisse dans l'ombre le développement antérieur de l'Ordre, temps héroïques où l'on souffrit beaucoup. Comment expliquer cette lacune? Dans la rubrique générale de l'ouvrage il est dit que cette Vie, écrite par un disciple du saint, retrace la carrière du maître* a tempore quo ipse frater sub eius discipulatu permansit (4). *Puisque le récit ne remonte pas plus haut que 1273, c'est un signe que l'auteur entra dans l'Ordre vers cette époque. Or Thomas de Sulmone y prit l'habit religieux en 1271. D'autre part, nous savons par la Vie que l'auteur se tint toujours aux côtés de son père, tandis que les émissaires de Boniface VIII traquaient et ramenaient captif le saint vieillard. Et le procès nous révèle, dans Thomas de Sulmone, le seul religieux célestin qui fut témoin des incidents merveilleux de ce voyage. Toutes ces données concordent suffisamment, me semble-t-il, pour permettre d'attribuer avec une grande probabilité la paternité de la seconde biographie, contemporaine du saint, à Thomas de Sulmone, prieur du monastère du Saint-Esprit.*

B. Poème du card. Jacques Cajétan Stefaneschi

Une des sources les plus précieuses pour la Vie de S. Pierre Célestin demeure à coup sûr le poème du cardinal Jacques Cajétan Stefaneschi. Ce n'est pas que, dans son œuvre, tout soit de première venue. Nous avons déjà fait remarquer qu'il a résumé la soi-disant autobiographie (5); *de plus, dans la troisième partie, et à la fin de la première où il décrit la vie ascétique du saint, il est manifestement tributaire de la bulle de canonisation. Partout ailleurs, il raconte en historien qui a vécu sur le théâtre des événements et bien observé ce qui se passait autour de lui. Nous n'avons pas à insister davantage sur le mérite de son ouvrage.*

---

(1) Marino, *l. cit.*, p. 440-46. — (2) Il remplissait déjà cette charge en 1299. Voir plus bas un des derniers miracles, n. 121. — (3) Marino, *l. cit.*, p. 497. — (4) V. plus haut, p. 366. — (5) V. plus haut, p. 367.

Nos prédécesseurs, en le publiant pour la première fois (1), *se sont par - faitement acquittés de cette tâche* (2). *Leur édition fut faite d'après un manuscrit du Vatican et une copie de l'autographe de Sulmone. Cette copie se trouvait alors aux mains des Célestins de Rome. L'œuvre de Stefaneschi ne se recommande guère par les qualités littéraires. Beaucoup de vers sont obscurs et boiteux. L'auteur lui-même avait conscience de ces défauts. Il tâche d'obvier à l'un par une introduction en prose et des gloses interlinéaires échelonnées tout le long du poème* (3). *Quant à l'incorrection du style, il ne veut pas qu'on y remédie; lui-même, dit-il, se chargera plus tard de ce soin :* Interdum deficientes nos supportate benignius... Idcirco studentis ingenium vigilet; manus tamen abstineat, lingua dometur, ne fortassis incautus id corrigat, quod in illo velox ignorat; praesertim cum nec correctores tot exigat, quot idem lectores exposcit; et nos, si tempus adfuerit, repetita ipsius lectione recurrere, recursum discutere, discussumque corrigere properemus (4). *Néanmoins, il est incontestable que, pour mainte mauvaise lecture, l'ignorance ou la distraction des copistes sont seules en cause. Dans une discrète mesure, Papebroch hasarda quelques rectifications, tout en donnant la leçon de son manuscrit. J'ai pu constater, par l'examen d'autres exemplaires du poème, que souvent ces légères retouches ont ramené le vers à sa pureté primitive. La seule liberté trop grande qu'ait prise le critique a été de négliger des gloses interlinéaires, dont il lui semblait superflu de tenir compte pour l'intelligence du texte* (5). *Enfin quelques vers ont été omis par mégarde; d'autres par contre ont été fabriqués par Papebroch, pour remplir des endroits indéchiffrables.*

Devant ces lacunes et ces incertitudes, M. le professeur Sdralek a conçu le dessein de donner une nouvelle édition du poème de Stefaneschi. Le projet est louable, pourvu que, dans son exécution, on se serve d'un outillage bon et suffisant. Or l'érudit allemand tirerait son appareil critique des codd. Vat. lat. 4932, Ottob. 954 et Casanat. 934 (6). *C'est trop et trop peu.*

Le ms. Casanat. 934 est une transcription faite, au XVIe *siècle, sur l'exemplaire des Célestins de Collemaggio* (7), *près d'Aquila (Abruzzes). De nombreuses ratures et des espaces pointillés trahissent l'ignorance*

---

(1) *Act. SS.*, t. cit., p. 436-83. — (2) *Ibid.*, p. 419. — (3) Il est question de ces gloses dans l'épître dédicatoire, *ibid.*, p. 437. — (4) *Ibid.* — (5) *Ibid.*, annot. *f.* — (6) Je trouve l'indication de ces mss. chez P.-M. BAUMGARTEN, *Die Cardinalsernennungen Cölestins V. im Sept. und Oct. 1294* dans le recueil FESTSCHRIFT ZUM ELFHUNDERTJÆHRIGEN JUBILÆUM DES DEUTSCHEN CAMPO SANTO IN ROM, p. 166. — (7) Le premier feuillet représente un prélat à genoux, qui remet un livre à un personnage auréolé, ayant derrière lui une tiare. Celui-ci est assis et bénit de la main droite le donateur. Au bas du feuillet on lit : *Così appunto sta designato nell'originale, che si conserva in Collemag°.*

*du scribe ou la mauvaise écriture du modèle. Cette recension est con-
forme au texte des* Acta Sanctorum, *y compris les grossières erreurs de
transcription. Çà et là une meilleure leçon. Peu de gloses interlinéaires
ont été conservées dans cette copie; et tout le second traité, qui se rapporte à l'élection et au couronnement de Boniface, a été laissé de côté,
parce que, dit le copiste (f. 97), non* fà al proposito. *Par contre, des
vers, disparus de la copie de Papebroch sans que celui-ci s'en soit
aperçu, occupent ici leur place naturelle. Mais tous ces remaniements
n'inspirent pas une égale confiance et à leur tour ils appellent parfois
des corrections* (1).

*Le cod. Vat. lat. 4932 mérite d'être pris en sérieuse considération.
Écrit sur parchemin par une belle main du XV* siècle, il se distingue par
de fréquentes retouches de vers, dont quelques-unes sont excellentes* (2),
*et l'accommodation de quatre passages aux cardinaux Jacques et Pierre
Colonna* (3). *Ces passages ainsi interpolés sont exclusivement propres
au manuscrit que nous examinons et ont subi dans la suite des grattages. Ce qui déroute davantage, c'est que le récit de la vie érémitique de
Pierre de Murrone* (4) *a été singulièrement écourté* (5), *outre les changements introduits dans la partie conservée. La fin du troisième traité
manque également* (6). *Toutefois cette lacune n'est pas originelle; car
au bas de la marge du feuillet 66*, on lit le mot* mira, *signe d'appel du
feuillet suivant et qui commence le premier vers de ceux qui font défaut.
Du reste, on s'aperçoit fort bien, à l'absence de rubriques et de gloses
interlinéaires dans le troisième traité, que la copie de cet ouvrage n'a
pas été achevée. Une dernière anomalie à relever, c'est qu'on a relégué à
la fin du volume et arbitrairement interverti une partie de la prose de
Stefaneschi. On y lit d'abord ce que les* Acta Sanctorum *publient au
bon endroit, p. 473-74, 1*re *col.; puis ce qui vient dans la même édition,
p. 438-41. Le manuscrit appartint un temps au cardinal Sirlet* (7), *et
passa plus tard dans la bibliothèque du pape Paul V, comme l'indique
l'écusson frappé sur le plat de la reliure.*

(1) Par exemple les cinq vers (fol. 37) qui remplacent les vers 122 et 123 (*Act.
SS.*, p. 455). Ils se retrouvent, sauf de légères variantes, dans presque toutes les
copies. — (2) Ainsi *quidni?* au lieu de *quas die* (*Act. SS.*, p. 444, v. 150), qu'on rencontre partout, si ce n'est dans le ms. de Paris, sauve le vers et le sens. L'erreur
s'explique par une confusion avec l'abréviation *q'dni*. — (3) *Act. SS.*, p. 444,
v. 185-6; p. 451, v. 222-8; p. 462, les vv. 38-40 remplacés par cinq autres; p. 465,
v. 116-7. — (4) *Ibid.*, p. 453-4, v. 332-552. — (5) Dans le ms. le récit ne commence
qu'au v. 471. On a donc omis l'équivalent de l'autobiographie. Dans la suite, on a
encore supprimé v. 502-12, 519-22, 536-8. — (6) *Act. SS.*, p. 462, v. 253-315. —
(7) On lit sur le feuillet de garde : *Emptum ex libris cardinalis Sirleti*. Sur la
bibliothèque du card. Sirlet, voir L. Dorrz, *Recherches et documents sur la
bibliothèque du cardinal Sirlet*, dans les Mélanges de l'École française de Rome,
t. XI (1891), p. 457 et suiv.

Entre les deux possesseurs, il y eut le duc Altaemps. C'est ce qui résulte d'une observation désagréable, faite à l'adresse du pape dans le cod. Ottobon. lat. 954, XVII° siècle (1). Celui-ci est une transcription très fidèle du manuscrit précédent. Toutes les particularités signalées plus haut se retrouvent ici. De plus, l'aspect même graphique du manuscrit le prouve. Ainsi dans le Vat. 4932, fol. 16, il y a trois grattages, dont deux lisibles et un qui ne l'est pas; celui-ci est remplacé par un espace vide dans l'Ottob. 954, f. 17°; — dans le premier, fol. 37, cinq vers grattés; blanc correspondant dans l'autre, f. 40; — de même grattages et vide équivalent, fol. 43 d'une part, et f. 46°-47 de l'autre. On peut donc négliger l'Ottobon. 954.

Comme ces dégradations affectent surtout la seconde partie du poème, à savoir l'élection et le couronnement de Boniface VIII, il faudra tenir compte du Vat. lat. 4933. Ce manuscrit, qui ne renferme que cette seconde partie, en offre une recension identique à celle du codex 4932, transcrite par le même copiste; pas un mot n'a été effacé.

Rome est riche en exemplaires manuscrits de l'œuvre de Stefaneschi. Il s'en trouve trois à la Vallicellane : H. 45 (XVII° s.), H. 46 (XVI° s.) et I. 36 (XVI° s.); un à la bibl. Barberini coté XXIII, vol. 121, f. 40-108° (XVII° s.); un encore à l'Alexandrine et un à la Corsinienne. Toutes ces copies ne sont pas d'égale valeur; je me contenterai, dans cet aperçu sommaire, d'attirer l'attention sur les deux dernières. Celle de l'Alexandrine, cod. 93, f. 363-411, est une transcription faite de la main de Constantin Cajétan, comme l'écriture l'indique et comme lui-même le déclare f. 411° : Ex ms. perantiquo habito Florentiae a R. P. D. Sabino de Tintoris Bononiensi, Priore coenobii S. Petri Benedicti, excerpsi ego D. Constantinus Caietanus Syracusanus, monachus S. Nicolai ex Arenis Congregationis Casinensis, hoc anno 1596, mensibus martii et aprilis. *Certaines ratures prouvent que le copiste a été arrêté plus d'une fois par des signes d'abréviation. Il a aussi jugé superflu de transcrire le second traité, concernant uniquement Boniface VIII. Pour le reste, on ne peut que rendre hommage à l'habileté du copiste. Plusieurs de ses variantes, que la représentation figurée de l'écriture rend très plausibles, auraient dispensé Papebroch d'intercaler des vers de son cru pour l'intelligence du texte.*

L'exemplaire en parchemin de la bibliothèque Corsini, coté Col. 45. G. 14 (2), est du XIV° siècle. Fol. 7, un dessin à la plume offre un tableau

---

(1) Fol. 1, on lit : *Hic est unus ex codicibus centum bibliothecae Altempsianae a Paulo Quinto manu regia exceptis, nunc vero a Ioanne Angelo ab Altaempe Duce propriis sumptibus fidelissime ex originalibus desumptis, ut bibliotheca Altempsiana, quoad potuit, tanto splendore iam decorata non careret.* — (2) Ce manuscrit fait partie du fonds Rossi, et dans le catalogue imprimé de ce fonds il figure sous cette rubrique obscure : *LXXXVI. Acta canonisationis S. Petri Caelestini, cum*

à peu près semblable à celui du manuscrit de la Casanatense (1), mais sans légende au bas. Les gloses interlinéaires abondent; plusieurs, commençant par le mot alias, *prouvent que déjà alors mainte variante s'était glissée dans le texte de Stefaneschi. Dans son ensemble, cette recension est préférable à celle dont fit usage Papebroch.*

À raison de son âge (XIVe s.), la copie soignée et sans lacunes qu'on trouve dans le manuscrit lat. 5375, f. 53 -113_v, de la bibliothèque nationale de Paris (2), doit aussi fournir son appoint à l'appareil critique d'une nouvelle édition de Stefaneschi.

Avec ces secours habilement exploités, il y a moyen de publier un texte notablement amélioré; mais ce travail requiert du tact, de la patience et une bonne dose de perspicacité. Il faudra partir de ce principe que l'original, tel qu'il sortit des mains de l'auteur, était, de son propre aveu, rempli d'incorrections. Si l'on oublie cet état d'imperfection primitive, le texte risque fort de perdre sa physionomie originelle. D'autre part, nul doute que bien des erreurs proviennent des abréviations, de la mauvaise écriture, des distractions et des fantaisies des copistes, inévitables dans la transcription d'un ouvrage obscur et de longue haleine. C'est entre ces deux écueils que doit s'exercer la sagacité de l'éditeur. L'examen du plus grand nombre possible de manuscrits s'impose, surtout pour les signes abréviatifs; d'autant plus que la classification des codices est malaisée et qu'un profond désarroi règne dans le choix que les scribes ont fait des gloses interlinéaires. Nous ne doutons pas que M. Sdralek ne mène à bien sa laborieuse entreprise. Les quelques observations présentées ici montrent l'intérêt que nous portons à la pleine réussite de son ouvrage.

III. Biographes postérieurs.

La Vie des premiers disciples, contemporains de S. Pierre Célestin, a eu le sort de tous les textes hagiographiques de quelque valeur. Sous la plume des biographes postérieurs, elle a revêtu un peu plus d'élégance et servi de thème à des déclamations pieuses, jaillissant tant bien que mal des entrailles du sujet. La trame même du récit n'a guère subi de modifications. Le plus répandu de ces remaniements, mais aussi le plus terne, où, à défaut de vie et de couleur locales, l'auteur prodigue l'apostrophe admirative pour communiquer à son style un peu de chaleur factice, est celui du cardinal Pierre d'Ailly, archevêque de Cambrai (3). Composé à la demande des Célestins de Paris, cet ouvrage

argumentis et notis marginalibus rubrica exaratis. — (1) V. plus haut, p. 382, note 7. — (2) *Catalogus codd. hag. lat. bibl. nation. Paris.,* t. II, p. 460. — (3) Ed. *Act. SS.,* t. cité, p. 484-97.

devint bientôt dans l'Ordre le texte officiel, au point de reléguer dans l'oubli le document original. Quelques années plus tard, en mai 1445, Maffée Vegio de Lodi dédiait au pape Eugène IV une nouvelle Vie de S. Pierre Célestin en trois livres. Plusieurs exemplaires manuscrits en sont parvenus jusqu'à nous (1). *A-t-il connu les travaux de Stefaneschi et de Pierre d'Ailly? Rien ne le trahit dans son œuvre; et, quoi qu'en pense Papebroch* (2), *il a eu moins encore à sa disposition le procès de canonisation. Vegio dépend directement et exclusivement de l'autobiographie et de la narration des premiers disciples du saint, d'après la recension C; il n'en a omis aucun miracle, aucune particularité intéressante. C'est toujours mieux que le pâle décalque de Pierre d'Ailly. Dès le début de la dédicace, l'intention de l'auteur perce clairement:* Laudo animum tuum, beatissime Pater, qui Coelestini Quinti vitam inepte hactenus discerptam magis quam descriptam aptius ornatiusque explicari cupis (3). *Cette ordonnance plus sévère consiste surtout à détacher du groupe final un certain nombre de miracles, qu'il entremêle aux diverses migrations de Pierre de Murrone, en y glissant parfois quelque indication topographique. La latinité est plus châtiée, mais déparée par des réminiscences classiques de mauvais goût. C'est ainsi que pour justifier l'abdication de son héros, l'auteur, se souvenant de l'allusion de Dante* (4), *énumère une série de grands personnages de 'antiquité païenne, qui conçurent ou exécutèrent un dessein analogue. Vegio et Pierre d'Ailly arrêtent leur récit au même endroit que les premiers hagiographes.*

Il en est de même d'une autre version inédite, écrite en distiques latins, et qui ne nous est connue que par un manuscrit du XVIᵉ siècle de la bibliothèque Vallicellane, coté H. 46, f. 72-81 (5). *Cette élucubration poétique n'a rien de commun avec l'œuvre du cardinal Stefaneschi. Pour le fond, elle résume l'autobiographie et les parties de la Vie qui*

(1) Par exemple, les deux exemplaires de la Vaticane, signalés plus haut, p. 366, note 6; un à la bibl. Barberini, XXXIII, t. 121, f. 149-177ᵛ; un autre dans la collection de C. Cajétan, cod. 93, f. 309-322. — (2) *Act. SS.*, t. cité, p. 420, n. 4. — (3) Voici, en outre, pour reconnaître ce texte, le commencement et la fin de la Vie. Inc. *Caelestinus Quintus, qui et Petrus primum a parentibus vocatus est, ex Murone Marsorum oppido, quod antiqui Marruvium appellarunt, natus est. Eius mentionem facit Plinius.* Des. : *Haec atque alia quae post obitum eius acta sunt manifesta satis argumenta videntur esse sanctissimae quam transegit vitae eius, summae etiam, qua cum largissimo retributore Deo nunc fruitur, pacis et gloriae sempiternae. Romae, apud S. Petrum, quarto nonas Maii MCCCCXLV.* Voir sur M. Vegio, M. Minoia, *La Vita di Maffeo Vegio umanista lodigiano.* Lodi, 1896. — (4) *Hic mihi libet ineptias quorumdam reprimere, qui per ignaviam vilitatemque animi hoc ab eo factum autumant.* Cf. Dante, *Inferno*, III, 60. — (5) La provenance du codex est indiquée f. 82ᵛ : *P. Fabianus Iustinianus emit mense Ianuarii 1613 scut. 5.* Sur cet oratorien célèbre, nommé évêque d'Ajaccio en 1616, voir les notices mss. de Paul Aringhi, biblioth. Vallicell., cod. O.59, f. 200-9.

*ont trait à l'élection, à l'abdication et à la captivité de Pierre Célestin.
Le chapitre des miracles est laissé complètement de côté. La fin est un
réquisitoire contre Boniface VIII. L'auteur l'accuse, entre autres méfaits,
de cruauté envers son vénérable prédécesseur, captif à Fumone.*

Inc. prol.   Coelestine parens et relligionis asyllum
           Auxiliatrices porrige, quaeso, manus.
Inc. Vita.   Est locus, Aprutium Ausonii cognomine dicunt,
           Unde suae Petrus semina gentis habet.
Des. Vita.   Versibusque est igitur nostris conclusio : Petri
           Fama tenet terras, spiritus astra colit.

*Cette pièce est à joindre aux autres essais poétiques tentés par des
religieux célestins en l'honneur de leur père, et que D. Faber a imprimés
à la fin de sa Vie de S. Pierre Célestin (1).*

*Au milieu de cette végétation parasite, qui a pris racine dans la Vie
originale de S. Pierre Célestin, un seul rejeton mérite de fixer davantage nos regards. Il s'agit du codex en parchemin de la bibliothèque
Vaticane 8883, écrit au XIV° siècle sur doubles colonnes, mesurant
0*,298 × 0*,21, et comptant 51 feuillets. Les ff. 1 et 51 portent des
traces de grattages, effectués sans doute pour supprimer les indications
de provenance; en tête de la première colonne du f. 1, un espace vide,
destiné à un long titre ou à quelque miniature. Ce codex renferme :
1° une biographie de S. Pierre Célestin (f. 1-44°); 2° Legenda de trans-*
latione sancti corporis eius, *de Ferentino à Aquila dans les Abruzzes
(f. 45-51). Le R. P. L. Tosti a donné de longs extraits de la biographie
en appendice à son Histoire de Boniface VIII (2). Ces extraits n'ont par
eux-mêmes aucune valeur; car ils ne sont que le développement oiseux
des passages correspondants du texte primitif, dépouillés en outre de
quelques détails topiques. Un courant d'imitation servile se manifeste
constamment à travers les trois parties dont se compose cette compilation. C'est conforme au programme de l'auteur.* Quam quidem [Vitam],
dit-il dans le prologue, sicut ab eiusdem patris discipulo descriptam
invenimus, ita in eadem veritatis puritate non dictando, sed enarrando exsequi satagemus. *Et un peu plus loin il s'excuse d'avoir osé
retoucher quelques mots dans l'autobiographie :* Et licet per nos in ipsa
parte aliqua dictio sit mutata vel addita, eius tamen sensus substantia
tota permanet inviolata. *Une liberté plus grande qu'il a prise, fut de
découper la bulle de canonisation en menus fragments et de les distribuer
çà et là, aux endroits du récit appropriés à les recevoir. Tout le document pontifical y passe, ainsi déchiqueté. D'autres pièces plus ou moins*

(1) Fol. LXXVIII°, f. XCIII°-CIII°. — (2) Vol. I, *Nota e documenti I,* p. 341-50 (éd.
1848). La cote du ms. chez Tosti, 3492, est fautive.

*officielles ont été insérées dans cette compilation, et le cadre merveilleux
s'est encore amplifié. La Vie extraordinaire de Pierre Murrone offrait
un terrain propice à un développement rapide de la légende.*

*Encore ne possédons-nous pas au complet cette nouvelle adaptation.
En effet, les trois dernières rubriques de la table des matières qui
figure en tête de la IIIe partie, n'ont reçu aucun développement dans
le texte. Est-ce la faute du copiste, ou bien l'auteur n'a-t-il point terminé son ouvrage? Question insoluble. Car la dernière rubrique annonçait un récit de miracles opérés en France après la canonisation du
saint. Or ce récit a existé, écrit sous forme de lettre par un Célestin du
monastère de Saint-Pierre de Chartres (1). Marino l'a exploité et en a
même donné le commencement :* Nunc autem miracula quaedam, quae
in partibus Franciae post eius canonizationem contigisse perhiben-
tur, recitare volo, licet forsitan et tu ipse alias audieris (2). *Même
lacune dans la copie recueillie par C. Cajétan (3); mais des indices
prouvent qu'elle a été exécutée d'après le cod. Vat. 8883 (4).*

*Au demeurant, ce texte n'a guère eu de diffusion. Maffée Vegio et
Pierre d'Ailly l'ont ignoré. A la fin du siècle dernier, Montani, abbé
des célestins de Saint-Eusèbe, à Rome, regardait le cod. 8883 comme
son représentant unique et digne d'être offert en présent au pape
Pie VI (5). L'auteur appartenait à la famille religieuse du saint. Il le*

---

(1) Ce monastère célestin fut fondé en 1308. V. D. FABER, *Vita B. Patris Caelestini*,
p. cɪᵛ. — (2) D'après MARINO, *ouvr. cité*, p. 515, ces miracles formaient le 16ᵉ chapitre
d'une Vie de S. Pierre Célestin. Resterait à savoir si cette Vie était antérieure à
celle du ms. Vat. 8883. — (3) Bibl. Alexandrine, cod. 93, f. 429-462. — (4) Marino
ne doit avoir eu lui-même à sa disposition qu'un exemplaire inachevé. Car après en
avoir tiré tout ce que ce texte ajoute à la Vie des premiers disciples, il s'en va
prendre ailleurs les miracles arrivés en France. — (5) Voici les principaux passages
de la lettre qu'il écrivait à ce sujet à un certain Cassini, personnage de la cour
pontificale :

    " Memoria pel Rᵐᵒ *(effacé)* Cassini.
  „ Il Padre Montani abate di S. Eusebio desidera da molto tempo presentare a
„ S. Sᵗᵃ qualche picciolo argomento della sua particolare devozione e obligata sua
„ riconoscenza.
  „ Fortunatamente ha potuto sotrarre dalla ingiuria dei correnti tempi un codice
„ contenente la Vita di Celestino Quinto. Esso è scritto in buon gotico, e se non da
„ un suo discepolo testimonio vivente de' fatti che narra, almeno da un discepolo
„ di questo. Per la semplicità con cui è scritto e per la sua quasi contemporaneità,
„ porta tutto l'impronto della verità e della esattezza.
  „ Crede l'umilissimo offerente che, siccome il codice è unico, così sia l'unica
„ opera che possa dare de' schiarimenti a quel pezzo di storia ecclesiastica che
„ rinchiude il pontificato, la rinunzia, la prigionia e la morte di Celestino, come
„ ancora... la condotta ed il contegno tenuto da Bonifazio ottavo... „ A la fin,
Montani prie le Rᵐᵒ Cassini de présenter ce ms. à Pie VI, glorieusement régnant
(cod. Vat. 8883, f. 1). Quelques fragments du prologue transcrits dans la marge
de cette lettre montrent qu'il s'agit bien de la même biographie.

déclare nettement, en faisant mention du bienheureux Robert de Sala :
Frater Robertus de Salla ordinis eiusdem patris, in quo nos mediante
gratia Dei vocati sumus, de quo audivimus quia vitam eiusdem patris
imitatus * et miracula perpetravit, rettulit... (1). *Mais la façon même
dont il parle du bienheureux Robert, montre qu'il ne l'a guère connu. Or
Robert mourut en 1341; et nommé procureur général en 1327, il passa
les dernières années de sa vie à visiter et à fonder des maisons de son
ordre en Italie (2). Ainsi la composition de cet ouvrage ne remonte
pas au delà de la moitié du XIV* siècle.*

   *C'est de la même époque que doit dater le récit de la translation des
dépouilles sacrées du saint. Jusqu'en 1326, les habitants de Ferentino
veillaient avec un soin jaloux sur ce trésor. Pour le leur enlever, les
Célestins d'Aquila furent contraints de recourir à une série de strata-
gèmes médiocrement édifiants. Il nous est parvenu deux narrations de
cette équipée : l'une conservée dans le ms. Vat. 8883, l'autre publiée d'abord
par D. Faber, et reproduite par les Bollandistes (3). Celle-ci trahit des
retouches manifestes; c'est une accommodation liturgique. L'autre récit
est d'une allure beaucoup plus franche, d'un ton plus candide; c'est à
n'en pas douter la version originale. Nous la publions ici pour la première fois, ainsi que les parties inédites et l'ordonnance générale de la
Vie à laquelle elle fait suite. De la sorte, nos lecteurs pourront se convaincre que les éloges décernés à ce document biographique par les abbés
Montani et Tosti, reviennent de plein droit à l'œuvre des premiers
disciples du saint, antérieure d'au moins cinquante ans.*

IV. Procès-verbal du dernier consistoire secret préparatoire à la canonisation de Pierre Célestin.

   *Parmi les matériaux qu'il a recueillis sur S. Pierre Célestin, Con-
stantin Cajétan a conservé, en triple copie, une pièce fort curieuse intitulée :* Sententiae cardinalium de miraculis fratris Petri de Murrone,
quondam Caelestini Papae Quinti (4). *La première copie renseigne
sur sa provenance :* Ex ms. cod. Em^{mi} card. a Balneo (5). *Le même
texte a déjà été signalé dans notre Catalogue des mss. hagiographiques de la bibliothèque nationale de Paris, d'après un codex du
XIV* siècle (6), de provenance avignonnaise. C'est peut-être, pour le*

---

(1) Cod. Vat. 8883, f. 19ᵛ. — (2) *Act. SS.*, t. IV de Juillet, p. 494-95, nn. 25-31. —
(3) *Ibid.*, t. IV de Mai, p. 435-6, nn. 52-56. — (4) Bibl. Alexandrine, cod. 93, f. 230-34ᵛ,
236-38ᵛ, 357-61ᵛ; même écriture pour les deux dernières copies. — (5) Jean François de Bagni, proclamé cardinal en 1629, mourut à Rome le 25 juillet 1641. Sur sa
bibliothèque, cf. Louys Jacob, *Traicté des plus belles bibliothèques*, Append. p. 19ᵉ.
Paris, 1644. — (6) Tome II, p. 560, eod. 5375, f. 117-21.

temps de S. Pierre Célestin, le seul document de ce genre qui soit parvenu jusqu'à nous. En parcourant ces votes, on verra que les miracles, qui devaient assurer à l'anachorète de Murrone les honneurs des autels et dont plusieurs figurent dans la bulle de canonisation, ne passèrent pas sans contradiction. Le cardinal Stefaneschi, l'auteur du fameux poème sur Pierre Célestin, réserve souvent son adhésion. Le cardinal Richard de Sienne (1) se montre réfractaire à presque tous les miracles ; il trouve même que l'enquête préliminaire est à recommencer. Quant aux deux cardinaux Colonna, ennemis jurés de Boniface VIII, ils estiment que la procédure a été des plus satisfaisantes et que la cause traîne inutilement en longueur ; le caractère surnaturel de la plupart des prodiges ne laisse aucun doute dans leur esprit.

Cet examen des miracles fut fait en la présence du pape, un samedi, dans une des dernières séances préparatoires à la canonisation de Pierre de Murrone. On soumit au jugement d'une quinzaine de cardinaux un certain nombre de miracles accomplis par le serviteur de Dieu avant, pendant et après son pontificat, et d'autres qui suivirent sa mort. C'est toujours le pape qui, après chaque consultation, tranche d'autorité. La pièce qui nous a transmis les délibérations de ce consistoire secret, reproduit la rédaction sommaire d'un procès-verbal d'audience. Il y règne même çà et là un air de désordre, et il convient de l'examiner d'un peu près. Dans le manuscrit de Paris, les décisions du pape après chaque miracle ont été intercalées par une autre main du XIVe siècle, mais pas toujours au bon endroit. Ces légères confusions sont reproduites telles quelles dans les trois copies de Constantin Cajétan. De plus, la première de ces copies, faite d'après le ms. du cardinal de Bagni, remplace par du pointillé des mots que l'humidité a presque rongés dans le codex de Paris. D'où il est permis de conclure que le ms. du cardinal de Bagni dérive de celui de Paris, qui est lui-même d'origine avignonnaise. Quant aux deux autres transcriptions de Cajétan, où le pointillé ne paraît guère, elles ont dû être exécutées directement sur le texte de Paris par un copiste à l'œil plus perspicace. D'autre part, les interpolations, signalées plus haut et se rapportant toutes à la sentence arbitrale de Clément V, semblent bien faire partie du document primitif. Il faut donc adopter l'une ou l'autre de ces deux alternatives : ou bien le scribe du ms. de Paris a commis régulièrement l'invraisemblable oubli d'omettre le jugement du pape, ou plutôt le ms. de Paris constitue l'original même du compte rendu de la séance. Acté d'abord en toute hâte, ce procès-verbal fut après coup soumis aux retouches du secrétaire du consistoire, qui aura ajouté, sans trop regarder toujours s'il le

____

(1) Avant la publication du VIe livre des décrétales, il fut chargé par Boniface VIII d'en faire la revision. Son élévation au cardinalat date du 4 décembre 1298.

faisait à la place voulue, la phrase, de rédaction à peu près identique, attestant que le pape approuve le miracle discuté devant lui par les cardinaux.

Sur la liste des votants, on rencontre le nom de sept personnages qui furent promus à la dignité cardinalice le 23 décembre 1312. Or la canonisation de Pierre Célestin eut lieu le 5 mai 1313. Ce complément d'informations doit donc se placer à une époque voisine de la solennité. On peut même dire qu'elle en clôt les préliminaires importants, à nous en tenir au témoignage d'un contemporain.

En effet, le cardinal Jacques Cajétan Stefaneschi, dans son ébauche d'un cérémonial de la cour pontificale, a décrit les différentes phases de la procédure (1). D'abord, Clément V chargea l'archevêque de Naples et l'évêque de Valve de faire une enquête générale sur la vie et les miracles du frère Pierre. D'après ce qui reste de cette enquête aux archives de la cathédrale de Sulmone, les deux prélats entrèrent en fonctions le 13 mai 1306. Entretemps l'évêque de Valve étant venu à mourir, son collègue poursuivit et termina tout seul cette lourde tâche. Le procès-verbal de la commission des cardinaux, à laquelle le pape présida en 1313, s'occupe de cette apparente irrégularité dans l'interrogatoire posé aux cardinaux Jacques et Pierre Colonna et au cardinal Richard de Sienne. Le dossier une fois formé, l'étude en fut remise à quatre cardinaux, qui s'appliquèrent surtout à classer sous quelques rubriques spéciales les faits déposés au procès. Dans un consistoire subséquent, tenu par Clément V en personne, le sacré collège discuta avec soin les rubriques et les attestations sur l'enquête; en même temps le pape apposa sa signature sous quelques miracles, qui semblaient mieux prouvés. Cette discussion n'ayant pu être approfondie, faute de temps, le pape institua une nouvelle commission de huit cardinaux pour tirer les choses au clair. Il faut croire que ces rubriques avaient leur importance juridique; car elles revinrent une dernière fois sur le tapis devant les cardinaux réunis en consistoire secret en 1313. Quoi qu'il en soit, l'épreuve ne parut pas encore suffisante à Clément V. Au concile de Vienne, il chargea huit prélats d'une science consommée de soumettre l'enquête à un nouvel examen, mais sans toucher à ce que le pape lui-même avait signé. Ces juges s'acquittèrent parfaitement de leur mission. Mais le Concile de Vienne s'acheva, le 6 mai 1312 (2), sans que le pape se fût décidé à prononcer une sentence définitive. C'est bien à cette extrême circonspection de Clément V que Pierre Colonna

---

(1) Ce fragment du cérémonial a été publié par M. Labande, *Bibl. de l'École des chartes*, t. LIV, p. 61-67. Des extraits plus importants encore, sur le Concile de Vienne et les derniers moments de Benoît XI, ont été donnés par le R. P. Ehrle, dans l'*Archiv für Literatur-und Kirchengeschichte des Mittelalters*, t. V, p. 574-81.—
(2) Cf. Ehrle, t. c., p. 578.

fait allusion, en répondant à la quatrième question qui lui fut posée dans le consistoire secret de 1313 : Utrum per depositionem testium probatam reputet vitam sanctam? Respondit quod sic, et de miraculis illud idem ; et quod Dominus noster ad canonisationem eius potuit procedere iam est annus. *En effet, après le concile de Vienne, le seul acte important que signale encore le cardinal Stefaneschi, est la convocation des cardinaux en consistoire secret.* Et ut solidius et certius deliberare possent fratres vestri, *dit-il en s'adressant au pape,* singulis ipsorum fecistis tradi in scriptis per extensum plura miracula et attestationes super ipsis de verbo ad verbum. Consequenter et ultimo, non sine magnis laboribus et examinatione exquisita, inventum est per Sanctitatem Vestram et fratres vestros aliqua miracula et ante papatum ipsius fratris Petri, et aliqua in papatu, et aliqua post renuntiationem eius ante mortem, et aliqua in morte, et aliqua post mortem ipsius per eius merita esse facta, et vitam bonam et sanctam ipsius fratris Petri esse probatam.

C'est le compte rendu, inédit jusqu'ici, de cette séance décisive, que nous publierons plus loin. Elle eut lieu en 1313 ; la liste des cardinaux en fait foi. A entendre Pierre Colonna, tout semblait déjà mûr pour la canonisation de Pierre Célestin, un an auparavant, c'est-à-dire, en tenant compte des principales étapes de la procédure, au temps du concile de Vienne, qui se termina en mai 1312. Cette année d'intervalle transporterait ce consistoire secret à la seconde moitié du mois d'avril 1313 ; car le 2 mai 1313, il y eut un consistoire public de hauts personnages ecclésiastiques (1), et Pierre fut solennellement canonisé le 5 mai suivant.

Le document en question, outre son intérêt hagiographique, permet encore de rectifier mainte erreur de date chez Ciacconius-Oldoinus.

(1) V. Labande, *ouvr. cité*, p. 68.

VIE ET MIRACLES

DE

S. PIERRE CÉLESTIN

PAR DEUX DE SES DISCIPLES

1. — Ms. Arch. Vatic., Arm. XII, cass. ı, num. 1.
2. — Cod. 93 bibl. Alexandrinae, fol. 177ᵛ-209 (1).

I

**Incipit de continua conversatione eius quam quidam suus
scripsit devotus.**

1. De continua namque[1] conversatione eius et modo vivendi quid
dicitur? Lingua quidem in enarrando deficeret et calamus in scri-
5 bendo sopiret; qui quantis et quibus virtutibus sanctam suam animam satiavit in caelis et generibus tormentorum corpus maceravit
in terris per sexaginta annos, memoriae convertere si[2] vellet[3] in
stilum, forte nimia verborum pluralitas legentium fastidiret auditum,
et gestorum huiusmodi difficultas incredulitatis notam adiceret in
10 mentibus audientium. Eapropter, omissis aliis, ea tantum[4] quae
singulis annis, mensibus, noctibus et horis vitae suae compos
in statu salutis et gratiae peragebat, et divini muneris cultum, et
sanctae fidei ac purae religionis exemplum, a quibus eum nulla
umquam detraxit oblivio et non removit continui laboris acerbitas,
15 nec accessit illis temporibus intervallum, breviloquio ad Dei laudem
et ipsius sanctorum operum memoriam tradere procurabo.

2. Primo quidem intempestae noctis silentio ad reddendum Deo
laudes, ad confitendum nomini eius cum propheta surgebat ; et pro-
cidens in terram[1], flexis genibus et erectis manibus, suspirabat in
20 caelum. Denique ad officia consueta procedens vigilias cum maxima
verborum seriositate dicebat; quorum relaxata serie, matutinos
maiores beatae Mariae virginis, omnium sanctorum et pro defunctis

1. — [1] *om.* 1. — [2] *om.* 1. — [3] vellem 2. — [4] *om.* 2.
2. — [1] terra 1.

(1) Sur ces deux mss., voir plus haut, p. 370-75. Dans la constitution du texte,
nous n'avons pas perdu de vue le ms. de Paris 5375 (*Anal. Boll.*, t. IX, p. 147), qui
est, comme 1, du XIVᵉ siècle.

devote cum suis fratribus cantabat; sine quibus, adhibita mane quolibet disciplina, volebat colla iugo submittere ac de suis véniam implorare delictis, et vibratus more solito vigmine, psalmos speciales, multis letaniis adiunctis[2], devotius recitabat. Post quorum traditionem ad dicendum psalterium suum avidius vertebat intentum, et cum Dei adiutorio illum[3] incipiens, si hora primae[4] succresceret priusquam totius psalterii volumina masticaret, in quibus erat terminus, relinquebat eundem; et dicta prima, in sanctuarium festinabat accessum, et indutus gloriae stolam et veritatis amictum, planis incessibus progrediebatur ad aram, ubi offerret Deo debitum holocaustum. Tantum in ipsius missae celebratione devotionis et sanctitatis ostendebat affectum, quod astantium mentes quodam caritatis ardore nullus[5] apprehendere poterat tentationis aut inanis cogitationis anfractus. Denique completo sacrae missae mysterio et astantibus indulta cum benedictione licentia, psalmodiis[6] terminis reassumebat in illis ubi dimiserat, et more priori continuabat ad finem, non sine tamen multarum letaniarum et collectarum repetitione frequenti. In quorum semper ordine recitationis ad minus genuflexionum pluralitas ab eodem cum lacrimarum[7] inundatione peracta quandoque trecentenum, quandoque quingentenum numerum attingebat. Cumque, finitis talibus, factus esset solus, in silentio permanens, devotissimis obsecrationibus orabat ad Dominum et contemplabatur in orationibus suis sanctis, deplorans vitae praesentis miseriam, fragilem condicionis humanae compaginem, futurae peccatorum calamitatis timorem, ac verbo et opere aeternae vitae praemium investigans.

3. Hora quoque tertia[1] appropinquante, ad ipsius et sextae laudes dicendum[2] ora rigata fletibus exsolvebat. Post quas finitas, ne in sua e sede mentis posset ignaritas[3] locum otiositatis habere, quodque frequentis cura laboris et vigiliae sollicitudinis ac studio lectionum tentationis interdiceret alimenta, liberalibus aut mechanicis sudabat in artibus, scribens scilicet[4], libros ligans, vestes attritas suas fratrumve[5] resarciens aut suens. Et quia sibi de affligendo carnem ipsius cura nimia nimis erat, equinos seu bovinos pilos deferri faciebat ad eum[6]; quos arte sua trahebat ad longum, et nodosis retibus ex ipsorum adiunctione contextis, exinde sibi cilicia construebat; quibus continue nudis carnibus utebatur. Dumque hora nona venisset, congregatis fratribus in eo loco degentibus, quos tintinnabulum more solito convocabat, iterum Domino laudes sollicite et devote reddebat[7]. Et his finitis, ad accipiendum dona Dei omnipotentis cum eius

— [2] additis 1. — [3] illud 2. — [4] prima 2. — [5] nullius *corr. ex* nullus 1. — [6] *sic* 1, 2. — [7] letaniarum 1.

3. — [1] *om.* 1. — [2] dicendas 2. — [3] ignavitas 2. — [4] et *add.* 1. — [5] et fratrum 1. — [6] se 2 *post corr.;* eum 2 *ante corr.* — [7] referebant 1.

timore accedebant[8]. Et mensae benedictione largita, non quae gustui
saperent, sed quae tantum sui debilitatem corporis sustentarent
assumebat in cibum, et aquae potum quantum calorem bullientis
stomachi temperaret. Physice namque vivebat in talibus, non tamen
5 ad salutem corporis reparandam aut conservandam illaesam, sed
tantum cum apostolo quantum necessarium suo victui[9] videretur, et
minus. Actione itaque gratiarum Domino de receptis beneficiis exhibita, non petebat[10] ad digestionis auxilium planis passibus calcare
planities[11], nec[12] mollibus iacere stramentis, sed circa lectiones in
10 Biblia, vel in libris sanctorum doctorum[13], patrum Vitis aut collationi-
bus vel Legendis sanctorum oculos meditationis evolvens, os suum
parabolis aperiebat in[14] illis, quibus[15] vergente lucis vespere vespertina oratio clamabat ad Deum.

4. Haec cumque hora praeveniret eundem in huiusmodi occupatum,
15 festinus progrediebatur in chorum, et vesperos maiores beatae
Mariae[1] virginis omniumque sanctorum et pro defunctis cum solita sol-
lemnitate dicebat, eorumque prolixitate finita, usque ad completorii
horam in mandatis Domini meditans, in orationibus[2] et devotissima
contemplatione manebat. Demum completorio ipso sollemniter finito,
20 ne somnus, qui furis more latentis surripit religatque catenis gravibus sensus, in[3] Christo dicente: *Vigilate et orate* minoraret[4] exempla,
usque ad gallicinium in genuflexionibus et orationibus mitissime
pernoctabat. Cumque post[5] ipsius nimiam lassitudinem corporis,
naturae[6] debito exigente, virtus animalis in eo quietis otia peteret,
25 caput in craticula quidem ex ligno[7] constructa, in ea nullo genere
stramentorum apposito, reclinabat, pluribus vicibus in illa contractis
genibus appodiatus exsistens, quam lasso corpore conquiescens,
habensque ad maiorem mollitionem cervicalis[8] suppositum stipitum
feniculorum fasciculum aut lignum, ne somno deditus posset aliqui-
30 bus visionibus praegravari; sed nondum ipsius somno refectis artubus, ad vigilias, spreto cubili, surgebat.

5. Hunc quoque[1] vivendi modum, orandi, laborandi tenebat[2]
potissime per quattuor quadragesimas anni, videlicet maiorem quadragesimam, et quadragesimam[3] sancti Petri, quae incipit a festo apo-
35 stolorum Petri et Pauli et durat usque ad festum Assumptionis sanctae Mariae, ac quadragesimam sanctae Crucis, quae est ab Exaltatione
sanctae Crucis usque ad festum omnium sanctorum, et quadragesimam sancti Martini, quae incipit a festo sanctorum quattuor corona-

— [8] accedebat 2. — [9] (suo v.) *om.* 2. — [10] perturbabat 2. — [11] planitiem 1. — [12] aut
add. post. 1. — [13] et *add. post.* 1. — [14] *add. post.* 1, *om.* 2. — [15] dimissis *add. post.* 1.
4. — [1] *om.* 2. — [2] oratione 2. — [3] ut 2. — [4] imitaretur 2. — [5] *om.* 1. — [6] vere 1. —
[7] (quidem ex L.) ex L. q. 2. — [8] cervicali 2 *post. corr.*
5. — [1] ergo 1. — [2] detinebat 2. — [3] (et q.) *om.* 1, 2.

torum et durat usque ad Nativitatem Domini, additis iis diebus sancti
Spiritus, videlicet ab Ascensione Domini usque ad Pentecosten, et
quarta et sexta feria cuiuslibet septimanae. In quibus quadragesimis
et diebus memoratis idem sanctus [4] nemini ad eum adeunti dabat
sermonunculum et assensum, nec cuiquam ab ipso praestabatur [5]
accessus[5]. Aliis vero anni temporibus iis qui de remotis partibus cum
magna devotione veniebant ad eum, vel pro recuperanda corporis
sospitate, aliis vero pro suae salutis [6] animae consulendo, alicuius
gratiam consolationis benignam eis attribuens praestabat aditum
et auditum, et in eorum petitionibus consolabatur eosdem, prout sibi [10]
provenire[7] poterat de supernarum munere gratiarum. Non enim erat
quispiam tot vitiorum laqueis irretitus nec tanta [8] temeritate[9]
pravitatis elatus, quod ipsius sancti facie circumspecta et verbis mel-
lifluis oris eius auditis, ad virtutis et mansuetudinis gratiam non rediret. Et hoc mirum omnibus videbatur, quod nullus de omnibus, qui [15]
ad eum properabant, absque consolationis gratia ab eodem viro
sancto aliquando recedebat ; erat autem eius sola visio tota merces.
Et si aliquando [10] magnates vel iudices vel iustitiarii ad eum venirent, cum nimia securitate eos arguebat, ut mitius se agerent [11] circa
pauperes, et post nimia lenitate illos refovebat, et eisdem praemia [20]
aeterna promittens, si bene secundum Deum sua officia exercerent.
Quid plura ? Neque magnus neque parvus, viso et audito illo, absque
aedificatione maxima recedebat.

6. Ieiunabat quoque annis singulis, mensibus, hebdomadibus et
diebus, nullis nisi diebus dominicis exceptis. In quadragesimis vero [25]
multotiens tantum bis in hebdomada comedebat. Sexta vero feria
sine cibo; in pane vero et aqua duxit vitam beatam pluribus quadragesimis et multotiens sine pane, contentus tantum crudis legumi-
nibus atque pomis; nec de talibus sumere cum satietate volebat, sed
omnia cum pondere, numero et mensura. Diebus vero dominicis et [30]
festivis, quantumcunque dies illa festivitatum praerogativa gauderet,
in magnae consolationis applausum et eximiam fratribus gratiam
leguminum coquinam concedebat eisdem et olerum, olei tamen
insipido sapore conditans[1] ; ipse vero persaepius cibos edebat insipi-
dos et insulsos. Quattuor vero quadragesimis, quartis et sextis feriis [35]
praelibatis, nulla sibi coquinae genera faciebat apponi.

Quodam vero quadragesimae tempore fortiora desiderans genera
tormentorum, ut ieiunium attentius adimpleret, in foveam quandam
cum panibus decem et octo capitibus ceparum pro sui substentatione

— [4] senex 2 *post corr.* — [5] (adeunti — accessus) habendi sermunculum, dabat
assensum, nec cuiquam ab ipso praestabat affectum 2. — [6] *sic codd.* — [7] subvenire
2. — [8] tantae 2. — [9] temptatione 1. — [10] quando 1. — [11] ageret 1.
    6. — [1] conditas 1.

descendit. Cumque nimbosus polus stetit imbribus, ecce locum illum,
qui montibus situs erat, nimium asperitas et rigiditas algoris involvit,
et cooperta fovea ubi morabatur, ad summum faciens [2] manibus
superius ipse meatum [3] unde trahere posset anhelitum, non suffugit
5 ad tectum nec festinavit ad lares, sed stans ibidem solitas laudes
Domino referebat, ubi non habebat nisi unam craticulam, in qua
stabat et dormiebat [4]. Cumque nix illa [5] resolvi coepisset in aquam,
stillicidia defluxerunt ad umeros, quae algoris valitudo [6] convertit in
glaciem, cum qua vestimenta ipsius foveae parietibus tenaciter
10 adhaeserunt. Qui huiusmodi tenacitate glacierum obsessus diebus
viginti stetit immobilis. Et completo tempore quadragesimae [7], super-
venerunt aliqui devoti, qui ad ipsum venire consueverant peracto
quadragesimae tempore, ut benedictionem ab eodem viro sancto
acciperent. Et invenerunt illum in praedicta fovea semivivum. Inde
15 cum fletu extraxerunt et ad ignem detulerunt, ubi quinque panes, qui
sibi supererant, invenerunt. Accenso igitur igne et fratre illo iuxta
illum iacente, audivit vocem sibi dicentem : *Frater Petre, noli tam
grave onus asello imponere, quia, si perimis, coram Deo positurus es
de illo rationem.* Quo audito, ex illo iam tempore non praesumpsit
20 tam importabilia fragilitati corporeae imponere, sed aliter alia
attentavit [8]. Alio quoque tempore, diebus quadragesimalibus a
fratribus segregatus ascendit quandam rupem, ubi erat crypta
praegrandis; et ibi moratus est per totam quadragesimam nudo
corpore, nihil indumenti habens nisi tantum cilicium sicut rete
25 factum. Qui [9] dixit se numquam tam asperam quadragesimam fecisse
propter nimiam asperitatem frigoris. Demum cum aestivis temporibus in aestum calor emergeret, ipse, tamquam futurorum praevisor,
oculos considerationis ad se vertens et videns [10] quam per clivos montium via sit aspera, inundante [11] hiemis tempore aquarum et nivium
30 tempestate, quamque foret [12] difficile cum eleemosynis iter ad eum
ineuntibus periculosus accessus, panem, quem sibi congregaverat, in
aestate solis exponebat ad aestum, ut factus huiusmodi caloribus
aridus, a mucore [13] conservaretur [14] intactus. Panis quo sua semper
fruebatur in mensa, quisquiliarum tritici purgamenti videbatur
35 habuisse fermentum, et prae nimia antiquitate ipsius tanta inerat illi
stipticitas, quod ad ipsius fracturam utilior erat malleus quam
cultellus. In uno quoque ictu ruebat tota panis substantia in fragmenta,
et in ruina ipsa copia fumi [15] egrediebatur ex illo. Interiora namque
panis eiusdem quadam erant [16] flaccillosa [17] contexta lanugine ac septi-

— [2] *om.* 1. — [3] meaculum 2. — [4] (in-dormiebat) *om.* 2. — [5] iam 2. — [6] valitudi-
nem 2. — [7] definito *add.* 2. — [8] acceptavit 1. — [9] et 2. — [10] (et videns) *om.* 2. —
[11] nudit* 2. — [12] (q. foret) fore 2. — [13] mucrore 1. — [14] servaretur 1. — [15] fui 1. —
[16] erat 1. — [17] facillosa 1, 2.

formis coloris virgulis trabeata [18], in quorum latebris araneae lati-
tantes satagebant ad opus [19], et vermium quandoque nausea scatu-
riebat in illis. Quae cum sanctus ille sumere vellet in cibum, discussis
exinde sordibus, deinde ieiunia exsolvebat et nesciens mella miscerc
vini [20] liquoribus, potus sibi placidior erat aqua.   5

7. Vestes enim eius non erant subtili artificio perfectae, sed pilorum
nodosa cilicia, quae manibus suis ipse fecerat, quadragenis temporibus carne continue nuda ferens, ut cilicia membris eius tenacius
adhaererent, super ipsis [1] lorica magni ponderis super ipsum [2] utebatur. Ob quod in aestate frequentius concussa carne nodis prementi-   10
bus, humor ad [3] illuc defluus, tam caloris aestuatione quam crebra
concussione infectus, nonnullos vermes plagis in illis pariebat ; quos
sanctus ipse [4], nimio pruritu fastidiens, latenter precabatur ex fratribus aliquem per eum exinde cispitis [5] unco trahi. Habebat enim
super loricam ad usum tunicam rigidis [6] filis lanae retortam, et super   15
illam tunicam scapulare, et super scapulare cucullam de viliori
pannorum genere, quod reperiri contingeret [7] in montana provincia,
qua degebat. Si quoque vestimenta eius ex crebis genuflexionibus
deperirent, ea resarcire non piguit, nec verebatur toti partem in
diversitate colorum addere, nec nova veteribus sociare. Iis insuper   20
omnibus non contentus, corpus cruciare martyriis, pressus gravibus
catenis ventrem, oculosque in caelum mentis attollens, nititur stolidam
despicere terram. Hunc itaque vivendi modum et ordinem ad diem
usque servavit extremum. Nec fuit umquam qui posset eundem ab
huiusmodi continuitate pervertere, nec ab huiusmodi paenitentiae   25
tramite deviare, quacumque fuisset debilitate seu gravitate detentus
et praerogativa praepolleret dignitatis.

8. Hic quamquam fuerit iuvenili forma decorus, viguit moribus in
eo senectus. Huius sic sanctae vitae odoris fama crevit in saeculum.
Ne commendationis laudes assurgerent vitam incertam, pergebat ad   30
eremum et ab omni habitatione remotam. Huic namque, clavium caeli
et terrae tradita potestate, anno Domini м°.cc°.lxxxxiiii°. suggessit
humilitas et mundi pompae contemptus claves deponere, ianuis regni
caelorum prius potestate sibi tradita reseratis [1], quas relaxare fuit
contentior, quam sumere vel tenere foret optatior. Hic quoque,   35
quamquam fratres ipsius in patrem ipsum haberent et [2] praeficerent,
seipsum servum semper exhibuit et in oboediendo paratum. Hoc [3]
quoque demum [4] in solitudine mancipando studuit vivere sobrius,

— [18] trabea 1. — [19] suum *add.* 1. — [20] (m. v.) v. m. 1; m. humi 2.
7. — [1] (super i.) *om.* 2. — [2] continue *add.* 1. — [3] *om.* 1. — [4] ille 1. — [5] cuspidis
2. — [6] rigidam 2. — [7] contingerent 1; posset 2.
8. — [1] (regni-reseratis) *om* 1. — [2] (haberent et) *om.*2. — [3] hic *corr. ex* hoc 2. —
[4] se *add.* 2.

cum esset in gloriis[5] apud mundum. Sic quoque semper, sicut diei
dies additur, ita ipsius sanctae[6] conversationis vita laudabili meliora
bonis et sanctis operibus sanctiora[7], nec non ipsius corporis afflic-
tioni afflictionem pro[8] Christi nomine ac purae et sanctae religionis
5 exemplo semper adiunxit. Cuius vita, corpus et anima benedicantur[9]
in saecula. Amen.

**Explicit de continua conversatione sanctissimi patris nostri
sancti Petri de Murrone confessoris, quam quidam suus
devotus scripsit.**

<hr>

10   **II**

**Incipit[1] tractatus de vita et operibus atque obitu ipsius[2] sancti
viri quam quidam de suis discipulis[3] seriatim scripsit a
tempore quo ipse sanctus vixit et[4] ipse frater sub eius[5]
discipulatu vixit.**

15   **Incipit imprimis[1] de[2] simplicitate et rectitudine illius[3].**

9. Iste vir Domini[4] Petrus[5] ab infantia sua omnipotentem Deum
pure ac devote colere coepit, et in observatione mandatorum illius
avide anhelavit, sicut patet[6] in iis quae idem pater[7] manu sua scripsit.
Multa scientia non fuit peritus, quia quae stulta sunt mundi elegit[8]
20 Deus, ut confundat fortia. Et quia[9] prudentia huius mundi stultitia
apud Deum reputatur, noluit Deus hunc virum[10] hac prudentia
instrui, quia sibi ipsum placuit sua sapientia repleri[11]. Et sicut de
beato Iob dicitur : *Vir simplex et rectus et timens Deum et recedens
a malo*, ita de hoc viro sancto recte dici potest : vir, quia virtuosus;
25 simplex, quia purus; rectus, quia rectitudinem vitae perfectae servavit; timens Deum, quia repleverat illum Deus spiritu timoris sui;
recedens a malo, quia innocentiam veram et[12] illaesam semper con-
servavit. Ideo illius cordis[13] intima Deus accendit igne suavissimae
caritatis, ut erga se et[14] proximum vinculum indissolubile haberet
30 dilectionis.

— [5] (in gl.) inglorius 2. — [6] *om.* 2. — [7] sociare 1. — [8] *om.* 1. — [9] benedicatur 1.
   [1] (Explicit-Incipit) *om.* 2. — [2] eiusdem 2. — [3] (de-discipulis) suus discipulus 2. —
[4] (ipse — et) *om.* 2. — [5] suo 2.
   9. — [1] (Incip. impr.) *om.* 2. — [2] sancta *add.* 1. — [3] ipsius 1. — [4] sanctus *add.* 1. —
[5] seu Coelestinus *add.* 1. — [6] pateret 1. — [7] (idem pater) *om.* 2; sanctus *add.* 1. — [8] eli-
git 1. — [9] *om.* 1. — [10] sanctum 1. — [11] replere *post corr.* 2. — [12] *om.* 2. — [13] corporis
1. — [14] *om.* 1.

De fratribus et ordine per eum [15] a Deo creatis, factis et institutis [16].

Et quia omnipotens Deus iis novissimis temporibus novam vineam plantare decreverat, dignum erat ut talem operarium eligeret, qui non haberet maculam neque rugam, cui secure posset illam commit- [5] tere custodiendam atque servandam. Igitur hunc virum elegit, quem ab infantia sua ita docuit, ut in nullo a via [17] rectitudinis declinaret [18], sed semper in iustitia et sanctitate illi serviret. Huic ergo hanc suam [19] vineam collocavit, huic oves suas custodiendas commisit. Et licet vir iste sanctus in corde suo [20] proposuisset a principio suae religionis [10] semper solus manere et congregationem fratrum non facere, tamen aliter cogitat Deus, aliter homo. Volens Deus suam Ecclesiam novo lumine illustrare, misit hunc virum tantum ac talem in mundum, cui bene potuit dicere quod dixit Iohanni caro suo : *Ecce puer meus electus, quem elegi; posui super eum spiritum meum* (1), ut non quae [15] ipse vellet, ageret, sed quae Deus. Postquam enim Deus probaverat fidei illius constantiam et erga se et proximum tamquam apostoli Petri caritatem perfectissimam, commisit illi suum gregem custodiendum et a lupis totaliter conservandum ; misit ad illum non paucam multitudinem fratrum, ut suo magisterio imbuerentur atque ipsius [20] exemplo magnifico regularentur.

De locis captis, primo parvis, deinde magnis.

10. Oportebat namque propter multitudinem fratrum advenientium aliqua loca capere, ubi possent congruenter habitare et laudes suo Creatori die noctuque [1] reddere. Unde sicut novella arbuscula in [25] horto plantata ramos teneros incipit mittere et in'longum producere fortiores, sic iste vir Domini [2] coepit primo loca pauperrima et eremitoria capere et in illis fratres disponere secundum uniuscuiusque loci [3] posse. Non desinebat vir iste sanctus ipsa loca frequenter visitare et fratrum pusillanimitatem suis verbis et exemplis monere [30] et confortare, ut et patienter [4] paupertatem studerent [5] sufferre propter aeternas divitias adquirendas, reminiscendo illud apostoli : *Christus, cum dives esset in omnibus, propter nos factus est egenus, ut*

— [15] (p. eum) non a se, sed 2. — [16] (factis et institutis) *om.* 2. — [17] (a via) avi 1. — [18] deviaret 1. — [19] (hanc s.) *om.* 2. — [20] proprio *add.* 2.

10. — [1] (die noctuque) *om.* 1. — [2] sanctus 1. — [3] *om.* 1. — [4] (et patienter) *om.* 2. — [5] deberent 1, *prius* ste.

(1) Le texte évangélique porte : *Ecce puer meus, quem elegi, dilectus meus, in quo bene complacuit animae meae. Ponam spiritum meum super eum et iudicium gentibus nuntiabit* (Matth. XII, 18). C'est une appropriation d'un passage d'Isaie (XLII, 1), faite non pas à Jean, comme dit le biographe, mais à la personne de N.-S. J.-C.

suis divitiis nos ditaret (1). Haec et iis similia illo sancto viro monente, multum tempus transegit cum nimia paupertate et egestate usque ad tempus pontificatus domini Gregorii papae decimi, qui Lugduni Franciae generale concilium celebravit.

De eundo ad concilium Lugdunense.

11. Audiens vir iste sanctus omnes ordines per apostolicam sedem non approbatos in hoc concilio per istum summum pontificem debere cassari, timuit ne pusillus grex, quem Domino aggregaverat, iret in devorationem luporum et aliarum ferarum crudelium. Exposuit se illuc ire, licet pauper nimis esset, ut forte sua pietate Dominus dignaretur hunc gregem simplicium ovium custodire, quem non sua sed Dei[1] voluntate tamquam pater et[2] pastor usque ad tempus illud custodierat atque defenderat. Convocat[3] fratres omnium illorum locorum vicinorum et eisdem primitus salubrem fecit monitionem[4], et confortatus est illos, ut orarent et in misericordia domini nostri Iesu Christi sperarent. Et assumpsit secum duos socios, videlicet fratrem Iohannem de Atria sacerdotem et fratrem Placidum de Morreis laicum; et valedicens fratribus, arripuit iter suum versus Lugdunum Galliae, non eques sed pedes. Fratres vero omnes nimium plorare coeperunt de suo discessu; et plurimi illorum credebant illum numquam reversurum[5]. Vere tunc animam suam pro ovibus suis tamquam Christus posuit, qui tam longum iter absque alicuius adminiculo peragravit. Quae et quanta pericula per idem iter ipse cum suis sociis in eundo, ibi[6] commorando et in redeundo sustinuit, longum est nimium enarrare.

De privilegio impetrato et de confirmatione sui ordinis.

12. Sed misericors et miserator Dominus non est oblitus vineunculae suae novellae, quam dextera sua plantaverat, quia de fructu illius se satiari[1] exspectabat; multam gratiam ab illo summo pontifice hic[2] pauperculus suus servulus[3] denique impetravit. Et quae non speravit vir ille sanctus, mirifice obtinuit, scilicet privilegium confirmationis sui ordinis idem apportavit, et regula beati Benedicti est sibi concessa ab illo sancto papa. Et hoc totum factum est per dispensationem divinam, qui in futurum providebat beati Benedicti regulam per istos novellos servulos relevare[4], quae a pluribus monachis iam conculcata fuerat et ad terram prostrata.

11. — [1] pietate et *add.* 1. — [2] *om.* 1. — [3] omnes *add.* 1. — [4] (primitus s. f. m.) primo f. m. s. 1. — [5] revisurum 1. — [6] et 1.

12. — [1] satiare 2 *post corr.* — [2] *om.* 1. — [3] servus 1. — [4] relevatum iri 2 *post corr.*

(1) Cette citation n'est pas textuelle. Voir 2 Cor. viii, 9.

De reversione a concilio et miraculo quod accidit.

13. Completo itaque privilegio, Dei auxilio mediante, iterum iter
arripuit ad propria remeare. Sed unum miraculum, quod eisdem
accidit fratribus in ipso itinere, non est praetermittendum, sed ad Dei
laudem dicendum. Cumque fratres isti inter Lucam et Pistorium veni- 5
rent[1] cum multo metu, inter quas civitates magna dissensio erat, ita
quod non audebat aliquis per ipsa itinera securus transire, ne disro-
baretur et ad mortem traheretur, cum multo metu inde pergebant.
Ambulantibus vero iis per hanc viam, quidam miles pulcherrimus
unum equum album[2] equitans appropinquavit et ibat cum illis. Quos 10
interrogavit quo vellent ire, et adiunxit : *Quare non timetis per hoc iter
transire, cum sit nimis periculosum et latronibus plenum?* Cui responderunt : *Deus per suam misericordiam adiuvet nos.* Ille vero dixit :
Ambulate cum Dei benedictione. Et finxit se longius ire. Interim[3] ipsi
fratres inciderunt[4] in unam silvam, quae multum distàbat ab habita- 15
tione hominum ; de qua exierunt tres latrones et adhaeserunt praedictis fratribus. Cumque[5] pervenissent ad locum ubi possent latrones
eosdem fratres superare, gradum fixerunt et quilibet illorum[6] volebat
irruere super quemquam illorum fratrum. Sed Deus, qui non relinquit[7]
sperantes in se, fecit exire tres serpentes, et cum impetu irruerunt[8] 20
super unumquemque illorum latronum. Videntes illi latrones serpentes, coeperunt clamare et pavere atque[9] fugere, et dimiserunt in illo loco
servos Dei. Sed adhuc, instigante diabolo, iterum in eadem silva parati
sunt illi latrones ad nocendum servis Dei, et iterum remisit Deus alios
tres serpentes in hora qua illos[10] nocere desiderabant, et non potue- 25
runt illis nocere neque in personis neque in rebus quas apportabant,
divina gratia illos protegente. Sed cognoscentes fratres illos latrones a
malo proposito non desistere, volebant divertere ab illis, nec poterant,
quia collegerant illi latrones fratrem[11] Petrum ante se, qui privilegium
papae portabat[12]. Frater Iohannes et frater Placidus fixerunt cursum 30
suum et clamaverunt ad praedictum fratrem[13] Petrum, qui reversus
est ad illos, et consuluerunt inter se, quomodo possent illam comiti-
vam latronum dimittere, quia sciebant firmiter propter se et sua illos
venire et ad locum apertum, ubi possent illos expoliare ; et coeperunt
retro redire. Qui non multum iter agentes et fugientes conspexerunt 35
illum militem in equo albo equitantem, quem ante viderant, contra
se venire. Qui cum ad eos pervenisset, laeto vultu et hilari facie dixit :
Avete fratres. Numquid non dixi vobis quia periculosum erat istud iter?
Nolite amodo timere, quia ego veniam vobiscum et non derelinquam

13. — [1] venissent 1. — [2] (unum-album) uno equo albo 2. — [3] iterum 2. — [4] introierunt 1. — [5] cum 1. — [6] eorum 2. — [7] derelinquit 1. — [8] irruebant 2. — [9] et 1. —
[10] illis 2 *post corr.* — [11] sanctum 1 ; *prius* fratr. — [12] ferebat 2. — [13] sanctum 1.

vos [14], *quousque de periculosis locis exeatis.* Et ambulaverunt cum
eodem sicut [15] cum verissimo amico. Et postquam illos a periculosis
locis extraxisset, ostendit eis civitatem ad quam ire debebant, et
statim evanuit ab oculis illorum. Unde cognoverunt postea quod non
5 homo, sed vere Dei nuntius [16] fuisset. Unde ab illa die et deinceps Dei
misericordia liberati fuerunt, usquequo ad propria sunt reversi. Abierunt ad concilium de mense novembris; et de mense iunii, opitulante
gratia Christi, completo negotio, ad loca propria redierunt. Quantum
gaudium, quanta exsultatio [17] apud omnes habebatur de illorum rever-
10 sione, quis dicere valet? Omnes fratres, omnes devoti, omnes amici
eius undique concurrebant ad revidendam suam faciem gloriosam.
Quibus dicebat : *Filii, referamus gratias Creatori nostro, qui semper
sua divina pietate salvos facit* [18] *sperantes in se, et desiderium pauperum
servorum suorum exaudivit.* Et haec dicens privilegium confirmationis
15 ordinis omnibus demonstrabat [19].

De persecutione episcoporum circa ordinem.

14. Haec audientes episcopi diocesani, in quorum diocesibus loca
ordinis erant constructa, nimium mirabantur, quia plurimi [1] eorum
iam detulerant bona ecclesiarum ordinis ad suam ecclesiam et dice-
20 bant omnibus quia ordo deletus erat. Sed videntes et audientes quod
frater [2] Petrus reversus fuisset et privilegium papale de confirmatione
ordinis attulisset, erubescebant omnes adversarii, et quae ipsi depor-
taverant ad ecclesiam suam, remittere procurabant licet ad tempus
cum nimia [3] verecundia. De cetero autem nullus fuit ausus molestiam
25 inferre sicut antea [4], nisi unus, videlicet episcopus Theatinus solus [5], qui
in tantum persequebatur illos servos Dei, qui in illis montanis morabantur, quod paulo minus deliberabant loca illa derelinquere et ad
alias partes pergere. Sed hoc non fuit a Deo illis permissum, sed
volebat Deus illis facere quemadmodum filiis Israel, ante quorum
30 faciem multos reges multasque gentes interfecit; reges vero Chana-
neorum et Philistinorum illis [6] reservavit, ut in illis exercitaretur
Israel. Sic voluit Deus [7] simplicibus servis suis hunc modum servare.
Tandem cum [8] multo timore in illis locis permanserunt ; campanas,
quas de Venetiis [9] apportaverant, inde elevaverunt, libros [9], para-
35 menta [10] et quaecumque bona ibi habebant, ad alia loca securiora
transtulerunt. Persecutio vero haec duravit fere usque ad finem vitae
illius episcopi. Cum autem pervenisset ad finem, fecit vocari [11] ad se

— [14] (et-vos) *om.* 1. — [15] tamquam 1. — [16] (D. n.) n. D. 1. — [17] consolatio 2. —
[18] (s. f.) f. s. 1. — [19] demonstravit 1.
14. — [1] plurima 2. — [2] sanctus 1. — [3] magna 1. — [4] ante 1. — [5] *om.* 1. — [6] *om.*
2. — [7] cum *add. post.* 2. — [8] Venetia 2. — [9] et *add.* 2. — [10] paratus 1. — [11] vocare 2.

praedictum fratrem [12] Petrum, et coram eo paenitentiam egit de commissis erga se et fratres suos et loca ipsorum ; et quasi pro satisfac-
tione fecit eidem privilegium exemptionis de omnibus ecclesiis et
locis quos [13] habebat in diocesi sua (1), et sic in pace quievit.

De capitulo generali et deliberatione accipiendorum locorum. 5

15. Iis itaque transactis, revertamur ad ea quae incepimus. Eodem
tempore fecit vir iste [1] fratres suos congregare ad celebrandum generale capitulum ad monasterium Sancti Spiritus de Maiella, quia in
eodem cum illis intendebat multa bona tractare de observatione mandatorum Dei et regulae [2] beati Benedicti atque aliarum constitutionum ; 10
quod [3] perfecit Christo auxiliante. In illo vero capitulo deliberavit
monasteria proprium habentia capere, ut fratres possent vivere de
labore manuum suarum, sicut regula beati Benedicti praecipit [4] ; quia
tunc vere monachi sunt, si labore manuum suarum vivunt, sicut apostoli et sancti patres facere decreverunt [5]. Celebrato illo capitulo et 15
omnibus rite dispositis, fratres remisit ad propria. Et ex tunc et deinceps coepit vir iste sanctus multa monasteria et loca capere, aliqua
quae fuerant [6] monachorum nigrorum, et aliqua de novo construxit [7].

**De monasterio Sanctae Mariae in Faivolis [1] et quod ibidem
fuit abbas et renuit honorem abbatatus [2].** 20

15ᵃ. Inter alia cepit [3] unum bonum monasterium tunc paene
dirutum et destructum [4], quod vocabatur Sancta Maria in Fayfolis [5],
quod erat in provincia unde ipse exstiterat oriundus, cuius abbas
dederat sibi primo habitum sanctae religionis. Hoc accepit, hoc
reconciliavit, hoc totum de novo [7] refecit, possessiones quas habuerat 25
recuperavit, et ita florere in brevi tempore in omnibus bonis
coepit, quod in eo possent commorari [8] fratres usque ad sexaginta ;
sed quadraginta et plus [9] ibidem morabantur. Et hoc monasterium
venerabilis vir [10] sanctae memoriae Capifer, archiepiscopus Beneventanus, praedicto fratri [11] Petro concessit, et in eodem [12] ipsum 30

— [12] sanctum 1. — [13] quae 1.
15. — [1] sanctus *add.* 1. — [2] regula 1. — [3] et *add.* 1. — [4] *Ita etiam* 2, *sed post
corr.* — [5] docuerunt 1. — [6] fuerunt 1. — [7] construere 1.
15ᵃ. — [1] Faiolis 1. — [2] (honorem abb.) *om.* 2. — [3] (alia cepit) quae recepit 2. —
[4] (dir. et destr.) destr. et dir. 1. — [5] Faiolis 1. — [6] quasi *add.* 1. — [7] (de novo) denuo
2. — [8] commorare 1. — [9] plures 1. — [10] pater 2. — [11] sancto 1. — [12] eo 1.

(1) Ce privilège d'exemption date de 1278. Il a été inséré et confirmé par Nicolas IV dans sa bulle du 20 février 1291, avec trois autres lettres d'évêques, accor-
dant la même faveur à la nouvelle congrégation célestine. Cf. CELIDONIO, *Una bolla
inedita di PP. Nicola IV*, dans la RASSEGNA ABRUZZESE, an. I (1897), p. 39-40.

in abbatem consecravit. Fuit in eodem monasterio vir [13] iste sanctus per spatium unius anni abbas. Et quia a primaevo solitudinem dilexit, talem honorem seu praelationem renuit, et alium fratrem de suis abbatem in eodem monasterio substituit [14]. Ipse vero ad solitam solitudinem rediit, et in solis inspectoris oculis habitavit secum. De cuius monasterii restauratione tantum gaudium tantamque exsultationem omnes adiacentes provinciae et fratres habebant, quod nullus sufficit dicere, quia quasi a quodam plenissimo fonte omnes gratiam spiritualem et temporalem recipiebant [15].

10 **De persecutione quam ibidem passi sunt fratres [1].**

15[b]. Sed hoc antiquus adversarius patienter non ferens [2], videns quod maxima multitudo hominum per fratres illius monasterii et exempla illorum ad Deum convertebatur [3], et quia [4] plures alia beneficia spiritualia exinde recipiebant, et pauperes paene [5] totius provinciae ibi in temporalibus recuperabant, suscitavit aemulum adversus monasterium et fratres [6] illius, videlicet domnum Simonem, qui multo tempore illos est persecutus. Petebat iste malignus homo duo casalia et alias possessiones quas monasterium tunc possidebat. Ille vero per se et per alios res auferebat, fratribus iniuriabatur, et toto conamine per eum diabolus monasterium damnificabat. Sed ea fratres omnia pro Dei justitia et Ecclesiae libertate conservanda patienter ferebant. Et haec persecutio fere [7] per sex annos duravit. Pater vero sanctus considerans et diligenter attendens illius malitiam et fratrum continuam militiam, et [8] timens ne aliquod malum occasione istius inimicitiae inter eos [9] oriretur, magis placuit sibi ipsum monasterium relinquere (1), quam perditionem animarum conspicere. Misit igitur ad abbatem, quem ibidem substituerat, ut monasterium dimitteret, dicens illud Salomonis: *Melior est buccella sicca cum gaudio quam plena domus victimis cum iurgio* (2).

30 **De monasterio derelicto et captione [10] Sancti Iohannis in Plano.**

Missis namque nuntiis et litteris, et ab abbate illo receptis, monasterium illud reliquerunt; prius tamen ex [11] illo multis bonis extractis,

— [13] *om.* 1. — [14] substutnit 1. — [15] reciperent 2.
15[b]. — [1] (sunt fr.) f. s. 2. — [2] et *add.* 1. — [3] convertebantur 1. — [4] quam 1. — [5] *om.* 2. — [6] (adversus-fratres) adversarius monasterio et fratribus 1. — [7] *om.* 2. — [8] *om.* 2. — [9] (inter eos) *om.* 2. — [10] monasterii *add.* 2. — [11] de 2.

(1) En 1278, Pierre était encore abbé de Sainte-Marie de Faifole. Il l'était déjà en 1276. CRIVONIO, *ibid.*, p. 39 et 41. — (2) *Prov.* XVII, 1.

se ad monasterium Sancti Iohannis in Plano, quod paulo ante acceperant, transtulerunt.

15ᵈ. Quo relicto, facta est magna tristitia[1] in tota illa provincia, et dicebant se a Deo relictos esse. Sed iniquus ille persecutor nimium est gavisus, quia videbat suam avaritiam[2] in hoc satiatam esse. Sed s non per[3] multum tempus hoc possedit gaudium, quia non post multos dies finivit vitam suam cum rebus temporalibus proxima infirmitate, et, ut dicitur, propter illud monasterium excommunicatum eum[4] decessisse, quia ad emendationem suus animus numquam est perductus. Post haec autem omnis illa congregatio de monasterio 10 derelicto ad monasterium Sancti Iohannis in Plano se transtulit ibique permansit. Quod in brevi tempore monasterium restauravit, et illud totum de novo construxit, et ecclesias et possessiones, quas longo tempore iam perdiderat, recuperavit, et deinceps in omnibus bonis per divinam gratiam floruit.   15

De misericordia istius sancti patris nostri[1] circa pauperes et egenos[2].

16. De misericordia istius sancti viri multa essent dicenda; nos vero illam sub brevitate perstringimus, eo quod omnibus est nota. Augmentante[3] domino nostro Iesu Christo ordinem istum novicium 20 locis, personis et rebus temporalibus, ipse, in quantum poterat, paupertatem tenere, praedicare et exemplis demonstrare studebat in tantum ut, si quando oves vel alia animalia multiplicare in aliquibus locis sui ordinis audiebat, statim eas vendere faciebat et pretia illarum sibi afferri. De quibus pecuniis et loca nova fieri faciebat, et pauperi- 25 bus distribuebat. Habebat enim multam compassionem de[4] pauperibus, ita quod in illa provincia, ubi degebat, non erat castrum, nec casale, neque villa aliqua, quod ipse non cognosceret[5] quod pauperes in ipsis essent. Sed pauperes undique ad ipsum confluebant, et ipse larga manu eleemosynam erogabat et, dum aliquid in cella sentiret, 30 dare non desinebat. Mulieribus pauperculis quae ad ipsum ire non poterant, et aliis personis nimium impeditis, frequenter eleemosynas per fideles nuntios transmittebat. Sicubi audisset aliquas puellas pauperes nuptui tradendas, adiutorium laetissime impendebat. Calices vero argenteos fratribus[6] vendere faciebat; vestimenta autem serica 35 ecclesiarum usibus deputata similiter aut vendere aut aliquibus ecclesiis largiri faciebat, ut nullo modo fratres delectarentur in rebus

---

15ᵈ. — [1] (magna tr.) tr. m. 2. — [2] voluntatem 1. — [3] *om.* 2. — [4] (excomm. eum) excommunicatus 2.

16. — [1] (sancti p. n.) *om.* 2. — [2] (et egenos) *om.* 2. — [3] adiuvante 1. — [4] *om.* 2. — [5] agnoscere 1. — [6] fratres *post corr.* 2.

pretiosis. Multa conferebantur huic sancto viro in auro et argento, in
denariis, in vestibus, in cera et in multis aliis, propter devotionem
maximam quae ab omnibus in ipso habebatur. Et ipse tamquam fidelis dispensator ministeriorum Dei omnia dividebat per Christi paupe-
5 res, per loca ordinis sui paupercula, per loca religiosorum, per ecclesias saecularium, ita penitus quod in cella sua nihil relinquebat. Et
quicumque ad ipsum pro eleemosyna petenda veniebat, si habebat,
laetissime dabat ; sin autem, promittebat illis, ponens terminum quod
tali die reverterentur ad ipsum. Unde quis sum ego ad disponendum
10 caritatem et misericordiam istius sancti viri[7] ? Et si omnes artus mei
linguae essent, possent narrare illam ? Certe nequaquam[8], cum, ubicumque ipse erat[9], nulla ecclesia, nullus locus religiosorum vel reli-
giosarum, nullus pauper clericus, nulla vidua, nullus debilis vel
impeditus aut gravi infirmitate[10] detentus, qui[11] esset[12] vacuus seu
15 vacua a munere benignitatis illius. Sed omnes alebat, omnes fovebat,
omnes sustentabat, et sicut mater consolatur filios proprios, ita iste
vir[7] sanctus a Deo datus omnes ut proprios filios diligebat, et sub
protectione alarum suarum diligentissime protegebat.

De doctrina eius circa saeculares et religiosos[1].

20 **17.** In doctrina vero multum iste vir[2] sanctus pollebat, ut si quando
ad ipsum aliqui potentes domini[3] venirent, illos monebat, rogabat et
confortabat in Domino, ut suam spem[4] non ponerent in gloria mundi
et rebus caducis, sed immaculatam animam suam custodirent et in
omnibus suos vasallos et subditos commendatos haberent, ut a
25 Domino mercedem bonam proinde recipere mererentur. Qui audientes salutiferam monitionem sancti viri[2] compunctione maxima quam
plurimi illorum lacrimabantur et eius verba in cordis secretario
recondebant, quasi ex ore divino talia audivissent. Quibus[5] pater[2]
sanctus ut dicerent aliquem numerum de *Pater noster* pro remissione
30 suorum delictorum, monebat, et dabat de illis eisdem, et sic cum benedictione et consolatione maxima ab ipso discedebant. Et ab illa hora[6]
humiliter se gerebant tam pro timore Dei quam pro reverentia ipsius
sancti viri[2]. Item cum divites aliqui ad illum causa alicuius scintillae
devotionis pergebant, proponens dicebat illis illud evangelii, quod
35 dives vix intraturus esset in regnum caelorum aut vitam aeternam
adquireret[7], nisi studeret eleemosynas pauperibus abundanter ero-
gare[8], dicente Domino : *Facite vobis amicos de mammona iniquitatis,*

— [7] *om.* 1. — [8] numquam 2. — [9] esset 2. — [10] paupertate 1. — [11] *om.* 2. — [12] erat 2.
17. — [1] (circa-religiosos) *om.* 1. — [2] *om.* 1. — [3] viri 1. — [4] gloriam 1 *ante corr.* —
[5] quos 2 *post corr.* — [6] non prave sed *add.* 1. — [7] acquirere 2. — [8] dare 1.

ut, cum defeceritis, recipiant vos in aeterna tabernacula (1). Et adiciebat:
*Quid prodest divitias congregare caducas ? Nolite, filioli, tales divitias
congregare, quae corpus dissolvunt et animam perire faciunt, sed aeternas divitias amate, quae hominem divitem virtutibus faciunt, et post
hanc labilem vitam aeternam faciunt invenire.* Haec illi audientes a [5]
tanto viro[9], nonnulli ipsorum compungebantur et extunc largissime
eleemosynas tribuebant; et iis etiam aliquem numerum de *Pater
noster* imponebat, ut cotidie dicerent pro suae animae erectione. Iis[10]
salutiferis monitionibus refecti ad propria cum gaudio remeabant.

18. Pauperum vero frequentia ad ipsum semper undique concurre- [10]
bat. Quos ille benigne suscipiens, non praeponebat ingenuum servo
aut[1] nobilem ignobili, sed omnes una caritate in Christo diligebat, eo
quod ab uno Deo una natura creati sunt omnes. Ipsos autem pauperes
monebat et confortabatur, ut paupertatem patienter sufferrent[2], ut
misericorditer a Domino aeternas divitias reciperent, ipso Domino [15]
promittente : *Beati,* inquit, *pauperes spiritu, quoniam ipsorum est
regnum caelorum* (2); et alibi: *Qui dimiserit pro Domino temporalia, reci-
piet in futuro munera sempiterna.* Haec et iis similia a sancto illo viro
pauperes audientes quam plurimi illorum convertebantur et Domino
deinceps famulari disponebant. Et alii accepta ab illo benedictione [20]
revertebantur, admirantes et gaudentes super iis quae viderant et
audierant. Et cuilibet illorum certum numerum similiter[3] de *Pater
noster* ut dicerent, iniungebat. Multi devoti devote ibant seu mittebant
ad istum virum[4] sanctum petendo benedictionem ab illo. Quibus ille
aut panem benedictum, aut aliquod munusculum illis[5] transmittebat. [25]
Habebat enim hanc consuetudinem panem benedicere et dare seu
mittere petentibus pro benedictione[6]. In quo tantam virtutis effica-
ciam Deus ponebat, quod gustantes ex eo a diversis et variis infirmitatibus sanabantur, sicut inferius in eiusdem miraculis declarabimus.

19. Nonnulli etiam religiosi, tam magna quae de ipso dicebantur [30]
audientes et famam sanctitatis, quae ubique transvolabat, humiliter
ad eundem properabant, sitientes ab illo aliquod verbum aedifica-
tionis audire. Quos ille benigne recipiebat; et si inter illos aliquis esset
praelatus, ad osculum recipiebat; si sacerdos, manus illius oscula-
batur. Quicumque alius esset, cum maxima reverentia eundem reci- [35]
piebat, extrahendo sibi caputium de capite. Et sic cum ipsis sedebat,
et verba Dei praeponebat et de aliis scripturis sanctis, sicut servos
Dei decebat. Et maiores sicut patres deprecabatur, ut regulam

— [9] sancto 1. — [10] huius 2.

    18. — [1] *om.* 2. — [2] sufferrent studerent, 2 *ante* corr.; sufferre studerent 2 *post*
corr.— [3] (numerum s.) s. n. 2. — [4] *om.* 1.— [5] *om.* 1. — [6] (pro bened.) benedictionem 1.

    (1) Luc. xvi, 9. — (2) Matth. v, 3.

suam illis a Deo concessam observarent et a subditis facerent observari ; subditos vero ut praelatis suis omni sollicitudine sicut revera
Christo in omnibus oboedirent et suam regulam, quam promiserant,
fideliter observarent. Haec et alia multa ipso cum illis ad invicem
conferentibus, gaudebant nimium de tam dulcibus verbis et sanctis,
quae de ore illius emanare conspiciebant. Post dulcia vitae colloquia
cibum corporeum eisdem ministrare faciebat, ut mente et corpore
recreati ad sua loca cum gaudio reverterentur. Frequenter etiam
episcopi audientes tantam illius hominis [1] sanctitatem, desiderio
caritatis accensi, veniebant ad eum, ut mererentur audire illum dulcia
vitae colloquia loquentem, sicut ab universis gentibus dicebatur. Cum
autem venissent ante illum, primus [2] ante illos [3] se curvabat, et manus
et os se [4] ad invicem osculabantur. Salutatis et, ut diximus, osculis datis,
sedebant, ubi non nisi de sanctis aedificationum eloquiis tractare
disponebant. Tandem idem sanctus Dei famulus argumentosus et
sollicitus de salute animarum [5] humiliter ipsis populum Dei, quem a
bono pastore custodiendum acceperant, recommendabat, ut [6] sollicite
super illum intenderent, ne aliqua ovium sibi commissarum a lupis
devoraretur et ne solliciti plus essent de terrenis quam de grege
dominico sibi commisso [7], pro quo Christus mortem susceperat, sed, in
quantum possent, conarentur illum instruere verbo scilicet et exemplo. Haec et iis similia a sancto viro [8] audientes et recommendantes
se [9] suis orationibus, aedificati discedebant et ad propria remeabant.
Multa frequentia populorum ad ipsum concurrebat, eo videlicet tempore [10] quo praedictus venerabilis pater [11] loquebatur ; sed in quattuor
quadragesimis et quarta et sexta feria totius anni nullum verbum
alicui accommodabat, aliis vero temporibus loquebatur et consolabatur eos, qui ad se veniebant. Sed quia prae multitudine cum
omnibus minime loqui poterat, ad fenestram ascendebat et dabat
omnibus benedictionem communiter. Quando vero tanta multitudo
non erat, faciebat illos segregatim venire, scilicet qui ante venissent,
ante cum eo colloquium haberent. Et cum applicuissent ad illum, non
nisi de utilitate animae secum tractabant. Et quicumque cum eo
semel potuisset habere colloquium [12], quodam igne ferventis desiderii
ipsum revidere cupiebat. Hoc mirabile in illo erat, quod homo numquam se illius visu [13] satiabat, sed quanto plus [14] illum [15] aspiciebat vel
colloquium cum illo habebat, tanto amplius [16] illum aspicere anhelabat [17], quia semper cum omnibus verba vitae aeternae tractabat [18].

19. — [1] (illius h.) ipsius sancti 1. — [2] prius 2. — [3] eosdem 2. — [4] om. 2. — [5] (idem-
animarum) famulus Dei Petrus 2. — [6] aut 2. — [7] (sibi commisso) om. 2. —
[8] (a sancto viro) ab isto sancto 1. — [9] om. 1. — [10] om. 2. — [11] (praedictus-pater) iste
sanctus 1. — [12] (potuisset-colloquium) colloquium posset h. 2. — [13] viribus 2. —
[14] om. 2. — [15] om. 1. — [16] ardentius 2. — [17] anhelabant 1. — [18] contractabat 2.

De doctrina discipulorum suorum [1].

20. Nunc igitur ad doctrinam, quam suis fratribus verbo et
exemplo ostendit et docuit, veniamus. Primo et principaliter illos
docuit humilitatem habere, quae est fundamentum omnium virtutum.
Hanc illis habitu et actu ostendit, ut [2] semper hanc virtutem corde et [5]
corpore tenerent, si Deo et sanctis eius placere vellent. Unde in
constitutionibus posuit ut fratres vilioribus pannis, quos invenire
possent, se induerent, calciamenta ex parte ante aperta haberent;
similiter cibariis grossis uterentur et non delectarentur neque in
cibis delicatis, neque in vestimentis mollibus vel subtilibus, sicut qui [10]
in mundo versantur. Monachi vero in hoc mundo gloriam non debent
quaerere, sed in caelo. Post hanc vero docuit illos perfectam caritatem habere, ut Dominum diligerent toto corde et tota anima
totaque virtute, et se invicem diligerent et proximos, scilicet omnes
christianos, sicut seipsos, quia sic eam Christus docuit, ubi ait : *In hoc* [15]
cognoscent omnes quia mei discipuli estis, si dilectionem habueritis ad
invicem (1). Docuit etiam illos officium divinum die noctuque redderent
cum multa seriositate, scilicet nimium orare. Et licet regula [3] beati
Benedicti officium divinum disponat, ipse multa alia super regulam
addidit. Sed regula non nisi de officio maiore dixit; iste vero non [20]
solum maius, sed officium beatae Virginis et Omnium Sanctorum
atque defunctorum disposuit, atque mandavit ut omni devotione et
honore quo possent, laudes officii debitas Domino redderent. Insuper
etiam constituit ut qualibet hebdomada singuli psalteria pro vivis et
mortuis dicerent. Constituit adhuc ut centum genuflexiones singuli [25]
singulis diebus facerent; sed in xl^mis ordinatis et feria sexta totius
anni centies in die et centies in nocte ad Deum flecterent. Constituit
etiam tres quadragesimas fieri in anno in cibo quadragesimali,
videlicet xl^am S. Mariae, xl^am Natalis Domini et xl^am Resurrectionis
Domini. Constituit ut omni tempore fratres ieiunium observarent, [30]
praeter in aestate, in qua concessit tempore papatus sui tertiam et
quintam feriam fratribus recaenare. Constituit ut fratres vinum non
biberent, nisi tantum diebus dominicis, tertia et quinta feria; quae
usque hodie conservantur. Docuit etiam omni die capitulum tenere, et
ut regula beati Benedicti legatur, et fratres in eodem etiam ibidem de [35]
commissis veniam petant. Item et multa alia ad refrenationem vitiorum
et ad informationem morum constituit, sicut patet in suis constitutionibus. Hic pater venerabilis, priusquam multitudo fratrum ad

20. — [1] om. 2. *Folio ablato, desunt in 1 quae leguntur abhinc usque ad medium*
c. 21. — [2] et 2. — [3] *om.* 2.

(1) Ioh. xiii, 35.

ipsius magisterium venissent, solus in cella morabatur. Sed postquam
divinae placuit Maiestati non paucos eius monasterio aggregare, cum
ipsis in monasterio morabatur, quos cottidie non desinebat verbo et
exemplo informare; et ita, Domino cooperante et sancto illo viro
5 instruente, ipsos perfecte gratia divina repleverat; quosque videbant,
sanctos Dei omnes illos fratres nuncupabant; et vere erant. Quam
plurimi illorum per Dei gratiam et ipsorum placitam Deo servitutem
gloriosa miracula faciebant. de quibus non est dicendum per singula
modo, sed quae incepimus exsequamur.

10 **De translatione sua ad locum Sancti Bartholomei de Legio.**

21. Postquam praedictus pater omnes fratres ita perfecte in Dei
servitio conspexit esse fundatos, ut ipse divinae posset contemplationi
vacare, decrevit solus semper manere in loco magis solitario. Quod
quando ex eius ore prolatum est, omnes fratres flere prae nimio
15 dolore coeperunt et eidem dixerunt : *Cur nos, pater, deseris, aut cui
nos desolatos relinquis? Rogamus te, pater sancte, ut non relinquas hanc
familiam, quam per te Christus ad suum servitium aggregavit; sed dum
vivis, alii noli committere proprios filios quos nutristi.* Ipse vero,
motus eorum fletibus et rogaminibus, dixit : *Fratres mei et filii, quod
20 ego facio, pro utilitate mea et vestra facio. Ego sum senex, et non potest
senectus mea portare ea quae hactenus iam portavit. Non vos deseram
neque derelinquam, sed semper auxiliabor vobis et consilium dabo. Rogo
ut me amodo quiescere permittatis.* Ad cuius verbum omnes fratres
dixerunt : *Et nos nolumus, nisi quod tuae sit consolationis.* Et ex tunc
25 destinavit ad quemlibet[1] locum priorem et fratres, sicut cuilibet illorum competebat. Ipse vero secessit ad locum Sancti Bartholomei de
Legio (1), assumptis secum aliquot fratribus, cum quibus divina officia
posset celebrare et per ipsos forensibus responsum dare. Et[2] ex tunc
non est in conventu cum multis fratribus commoratus, sed cum paucis.
30 Et licet ille locus nimis sit solitarius et longe ab hominum habitatione
separatus, tamen quia lucerna super candelabrum sedens radios sui
luminis abscondere non valet, ipse credidit[3] se pacifice in loco
eodem commorari[4], multo plus ab omnibus[5] frequentabatur, quia
omnes eundem videre cupiebant et omnes ab ipso consolationem
35 exspectabant. Mansit in eodem loco per plures annos, in quo multa
bona illi contulit Deus.

21. — [1] *Abhinc iterum 1.* — [2] *om.* 2. — [3] crediderat 2. — [4] sed *add.* 1. — [5] ibidem
add. 2.

(1) Les Célestins occupaient déjà ce monastère en 1278. Cf. Celidonio, *ibid.*, p. 39.

De transmutatione sua ad cellam de Orfente.

22. Sed quia[1] quanto homo[2] percipit de consolatione divina, tanto magis fastidit terrena, cogitavit ad locum difficiliorem pergere. Tandem assumpto secum uno socio, ascendit in supremo montis[3] Magellae, et descendit ad quamdam cryptam, quae erat in capite 5 vallis de[4] Orfente; ad quam qui descendere cupiebat, non poterat sine magno periculo. Unde ipse cum unico fratre ad eandem cryptam descendit et suo ingenio aptavit quosdam uncos ligneos, ut ascendentibus et descendentibus[5] non esset tam grave periculum. Fratres vero illius vicini monasterii, audientes ipsum a loco Sancti Bartho- 10 lomei discessisse et montem ascendisse, perrexerunt ad inveniendum eum[6], quaerentes illum per abrupta montium et per[7] concava vallium. Tandem per inductum cuiusdam in illa crypta latitantem invenerunt. Cui[8] dixerunt : *Quare hoc fecisti, pater? Non consideras quod multos homines facies mori? Et tu credis te abscondere. Nisi mor-* 15 *tuus esses*[9], *numquam potes. Unde, si placet, noli hic morari, quia plurimis dabis multam tribulationem.* Ipse vero humiliter respondebat[10] illis : *Qui non vult tribulari, non veniat; me vero sciatis numquam hinc discessurum*[11]. *Sed ideo huc veni ut me non tantum homines*[12] *persequantur, quantum usque nunc*[13] *persecuti fuerunt.* Mansit in eodem 20 loco tam aspero per plures annos cum duobus sociis, et construxit ibidem pulchrum oratorium et cellas pro se et fratribus, et ex parte deforis pro forensibus, quoniam crypta illa erat magna[14]. Et imposuit illi nomen Sanctus Iohannes evangelista[15] de Orfente(1). In quo loco multa miracula Dominus ostendit et fecit, de quibus aliqua inferius 25 intendimus denotare. Et quia ipse credidit hominum importunitatem fugere, numquam alibi sic requisitus fuit, sicut ibidem. Tanta enim erat multitudo hominum, qui ad eum undique concurrebant tempore quo ipse loquebatur, quod pene totus mons ille plenus hominum esse[16] videretur[17], et vix[18] aliquis habere posset suam habilitatem[19] ad 30 loquendum eidem. Sed tamen nullus discedebat usquequo saltem ipsum videre meruisset. Videntes autem illum nimium aedificabantur, quia sola visio illius aedificatio et consolatio omnibus erat.

22. — [1] *om.* 1. — [2] plus *add.* 1. — [3] *bis* 1 *ante corr.* — [4] cuiusdam fluminis, quod vocatur 2. — [5] (a. et d.) d. et a. 2. — [6] eundem 2. — [7] *om.* 1. — [8] et *add.*2. — [9] esset 1. — [10] respondit 1. — [11] discedere 2 *ante corr.* — [12] (non-homines) h. n. t. 2. — [13] ad praesens 2. — [14] (e. m.) m. e. 2. — [15] (S. I. e.) S^u Iohannis evangelistae 1. — [16](h. e.) e. h. 2. — [17] videbatur 1. — [18] ut 2. – [19] (s. h.) h. s. 2.

(1) Il est question de ce monastère célestin dans la lettre de l'évêque de Chieti de 1278. CELIDONIO, *ibid.,* p. 39.

De transmutatione sua ad cellam de Murrone [1].

23. Transactis non paucis temporibus in illo loco, coepit cogitare ubi posset magis proficere et hominibus tantam tribulationem et laborem non dare. Erat enim cella illa [2] in montis altitudine [3] posita, per spatium quinque vel sex miliarium a planitie. Et recordabatur
5 quomodo sanctissimus pater [4] Benedictus se transmutaverat a Sublacu ad montem Cassinum [5], et beatus Paulus, ut posset alibi magis proficere, fecit sibi sportam dari et per murum deponi. Haec et iis similia in animo suo revolvens, disposuit redire ad montem Murronis, ubi in ipso [6] tempore suae conversionis [7] manserat, et in tali loco cellam
10 construere, ubi omnes ad se venientes possent a se consolationem recipere et alia vitae necessaria invenire. Et hanc transmutationem potius pro salute et utilitate proximorum quam pro se faciebat. Facta deliberatione, prius tamen praemissa oratione, mandavit et fecit sibi fieri cellam super unum vetustum castrum, quod dicitur
15 Segezanum [8], quod [9] distat a civitate Sulmone spatio duorum miliarium, sed a monasterio Sancti Spiritus, quod de novo construi fecerat [10], tantum medii miliaris spatio tendebatur. Ad eundem ergo locum se transtulit de mense iunii moraturus.

De honore sibi collato in illa transmutatione.

20 **24.** Cum auditum fuit ab hominibus quod pater ille sanctus illuc adveniret, tanta multitudo virorum et mulierum undique concurrerunt, quod nulla via, nulla strata, nulla semita erat, quae plena non esset. Omnes de illa provincia et etiam de longinqua ad videndum eum undique concurrebant. Cives vero Sulmonenses prae magna
25 laetitia omnes in arte sua cereos et lampades magnas fecerunt et sancto viro devotissime obtulerunt. Nobiles dominae illius civitatis crucem argenteam et turibulum argenteum viro illi [1] sancto cum devotione maxima obtulerunt. Homines vero Castri Pacentri cum magnis cereis et lampadibus atque cum venerabili processione advenerunt.
30 Omnes clerici Sulmonenses honorabiliter cum processionibus concurrerunt, ac tantam gloriam tantumque honorem sancto praedicto contulerunt, quod numquam ante alicui homini illic visum est conferri. Omnes enim in tantum gratulabantur, ac si Christum de caelo descendisse viderent. Omnes credebant per eum [2] posse salvari et
35 gratia divina repleri. Et quia advenienti tantae multitudini oportebat se ostendere et benedictionem dare, disposuit ad monasterium Sancti

---

23. — [1] Murrono 1. — [2] *om.* 1. — [3] celsitudine 1. — [4] (s. p.) sanctus 1. — [5] (m. C.) C. m. 1. — [6] primo 2. — [7] conversationis 1. — [8] Segeczanum 1. — [9] et 1. — [10] faciebat 2.
24. — [1] (v. i.) *om.* 1. — [2] (credebant p. e.) p. e. c. 1.

Spiritus descendere, quod tunc flebat[3], et ibi fecit fieri sibi[4] quendam locum in alto, ubi posset ab hominibus[5] videri et ad. celebrandum missam ibidem praeparari[6]. Cum vero ad[7] locum illum ipse ascendisset et tantam multitudinem videret[8], ita amarissime coepit flere, quod mirum omnibus erat; similiter et fratres, qui cum illo in illo loco[9] 5 ascenderant, mirabiliter lacrimabantur, et non poterant se erigere, in tantum illos planctus vincebat. Tandem erigens se venerabilis pater[10] ostendit se illis. Quem statim ut viderunt, omnes alta voce clamare coeperunt : *Kyriele,* et quam plurimi illorum flere amare coeperunt. Post haec induit se ad missam celebrandam, quam vix 10 explere valuit propter abundantiam lacrimarum. Fuerant adducti ad illum[11] multi infirmi, plures[12] quorum in celebratione illius missae sunt sanati, necnon et daemoniaci liberati. Post missam vero, facta confessione et absolutione et ab illo data benedictione, omnes ad propria cum magno gaudio sunt reversi. 15

De inclusione sua in cella.

25. Iis ita finitis et tunc celebrato cum fratribus generali capitulo, hic pater[1] sanctus in cella quam sibi fieri fecerat se inclusit, et ad tantam austeritatem se ibi dedit, quod numquam antea in alia fecerat cella. Et hoc faciebat, quod nullus credere posset quod pro suavitate 20 corporis illuc advenisset; sed quanto appropinquare ad finem se conspiciebat, tanto magis[2] de se holocaustum omnipotenti Deo offerre studebat. Mansit in eadem cella per spatium unius anni et unius mensis, usquequo divinae placuit pietati apostoli Petri claves illi committere (1) et de cella illum extrahere atque ad campum certaminis 25 dirigere, quoniam quidem[3] non decet[4] fortem militem in abscondito praeliari, sed aliquando in occulto, aliquando in publico, ut a suo rege duplicem coronam mereatur accipere.

De augmentatione sui ordinis et fraternitate.

26. Multum enim Deus illum apud omnes exaltaverat, multam 30 gratiam ei contulerat et nullus inveniebatur, qui de illo aut de suis fratribus, quos ipse docuerat, aliquid sinistrum posset dicere, videre[1] vel audire. Augmentaverat quidem iam Deus in tempore illo nimium

— [3] (descendere-flebat) q. t. f. d. 2. — [4] *om.* 2. — [5] omnibus 1. — [6] parari 1. — [7] in 2. — [8] vidisset 1. — [9] (in i. l.) *om.* 1. — [10] (v. p.) sanctus 1. — [11] eum 2. — [12] plurimi 2. **25.** — [1] *om.* 1. — [2] *om.* 2. — [3] *om.* 1. — [4] semper *add.* 1. **26.** — [1] *om.* 1.

(1) Ainsi, Pierre serait venu habiter cette cellule de Murrone dans la première moitié de 1293.

illius ordinem, ut inter loca quae de novo construxerat et monasteria
quae reparaverat, habebat [2] loca xxxvi [3], in quibus morabantur fere
sexcenti fratres et oblati atque multa familia. Fecerat etiam iste vir [4]
sanctus quandam fraternitatem, et hanc constituit pro salute illorum,
5 qui non possent habitum religionis assumere et societatem ordinis
desiderarent [5] habere. In qua constituit ut certae eleemosynae ab illis
fierent, et quilibet illorum certum numerum de *Pater noster* die quolibet dicerent [6] tam pro vivis quam pro defunctis, et a peccato mortali
se custodirent, atque invicem se diligerent, in infirmitate alter alte-
10 rum visitaret, et pauperibus confratribus necessaria ministrarent, et
opera misericordiae, in quantum possent, adimplere studerent. Haec
autem fraternitas multum in suo tempore crevit in pluribus civitati-
bus, castris et villis, in tantum quod mirabile omnibus erat ; in aliqua
enim illarum fere mille personae adhaeserant, et in alia quingentac,
15 et in alia vero centum, et secundum qualitatem [7] uniuscuiusque civitatis numerus crescebat confratrum.

De magno desiderio quod habebat salvare animas hominum.

27. Magna enim erat aviditas in hoc homine [1] sancto de fauce [2] diaboli animas extrahere et de ore inferni, et aggregare illas [3] sancto Dei
20 ovili et angelorum agmini. Et non est aliquis qui valeat dicere quot et
quantos a via pravitatis retraxit, et quantos in cathedra pestilentiae
sedentes sua dulcissima monitione ad viam verae humilitatis reduxit,
vel quantos de impietate pios fecit. Sed viri et mulieres terrarum cir-
cumadiacentium paene omnes religiosi videbantur et propter suae
25 doctrinae monitionem et sui exempli ostensionem. Et si quod scandalum vel dissensio [4] inter eos oriretur, statim ad hunc piissimum
tamquam ad singulare refugium recurrebant. Quod ubi hic [5] audiebat,
statim ad illos mittebat ut ad se venirent et [6] ut de talibus, quae
audierat, se emendare deberent. Qui audientes mandatum illius
30 sancti viri [7] terrebantur, et statim ad emendationem se [8] convertebantur. Dico vobis firmiter, carissimi mei in Domino, quod prius dies
vitae meae possent [9] deficere, quam mea parvitas omnia illius admiranda opera et nostris stupenda temporibus seriatim narrare, et cum
ipse tantus et talis esset, qui [10] cum apostolo posset dicere : *Omnibus*
35 *omnia factus sum, ut omnes lucrifacerem* (1). Quoniam, ut breviter de

---

— [2] haberet 2. — [3] triginta 1. — [4] venerabilis 1. — [5] desiderabant 1. — [6] (die q. dicerent) dicerent omni die 1. — [7] quantitatem 1.

27. — [1] accenso caritate 1. — [2] face 1. — [3] om. 1. — [4] (v. diss.) om. 2. — [5] sanctus
add. 1. — [6] *suprascript.* 1, om. 2. — [7] (illius sancti viri) sancti 2. — [8] om. 2. — [9] posset
2. — [10] om. 2.

(1) 1 Cor. ix, 22, où on lit *facerem salvos*, au lieu de *lucrifacerem*.

tam sancto viro dicam, ita Christus illum [11] instruxerat et sui luminis
gratia illustraverat, quod omnibus sanctis quodammodo participa-
bat [12]. Similis enim erat apostolis in eo quod gentes sua doctrina con-
vertebat et ad Christum cottidie destinabat. Aequiparabatur martyribus in eo quod se continuis ieiuniis, ciliciis et disciplinis et quam   5
pluribus aliis afflictionibus macerabat. Similiter et confessoribus se
adiungebat in eo quod die noctuque in ore suo Dei laudes resonabant,
et alios increpando, arguendo et obsecrando docebat. Cum virginibus
etiam possumus dicere quod vir iste sanctus [13] sortem suam ponebat [14], quia perfectam castitatem corde et corpore conservabat. Iste   10
vero a sua infantia Deo devotissime coepit servire et ita acceptum
gratissimumque fuit Deo suum [15] servitium, quod etiam cum sua genetrice adhuc puerulus commorando quam plurima miracula per eum
Deus ostendit. Ab infantia enim sibi hunc talem virum Deus elegit,
ut per illum sua opera ostenderet et suam Ecclesiam gratia sui lumi-   15
nis istis temporibus illustraret. Et quantum illum Deus diligeret
patuit manifeste, quod [16] eidem caeli terraeque claves tamquam fideli
commisit.

De electione sua in papatum [1].

28. Post obitum sanctae memoriae domni Nicolai papae quarti per   20
tres annos et plus sancta romana Ecclesia permansit viduata pastore.
Et ad dignum pastorem eligendum multotiens se cardinales colleger-
rant, sed nullo modo inter se concordare valebant. Accidit autem
quadam die, cum essent apud Piruscium [2], ut ad quendam nobilem [3]
defunctum pergerent. Et ibi aliqui illorum de electione summi ponti-   25
ficis tractare coeperunt, et dixerunt ad invicem : *Eamus ad papam
eligendum ; forte sua pietate Deus gregi suo dignabitur providere*. Et
sic cum Dei adiutorio ad tale opus peragendum unanimiter abierunt.
Facta vero oratione, ille qui primam in collegio [4] vocem habebat, dixit :
In nomine Patris et Filii et Spiritus sancti. Amen. Ego eligo fratrem   30
Petrum de Murrone. Ad hanc vocem omnes alii stupefacti sunt; et sic
affuit super eos Spiritus sanctus, sicut in die Pentecostes super Christi
apostolos. Et hanc eandem vocem omnes concorditer protulerunt. Et
nullus fuit qui diceret hoc bonum non esse, quod numquam antea
contigerat in electione summi pontificis. Qui statim decretum fece-   35
runt et ad eundem venerabilem patrem destinaverunt. Hoc cum
auditum esset, quod cardinales fratrem Petrum elegissent, inenarra-

— [11] (Chr. i.) i. Chr. 2. — [12] participabatur 1. — [13] (v. i. s.) sanctus noster 1. —
[14] (s. suam p.) p. s. suam 1. — [15] illius 2. — [16] quia 1.

28. — [1] (de-papatum) de postulatione eius in summum pontificem 1. — [2] Peru-
sinam civitatem 2. — [3] nobinem 1. — [4] (in collegio) om. 1.

bili laetitia et infinito gaudio omnes repleti sunt[5] et immensas gratias
Deo factori omnium bonorum[6] referebant de tali pastore, quem pro-
viderat gregi suo. Quod vir sanctus audiens, nimio maerore repletus
et in[7] grandi lamento se die noctuque dedit. Tandem convocavit[8]
fratres suos et[9] dixit eisdem in eo magnas tentationes esse de hoc
facto, et nullo modo decretum recipere disponebat. Sed fratres et alii
amici atque devoti illius eidem coeperunt dicere : *Quare, pater sancte,
quare*[10] *hoc dicis? quare non consideras quod, si hoc facis, magnam
haeresim in mundo adducis. Haec vero electio non a te, sed a Deo facta
est; et si hanc renuis, Dei voluntati contradicis.* Ipse vero aiebat: *Et quid
sum ego ad tale tantumque onus accipiendum talemque potestatem ? Ego
non sum sufficiens ad me salvandum; quomodo totum mundum ?* Et sic
decrevit latenter cum uno socio fugere, cui iam dixerat occulte (1). Sed
nequaquam[11] valuit, quia iam tota cella undique obsessa erat et circumdata ab hominibus illius contratae. Omnes enim timebant hoc et
cogitabant, eo quod ipsi noverant humilitatem illius, quod nullo
modo illam dignitatem voluntarie reciperet. Et quid ageret quove se
verteret, hic[12] vir sanctus nesciebat. Timebat enim Dei voluntati
contraire, timebatque, si reciperet, quod[13] non prodesset Ecclesiae
Dei, sicut omnes credebant. In hoc magno certamine flebat et Deum
precibus exorabat. Tandem cum timore et tremore divino decretum
recepit.

De equitatione aselli et de miraculo quod accidit.

29. Post receptionem illius honoris non debemus credere illum[1]
propter hoc in elationem ascendisse de illa excellenti dignitate ; sed
in ipsa, quam antea[2] habuerat, semper mansit[3] humilitate. Audita
hac nova fama, reges videlicet Siciliae et Ungariae veloci cursu
ad eundem electum pervenerunt, et illum videntes, depositis coronis
regalibus, adoraverunt[4]. Diffusa est ergo fama ista per mundum universum; qui omnes laetabantur et gratias Deo referebant, qui dignatus fuerat plebem suam de[5] tanto ac tali pontifice visitare[6]. Post haec

— [5] (r. sunt) replevit 2. — [6] (o. b.) b. o. 2. — [7] *om.* 1. — [8] convocat 2. — [9] *om.* 2. —
[10] *om.* 1. — [11] numquam 2. — [12] iste 1. — [13] et 1.

29. — [1] (cr. i.) i. cr. 1. — [2] *om.* 1. — [3] permansit 2. — [4] adorabant 2. — [5] *om.* 1. —
[6] honorare 1.

(1) Pétrarque, dans son traité *de vita solitaria* (lib. II, cap. 18), qu'il composa
environ 40 ans après la mort de Pierre Célestin, parle de cette tentative de fuite et
cite même le nom du religieux, qui devait accompagner l'anachorète : *Statim ab
initio tentarit fugam cum discipulo quodam suo Roberto Salentino, tunc iuvene.*
Suit un magnifique éloge du bienheureux Robert de Sala. Cf. *Acta SS.*, t. IV de
Mai, p. 429, n. 24.

autem reliquit cellam suam propter hanc causam et descendit ad [7]
m onasterium[8] Sancti Spiritus, quod ipse construi de novo[9] faciebat ;
et aliquot [10] ibi peractis diebus, arripuit iter, ut Romam pergeret,
sedem, coronam et mantum apostolicum suscepturus. Non fecit in
hac profectione pulchros sibi equos magnos et palafredos[11] admini- [5]
strari, sed Domini sui exemplum in se retinens asellum sibi adhiberi
mandavit. Quod audientes reges et cardinales, qui in pulchris equis
et palafredis delectabantur, admirabantur de eius summa [12] humilitate, et in quantum poterant, hoc dissuadebant, ne Ecclesiae Dei
inferri videretur iniuria. Ipse vero nullo modo acquiescens, fecit asel- [10]
lum parari et super eum sedit, et venit cum turba maxima usque ad
civitatem Aquilae. Comitabantur autem illum [13] cardinales, qui prae-
venerant alios, reges, comites, barones et innumerabiles populi. Sed
ut ostenderet Deus quod non iniuriam, sed honorem Ecclesiae Dei de
equitatione aselli praedictus electus conferret, voluit tali monstrare [15]
miraculo. Post hunc patrem multi infirmi portabantur, ut saltem fim-
briam vestimenti eius possent tangere, eo quod noverant illius [14]
sanctitatis virtutem. Erat enim fides omnium devotissima erga illum.
Quidam homo portabat filium suum claudum [15] ambobus pedibus
post illum, si quod remedium de infirmitate sui filii posset invenire [20]
per istum sanctum. Videns autem quod prae multitudine hominum ad
ipsum pervenire non posset, dolebat et nesciebat quid faceret. Tandem cum sanctum patrem vidisset de asello descendisse in quadam
terra, quae vocatur Castellum Vetus, accessit ad asinum et cum multa
devotione posuit super illo [16] filium suum. Cuius devotioni statim Dei [25]
misericordia affuit, quia filius suus [17], qui claudus fuerat, de illo asello
descendit sanus, et ab illa hora coepit ambulare per Dei gratiam et
merita illius sancti viri in papam [18] electi.

De coronatione sua et de thesauro misericordiae aperto.

30. Cumque pervenisset ad civitatem Aquilae anno Domini [30]
M°.CC°.LXXXX°.IIII.[1], fecit illuc ceteros cardinales advenire[2], coronam
et mantum apostolicum illuc apportari, quae suscepit honorabiliter in
decollatione sancti Iohannis Baptistae cum maxima comitiva populorum. Et ex tunc thesaurum misericordiae, quem illi Christus com-
miserat, aperuit, et de illo largissime omnibus vere paenitentibus et [35]
confessis tribuit[3]. Prima namque die suae coronationis hanc indulgentiam omnibus assistentibus et confessis et vere paenitentibus

— [7] in 2. — [8] monasterio 2. — [9] (de n.) *om.* 2. — [10] aliquantis 2. — [11] (sibi - palafr.)
pulchros palafr. seu magnos equos 2. — [12] sua 1. — [13] *om.* 2. — [14] ipsius 2. — [15] ab
add. 1. — [16] illud 1 *ante corr.;* illum 1 *post. corr.* — [17] eius 2. — [18] (sancti - papam)
sanctissimi summi pontificis 1.
   30. — [1] LXXXX *corr. ex* LXXX 1. — [2] et *add. post.* 1. — [3] trubuit 1.

largitus est, ut a culpa et a[4] poena essent omnes absoluti. Audientes qui erant de longinquis provinciis quod pater misericordiarum thesaurum misericordiae aperuerat, omnes concurrerunt, omnes de isto fonte bibere desiderabant[5]. Et sic in die octavo suae coronationis
5 similem indulgentiam omnibus populis, qui advenerant, condonavit. Erat quippe maxima multitudo. Iis itaque peractis, cardinales, praelati, episcopi, archiepiscopi[6], reges, comites, barones et omnes magnates coeperunt beneficia petere, ecclesias quaerere, praebendas sibi largiri. Iste vero[7], ut erat simplex et rectus, larga manu eis[8] largie-
10 batur (1).

De indulgentia ecclesiae[1] Sanctae Mariae de Collemadio.

31. Coepit iste vir[2] sanctus intra se cogitare qualiter omnes divites temporales divitias petere non desinebant, et pauperes Christi non tantum divitias, sed nec panem habebant[3] quod sufficeret[4];
15 considerans si[5] posset eisdem pauperibus in aliquibus[6] spiritualibus subvenire. Et deliberavit apud se tale beneficium eis[7] tribuere, quod[8] daret illis divitias aeternales[9], quae permanent in saecula sempiterna. In ecclesia namque Sanctae Mariae de Collemadio (2) talem indulgentiam posuit, ut quicumque paenitens et
20 confessus in decollatione sancti Iohannis Baptistae ad eandem ecclesiam annuatim veniret, a culpa et a poena a baptismo absolutus esset. Quam etiam indulgentiam[10] bullato privilegio confirmavit (3).

— [4] om. 2. — [5] sitiebant 1. — [6] (episc. archiep.) arch. ep. 2. — [7] om. 2. — [8] om. 2.
31. — [1] om. 1. — [2] om. 1. — [3] haberent 2. — [4] eis *add.* 1. — [5] qualiter 1. — [6] aliis
1. — [7] illis 1. — [8] ut 2. — [9] aeternas 1. — [10] (etiam ind.) i. e. 2.

(1) Cette situation a été bien caractérisée par Boniface VIII dans sa bulle du 8 avril 1295, qui confirme et étend les mesures déjà prises le 27 décembre 1294, trois jours à peine après son élection. A l'en croire, Célestin lui-même, après son abdication, l'aurait supplié de mettre bon ordre, par de sages révocations, à tant de largesses inconsidérées : *Olim Celestinus papa quintus, antecessor noster, devictus instancia et ambitione nimia plurimorum, ignarus eorum quae et iuris debitum et gravitas pastoralis, cui praesidebat, officii requirebant, seductus insuper atque deceptus per captiosam astutiam et deceptibilem aliquorum, fecit diversa et concessit varia minus digne, inordinata et insolita, quorum aliqua subticemus ex causa, sub cuius bulla nonnulla, ut fertur, praeter ipsius conscientiam transierunt, quae non indigne, quin immo necessario, limam apostolice correctionis exposcunt. Quapropter antecessor ipse... humiliter postulavit et voluit ut que per ipsum improvide facta fuerant, futurus eius successor provide revocaret, ac postquam fuimus ad apicem summi apostolatus assumpti, nobis, dum adhuc essemus Neapoli, preces fudit, ut revocare quae ipse male fecerat curaremus.* Cf. A. Thomas, *Registres de Boniface VIII*, n. 770. Le cardinal Stefaneschi déplore les mêmes abus. *Acta SS.*, t. c., p. 457, vers 265 et suiv. — (2) L'église de Sainte-Marie de Collemaggio fut reconstruite par les Célestins en 1287. Cf. Celidonio, *art. cité*, p. 40. — (3) Le 18 août 1895,

De XII cardinalibus ab eo creatis.

32. Post haec autem vir sanctus considerans quod Ecclesia Dei non bene disposita erat per cardinales, qui[1] in illo tempore in eadem erant, decrevit in illa cardinales augmentare, ut per ipsos negotia sanctae romanae Ecclesiae perfici aptius possent. Et venientibus [5] quattuor temporibus, duodecim cardinales ordinavit de melioribus clericis quos habere potuit.

De itinere Neapolitano.

33. His ita ordinatis, rex Siciliae cum magna instantia et prece petebat[1], ut Neapolim ad suum negotium expediendum papa cum [10] cardinalibus pergeret. Quod deliberatum est. Et sic de mense octobris tota curia romana iter arripuit Neapolitanum. Et illuc abeuntes per spatium duorum mensium ibi manserunt, et post haec alia machinari coeperunt.

De renuntiatione papatus et de[1] miraculo quod accidit.   [15]

34. Adveniente vero quadragesima sancti Martini, papa ille sanctus decrevit solus manere et orationi vacare. Fecitque sibi cellam ligneam intra cameram fieri (1) et coepit in eadem solus manere, sicut antea facere consueverat. Et sic eodem ibidem permanente, coepit cogitare de onere quod portabat, si quo modo posset illud [20] abicere absque periculo et discrimine suae animae (2). Ad hos suos cogitatus convocavit[2] unum sagacissimum atque probatissimum cardinalem tunc temporis, dominum Benedictum. Qui, ut hoc audivit, gavisus est nimium et respondit ei dicens quod posset libere. Etiam dedit eidem exemplum aliquorum pontificum, qualiter olim renuntia- [25] verant. Hoc ille audito quod posset papatui renuntiare, ita in hoc

32. — [1] quia pauci 1.
33. — [1] petiit 1.
34. — [1] *om.* 1. — [2] convocat 2. —

Boniface VIII retira cette indulgence octroyée par son prédécesseur et commanda aux religieux de Collemaggio de lui livrer la bulle de concession. A. Thomas, *Registres de Boniface VIII*, n. 815. — (1) Pétrarque fait mention de cette cellule improvisée. Cf. *Acta SS., loc. cit.* — (2) Voici comment le fait de l'abdication est exposé par Boniface VIII, dans sa bulle du 7 avril 1295 : *Quapropter antecessor ipse suam insufficientiam ad portandum, summi pontificis onera diligenter attendens et defectum, quin immo periculum ex hoc pati universalem Ecclesiam recognoscens, urgente conscientia, coram collegio fratrum suorum S. R. E. cardinalium, de quorum numero tunc eramus, papatui pure et absolute renuntiarit eiusque oneri et honori.* Cf. *Registres de Boniface VIII*, n. 770.

consilio firmavit [3] cor suum, quod nullus illum ab illo potuit removere.
Et hoc fratribus secum manentibus abscondebat, ne forte illum impe-
dirent in eodem, sed occulte cum illo, quem diximus, cardinale tantum
hoc ordinabat. Et hoc iam perventum erat ad aures quam plurium
[5] cardinalium, qui omnes unanimiter adsensum dabant, credentes se
ad meliorem statum devenire. Sed non sicut illi cogitabant, evenit
illis, quia, disponente Domino, pro columba simplici serpentem
prudentissimum [5] acceperunt. Quid plura? Tandem hoc consilium
pervenit ad aures fratrum suorum, qui secum manebant. Quod
[10] audientes tristes nimium effecti sunt, et toto conamine conati sunt
et [6] per se et per alios tale propositum impedire, timentes ne scandalum magnum in Ecclesia Dei generaretur, sicut postea accidit. Sed
nullo modo illius propositum revocare valuerunt. Similiter et Neapo-
litani hoc audientes nimium turbati sunt. Qui omnes ad palatium
[15] cucurrerunt, ipsum summum pontificem rogaturi, ne tantum malum
ageret, quod facere disposuerat [7] ad detrimentum et scandalum
omnium christianorum. Tunc ille vir sanctus mandavit ut orationem
omnes ad Dominum [8] funderent, ut Deus sibi permitteret facere voluntatem suam. Quod illi devotissime peregerunt. Sed archiepiscopus
[20] Neapolitanus cum toto [9] clero et religiosis et cum innumerabili
hominum multitudine cum magnis processionibus ad castellum, ubi
papa morabatur, advenerunt, ipsum cum fletibus et clamoribus depre-
cantes, ut populo Dei succurrere dignaretur, et quod audierant, ad
effectum numquam perduceret; quia posset de [10] hoc Deo et fidelibus
[25] sanctae Ecclesiae displicere. Audiens et videns idem papa tantam
pietatem omnium qui aderant, distulit illam voluntatem, sed a proposito concepto numquam recessit nec fletibus, nec clamoribus, nec
etiam rogaminibus, sed conticuit ad tempus, fere octo diebus, ut
non molestaretur. Et sic per istam sufferentiam omnes credebant
[30] ipsum ab illo paenituisse proposito. Sed infra octo dies convocavit [11]
ad se istum [12], quem praediximus, cardinalem dominum B. [13], et fecit
se doceri et scribi totam renuntiationem, qualiter et quomodo
facere deberet. Et in octavo die, intravit consistorium, paratus ad
tale negotium peragendum [14]; et sedente illo [15] in throno pontificali,
[35] primo omnibus cardinalibus silentium imposuit, ut ad illa quae facere
intendebat non contradicerent. Et accepit chartam, et coepit legere
illam sententiam maerore plenam, et renuntiavit papatui; descendens
de sede, anulum, mitram [16] seu coronam et mantum pontificale in

---

[3] confirmavit 2. — [4] sic *add.* 2. — [5] pudentissimum 1. — [6] (conati - et) conabantur 1. —
[7] et *add.* 2. — [8] Deum 2. — [9] omni 1. — [10] *delet.* 2. — [11] convocat 2. — [12] *om.* 2. —
[13] Benedictum 2. — [14] perficiendum 2. — [15] (sedente illo) sedens ipse 1. —
[16] mitriam 2.

terra deposuit, et in terra sedere coepit. Quod cardinales videntes, quod numquam [17] ante viderant, coeperunt omnes plorare [18], licet quam plures illorum essent magis gaudentes quam dolentes. Hac renuntiatione peracta, omnes qui hoc audiebant contra illum clamabant quod non bene fecisset.   5

De miraculo post renuntiationem.

35. Et ad probandum quod Deo non displicuerat hoc quod suus famulus P. [1] fecerat, tali miraculo ipse Deus voluit comprobare. Quadam die (1) post renuntiationem [2], quidam claudus [3] cum duabus zammetis cum nimia devotione abiit et intravit ad eundem venera- 10 bilem virum, ut benedictionem ab eodem acciperet. Eadem autem hora vir iste sanctus missam dicebat. Qui exspectavit ut missam expleret. Completa missa et benedictione data, statim hic membris contractus ante pedes illius se proiecit. Quem pater ille sanctus erexit, dicens illi : *Surge, surge.* Statim ille de terra surrexit sanus, et 15 eadem hora liberatus fuit. Qui cum lacrimis coepit gratias Deo et sancto patri reddere de sua liberatione ; et in testimonium reliquit ibi [4] suas zammetas, sine quibus antea numquam poterat ambulare. Quem fratres statim de camera expulerunt, prohibentes illi ne diceret alicui, sed Deo gratias referret. Hoc ideo faciebant, quia 20 nimium timidi et tristes erant de his, quae acciderant. Quod homines videntes, quia [5] latere non potuit. quam plures, qui adversus eundem patrem clamaverant quod non bene fecisset, conticuerunt et mirabantur, atque dicebant : *Hoc non actum est* [6] *absque nutu Dei.* Post haec collegerunt se cardinales ad electionem alterius papae ; et illum 25 qui esse debebat, hic vir sanctus praedixit et intimavit domino Thomae, quem ipse fecerat cardinalem, et domino Benedicto, qui fuit electus in papam. Electo itaque papa, illo scilicet [7] quem pater sanctus praedixerat, statim ad illum intravit et eius pedes osculatus est reverenter, et tunc licentiam petiit redeundi ad suam cellam, sicut 30 ante suam renuntiationem disposuerat. Ipse vero electus alia coepit machinari de illo, et dixit illi [8] : *Nolo ut ad cellam redeas* [9], *sed volo ut in* [10] *Campaniam venias;* et aliis verbis multis coepit terrere illum.

— [17] *om.* 1. — [18] et flere *add.* 1.

35. [1] Petrus 2. — [2] suam *add.* 2. — [3] *om.* 1. — [4] *om.* 2. — [5] quod 2. — [6] (a. est) e. a. 2. — [7] videlicet 1. — [8] (et d. i.) *om.* 1. — [9] venias 2. — [10] *om.* 2.

(1) Pétrarque fait aussi allusion à un miracle, ratifiant la conduite de Pierre Célestin : *Quid Christo visum sit, miraculum quod per eum Deus ostendit, die qui post renuntiationem primus illuxit, indicio est ; quod profecto non fieret, si quod gestum erat Divinitas non probaret.* Cf. *Acta SS.,* t. cité, p. 428, n. 23.

De reversione sua [1] a Neapoli et de miraculo quod accidit.

36. Audiens hoc ille vir [2] sanctus simplex et rectus coepit pavere
et multa in animo suo revolvere. Multi dicebant quod in Campaniam
illum volebat ducere, ut ibi illum incarceraret. Et alii alia cogitabant.
Videns iste vir sanctus quod ad cellam redire [3] non poterat ad
serviendum Deo, sicut ante disposuerat, turbatus est corde et coepit
cogitare ad eandem latenter redire, dicens : *Ego ante renuntiationem
disposui, decrevi et protestatus sum quod pro nulla alia causa ego
renuntio, nisi ut Deo meo pacifice serviam, sicut hactenus iam servivi;
vere propter hanc causam credo non peccare. Revertar ad illam* [4]. *Faciat
ipse Deus de me velle suum.* Et haec cogitans discessit a [5] Neapoli
quasi iturus in [1] Campaniam, et venit usque ad Sanctum Germanum.
Cum eo autem veniebat abbas monasterii Cassinensis cum sua
familia et fratres sui qui secum manserant [6] et quam plures alii. Cumque venirent per viam et transitum haberet per quandam terram,
quae dicitur Casale Novum, quaedam mulier habens filiam ambas
manus paralyticas habentem [7], quam in brachiis suis portabat,
clamabat cum lacrimis; sed non poterat prae multitudine sequen-
tium ad illum pervenire. Tandem cucurrit ista ante illum et ostendit
illi filiam suam [8] sic tribulatam; quam ille vir sanctus videns, signum
crucis tantum fecit super illam, et statim liberata est ab illa infirmitate, praesentibus omnibus illis. Abbas vero Cassinensis, qui ante
infirmam et post sanatam conspiciebat, proiecit in terra duos karo-
linos argenteos, et dixit puellae : *Recollige illos.* Statim illa puella ita
bene recollegit illos, ac si numquam paralitica exstitisset.

**De discessione sua a Sancto Germano et [1] reversione [2]
ad cellam.**

37. Postquam autem ad Sanctum Germanum pervenit, hospitatus
est pater ille sanctus in hospitali monasterii Cassinensis, ut ibi posset
aptius secretum suum negotium, quod cogitaverat, ad effectum perducere [3]. Locutus est ergo cuidam presbytero devoto suo et intimavit
illi secreta sua sub sigillo paenitentiae, ut nemini ea revelaret, sed
auxilium praestaret secundum suum posse. Quod audiens presbyter
ille [4] fideliter adimplevit, quia [5] secretum tenuit et adiutorium impen-
dit, et iumentum ministravit, et illum ad suum domicilium conduxit
ubi solus una die et una nocte permansit, quia fratres sui illum sequi

36. — [1] *om.* 2. — [2] (i. vir) v. i. 2. — [3] *om.* 1. — [4] cellam 1. — [5] *delet.* 2. — [6] (sui-
manserant) q. s. m. sui 2. — [7] (paralyticas habentem) paralyticam 2. — [8] (f. s.)s. f. 1.
37. — [1] de *add.* 2. — [2] sua *add.* 2. — [3] perducuere 1. — [4] *om.* 1. — [5] et *add.* 1.

pedes[6] non valebant[7] prae infirmitate et debilitate. Et post haec ad
suam cellam, ubi ante papatum[8] fuerat, est reversus. Quod audientes
Sulmonenses cives, quod pater sanctus ad cellam regrederetur, occur-
rerunt ei omnes obviam et illum videntes nimium laetati sunt[9], et
gratias Deo referebant, eo quod meruissent eundem sanctum virum 5
revidere[10]. Et sic cum honore ad suam cellam reduxerunt. Cumque
ad illam dilectam pervenisset, ante altare[11] se prostravit, gratias
referens Deo, quod illuc ipsum reduxisset. Et credebat illic deinceps
permanere, et sicut ante papatum Deo quiete servire. Sed cogita-
tiones hominum vanae sunt.	10

De inquisitione et inventione illius.

38. Audiens papa novus quod praedictus pater absque sui licentia
ad cellam suam reversus fuisset[1], — sed hoc pro certo nesciebat, sed
credebat alibi ivisse ad papatum, quem dimiserat, resumendum, —
concite atque propere post illum et pro illo suum camerarium 15
et abbatem Cassinensem destinavit. Qui venientes, in cella sua[2] illum
invenerunt ; quem arguere coeperunt de illo quod fecerat, videlicet
de discessione inlicentiata. Post haec illum rogare coeperunt, ut
ad papam sine mora rediret, ne papa posset contra eum indignari.
Quibus ille respondit dicens quod, priusquam renuntiaret, protestatus 20
hoc fuerat. Quapropter rogabat summum pontificem amore Dei
omnipotentis, ut pacifice et quiete ipsum permitteret vitam suam
finire in solitudine, sicut coeperat[3], et ipse promittebat nulli hominum
loqui nisi tantum[4] fratribus secum manentibus. Quod audiens camerarius fecit sibi[5] promittere quod inde non discederet[6], quousque[7] 25
ad papam rediret haec relaturus quae audierat. Et tunc in pace
discesserunt. Pater vero sanctus proiecit et deposuit vestimenta
delicata quae apportaverat, et fecit sibi fieri alia vestimenta viliora
illis[8], quae ante papatum portare consueverat; et sperabat de cetero
non molestari.	30

De absconsione sua, quando a camerario[1] quaerebatur.

39. Sed camerario revertente, ecce alius nuntius a papa trans-
missus ferens litteras papales[2] ad camerarium supradictum, ut
fratrem Petrum volendo nolendoque ad ipsum absque mora deduce-

— [6] pedites 2 *post corr.* — [7] (p. n. v.) n. v. p. 2. — [8] electionem 1. — [9] laetabantur
2. — [10] (eundem - revidere) videre tam sanctum v. 1. — [11] (ante a.) coram altari 2.
   88. — [1] fuerat 1. — [2] (cella sua) cellulam suam 2. — [3] inceperat. 2. — [4] suis *add.*
1. — [5] *om.* 2. — [6] (quod-discederet) inde non discedere 2. — [7] ipse *add.* 1. — [8] *om.* 2.
   89. — [1] novi papae *add.* 2. — [2] (litt. p.) p. l. 1.

ret. Quibus visis, statim camerarius cum impetu et furore nimio est
reversus ad praedictum patrem deducendum. Quod relatum est
praedicto patri, antequam camerarius ad eum accederet. Qui timens
abscondit se, sicut Christus, quando Iudaei ipsum lapidare voluerunt,
5 abscondit se[3] et exivit de templo. Veniens autem camerarius ad
cellam et non inveniens ipsum, nimium iratus est, eo quod non poterat domini sui praecepta ad effectum perducere. Coepit tamquam
venator sagacissimus illum per silvas, per cryptas, per omnia latibula,
quae poterat, quaerere. Omnes fratres maioris monasterii fecit iurare,
10 minas inferre[4] et dona revelanti illum[5] promittere. Sed Dei voluntate[6] non est permissum. Sed duos fratres simplices, quos in cella
invenit[7], fecit capi et secum ad papam adduci; sed unus illorum prae
infirmitate ire non valuit, alterum vero secum duxit[8] et incarceravit;
et usque ad mortem[9] inde non exivit, sed in ipso[10] carcere cum com-
15 pedibus est defunctus (1). Liberatus vero illa hora sanctus pater
manebat in latibulo cum tremore nimio, sicut antiqui sancti, quando
eos tyranni persequebantur, et inquisitio de illo fiebat in diversis
partibus. Mansit in eodem loco per spatium duorum mensium et
postea coepit cogitare ad tales pergere partes, ubi numquam fuisset
20 cognitus[11].

De fuga sua, quando fugit ad partes Apuliae.

40. Audiverat iste vir sanctus quandam silvam[1] in partibus Apu-
iae, ubi multi boni servi Dei erant; et deliberavit illuc ire, dicens :
Forte ibi requiescam. Et deposuit cucullam induitque[2] se vilissima
25 chlamyde, et assumpsit secum unum de fratribus suis nocte, et fugit
ad silvam, quam praediximus, quae distabat a cella per dietas
quattuor. Sed audite mirum atque stupendum. Ipse disposuerat per
talem viam pergere, unde numquam antea fuerat, nec aliquis ad eum
inde venerat; et quocumque ibat, agnoscebatur. Referebat[3] frater
30 ille qui cum illo[4] iverat, quod quadam die in sero isti quaerebant in
quodam castro ubi possent hospitari, et pueri in platea ludentes, sicut
solent serotino tempore, statim quod viderunt istos fratres, coeperunt
dicere : *Ecce frater Petrus de Murrone, ecce frater Petrus de Murrone.* Et alio die progressi inde, alio[5] sero, cum iam hospitati fuis-
35 sent, ecce quidam sacerdos venit et conspexit illum, et dixit : *Vere tu*

— [3] *om.* 2. — [4] (m. i.) et m. i. coepit 1. — [5] *om.* 1. — [6] hoc *add.* 1. — [7] invenerat 2. —
[8] adduxit 1. — [9] (et u. ad m.) u. ad m. et 1. — [10] (in ipso) *om.* 2. — [11] cognosceretur 1.
40. — [1] (q. s.) quod quaedam sylva erat 1. — [2] et induit 2. — [3] rettulit 1 —
[4] eo 1. — [5] die in *add.* 1.

(1) D'après une variante du texte de Cajétan (voir plus loin, n. 94), le moine qui
mourut en prison s'appelait frère Ange de Caramanico.

es frater Petrus de Murrone; et hoc dicebat omnibus. Ipse vero hoc
audiens mirabatur. At postquam pervenit ad silvam memoratam
cum fratre praedicto, intraverunt ad interiora illius silvae et pervenerunt ad cellam quorundam fratrum, quorum unus[6] erat infirmus et
senex, alter sanus et iuvenis, qui numquam fratrem Petrum vide- 5
rant, et videntes statim dixerunt : *Tu es frater Petrus de Murrone;* et
coeperunt gratias Deo referre. Erat enim tunc quadragesima maior,
et invenit quandam cellulam[7], in qua[8] se conclusit, et mansit in ea[9]
usque ad dominicam palmarum. Adveniente vero illa dominica, ecce
quidam abbas de monachis nigris, qui ibat per silvam fratrem 10
Petrum quaerendo, qui vocabatur abbas de Corata, et quaerebat
illum cum septem sociis; sed numquam invenit, Domino illum protegente.

De transfretatione maris.

41. Videns vero pater sanctus quod non[1] poterat se occultare quod 15
non revelaretur[2], coepit cogitare transire mare. Quod intimavit duobus sociis suis, quos secum habebat, quia iam alius frater de suis
ad ipsum post se venerat caritatis amore ductus. Et unum de illis ad
monasterium Sancti Iohannis in Plano transmisit[3], ut cum priore
illius monasterii consilium haberet, si posset illud ita perficere. Quod 20
et factum est. Adveniente illo fratre ad monasterium, praedictus
prior una cum ipso tale negotium ad effectum perducere studuit; et
cum nautis de terra, quae Rodi nuncupatur, fuerunt confoederati[4]; qui
ex pacto navem et alia necessaria praeparaverunt. Et misit idem
prior pro eodem patre die sabbato sancto vigilia[5] paschae, et appli- 25
cuit ad monasterium feria secunda post pascha. Quem cum fratres
prospexissent[6], amarissime flere coeperunt, et quia paulo ante illum
in papali habitu fulgenti viderant, tunc vero in vilissimo habitu tamquam peregrinum conspiciebant. Et sic cum magno gaudio illum receperunt et asconsum ibidem per quattuor hebdomadas tenuerunt, quia, 30
volente Deo, ita mare turbatum erat, quod nullus per illud ausus erat
navigare[7]. Tandem iis diebus completis, cum quibusdam sociis ad
mare abiit, desiderans transfretare. Et statim iterum[8] in tantum[9]
mare turbatum est, quod paulo minus navis illa ad illum recipiendum
parata periclitaretur, ac si aperte mare manifestaret talem virum 35
nolle de ista terra nostra et sua amovere[10]; et sic manserunt iuxta
mare per sex dies. Iis vero completis et prospero vento flante, navem

---

— [6] *om.* 1. — [7] cellam 1. — [8] quam 2. — [9] (et-ea) *om.* 2.

41. — [1] numquam 1. — [2] (quod non revel.) *om.* 1. — [3] quod non erat de suo
ordine *add.* 2. — [4] conferati 1. — [5] *om.* 2. — [6] prospexerunt 2. — [7] ambulare 2. —
[8] *om.* 1. — [9] (in tantum) *om.* 2. — [10] (de-amovere) recipere 2.

intraverunt et navigare coeperunt: per quod non nisi [11] una die navi-
gaverunt [12]. Et ecce ventus contrarius illis affuit, qui non permisit
illos [13] navigare nisi tantum quindecim miliaria, et [14] iterum applicue-
runt ad terram iuxta civitatem, quae vocatur Vestia [15], ad quinque
5 miliaria, et in eo loco permanserunt novem diebus. quia nullo modo
Deo placebat ut tanto thesauro regnum privaretur, in quo natus,
nutritus et iam ad senilem aetatem fuerat perductus.

De captione sua in terra quae vocatur Vestia [1].

42. Eodem patre ibi manente iuxta mare, intimatum fuit capitaneo
10 civitatis praedictae quod frater Petrus esset ibi cum aliis sociis. Qui
hoc audiens gavisus est et cum maxima comitiva ad illum perducen-
dum perrexit in civitatem. Statim capitaneus iste suas litteras ad
papam. ad reges et [2] ad comites direxit, significans illis de tali captivo [3].
Quod papa audiens maximo gaudio repletus est [4]. Qui statim manda-
15 vit regi Siciliae, qui tunc temporis Anagniae morabatur, ut ad se
praedictum patrem venire faceret. nolens ipse pro illo [5] mittere, ne
forte [6] suis nuntiis per regnum tolleretur. Sed dominus rex Karolus
tales elegit nuntios, qui illum possent bene conducere et [7] sine contra-
dictione aliqua sociare, videlicet patriarcham Ierusalem, quendam
20 priorem de ordine sanctae militiae, domnum Ludovicum et domnum
Stantardum [8], hos cum suis familiis pro eodem patre transmisit. Qui
venerunt et illum de terra eduxerunt, atque versus papam iter verte-
runt. Tantum honorem isti [9] boni domini [10] eidem conferebant, ac si
papatus honore tunc temporis [11] fungeretur.

De ductione sua ad papam.

43. In diebus illis multi homines praedicto patri dicebant ut se
papam faceret reclamare, quia, quod fecerat, de iure non poterat ; et
omnes pro illo erant et omnes hoc [1] audire cupiebant. Ipse vero
respondens dicebat: *Absit hoc a me, ut talem dissensionem in Ecclesia*
30 *Dei faciam, quia non renui [2] ad resumendum, sed illam, quam tunc*
habui, modo habeo voluntatem [3]. Si fiendum adhuc [4] esset, ego facerem.
Nam ego hoc verbum ex eius ore audivi prolatum. O quam mirabile,
quod, quamvis hic sanctus vir [5] tantam persecutionem sustineret,
ipsum tamen non paenitebat renuisse [6] ! Et licet hic tantus et

— [11] tantum 1. — [12] ambulaverunt 2. — [13] om. 2. — [14] om. 1. — [15] Bestia 1.

42. — [1] (terra-Vestia) civitate Bestiae 1. — [2] om. 2. — [3] ut rescriberent voluntatem suam *add.* 1. — [4] (r. e.) e. r. 1. — [5] eo 2. — [6] ferte 1 ; a *add.* 2 — [7] om. 2. — [8] Stan-
dardum 2. — [9] ipsi 2. — [10] viri 2. — [11] in tempore 2.

43. — [1] haec 2. — [2] resignavi 1. — [3] (modo-voluntatem) voluntatem, illam et
nunc habeo. et 2.— [4] om. 2. — [5] om. 1.— [6] (n. p. r.) numquam paenituit resignasse 1, *et*
add.: Sed si nos suam respicimus mentem, quicquid fecit, puro et simplici corde fecit.

talis ut latro captus duceretur, non est sui oblitus[7] Dominus suus[8], quem sincera et humili caritate semper dilexerat et diligebat. Et ne videntes tale discrimen scandalizarentur, quod tantus ac talis homo captus sic ducebatur, multis et[9] gloriosis miraculis voluit approbare quod sibi non displiceret, sed magis placeret ut hic famulus suus[5] sanctorum passionibus participaret. Unde ipsa miracula in fine huius narrationis declarare curabimus. Patre illo sancto sic eunte, innumerabilis multitudo virorum et mulierum[10] ad eundem virum undique concurrebant, quique illum ducebant[11], vix defendere valebant. Et quicumque illum videbant, gratias Deo referebant, et omnes credebant[10] sanctificari sola eius visione ; tantam devotionem erga ipsum omnes[12] habebant. Et a die qua de civitate Vestiae[18] exivit usquequo Campaniam intravit, vix dietam facere potuerunt propter nimiam hominum[14] importunitatem; sed de[15] media nocte[16] surgebant, ne ab hominibus viderentur. Sed antequam dies illucesceret, ab hominibus[15] circumdabantur.

De stando in Anagnia[1] et de miraculo episcopi Cusentini[2].

44. Antequam de regno praedictus pater extraheretur, papa misit[3] camerarium suum in adiutorium illorum qui illum ducebant, eo quod ipse super omnes sagacior[4] erat. Et postquam[5] Campaniam intraverunt, tulit illum camerarius domini papae, et de nocte[6] in[7] Anagniam misit[8] ita occulte, quod a nullo percipi potuit. Quem reclusit in quandam domum[9] iuxta cameram domni papae. unde ad papam transire poterat, quando domno papae placitum erat. Alia vero die domnus papa illum ad se iussit intrare. Et statim ipse se ante illius pedes prostravit et cum reverentia osculatus est illos. Et coepit papa multa ab illo[10] quaerere, et[11] qua de causa a Sancto Germano discessisset et[12] Campaniam non ivisset[13], cur etiam huc atque illuc fugisset et mare transire vellet[14]. Qui cum magna constantia animi[15]. quae[16] quaesierat, eidem[17] in omnibus respondit. Et tunc iterum[18] illum rogavit ut[19] Suae Sanctitati placeret, ipsum ad suam cellam redire permitteret[20]. Qui[21] nullum assensum dedit; sed cardinalibus in consistorio

---

— [7] (s. o.) o. eius 1. — [8] I. C. 1. — [9] ac 1. — [10] (et mulierum (*om.* 1. — [11] (quique-ducebant) eum ducentes 1. — [12] *om.* 2. — [13] Bestiae 1. — [14] (n. h.) h. n. 1. — [15] *om.* 1. — [16] (m. n.) n. m. 2..

44. — [1] (s. in A.) mora sua Anagniae 1. — [2] (e. C.) quod accidit episcopo Cusentino 1. — [3] praemisit 2. — [4] (eo-sagacior) quia iste camerarius omnium sagacissimus 1. — [5] in *add.* 1. — [6] eum *add.* 1. — [7] civitatem *add.* 2. — [8] intromisit 1. — [9] (q. d.) quadam domo 1. — [10] (et-illo) tunc p. c. m. ab eo 1. — [11] *om.* 1. — [12] in *add.* 1. — [13] venisset 1. — [14] voluisset 1. — [15] (c. a.) a. c. 1. — [16] de quibus 1. — [17] *om.* 1. — [18] (t. i.) i. t. 2. — [19] si *add.* 1. — [20] (redire perm.) reddere permittere 1. — [21] Sed ipse petitioni eius 1.

dixit quid esset [22] fiendum [23] de illo viro. Cui quam plures cardinalium [24] responderunt ut ad cellam, quam semper desideraverat, libere abire permitteret. Et alii dicebant quod, si ad cellam frater Petrus rediret, ipse papa esse non poterat. Quod ille audiens atterritus [25] est et extunc deliberavit numquam illum ad cellam redire permittere, sed in arto carcere eum [26] ponere. Et quia multi eum [27] revidere cupiebant, tam de cardinalibus quam de aliis nobilibus de curia, fecit illum apud se Anagniae [28] manere fere per duos menses, usque dum fecisset fortificari [29] unum forte castrum nomine Fumonem; ad quod de nocte private [30] et nemine sciente fecit deportari et in turri eiusdem castri includi. Sed antequam discederet vir ille sanctus de civitate Anagnia [31], voluit Deus demonstrare quis ille esset, quem papa sic in captivitate tenebat [32]. Erat in eadem terra quidam archiepiscopus de civitate Cusentina, qui venerat ad romanam curiam pro suis negotiis expediendis; qui tunc patiebatur infirmitatem de lapide, et alia gravis infirmitas corporis supervenerat in tantum, quod iam fuerat a medicis derelictus; et tam ipse quam omnes, qui illum conspiciebant, credebant procul dubio tunc mori nec amplius in vita praesenti vivere. Familia autem illius posita in multa tristitia praeparaverat omnia quae pro exsequiis ipsius domni possent esse necessaria; etiam vestimenta nigra iam fecerant, sicut consuetum est in morte nobilium. Idem vero [33] archiepiscopus dolore nimio affligebatur et nesciebat quid faceret. Et in his magnis doloribus coepit Deum rogare, sicut poterat, istis verbis et cum affectu maximo : *Domine Deus, deprecor te, ut per merita istius sancti viri fratris Petri aut Caelestini, Domine Deus, sicut tu scis, adiuves* [34] *me, ut modo non moriar.* Audite mirum. Numquam tam cito orationem finierat, quam sanatum se sensit. Et fecit vocari [35] suam familiam, dicens illis : *Hac hora sanatus sum.* Et surrexit, et fecit sibi dari [36] manducare. Hoc magnum miraculum videns familia eius gratias immensas Deo referebat [37]. Et ita plene convaluit, quod alia die abiit et nuntiavit hoc domino Thomae, quem pater iste sanctus fecerat cardinalem [38]; occulte tamen nuntiavit pro timore papae.

De inclusione carceris Fumone [1].

45. Postquam hic homo Dei ad castrum Fumonis [2] pervenit et [3] in carcere seu in turri illius castri fuisset reclusus [4], gratias egit Deo et dixit: *Cellam desideravi, cellam habeo, sicut tuae placuit pietati,*

— [22] est 1. — [23] faciendum 1. — [24] cardinales 1. — [25] accinctus 2. — [26] *om.* 1. — [27] ipsum 1. — [28] in civitate Anagnia 2. — [29] fortificare 2 *post corr.* — [30] occulte 1. — [31] Anagniae 1. — [32] teneret 2. — [33] (id. v.) item 1. — [34] adiuva 1. — [35] vocare 2 *post corr.* — [36] dare *post corr.* 2. — [37] referebant 1. — [38] qui etiam de ordine ipsius fuerat *add.* 1.

45. — [1] in castro Fummoni 1. — [2] Fummoni 1. — [3] cum *add.* 1. — [4] inclusus 2.

Domine Deus meus. Et gaudebat multum, quod talem carcerem invenerat [5]. Petiit tamen ut darentur sibi [6] duo fratrum suorum [7], cum quibus posset divinum officium exercere. Quod utique concessum est illi. Sed fratres non poterant sufferre artationem carceris et nimiam angustiam illius loci [8], et propter hoc [9] extrahebantur inde saepius [10] 5 infirmi, et alii sani dabantur illi. Postremum [11] vero dati sunt illi duo fratres, qui secum manserunt ibidem usque ad obitum illius [12]. Tanta erat artatio illius turris, quod ubi tenebat pedes ille sanctus, dum missam diceret [13], ibi tenebat caput quando quiescebat. Et quia fratribus suis erat nimis difficile sic manere, semper illos [14] confortabat, ut 10 pro Dei amore patienter sufferrent. Et, ut ipsi fratres mihi rettulerunt, numquam ipse turbabatur nec scandalizabatur nec [15] propter artationem carceris nec [16] propter improbitatem militum qui eum custodiebant. Magna custodia fiebat die noctuque de illo, et nullus homo poterat ad illum accedere, nec videre, nec colloquium cum ipso habere 15 neque cum suis sociis. Et in hac arta custodia per spatium decem mensium ibidem permanserunt.

De infirmitate et transitu illius [1].

46. Sed cum omnipotens Deus vellet tantam eius patientiam remunerare et illum a tanto labore, quem per sexaginta et quinque annos 20 perpessus in paenitentia fuerat, vellet quiescere, hoc modo diem illius clausit extremum. Consuetudo huius sancti viri erat dies, qui sunt ab Ascensione Domini usque ad Pentecosten, cum multa devotione celebrare et instantius solito orare [2], silere et ieiunare, exspectans adventum [3] Spiritus sancti in diem Pentecosten [4] ob reverentiam Spiritus 25 sancti. Peractis [5] iis diebus cum hac, quam diximus, devotione, et [6] adveniente dominica Pentecostes, sicut consueverat, missam celebravit cum divino tremore. Illo denique die coepit infirmari, et extunc [7] infirmitas coepit crescere. Hoc audientes milites qui eum custodiebant [8], fecerunt medicum advenire. Qui intrans ad illum vidit tetigit 30 que illum [9], et dixit quod debebat mori [10]. Quam mortem ipse iam praedixerat fratribus suis. Habebat enim quoddam apostema in latere dextro, quod nimium illum affligebat. Fecitque [11] sibi fieri unctionem extremam ; et certus de sua morte, dixit fratribus ut per-

— [5] intraverat 2. — [6] ei 1. — [7] (f. s.) de fratribus suis 1. — [8] (carceris-loci) et angustiam illius carceris 2. — [9] om. 1. — [10] om. 2. — [11] postremo 1. — [12] suum 1. — [13] (ille-diceret) d. m. diceret i. s. 2. — [14] eos 2. — [15] om. 1. — [16] vel 1. — [17] om. 1.

46. — [1] (tr. i.) migratione istius sanctissimi patris in praedicto carcere 1. — [2] (i. s. o.) ferventius o. s. tempore 1. — [3] eventum 2. — [4] (d. P.) die Pentecostes *post corr.* 2. — [5] igitur *add.* 1. — [6] om. 1. — [7] illius *add.* 1. — [8] (qui-custodiebant) sui custodes 2. — [9] om. 2. — [10] (et-mori) et d. ipsum esse moriturum 1; dicens illum debere mori 2. — [11] fecit itaque 2.

mitterent illum quiescere. Sed ubi quiescere volebat, qui nec culcitram
nec sacconem habebat ? Sed quid ? tabulam solam cum tappeto et
uno coopertorio seu chlamyde, ecce molle [12] stratum infirmi ! Sed vobis
legentibus aures vestras advertere libeat ad tantae pietatis intuitum.
5 Iste [13], qui totius mundi dominationem habuerat et pro Christo totam
reliquerat, et tamquam stercus, ut Christum lucrifaceret [14], omnia temporalia reputaverat, in sola [15] tabula sic infirmus iacebat [16]. Vere cum
Christo hic dicere poterat: *Vulpes foveas habent et volucres caeli nidos;
filius autem hominis non habet ubi caput reclinet* [17] (1). Ipse enim infir-
10 mus in tabula sic iacebat; ille vero cui papatum reliquerat, quasi deus
in aureis et purpureis lectis dormiebat, et hic in duritia tabulae infirmus cubabat. Et sic infirmus petiit a fratribus ut a sui molestia [18]
quiescerent, ut soli Deo ipse posset vacare, cui per spatium tanti temporis hactenus iam servierat. Coepit orare et psalmos dicere, fratres-
15 que etiam monere, ut [19] ipsi orationi vacarent. Et sic permansit per
totam illam hebdomadam usque ad sabbatum [20]. Nulla alia verba ibi
dicebantur, nisi laudes Dei et orationes continuae [21], tam ab ipso
quam a fratribus, licet ipse nimis infirmus esset, quia [22] finem suum,
in quantum poterat, munire studebat [23].
20   47. Die [1] sabbati hora vespertina, ipso dicente et complente ultimo
psalmo psalterii, scilicet [2] *Laudate Dominum in sanctis eius* [3] flatu [4]
tenuissimo, quod [5] vix audiri poterat, et [6] praevalescente corporis
molestia, statim quod dixit : *Omnis spiritus laudet Dominum*, sancta
illius [7] anima de illius [8] corpore est egressa, Deum [9] pergens cum omnibus
25 sanctis in perpetuum [10] laudatura, anno Domini M°.CC°.LXXXX°.VI.,
vitae vero suae anno LXXX°.VII., die XIX* mai [11]. Et ut comprobaret
omnipotens Deus quod [12] crucem paenitentiae, quam per totum tempus vitae suae famulus suus Petrus fideliter [13] portaverat [14], gratam
acceptamque haberet [15], signo manifestissimae crucis voluit decla-
30 rare [16]. Rettulerunt [17] milites [18], qui illum custodierant, tam domino
papae quam aliis [19] omnibus quod a feria sexta ante illius obitum usque
ad horam mortis eius viderunt ante cameram, ubi iacebat, crucem
colore auream, non alicubi affixam, sed in aere pendentem. Sed fratres ibi manentes, de morte sui patris amarissime afflicti, ad ipsam
35 crucem videndam minime exire voluerunt. Sed cum multa prece

— [12] mollem 1. — [13] pauper *add.* 1. — [14] lucrum faceret 1. — [15] dura *add.* 1. —
[16] et *add.* 1. — [17] (c. r.) reclinet caput suum 1. — [18] molestatione 2. — [19] et *add.* 1. —
[20] et *add.* 1. — [21] (or. c.) orationibus continuis 2. — [22] *om.* 2. — [23] stedebat 1.

47. — [1] vero *add.* 1. — [2] *om.* 2 — [3] cum *add.* 1. — [4] fletu 2. — [5] ut 1. — [6] *om.*
1. — [7] eius 1. — [8] (de illius) e 1. — [9] Dominum 1. — [10] (in p.) perenniter 1. — [11] (die
mai) *om.* 2. — [12] quia 1. — [13] (P. £.) *om.* 1. — [14] deportaverat 2. — [15] habebat 1. —
[16] declarari 2. — [17] referebant enim 1. — [18] et alii custodes *add.* 1. — [19] *om.* 2.

(1) Matth. vm, 20.

milites rogabant, ut placeret illis obitum sui patris significare fratribus suis illorum locorum de Campania; sed nullo modo hoc facere
voluerunt[20], et[21] dixerunt quod nulli homini hoc significare poterant,
usquequo a domino papa nuntius reverteretur. Miserant enim velocem
nuntium ad papam, qui tunc temporis Romae erat, haec nova nun-   5
tiare. Quo papa audito[22], nimium gaudens effectus est, licet monstraret de[23] hoc se dolere. Qui statim ad se venire iussit dominum Thomam titulo S. Caeciliae presbyterum cardinalem, et camerarium
suum. Quibus intimavit obitum illius, et mandavit[24] ut venirent ad
castrum Fumonis et conferrent sancto illius corpori magnum hono-   10
rem. Ipse dominus[25] papa cum cardinalibus exsequias illius sancti viri
in ecclesia Sancti Petri de Urbe sollemniter celebravit. Venientes vero
cardinalis et camerarius[26], fecerunt sicut illis mandatum fuerat, quoniam mandaverunt advenire omnes episcopos de Campania et religiosos de provincia. Et transtulerunt illud sanctum corpus cum   15
maximo honore, cum cereis et lampadibus et cum magna comitiva
populorum ad ecclesiam Sancti Antonii de Ferentino, quam ecclesiam
ipse sanctus pater de novo construxerat, et ibi sepelierunt illud iuxta
maius altare ipsius ecclesiae in[27] anno M°.CC°.LXXXXVI°., XIX
die[28] madii. Ubi fiunt multa[29] miracula, sicut fides petentium exigit,   20
ad laudem D. N. I. C. qui cum Patre et Spiritu sancto vivit et regnat
Deus in saecula saeculorum. Amen.

**Explicit vita seu obitus sancti patris fratris P. de Murrone
seu Caelestini papae quinti[30].**

III   25

Incipit[1] lamentatio de eodem patre.

48. Praesens calamitas me compellit lugubria verba depromere,
gemitus et suspiria emittere, nostramque desolationem plorare, eo
quod ad praesens videmur tanto patre carere. Quapropter, o dilecti
discipuli fratris P. de Murrone, advenite et diligenter vestro animo   30
considerate quae et quanta nobis proveniant de tanti patris
discessione, et unanimiter tantam calamitatem plorare nullatenus

---

— [20] (Sed cum multa-voluerunt) *om.* 2. — [21] sed 2. — [22] (haec-audito) ut ei haec
magna nova deferret. Quibus papa auditis 1. — [23] ipse 2. — [24] (et mandavit) *om.*
2. — [25] vero 1. — [26] in Campaniam *add.* 1. — [27] *om.* 1. — [28] (XIX. d.) d. XIX 1. — [29] *om.*
1. — ([30] Explicit-quinti) *om.* 2.
  48. — [1] *om.* 2.

desistamus, quoniam quidem[2] amodo possumus dicere, quemadmodum dicit propheta : *Cecidit corona capitis nostri* (1). Vae nobis, quia
peccavimus et pupilli remansimus absque patre, quia et[3] patrem
nostrum sanctissimum et ultra omnes nominatissimum amisimus[4], ita
5 quod in vita praesenti numquam faciem suam gloriosam sumus
amodo revisuri[5]. Unde, fratres mei dilectissimi, talem desolationem
die ac nocte plorare[6] debemus, quoniam fundamentum nostrae religionis et[7] gloria religiosorum omnium a nobis recessit, et nos orpha-
nos dereliquit. Pater noster et consolatio nostra[8] nobis defecit et ultra
10 inter nos[9] non invenietur[10]. Pater patrum et pastor pastorum, qui
tamquam Dei angelus in terra conversabatur, nos omnes dereliquit,
de se inanos[11] et vacuos universos dimisit. Vae nobis miseris! Quid
amodo faciemus? quid dicturi sumus? ad quod auxilium recuperabimus[12]? ad quod refugium fugiemus? ad quod consilium recurremus?
15 Nempe defecit auxilium, periit refugium, consilium salubre minime
invenitur. Vae nobis orphanis derelictis, qui talem patrem amisimus,
qui erat tristium consolator, pauperum recreator et debilium suble-
vator! O pauperes Christi, una nobiscum plorate, qui sublevatorem
vestrum, patrem vestrum amisistis, et qui vestram manum inopem
20 replere consueverat, non invenitis[13]. Qui etiam nobis salutiferam monitionem impendebat, ex eius ore dulcissimo minime amodo eam recipere vos[14] potestis. Vae nobis derelictis pupillis, qui tanto patre misericordiae nos caremus. O devoti sanctissimi patris nostri, ubi estis?
Quare omnes non[15] convenitis ad plorandum desolationem nostram
25 atque vestram, videlicet benignissimum patrem nostrum atque piissimum, qui vos cibo spirituali reficiebat, ab oppressione dominorum
vestrorum[16] defendebat et toto conamine vos ab omnibus adversitati-
bus protegebat, et etiam infirmos vestros a languoribus variis curabat. Ad quem amodo recurretis? Certe quem[17] patrem nostrum num-
30 quam in cellam, sicut consueveratis, invenietis, quia a nobis et a vobis
est sublatus, nec umquam reperietur. Si tentati quipiam ad illum
venirent, statim ab ipso remedia cuiuslibet tentationis inveniebant. Ad
quem amodo venient? a quo remedia tentationum diversarum tentati
recipient? Ipse namque[18], tamquam peritus medicus, diversorum
35 medicaminum remedia diversis tentatis[19] salubriter impendebat. Heu

— [2] (q. q.) quia 1. — [3] *om.* 1. — [4] a nobis recessit 2. — [5] (sumus-revisuri) poterimus
amodo revidere 1. — [6] omnes *add.* 1. — [7] *om.* 1. — [8] (c. n.) consolator omnium
nostrum 2. — [9] (i. n.) *om.* 2. — [10] invenitur 2. — [11] inanes *post corr.* 2. — [12] recurremus 1, 2; *sed notavit in margine Caistanus :* Dicebat exemplar: recuperabimus. —
[13] invenietis 1. — [14] *om.* 1. — [15] (o. n.) n. o. 2. — [16] (d. v.) v. d. 1. — [17] *ita* 1 *in marg.;*
q 1 *ante corr.;* quia 2. — [18] nempe 2. — [19] tentamentis 2.

(1) *Thren.* v, 16.

nobis miseris, qui tantum ac talem [20] patrem amisimus, qui spiritualibus infirmitatibus nostris medere [21] consueverat, quem amodo
habere vel videre minime nos valemus! Quique afflicti ad ipsum piissimum patrem concurrentes, in ipso et ab ipso et per ipsum suarum
afflictionum consolationem inveniebant; quod de cetero numquam [22] 5
poterunt, quoniam et ipsi, tamquam et [23] nos, miseri remanserunt,
propter quod ipsum consolatorem omnium patrem nostrum in cella,
sicut consueverant [24], minime reperient [25]. Unde et [26] nos non solum
nostram, verum etiam et proximorum decet miseriam deplorare, qui
tanto patre caremus tantoque lumine nos privamur. Vere hic tantus 10
pater lux patriae [27] a Deo data fuit, qui homines in tenebris peccatorum [28] exsistentes illuminabat suis sanctis monitionibus et exemplis [29].
Quis est qui valeat [30] intimare quot de tenebris extraxit et ad Christum
veram lucem reduxit, cum semper ad illum populorum concursus
fiebat [31]? Vae nobis [32] pupillis derelictis [33], quoniam et concursus popu- 15
lorum ad cellam venientium iam defecit, et non est qui possit dicere,
sicut dicere consueverat : *Eamus ad patrem nostrum et cum ipso consilium habeamus de salute animae nostrae.* Sed qui vadunt [34], ipsum non
reperiunt, sed maerentes et dolentes inde discedunt, et errando huc
et illuc tamquam oves non habentes pastorem discurrunt. O pastor 20
bone, et [35] ubi te invenient oves tuae? Ecce grex tuus, quem alere con-
suevisti [36], quaerit te, et non invenit [37]. Heu derelinques illum abire in
devorationem luporum crudelium? Vae nobis desertis orphanis, qui
nostrum pastorem amisimus, qui nos fovere, alere et nutrire cibis spiritualibus consuevit [38]! Et ubi tale alimentum sumus inventuri, quale [39] 25
de eius saluberrima doctrina percipere solebamus? Vae nobis miseris [40], quid deinde acturi sumus, quia et [41] pater noster sic nos miseros
deseruit? De cetero, ad quem recurramus, aliquem alium non [42] habe-
bimus. Et [43] si a maioribus nostris affligimur, ad quem confugiamus,
ullatenus non [44] habemus? Ipse vero [45] pater noster venerabilis et beni- 30
gnus et priores arguebat, et subditos opprimere minime permittebat.
Quid ergo amodo faciemus qui, si a maioribus opprimimur, alicuius
auxilium usquam minime [46] invenimus? Vae nobis, orphanis derelic-

— [20] (tantum ac t.) talem ac t. 1. — [21] mederi *post corr.* 2. — [22] facere *add.* 1. —
[23] *om.* 1. — [24] consueverunt 2. — [25] reperiunt 2. — [26] *om.* 1. — [27] *om.* 2. — [28] *om.*
2. — [29] (suis-exemplis) *om.* 2. — [30] (Quis-valeat) Quis valet 1. — [31] (cum-fiebat)
quia continue ad hunc sanctum patrem fiebat concursus omnium populorum 1. —
[32] miseris *add.* 1. — [33] (p. d.) d. p. 1. — [34] amodo veniunt 1. — [35] *om.* 1. — [36] (a. c.)
pascere consueveras 1. — [37] (et n. i.) nec invenire quit 1. — [38] consueverat 1. —
[39] (tale-quale) talia et tam dulcia alimenta poterimus invenire, qualia 1. — [40] *om.*
1. — [41] *om.* 1. — [42] (aliquem-non) numquam aliquem nos 2. — [43] Quia 1. — [44] (con-
fugiamus-non) recurremus! Certe numquam apud aliquem recursum nos 2. —
[45] (i. v.) quoniam et ipse 2. — [46] (u. m.) minime umquam 2.

tis, qui consilium, auxilium et favorem tanti patris perdidimus! O
pater sancte, quare nos sic dereliquisti? cur nos ante te [47] non misi-
sti? Ecce discipulis tuis, quos deseruisti [48], pro discessu tuo in
diversis partibus iniuriantur [49], et [50] a diversis dominis opprimuntur,
et in diversis locis eis adversatur [51], et bona eorum monasteriorum
tolluntur, et ipsi tui filii pro Christi et tui amore patienter haec
universa patiuntur. Unde, o pater sanctissime, respice et vide et
visita vineam istam, quam plantavit dextera tua, nec derelinquas
illam, sed dirige, defende et conserva, ut in iustitia et sanctitate ser-
viamus domino nostro Iesu Christo omnibus diebus nostris et [52] gaudiis
caelestibus, quae promisisti, una tecum perfrui mereamur per eum
qui venturus est iudicare vivos et mortuos, dicens servis suis : *Venite
benedicti, percipite regnum paratum vobis ab origine mundi* [53] (1).
Amen.

IV

Incipiunt miracula quae Deus ostendit pro fidelissimo servo suo sancto Petro confessore [1].

50. Erat quaedam mulier in civitate Sulmona [2], nomine [3] Catherina,
uxor notarii Iohannis de eadem terra, cui quodam tempore magna
infirmitas advenit in oculis suis, quam medici vocabant guttam sere-
nam; de qua infirmitate ex toto amisit lumen amborum oculorum per
multum tempus. Pro qua vir eius consuluit multos medicos et physi-
cos et cirogicos, qui omnes desperaverunt illam numquam lumen de
cetero posse recuperare propter tam pessimam infirmitatem, et nihil
penitus posset caligare [4]. De qua vir eius et magister Benedictus, pater
eius, nimium tristabantur, et semper cogitabant quid inde possent
facere. Tandem ista dixit : *Rogo vos* [5] *quod ducatis me ad cellam sancti
patris, et spero in Deo quod reddet mihi lumen.* Hoc isti audientes
portaverunt illam ad cellam dicti patris, et dimiserunt illam cum aliis
sociis extra cellam, quantum iactus est lapidis. Et descendit vir eius
ad eundem patrem, et intimavit illi caecitatem oculorum uxoris suae.

— [47] *om.* 1. — [48] et *add.* 2. — [49] adversarii nostri *add.* 1. — [50] *om.* 2. — [51] (eis adv.)
adversantur 2. — [52] ut 2. — [53] (paratum-mundi) *om.* 2.
50. — [1] (Incipiunt-confessore) De miraculis S. Petri confessoris 2. — [2] Sulmona
1. — [3] domina *add.* 1. — [4] (p. c.) posse calinare 1. — [5] *om.* 1.

(1) Verset modifié de Matth. xxv, 34.

Cui pater ille[6] sanctus dedit unam crucem parvam de ligno, dicens : *Pone illam super oculos eius, et secum semper habeat.* Quam ille cum devotione accepit et detulit uxori suae. Quae recepit illam cum multa devotione et fide, et posuit illam super oculos suos, et ab illis illa hora caecitatis tenebras excussit et perfecte lumen reddidit. Quod [5] videntes consanguinei illius[7] tam velociter ipsam lumen recepisse, de[8] magna laetitia flere coeperunt. Et reversi sunt ad eundem patrem, gratias illi[9] agentes. Quibus ille : *Non mihi, filii, sed Deo gratias referatis; ipse enim facit opera sua.* Et sic illa mulier et parentes et[10] quam plures alii de illa terra, qui tunc cum tristitia venerant, cum magno[11] [10] gaudio sunt reversi ad propria[12]. Illa mulier non eques, sed pedes voluit reverti a cella de Orfente usque Sulmonam.

51. Item quidam puer de eadem terra rupturam in suo corpore patiebatur. Qui cum devotione propter hanc causam fuit delatus ad sanctum virum. Qui pro eo oravit et locum infirmitatis signavit; qui [15] per Dei gratiam et sancti viri orationem sanatus fuit.

52. Item quidam alius puer de eadem terra per unum annum et dimidium[1] passus est infirmitatem, quae vocatur gutta salsa, ita quod totum suum[2] corpus a capite usque ad pedes rupturas carnis habebat, quasi esset leprosus. Quem parentes illius detulerunt ad fra- [20] trem[3] P.; quem vir sanctus signo crucis signavit et[4] tertia die non perpendit in qua hora et quomodo fuisset sanatus[5], quia in corpore illius, ut in corpore pueri, nulla vestigia remanserant[6] cicatricum (1).

54. Item quidam bonus homo de Pratulis, nomine Perronus[1] patiebatur morbum caducum. Qui abiit ad virum venerabilem fratrem[2] [25] Petrum et intimavit ei infirmitatem suam, et recordavit[3] se illi. Quem[4] pater ille sanctus benedixit et pro eodem oravit; qui in paucis diebus liberatus est.

55. Item quaedam mulier de Castro Preta Abundanti, nomine Palma[1], longo tempore a daemonio vexata, cum magna hominum [30] comitiva adducta fuit ad cellam fratris[2] P. Qui audiens[3], pro ea oravit ad Deum. Quae per misericordiam Dei et virtutem orationis sancti patris[4] liberata fuit et in pace rediit ad propria.

— [6] *om.* 1. — [7] *om.* 1. — [8] prae 2 *post corr.* — [9] *om.* 2. — [10] *om.* 1. — [11] *om.* 2. — [12] et *add.* 1.

52. — [1] medium 2. — [2] *om.* 1. — [3] sanctum 1. — [4] et *add.* 2. — [5] (f. s.) s. esset 2. — [6] remanserunt 1.

54. — [1] Peridus 2. — [2] (vi.-fr.) ven. patrem sanctum 1. — [3] recommendavit 2. — [4] *ita et* 2 *ante corr.;* cui 2 *post corr.*

55. — [1] a *add.* 1. — [2] sancti *add.* 1. — [3] adiens 1. — [4] (s. p.) eius 2.

(1) Le n. 53 vient plus bas dans 1 et 2 et présente une version qui se rapproche du texte *Anal. Boll.*, t. X, p. 388, n. 15ᶜ.

56. Item quidam de Rocca Morici, nomine Benedictus Bulocte, patiebatur magnum dolorem in genu per medium annum et plus, ita quod nullo modo valebat ambulare ad operandum. Unde dimissis omnibus medicinis, quas propter illud[1] fecerat, abiit ad monasterium
5 Sancti Spiritus[2] de Magellis, ubi frater[3] P. tunc morabatur[4], asinum[5] suum equitans. Et dum ostenderet fratri[6] Petro praedicto, signavit idem sanctus signo sanctae crucis ipsum genu; et ab illa die et hora[7] dolor recessit.

57. Item alio tempore quidam de eadem terra[1], nomine Rao, pas-
10 sus fuit quandam infirmitatem per duos menses in sinistro latere, videlicet in collo et in maxilla usque ad verticem capitis, ita quod tangendo illam videbatur una cutis; de[2] quo[3] multum timorem habebat. Unde accedens ad cellam ubi frater[4] P. morabatur, rogavit illum ut signaret tantum. Quod venerabilis pater facere non denegavit.
15 Unde rediens ab ipsa cella eodem sero sensiit[5] se totaliter liberatum.

58. Item in eodem castro fuit quidam qui vocatur Ricardus Berardi, qui dixit se habuisse filiam quae fuerat muta et trappa[1], et[2] per sex annos a nativitate non se movens de uno loco ad alium. Qua-
20 propter pater suus[3] accessit ad Sanctum Iohannem de Orfente ad fratrem[4] P., petens cum devotione et lacrimis consilium[5] ab illo[6]. Quem venerabilis pater confortatus est[7], et dedit illi unam pizzam (1) pro benedictione, quam portaret[8] filiae suae. Unde statim quod ad domum suam rediit, filia eius locuta est dicens : *Da mihi pizzam,*
25 *pater.* Hoc audiens ipse admiratus est dicens : *Surge et veni ad me, et dabo tibi*[9]. Statim puella surrexit, et ambulavit, et locuta est. Et haec testificantur domnus Thomas Falcus et Philippus et paene omnes de terra illa, ac etiam mulieres et plures fratres nostri, qui de eodem castro fuerunt.

30 **59.** Item in Castro Caramanici erat quidam presbyter, qui vocabatur domnus Gualterius Thomasii ; qui habuit lapidem et non poterat emittere urinam nisi cum magno dolore et clamore, et multotiens quasi spiritum exhalabat. Unde dictum fuit ei quod iret ad fratrem[1] P. Qui fecit se ponere[2] in asello suo, et cum[3] nimia devotione
35 accessit ad illum, et cum lacrimis petebat illi[4] misericordiam. Cui

56. — [1] (p. i.) pro illo 1. — [2] (s. sp.) *om.* 2. — [3] sanctus 1. — [4] super *add.* 1. — [5] asellum 2. — [6] sancto 1. — [7] (die et hora) *om.* 1.

57. — [1] *om.* 1. — [2] *delet.* 2. — [3] quae 2. — [4] sanctus 1. — [5] sensit 2 *post corr.*

58. — [1] *alia manu, post corr.* membris attractis ; *ante corr.* trappa 2. — [2] *om.* 1. — [3] *om.* 2. — [4] sanctum 1. — [5] consilio 1. — [6] sancto viro *add.* 1. — [7] (c. e.) confortavit 1. — [8] portavit 1. — [9] et *add.* 1.

59. — [1] sanctum 1. — [2] portare 1. — [3] *om.* 1. — [4] (p. i.) petiit ab eo 1.

(1) Sorte de petit pain.

pater sanctus extendit manum fecitque signum crucis dicens : *Deus per suam misericordiam et pietatem adiuret te.* Qui statim sensiit[5] se sanatum; et ab illa die coepit[6] emittere lapidem cum urina. Et ab illa hora affirmabat se totaliter liberatum fuisse.

60. Item in eodem castro Caramanici Matheus, filius Sinibaldi, magistri Litolfi, amiserat lumen oculorum propter gravissimam infirmitatem, quam fuerat passus. Ductus itaque a dicto Sinibaldo patre suo ad fratrem[1] P., posuit ipsum in brachiis dicti fratris Petri[2], quia puer erat. Cui dixit : *Fili, benedicat te omnipotens Deus.* Et signavit illum signo sanctae crucis, et statim eum sanum reaccepit pater eius cum visu. Et hoc fuit in praesentia domni Thomasii, abbatis monasterii Sancti Clementis in Piscaria, qui tunc erat praesens et rogaverat fratrem[3] P. pro eodem puero.

61. Item in eodem castro Caramanici cum domnus Iacobus Iohannis Stephani propter infirmitatem amisisset visum oculorum, quod vix poterat caliginare[1], fuit ductus a dicto Iohanne patre suo ad fratrem[2] P.. et cum maxima devotione petiit misericordiam ab eodem. Unde statim fratrer Petrus[3], levans[4] oculos ad caelum, oravit et fecit signum crucis super oculos dicti domni Iacobi. Qui statim gratia Dei visum recepit. Et hoc testificatur domnus Petrus Berardi[5], Guinisius et paene omnes homines de illa terra.

62. Item in castro Serre Monachesce erat quidam bonus homo, qui vocabatur Bonumtempu, qui asserebat manifeste quod quodam tempore messium elevavit magnum pondus, propter quod crepuit in sinistro latere, et per duos menses sustinuit infirmitatem istam. Et in Assumptione beatae Mariae. quoniam pater sanctus de illa quadragesima exibat, accessit ad illum, — erat enim iste bonus homo nimium devotus fratri Petro[1], — et intimavit illi hanc infirmitatem quae sibi acciderat. Qui compassus est illi, et rogavit Deum pro eo, et fecit signum crucis super rupturam; et ante octo dies ipse convaluit. Et hoc affirmat[2] Tobias filius eius et Bonaspecta illius terrae.

63. In castro Pelegre erat quidam qui vocabatur Sanitas, qui ore suo dicebat quod quadam nocte veniebat de[1] castro, quod vocatur Fara, et redibat Pelegram. Ex nimio timore[2] concussus cecidit in terram, et iacuit per magnam horam; et quando surrexit, invenit se cum ore torto in tantum, quod omnibus videntibus incutiebat timorem. Propter quod ipse nimium verecundabatur et dolebat. Habebat

— [5] sensit 2 *post corr.* — [6] coepi 1.

60. — [1] sanctum 1. — [2] (d. fr. P.) ipsius sancti patris 1. — [3] sanctum 1.

61. — [1] caligare 2 *post corr.* — [2] sanctum 1. — [3] (fr. P.) ipse sanctus 1. — [4] elevans 2. — [5] Beradi 1.

62. — [1] (fr. P.) sancti Petri 1. — [2] affirmabat 2.

63. — [1] a 1. — [2] tumore 2.

enim iste multam devotionem in fratre[3] Petro. Accessit itaque ad
illum ad Sanctum Iohannem de Orfente, rogans et petens quod[4]
poneret manum suam sanctam super os suum. Quod fecit signando
signo sanctae crucis in reverentia Iesu Christi. Unde per gratiam
5 Dei et virtutem et illius manus impositionem statim convaluit. Et[5]
reversum est os in statum suum, ac[6] cum multa laetitia et gaudio
est reversus ad propria. dicens omnibus quod convaluerat per
fratrem[7] Petrum, verissime[8] sanctum ; et omnes[9] gratias Deo
reddebant.
10   **64.** Item in eodem castro quidam, qui vocabatur Luchas, asserebat se fuisse trappum[1] manibus et pedibus fere per spatium quattuor
annorum. Unde quidam bonus homo, qui vocabatur Madius, volebat
ire quadam die ad Sanctum Spiritum de Magella ad videndum fratrem[2] Petrum. Quem rogavit praedictus trappus, ut rogaret fratrem[3]
15 Petrum pro se, ut Deus illum adiuvaret suis meritis, quia ipse non
poterat ad illum accedere. Quod et[4] factum est. Pater vero sanctus
misit ad illum de pane benedicto. Qui illo die, quo coepit de pane
benedicto gustare ieiunus, coepit convalescere et in paucis diebus
perfecte sanatus est. Et effectus exinde pulcher iuvenis, et dicebat se
20 firmiter sanatum per illum panem benedictum. Et hoc affirmat
praedictus Madius, qui panem sibi apportaverat[5].
   65. Item in eodem castro erant duae puellae, quae non habebant
patrem, neque matrem, quae non ambulabant, neque[1] crescebant,
nec loquebantur, prout illarum aetas requirebat, etenim[2] septem
25 annorum. Accidit autem ut quadam die, cum praedictus Madius
iterum iret ad fratrem[3] Petrum ad Sanctum Spiritum de Maiella,
quaedam bonae mulieres dixerunt[4] illi : *Recommenda istas puellas
fratri*[5] *Petro.* Qui respondit : *Libenter.* Cum autem pervenisset ad
praedictum patrem[6], recommendavit illas, et exposuit illi condicio-
30 nem illarum. Audiens haec venerabilis pater, compassus est illis et
misit eis de pane benedicto. Quem[7] cum gustassent, ab illa die coeperunt ambulare, crescere et loqui ita bene, ac si numquam antea
impeditae fuissent; et effectae sunt exinde pulchrae et bonae mulieres,
et asserebant se ita sanatae[8] fuisse.
35   **66.** In castro Lanzani quidam, qui vocabatur notarius Pamphilus,
asseruit se vidisse quaedam miracula de sanctitate fratris[1] Petri. Qui

---

— [3] sancto 1. — [4] ut *corr. ex* quod 2. — [5] *om.* 1. — [6] *om.* 1. — [7] sanctum 1. — [8] *om.*
2. — [9] (et o.) hoc videntes o. homines 1.
   64. — [1] contractis *corr. ex* trappum 2. — [2] sanctum 1. — [3] sanctum 1. —
[4] *om.* 1. — [5] (et-apportaverat) *om.* 1.
   65. — [1] nec 2. — [2] erant enim *post corr.* 2. — [3] sanctum 1. — [4] dixerint *post corr.*
2. — [5] sancto 1. — [6] sanctum *add.* 1. — [7] et 2. — [8] sanatas 2 *post corr.*
   66. — [1] sancti 1.

ut sibi fides daretur in iis quae dicere intendebat, iuravit ad sancta
Dei evangelia, nemine cogente vel iubente, sed propria sua[2] voluntate.
Dicebat enim quod, dum ipse notarius Pamphilus pateretur rupturam
in dextro latere, abiit ad quendam medicum Guardiae[3] causa curandi
se. Ubi mansit per quinque menses, et non poterat[4] curari; de quo [5]
mirabatur ipse et medicus similiter, eo quod quam plures infirmi illius
infirmitatis convalescebant in spatio duorum mensium aut trium;
et quid facere nesciebat. Coepit tandem cogitare infra se ire ad
fratrem[5] Petrum, et deliberavit[6], ac etiam vovit, sperans et credens
per ipsum posse accipere sanitatem illius infirmitatis. Et hoc votum [10]
fecit die iovis, et sabbato intendebat ad eundem ire. Sed antequam
accederet ad illum, sabbato summo mane sensit se totaliter liberatum.
Tamen, sicut proposuerat, abiit, assumpto secum uno socio. Et illo die
non potuit sibi loqui, sed sequenti die locutus est cum eo. Et cum
appropinquaret ad eum, genuflexit coram eo. Et iste fratrer Petrus[7], [15]
antequam ipse aliquid diceret, dixit eidem notario Pamphilo : *Miser,
tu habes quandam mulierem coniugatam, et cum ea peccatum committis
Quare permittis te sic a diabolo decipi? Male fecisti. Age paenitentiam
de commissis.* Cui notarius Pamphilus respondit : *Pater sancte, vera
sunt quae dicis.* Et cecidit in terram, et plorabat. Et frater[8] P. sugges- [20]
sit eidem ut tale peccatum non committeret, quia non erat sib
necesse. Et adiunxit : *Tu habes bonam uxorem et castam.* Et idem
notarius Pamphilus dixit : *Nullo modo possum me abstinere ab illa.*
Tunc frater[8] P. recessit aliquantulum et genuflexit coram[9] altare et
oravit. Et adhuc rediit et dixit ei : *Confide in Deo, et ne timeas de cetero* [25]
de tali peccato. Et imposuit illi[10] paenitentiam salutarem[11]. Qui licen-
tiatus ab eo recessit et numquam ausus fuit de cetero, intercedentibus
meritis praedicti fratris Petri[12], cùm illa loqui muliere, nec de talj
unquam negotio requirere. Et hoc testificantur notarius Gualterius,
magister Simon, Gualterius de Armeto, Iacobus Ferreius et Madius [30]
de Lanzato[13].

67. In Ortona[1] ad mare erat quidam, qui vocabatur Genuese[2];
qui asserebat se amisisse lumen seu visionem unius oculi dextri
ex percussione unius vitis, in festo sancti Antonii, cum in sua
vinea laboraret. Qui propter hoc misit se in manibus medicorum, [35]
cum quibus nihil profecit, sed magis[3] in peius devenit. Demum cum
devotione magna accessit ad fratrem[4] Petrum ad[5] Sanctum Iohannem de Orfente, supplicans ut imponeret ei manum super oculum

— [2] *om.* 2. — [3] Guardiam 1. — [4] potuit 1. — [5] sanctum 1. — [6] *se add.* 2. — [7] (fr. P.)
pater sanctus 1. — [8] sanctus 1. — [9] ante 1. — [10] ei 1. — [11] *om.* 2. — [12] (pr. fr. P.)
sancti patris 2. — [13] Lanzano *corr. ex* Lanzato 2.
67. — [1] castro Ortone 1. — [2] Ienuese 2. — [3] de malo 1. — [4] sanctum 1. —
[5] apud 2.

suum caecum. Quod[6] et factum est[7] atque cum[8] signo[9] crucis tetigit
illum. Et statim eadem hora respexit, et vidit gratia Dei et meritis
illius sancti viri. Et hoc magister Dominicus et Gregorius et quam
plures alii dicunt sic fuisse.

5 Item in eadem terra quidam, qui vocabatur Blasius Ranalyne[10],
asserebat se habuisse quandam infirmitatem, de qua convaluit[11],
sed non plene : quia remanserat sibi[8] unum gelu a planta pedis usque
ad genua, ita quod non poterat ambulare. Et hoc sustinuit a festo
S. Andreae apostoli usque ad diem iovis ante carnisprivium. Unde
10 in sequenti nocte vidit sanctum Iulianum et sanctum Rufinum, non
quod ipse dormiret, sed verissime vigilabat, ut ipse asserebat, et
quasi totam domum illam illuminabant de[12] nimia claritate. Qui dixerunt eidem : *Vis sanus fieri de hac infirmitate?* Quibus ipse respondit,
dicens : *O quam libenter, si Deo placeret! Et si non debeo convalescere,*
15 *extrahat me de hoc mundo.* Cui illi dixerunt : *Vade ad fratrem*
Petrum[13] *de Murrone, videlicet ad Sanctum Spiritum, qui est in terra*
ista, et dicas priori ut det tibi aliquid quod frater[14] *P. tenuerit seu*
habuerit[15]. Quod factum est[16]. Et secundum quod illi sancti huic
dixerunt, abiit ad illum locum; et stans ante altare, in eodem loco
20 et[17] eadem hora convaluit de illa infirmitate, et reversus fuit domum
hilaris et gaudens de beneficio sanitatis, quod acceperat. Et hoc
testantur[18] Franciscus de Tremulis et Thomasius Sancti[8] Viti et
fratres eiusdem loci.

68. In Casale Comitis quidam, qui vocabatur Gualterius Iuliani,
25 asserebat se habuisse unum tinconem in inguine[1], et mollificatus et
apertus est[2], ita quod per illam aperturam inceperunt exire lumbrici,
postea arillos uvae, et scorpizos uvae et ad ultimum totum stercus
exinde veniebat. Quapropter praedictus Gualterius hanc turpitudi-
nem non valens sustinere, quia iam per annos quattuor sustinuerat,
30 accessit ad fratrem[3] Petrum ad[4] Sanctum Iohannem de Orfente,
supplicans devotissime quod[5] tantae turpitudini subvenire dignaretur. Quod audiens vir ille sanctus, motus nimia pietate, signum
sanctae crucis fecit super illud foramen, unde veniebat illa putredo[6],
et sanatum est, et per sexum naturalem[7] postmodum egestavit.

35 **69.** In Bucclano[1] quidam, qui vocabatur Gualterius Berardi, asserebat se habuisse quandam infirmitatem seu nascitam[2] in pectore
per[3] annum continuum et ultra, stans[4] sub cura medicorum longo

— [6] *om.* 1. — [7] fuit 1. — [8] *om.* 2. — [9] sanctae *add.* 1. — [10] Rainalline 2. — [11] convaluerat 1. — [12] *delet. post.* 2. — [13] (f. P.) locum sancti Petri 1. — [14] sanctus 1. —
[15] (t. s. h.) habuisset seu tetigisset 2. — [16] fuit 1. — [17] in *add.* 1. — [18] testabantur 2.
68. — [1] unguine 1. — [2] fuit 1. — [3] sanctum 1. — [4] apud 1. — [5] ut *post corr.* 2. —
[6] turpitudq 1. — [7] (s. n.) foran <*sic*> naturaliter 1.
69. — [1] castro Bucclani 1. — [2] nascituram 2. — [3] unum *add.* 2. — [4] et stetit 1.

tempore, et nullum iuvamen sibi proficiebat. Audiens autem praedictus Gualterius famam et sanctitatem fratris [5] Petri, cum magna devotione accessit ad eum [6], petens orationem pro [7] ipso ad Deum fieri. Cui frater [8] Petrus promisit sé oraturum pro ipso [9], et de pane benedicto dedit illi, et signum crucis fecit. Non post multos autem 5 dies praedictus Gualterius sanatus est misericordia Iesu Christi et meritis tanti patris.

70 [= **4**](1). Item in eadem terra quidam, qui vocabatur Symon, filius Leonardi, asserebat se fuisse passum rupturam in sinistro latere. Unde consultum fuit patri suo quod deberet illum ferre ad fratrem [1] 10 Petrum. Qui [2] detulit et petens cum devotione pro infirmitate filii sui orationem. Quod et factum est [3]. Et celebrata missa, venit ad eundem; et facto signo crucis et fusa pro eo oratione, statim caro illius rupturae solidata est. Quod testificantur pater illius, Bartholomeus Gentilis et uxor dicti Leonardi. 15

71 [= **5**]. In castro Luci quidam, qui vocabatur Thomasius Guillelmi, asserebat se iacuisse contractum spatio septem annorum et plus [1], non se movens [2] per se de uno loco ad alium, nec valens [3] aliquid operari. Quapropter suspirabat et dolebat intra se cogitans et [4] dicens [4]: *Spero in Deo quod si ad patrem sanctum ivero, sanus efficiar suis meritis,* 20 *Domino concedente.* Quod et [4] factum est. Accessit ad praedictum fratrem Petrum [5] ad Sanctum Spiritum de Maiella cum maxima devotione; et moratus ibidem per octo dies, reversus est sanus domum gratia Dei et meritis fratris [6] Petri. Quod homines de terra illa [7] videntes, Deum glorificabant et fratrem Petrum magnificabant [8]. 25

71ᵃ [= **6**]. In castro [1] Paterni quidam, qui vocabatur Franciscus Sirraneri, asserebat se [2] quadam infirmitate detineri [3]. Qua de causa accessit ad fratrem [4] Petrum ad locum Sancti Bartholomei de Legio, supplicans et rogans ut adiuvaret illum [5] ab illa infirmitate. Qui confortans illum, dixit quod speraret in Domino, et signavit eum signo 30 crucis, et benedictionem dedit. Qui reversus est ad propria [6], et in paucis diebus perfecte sanatus est.

72. Item in eodem castro alius bonus homo qui vocabatur Iohannes, asserit [1] se fuisse leprosum et hydropicum. Quapropter dolebat

---

— [5] sancti 1. — [6] eundem 2. — [7] ab 1. — [8] sanctus 1. — [9] (p. i.) *om.* 2.

70 [= 4]. — [1] sanctum 1. — [2] et 2. — [3] (et f. e.) ipse pater benigne fecit 1.

71 [= 5]. — [1] amplius 2. — [2] moventem 1. — [3] valentem 1. — [4] *om.* 1. — [5] (f. P.) sanctum 1. — [6] sancti 1. — [7] (t. i.) i. t. 1. — [8] (et f. P. m.) quod servos suos ita magnificat 1.

71ᵃ [= 6]. — [1] (in c.) *delet.* 1. — [2] a *add.* 2. — [3] fuisse detentum 1. — [4] sanctum 1. — [5] eum 1. — [6] cum magno gaudio *add.* 2.

72. — [1] asseruit 1.

(1) Les numéros entre crochets sont ceux des *Anal. Boll.*, t. X, p. 389 et suiv.

multum et tristabatur. Habebat iste magnam devotionem in fratre[2] P.,
ita quod in somnis videbat quod per ipsum liberabatur ab istis
infirmitatibus; et hoc pluries vidit in visione. Et sic cum magna devotione accessit ad ipsum ad monasterium Sancti Spiritus de Maiella.
5 Sed tunc non potuit loqui illi[3], nec videre eum; unde recessit tristis
et dolens. Sed[4] alia vice iterum ivit ad illum ad monasterium Sancti
Spiritus de Sulmona, et tunc locutus fuit cum eo, supplicans flexis
genibus in terra, quod[5] ipsum dignaretur adiuvare ab aegritudinibus
supradictis. Quapropter motus ad pietatem[6] praedictus pater san-
10 ctus[7], rogavit devote Deum pro eo et signaculo sanctae crucis signavit
ac dimisit[8]. Qui, non transactis[9] multis diebus, sanus effectus est
ab istis infirmitatibus per Dei gratiam et orationem sancti P. famuli
sui[10]. Et hoc testantur domnus Raynaldus et Franciscus de eadem
terra et paene omnes homines illius castri.

15 **73** [= **7**]. Item, dum quodam tempore[1] frater[2] Petrus staret in
quarantana[3] sanctae Crucis, venit quidam sacerdos, qui vocabatur
domnus Symeon de Calabria, cum magna devotione ad eum. Quem
miserat quaedam nobilis domina[4] illius patriae ex nimia devotione
quam habebat in fratrem Petrum propter sanctitatem eius[5]. Quae
20 domina, ut ille sacerdos dicebat, detinebatur infirmitate leprae. Haec
rogaverat hunc sacerdotem ut veniret ubicumque esset frater[6] Petrus
et ab eo peteret de aqua ablutionis manuum suarum, sperans illa
quod, si de illa aqua haberet, mundaretur. Quod et[7] factum fuit[8]. Licet
hic sacerdos non posset loqui cum fratre[9] Petro propter quaranta-
25 nam[10], tamen fratres, qui cum fratre[11] P. erant, rettulerunt ei. Et ipse[12]
benedixit aquam, et de illa aqua implevit unam boczam[13] parvam
quam apportaverat ille presbyter, et portavit ad illam dominam[14]
cum magno gaudio. Unde secundum quod ille[15] presbyter dixit, qui
post triginta dies reversus fuit, praedicta[16] domina illam aquam rece-
30 pit cum nimia devotione et cum eadem aqua lavit se; et[17] statim post
ablutionem illius aquae sanata fuit per gratiam Dei[18] et per devotionem suam et per intercessionem fratris[19] Petri electi[20] Domini. Et
hoc audivit magister Gentilis pictor ex ore illius sacerdotis, qui tunc
temporis pingebat capellam[21] praedicti patris. Similiter hoc audivi-
35 mus ex ore unius fratris, qui tunc temporis fuerat ibi praesens[22].

— [2] sancto 1. — [3] ad illum 2. — [4] et 1. — [5] ut 2 *post corr.*; quod 2 *ante corr.* — [6] pie
tate 1, 2 *post corr.* — [7] *om.* 2. — [8] eum a se *add.* 1. — [9] (n. tr.) tr. n. 2. — [10] (ora-
tionem-sui) fratris P. famuli sui intercessionem 2.

73 [= **7**]. — [1] (q. t.) *om.* 1. — [2] sanctus 1. — [3] (st. in q.) faceret quadragenam 1. —
[4] (quem-domina) missus a quadam domina nobilis <*sic*> 1. — [5] (fratrem-eius) sancto
P. pro sanitate sua 1. — [6] sanctus 1. — [7] *om.* 1. — [8] est 2. — [9] sancto 1. — [10] quadragenam 2. — [11] sancto 1. — [12] (Et i.) Qui 2. — [13] vas *corr. ex* boczam 2. — [14] (ad
i. d.) illi dominae 1. — [15] ipse 2. — [16] illa 1. — [17] quae 2. — [18] (g. D.) D. g. 2. —
[19] sancti 1. — [20] dilecti 2. — [21] cellam 2. — [22] (tunc-praesens) erat ibidem 2.

74. Quidam homo de Turre [1], quae est sub civitate Theatina [2], percussus fuit in genu dextro [3] de [4] sagitta; pro qua percussione amisit [5] totam tibiam [6], ita quod non poterat ambulare sine zammettis. Quapropter ivit ad locum ubi frater Petrus [7] morabatur, deprecans illum ut pro se oraret, ut Dominus illum adiuvaret. Qui fundens [8] orationem pro homine memorato, statim infirmus sanatus [9] fuit. Et in memoria [10] tanti miraculi reliquit ibi zammettas, et est reversus ad propria gaudens et laudans Dominum; et homines, qui eum ante viderant, gratias Deo referebant.

75. Item cuidam homini de Caramanico praedixit pater sanctus obitum suum, dicens illi: *Confitere peccata tua, quia cito bene faciet tibi Deus.* Post haec verba reversus est domum; et non vixit nisi per duos dies. Et de hoc est fama publica in eodem castro, quia revelaverat eidem frater [1] P. obitum suum.

76. Item quodam tempore, dum fabricaretur ecclesia Sancti Spiritus de Maiella, laborabat ibi domnus Thomas de Rocca Morici, et quadam die ieiunabat. Unde frater [1] Petrus dixit fratri Iohanni de Atria: *Praepara aliquid hodie ad minus pro domno Thoma.* Cui ille respondit: *Non habemus oleum.* Tunc temporis cum maxima [2] paupertate vivebant. Cui frater [1] Petrus dixit: *Non remansit aliquid [3] de oleo in cucurbita?* Qui dixit: *Non.* Cui et dixit: *Accipe illam et pone iuxta ignem, et [3] forte dilabetur [4] quod sufficiet [5] pro coquina domni Thomasii.* Quod frater Iohannes fecit. Et elevando cucurbitam ab igne, inventa est plena oleo.

77. Item quidam frater ordinis sui [1] novicius, qui morabatur in loco Aquilae, tentabatur [2] a diabolo exeundi de ordine. Propter quam causam misit illum prior eiusdem loci ad fratrem [3] Petrum; quem confortatus est ille [4] pater sanctus, et misit illum Romam, dicens illi: *Vade, fili, quia cito finieris [5] et consummabis [6] dies tuos.* Unde iste novicius reversus est [7] Aquilam, dicens: *Hoc dixit mihi pater [8] ut vadam Romam, quia ibi cito moriar.* Quid aliud [9]? Ivit Romam et permansit ibi spatio quindecim dierum, et mortuus est.

78. Quando fabricabatur ecclesia de Murrone, quidam saecularis fodiebat [1] arenam ibi pro eadem ecclesia. Frater [2] Petrus secundum consuetudinem suam manebat in cella sua. Revelatum est illi quod crypta,

74. — [1] Turri 1. — [2] Tiatina 1. — [3] dextri lateris 2. — [4] *del. post.* 2. — [5] amiserat 1. — [6] crus *corr. post.* 2. — [7] (fr. P.) sanctus 1. — [8] fudens 1. — [9] (st. i. s.) s. st. i. 2. — [10] memoriam 1.

75. — [1] sanctus 1.

76. — [1] sanctus 1. — [2] multa 1. — [3] *om.* 1. — [4] discolabitur 2. — [5] sufficiat 1.

77. — [1] *om.* 2 — [2] fuit temptatus 1. — [3] sanctum 1. — [4] *om.* 1. — [5] finies *corr. ex* finieris 2. — [6] (et c.) *om.* 2. — [7] (r. e.) e. r. 1. — [8] sanctus *add.* 1. — [9] plura 1.

78. — [1] fodebat 1. — [2] sanctus 1.

ubi ille fodiebat, cadere debebat; unde misit ad illum nuntium, dicens ut exiret de illa[3] crypta in continenti[4]. Qui exiens[5], statim illa crypta cecidit, et tunica et ferramenta quae tenuerat intus remanserunt.

79. Antequam frater[1] Petrus haberet fratres, dum esset in Morrone, habebat secum unum scholarem de Caramanico pro adiutorio missae. Unde accidit, quod quadam vice misit illum pro certis[2] negotiis necessariis ad castrum Caramanici[3]; qui quidem, instigante diabolo, cecidit in fornicationem, antequam reverteretur. Quod factum non latuit fratri[4] P., sed revelatum est[5] ei, dum staret ad orationem. Unde mox ut reversus fuit, statim[6] frater[7] Petrus clamavit a longe dicens : *Ne accedas ad me, quia amplius mecum[8] non manebis ; et ea[9] quae deportasti, ego nolo. Sed habeas tibi[10] et facias velle tuum[11], quia cecidisti in fornicationem; et hoc negare non potes, quia scio quando tale pecccatum commisisti.* Cui ille: *Verum est*, inquit, *pater[12]: sed miserere mei.* Et ille clericus, cui hoc accidit, affirmat viva voce ita fuisse.

80. Quidam de Colle Macenario fuerat surdus et mutus per annos quindecim, ut affirmant homines de terra illa[1]. Qui fuit ductus ad fratrem Petrum[2]. Qui paulo[3] post recepit auditum et loquelam gratia Iesu Christi[4].

81. Frater Robertus de Salle dixit quod audiverat a fratre Nicolao de Serra et[1] fratre Angelo et fratre Raynaldo de Gipsso[2], quod quadam vice accidit in loco Sancti Spiritus de Maiella, quod defecit vinum pro missa. Et in illo loco non est ubi posset recuperari. Frater[3] Petrus induit se ad missam dicendam, et accepit calicem dixitque fratribus : *Date vasa.* Qui dixerunt : *Non est de vino.* At ipse mandans eis quod penitus darent vasa, fratres volebant monstrare. Tulerunt vasa[1] et inventa sunt plena tam de vino quam[4] aqua. Quod videntes fratres mirati sunt[5].

82. Item in civitate Pennensi quaedam mulier, quae vocatur Civitas, uxor Riccardi[1] Iohannis Porfurii, propter quandam infirmitatem gravissimam amiserat lumen oculorum suorum[2] et spatio quinque annorum non vidit lumen. Haec cum devotione maxima delata est a viro suo ad cellam fratris[3] Petri ad[4] Sanctum Iohannem de Orfente. Quae, divina gratia mediante, antequam reverteretur domum, revidit

---

— [3] (de illa) ille de 1. — [4] (in c.) continuo *corr. ex* in continenti 2. — [5] (qui ex.) quo exeunte 1:

    79. — [1] sanctus 1. — [2] quibusdam 1. — [3] de Caramanico 2. — [4] sancto 1. — [5] fuit 1. — [6] *om.* 1. — [7] sanctus 1. — [8] meum 1. — [9] ipsa 2. — [10] tu 2. — [11] (v. t.) t. v. 1. — [12] sancte *add.* 1.

    80. — [1] illius 2. — [2] (ad f. P.) coram sancto P. 1. — [3] paululum 1. — [4] (g. I. C.) *om.* 2.

    81. — [1] *om.* 1. — [2] Gypso 2. — [3] sanctus 1. — [4] de *add.* 2. — [5] reddentes gratias Deo *add.* 1.

    82. — [1] Riccardi 1. — [2] *om.* 1. — [3] sancti 1. — [4] apud 1.

et hodie videt. Et hoc testantur Riccardus[5] vir eius et domna Iacoba mater[6] sua et Matheus Nubilus et quam plures alii.

83. Quaedam, quae vocatur soror Gemma Incarcerata de castro Montis Belli, fuit trappa[1] spatio annorum[2] decem et octo; quae deportata ad fratrem[3] P. ad[4] Sanctum Spiritum de Sulmona[5] et usque ad cellam ubi ipse manebat; quae[6] per Dei gratiam et devotionem maximam[7] liberata fuit, et recte ambulat[8] et valde bene. Et hoc testantur paene omnes homines de illo castro.

84. Item in castro Bussi quaedam, quae vocatur domna Sibilla[1], uxor Thomasii magistri Beradi[2], passa fuit per tres annos dolorem brachii, ita quod nullo modo poterat extendere, nec quicquid facere cum eodem. Unde accidit quod quadam die dominica de mense iunii ducta fuit coram fratre[3] Petro apud[4] Sanctum Spiritum de Valva ob nimiam devotionem quam habuerat in ipso patre sancto[5], et[6] liberata fuit statim a dicta infirmitate, et extendit[7] brachium, et facit cum eo quicquid vult.

85. In eadem die et in loco eodem fuit liberata quaedam, quae vocabatur domna Antonia[1] de Castro Pratularum. Quae cum comederet in nocte cum magna aviditate, intravit in eam[2] diabolus, ut creditur, quia statim coepit facere quae non consueverat. Exuebat enim se coram omnibus, et non verecundabatur; de quo consanguinei eius multum tristabantur et verecundabantur, et quaerebant auxilium quam plurium medicorum. Et hoc est perpessa spatio quattuor mensium. Tandem[3] quando cantavit missam frater[4] P. in populo, data benedictione post missam, evomuit et iacuit in terra spatio mediae[5] horae quasi mortua. Postea erexit se sana et incolumis, et cum gaudio ipsa cum suis ad propria rediit[6].

86. Quodam tempore quidam frater, qui vocabatur frater Gualterius Rubeus de Rocca Morici, patiebatur rupturam in dextero latere. Propter quam causam accessit ad patrem[1], ut intimaret illi suam infirmitatem, et ostendit etiam illi. Ipse vero signans illum locum signo sanctae crucis, immediate invenit se sanatum, praesentibus fratre Onufrio[2], fratre Roberto de Salle et fratre Nicolao de Marsia.

87. Item quidam frater Iacobus de Molisi de ordine suo accessit ad fratrem[1] P., causam consolationis recepturus ab eodem. Cui pater

— [5] Riczardus 1. — [6] commater 2.

83. — [1] contracta *corr. ex* trappa 2. — [2] *om.* 1. — [3] sanctum 1. — [4] apud 2. — [5] Maiella 1. — [6] *om.* 1. — [7] quam habuit *add.* 2. — [8] ambulabat 2.

84. — [1] Sivilla 2. — [2] Berardi 2. — [3] sancto 1. — [4] ad 2. — [5] (ipso-sancto) dicto fratre P. 2. — [6] *om.* 2. — [7] extensit 1.

85. — [1] Antolina 1. — [2] ea 1. — [3] unde 1. — [4] sanctus 1. — [5] unius 2. — [6] remeavit 1.

86. — [1] suum sanctum *add.* 1. — [2] Eufrio 1.

87. — [1] sanctum 1.

sanctus dixit : *Vade et confortare, et confitere bene, quia cito morieris.*
Erat enim iste pulcher iuvenis, qui nullo modo dedit fidem tunc istis
verbis. Sed illo revertente [2] ad monasterium Sancti Georgii, coepit
infirmari, et mortuus est in paucis diebus.

5   **88**. Quidam bonus homo de Roça Beraldi habebat filium nomine
Philippum, qui patiebatur infirmitatem fraenesis et videbatur esse
leprosus; qui percutiebat quoscunque inveniebat, et non poterat ab
aliquo detineri. Unde pater ipsius vovit Deo quod, si Deus adiuvaret
illum de illa infirmitate meritis fratris [1] Petri, faceret illum accipere
10 habitum in ordine suo. Et duxit illum ad cellam fratris [2] P. Qui in
paucis diebus perfecte sanatus est, et moratus fuit deinde [3] in ordine
supradicto, et effectus fuit postea [4] pulcher iuvenis.

89. Quidam de Aquila, qui vocabatur magister Grimaldus, quando
a edificabatur ecclesia Sanctae Mariae de Collemadio, propter magnum
15 pondus, quod levavit [1], crepuit ita turpiter quod nihil poterat labo-
rare. De quo ipse et fratres multum dolebant. Tamen post paucos dies
ivit ad fratrem [2] Petrum et dixit illi hoc cum lacrimis, postulans eius
adiutorium. Quod audiens pater similiter condoluit, et signavit super
illum locum et dedit sibi de quodam pulvere ad utendum. Qui rever-
20 tens a dicta cella iacuit illo sero in villa Sancti Ensanii, et in mane
sumpsit de illo pulvere cum vino. Qui statim gratia Dei sanatus est.

90. Quidam, qui vocabatur Iohannes magistri Raynaldi de Aliffa,
erat nimium incurvatus et patiebatur pasmam, ita quod vix loquebatur. Unde pater dicti Iohannis adduxit illum ad patrem sanctum
25 tempore quando celebrabatur capitulum generale in loco Sulmonae.
Quem pater videns, signo crucis signavit et pro eodem oravit. Et
statim se erexit, et pasma similiter est liberatus.

91. In eadem terra [1] erat puer quinque annorum, ut dicebatur,
filius [2] magistri Nicholai [3] Mathei, qui patiebatur vitium lapidis et non
30 poterat mingere sine dolore et gemitu; de quo parentes illius nimium
tristabantur. Adduxerunt itaque illum puerum ad fratrem [4] Petrum.
Quem pater sanctus signavit et benedixit; et gratia Dei mediante,
statim sanum reportaverunt illum parentes cum gaudio.

92. Eodem anno quo pater noster frater [1] P. venit de partibus
35 Tusciae Romam, tempore quo mortuus fuerat Dominus Nicolaus papa
tertius, mense augusti, invenit priorem loci Sancti Petri de Montorio [2]
de Urbe nimium infirmum. Quem cum visitasset idem pater et gravissimam illius infirmitatem considerasset, dixit illi : *Confortare, quia*

— [2] (i. r.) ille revertens 1 *post corr.*
  88. — [1] sancti 1. — [2] sancti 1. — [3] *om.* 2. — [4] *om.* 2.
  89. — [1] elevavit 2. — [2] sanctum 1.
  91: — [1] *om.* 1. — [2] *om.* 1. — [3] *om.* 2. — [4] sanctum 1.
  92. — [1] sanctus 1. — [2] (de M.) Montorii 2

non morieris modo, licet ita sis debilis. In tantum erat infirmus praedictus frater, quod nullo modo poterat se vertere de latere in latus
absque iuvamine; et habebat super hoc febrem tertianam et sic
fratres credebant illum mori. Pater ille sanctus compassus est illi,
et confortavit eum, et discessit ab eo, dicens : *Commenda te Deo, fili,* [5]
ut te adiuvet. At ille dixit : *Roga pro me, pater.* Altera[3] die praepara-
bat se iste ad recipiendam febrem, sicut solitus erat; sed, Deo volente,
non venit. Et sic ab illo coepit convalescere gratia Dei et intercessio-
nibus patris illius[4]. Post tertium[5] diem iterum visitavit eundem infirmum; cui dixit : *Quomodo es, fili?* At ille dixit : *Bene, gratia Dei et* [10]
intercessionum tuarum. Cui dixit : *Non mihi, fili, sed referas gratias*
Deo et beato Bartholomeo. Exstiterat enim festum beati Bartholomei
illo die. Et fratres mirabantur de tam subita convalescentia illius
fratris. Et sic in paucis diebus confortatus, de illa infirmitate perfecte
convaluit.									[15]

93. Alio quoque tempore idem frater habuerat aliam infirmitatem
in partibus Campaniae; cui contulerat magnam pigritiam, et non
poterat se[1] exercitare ad servitia divina, sicut antea consueverat et
alios facere conspiciebat. Et superveniente quadragesima, hic frater
multum dolebat de sua infirmitate. Vertit se ad orationem, cum lacri- [20]
mis deprecans Dominum, ut per merita patris sui fratris[2] Petri dignaretur sibi conferre aliquam gratiam. Et ecce astitit illi[3] in visione
praedictus pater, et dedit illi unam corrigiam latam, et dixit : *Cinge*[4]
te, fili, et eris fortior. Ipse vero cingebat se, et evigilavit, et statim sensit[5] se tantae virtutis, quod[6] nunquam alio tempore habuerat, ita [25]
quod omnibus fratribus videbatur mirabile quia in abstinentia, in
silentio, in vigiliis, in orationibus et lectionibus illis diebus quadragesimae tantam gratiam recepit, ad quantam nunquam antea[7] poterat
attingere[8], gratia Dei et meritis dicti patris.

94. Item frater Nicolaus de Serra, socius sancti P.[1], rettulit, licet [30]
sibi[2] silentium fuisset impositum ab eodem patre quod non[3] diceret[4],
quod, sedente patre sancto in comestione, de ore suo cecidit unus
dens, propter quod multum dissimilis videbatur, de quo reddidit
gratias Deo. Et tenens illum in manu sua, posuit illum[5] unde ceciderat
propriis manibus; quem Deus ita fortiter refirmavit, ac si numquam [35]
inde cecidisset. Et erat praesens frater Nicolaus, quem praediximus,
et frater Angelus[6] de Caramanico[7].

— [3]. altertera 1. — [4] (p. i.) sancti patris 1. — [5] tertiam 1.
93. — [1] (p. se) se p. 2. — [2] sancti 1. — [3] *bis* 1; ei 2. — [4] *om.* 1. — [5] sentiit 1. —
[6] quantam 1. — [7] (ad-antea) quod numquam antea ad illam 2. — [8] attigisse *corr.*
ex attingere 2.
94. — [1] (s. P.) patris s. 2. — [2] *om.* 1. — [3] (quod non) ne 2 *post corr.* — [4] scilicet
add. 1. — [5] *om.* 2. — [6] Agelus 1. — [7] qui mortuus fuit in carcere papae *add.* 2.

95 [= **96**]. Item alio tempore dum praedictus frater [1] Petrus
moraretur in cella sua apud Sanctum Spiritum de Maiella, reliquerat
unum libellum coopertum de [2] pelle pilosa in fenestra cellae eiusdem [3].
Venit corvus et deportavit illum, nemine vidente et nesciente [4].
5 Sed cum frater [5] Petrus requireret eundem libellum, ecce corvus
statim affuit. Tunc idem frater [6] Petrus cogitare coepit quod [7] ipse
corvus illum deportasset, et dixit corvo : *Praecipio tibi in virtute
domini nostri Iesu Christi* [8] *ut, si deportasti librum, quam* [9] *cito reducas
mihi.* Statim corvus sine mora abiit, et readduxit librum, et posuit
10 illum unde elevaverat. Et hoc alia die in capitulo coram fratribus
praedictus pater recitavit ad laudem Dei, et non ad suam.

96 [= **95**]. Quodam tempore quando morabatur in monasterio
Sancti Spiritus de Maiella frater [1] Petrus, quidam homines de terra,
quae vocabatur Lecantere [2], duxerunt ad eum quendam daemonia-
15 cum. Qui cum venisset ante illum, coepit vociferare et clamare. Pater
vero sanctus sedebat ad cancellos, et fecit illum appropinquare ad se;
et dedit sibi alapam dicens : *Exi, diabole, a creatura Dei* [3]. Statim ille
proiecit se in terram, et iacuit per mediam horam. Ipse vero pater
sanctus cum aliis qui aderant orabat ; et ille per gratiam Dei et ora-
20 tionem illius surrexit sanus et liberatus. Qui postea fuit nimium
devotus sancto patri.

96ᵃ [= **15ᶜ**, cf. n. **53**]. Quando pater sanctus supradictus praesidebat abbas in monasterio Sanctae Mariae in Fayfolis [1] tale miraculum ibidem Dominus per eundem dignatus est operari. Quidam
25 rusticus de Castro Veteri quadam die cum multis aliis hominibus suae
terrae advenit, qui [2] apportavit filium suum, ut ipse dicebat, quinque
annorum, qui non loquebatur, nec adhuc unum protulerat verbum ;
quod indicans fratri [3] P. et cum fletu nimio ipsum precabatur, ut filio
suo subveniret amore I. C. Cui pater sanctus : *Ite pro factis vestris* [4],
30 *fratres,* ait. *Sum Deus ego* [5], *ut possim dare loquelam hominibus ?* Tandem fratres rogaverunt illum pro eodem. Tunc ipse ait : *Oremus ad
Deum, ut benignam suam misericordiam eidem largiatur.* Ipse autem
vertit se ad altare [6], et omnes qui erant praesentes *Pater noster* dixerunt [7]. Erigens se ab oratione [8], fecit signum crucis in ore [9] pueri et
35 etiam tetigit illud. Et statim apertum est os eius, et solutum est
vinculum linguae eius, et coepit expedite loqui et vocare patrem
suum, ac si numquam antea taciturnitatem habuisset. Quod videns

<hr>

95. — [1] (pr. fr.) sanctus 1. — [2] *delet. post.* 2. — [3] *om.* 1. — [4] (et n.) neque per-
cipiente 1 ; et sciente *corr. ex* et nesciente 2. — [5] sanctus 1. — [6] (i. f.) sanctus 1. —
[7] quia 1. — [8] (d. n. I. C.) I. C. d. n. 1. — [9] quod 2.

96. — [1] sanctus 1. — [2] Le Cavare 2. — [3] et *add.* 2.

96ᵃ. — [1] Fayolis 1. — [2] et 1. — [3] sancto 1. — [4] (pro-vestris) *del.* 2. — [5] (D. e.).
e. D. 2. — [6] altare 1. — [7] et *add.* 1. — [8] altare 2. — [9] os 2.

pater eius prae gaudio coepit flere, et Deo et sancto patri gratias
referre. Qui etiam post aliquot [10] dies de paupertate sua adduxit ad
monasterium duas capras quasi pro remuneratione. Quod audiens
homo Dei subrisit, et praecepit fratribus ut non tollerent, sed magis
illi fratres tamquam pauperi aliquam benedictionem condonarent; [5]
quod et [11] fecerunt.

Ista sunt miracula quae Deus dignatus est demonstrare per
viam, quando frater [1] Petrus ductus fuit ad papam. Quae facta
fuerunt coram patriarcha Ierusalem, domino Ludovico,
domino Stantardo et priore sanctae militiae; et quae ipse [10]
patriarcha scribere fecit [2].

97. In primis, die septima iunii, iovis [1], octava indictione, apud
Sanctum Martinum Vallis Gaudii, Petrus filius Nicolai, de eadem
terra, per decem annos [2] habuerat manus cancellatas, et [3] uno pede [4]
claudicabat; manifeste divina gratia mediante liberatus fuit a dictis [15]
infirmitatibus oratione et tactu reverendi fratris [5] Petri, praesentibus
et videntibus personis fide dignis.

98. Item in eodem castro fuit quaedam mulier, quae Maria vocabatur [1], quae vexata fuerat a diabolo per annum continuum et plus;
similiter liberata fuit, praesentibus et videntibus istis, quos nominavi [20]
mus [2], dominis, et quam pluribus aliis personis [3] fide dignis.

99. Item ibidem quidam, qui vocabatur Matheus de Salerno, habitator Beneventanus [1], amiserat ex toto per unum mensem et amplius
medium latus [2] sui corporis. Respiciendo fratrem [3] Petrum cum magna
devotione, sperans in sanctitate eius, statim coepit ambulare, et plene [25]
fuit liberatus meritis dicti fratris [4] Petri.

100. Item die mercurii ante festum beati Barnabae apostoli quidam
de Matalona perdiderat lumen oculorum per annos quattuor. Audiens
quod frater [1] Petrus transiret, exiit in occursum illi. Gratia Dei et
meritis praedicti [2] patris plene visum recepit. [30]

101. Die iovis sequenti apud Capuam fuerat quidam puer septem
annorum et plus, qui a nativitate sua non fuerat locutus. Et statim ad

— [10] aliquantos *post corr*. 2. — [11] *om*. 1.

Titulus.— [1] sanctus 1.— [2] (Ista-fecit) Miracula facta coram patriarcha Ierusalem,
D. Lodoisio, D. Standardo et priore sanctae militiae, et quae ipse patriarcha scribi
fecit, quando frater Petrus ductus fuit ad papam, quaeque per viam facta fuerunt 2.

97. — [1] *sic* 1; *om*. 2. — [2] fuerat seu *add*. 2. — [3] etiam *add*. 1. — [4] proprio *add*. 2.
— [5] patris sancti 2.

98. — [1] (M. v.) v. M. 1.— [2] diximus 2. — [3] *om*. 2.

99. — [1] qui *add*. 2. — [2] lateris 2. — [3] sanctum 1. — [4] (d. f.) et intercessione venerabilis patris sanctissimi 1.

100. — [1] sanctus 1. — [2] sancti *add*. 1.

tactum reverendi[1] patris coepit loqui. Et hoc multi, qui erant praesentes, viderunt[2], admirati sunt et gratias Deo et sancto patri[3] rettulerunt.

102. Item[1] eadem die et[2] in eadem terra Capuae quidam puer, de Cervinaria oriundus, nunquam steterat super pedes suos spatio octo annorum et plus. Facto sibi signo sanctae crucis[3] per fratrem[4] Petrum, statim coepit stare et ambulare confidenter praesentibus omnibus.

103. Item in eadem civitate Capuae castellanus de Turre Capuana super pontem[1], amiserat prae nimio dolore unum brachium[2] per quattuor menses. Solo tactu fratris[3] Petri plene fuit liberatus, gratia Dei faciente per merita sancti patris[4].

103ᵃ [= 15]. Quidam de Sancto Vito, qui claudus[1] fuerat, orationibus sancti P. per misericordiam[2] Dei fuit liberatus et sanatus[3].

103ᵇ [= 16]. Quidam de Insula longo tempore loquelam amiserat; gratia Dei et[1] meritis sancti patris, quando inde transivit, loquelam recepit.

104. Item apud Tianum in festo S. Barnabae apostoli quidam, qui vocabatur Nicolaus Mutus, exstiterat mutus per spatium quindecim annorum. Qui fuit ductus coram sancto Petro, qui fecit signum sanctae crucis super eum; et immediate coepit loqui, pluribus videntibus fide dignis.

105. Item[1] in eadem terra quaedam mulier daemoniaca et quidam puer similiter daemoniacus liberati fuerunt ad signum tantum sanctae crucis factum per sanctum P., famulum I. C.

105ᵃ [= 11]. Item apud Praevanum quaedam mulier erat, quae longo tempore brachium amiserat, ita quod ad os suum non poterat deportare. Gratia Dei, meritis sancti Petri tunc fuit liberata.

106. Item quidam puer fere duodecim annorum de Venafro, qui vocabatur Guerriscius, fuerat mutus a nativitate sua. Per gratiam Dei meritis sancti Petri perfecte tunc recepit loquelam, pluribus de Venafro praesentibus.

106ᵃ [= 12]. Item in eadem terra erat quidam, qui vocabatur Petrus Nicolai de Mala Petia, qui fuerat aboculus a nativitate sua, habens decem vel duodecim annos : ad benedictionem sancti patris restitutum sibi lumen oculorum gratia Dei per merita sancti patris.

101. — [1] sancti 1. — [2] et *add.* 2. — [3] (et-patri) *om.* 2.

102. — [1] in *add.* 2. — [2] *om.* 2. — [3] (s. c.) c. s. 2. — [4] sanctum 1.

103. — [1] qui *add.* 2. — [2] de brachiis 2. — [3] sancti 1. — [4] (faciente-patris) mediante 2.

103ᵃ — [1] deductus 1. — [2] (per m.) et misericordia 2. — [3] (et s.) *om.* 2.

103ᵇ. — [1] *om.* 1.

105. — [1] *Hic desinit textus* 2, *usque ad proximam rubricam, in haec verba :* Deest folium miraculorum. Ad finem dicit quod multi in illa via fuerunt liberati, sed propter velocitatem itineris non scripti fuerunt.

106[b] [= **13**]. Item quidam de Sancto Petro in Fia amiserat unam manum, in tantum quod cum ea nihil poterat facere. Ostensa ipsa manu sancto patri iuxta Sanctum Petrum in Fia, statim gratia Dei per merita ipsius sancti restituta fuit manus eius mirificae saluti.

106[c] [= **14**]. Quaedam mulier, quae portabatur in lecto detenta 5 pluribus infirmitatibus, posita coram sancto Petro et signata per eundem signo sanctae crucis, statim surrexit et ad domum suam rediit referens gratias domino nostro Iesu Christo.

106[d] [= **10**]. Item quaedam alia mulier de Adversa rettulit ore suo : quando sanctus Petrus transibat per Capuam, fecit se a viro suo 10 Nicolao deportari ad illum [1]. Quae amiserat lumen oculorum et in medicos multa expenderat, sed nihil profecerat. Dicens intra se quod, si posset tangere sanctum Petrum, credebat se statim liberari ; et sperabat quod domnus Stantardus adiuvaret illam, ut posset pervenire ad tactum sancti patris. Quod factum fuit. Et facto signo sanctae crucis, 15 lumen oculorum recepit per misericordiam Dei, meritis sanctissimi patris.

106[e]. Item Capuae fuit quaedam peccatrix, quae quidem volens ire ante sanctum P. non causa devotionis, sed potius irrisionis, statim quod vidit eam sanctus pater, affuit cum ea Spiritus sanctus, quod ab 20 eadem die et hora istam paenituit, et numquam postea cum aliquo tale peccatum commisit, sed coram multis paenitentiam petiit de commissis, et intravit carcerem. Nunc servit Deo devotissime, et hoc manifestissimum omnibus illam videntibus ; qui omnes referunt gratias Deo.		25

106[f] [= **17**]. Item quidam de castro domni papae, quod vocatur Selva de Mosa, exstitit liberatus ab infirmitate sua. Et multi alii fuerunt liberati a diversis infirmitatibus ; quae non potuerunt scribi propter festinantiam quam imponebat eis camerarius, postquam ipse venit ad eos missus a papa. Et hoc audivimus a multis videntibus, eos liberatos 30 et redditos sanitati.

Haec sunt [1] **miracula quae D. N.** [2] **I. C. post mortem istius venerabilis** [3] **patris dignatus est demonstrare** [4].

107. Quidam homo, qui vocabatur Gerardus de Pede montis [1], habitator civitatis Velletrensis [2], erat hydropicus ; qui iacuerat in hospitali 35 Sancti Spiritus de Roma per sex menses, ut ipse dicebat, propter nimiam paupertatem. Audiens de morte istius [3] sancti patris [4], cum

1064. — [1] illi 1.

Titulus. — [1] (h. s.) om. 2. — [2] om. 1. — [3] sancti 1. — [4] (di. e. de.) de. di. e. 2.

107. — [1] monte 2. — [2] (h. c. V.) de civitate V. 2. — [3] illius 2 — [4] viri 2.

magna fide et devotione[5] accessit ad sepulturam illius, orans et petens
misericordiam pro sua infirmitate. Qui per Dei gratiam et illius
sancti viri meritis[6] liberatus fuit. Et hoc testificatus est frater Nicolaus de Bucclano sacerdos, qui vidit ipsum infirmum in via Romae et
5 sanatum in loco Sancti Antonii de Ferentino[7]. Et ille homo omnibus
hoc dicebat.

108. Item alia religiosa, videlicet abbatissa monasterii[1] Sancti
Mathaei de Ferentino, nomine domina Laetitia, per unum annum et
amplius infirma iacuerat, ita quod amiserat unam partem lateris[2].
10 Cum fide maxima et devotione vovit se sancti viri orationibus. Quae
statim de infirmitate convaluit, et ad sepulturam abiit, Deo gratias
referens et sancto viro.

109. Item quaedam nobilis domina[1] nomine Margareta, filia[2]
domini Gualesii de Ferentino, habebat scrofulam magnam in gutture;
15 quae accessit ad sepulturam illius sancti viri, et rogavit Deum et sanctum virum, ut sibi subveniret. Et duxit per guttur suum catenam,
quam pater sanctus, dum viveret, pro cingulo ad carnem habuerat;
et[3] statim ab illa scrofula[4] munda et libera[5] fuit gratia Dei et meritis
sancti P[6].

20 110. Quaedam alia mulier de eadem civitate per multum tempus
brachium quasi siccum habuerat, quia cum ea manu vel brachio nihil
poterat operari. Unde propter hoc nimium tribulabatur[1] et tristabatur ipsa et parentes sui[2]. Quae venit cum aliis mulieribus ad sepulcrum illius sancti viri, et recommendavit se illi cum multa devotione
25 et lacrimis. Quae per Dei gratiam et sancti viri merita sana[3] et hilaris ad propria est reversa. Quod videntes parentes[4] eius gaudio
magno repleti sunt.

111. Item quaedam alia[1] mulier de eadem civitate caeca erat et
nihil videre poterat. Quae habebat magnam devotionem circa[2] san-
30 ctum virum; sed per se ire non poterat ad visitandum sepulcrum
illius. Quae misit commatrem suam ad eundem locum, ubi iacebat
corpus illius sancti viri, dicens eidem: *Deprecare fratres illius loci, ut
mittant mihi amore Dei aliquid quod fuerit de rebus illius sancti viri.*
Quae venit, petiit[1]; sed nihil datum est ei[3]. Ipsa vero cum devotione
35 accepit de pulvere qui[4] iacebat super sepulcrum eius, et ad illam
caecam commatrem suam attulit, et in oculis illius de illo pulvere[5]

— [5] (et d.) *om.* 2. — [6] *orationes* 2. — [7] (de F.) *om.* 2.

108. — [1] *om.* 2. — [2] corporis 1.

109. — [1] domino 1. — [2] *om.* 2. — [3] quae 2. — [4] scrofula 1. — [5] (m. et L.) mundata
ét liberata 2. — [6] (gratia-P.) *om.* 2.

110. — [1] tribulatur 1. — [2] eius 2. — [3] sanana 1. — [4] *om.* 1.

111. — [1] *om.* 1. — [2] *erga corr. ex* circa 2 — [3] illi 2. — [4] quod 2. — [5] (de-pulvere)
illum pulverem 2.

proiecit. Sed gratia Dei illi statim affuit, et visum, quem longo tempore amiserat, recuperavit, et per se ad sepulturam illius sancti viri accessit, gratias Deo referens, et post hoc[6] nimium devota[7] permansit.

112. Quaedam[1] mulier de eadem terra habebat filium, ut ipsa dicebat, annorum septem, qui non[2] crescebat, nec ambulabat, nec loquebatur, sed non desinebat plangere; de quo parentes pueri nimium tristabantur. Quadam die mater illius adduxit illum ad sepulturam illius sancti viri. Quem posuit super sepulcrum illius[3], orans et dicens : *Domine Deus, deprecor te ut liberes me per merita istius sancti hominis qui hic iacet[4] ab istis continuis tribulationibus ; ut aut tu liberes hunc filium meum, aut tu accipias illum ad te[5].* Et post haec levavit filium[6] et reversa est ad propria. Et statim quod ad[7] domum rediit, puer ille mortuus est, et ipsa ab illa tristitia liberata est.

113. Item[1] in civitate Ananiae erat quaedam puella, quae habuit in pede infirmitatem, quae vocatur fistula, per spatium unius anni ; pro[2] qua parentes eius[3] multa expenderant in medicis[4], sed[5] nihil profecerant[6], et a pluribus medicis ab illa incurabili infirmitate fuerat iam desperata. Sed parentes illius[7] nimium tristabantur, et coeperunt cogitare, si posset aliud remedium in hoc facere. Quid aliud? Voverunt illam puellam sancto viro cum magna devotione ; quae in paucis diebus perfecte sanata est.

113[a] [= 1]. Item quidam Gallicus venit ad sepulturam illius cum magna devotione ; patiebatur enim febrem. Qui proiciens se ante sepulcrum eius, orans et deprecans sanctum virum, sanatus ab illa febre discessit.

114. Item[1] quidam sacerdos de Valle Raynerii[2], qui vocabatur domnus Iacobus de Reate, fere per tres annos infirmus exstiterat. Unde[3] ad multam paupertatem devenerat, ita quod taedebat illum amplius vivere, et mortem frequenter propter nimiam egestatem[4] sibi requirebat. Interim dum quadam nocte[5] iaceret in suo lectulo, coepit cogitare in[6] factis et miraculis fratris[7] Petri, et coepit deprecari Deum per merita illius sancti viri, ut adiuvaret illum. Post hanc orationem obdormivit et cepit illum magna angustia et sudor[8]. Et statim liberatus fuit. Qui ore suo refert per istum virum sanctum vitam habere.

115 [= 2 = 116]. Item in curia Romana erat quidam praelatus

— [6] haec 2. — [7] (n. d.) *corr. in* devotissima 2.

112. — [1] alia *add.* 2. — [2] nec 2. — [3] (s. i.) eandem 1. — [4] (h. i.) i. h. 1. — [5] se 2. — [6] suum *add.* 2. — [7] *om.* 1.

113. — [1] *om.* 2. — [2] in 2. — [3] ipsius 2. — [4] (e. in m.) in medicos expenderunt 2. — [5] verum *post corr.* 2. — [6] profuerunt 2. — [7] eius 1.

114. — [1] *om.* 2. — [2] (V. R.) Varraneri 2. — [3] *om.* 2. — [4] (pr. n. e.) prae nimia egestate 2. — [5] (d. q. n.) q. n. d. 2. — [6] de *corr. ex* in 2. — [7] sancti 1. — [8] (cepit-sudor) accepit ille magnam angustiam et sudorem 2.

nomine dominus Antonius, qui tunc temporis promotus erat in praelationem episcopatus Lunensis civitatis, qui[1] fuerat capellanus domni
Gerardi Sabinensis episcopi cardinalis, quem pro sua bonitate nimium
diligebat. Hic venerabilis vir dominus Antonius infirmatus fuit[2] a d
[5] mortem, et a medicis desperatus iam[3] fuerat. De quo dominus Gerardus et omnes amici eius nimium tristabantur. Cui domnus Gerardus
misit capellanum suum, eidem[3] dicens : *Licet a medicis sis desperatus,
adhuc consulo tibi ut recommendes te Deo et orationibus sancti viri
fratris Petri de Murrone.* Quod iste audiens, coepit flere et Deum
[10] deprecari, ut per merita illius sancti viri ipsum adiuvaret et ab illa
infirmitate liberaret[4]. Qui statim post orationem coepit meliorari[5], et
in paucis diebus plene liberatus est. Quod audiens dominus Gerardus
et amici eius gratias et laudes Deo et sancto viro referebant. Ipse vero
episcopus post suam liberationem venit[6] Campaniam ad visitan-
[15] dum corpus illius sancti viri, et celebravit missam in altare[7] quod est
ante sepulcrum illius, et obtulit unum pannum aureum, quem posuit
super sepulcrum illius, et cum magno gaudio et devotione Romam
est reversus.

116 [— 3 — 115]. Item hoc quod narro miraculum accidit in
[20] civitate Capuana. Erat in eadem civitate quidam fidelis vir, qui erat
infirmus, et prae nimia infirmitate lumen amiserat oculorum et nihil
videbat. Unde iste in medicinis[1] multa expenderat, sed nihil profecerat, sed semper videbatur sibi[2] in deterius devenire. Unde[3] quadam nocte, dum in stratu suo iaceret, coepit cogitare et in animo
[25] suo revolvere miracula fratris[4] Petri de Murrone[5], quae in vita sua
fecerat[6]. Et in iis cogitationibus cum devotione Deum coepit precibus
exorare ut per merita illius ipsum adiuvaret. Cui quidam splendi-
dus[7] vir in spiritu apparuit, et dixit illi : *Si vis curari, dicas hanc
orationem : Deus, qui beatum Petrum monachum et eremitam, famulum
[30] tuum, ad pontificatus apicem non humana, sed divina inspiratione subli-
masti, praesta, quaesumus, ut eius meritis et precibus ab instantibus periculis eruamur. Per dominum nostrum Iesum Christum[8].* Quam orationem, statim quod ex ore illius angelici viri prolata est, in mente
retinuit et a[9] caecitate qua detinebatur[10] perfecte liberatus est[11].

[35] **117.** Item[1] tempore quo dominus Bonifatius papa[2] Anagniae
morabatur, venerabilis pater archiepiscopus Mediolanensis cum
magna devotione venit ad visitandum corpus sancti viri fratris[3] Petri[4].

115. — [1] et 1. — [2] est 2. — [3] *om.* 1. — [4] (et-liberaret) *om.* 2. — [5] meliorare 2. —
[6] in *add.* 1. — [7] altari 1.

116. — [1] medicis 1. — [2] se 2. — [3] Quapropter 1. — [4] sancti 1. — [5] (de M.) *om.* 1. —
[6] (in-fecerat) dum viveret, fecisset 2. — [7] pulcherrimus 1. — [8] (n. I. C.) amen 1. —
[9] *om.* 2. — [10] (q. d.) *om.* 1. — [11] extitit 2.

117. — [1] *om.* 1. — [2] (B. p.) p. B. 1. — [3] sancti 1. — [4] de Murrone *add.* 2.

Patiebatur [5] tunc praedictus pontifex febrem quartanam. Qui [6] statim ut venit, proiecit se ante sepulcrum illius, et ab alio die, sicut ipse [7] dicebat, numquam ipsam febrem passus fuit. Item idem ipse dicebat quod [8] ab alia infirmitate alio tempore per istum sanctum virum se fuisse sanatum. Unde ipse [9] tanquam ad suum medicum recurrebat. 5

118. Item [1] quidam nobilis vir fuerat potestas [2] de quadam civitate de Lombardia [3], qui in quodam conflictu fuerat [4] percussus de carrello balistae [5] in pectore, quem perforavit [6] ex alio latere. Qui receptus [7] manibus famulorum statim medicos advenire fecit [8]; qui de hac percussione omnes [9] diffidebant se [10]. Hoc ille [11] audiens votum vovit [12] 10 pedes [13] visitare corpus sancti viri fratris [14] P. [15], si de hoc ipsum adiuvaret. Qui per Dei gratiam et merita [16] sancti Petri [17] est sanatus [18], et sicut promiserat, votum adimplevit.

118ª. Item quidam commorans in romana curia, de Tuscia oriundus, qui [1] Vita nomine dicebatur, venit cum multis aliis ad locum ubi 15 corpus sancti P. [2] sepultum erat [3] cum maxima devotione. Dicebat enim [4] se habuisse gravissimam infirmitatem apud Anagniam, ita quod amiserat loquelam nec comedere nec bibere valebat, sensum [5] tamen sanum habebat; et non iacebat, sed huc atque illuc per medicos ibat. Sed a [6] nullo poterat invenire medicationis remedia, cum multa iam 20 facta [7] fuissent [8]. Tandem iste ad sui memoriam reduxit quod venerabilis pater [9] frater [10] P. [11] de alia infirmitate ipsum sanaverat. Statim cum devotione et lacrimis ex [12] corde vovit se venire; et [13] statim a praedicta infirmitate convaluit [14] et loquelam recepit. Et omnibus patenter asserebat se per sanctum virum fuisse sanatum. Et [15] omnes 25 qui illum infirmum et liberatum conspiciebant [16] Deo gratias referebant.

119. Item quidam magnus clericus gallicus morabatur in romana curia. Cum devotione maxima venit ad visitandum [1] sepulturam sancti viri et [2] recitavit fratribus illius loci quod voverat illuc venire et votum afferre pro eo quod ille vir [3] sanctus sibi manum reddiderat, quam 30 per [4] plurimum tempus contractam habuerat. Et omnibus illam ostendebat, et gratias Deo et sancto [5] referebat.

— [5] enim *add.* 2. — [6] *om.* 2. — [7] *om.* 1. — [8] *sic* 1. 2. — [9] *sic* 1. 2.

118. — [1] *om.* 1. — [2] praefectus *corr. ex* praestas 2. — [3] (de quadam -Lombardia) *inde corr. in* cuiusdam civitatis Lombardiae 2. — [4] *om.* 2. — [5] balistrae 2. — [6] (q. p.) et perforatus 1. — [7] est *add.* 2. — [8] fecerunt 2. — [9] (de - omnes) omnes d. h. p. 2. — [10] *om.* 2. — [11] (h. i.) quod iste 1. — [12] (v. vovit) vovi 1. — [13] pedibus *corr. ex* pedes 2. — [14] sancti 1. — [15] de Murrone *add.* 2. — [16] (et m.) meritis 1. — [17] viri 2. — [18] (e. s.) s. e. 2.

118ª. — [1] (commorans - qui) curialis homo de Tusciae partibus 2. — [2] viri 2. — [3] iacebat 2. — [4] *om.* 2. — [5] (v. s.) *corrosa* 1. — [6] (per - a) *corrosa* 1. — [7] (m. i. f.) *corrosa* 1. — [8] fuerant 2. — [9] *corrosum* 1. — [10] sanctus 1. — [11] de Murrone *add.* 2. — [12] cum 2. — [13] qui 2. — [14] *corrosum* 1. — [15] *om.* 2. — [16] (et - conspiciebant) viderant 2.

119. — [1] *om.* 1. — [2] qui 1. — [3] (quod - vir) *corrosa* 1. — [4] *om.* 2. — [5] illi *add.* 2.

120. Anno Domini Mº.CCCº.IIIª in festo sancti Antonii frater
Petrus de Coesis, monachus [1] monasterii Sancti Bartholomei de Trisulto, Cartusiensis ordinis, Alatrinae diocesis, qui quadam longa et
gravi infirmitate, quae cordiaca dicitur, per quindecim annos [2] vel
circa afflictus fuerat [3] et vexatus, in tantum quod propter acerrimos
cordis et [4] viscerum dolores ac punctiones saepissime credidit spiritum exhalare, ad [5] tumulum sancti patris cum devotione accedens,
gratia Dei [6] meritis eiusdem patris sanctissimi [7] sanatus et liberatus
perfecte [8] fuit [9].

121 (1). Anno Domini Mº.CCº.LXXXº.IX (2), die octavo iulii, ad Dei
laudem et gloriam, sancti Spiritus [1] gratia cooperante, rem miram, quae
accidit in monasterio Sancti Spiritus de Sulmona [2], Christi fidelibus
enarrare cupimus et in aperto [3] propalare, quam oculis nostris vidimus
et manus nostrae tractaverunt, laudabili testimonio et veridico com-
probandam [4]. Quod cum quaedam mulier nobilis de Palena, domina
Philippa nomine, uxor nobilis [5] viri Riccardi de Pratis, habens quandam infirmitatem, quae membra sui corporis attrectabat [6] iam per
sex menses, propter quam nec elevari poterat nec moveri [7], quadam
autem nocte, cum se sopori dedisset, quidam homo senex, canitie
plenus, ter sibi apparuit in habitu eremitico, dicens ei : *Si vis sana
fieri, perge ad S. Spiritum de Murrone, et postquam illic eris et cellam
F. Petri videris, sana eris*. Quod et factum est. Veniente autem dicta
muliere ad dictum S. Spiritum, devotione plena, et portata ad altare
dicti S. Spiritus et diu orante, prior dicti monasterii, id est F. Thomasius de Sulmona, catenam ferream, quam F. Petrus nuda carne
accinxerat, ei tribuit. Quam accipiens et eam deosculans, se cinxit.
Et mox divina gratia cooperante, plenae sanitati est restituta, ut quae
in grabato et eques portata fuerat, libera et sana ad propria est
reversa cum salute, praesentibus antedicto priore F. Thomasio,
cellerario F. Ventura, portanario F. Iohanne de Rocca, sacrista
F. Iohanne de Roiara, fratribus dicti monasterii, magistro Nicolao de
Sulmona, magistro Gerardo de Venetiis, magistro Adam Ferrario,
Thoma de Marchia et Riccardo de Pratis, dictae mulieris germano,
qui eam fuerat comitatus.

120. — [1] (C. m.) *corrosa* 1. — [2] (cordiaca-annos) *corrosa* 1. — [3] est 2. — [4] (propter-
et) *corrosa* 1. — [5] (exhalare ad) *corrosa* 1. — [6] et *add.* 2. — [7] *om.* 2. — [8] *om.* 2. —
[9] est.

121. — [1] (s. Sp.) *corrosa* 1. — [2] Murrone 2, *additque* omnibus. — [3] (in a.) aperte
2. — [4] (et v. c.) comprobante 2. — [5] no *reliqua corrosa* 1. — [6] (rporis attrect) *corrosa*
1 ; attrectaverat 2. — [7] veri *corrosum* 1. *Reliqua ob avulsum folium desunt in* 1.

(1) Chez Cajétan, les nn. 120 et 121 se suivent dans un ordre inverse. — (2) Il faut
lire Mº.CCº.LXXXXº.IX. L'erreur de transcription est manifeste ; car le récit atteste
que Pierre Murrone était déjà mort. Cf. *Acta SS.*, t. c., p. 529, n. 135.

122. Item quidam iuvenis famulus F. N. prioris monasterii Sancti
Bartholomei de Trisulto, ordinis Carthusiensis, manens in quadam
grangia, volens onerare equum solus salma una frumenti, ita quod
in illa oneratione crepuit fortiter, et ex tunc nihil agere valebat. Qui
abiens ad priorem suum, intimavit suam infirmitatem. Cui prior 5
dolens et compatiens, misit ipsum ad Alatrum, ad quendam magi-
strum chirurgum, qui dixit illi quod nullo modo poterat curari absque
incisione. Qui, revertens ad priorem, dixit omnia quae audierat. Cui
prior dixit : *Recommenda te, fili, Deo et sancto viro F. Petro de Murrone.*Qui vovit ad sepulturam accedere et votum et candelam afferre. 10
Unde statim ab illa hora coepit convalescere et, voto completo, ex
toto fuit liberatus.

123. Anno Domini 1304, mense martii, Leonardus filius Ambrosii
Sclarice de Ferentino, exsistens tribus annis claudus a pede sinistro,
portatus a matre sua cum devotione ad tumulum sanctissimi patris 15
F. Petri, gratia eius et meritis eiusdem patris sanatus et liberatus est.
Et hoc testantur pater et mater ipsius D. Iacoba, D. Bartholomeus
abbas monasterii Sancti Salvatoris, D. Iohannes Rosselle abbas Sancti
Apollinaris, D. Iohannes Rizius miles Ferentini et D. Romana uxor
ipsius dicti Iohannis; et quam plures alii de hoc cum veritate 20
testantur.

124. Anno Domini 1306, in festo Annuntiationis B. V. Mariae, Leo
de Guarcino et Maria uxor eius, habitatores civitatis Ferentinae,
apportaverunt quandam puellam, nomine Martham, filiam eorum,
fere novem annorum, ad tumulum praedicti sancti patris F. Petri, et 25
cum maxima devotione et reverentia prostraverunt illam puellam
super ipsius patris sancti tumulum. Quae puella amiserat totum
dextrum latus atque loquelam, ita quod non poterat alicui quoquo
modo ore tenus loqui per spatium trium mensium. Gratia Dei et
meritis eiusdem sanctissimi patris fratris Petri sanata et liberata est 30
ex toto ab illa hora. Et hoc testantur praedicti pater et mater ipsius
puellae, et paene tota parochia Sancti Laurentii de Ferentino.

125. Anno D. 1306, 24° aprilis, Maria de Sora habitatrix...[1]

[1] *Sic desinit 2 in media pagina.*

TEXTE REMANIÉ DE LA PREMIÈRE MOITIÉ DU XIVᵉ SIÈCLE

(Voir ci-dessus, p. 387-389.)

In vitam et obitum beati Petri confessoris Caelestini papae quinti prologus.

Ad solacium nostrae peregrinationis et aerumnas temporalis exsilii demulcendas, inter ceteras sanctorum vitas patrum vita beati Petri
5 de Murrone, confessoris Christi, patris nostri sanctissimi, praerogativa eminet singulari. Et recte quidem. Nam eius praeclara et stupenda opera ex divinae radio virtutis tantum capiunt splendoris et · luminis, ut totum mundum sufficienter valeant illustrare. Dei ergo maiestatem graviter videtur offendere, quisquis tam divinorum ope-
10 rum claritatem aut silentio voluerit obnubilare, aut non studuerit ea, qua potest, sermonis facundia propalare. Nobis namque manifestum est quod qui sanctis honorem tribuit, Deum specialiter colit, qui eos misericorditer sanctificavit. Idcirco etiam nos, quamvis ad hoc opus minus idonei minusque digni simus, ne magnalia Dei nostri publi-
15 canda occultasse silentio velut ex ingratitudine videamur, vitam tam digni quam reverendi patris praetitulati, cooperante Domino, suscepimus describendam.

Quam quidem, sicut ab eiusdem patris discipulo descriptam invenimus, ita in eadem veritatis puritate non dictando, sed enarrando
20 exsequi satagemus. Non erit necesse historiam tanti patris colore vel decorare rhetorico vel sententiarum floribus investire, cum tantus sit splendor morum et operum in ea, ut ipsae rerum proprietates, quae sunt exprimendae, sermonem gratissimum etiam ab invito valeant extorquere.

25 Nos quoque huiusmodi gesta in tres partes ad honorem sanctae Trinitatis, cui vita Petri placuit, et confusionem hostis triplicis, quem idem Petrus triumphando vicit, dividentes, ita mediocriter incedemus, ut verborum pluralitas non fastidium, sed potius audientibus pariat consolationem. Primam vero partem istius libelli idem pater
30 sanctus propria manu scripsit ad aedificationem proximi et Christi laudem, cuius gloriae militavit. Et licet per nos in ipsa parte aliqua dictio sit mutata vel addita, eius tamen sensus substantia tota permanet inviolata.

Adsit mihi Spiritus   Petrus nos ab omnibus
Sanctae veritatis,   Expiet peccatis
Qui depellat funditus   Et me cum legentibus
Verba falsitatis.   Iungat caelibatis.

Finit prologus.   5

Primae particulae capitula (fol. 1ᵛ-13).

C'est l'autobiographie en quinze chapitres. Inc.: Beatus Petrus confessor Domini gloriosus de provincia Terrae Laboris...

Cap. I. DE SANCTA CONVERSATIONE PARENTUM EIUS (f. 2).

Cap. II. DE DIVINA INSPIRATIONE APUD EUM (f. 2ᵛ).   10

Cap. III. DE DIABOLICA TENTATIONE ADVERSUS EUM (f. 2ᵛ).

Cap. IV. DE MIRACULO QUOD ACCIDIT IN NATIVITATE EIUS (f. 3).

Cap. V. DE CONSOLATIONE QUAM HABUIT A BEATA VIRGINE (f. 3ᵛ).

Cap. VI. DE VISIONE MATRIS IPSIUS ET MIRACULIS QUAE DEUS OSTENDIT
AMORE ILLIUS (f. 4).   15

Cap. VII. DE ITINERE ROMAE ET DE IMPEDIMENTO QUOD HABUIT, QUANDO
PRIUS MUNDUM RELIQUIT (f. 5).

Cap. VIII. DE PRIMA HABITATIONE EIUS IN DESERTO (f. 6ᵛ).

Cap. IX. DE HABITATIONE IN MONTE MURRONIS (f. 7ᵛ).

Cap. X. DE INVENTIONE LOCI SANCTI SPIRITUS DE MAGELLA (f. 9).   20

Cap. XI. DE AMBULATIONE COLUMBAE INTER FRATRES (f. 9ᵛ).

Cap. XII. DE SONO CAMPANARUM CAELITUS AUDITO (f. 10).

Cap. XIII. DE VISIONE CAELESTIUM SPIRITUUM ET OFFICIO ILLORUM
(f. 11).

Cap. XIV. DE DEDICATIONE SANCTI SPIRITUS DE MAGELLA PER ANGELUM   25
(f. 12).

*Immédiatement après le miracle de la lampe (Act. SS., t. c., p. 442,
n. 16), l'auteur insère celui-ci (f. 12-13):*

Sacerdos quidam, nomine Iacobus de Castellione, de ista dedicatione valde incredulus, rogavit quendam fratrem honestae vitae,   30
nomine Rogerium Anglicum, sub disciplina huius patris degentem,
quatenus Deum deprecaretur, ut de ista dedicatione aliquid scire
mereretur. Quod et factum est. Praefatus namque sacerdos in stratu
suo quiescens vidit in somnis fratrem petrem * Petrum de Murrone,
patrem reverendissimum, ante altare ipsius ecclesiae Sancti Spiritus 35
ad missam celebrandam induere se volentem. Qui facta confessione et
eodem domno Iacobo ministrante, super altare venit et ibi de pixide
quandam pulverem nive candidiorem tribus cum digitis accipiens,
posuit in uno cornu altaris dicens haec verba : " Quod factum est. „
Deinde in alio cornu posuit dicens : " Consecratum est. „ Post haec   40

in tertio et dixit : " Per angelum confirmatum est. „ Et exinde pater
ille sanctus evanuit ab oculis eius. Sacerdos autem hic expergefactus
rettulit haec omnia cunctis fratribus in capitulo huius coenobii
exsistentibus, sicut seriatim scriptum est. Et sic in posterum non
tamquam credulus, sed ut certus, hoc cunctis audire volentibus praefatus presbyter enarravit.

Cap. XV. De terrore qui accidit per daemones (f. 13).

**Finit prima pars et incipit secunda. Et hucusque scripsit
beatus Petrus.**

*La seconde partie s'ouvre par un petit prologue, composé principale-
ment d'un passage extrait presque mot à mot de la bulle de canonisation*
(Act. SS., t. c., p. 433, n. 47 : Quanta autem inibi — horreo caelesti).

Cap. I. De austeritate paenitentiae quam fecit (f. 14). *C'est : 1° mot
à mot la bulle de canonisation, t. c., p. 433, n. 47 :* Ipse sicut pluribus
et fide dignis — in modica quantitate *(p. 434); 2° le fait terrible rapporté ci-dessus, p. 396-97 ; 3° le reste du n. 47 de la bulle.*

Cap. II. De modo orandi quem tenuit (f. 15) — *bulle de canon.,
n. 48, jusque :* non relaxans.

Cap. III. De creatione ordinis et captione locorum (f. 15ᵛ) — *ci-
dessus, p. 400, n. 10, souvent littéralement.*

Cap. IV. De confirmatione ordinis et privilegio institutio (f. 16) —
ci-dessus, p. 401, nn. 11 et 12, avec quelques changements dans le style.

Cap. V. De miraculo quod accidit Petro in via (f. 16ᵛ) — *ci-dessus,
p. 402, n. 13, mais avec une variante notable :* Sed cum Petrum papale
privilegium ante se baiulantem insidiose colligerent, frater Iohannes
cum Placido cursum figebat; fingens se spinam de pede suo evellere,
clamabat ad Petrum, ut reverteretur. Qui cum reversus fuisset, tractabant inter se fratres, qualiter hanc sectam latronum relinquerent, qui
eos persequi non cessabant. Quid hic faciunt trepidi fratres? Mox
retrocedunt fugientes. Quibus occurrit praefatus miles...

*La suite présente de même le récit des deux anciens disciples, avec
fort peu de modifications. Çà et là on trouve insérées quelques bribes de
la bulle de canonisation. Ainsi, après avoir copié le n. 15 de la source,
l'auteur ajoute, à la fin, la dernière phrase de la bulle* (Acta SS., p. 344,
n. 48).

Cap. VI. De magna laetitia facta in populo de reversione eius et
de restitutione bonorum ipsius ordinis (f. 17ᵛ) — *ci-dessus p. 403, fin
du n. 13 et n. 14.*

Cap. VII. De capitulo generali et augmentatione ordinis (f. 18) —
ci-dessus, p. 404, n. 15. La fondation de Faifole est mentionnée (cf.

ibid., n. 15ᵃ), mais sans même une allusion aux difficultés et au départ définitif des Célestins (cf. n. 15ᵇ).

Cap. VIII. DE FAMA SANCTITATIS ET MISERICORDIAE AC VIRTUTUM OPERIBUS EIUS (f. 18ᵛ). *C'est le résumé très succinct des n. 16-20.*

Cap. IX. DE TRANSMUTATIONE SUA AD SANCTUM BARTHOLOMAEUM DE LIGIO (f. 19) — *n. 21. A la fin, le miracle du vin manquant à la messe (n. 81).*

Cap. X. DE TRANSMUTATIONE SUA AD ORFENTUM (f. 19ᵛ) — *n. 22.*

Cap. XI. DE TRANSMUTATIONE SUA AD MURRONEM (f. 21) — *n. 23-25. Les n. 26 et 27 sont presque complètement omis; par contre, quelques miracles ont été rattachés à la mention des lieux successivement habités par le saint ermite.*

Cap. XII. DE ELECTIONE SUA IN SUMMUM PONTIFICEM (f. 22) — *1° ci-dessus, p. 416, n. 28; 2° Forma electionis in papam et assensus cardinalium una cum decreto eorundem, Acta SS., t. c., p. 426-27, n. 18; 3° Item assensus et subscriptio ac decretum eorum, ibid., n. 17. Dans l'un et l'autre document, on lit : septuagesimo quarto au lieu de nonagesimo quarto.*

Cap. XIII. DE EQUITATIONE ASELLI ET MIRACULO QUOD INDE ACCIDERAT (f. 25) — *n. 29.*

Cap. XIV. DE CORONATIONE SUA IN AQUILA ET INDULGENTIA IBI DATA (f. 25ᵛ) — *nn. 30 et 31; ici de nouveau on lit : septuagesimo quarto. Le texte de la bulle d'indulgence concédée à Collemagio (Aquilae tertio kal. oct.) se lit f. 26-27; il est publié, d'après Marini, Act. SS., t. c., p. 519, n. 89.*

Cap. XV. DE MIRACULIS FACTIS PRO DUBITATIONE DE INDULGENTIA DATA (f. 27).

Dubitari autem solet a quibusdam non modica caecitate ductis, utrum praefata indulgentia per Bonifacium successorem Caelestini fuerit cassata et viribus evacuata (1). Pro qua re placuit Creatori nostro caelestibus signis pluries ostendere gratiam per servum suum exhibitam perpetuum robur obtinere. Ex quibus quippe signis et miraculis unum admiratione dignum ad corroborandum fidelium mentes fidelis oraculi veritate perstringam.

Annis namque pluribus evolutis post concessam indulgentiam, apud oppidum quod dicitur Rocca Morici in Aprutinis partibus, notarius quidam, nomine Firmus, et corde dubius, qui in processu temporis factus est sacerdos, videns ad praedictam Aquilae civitatem ad obtinendam veniam magnum concursum fieri populorum, dum ipse in platea ludendo pergeret deferens in manu balistam suam, interrogavit dictum populum, quo properaret. Cui dum respondissent " Ad

---

(1) Cf. plus haut, p. 419, note 3.

Aquilanam indulgentiam „ ille plurimum deridendo ait : " O gens
„ caeca, o gens misera et infronito corde, ad quid pergitis? Nonne
„ percipitis quod laborem perditis itineris, popule stulte? Tanta est
„ ibi poenae et culpae remissio, quanto poterit hoc petilium figi in
5 „ hac petra viva. „ Qui mox in conspectu omnium tetendit balistam,
tractum dirigens ad illam petram. Cuius petilium prosiliens in ipsa
petra ita firmiter se fixit, ut numquam per se cecidisset, nisi hoc inde
manus hominis extraxisset. Quo totus ille populus tanto miraculo
stupefactus, in laudes mox prorupit omnium Conditoris. Tunc prae-
10 fatus notarius tremens ac flendo paenitenspetram cum petilio in ipsam
sic defixo ad collum suum ligavit, et ad praedictam indulgentiam,
sequente illum plebis multitudine, mira cum reverentia properavit.
Qui reatum suum confitens Deo et matri suae Virgini Mariae ac beato
Petro confessori suo eximio, coram cunctis fratribus illius coenobii et
15 universo populo quicquid ei acciderat recitavit; et petram cum petilio
omnibus ostensam in testimonium huius miraculi fratribus illis
reliquit. Quae petra reposita est sub clave monasterii conservanda,
quatenus et praesentes et secuturi valeant agnoscere quale miraculum incredulo viro noscitur accidisse. O dignum admiratione specta-
20 culum, divina dispensatione perpetratum, ut corda nutantium ab
huiusmodi revocarentur errore et mentes credentium ad viam indulgentiae amplius animarentur.

Alia etiam vice duo fratres ordinis Praedicatorum, questam suam
pro elemosynis circumeuntes, universum populum ad praefatam
25 Aquilae indulgentiam properantem, cui per viam obviaverant, prohi-
bebant sermonibus, quantum poterant, ne illuc sic in perdito properaret. Cumque subsequenti mane iter arripuissent elemosynam
quaesituri, ecce subito ultione divina ipsorum oculi caligaverant, ut
neuter eorum sciret quo tenderet itineris absque duce. His ergo in
30 seipsos redeuntibus, trementes ac paenitentes coeperunt dicere :
" Quia heri deludendo impedivimus populum peregrinantem, nobis
„ evenit hodie hoc iudicium metuendum „. Qui cum devotissime
Domino vovissent quod, si meritis gloriosi confessoris sui lumen
amissum reciperent, ad ipsam indulgentiam protinus remearent et
35 linguam ad talia postea numquam relaxarent, mira res, mox ut
votum suum fecissent, lumen oculorum integrum receperunt.

Porro numquam vel raro contingit in ipsa indulgentia quin,
operante Domino, fiant mirabilia admiranda. Quidam namque monachus ordinis eiusdem sancti patris indulgentiam nihil valere temere
40 affirmabat, dicens possibile hanc valere, sicut possibile foret arborem
tunc temporis florere, cui secundum cursum naturalem tunc temporis
non erat mos ut arbores flores emitterent, nisi miraculose id fieret.
Quibus dictis, statim contra omnia iura veris arbores florere coepe-

runt. Et extunc coepit populus devotus ad hanc indulgentiam devotius
convenire.

Cap. XVI. DE RECESSU SUO AB AQUILANA CIVITATE AD NEAPOLIM
(f. 28) — *ci-dessus, p. 420, nn. 32 et 33; de plus un fragment de la bulle*
(Act. SS., *t. c., p. 434, n. 49 :* In quo tamen — pauper).   5

Cap. XVII. DE RENUNTIATIONE PAPATUS (f. 28ᵛ) — TOSTI, Storia di
Bonifazio VIII *(1848), t. 1, p. 341. Les points de suspension doivent être
remplacés par les mots :* declinata turbativa Marthae sollicitudine. *Le
passage* At vero — cum Maria, *est tiré de la bulle de canonisation,*
Act. SS., *t. c., n. 49.*   10

Cap. XVIII. DE REVERSIONE EIUS AD CELLAM MURRONIS (f. 29) — TOSTI,
t. c., p. 343.

Cap. XIX. DE INQUISITIONE ILLIUS (f. 29ᵛ) — TOSTI, *p. 343, où ce chapitre
est publié en entier, mais entrecoupé par les commentaires de l'éditeur.*

Cap. XX. DE FUGA EIUS ET TRANSFRETATIONE (f. 30) — TOSTI, *p. 345.* 15
Les points de suspension doivent être remplacés par : parata igitur
nave datoque naulo Rodi naucleris.

Cap. XXI. DE CAPTIONE SUA IN CIVITATE QUAE DICITUR VESTIA ET
INCLUSIONE EIUS IN CASTELLO FUMONIS (f. 30ᵛ) — TOSTI, *p. 346, où est
publiée en entier la première partie du chapitre. Je transcris la suite :* 20
Et sic in hac artissima turris custodia spatio decem mensium
mente patientissima sanctus ille remansit. Cumque beatus Petrus
mandato Bonifacii papae in castro Fumonis praefato esset reclusus,
apparuit praedicto papae apud Anagniam nocte in vigilia sancti
Iohannis Baptistae idem baptista Iohannes, aspere increpans eum, eo 25
quod beatum Petrum sic retineret inclusum; praedixitque illi quod, si
invitum amplius detineret, in brevi pararet se ad recipiendum a Deo
iudicium ultionis. Qui perterritus hac visione, statim illo mane fecit
ad se vocari tres cardinales, quibus commisit ut sequenti die summo
mane in festo eiusdem sancti Iohannis ad praenominatum castrum 30
Fumonis accederent, et quid Petrus ageret aut diceret, curiosius
attenderent, ac omnia verba eius diligenter observarent. Nec tamen
talem visionem, quam viderat, indicavit. Accedentes autem cardinales
nocte, prout eis fuerat imperatum, pervenerunt ad castrum praedictum in aurora diei, et invenerunt beatum Petrum coepisse tunc 35
dicere missam pro mortuis. Et stantes inibi cardinales cum magna
reverentia, viderunt beatum Petrum in elevatione corporis Christi
elevatum a terra per spatium modicum, et quendam splendorem
seu radium splendoris super eum de caelo procedentem. Quique
splendor duravit super eum usque dum missam finiret. Qua completa 40
et gratiarum actione exhibita, se convertit ad cardinales cum magna
reverentia. Illi autem ad pedes eius procidentes ei reverentiam
magnam fecerunt. Beatus autem Petrus prophetico spiritu repletus

dixit eis : " Patres mei reverendissimi, non fuit opus venire pro causa,
„ pro qua summus pontifex vos misit. Quin immo dicatis ei quod non
„ dubitet de visione, quam vidit, et vobis eam indicare noluit. Ipse
„ namque, territus nocte praeterita per beatum Iohannem Baptistam,
5 „ misit vos ad explorandum voluntatem meam, si starem contentus.
„ Cui respondeatis me contentum esse ; propter quod non dubitet de
„ comminatione sibi per sanctum Iohannem facta. Ego enim semper
„ pro eo D. N. I. C. preces fundo. „ Cardinales autem admirati sunt,
eo quod ei absentia tamquam praesentia nota essent. Dixeruntque
10 ei : " Pater sancte, de duobus te interrogare habemus, videlicet :
„ Cum hodiesit festum beati Iohannis Baptistae, quare dixisti missam
„ pro mortuis, et quare etiam sic tempestive celebrasti ? „ Ille vero
pro modica hora stans, nihil respondit. Deinde blanda et humili facie
dixit eis : " Voluntas Dei est ut haec eadem vobis indicare debeam.
15 „ Missam mortuorum dicere coactus sum, quia hac nocte revelatum
„ est mihi quod devotus meus intimus rex Ungariae defunctus est.
„ Pro quo oportuit me celebrare sic tempestive, quia sciens adven-
„ tum vestrum dubitabam ne propter accessum vestrum possem
„ aliqualiter impediri. Et ecce, cum praefati regis anima detineretur
20 „ in quadam poena, de qua liberari non potuit nisi pro ipsa cele-
„ brarem, ideo acceleravi, ne praedicti regis anima tardaret in poena.
„ In illa autem hora, quando corpus Christi levavi super altare,
„ vidi regis praedicti animam ab angelis in caelum receptam. „
Tunc cardinales audientes quod facta Dei sic revelabantur ei et
25 quod spiritum prophetiae habebat, Deo et beato Petro gratias
egerunt. Et commendantes se orationibus beati viri cum reverentia
magna, recesserunt ; et ad pontificem summum regressi, narraverunt
illi quae viderant et audierant a beato Petro. Papa vero Bonifacius
cum admiratione gavisus est, eo quod illi rettulerunt visionem, quam
30 ipse papa viderat, et ipso beato Petro rogante Deum pro eo, de comminatione sibi facta per sanctum Iohannem non debere in aliquo
dubitare.

Perpendimus ergo valde quomodo hic vir sanctus prophetico
spiritu pollebat, qui et Iohannem Baptistam papam terruisse cogno-
35 verat, et regem obiisse intellexerat, adventumque cardinalium
praescierat. Cuius etiam sanctitatis fuerat, facile possumus agnoscere,
quando eius oratione anima dicti regis ab angelis in caelum intro-
ducta fuit. Cuius etiam puritatis erat, agnoscimus, quando arcanum
Dei conspiciens ipsam animam in caelum recipi vidit. Quantum
40 insuper a peccatorum pondere alienus fuerit, evidenter ostensum est,
quando ab omni ponderosa macula levigatus a terra est elevatus. Sed
et quantae innocentiae fuerit, lux super eum de caelo procedens
patenter innotescebat. Volumus etiam scire quantae familiaritatis

apud Deum fuerit vel exstiterit? Prudenter advertimus quod, cum cardinales ab eo quaesivissent, cur tam mane et pro mortuis celebrasset, nihil respondit, sed per modicam horam stans postea dixit eis quod voluntas Dei esset, ut ipsis ea revelaret. In quo nobis ostenditur quod in illa hora, qua siluit; spiritus eius quasi quadam 5 familiaritate Deo loquebatur, cum eadem hora per spiritum Dei cognoverit voluntatem eius, ut omnia haec eis enarraret. Huius quoque mirifici confessoris patientia in hoc declaratur, quod pro Bonifacio papa, qui eundem in carcere detinebat, se cotidie orare testabatur. Sed fortasse aliquis admirari posset, quomodo huic sancto 10 patri, qui tot gratiarum donis fulcitus erat, elatio aliqua non surrepserit. Huic cogitationi, quisquis est ille, resistat, quia haec dona non se habere, sed a Deo sibi concessa noverat. Hic etiam tali temperantia praeditus erat, quod in illo doni laetitiam mordebat suspicio ac formido flagelli, ne in elationem prorumperet, et flagelli poenam 15 memoria temperabat doni, ne desperaret.

Cap. XXII. DE TRANSITU ILLIUS ET MIRACULO QUOD IBI ACCIDIT (f. 33) = TOSTI, *t. c., p. 349; la première partie est imprimée là en entier, mais la suite a été omise par Tosti, savoir le miracle de la croix, lequel reproduit textuellement un passage de la bulle* (Denique ut in 20 eius obitu) *et un très court récit des funérailles.*

Finit secunda pars vitae et gestorum beati Petri Caelestini (f. 34).

Incipit tertia particula de miraculis ipsius (f. 34ᵛ.)

Prologus. *Inc. :* Petrus flos et candor humilium, lux monachorum 25 et morum vasculum. *Dans ce court prologue, est transcril mot à mot un passage de la bulle (n. 49, dernière phrase :* Et quia multum conveniens erat.)

Sequuntur miracula ante papatum.

Cap. I. DE CAECIS ILLUMINATIS (f. 35) — *1° le premier miracle raconté* 30 *dans la bulle et reproduit ici mot à mot; 2° le texte ci-dessus, pp. 438 et 445, nn. 60, 61, 82.*

Cap. II. DE LEPROSIS MUNDATIS (f. 35ᵛ) = *ci-dessus, nn. 73, 72, 52* (sequenti die tertia sine ulla macula sanus effectus est).

Cap. III. DE MUTIS LOQUELAE RESTITUTIS (f. 36ᵛ) = *ci-dessus, nn. 53,* 35 *80, 65, 90.*

Cap. IV. DE DAEMONIACIS LIBERATIS (f. 37) — *1° le deuxième miracle de la bulle; 2° les textes ci-dessus, nn. 96, 85, 84.*

Cap. V. De claudis et contractis liberatis (f. 37ᵛ) — *1° ci-dessus,
nn. 58, 64 ; 2° le quatrième miracle de la bulle ; 3° ci-dessus, n. 67, § 2,
n. 71 [= 5] ; 4° ci-dessus, n. 74, mais ce dernier rédigé de façon à
faire soupçonner qu'il y a encore une meilleure rédaction des miracles
que celle des archives Vaticanes :* Quidam sagitta graviter percussus in
genu dextro; de qua percussione per diuturnum tempus adeo tibiam
suam dicebatur amisisse quod sine sustentaculis vel zammectis
minime poterat ambulare. Quapropter ad Orfentum, ubi frater
Petrus tunc temporis morabatur, perrexit, deprecans illum cum
lacrimis, ut pro sui sanitate Dominum exoraret. Qui post triduum
ita se sanatum repperit, quod absque fulcimento cursu veloci ad
propria remeavit.

Cap. VI. De spiritu prophetiae quem habuit (f. 38ᵛ) = *ci-dessus,
nn. 66, 77, 87, 75, 78.*

Cap. VII. De rupturis et diversis morbis (f. 39ᵛ) — *1° le troisième
et le cinquième miracles de la bulle; 2° divers miracles résumés en bloc ;
3° le texte ci-dessus, n. 92.*

Cap. VIII. De vino et oleo divinitus effusis (f. 40) = *ci-dessus,
n. 81 (mais la chose est dite se passer* apud locum Sancti Bartholomei
de Ligio) *et n. 76.*

Cap. IX. De oboedientia corvi (f. 40ᵛ) = *ci-dessus, n. 96.*

Miracula in papatu facta.

Cap. X. De contractis sanitati restitutis (f. 41) — *le premier
miracle* in papatu *de la bulle.*

Miracula post papatum facta.

Cap. XI. De variis infirmitatibus per eum curatis (f. 41ᵛ) — *ci-
dessus, nn. 97, 98, 99, 100* (Malatona), *101, 103, 104* (Thyanum), *106,
44; de plus, deux ou trois miracles qui ne présentent aucun indice de
noms propres ou de date permettant de les identifier.*

Miracula post mortem facta.

Cap. XII. De caecis, contractis, hydropicis, paralyticis et diversis
male habentibus (f. 42ᵛ) — *1° ci-dessus, n. 107* (Die secunda post huius
sancti corporis humationem. .... quidam de civitate Velletriensi),
n. 111, 112, 115 [= 2 = 116] ; 2° les deux miracles de la bulle
(Act. SS., t. c., p. 435 : Sed et post obitum); *3° les deux miracles
publiés dans la note ibid.; 4° ci-dessus, n. 116 [= 3 = 115]* (in civitate Capua).

De tribus mortuis resuscitatis ante papatum.

De fratre qui dubitabat de sanctitate sua.

De canonisatione et de miraculis post canonisationem in Francia factis.

Aucun texte ne correspond à ces trois dernières rubriques (1).

La conclusion (f. 44ᵛ) *est formée de deux passages de la bulle, reproduits presque littéralement : n. 46, à la fin :* O quam felix es Provincia — allicit et inflammat, *et n. 51, 3ᵉ phrase :* Jubilare non quiescat — solemniter celebretis. *Puis cette finale :* Omnes igitur ipsum laudum efferre praeconiis concaptemus ; ipsum amemus et glorificemus, et tanquam strenuum protectorem, tanquam pro nostris excessibus sedulum precatorem corde et ore iugiter invocemus, ut pia eius intercessione et hic a noxiis protegi, et in futuro sempiterna consequi gaudia mereamur. Praestante D.N.I.C.

Finiunt vita et obitus, gesta et miracula beati Petri de Murrone.

Incipit legenda de translatione sancti corporis eius (f. 45-51.)

Disponente divina providentia, post felicem transitum beatissimi Petri confessoris in partibus Campaniae corpus illius de castro Fumonis, cuius arce, dum viveret, custodiebatur, ad Sancti Antonii coenobium de Ferentino, cuius ipse primus exstitit institutor, deportatum est et illic tumulatum. Iacens itaque corpus eius tam pretiosum tamque venerandum pluribus aegrotis, operante Domino, praestabat beneficia salutis. Licèt enim corpus frequenter fuerit visitatum a circumhabitantibus, occasione tamen praedonum peregrinis insidiantium illuc accedere raro audebat aliquis ex aliarum finibus regionum. Non enim decuit Petrum, qui verus erat amator humilitatis et pacis, moram trahere in loco proelii et dissensionis. Laudant, colunt corpusque visitant civès Ferentini ; sed laus illa non sufficit meritis Caelestini. Merito nempe laus maior conveniret illi, qui erat lucerna et speculum mundi.

Deus igitur omnipotens, qui in sanctis suis gloriosus ostenditur, reddens unicuique secundum opera sua, voluit corpus confessoris sui alibi transmutari, quo posset, uti meruit, venerabilius honorari. Unde sub anno Domini millesimo tricentessimo vigesimo sexto, factum est ut inter magnates Anagniae ac proceres Ferentini fax litigii et dissensionis protervitas excitaretur, ita ut pars una adversus alteram bellum inhumaniter praepararet. Audientes autem incolae Aquilenses quod illa fera pessima, quae Ioseph devoraverat, inter

____

(1) Voir plus haut l'introduction, p. 388.

partes praedictas exorta fuisset, inierunt consilium secreto tractantes
cum comitibus Anagninis, qualiter habere possent corpus sancti
confessoris, quod diu desideraverant. Quo tractato, cives Ferentini
hoc illico senserunt, et timore perterriti ne quavis violentia thesauro
5 sacri corporis privarentur, monasterium Sancti Antonii, ubi corpus
iacuerat, armata manu protinus adierunt.

Tunc episcopus cum clero et alii Ferentini cives ecclesiam intran-
tes, corpus sancti de tumba sublimaverunt, invitis monachis illud
asportantes. Et sic ingressi Ferentinum, in ecclesia Sanctae Agathae
10 corpus in quadam capsa reconditum posuerunt. Capsam vero funi-
bus circumquaque ligatam sigillorumque impressionibus munitam
in alia maiore includentes, assignarunt ipsas claves priori Sancti
Antonii custodiendas. Monachi autem nolentes aliqualiter corpus
hoc derelinquere, secuti sunt illud. Quorum pars una iuxta capsam
15 in ecclesia continue remanebat. Quid dicunt? quid tractant? quid
faciunt fratres, qui corpore patris eorum privati sunt? Audiamus.
Suspirant, plangunt, gemitus, suspiria pangunt, dicentes : " Pupilli
facti sumus absque patre, mater nostra quasi vidua. „ Tantis itaque
angustiis et doloribus sauciati, quid facerent, ignoraverunt.

20 Tunc venerabilis prior eiusdem coenobii, Iacobus nomine, statim
Soram legavit nuntium, significans rem gestam fratri David, tunc
temporis visitatori religionis eiusdem, supplicando quatenus, omni
occasione postposita, illuc accedere non tardaret. At ille nova intel-
legens, nimium stupefactus mox iter arripuit nec unquam desiit,
25 quoad usque Ferentinum pervenit. Deinde huius rei veritate comperta, David toto conatu, diligentia et sagacitate sui sub fratrum
dominio et potestate corpus sublatum studuit recuperare. Attamen
hoc facere aut impetrare absque divina dispensatione sibi erat
impossibile. Verum quia cives Ferentini dolum esse semper haesita-
30 bant ex parte forensium monachorum, concives et terrigenas circa
ipsam capsam custodiendam, ut tutiores fierent, posuerunt. Videntes
ergo dicti fratres David et Iacobus vim suorum et industriam per
trium dierum circulum huic facto nihil posse prodesse, non sine
munere et consilio divinae providentiae consilium fecerunt in unum
35 dicentes : " Mittamus Ferentinum de fratribus nostris duos, quos ad
„ exsecutionem huius negotii noverimus esse ceteris praestantiores,
„ videlicet fratrem Blasium de Furca sacerdotem et fratrem Petrum
„ de Rasino laicum, ad custodiendum corpus in cambium illorum
„ fratrum illic exsistentium, districte mandantes, quatenus Ferentini
40 „ ad nos hoc sero absque ulteriore dilatione causa visitationis, prius-
„ quam discedamus, insimul accedant, et isti duo illuc vadant, cautela
„ quoque et industria, quibus poterunt, de nocte corpus a capsa
„ extrahere nitantur. Post haec autem illud in mataracio nostro,

„ super quod fratres noctibus transactis quieverant, sagaciter
„ abscondant et involvant. „

His itaque sapienter ac suaviter tractatis et ordinatis, mox illi duo
fratres praenotati cum capsarum clavibus urbem Ferentini adierunt.
Hora autem noctis quasi media hi qui corpus custodiebant, sibi iussa
exsequi volentes, duplici timore perculsi sunt, uno, ne in poenam
inoboedientiae, si contra facerent, corruerent; altero, ne in furorem
civium urbis immitigabilem, si hoc implere tentaverint, inciderent.
Quid faciunt? Manus suas ad coelos expandunt, se in orationem
prosternunt, Christi confessori devote supplicantes, quatenus per
alicuius signi indicium agnoscerent, si talia praecepta pastoris ad
effectum ducere deberent. Frater ille presbyter Blasius Christum
corde orat secretius, ut de tribus una lampadibus in honorem sancti
ardentibus exstingueretur. Illo itaque orante, ecce subito quasi quodam oris flatu una lampadum exstincta est. At ille hoc signum
prospiciens laetus efficitur. Et ab oratione surgens dicit socio suo :
« Frater mi, faciamus quod nobis iniunctum est. „ Et quanto prius
ille abhorruit, tanto post haec audaciam habuit. Quid multa? Illi
ambo roborati et Christi potentia sanctique Petri suffragio confisi,
capsas clavibus prudenter reserant, corpusque gloriosum reverenter
extrahunt. Quo extracto, in panno lineo mundo involvunt, et sic
involutum in praenotato mataracio sollerter abscondunt. Deinde
capsas velut primitus artificialiter reparabant, ut intuentes eas nihil
sinistri discernere valerent.

Mane facto, prior coenobii memorati misit quendam nuntium secreto
eisdem fratribus interrogando si dum eius praeceptum implevissent.
Qui responderunt : « Factum est „. Nuntius autem rediens rettulit
priori: « Factum est „. Statim ergo prior civitatem adiens, misit pro
quadam oblata monasterii nomine Maria, illam rogans et admonens
ut protinus ad eum in ecclesiam Sanctae Agathae accederet. Quae
admonita mox ad ecclesiam vadit et illic praedictum invenit priorem. Prior vero mataricium tam opulentum ei tradidit dicens : « Tu
„ ad nostrum domicilium hoc defer mataricium, quod nunc nobis
„ necessarium est „. At illa onusta cum mataricio in capite dum iter
faceret, ei prae foribus ecclesiae hominum assistebat multitudo.
Quorum unus illam interrogans, quid gestaret et quo pergeret, illa
tacebat. Socius vero prioris cum illa gradiens respondit, dicens :
« Est quoddam mataracium, quod ad nostram deferimus aedem sitam
„ in hac civitate „. At illi silentes ipsam sinebant hoc illuc pacifice
baiulare. Deinde prior sagaciter et secreto accipiens, ad monasterium
est regressus cum corpore sancto. Qui cellam suam intrans, clam illic
in quodam scrinio ipsam inclusit.

David autem primus tanti consilii haec omnia sciens, mox Feren-

tinum adiit sua expeditum facienda, remisitque dictos fratres de
Ferentino ad custodiendum corpus, ut veluti prius custodirent. Quod
et factum est. Naturalis siquidem amor patriae praedictos urgebat
fratres se nationis diligere decus, ideoque semper erant solliciti,
5 semper zelotypi circa custodiam sancti corporis, ne posset ab oris
eorum quovis dolo aut ingenio absportari. Tunc mirum in modum
cum intuerentur isti vultus eorum, qui iuxta capsam pernoctaverant,
esse solito pallidiores, protinus adversus eos illud suspicabantur quod
fecerant, dicentes : " O proditores impii! o fautores nequam consilii!
10 „ quare furtim abstulistis corpus viri sancti? Ubi abscondistis illud?
„ Nunc dicite nobis „. At illi prae timore attoniti pallidissimi facti
sunt, et se cum negativo, quantum poterant, excusabant. Verumtamen
rumor ille subito per vicos volitabat civitatis. Quo audito, currunt
cives ad episcopum civitatis in medio tunc stantem, cum quo prae-
15 dictum inveniunt visitatorem. Qui secreto dicunt antistiti : " Domine
„ pater, a multis dicitur quod corpus Petri a nobis tollitur „. Tunc
praesul admirans repente se convertit ad visitatorem, et dicit ei :
" Quid est hoc quod audio de te ac de tuis fratribus, visitator? Hic
„ dicitur quod sanctum nostrum nobis abstulistis „. Hoc audiens
20 visitator perterritus est; volente tamen Domino, non in vultu immu-
tatus dicit episcopo : " Domine reverende, procul a nobis hoc.
„ Nullatenus credatis talia nos fecisse. Cras enim summo mane vobis
„ mittam priorem cum clavibus. Et aperientes capsas corpus sancti
„ populo urbis manifestabitis universo „. Antistes ergo et populus
25 haec audientes, operante Domino, remanserunt in pace.

Post haec dictus visitator ad monasterium cum cunctis fratribus
regrediens, alios duos de Campania remisit ad ecclesiam Sanctae
Agathae, praecipiens illis ut continuo remanentes ibi sanctum corpus
sollicite custodirent. Nocte igitur subsecuta David ille, sano pollens con-
30 silio, cum praenotatis duobus fratribus Blasio et Petro cum sancti corpore Aquilam pergere clam praeparatus, praecepit duobus fratribus
de Ferentinor em ignorantibus ipsum itinerando quantocius pergerent
comitari. Sicque confestim versus Aquilam iter arripuit; suam in
sancto spem firmiter ponens, saepe per hostium cuneos transiit,
35 quorum nullus ei displicuit et valde securus, quo voluit, vadit. Monachi
vero Blasius et Petrus post tergum illorum gradatim veniunt cum
sanctis reliquiis, illos a longe sequentes, solo David hoc sciente.

Die ergo illucescente, ecce hostes de Anagnia venientes, permittente Deo, hostiliter circumdabant Ferentini moenia tam ferociter
40 usque ad horam vespertinam, ut nullus civium egredi de civitate illa
potuisset. Timore tamen inimicorum non obstante, praedicti praesul
et incolae priorem cum clavibus, velut visitator eis promiserat,
exspectabant Quem dum agnovissent non advenire, mox ad ecclesiam

concurrerunt, capsas ambas violenter dirumpentes. Et cum nihil
invenissent, furibundis vocibus ut amentes clamant, nunc flendo, nunc
ululando. O quantus luctus omnium! quanta praecipue lamenta
Ferentini civium! Omnes et singuli, senes et iuvenes utriusque sexus,
flent Caelestinum; et, sedentes in terra proni, lacrimabile canticum 5
Ieremiae concinunt dicentes : " Defecit gaudium cordis nostri. Versus
„ est in luctum chorus noster. Cecidit corona capitis nostri (1). Veh
„ nobis! quia Petrum amisimus. „ Isti planxerunt omnes similiter et
doluerunt. Circumspexerunt, et non erat auxiliator. Quaesierunt, et
non fuit qui adiuvaret. Et sic tota die in fletu permanserunt et tristitia. 10

   Interea David cum ceteris monachis secum euntibus satis a civitate Ferentini elongabatur. Et cum retrospiceret, vidit fratres Blasium et Petrum procul venientes. Tunc secum itinerantibus ait:
" Ecce duo monachi post nos veniunt. „ At illi prospicientes, ultra
quam credi posset admirati sunt. Unde ait visitator : " Existimo illos 15
„ esse fratres Blasium et Petrum pro pannis fratrum emendis Aqui-
„ lam perrecturos. „ Sic David solus scienter nescius finxit se mirari
cum fratribus ignorantibus. Et procedentes paululum tres praedones
itinerantibus insidiantes obviam eis habuerunt. Tunc David cum
ceteris monachis se studiose illic figens, et ecce subito tres viri equites 20
eis aderant. Quibus ita dixit : " Vobis humiliter supplico, quatenus ob
„ amorem sancti Petri et vestri lepiditatem illos fratres cum illorum
„ panniculis nos sequentes hic praestolari velitis, ut vestro iuvamine
„ illorum praedonum contravenientium manus effugere omnes valea-
„ mus illaesi. „ At illi gratanter eius precibus acquieverunt. Hoc ergo 25
videns David praedictis monachis de Ferentino, qui cum illo perrexe-
rant, licentiam tribuit Ferentinum redeundi, dicens : " Fratres mei
„ carissimi, nolo vos ulterius mecum itinerando fatigari, quia, Christo
„ annuente, cum istis duobus fratribus amodo ambulabo securus.
„ Quapropter ad monasterium redite, confortantes in Domino. „ His 30
itaque dictis, illi Ferentinum redeuntes, isti vero Aquilam ullo sine
obstaculo perrexerunt.

   Cives ergo Aquilani cum audissent quod corpus beati Petri diu
desideratum cunctis gentibus advenisset, mirabundi[1] effecti diem cele-
brabilem in eius honorem se praeparaverunt sollemnizare. Parati vero 35
ad tam sollemnia celebranda quinto decimo kalendas martii anno
quo supra veniunt cum exsultatione, veniunt cum muneribus venerari
et glorificare sanctum Domini. Hi merito laudant, merito quoque
corpus adorant. Omnis aetas hodie adhaeret tantae gloriae. Omnes
gentes collaudant Deum in sanctis eius, et collaudant Petrum in mul- 40
tis mirabilibus eius.

---

[1] *cod.* moribundi.   (1) Thre. V, 15.

O mirandum prodigium,	O grande cunctis gaudium,
Venit corpus eximium	Optatum votis omnium ;
Ad salutem fidelium,	Invitat turba civium :
Quo sumpsit pontificium.	Mane nobiscum in aeternum.

5 Sic revera sapienter et suaviter disposuit sapientia Conditoris, ut illius corpus illic habitans condignis frequentaretur laudibus, quo sublimari meruit ad apicem pontificatus.

Sequuntur miracula in translatione eiusdem facta.

Libet hic, fratres carissimi, aliqua miraculorum insignia de quam
10 pluribus facta huius sancti meritis enarrare, quae in ipsius celebritate translationis accidisse testimoniis probata sunt fide dignis.

DE CONTRACTO. Vir quidam, nomine Nicolaus Compliti de Paganica, per annos undecim manum habens contractam, quam nullatenus extendere poterat nec ad caput suum erigere, ductus ad capsam
15 in qua sancti viri corpus iacebat; et cum illam tetigisset, statim ipsius meritis manus usum perfectissime recuperavit.

DE CLAUDA. Mulier quaedam, nomine Margarita Martini de Rocca de Cornu, clauda pedem sinistrum a nativitatis suae tempore, quem in terram ponere gradiendo nequiverat, nisi extrema tantummodo
20 digitorum, ducta ad corpus sancti, mox ipsius opitulatione pedis gressum adepta est. Inde gratias Deo et sancto rependens, ad propria remeavit.

DE CAECA. Huius etiam sancti meritis Manula, uxor quondam Clauri Salomonis de Paganica, a sex annis oculorum lumine in tantum
25 diminuta, quod res sibi ostensas nequaquam discernere valebat, et a sex mensibus citra caeca totaliter effecta, ducta ad gloriosi confessoris translationem, plene restituta est pristinae sanitati. Quae sola viam carpit, et viae ducem ulterius non requirit.

Eodem quoque die Gentilis Iohannis de Sassa per duorum annorum
30 circulum et fere dimidii tam graviter infirmabatur, quod ad faciendum requisita naturae minime poterat sedere. Qui cum venisset ad corpus sancti viri, devote ipsum invocans, mox a praedicta infirmitate se sensit liberatum.

DE CONTRACTA ET CLAUDA. Puella quaedam de Capestrano, Philippa
35 nomine, Thomae Symeonis, contracta manu pedeque curva, ducta ad corpus sancti, piis eius praesidiis domum est regressa incolumis.

DE SURDO. Suffragantibus etiam huius sancti meritis, puer quidam de Sassa nomine Stymulus, qui ex infirmitate fere sex annis exstitit surdus, delatus ad corpus confessoris, ilico adeptus est beneficium
40 auditus.

De caeco. Berardus quidam de Caporciano oculi dextri lumine fere sex annis totaliter privatus, veniens ad capsam, sanctum invocans cum devotione, luminis beneficium integre recuperavit.

De daemoniaca. Femina quaedam, nomine Iohanna de Paganica, spatio viginti duorum mensium tam horribiliter vexata et vesana torvo spiritu, quod nullatenus poterat crucis signaculo se signare, nec orationem dominicam, neque salutationem angelicam, neque symbolum, sed nec alia huiusmodi sancta proferre vel auscultare, cum capsam gloriosi confessoris tetigisset, statim ab ea expulsa est omnis potestas inimica. Quae tunc in seipsam rediens, Deo et sancto eius gratiarum reddidit actiones.

Nec hoc silendum puto quod, cum rev^{dus} episcopus Ferentini, qui diuturnam rupturam in inguine, descendentibus in virilia intestinis, passus, descenderet in tumulum, ut corpus beati Petri ab illo sublevaret, Ferentinum hoc laturus, et cum ipsam capsam, in qua corpus iacebat, tetigisset, statim infusam sibi sensit sanitatem. Tunc ille Dominum in sancto eius laudans et glorificans, ore proprio beneficium praedicavit.

Haec et alia huius sancti meritis operatur unus Deus et Dominus, cui honor et gloria in saecula saeculorum. Amen.

PROCÈS-VERBAL

DU

DERNIER CONSISTOIRE SECRET PRÉPARATOIRE A LA CANONISATION

(Voir ci-dessus, p. 389-92.)

P = ms. de Paris B. N. lat. 5375.
C = les trois copies de Cajétan (ensemble).
C1, C2, C3 = chacune des trois copies de Cajétan,
fol. 230-34ᵛ, 236-38ᵛ, 357-61ᵛ.

Sententiae cardinalium de miraculis fratris Petri de Murrone, quondam Caelestini papae quinti [1].

Dominus P. [2] de Columpna [3] (1) interrogatus primo utrum sit inquisitio iteranda, quia in commissione non fuit impositum, quod primo inquireretur de fama antequam de miraculis et de vita, respondit quod non. Nam fama sanctitatis eius erat communiter nota mundo.

2° Utrum esset iteranda, quia unus solus processit ad inquirendum in huiusmodi negotii magna parte (2), respondit quod non, tum quia hoc commissio sibi dabat, tum etiam quia in negotiis multum arduis et praeiudicialibus inquisitio [a] fit per unum. Addidit etiam quod talia in medium adducere non est nisi [a] volentium [a] hoc [a] negotium impedire.

3° Utrum rubricis factis in consistorio [4] (3) sit [a] standum [a], respondit quod sic. Cum enim post multas discussiones [5] et collationes diversas conscriptae fuerint, nullatenus debent in dubium revocari.

4° Utrum per depositiones testium probatam reputet vitam sanctam, respondit quod sic, et de miraculis illud idem; et quod

---

[1] (Sententiae - quinti) *om. P.* — [2] *Petrus C.* — [a] *Verba quas hic et postea ista littera notamus, desunt in C 1; scriba tamen punctis adscriptis (……) indicavit aliquid deesse. Animadvertendum autem est omnibus locis, in quibus huiusmodi puncta in C 1 inveniuntur, in P membranas umore corruptas esse ita, ut verba iis inscripta aegre legi possint.* — [3] *Columna C, et sic deinceps.* — [4] *concistorio C.* — [5] *discessiones C.*

(1) Créé cardinal le 15 mai 1288. — (2) Voir plus haut p. 391. — (3) *Ibid.*

Dominus noster ad canonizationem eius potuit procedere iam est annus (1).

5° Utrum ad probationem suae sanctae vitae procedi debeat, antequam de miraculis videatur, respondit quod non; nam cum miracula probent vitam, fiet melius et perfectius totum simul.

Dominus Iacobus de Columpna (2) requisitus primo utrum, quia prius inquisitum non fuit de fama quam de miraculis et de vita, debeat inquisitio iterari, respondit quod non, quia fama sanctitatis eius tam nota et magna fuerat, quod ad eligendum eum papam moverat dominos cardinales; vitam etiam [1] eius sanctam viderant, quam tenuit in papatu.

Secundo [2], utrum sit inquisitio iteranda, quia per unum solum in magna parte in hoc negotio est processum, respondit quod non, tum quia ex vi commissionis hoc poterat, tum etiam quia sic in multum arduis fit frequenter.

Tertio, utrum testes, de quibus scribitur per examinationem quod concordat et dicit [3] " in omnibus sicut talis „, sufficienter deponant, respondit quod hoc neque asserit neque negat; dicit tamen quod adminiculatur testimonio alterius testis, cum quo dicitur concordare.

Quarto, utrum sit procedendum ad probationem suae sanctae vitae, antequam agatur de miraculis, an sint vera, respondit quod non, et quod, licet credat de factis miraculis ante papatum, tamen de miraculis, si sint facta aliqua in papatu vel post papatum [4], ante mortem vel post mortem, est specialius inquirendum, et maxime de miraculis quae post mortem. Nam in hac vita qui nunc sanctus est, potest postmodum sanctus non [5] esse. Miracula vero post mortem facta sunt finalis bonae et sanctae vitae propria argumenta.

Quinto, utrum vita sancta eius possit dici probata per depositiones testium productorum, respondit quod, cum vitam dicti domini Caelestini bonam et sanctam fuisse firmiter teneat, non curat attestationes quascunque videre super hoc, nec in legendis huiusmodi fatigari.

Dominus Richardus [6] de " Senis " (3) dixit quod propter hoc quod unus solus processit in inquisitione seu informatione, non est processus reiterandus; sed quia non videtur quod testes plene deponant, nec quod sit inquisitum secundum quod debet inquiri in tanto negotio, videtur quod iterum sit inquisitio facienda super hoc.

[1] om. C 3. — [2] secundum P. — [3] (et d.) etiam dici C 1. — [4] (v. p. p.) om. C 3. — [5] (s. n.) n. a. C 1. — [6] Riccardus C.

(1) Voir p. 392. — (2) Créé cardinal le 12 mars 1277. — (3) Voir p. 390, note 1.

Sequitur de miraculis domini Caelestini.
Et primo de miraculis factis ante papatum.

Dominus[1] definivit istud miraculum esse, et esse probatum sufficienter (1).

Et super primo miraculo Domini Tusculan. (2), Penestrin.[2] (3),
5 Biterren. (4), Sancti Severii (5), Dominus Michael (6), Baionen. (7),
Vasaten. (8), B. de Garno (9), Ar^dus de Pelagrua (10), Iacobus de
Columpna et Neapoleo (11) dixerunt in consiliis suis quod factum, quod
proponitur factum in persona Catthaniae[3], est miraculum et sufficienter probatum (12), excepto quod dictus A. de Pelagrua[4] dixit
10 quod non viderat attestationes plene, sed volebat videre. Domini vero
Avinionen. (13), Franciscus (14) et Iacobus Gaie.[5] (15) non[6] credunt
probatum esse miraculum, quantum ad hoc quod posset procedere
ad canonizationem Ecclesia.

Dominus Portuensis (16) dicit consulendo quod, quantum ad
15 humanum iudicium, est miraculum et sufficienter probatum.

Dominus Iohannes Monachi (17) dicit consulendo quod non est
miraculum, nec probatum.

[1] *Quae hic et postea litteris minoribus expressimus, ea in P alia manu ssec. XIV
addita sunt.* — [2] Praenestin. *C.* — [3] Catharinae *C.* — [4] Pelagr̄. *P.* — [5] Gaiet. *C.* —
[6] om. *C 1.*

(1) Ce jugement du pape concerne évidemment le miracle au sujet duquel on va
lire l'appréciation des cardinaux. Sur tous les miracles, le pape se prononce après
avoir recueilli les votes. Les inversions que l'on constate ici doivent être attribuées
à la hâte du rapporteur. Cf. ci-dessus, p. 390-91. — (2) Bérenger de Frédol, neveu de
Clément V, d'abord évêque de Béziers, fut transféré à Tusculum et créé cardinal le
15 décembre 1305. — (3) Guillaume de Mandagoto, évêque de Préneste, créé cardinal le 23 décembre 1312. — (4) Bérenger de Frédol, évêque de Béziers, parent
de l'autre Bérenger, fut créé cardinal le 23 décembre 1312. — (5) Raimond, abbé
de Saint-Sévère (diocèse d'Aire), O. S. B., créé cardinal le 23 décembre 1312. Cf.
C. Eubel, *Hierarchia catholica medii aevi* (Monasterii, 1898), p. 14. — (6) Maître
Michel du Bec, doyen de Saint-Quentin, créé cardinal le 23 décembre 1312. —
(7) Maître Guillaume Godin, O. P., né à Bayonne, créé cardinal le 23 décembre
1312. — (8) Maître Vital du Four, O. M., originaire de Bazas, créé cardinal le
23 décembre 1312. — (9) Bernard de Garno, ou mieux de Garvo, du diocèse de
Bordeaux, neveu de Clément V, créé cardinal le 19 décembre 1310. Cf. Ehrle, *Der
Nachlass Clemens' V,* dans Archiv f. Liter.- u. Kirchengesch. des MA., t. V, p. 6 et
suiv., *passim.* — (10) Arnaud de Pelagru, du diocèse de Bordeaux, neveu de Clément V, créé cardinal le 15 décembre 1305. — (11) Napoléon Orsini, créé cardinal
le 15 mai 1288. — (12) C'est le premier miracle rapporté dans la bulle de canonisation. — (13) Jacques d'Euse, évêque d'Avignon, créé cardinal le 23 décembre 1312,
successeur de Clément V, sous le nom de Jean XXII. — (14) François Cajétan, créé
cardinal le 17 décembre 1295. — (15) Jacques Cajétan Stefaneschi, créé cardinal le
17 décembre 1295. — (16) Jean Minius de Murrovallium, O. M., évêque de Porto, créé
cardinal le 15 décembre 1302. — (17) Jean Lemoine, évêque d'Arras, créé cardinal
le 18 septembre 1294.

Dominus Richardus [1] de Senis dicit in facto, quod accidit in persona Cataniae [2], quod non fuit miraculum, nec sufficienter probatum, maxime ad canonizationem faciendam.

Dominus Guillelmus de Bergamo (1) dixit esse miraculum, et sufficienter probatum.   5

—

Sequitur [3] miraculum secundum factum de recuperatione visus in uno oculo in personam cuiusdam pueri filii Symbaldi, etc. [4] (2).

Dominus Tusculanus dixit in secundo miraculo, quod videtur sibi quod sit miraculum et probatum, nisi esset quod quaedam mulier deponit de isto miraculo, et fr. P. praedictus non patiebatur venire 10 ad se mulieres, et ipsa ideo non potuit perhibere [5] testimonium de visu; et non sunt nisi duo testes, quorum unus est mulier ista, et propter hanc causam solam non credit probatum esse miraculum.

Dominus Penestrin. dixit miraculum esse [6] et [6-a] sufficienter probatum.   15

Dominus Avinionen. dixit non esse miraculum [a], nec [a] esse probatum.

Dominus Biterren. [7] dixit quod [4] non est miraculum [a], nec [8] probatum sufficienter.

Dominus Sancti Severii [9] dixit esse miraculum; sed non videtur 20 sibi esse [10] probatum.

Dominus Michael dixit esse miraculum et esse probatum.

Dominus Baionen. dixit esse miraculum et quantum ad substantiam facti fuisse [11] probatum.

Dominus Vasaten. dixit esse miraculum, et probatum esse [12] suffi- 25 cienter.

B. de Garno dixit non esse miraculum nec esse probatum; sed dixit quod multum iuvat quod Dominus Deus fecerit miracula quae probantur sufficienter meritis fratris Petri.

Dominus Petrus de Columpna dixit esse miraculum et sufficienter 30 probatum.

Dominus Iacobus de Columpna quod si " *et tunc* „ (3) intellegatur in continenti, est miraculum, et alias non; et dicit non esse probatum sufficienter.

---

[1] Riccardus *C, et sic deinceps.* — [2] *P in margine :* Vacat. — [3] Catharinae *C.* — [4] *om. C.* — [5] prohibere *P.* — [6] (esse et) dictum esse *C 1.* — [7] Bitren. *C 2.3.* — [8] (quod - sufficienter) idem *C 3.* — [9] Severi *C 1.* — [10] (s. e.) e. s. *C 1.* — [11] esse *C 1.* — [12] *om. C 1.*

(1) Guillaume le Long, de Bergame, créé cardinal le 18 septembre 1294. — (2) Ce miracle n'est pas consigné dans la bulle de canonisation; il est raconté dans la Vie des disciples, n. 60. — (3) Ces mots prouvent que les cardinaux avaient un texte écrit sous les yeux. Cf. p. 392.

Dominus Richardus dixit non esse miraculum ; nec sibi videtur probatum esse sufficienter.

Dominus Franciscus dixit non esse miracnlum, nec esse probatum.

Dominus Iacobus Gaie. [1] dubitat utrum sit miraculum ; sed dixit non esse probatum sufficienter.

Dominus Guillelmus de Pergamo dixit esse miraculum et plene probatum.

Dominus Neapoleo dixit non esse miraculum, nec esse probatum sufficienter.

———

Sequitur miraculum tertium, de quodam puero muto et surdo a nativitate (1).

Super quo tertio miraculo Dominus Penestrin. dixit non esse miraculum, nec esse probatum sufficienter.

Dominus diffinivit[2] esse miraculum et esse probatum sufficienter[3].

———

Sequitur quartum miraculum, de quodam demente seu infatuato curato[4] (2).

Super ipso quarto miraculo Dominus Tusculanus dixit esse miraculum et[5] sufficienter probatum per duos testes.

Dominus Penestrin.[6] dixit esse miraculum et esse probatum sufficienter.

Dominus Avinionen. dixit quod potuit esse miraculum, et non esse. Si autem miraculum est, probatum est sufficienter, quantum[7] ad dementiam[8].

Dominus Biterren.[9] dixit[10] miraculum, et esse probatum sufficienter.

Dominus Sancti Severii dixit esse[11] miraculum et esse probatum sufficienter.

Dominus Michael dixit miraculum et esse probatum sufficienter.

Dominus Baionen. dixit miraculum et esse probatum sufficienter.

Dominus Vasaten. et B. de Garno dicunt miraculum et sufficienter probatum.

---

[1] Gaiet. *C.* — [2] difinivit *P.* — [3] suficienter *P.* — [4] *om. C 1.* — [5] *esse add. C 2. 3.* — [6] Prenestrinus *C 1.* — [7] quo *C 1.* — [8] demensiam *P.* — [9] Bitren. *C 2.3.* — [10] *esse add. C 1.* — [11] (esse m. et e. p. s.) idem *C 2. Ita saepe brevitatis causa in sequentibus C 2, aliquando etiam C 1 et C 3.*

(1) Ce miracle n'est pas relaté dans la bulle. — (2) La bulle raconte ce miracle et les suivants dans le même ordre. Mais elle ne les reproduit pas tous. Nous nous contenterons de noter ceux qu'elle omet. Par contre, le dernier miracle de la bulle n'est pas au procès-verbal. Il est vrai que celui-ci ne dit rien du cinquième miracle opéré par Pierre après sa mort.

Dominus [1] Iacobus de Columpna dixit esse [2] miraculum et sufficienter probatum.

Dominus Petrus de Columpna dixit esse [2] miraculum et sufficienter probatum.

Dominus Richardus dubitat an sit miraculum.   5

Dominus Franciscus dixit esse miraculum, sed non est ascribendum domino Caelestino, nec esse sufficienter probatum.

Dominus Portuensis dixit esse miraculum et sufficienter probatum esse [3].

Dominus Iohannes Monachi dixit esse miraculum et sufficienter   10 esse [4] probatum.

Dominus Iacobus Gaietani dubitat utrum sit miraculum, et dixit non esse probatum.

Dominus G. de Pergamo dixit esse miraculum et esse probatum sufficienter.   15

Dominus Neapoleo dixit esse miraculum et esse probatum sufficienter.

Eadem die sabbati Dominus diffinivit miraculum et esse probatum sufficienter.

—

Sequitur de quinto miraculo de quadam puella infistulata curata.

Dominus Tusculanus dixit esse miraculum et esse probatum   20 sufficienter.

Dominus Penestrinus [5] dixit esse miraculum, et dubitat esse probatum vel non.

Dominus Avinionen. dixit essè miraculum, sed non esse probatum sufficienter.   25

Dominus Biterren. dixit esse miraculum et sufficienter probatum esse [6].

Dominus Sancti Severi dixit esse miraculum et esse probatum sufficienter.

Dominus Michael dubitat, ut dixit, utrum sit miraculum [7] vel non ;   30 et si esset miraculum, dixit esse probatum sufficienter.

Dominus Baionen. dixit esse miraculum et esse probatum sufficienter.

Dominus Vasaten. dixit esse miraculum et esse probatum sufficienter.   35

Dominus B. de Garno dixit esse miraculum et esse probatum sufficienter.

---

[1] (D. Iacobus - probatum) *add. man. pr. in marg.* P. — [2] *om.* C 1. 2. — [3] *om.* C 1. — [4] (s. e.) e. s. C. — [5] Praenestinus C. — [6] (s. p. e.) e. s. p. C. — [7] et si sit miraculum *add.* C 1.

Dominus P. de Columpna dixit esse miraculum et sufficienter probatum esse [1].

Dominus Iacobus de [2] Columpna dixit esse miraculum et dubitat esse probatum vel non.

5 Dominus Richardus de Senis dixit quod dubitat utrum sit miraculum, et dixit non esse probatum sufficienter.

Dominus Franciscus dixit quod dubitat esse miraculum, et dixit non esse probatum.

Dominus Iacobus Gaie. [3] dixit quod credit factum esse miraculose; dubitat tamen utrum sit miraculum, et dubitat utrum sit probatum.

Dominus Gulielmus de Pergamo dixit esse miraculum et esse probatum sufficienter.

Dominus [4] Neapoleo dixit esse miraculum et esse probatum [5], si 15 infirmitas esset incurabilis; et ideo dubitat esse miraculum vel non.

Eadem die sabbati Dominus diffinivit [6] miraculum esse et sufficienter probatum.

Sequitur de septimo miraculo, de quadam domina patiente heticam [7] infirmitatem.

Super quo dixit Dominus Tusculanus esse miraculum et fore 20 probatum sufficienter.

Dominus Penestrin. [8] dixit esse miraculum et esse [9] probatum sufficienter.

Dominus Avinionen. credit esse miraculum, sed dubitat esse probatum.

25 Dominus Biterren. dixit esse miraculum et esse probatum sufficienter.

Dominus Sancti Severii dixit esse miraculum et esse probatum sufficienter.

Dominus Michael dixit esse miraculum et esse probatum suffi-30 cienter.

Dominus Baionen. dixit esse miraculum et esse sufficienter probatum [10].

Dominus Vasaten. dixit esse miraculum et esse probatum sufficienter.

35 Dominus B. de Garno dixit esse miraculum et esse probatum sufficienter.

Dominus Ar.dus [11] de Pelagrua. [12] dixit miraculum esse et fore probatum.

[1] (s. p. e.) e. p. s. C. — [2] om. C. — [3] Gaietanus C. — [4] (Dominus - probatum) om. C3. — [5] sufficienter add. C2. — [6] definivit C. — [7] hecticam C. — [8] Praenestin. C, et sic deinceps. — [9] om. C. — [10] (s. p.) p. s. C. — [11] Arnald. C. — [12] Pelagi. P.

Dominus Iacobus dixit miraculum et probatum esse.

Dominus Richardus dixit quod non credit miraculum, nec esse probatum.

Dominus Franciscus dixit esse miraculum, et dubitat esse probatum.

Dominus Iacobus Gaie.[1] dixit quod non est miraculum, nec sufficienter probatum.

Dominus G. de Pergamo dixit esse miraculum et probatum sufficienter.

Dominus Napoleo dixit miraculum et probatum esse[2] sufficienter.

Credimus esse miraculum et pro materia, de qua agitur, competenter esse probatum.

—

Super octavo miraculo, de quodam qui patiebatur scrofulam in manu.

Dominus Tusculanus dixit miraculum et esse probatum sufficienter.

Dominus Penestrinus dixit miraculum et esse probatum sufficienter.

Dominus Avinionen. dixit miraculum, sed non probatum.

Dominus Biterren. dixit quod miraculum est, sed non sufficienter probatum.

Dominus Sancti Severii dixit quod est miraculum et est[3] sufficienter probatum.

Dominus Michael dixit miraculum esse et sufficienter probatum esse.

Dominus Baionen. dixit quod est miraculum et sufficienter probatum.

Dominus Vasaten. dixit miraculum et sufficienter probatum esse[3].

Dominus B. de Garno dixit miraculum et esse probatum.

Dominus Arnaldus de Pelagr. dixit miraculum et sufficienter probatum esse[2].

Dominus Iacobus de Columpna dixit miraculum et probatum esse.

Dominus Richardus dixit quod dubitat an sit miraculum, et non probatum esse[3].

Dominus Franciscus dixit quod dubitat esse miraculum, et non esse probatum.

Dominus Iacobus Gaie.[4] dubitat esse miraculum et non esse probatum.

---

[1] Gaetan. C. — [2] (p. e.) e. p. C. — [3] om. C. — [4] Gaietanus C.

Dominus G. de Pergamo dixit esse miraculum et esse probatum.
Dominus Neapoleo dixit esse miraculum et fore probatum sufficienter.

Sequitur de primo [1] miraculo facto [2] in papatu.

5   De quadam muliere tumida et inflata.

Eadem [3] die sabbati Dominus diffinivit [4] miraculum et esse probatum sufficienter (1).

Omnes de huiusmodi miraculo dicunt esse miraculum et fore probatum sufficienter, excepto Domino Richardo, qui dixit miraculum
10   esse [5] et dubitat esse probatum.

Eadem [6] die sabbati Dominus diffinivit [4] miraculum [7] et esse [8] probatum sufficienter.

Super secundo miraculo, de quadam muliere contracta in omnibus membris.

15   Omnes dicunt miraculum et esse probatum sufficienter. Sed Dominus Richardus dixit idem, si testes vera dicunt.

Eadem die sabbati [9] Dominus diffinivit [4] esse miraculum et esse probatum.

Sequitur de miraculis factis post renuntiationem a papatu.

Super primo miraculo, de quodam qui habebat otta [10] in oculis.

20   Dominus Avinionen. dixit quod dubitat miraculum ; sed, si esset miraculum, dixit esse probatum.

Dominus Richardus dubitat de utroque.

Dominus Franciscus dubitat de utroque.

Dominus Iacobus dubitat esse miraculum et non credit [11] pro-
25   batum.

Domini Tusculan., Penest., Biterren., Sancti Severii, Michael, Baionen., Vasaten., B. de Garno, Arnoldus de Pelagr., Iacobus de

---

[1] om. C 1. — [2] miraculis factis C 1. — [3] (Eodem - sufficienter) om. C 2. — [4] deffinivit C. — [5] (m. e.) e. m. C. — [6] (Eadem - sufficienter) om. C 3. — [7] esse miraculum C. — [8] om. C. — [9] om. C 1. — [10] octa C 1; optalmiam C 2. 3. — [11] esse add. C.

(1) Cette phrase ne semble pas à sa place ; car elle revient encore pour le même miracle cinq lignes plus bas. Elle appartient sans doute, comme conclusion à la consultation précédente.

Columpna, Guilielmus de Pergamo et Neapoleo dicunt miraculum et esse probatum sufficienter.

———

Super secundo miraculo, de quadam quae patiebatur scrofulas in gutture (1).

Dicunt omnes esse miraculum; sed dicunt non esse probatum, [5] exceptis Dominis Penestrino, Michaele et Guilielmo de Pergamo, qui dicunt miraculum esse et fore probatum sufficienter.

Eadem die sabbati Dominus diffinivit [1] miraculum et esse probatum.

———————

Sequitur de miraculis factis in morte et post mortem.

Super primo miraculo, de quadam cruce quae apparuit in morte [10] dicti fr. Petri in ostio [2] camerae, in qua mortuus est idem fr. Petrus.

Dominus Tusculan. dixit esse miraculum et esse probatum.

Dominus Penestrin. dixit esse miraculum et esse probatum.

Dominus Avinionen. dixit esse miraculum et esse probatum.   [15]

Dominus Biterren. dixit idem.

Dominus Sancti Severii dixit idem.

Dominus Michael dixit idem.

Dominus Baionen. dixit idem.

Dominus Vasaten. dixit idem.   [20]

Dominus B. de Garno dixit idem.

Dominus Arnaldus [3] de Pelagr. dixit idem.

Dominus Iacobus de Columpna dixit idem.

Dominus Richardus dixit [4] miraculum; dubitat utrum sit probatum.

Dominus Franciscus [5] dixit quod reputat miraculum et esse pro- [25] batum sufficienter.

Dominus Iacobus Gaietanus dixit quod dubitat utrum sit miraculum, et dubitat probatum.

Dominus Guliel. de Pergamo dixit esse miraculum et esse probatum.   [30]

Dominus Neapoleo dixit idem.

Eadem die sabbati Dominus diffinivit [6] miraculum et esse probatum sufficienter.

———

[1] definivit C. — [2] hostio P. — [3] Ard' P. — [4] quod *add.* P *al. man. s.* XIV, *add.* C1. — [5] (D. Franciscus... D. Iacobus ... - probatum) *om.* C. — [6] dixit C.

(1) Omis dans la bulle

Sequitur secundum miraculum post mortem dicti fratris Petri, de
quodam puero paralitico et contracto. Super quo quidem [1] miraculo
Dominus Tusculanus dixit miraculum et esse probatum.
Dominus Penestrinus dixit idem.
5 Dominus Avinionen. dixit quod dubitat de miraculo et probatione.
Dominus Biterren. dixit miraculum et esse probatum.
Dominus Sancti Severii dixit idem.
Dominus Michael dixit idem.
Dominus Baionen. dixit idem.
10 Dominus Vasaten. dixit idem.
Dominus B. de Garno dixit idem.
Dominus Raimundus (1) dixit idem.
Dominus Arnaldus dixit idem.
Dominus P. de Columpna dixit idem.
15 Dominus Iac. de Columpna dixit idem.
Dominus Richardus dixit quod dubitat utrum sit miraculum et [2]
probatum.
Dominus Franciscus dixit quod dubitat de utroque.
Dominus Iacobus Gae. [3] dixit quod dubitat miraculum ; sed si esset
20 miraculum [4], dixit [5] probatum.
Dominus Gulielmus de Pergamo dixit miraculum et [6] probatum.
Dominus Neapoleo dixit idem.
Eadem die sabbati Dominus definivit miraculum et esse probatum.

—

Sequitur tertium miraculum, de quodam qui patiebatur dolores
25 intolerabiles [7] (2). Super quo tertio [4] miraculo [4]
Dominus Tusculanus dixit miraculum et esse [8] probatum.
Dominus Penestrin. dixit idem.
Dominus Avinionen. dixit idem.
Dominus Biterren. dixit idem.
30 Dominus Sancti Severii dixit idem.
Dominus Michael dixit magis credit miraculum quam non, et dixit
probatum.
Dominus Baionen. dixit miraculum et probatum.

[1] *om. C 1.* — [2] *sit add. C.* — [3] *om. C.* — [4] *om. C 1.* — [5] *esset sufficienter C.* —
[6] *sufficienter add. C.* — [7] *intollerabiles P.* — [8] (m. et e.) e. m. et *C.*

(1) R. de Farges, neveu de Clément V, créé cardinal le 19 décembre 1310. Il prit
le titre de S. Maria Nova, devenu vacant cette année même par la mort de Raymond de Got, autre neveu du pape. Cf. Ehrle, tableau généalogique de la famille
de Clément V, *ouvr. cité,* p. 149; Ehrle, *ouvr. cité,* p. 13. — (2) Ce miracle, ainsi
que les suivants, a été omis dans la bulle.

Dominus Vasaten. dixit idem.
Dominus B. de Garno dixit idem.
Dominus Raymundus dixit idem.
Dominus Arnaldus dixit idem.
Dominus P. de Columpna dixit idem.   5
Dominus Iacobus de Columpna dixit idem.
Dominus Richardus dixit miraculum, sed non probatum.
Dominus Franciscus dixit miraculum et probatum.
Dominus Iacobus Gaie.[1] dixit miraculum, sed non probatum.
Dominus G. de Pergamo dixit miraculum et probatum.   10
Dominus Neapoleo dixit idem.

Eadem die sabbati Dominus diffinivit[2] miraculum et esse sufficienter[3] probatum.

———

Sequitur quartum miraculum, de quodam qui patiebatur dolores in cossa[4]. Et super ipso[5] quarto miraculo omnes dicunt miraculum et esse probatum sufficienter, excepto D. Richardo, qui dixit quod, si 15 est ita, reputat miraculum, sed non probatum.

Credimus[6] miraculum et saltem[7] in materia, de qua agitur, competenter esse[7] probatum.

———

Sequitur sextum miraculum, de quadam contracta in bracchio dextro et pede curata. Et super ipso sexto[8] miraculo   20
Dominus Tusculanus dixit esse miraculum et esse probatum.
Dominus Penestrinus dixit idem.
Dominus Avinionen. dixit idem.
Dominus Biterren. dixit idem.
Dominus Sancti Severii dixit idem.   25
Dominus Michael dixit miraculum et non esse probatum.
Dominus Baionen. dixit miraculum et probatum esse.
Dominus Vasaten. dixit idem.
Dominus Bernardus dixit idem.
Dominus Raymundus dixit idem.   30
Dominus Arnaldus dixit idem.
Dominus Petrus de Columpna dixit miraculum, et dubitat probatum esse.
Dominus Iacobus de Columpna dixit miraculum et probatum esse.
Dominus Richardus dubitat utrum sit miraculum, sed non credit 35 probatum.

———

[1] Gaiet. *C.* — [2] definivit *C.* — [3] *om. C.* — [4] costa *C2. 3.* — [5] (i. q. m.) eo *C1.* — [6] esse [7]*add. C1.* — [7] *om. C.* —. [8] (i. s.) quo *C1.*

Dominus Franciscus dixit miraculum, sed non probatum.
Dominus Iacobus Gaie.[1] dixit quod dubitat de utroque.
Dominus Guilielmus dixit miraculum et esse probatum.
Dominus Neapoleo dixit miraculum et non esse probatum.
5 Reputamus miraculum esse et esse [2] probatum.

—

Sequitur septimum miraculum, de quadam muliere contracta de[3] latere dextro. Et super ipso septimo miraculo
Dominus Tusculanus dixit miraculum et esse probatum.
Dominus Penestrin. dixit idem.
10 Dominus Avinionen. dixit idem.
Dominus Biterren. dixit idem.
Dominus Sancti Severii dixit idem.
Dominus Michael dixit quod est miraculum, sed non probatum.
Dominus Baionen. dixit miraculum et probatum esse.
15 Dominus Vasaten. dixit idem.
Dominus Bernardus dixit idem.
Dominus Raymundus dixit idem.
Dominus Arnaldus [4] dixit idem.
Dominus Petrus de Columpna dixit idem.
20 Dominus Iacobus de Columpna dixit idem.
Dominus Richardus dixit quod credit miraculum, si ita sit, sicut testes dicunt, sed non probatum.
Dominus Franciscus dixit idem, sicut D. Richardus.
Dominus Iacobus Gaietanus dixit quod dubitat de miraculo, et
25 dixit non esse probatum.
Dominus Gulielmus de Pergamo dixit miraculum et esse probatum.
Dominus Neapoleo dixit idem, sicut D. Gulielmus[5].

[1] Gaiet. C. — [2] om. C. — [3] in C1. — [4] Bernardus C1. — [5] Finis. add. C1.

S. ANASTASE

MARTYR DE SALONE

Un savant dalmate qui s'est fait connaître par une série de recherches archéologiques concernant les antiquités chrétiennes de son pays, M. L. Jelic', s'est occupé à plusieurs reprises d'un martyr de Salone, auquel on donne le nom d'*Anastasius cornicularius,* pour le distinguer d'un homonyme, également de Salone, que l'on appelle *Anastasius fullo.* Dans un récent mémoire, il a recueilli toutes les données éparses concernant S. Anastase le corniculaire (1), et tout dernièrement, il annonçait que les découvertes archéologiques venaient corroborer ses conclusions (2). Celles-ci sont assez complexes, en tant qu'elles ont pour objet non seulement le martyr lui-même, mais aussi les sources de son histoire. Mais la question principale se pose en ces termes : faut-il admettre l'existence d'un martyr de Salone Anastase, distinct d'Anastase le foulon ? M. Jelic', avec la plupart des hagiographes, répond affirmativement. On trouvera peut-être que l'étude des documents, pris dans leur ensemble, ne permet guère de soutenir cette opinion.

I

Sources de l'histoire des deux saints Anastase.

Le martyrologe hiéronymien, au 26 août, nomme S. Anastase martyr de Salone : *VII kal. sept. in Salona Anastasi.* C'est le texte de l'*Epternacensis.* Le *Wissemburgensis* et le *Bernensis* (celui-ci au 25 du mois) ajoutent : *Hic fullo fuit.* Il n'est point question dans ce document d'un autre Anastase salonitain. L'Anastase du 7 septembre, qui a décidé Baronius à choisir cette date pour S. Anastase le foulon, n'est accompagné d'aucune indication qui justifie ce choix (3).

Le pape Jean IV (640-642), originaire de Dalmatie, voulant soustraire aux profanations les reliques des saints les plus vénérés de son pays, les fit transporter à Rome, et les déposa dans une chapelle voisine du

---

(1) L. Jelic, *Anastasius cornicularius, der Martyrer von Salona* (Sonderabdruck aus der " Festschrift zum 1100 jährigen jubilaum des deutschen Campo Santo in Rom, p. 21-32). — (2) *Bullettino di archeologia e storia Dalmata,* 1897, p. 65. — (3) Voir *Act. SS.,* Sept. t. III, p. 22.

baptistère du Latran : *Fecit ecclesiam beatis martyribus Venantio Anastasio Mauro et aliorum multorum martyrum* (1). Les principales mosaïques dont le pape fit décorer cette chapelle existent encore (2). Les saints martyrs y sont représentés avec leurs insignes, et leurs noms sont inscrits à côté d'eux. Quatre d'entre eux portent le costume militaire : SCS TELIVS, SCS PAVLINIANVS, SCS ANTIOCHIANVS, SCS CAIANVS. S. Venant et S. Maur sont revêtus des ornements épiscopaux. S. Anastase est représenté dans un costume d'une grande richesse, mais qui n'est caractéristique d'aucune profession ni d'un rang déterminé.

Personne n'a jamais prétendu sérieusement que le S. Anastase représenté sur la mosaïque fût le *cornicularius miles* dont parlent les Passions. On lui aurait donné, comme aux quatre soldats, l'habit militaire, et il est hors de doute que l'artiste a voulu tracer l'image de S. Anastase le foulon. Nous possédons la Passion de ce saint. Elle a été publiée dans les *Acta Sanctorum* (3), et plus récemment, avec beaucoup de soin, par M. Jelic' (4). Ce n'est point un document de premier ordre. Mais il ne faut pas être trop difficile, et dans le cas présent, la pièce ne suscite aucun problème embarrassant. En somme, Anastase le foulon est un saint dont le dossier hagiographique ne laisse presque rien à désirer. En est-il de même de son homonyme ?

Comme nous l'avons dit, le martyrologe hiéronymien ne connaît qu'un seul saint dalmate du nom d'Anastase. Le petit martyrologe romain de Rosweyde, au 21 août, annonce : *Salonae Anastasii martyris*, sans autre qualification. Les martyrologes d'Adon et d'Usuard, à la même date, précisent davantage : *In civitate Salona Anastasii martyris, qui, cum videret sanctum Agapitum inter tormenta fortius Christum confitentem, exclamavit : « Magnus est Deus, et non est alius praeter eum. » Erat autem cornicularius miles*, etc. C'est le texte d'Adon. Nous pouvons négliger Usuard, par l'intermédiaire duquel S. Anastase le corniculaire est entré dans le martyrologe romain. Adon cite textuellement la Passion de S. Agapit de Préneste. C'est de cette pièce seule que dérive la mention de S. Anastase le corniculaire. Adon en a tiré également, outre la notice de S. Agapit lui-même, celle de S. Porphyrius, au 20 août : *Eodem die beati Porphyrii hominis Dei, qui sanctum martyrem Agapitum erudivit in fide et doctrina Christi.* Nous sommes donc ramenés à étudier la source d'Adon, la Passion de S. Agapit. Il sera facile de constater que S. Anastase ne se trouve pas mentionné dans toutes les recensions de cette pièce. Mais, en revanche, on rencontrera son nom dans une autre Passion, celle de S. Venant de Camerino,

---

(1) *Liber pontificalis*, DUCHESNE, t. I, p. 330. — (2) GARRUCCI, *Storia dell'arte crist.*, t. IV, p. 272; DE ROSSI, *Musaici*, S. Venanzio. — (3) *Act. SS.*, ad diem 7 sept., t. III, p. 22-23. — (4) *Ephemeris Salonitana* (Iaderae, 1894), p. 21-24.

qui a des rapports étroits et assez inattendus avec celle de S. Agapit.
L'étude de l'une et de l'autre nous amènera peut-être à établir l'identité de S. Anastase le corniculaire.

II
Les Actes de S. Agapit de Préneste et de S. Venant de Camerino.

On peut distinguer deux recensions principales de la Passion de
S. Agapit de Préneste, représentées par les deux textes publiés dans les
Acta Sanctorum (1). La première est tirée d'un manuscrit du Mont-
Cassin. Nous allons la résumer en quelques traits caractéristiques.

Agapit est un personnage vénérable, *vir venerabilis*, — il n'a que
quinze ans — originaire de Rome, menant à Préneste la vie monastique
sous la conduite d'un certain Porphyrius. Il se présente au roi Antiochus et lui reproche ses cruautés envers les chrétiens. Le roi le fait
saisir, l'interroge et ordonne de le mettre à la torture, mais sans aucun
résultat. Là dessus, le persécuteur part pour la Ligurie, et remet sa
victime entre les mains d'un préfet nommé Amas, qui l'accable de nouveaux tourments. On lui envoie le *corniculaire Attalus* qui, après avoir
essayé en vain de le fléchir, se convertit lui-même. Après de nouvelles
souffrances, Agapit est ramené à Préneste (sans qu'on voie comment il
en est sorti) et décapité.

D'après la seconde pièce, Agapit, *puer venerabilis*, vivait à Rome, au
temps de l'empereur Aurélien et du préfet Antiochus. Après lui avoir
fait subir de cruelles souffrances, on lui envoie le *corniculaire Attalus*,
un renégat, qui, comme dans l'autre version, se convertit. Le préfet
Antiochus tombe de son tribunal, et meurt. Agapit est conduit à Préneste et décapité.

Dans un certain nombre de manuscrits, celui, par exemple, dont
s'est servi Mombritius, cette même recension présente des variantes
notables. Le drame se déroule *sub rege Antiocho*, comme dans la
Passion du Mont-Cassin. Le personnage qui est envoyé au martyr
s'appelle d'abord le *corniculaire Attalius*, puis un peu plus tard le
corniculaire Anastasius, et c'est ce dernier qui se convertit. Le style
barbare de la pièce ne permet pas de décider si ce sont deux personnages distincts. En la rapprochant des autres versions, on voit que
l'auteur a voulu parler du même corniculaire.

Dans les courts résumés que nous venons de donner, bien des
incohérences ont disparu, et nous avons supprimé le détail des lieux
communs, les développements interminables et les dialogues incolores

(1) Ad d. 18 aug., t. III, pp. 532-37, 537-39.

dont ces pièces sont remplies. On n'hésitera pas, après les avoir lues, à
les ranger dans la catégorie des pièces fabuleuses. Les éléments historiques que l'on parvient à y découvrir avec quelque certitude, se rédui-
sent aux noms du saint principal et de la ville où il était honoré. Inutile,
après cela, de vouloir dater le martyre de S. Agapit par les données
de la Passion, vu surtout que l'empereur Aurélien paraît n'y avoir été
introduit que plus tard, en même temps qu'Antiochus était transformé
en préfet, pour écarter l'*Antiochus rex*, qui semblait par trop choquant.
Le corniculaire Anastase, faut-il le dire, joue dans la Passion un rôle si
secondaire et si mal défini que l'on ne peut vraiment se contenter de
sa présence dans un pareil document pour conclure à la réalité du
personnage. Je n'insiste pas sur cette circonstance que le corniculaire
s'appelle le plus souvent *Attalus*, et non Anastase.

C'est bien ce dernier nom qu'Adon a déjà trouvé dans un exemplaire
de la Passion de S. Agapit, et nous essaierons d'expliquer comment
Attalus a pu le supplanter ou se glisser à côté de lui. Il est plus important de constater qu'Anastase, après sa conversion, disparaît de la
scène. Le persécuteur lui reproche bien de s'être laissé séduire ; mais
c'est au lecteur de conclure qu'il a été mis à mort. Où et quand ?
Aucune des versions de la Passion ne le dit, et c'est là un indice bien
grave. Adon commence, il est vrai, sa notice par ces mots : *In civitate
Salona natalis Anastasii martyris.* Mais il n'a pas tiré cette indication
des Actes de S. Agapit. Cette formule est celle du martyrologe hiéronymien, à un jour voisin du 21 août. C'est Adon qui a identifié Anastase
le corniculaire avec le martyr de Salone.

Occupons-nous maintenant d'une autre pièce où se rencontre le nom
de *Anastasius cornicularius.* Ce sont les Actes de S. Venant de
Camerino. Papebroch, le premier, a signalé l'extraordinaire ressemblance de ces Actes avec ceux de S. Agapit (1). Toute la première partie
de la Passion de S. Venant est identique, sauf quelques modifications
inévitables, à la seconde recension des Actes de S. Agapit. Le drame
se passe à Camerino, au temps du roi Antiochus. Venant est un enfant
de quinze ans, élevé dans les pratiques de la vie monastique par
Porphyrius. Le roi d'abord, puis un préfet, le font tourmenter. Le saint
reçoit la visite d'un *corniculaire Anastasius,* qui est converti par lui.
Anastase reçoit le baptême des mains de Porphyrius, et cueille bientôt
la palme du martyre. Plus tard encore, Venant est sollicité d'apostasier
par un certain *Attalus praeconiarius,* un renégat. Celui-ci ne réussit
point ; mais il n'est pas question de sa conversion. Cependant, le roi
est tourmenté par un songe mystérieux. Porphyrius est appelé pour
en donner l'explication ; mais il lui en coûte la vie. Après quoi, Venant est

(1) *Act. SS.,* ad d. 18 mai, t. IV, p. 144, carton.

soumis à des supplices de plus en plus raffinés. Il fait plusieurs miracles, et convertit ses bourreaux. Enfin, il périt par le glaive, et peu
après, le roi lui-même meurt. Un épilogue nous renseigne sur ce que
deviennent la plupart des compagnons du saint, et sur le culte rendu
aux martyrs (1).

L'identité des deux pièces est évidente. Abstraction faite de quelques
épisodes, la trame du récit est la même ; les noms des personnages
sont identiques, et les mêmes faits sont racontés dans les mêmes termes.
Laquelle des deux pièces a servi de modèle à l'autre ? Existe-t-il une
troisième Passion dont dépendent directement les Actes de S. Agapit et
ceux de S. Venant ?

A nous en tenir aux attestations les plus anciennes et les plus
authentiques, tant au sujet des martyrs eux-mêmes qu'au sujet de leurs
Actes, nous devrions accorder la priorité à la Passion de S. Agapit.
Papebroch a exprimé cette opinion (2), sans toutefois détailler ses raisons. On pourrait dire que S. Agapit compte parmi les martyrs les plus
célèbres des environs de Rome, et que ses Actes, quelque mauvais qu'ils
soient, ont été lus dès le VIII⁰ ou le IX⁰ siècle au plus tard. S. Venant
de Camerino se trouve dans des conditions bien moins favorables. Les
anciens martyrologes ne le connaissent pas. Aussi est-il fort difficile
d'établir son identité. On signale bien, dans les Marches, aux environs
de Camerino, un saint Venant, dont on trouve des traces dès le
XII⁰ siècle, et qui fut peut-être un martyr (3). Mais les renseignements
que nous avons sur lui sont si maigres que l'on n'ose rien affirmer à son
sujet. C'est dans une pièce de vers postérieure à la première moitié du
XIII⁰ siècle (4) qu'il est d'abord question du patron de Camerino, *Venanti
martyris almi*. La Passion de ce saint n'a pour elle aucun témoignage
ancien, et tout porte à croire qu'elle a été composée après l'époque où
le culte de S. Venant devint populaire à Camerino, c'est-à-dire à la fin
du XIII⁰ siècle. Les Actes du martyr de Préneste sont bien plus anciens,
on l'a vu, et s'il y a dépendance mutuelle entre les deux Passions, c'est
celle de S. Venant qui aurait été copiée sur l'autre.

Mais en y regardant de plus près, on a quelque peine à admettre cette
dépendance. Bien que les Actes de S. Venant soient fabuleux au dernier
point, il faut reconnaître qu'ils présentent un récit plus suivi et mieux
ordonné que ceux de S. Agapit. C'est une pièce complète, un de ces
petits romans édifiants dont la littérature hagiographique offre tant de
spécimens, où l'on voit se mouvoir sur la scène une série de personnages
qui contribuent pour leur part à l'action et sur le sort desquels, après
différentes péripéties, on finit par être renseigné. L'histoire de S. Venant,

---

(1) *Act. SS.*, t. cit., p. 139-42. — (2) *Ibid.*, t. cit., p. 141, carton, n. 15. — (3) O. TURCHI,
De ecclesiae Camerinensis pontificibus libri VI (Romae, 1762), p. 159-174. — (4) *Act.*
SS., Mai t. III, p. 137-38.

malgré beaucoup d'invraisemblances inhérentes au genre, est conduite
avec une certaine logique. Le corniculaire Anastase se convertit, mais
il est aussitôt puni par le tyran et il subit le martyre. Porphyre, le
précepteur de S. Venant, meurt également pour la foi. D'autres de ses
compagnons ne périssent point, mais sont admis dans le clergé de
Camerino. Attale, personnage tout à fait secondaire, ne fait qu'une
courte apparition et ne se convertit point ; on comprend qu'en sa qualité
de renégat, il reste endurci. Enfin, le persécuteur reçoit le châtiment
de ses crimes.

La Passion de S. Agapit, même dans sa meilleure forme, est loin de
présenter un ensemble aussi équilibré, aussi achevé, s'il est permis de
s'exprimer ainsi. Ainsi, Porphyre ne se montre qu'un instant, et
aussitôt on le perd de vue. Remarquez, en passant, qu'il en était de
même dans la recension employée par Adon. Celui-ci, dans sa notice
sur Porphyre du 20 août, se contente de dire : *Beati Porphyrii hominis
Dei, qui sanctum martyrem Agapitum erudivit in fide et doctrina Christi.*
Il n'était donc point question plus loin de son martyre, comme dans
la Passion de S. Venant. Le corniculaire aussi disparaît après sa conversion, dont l'épilogue naturel était également le martyre. De plus,
une grande confusion s'est produite entre deux personnages bien
distincts : Anastase le corniculaire, et le héraut Attale. Ici, les diverses
recensions varient, on s'en souvient. Tantôt c'est Attale le corniculaire,
l'apostat, qui se convertit ; tantôt c'est le corniculaire Attale qui paraît
d'abord, puis le corniculaire Anastase, et ils disparaissent l'un et
l'autre, sans que l'on voie ce qu'ils sont devenus. On reconnaît aisément
que le compilateur des Actes de S. Agapit a travaillé sur une pièce
dans laquelle, comme dans les Actes de S. Venant, se mouvaient autour
du héros principal des personnages de second ordre, comme Porphyre,
Anastase, Attale et autres. Il a traité ces derniers avec la plus extrême
négligence, taillant maladroitement dans le modèle, n'y prenant que ce
qui était à son goût, et laissant tout le reste, sans remarquer les hiatus
considérables qu'il introduisait dans le récit.

Personne ne dira, je pense, que la Passion d'Agapit, dans cet état,
est primitive, qu'elle a été conçue ainsi, et que l'auteur des Actes de
S. Venant n'a fait que retoucher, compléter et raccorder les morceaux
mal agencés de l'autre pièce. L'hagiographe capable de cette besogne
n'aurait pas eu besoin de s'emparer de l'œuvre d'autrui pour raconter
l'histoire de son patron. Admettrons-nous donc que les Actes de
S. Agapit sont calqués sur ceux de S. Venant de Camerino? Pas davantage. Comme nous l'avons dit, tout donne lieu de croire que cette
pièce n'a point existé, sous cette forme, avant la fin du XIII siècle. Elle
renferme d'ailleurs bien des traits qui ne permettent point de la regarder comme une composition originale. Elle appartient elle-même à la

catégorie des adaptations. Moyennant le changement du nom du saint
et du centre de son culte, on s'est approprié des Actes existants.

Il nous reste à chercher quelle pourrait être la source commune des
hagiographes de Camerino et de Préneste.

III
Les prétendus Actes de S. Agapit d'Epetium.

Par une suite de considérations assez spécieuses, Farlati est arrivé à
conclure qu'il a existé primitivement une Passion d'un S. Agapit de
Dalmatie, lequel a été confondu avec son homonyme de Préneste (1).
C'est cette pièce qui, par une double transformation, aurait produit les
Actes de S. Agapit et ceux de S. Venant.

Farlati s'est particulièrement servi de ces derniers pour opérer la
« restitution » du document perdu. L'opération est fort simple. Au lieu
d'Antiochus, il met Aurélien. Agapit n'est pas un enfant de quinze ans,
mais un évêque. La scène est transportée de Camerino ou de Rome à
Salone. Comme le saint, d'après l'hagiographe, habitait dans une ville
voisine de la résidence impériale, Farlati a cru pouvoir le fixer à
Epetium, situé à 4 milles de Salone (2). De là le nom de S. Agapit
d'Epetium donné à l'évêque salonitain.

M. Jelic' constate que la tentative de Farlati n'a pas eu, auprès du
public savant, le succès qu'elle méritait. Il la regarde comme entièrement réussie, et découvre même, dans le martyrologe hiéronymien, de
quoi lui donner une base, dont, soit dit en passant, elle avait grand
besoin (3). Au XV des calendes de septembre (18 août), outre l'annonce
du martyr de Préneste : *In civitate Pinistrina miliario XXXIII Agapiti*, les trois principaux manuscrits donnent une seconde fois le nom
d'Agapit : *Martyrii Agapiti Eziae* (Bern.), *Martyrii Agapiti et Ziai*
(Eptern.), *Martyrii Agapiti Eziaci* (Wissemb.). Le dernier mot est
évidemment (offenbar), dit M. Jelic', non point un nom de personne
mais une corruption de *Epetii*. Il faut lire : *Martyrii Agapiti Epetii*.
C'est S. Agapit d'Epetium, l'évêque de Salone.

Cette restitution du martyrologe hiéronymien est pour le moins aussi
audacieuse que l'entreprise de Farlati, et je crois qu'il faut y regarder
à deux fois avant de créer un saint nouveau, alors même qu'il nous
viendrait à point pour résoudre un problème littéraire. Personne,
jusqu'ici, n'avait douté, je pense, qu'on ne fût en présence d'une simple
répétition du nom de S. Agapit. C'est un accident de transcription dont
toutes les pages du martyrologe hiéronymien offrent plusieurs exemples. Sans vouloir expliquer le dernier mot de l'énumération, qui semble

---

(1) Farlati, *Illyricum sacrum*, t. I, p. 607-633. — (2) Voir *C. I. L.*, t. III, p. 304. —
(3) Jelic', *Anastasius cornicularius*, pp. 22, 29, 30.

bien être un nom de personne, nous continuerons à croire, jusqu'à preuve du contraire, que le nom de S. Agapit de Préneste est tombé, par la faute d'un copiste, dans le dernier groupe du 18 août, et que S. Agapit d'Epetium, évêque de Salone, héros principal des Actes primitifs que nous recherchons, n'est en définitive qu'une invention de Farlati.

D'abord, la mention d'Epetium est le résultat d'une pure divination. Farlati avait besoin, pour sa « restitution » d'un endroit voisin de Salone. Il a choisi Epetium. Il est bien difficile de prouver qu'Epetium ait jamais été le siège d'un évêché (1). Mais on le démontrerait, qu'il faudrait encore trouver un Agapit dans la liste épiscopale.

On nous renvoie à celle de Salone. Il conviendrait de se rappeler d'abord en quel état elle nous est parvenue. Tous les catalogues des évêques de Salone sont de très basse époque, et, s'il s'y rencontre un évêque *Amabilis* (traduisez *Agapitus*), c'est bien loin dans la série, et nullement à l'époque des persécutions. Dans un exemplaire seulement, il se trouve transporté, avec plusieurs noms voisins, au commencement de la liste. Mais ni son nom, ni sa date ne sont suffisamment attestés. Quelque ingénieuse qu'elle soit, l'explication de Farlati est donc trop fragile pour résoudre la question qui nous occupe, et l'hypothèse des Actes de S. Agapit d'Epetium tombe avec le prétendu S. Agapit lui-même.

Il y a pourtant à retenir quelque chose des recherches de Farlati, remises en lumière par M. Jelic'; c'est que la Passion de S. Venant de Camerino renferme des éléments dalmates. Certaines indications topographiques s'appliquent assez bien aux environs de Salone (2) pour qu'il soit permis d'y trouver une marque de provenance. Mais il y a d'autres attaches avec la Dalmatie. Ce sont les noms des deux acteurs principaux, Venantius et Anastasius. En effet, en tête du célèbre groupe de martyrs dont les reliques ont été transportées à Rome par le pape Jean IV, on trouve S. Venant, qui a donné son nom à la chapelle du Latran, et S. Anastase le foulon. N'est-il pas vraisemblable qu'on a vu se renouveler ici un fait bien fréquent en hagiographie ? Avec des noms historiques, on a composé une légende qui est une œuvre de pure imagination, une Passion dont les plus illustres martyrs de Salone sont les héros, sans que l'auteur se soit davantage soucié de la vérité historique. Lorsqu'il s'est agi de célébrer le nouveau saint de Camerino, Venantius, on a eu la bonne fortune de rencontrer la Passion de S. Venant de Salone, dans laquelle il suffisait de changer quelques noms de lieux. Qui sait si l'hagiographe n'a pas même procédé de bonne foi à cette substitution ? Avec la dose de simplicité qu'il devait avoir, il a pu croire que le martyre de S. Venant avait été, par erreur, transporté à Salone, alors qu'il avait eu lieu à Camerino.

(1) *Jelic'*, *op. cit.*, p. 30. — (2) *Ibid.*, pp. 25, 30; Farlati, *op. cit.*, t. I, p. 631.

On objectera peut-être, qu'il est invraisemblable qu'Anastase le foulon, dont on possédait des Actes, ait pu être transformé en corniculaire. Ce n'est pas une difficulté. L'auteur a pu ne point connaître ces Actes, qui ont été très peu répandus, à en juger par le petit nombre de manuscrits qui les ont conservés (1). On pourrait d'ailleurs citer d'autres exemples de pièces hagiographiques dont les auteurs se sont audacieusement livrés aux fantaisies de leur imagination, en se mettant formellement en opposition avec les données des monuments les plus connus. Les SS. Nérée et Achillée ne sont-ils pas devenus de cette manière les eunuques de Domitille, alors que sur les murs de leur basilique tout le monde pouvait lire l'inscription en beaux caractères damasiens : *Militiae nomen dederant?*

On me demandera encore comment ceux de Préneste ont pu songer à s'approprier les Actes d'un S. Venant de Dalmatie, alors qu'il n'y avait aucun lien entre celui-ci et leur patron? C'est un problème que je ne me charge pas d'éclaircir, pas plus que d'autres analogues qui se posent à chaque pas. Pour nous en tenir à un petit nombre d'exemples, quelle relation trouve-t-on entre S. Éphyse et S. Procope, S. Sylvain et S. Symphorien, Ste Martine et Ste Tatiana, Ste Honorine et Ste Dorothée? Et pourtant il s'est fait, à propos de tous ces saints, des échanges d'Actes, qui doivent s'expliquer probablement par ce seul fait, qu'un plagiaire prend son bien où il le trouve. De plus, si l'on veut absolument qu'il faut un S. Agapit dalmate pour expliquer les Actes d'un homonyme de Préneste, je demanderai comment ce S. Agapit a pu se confondre avec S. Venant de Camerino. La difficulté ne serait que déplacée.

D'ailleurs, nous ne tenons pas outre mesure à l'hypothèse nouvelle qui substitue des Actes perdus de S. Venant de Salone à la Passion de S. Agapit d'Epetium inventée par Farlati, et nous n'avons pas la moindre envie d'essayer la « restitution » dont ce savant a donné l'exemple. Nous disons seulement que, dans l'état de nos connaissances, cette supposition est la moins arbitraire, qu'elle explique un plus grand nombre de difficultés, qu'elle tient mieux compte des procédés bien connus de l'hagiographie médiévale, et qu'elle n'a pas l'inconvénient de faire entrer au martyrologe un saint dont l'existence n'est point garantie.

En effet, nous avons montré que toutes les données que l'on est parvenu à réunir sur Anastase le corniculaire, comme personnage distinct de son homonyme, dépendent d'une source unique, la Passion perdue qui a servi à fabriquer les Actes de S. Agapit de Préneste et de S. Venant de Camerino. Quoi que l'on parvienne à découvrir un jour sur l'origine de cette pièce problématique, on ne niera jamais qu'elle ne soit fabuleuse au premier chef. Accepter sans contrôle n'importe

(1) Voir Jelic', *I Monumenti dei martiri Salonitani* dans Ephemeris Salonitana, p. 21.

quel renseignement qu'elle renferme, c'est s'exposer à commettre les plus graves erreurs. Les martyrologistes du IX⁰ siècle ont pu se contenter d'une pareille autorité pour inscrire un nom de plus dans les fastes. Ne les imitons pas.

Dans notre explication, Anastase le corniculaire n'est pas différent de S. Anastase le foulon. Un clerc ignorant a opéré la métamorphose, comme un de ses collègues a transformé deux soldats palatins en valets de chambre de Domitille. Cette erreur, comme l'autre, a passé dans les martyrologes, et a eu pour effet de dédoubler S. Anastase de Salone. C'est trop peu dire. On a admis, et logiquement, me semble-t-il, deux Anastase le corniculaire, celui des Actes de S. Agapit, et celui des Actes de S. Venant, et l'on a eu, outre l'Anastase du 21 août, celui du 11 mai : *Camerini in Umbria, S. Anastasii cornicularii* (1). Cette mention, comme d'autres encore que l'on pourra relever dans les martyrologes (2), se rapportera à un personnage réel, à condition de l'appliquer à Anastase le foulon. Nous avons suffisamment montré combien cette identification est vraisemblable.

IV
S. Anastase et les découvertes archéologiques.

Pour ne pas embarrasser la discussion, les monuments archéologiques ont été laissés de côté dans ce qui précède, bien qu'à première vue ils témoignent formellement en faveur de la distinction des deux Anastase. Salone possède deux antiques cimetières chrétiens : celui de Manastirine ou *Legis sanctae christianae*, et celui de Marusinac. L'un et l'autre ont été explorés avec une pieuse ardeur par les archéologues dalmates, qui n'ont pas laissé de mettre le public au courant de leurs découvertes (3). Or, c'est dans le premier cimetière qu'ils placent le tombeau de S. Anastase le foulon; dans le second, ils désignent celui de S. Anastase le corniculaire. Commençons par ce dernier.

La partie actuellement dégagée du cimetière de Marusinac (4) renferme des restes appartenant à différentes époques. Les plus anciens seraient les ruines d'une riche villa romaine. Les premières sépultures semblent dater de la seconde moitié du III⁰ siècle. On y remarque surtout un mausolée de forme carrée, au centre duquel se voit un grand

(1) *Acta SS.*, ad diem 11 mai, t. II, p. 613. — (2) Voir *Acta SS.*, ad d. 1 apr., t. I, p. 6; *ibid.* ad d. 6, 7 ianuarii, t. I, pp. 324, 470. — (3) Voir surtout Bulic', *Bullettino di archeologia e storia dalmata*, passim ; Jelic'-Bulic'-Rutar, *Guida di Spalato e Salona* (Zara, 1894), pp. 234-266, 258-268; Jelic', *Das Coemeterium zu Salona*, Römische Quartalschrift, t. V (1891), pp. 10, 105, 266; Jelic', *I Monumenti scritti e figurati dei martiri salonitani del cimitero della Lex sancta christiana*, Ephemeris Salonitana, p. 21-32. — (4) Nous empruntons cette description à M. Jelic', *Anastasius cornicularius*, p. 31.

sarcophage, sans inscription. Au sud de cette construction, on a découvert les restes d'une basilique à trois nefs, avec un narthex et un pavé de mosaïque. Dans le couloir qui réunit la basilique au mausolée, on a trouvé des tombes, et l'une d'elles portait l'inscription suivante (1).

† HIC IACIT IOHANNES
PECCATVR ET IN
DIGNVS PRESBITER
† EXPLETO ANNORVM CIR
CVLO QVINTO HVNC
SIBI SEPVLCRVM IO
HANNIS CONDERE IVSSIT
MARCELLINO SVO PROCON
SVLE NATO GERMANO PRAE
SENTE SIMVL CVNCTOSQVE
NEPOTES ORNAVIT TVMOLVM
MENTE FIDELI DEFVNCTVS ACCES
SIT OBSIS VNA CVM CONIVGE NATIS
ANASTASII SERVANS REVERENDA
LIMINA SCI TERTIO POST DECIMVM
AVGVSTI NVMERO MENS IND LI * PRAE
FINIVIT SAECVLI DIEM.

** legendum videtur* II.

Le prêtre Jean était enseveli près du tombeau d'un saint Anastase, *Anastasii servans reverenda limina, sancti*, à peu de distance du mausolée dont il a été question, et autour duquel sont groupées beaucoup d'autres sépultures. Le cimetière de Marusinac a fourni un bon nombre de fragments d'inscriptions sur lesquelles on a cru lire aussi le nom d'Anastase (2). Les restitutions ne sont pas assez certaines pour permettre de faire usage de ces textes. L'épitaphe du prêtre Jean suffit à établir qu'un saint Anastase était vénéré en ces lieux. Quel est ce saint Anastase? M. Jelic' n'hésite pas. C'est Anastase le corniculaire. Pourquoi? J'en cherche en vain une preuve. Mais on aurait tort d'insister. Quiconque admet l'existence de deux Anastase de Salone et place le tombeau de l'un dans le cimetière de Manastirine, doit logiquement conclure comme l'a fait M. Jelic'. Occupons-nous donc un instant des monuments qui fixeraient le lieu de la sépulture de l'autre Anastase.

Parmi les chapelles dédiées aux martyrs, celle qui est marquée **IV** sur le plan du cimetière de Manastirine (3), est attribuée à S. Anastase

<hr>

(1) *C.I.L.*, t. III, suppl. 9527. — (2) JELIC', *Scavi nel antico cemetero di Marusinac,* BULLETTINO D'ARCHEOLOGIA DALMATA, 1897, p. 65-80. — (3) Ce plan est joint à la *Guida di Spalato e Salona*, tav. III.

le foulon, sur la foi d'une inscription fragmentaire (1) portant les lettres suivantes :

DEPOS   I KAL. SEP.

Le second fragment seul était connu lorsque Rossi commenta les monuments relatifs aux martyrs de Salone (2). Il chercha aussitôt, parmi les saints dalmates, quels étaient ceux dont la fête se célébrait dans la seconde moitié du mois d'août. Le martyrologe hiéronymien n'indique pour cette période que S. Anastase le foulon : *VII. Kal. Sep. in Salona civitate sancti Anastasi martyris*. On pouvait donc admettre, avec une certaine probabilité, la restitution VII. KAL. SEP. et conclure que l'inscription se rapporte à S. Anastase. Avec la circonspection qui caractérise sa critique, Rossi s'est contenté d'énoncer la conjecture, en insistant sur la nécessité de demander à de nouvelles fouilles un supplément d'information.

Il faut regretter que cette réserve n'ait point été imitée. Les fouilles n'ont rien donné qui renforce la conjecture, et dans la restitution

DEPOS*itio Anastasii martyris die VII.* KAL. SEP.

la désignation du martyr et la détermination du jour de la déposition gardent leur caractère purement conjectural. Elle acquerrait un haut degré de vraisemblance si nous étions assez renseignés sur le martyrologe salonitain pour savoir que, vers la fin du mois d'août, il n'y a place que pour S. Anastase. Mais nous n'avons probablement pas même la liste complète des martyrs de Salone, et la date de plusieurs martyrs dont nous avons les noms, est inconnue. Je ne citerai que S. Maurus et S. Asterius, qui font partie du célèbre groupe du Latran. La liste des martyrs dont s'occupe M. Jelic' (3), fournit d'autres exemples. Que l'on démontre d'abord qu'aucun autre martyr de Salone n'a été fêté quelques jours avant les kalendes de septembre, et alors seulement on pourra parler de l'inscription d'Anastase, et surtout s'en servir comme d'un document. C'est ce qu'on a déjà trop fait, malheureusement. Je trouve l'inscription citée dans l'appareil critique de la *Passio S. Anastasii* pour prouver que la date *VII Kal. Septembris* est exacte (4), et ce qui est plus grave, on part de cet argument unique pour attribuer à S. Anastase la chapelle IV du cimetière de Manastirine.

On le voit, toutes les raisons qu'on avait de fixer dans ce cimetière le tombeau de S. Anastase le foulon, s'évanouissent l'une après l'autre, et le doute n'est plus possible. Ce n'est point à Manastirine qu'il a été enseveli, mais à Marusinac. Dans le premier de ces cimetières il n'y a aucune trace ancienne de son culte; car la chapelle des SS. Doimo et Anastase dont on parle parfois, et qui est distincte de la chapelle IV, ne date que

(1) Fac-similé dans Jelic', *Monum. dei martiri,* Ephem. Salon., tav. IV. 2. — (2) *Bull. di archeol. crist.,* 1879, p. 108-114. — (3) *Ephem. Salon.,* p. 25-29. — (4) *Ibid.,* p. 24.

de la fin du XVII⁰ siècle (1). L'autre cimetière, avec l'épitaphe du prêtre Jean, *Anastasii servans reverenda limina sancti*, fournit la preuve certaine qu'un Anastase y était honoré à l'égal des saints les plus célèbres.

Mais, dit-on, celui-ci est Anastase le corniculaire. — Pourquoi n'a-t-on pas pensé à lui attribuer la chapelle Manastirine, et à lire

DEPOS*itio Anastasii martyris die XII* KAL. SEP.

car on prétend que sa fête se célèbre le 21 août?

N'insistons pas, nous serions les premiers à rejeter cette restitution; car il n'existe qu'un saint Anastase de Salone, Anastase le foulon.

Une dernière difficulté. D'après les Actes, le corps d'un martyr fut recueilli par une riche matrone, nommée Asclepia, qui le garda quelque temps dans sa maison, *deinde basilicam fecit et beatum martyrem in Salonitano territorio collocavit* (2). Les ménées grecs « di redazione antichissima (3) » disent expressément qu'Asclepia l'ensevelit dans un tombeau préparé chez elle. Or, on est si persuadé, à Salone, que le cimetière de Manastirine se trouve sur l'emplacement du domaine d'Asclepia, qu'une inscription est chargée de l'apprendre aux visiteurs : *Coemeterium Legis sanctae christianae in praedio Asclepiae* (4).

Je ne sais de quel droit on attribue cette haute antiquité aux ménées grecs; ils sont de rédaction relativement récente, et leur témoignage est fort sujet à caution. Dire qu'une pieuse matrone a enseveli un martyr chez elle, alors qu'elle l'a d'abord gardé dans sa maison, puis enterré ailleurs, c'est à peine une inexactitude en comparaison des énormités que se sont permises les compilateurs des ménées Mais acceptons le renseignement comme s'il était puisé à bonne source. Il ne s'ensuit pas que le domaine d'Asclepia soit précisément l'endroit occupé par le cimetière de Manastirine. S'il faut absolument désigner le terrain où Asclepia aurait enseveli le martyr Anastase, je préfère m'en tenir au cimetière de Marusinac. On y a découvert les restes d'une villa romaine, et c'est bien là qu'un tombeau a été élevé à S. Anastase.

Comme conclusion de ce travail, nous prierons donc les savants dalmates qui étudient avec tant d'ardeur et de succès l'hagiographie de leur pays, d'examiner s'il n'y aurait pas lieu de rayer S. Anastase le corniculaire des fastes de Salone, de restituer S. Anastase le foulon à Marusinac; et lorsqu'on fera repeindre, à l'occasion de quelque congrès archéologique, la plaque qui désigne le cimetière de Manastirine, j'oserais proposer de supprimer les mots : *in praedio Asclepiae.*

(1) *Guida di Spalato e Salona*, p. 255. — (2) *Ephem. Salon.*, p. 24. — (3) *Guida*, p. 243. — (4) *Ibid.*, p. 234.

LE CURSUS

DANS LES DOCUMENTS HAGIOGRAPHIQUES

(L'ancienne Vie de saint Martial et la prose rythmée, par Charles-Félix Bellet. Paris, Picard, 1897, in-8º, 40 pp. Extrait de L'Université catholique, mars 1897.)

Mgr Bellet vient de faire valoir, en faveur de l'antiquité supposée de la Vie de S. Martial, un nouvel argument, qu'il croit être de grand poids et qui fournirait aux hagiographes une règle de critique très précieuse. Cet argument est tiré de la présence du *cursus*.

On sait que le *cursus* ou rythme prosaïque est caractérisé par certaines cadences déterminées, qui marquent la fin des phrases et même des membres de phrase. On distingue le *cursus métrique*, fondé sur la quantité prosodique des syllabes, et le *cursus rythmique*, dépendant uniquement de l'accent.

M. Noël Valois, dans son *Étude sur le rythme des bulles pontificales* (1), a montré le parti qu'on peut tirer du *cursus rythmique* pour juger de l'authenticité et déterminer les leçons exactes des bulles pontificales à partir du commencement du XII⁰ siècle jusqu'à la fin du XIV⁰. A la suite des auteurs de *Dictamina* ou traités de l'art épistolaire de cette époque, il distingue trois espèces de *cursus* : le *cursus planus*, résultant d'un mot ou d'un groupe de trois syllabes paroxyton; le *cursus tardus*, résultant d'un mot ou d'un groupe de quatre syllabes proparoxyton; le *cursus velox*, résultant d'un mot ou d'un groupe de quatre syllabes paroxyton, — ce mot ou groupe final étant, dans les trois cas, précédé d'un paroxyton (2. Les observations de M. Valois portent surtout, comme nous l'avons dit, sur les bulles du bas moyen âge. Il note cependant brièvement, pour les temps antérieurs, que les lettres pontificales depuis la fin du IV⁰ siècle jusque vers le milieu du VII⁰,

---

(1) *Bibliothèque de l'École des chartes*, t. XLII (1881), p. 161-98 et 257-72. — (2) Exemples : *a) dona concede, mundemur in mente; b) praestat auxilium, instaurare dignatus es; c) gratiam consequamur, causa sit et salutis.* — Ces exemples sont empruntés à la brochure de Mgr Bellet (p. 17-20).

offrent généralement le même caractère de style rythmique, mais
que ce style tomba ensuite en désuétude jusqu'à la fin du
XIe siècle (1).

Au Congrès scientifique international des catholiques tenu à Paris en
avril 1891, M. l'abbé Léonce Couture crut pouvoir affirmer que le *cursus* a fait loi dans les formules de la liturgie de l'église latine depuis
les temps les plus anciens; de plus, qu'on peut déjà en remarquer
l'usage chez les Pères latins du IIIe et du IVe siècle, et qu'il est régulièrement observé dans la littérature ecclésiastique pour la prose
épistolaire, parénétique et même didactique, au Ve et au VIe siècle, puis
de nouveau, après une sorte d'éclipse, depuis le XIe siècle jusqu'à la
fin du moyen âge (2).

L'étude du *cursus* dans les formules liturgiques a été récemment
reprise par Dom Mocquereau (3) et par Dom Alexandre Grospellier (4). Ils
se rallient pleinement à la thèse de M. l'abbé Couture, quant à l'observation de la loi dans les textes les plus anciens. Seulement, ils constatent
qu'aux trois espèces de *cursus* définis par les *Dictateurs* du XIIe siècle,
il faut en ajouter trois autres : le *trispondaïque*, qui résulte d'un mot
ou d'un groupe de quatre syllabes paroxyton, précédé d'un autre
paroxyton (5), l'*octosyllabique*, qui résulte d'un mot ou d'un groupe de
cinq syllabes proparoxyton, précédé d'un autre proparoxyton (6), et le
dispondéo-dactylique, qui résulte d'un mot ou d'un groupe de cinq
syllabes proparoxyton, précédé d'un paroxyton (7).

M. Valois et M. Couture n'ont pas mis de distinction, quant aux
caractères du *cursus*, entre la première période, celle qui précède le
VIIe siècle, et la seconde période, à partir de la fin du XIe. M. L. Havet,
dans la remarquable étude qu'il a consacrée au *cursus* (8), en établit une
très importante. Il soutient que, dans la première période, le cursus
n'était pas rythmique, mais purement métrique, et cela chez la généralité des prosateurs latins, soit païens soit chrétiens (9), sauf, bien
entendu, les incorrections de prosodie qu'on rencontre aussi chez les
versificateurs du Ve et du VIe siècle.

---

(1) *Bibl. de l'École des ch.*, t. c., p. 258-59. — (2) *Le Cursus ou rythme
prosaïque dans la liturgie et dans la littérature de l'église latine du
IIIe siècle à la Renaissance.* Le travail de M. l'abbé Couture a été publié dans
la REVUE DES QUESTIONS HISTORIQUES, 1892, I, p. 253-61 et dans le COMPTE
RENDU du Congrès, 5e sect., p. 103-9. — (3) *Paléographie musicale*, t. IV. —
(4) *Le Rythme des oraisons*, dans REVUE DU CHANT GRÉGORIEN, 15 mars 1897. —
(5) Ex. *pervenire mereamur, amare quod amavit.* — (6) Ex. *fletibus suppli-
cantium, angelis et archangelis.* — (7) Ex. *virtutis operatio, nobis nasci
profuit.* — (8) *La Prose métrique de Symmaque et les origines métriques du
cursus* (BIBLIOTHÈQUE DE L'ÉCOLE DES HAUTES ÉTUDES, 94e fascicule). Paris, 1892,
in-8°, 112 pp. — (9) *Ouvr. cité*, p. 4-12, particulièrement §§ 8, 22, 24.

M. Havet a, en outre, — c'est l'objet principal de son travail, — relevé un nombre bien plus considérable de cadences finales que les six désignées plus haut par une appellation spéciale (1). Cette détermination a été faite sur les lettres, officielles ou privées et les discours de Symmaque (fin du IV⁰ siècle); mais, remarque-t-il, « j'aurais pu, à peu près avec le même profit, faire choix de quelque autre écrivain » (2).

Ces préliminaires sommairement rappelés, examinons le raisonnement de Mgr Bellet. Le voici en résumé et dans toute sa rigueur. Le *cursus* a été en usage du IV⁰ siècle au commencement du VII⁰, puis il a disparu jusqu'à la fin du XI⁰. Donc toutes les pièces où se rencontre le *cursus* et qui sont antérieures à la fin du XI⁰ siècle, sont certainement aussi antérieures au VII⁰. La Vie de S. Martial est dans le cas. C'est donc à bon droit que M. l'abbé Arbellot en fait remonter la composition au V⁰ ou au VI⁰ siècle.

Que le *cursus* soit observé dans la Vie de S. Martial, Mgr Bellet le montre en republiant cette Vie et en y notant toutes les cadences conformes soit aux trois types définis par les *Dictateurs* du XII⁰ siècle, soit à ceux qui ont été ajoutés par Dom Mocquereau et Dom Grospellier, soit à ceux qui ont été déterminés par M. Havet. Nous transcrivons, à titre d'échantillon, le prologue de la Vie (3).

Incipit praefatio de *vita ac virtutibus* (d) sancti *Martialis episcopi* (t). — Quicumque sanctorum bea*tissimas actiones* (v) cupit propriis sermo*nibus expolire* (v), consideret vires (*scripseris ore*), ne tanto pressus *pondere quod suscepit* (v), fatiscat *ingenio* (t). Ille tamen his se rebus *debet aptare* (p), quem et facundiae *vigor adtollit* (p), et facultatis *sermo non deficit* (t). Ergo quia *huius confessoris* (tr), *cuius nomen tituli* (d), denuntia*vit principium* (t), actionum seriem *nitor exserere* (t), vereor ne flocci pendendus *magis sit sermo* (p), potius quam paginali con*loquio admittendus* (v); et licet nonnulli doctissimi viri (*scripseris ore*), quibus et doctrinae norma *favet in poesi* (tr), quibus suppetit et philo*sophiae adpetitus* (v), ordo succurrit *rhetoricus* (t), Maronis etiam paene *aequiperant dictionibus* (o), cum coeperint ad tale *venire propositum* (t), extemplo eorum te*pescit auctoritas* (t). — Ast ego, quem tenui vix implet *musa susurro* (p), ac si phaleratis non valeo verbis ex*plere quod cupio* (t), saltem vel qui

---

(1) Les types de ces cadences se trouvent réunis dans un tableau à la fin du volume (p. 111-12), avec l'indication des paragraphes où il en est parlé plus au long. — (2) *Ouvr. cité*, p. 4. — (3) Les sigles placés entre parenthèses marquent respectivement : p, le cursus *planus*; t, le cursus *tardus*; v, le cursus *velox*; tr, le *trispondaïque*; o, l'*octosyllabique*; d, le *dispondéo-dactylique*. Les autres types sont indiqués par les mots qui les caractérisent dans le tableau de M. L. Havet.

voluerit huius textum re*petere dictionis* (v), incho atae *rei materiam* (t)
in peritissimum deducat stilum *(oras eram)*. — Explicit praef. —
Incipit *gesta eiusdem* (p).

On le voit, Mgr Bellet trouve le *cursus*, non seulement à la fin des
phrases (1), mais à la fin de chacun des membres de phrase, et même
dans le corps de ces membres; il le trouve encore dans les titres si pro-
saïques *Incipit praefatio...* et *Incipit gesta eiusdem*. Certes, s'il était
vrai, comme l'affirme Mgr Bellet (p. 22) qu' « on ne saurait concevoir un
» texte écrit pendant l'éclipse du cursus, soit du VII⁰ siècle à la fin
» du XI⁰, et présentant régulièrement les diverses cadences du cursus
» à la fin de toutes les phrases et des principaux membres de phrases,
» ou à peu près », nous serions bien tentés de nous ranger à son avis
et certes enchantés d'avoir à notre disposition ce criterium nouveau,
si simple et si sûr. Mais une double objection nous arrête.

D'abord, ainsi que nous l'avons dit plus haut, M. L. Havet affirme
que, durant la première période, soit avant le VII⁰ siècle, c'est le cursus
métrique seul qui fut en usage, et personne, que nous sachions, n'a
essayé de réfuter cette assertion. Or le cursus de la Vie de saint Martial
est manifestement rythmique.

Ensuite, nous avons quelque scrupule à admettre ce que Mgr Bellet
dit avec tant d'assurance de l'impossibilité de concevoir un texte écrit
dans l'intervalle entre le commencement du VII⁰ siècle et la fin du XI⁰,
et où le cursus soit observé. Nous avons pris, pour ainsi dire au hasard
de nos souvenirs, deux textes d'écrivains appartenant respectivement
au IX⁰ et au X⁰ siècle, et nous avons constaté dans les débuts de ces
textes, en même nombre que dans la Vie de S. Martial ou à peu près,
et à l'exclusion d'autres cadences, celles qui sont données comme
caractéristiques du *cursus*. Chose remarquable, les titres eux-mêmes
ne le cèdent pas, en ce point, au titre de la Vie de S. Martial.

Voici un de ces deux textes, annoté d'après le procédé de Mgr Bellet.
C'est le prologue de la Vie de S. Othmar par Walafrid Strabon (2).

Prologus eiusdem Walafridi (tr) de Vita sancti Otmari (p). —
Finitis duobus libellis (p), quos de vita et virtutibus (d) beati Galli
confessoris (tr) iuxta fidem quae vel scripto vel dicto (p) ad nos usque
pervenerat (t) vere potius quam lepide composuimus (o), iubentibus

(1) Nous ne pouvons nous empêcher cependant de remarquer que la cadence
terminale du prologue, laquelle, d'après les habitudes des écrivains préoccupés du
cursus, doit être particulièrement soignée, appartient au type le moins harmo-
nieux, que M. Havet n'a pas même admis dans son tableau. — (2) MEYER VON
KNONAU, dans *Mittheilungen zur vaterländischen Geschichte*, t. XII (St.-Gallen,
1870), p. 94.

vobis (*scripseris ore*), fratres sanctissimi (t), qui in coenobio eiusdem
sancti patris constituti (tr), fervoris eius quem in Dei rebus habuit
(*eras agere*), sancti strenuitate propositi (t) specimen exhibetis (*scripseris aridorum*), libet subnectere eam relationem (*oras agilitatem*) quae
de sancti Otmari (p) studiis et virtutibus (o) per eius merita ostensis
(*animus elatum*) vestra assertione et cura (p) litteris est mandata
veracibus (t). Quae cum sit veritate plena (*eras ore*), ratione perspicua
(t), non ob aliud a nobis est iterata (*oras agilitatem*), nisi quia caris-
simus frater Gozbertus (p), qui idem opusculum edidit (*scripseris
agere*), cuius caritati quicquam negare (p) nec volumus nec debemus
(*scripseris aridorum*), id ut fleret postulavit (*scripseris aridorum*),
immo praecepit (p), quem etiam in hac occupatione instantissimum
ΕΡΓΩΔΙΟΚΤΕΝ sine taedio laeti sustinuimus (d). Itaque lectori cre-
dulo sufficiat hac adbreviatio nostra (*scripseris ore*); incredulus autem
qui fuerit (t), ad eam conscriptionem quam sequimur recurrens (*animus elatum*), multiplici astipulatione conventus ad fidem (p), si
gratus est, segnis non erit (p).

L'autre texte est le prologue du premier livre de l'*Antapodosis* de
Liudprand (1). Je me bornerai ici, pour la briéveté, à transcrire la première phrase et à marquer les cadences finales des suivantes : ce sont
ces cadences, comme on sait, qui sont surtout regardées comme caractéristiques du cursus.

Reverendo totiusque sanctitatis pleno domno Recemundo (tr)
Liberitanae ecclesiae episcopo (*animus elatio*), Ticinensis ecclesiae (t),
suis non meritis (t), levites, salutem (p). — ponere compellebas (v). —
lectiones deficient (t). — fuerit dictum prius (v). — quaeque perqui-
runt (p). — neniis animentur (v). — historia refocillatur (*animus
agilitatem*). — coaequanda silebitur (t). — correctio commemoranda
(*scripseris agilitatem*). — libellulo inseruero (o). — meritis extollit
(*animus elatum*). — angelus meus (*scripseris ore*). — contra insensatos
(tr). — stertit, animadvertit (*oras agilitatem*). — stare manifestum
est (d).

Comment, en présence de ces textes, maintenir l'assertion si catégorique de Mgr Bellet citée plus haut, et celle qui la suit immédiatement
et la complète : « Le cursus ne peut s'y trouver (dans les textes écrits
» entre le VIIe siècle et la fin du XIe) que très acidentellement, au même
» titre et en même nombre que d'autres cadences. Au contraire, le
» cursus persévérant, intentionnel, suppose nécessairement un auteur
» qui l'a connu et qui l'a cherché, et reporte par conséquent cet auteur,

____

(1) *Mon. Germ. hist.*, Scr. t. III, p. 274.

» avec certitude, à l'une des deux périodes du cursus et l'exclut forcé -
» ment de la période intermédiaire marquée par l'absence de ce
» rythme? » Et ne serait-on pas plutôt porté à se ranger à l'opinion
diamétralement opposée de M. L. Havet, qui ne craint pas de dire :
« Somme toute, l'observation d'un *cursus* est un fait littéraire très
» général, et qui n'est propre ni à telle langue ni à telle date (1) ? » En
d'autres termes, n'est-il pas plus vrai de dire que dans tous les temps il
s'est trouvé des écrivains préoccupés de donner de l'harmonie à leur
style, particulièrement par un heureux choix de cadences finales, qu i
peuvent se ramener à un certain nombre de types? Et la différence entre
les diverses périodes à cet égard ne consisterait-elle pas simplement en
ce que, à certaines époques, la généralité des prosateurs avaient cette
préoccupation et cette science de l'harmonie, tandis que, à d'autres,
moins cultivées ou moins raffinées, un grand nombre l'ignoraient ou la
dédaignaient?

En tout cas, la conclusion qui nous semble ressortir clairement de
tout ce que nous venons de voir, c'est que la théorie du cursus, en
dehors de ce qui regarde les bulles pontificale s postérieures au XI° siècle,
est encore environnée de trop d'obscurités et d'incertitudes pour qu'on
puisse appliquer aux documents hagiograp hiques le nou veau principe
de critique proposé par Mgr Bellet.

(1) *La Prose métrique de Symmaque*, p. 3.

BULLETIN

DES PUBLICATIONS HAGIOGRAPHIQUES

N. B. Les ouvrages marqués d'un astérisque ont été envoyés
à la rédaction.

En 1843, Alfred Maury publiait son *Essai sur les légendes pieuses*. Il avait alors
26 ans. Ceux-là même qui tenaient en médiocre estime ce livre d'un débutant, ont
accueilli avec l'empressement que justifie un titre plein de promesses, la nouvelle
édition qui vient de paraître. Elle est publiée d'après les notes de l'auteur, qui a eu
le temps, durant sa longue carrière, de retravailler son ouvrage et de profiter des
innombrables travaux d'hagiographie et de folk-lore mis au jour depuis un demi-
siècle. Rien ne semble avoir été négligé pour donner à ce livre sa perfection définitive. Deux membres de l'Institut et un professeur de théologie l'ont pris sous
leur patronage, et en ont surveillé la publication (1). Voilà, semble-t-il, assez de
garanties, et c'est avec l'espoir de trouver enfin un bon ouvrage d'ensemble sur ce
sujet intéressant que nous avons abordé la lecture de la nouvelle édition.

Déception complète. A la place de l'œuvre mûrie et consciencieuse que l'on
pouvait attendre, on nous donne, à peu près telle quelle, l'œuvre de jeunesse de
Maury, que j'appellerais presque son péché de jeunesse ; car les défauts de cet
ouvrage sont si graves, qu'il suffit à peine, pour les excuser, de l'inexpérience de
l'auteur. L'*Essai*, qui avait tant besoin d'être refondu, reparaît aujourd'hui dans sa
forme primitive, avec quelques appendices déjà vieillis, sa bibliographie démodée
depuis cinquante ans, émaillée de tous les genres de bévues capables de mettre en
gaieté les critiques les plus austères. M. Maury, dans la seconde (p. 120) comme dans
la première édition (p. 32) cite Moschus, édition Limon (il veut parler de Moschus,
Pré spirituel, en grec, Limonarion) ; il n'a pas remarqué que le *Promptuarium
Argentinae* (p. 223) de Jean Hérolt n'est autre chose qu'une édition strasbourgeoise
du *Promptuarium* ; il connaît de Ruinart des *Acta martyrum sincera martii* (p. 184),
et dans les deux éditions je lis cette phrase extraordinaire (p. 93) : " Déjà dans
„ S. Jérôme, il est parlé des faux Actes de *sainte Thérèse*, composés par un prêtre
„ d'Asie et dont faisait mention Tertullien. „ Il faut être juste et ne pas mettre sur

(1) ALFRED MAURY, *Croyances et légendes du moyen âge. Nouvelle édition des Fées
et des Légendes pieuses publiée d'après les notes de l'auteur par* MM. A. LONGNON,
G. BONET-MAURY, *avec une préface de* M. MICHEL BRÉAL. Paris, Champion, 1896, in-8°,
LXII-459 pp. Nous n'avons pas à nous occuper ici de la partie de l'ouvrage qui est
consacrée aux fées.

le compte de Maury certaines erreurs dont ses éditeurs sont seuls responsables. Il avait cité en abrégé le Martyrologe de Baronius et le Martyrologe Gallican de Du Saussay : Baronius, *Martyr.* (p. 57), *Martyr. Gall.* (p. 93). Ces citations sont devenues dans la seconde édition : Baronius, *Martyres* (p. 145) et *Martyres Gallici* (p. 183). Un des rares endroits où j'aperçois une trace des additions de l'auteur, est celui (p. 315) où il a introduit deux lignes sur la Διδαχή avec cette note : " Cet „ ouvrage, cité par Eusèbe et par S. Athanase (*Epistola festalis* n. 39), a été retrouvé „ par M. Philothée Bryennios, métropolitain de Sèvres (Roumélie), entre 1872- „ 1873. „ En voilà assez pour caractériser la nouvelle édition.

Il faudrait parler du fond de l'ouvrage. Je ne veux pas nier qu'il ne renferme quelques bons passages, et qu'il ne témoigne d'une lecture relativement vaste. Mais l'érudition qui s'y étale, est peu sûre et mal digérée. Maury cite à propos et hors de propos les livres les plus disparates. C'est ainsi que, pour l'institution de l'ordre des acolythes dans l'Église (p. 357), on est renvoyé à la " Bibliothèque populaire de Claudius, *Maladies mentales.* „

L'auteur, du reste, n'avait pas été habitué à aller aux sources, et il va chercher ses matériaux tour à tour dans les Bollandistes, dans Ruinart, dans la Légende dorée, dans Ribadeneira et Giry, c'est-à-dire qu'il mêle les textes originaux avec les adaptations les plus tardives. Il n'y a chez lui aucune idée du développement des légendes. L'idée même de légende paraît très confuse dans son esprit, et il la confond couramment avec celle du symbole. Ainsi, à propos de la balance, qui est l'attribut de la justice, et de la représentation si parlante du jugement dernier que nos ancêtres aimaient à faire figurer dans les cathédrales, il dit (p. 170) : " Prenant ces comparaisons à la lettre, le peuple se figura le jugement „ dernier comme le moment où aurait lieu un solennel pèsement des âmes. „ Il n'est pas plus sérieux lorsque, parlant du tableau d'Alonzo Cano représentant Ste Thérèse le cœur percé d'une flèche, il ajoute (p. 297) : " Le vulgaire prit la représentation au pied de la lettre, et des légendaires racontèrent que sainte Thérèse „ était morte martyre, percée d'une flèche. „

On le voit, Maury se contentait de la première explication venue, sans trop s'inquiéter de savoir si elle était vraie. Il se demande, par exemple (p. 218), comment " l'Église accepta le serpent comme l'emblème du démon „, et sans même songer au premier chapitre de la Genèse, il répond gravement : " Celui des livres canoniques chrétiens qui porte empreinte davantage la trace des mythes de la Perse et „ de l'Inde (?), l'Apocalypse, transporta dans la religion nouvelle l'antique symbole „ du serpent. „ A propos des trois Marie de l'Évangile, sur lesquelles nous avons un cycle de légendes fort important, voici ce qu'il a trouvé de plus fort (p. 124) : " Il „ y avait trois personnes en Dieu, on voulut avoir trois Marie, comme le rappellent „ ces vieux vers qu'on lit sur un manuscrit du temps de Henri VIII : *Anna solet* „ *dici...* „ Bien entendu, ces vers ne disent rien de tel, et personne n'a pensé si loin.

On pourrait prolonger indéfiniment les citations de ce genre. En voici une dernière (p. 323), qui résume les idées de Maury sur la formation des légendes hagiographiques : " La manière dont la plupart de ces Vies ont été composées

„ explique parfaitement combien de faits mensongers ont dû s'y glisser. Primitive-
„ ment on se bornait à inscrire sur des tablettes ou dans des registres le nom de ceux
„ qui avaient souffert le martyre pour la foi ; plus tard on y joignit celui des confes-
„ seurs, des vierges, sans mettre souvent d'autres détails que le lieu de la naissance
„ et le genre de supplices qu'on leur avait fait subir. Le besoin éprouvé par les
„ âmes pieuses de posséder des détails sur la vie des martyrs fit composer des biogra-
„ phies tout entières, pour lesquelles le rédacteur dut naturellement se montrer peu
„ sévère sur les documents qu'il employait, à raison du petit nombre de ceux qu'il
„ avait à sa disposition. Ce ne fut qu'aux VII°, VIII° et IX° siècles que parurent les
„ véritables hagiologies qu'écrivirent Bède le Vénérable en Angleterre, Florus en
„ France, Raban Maur, Notker et Wandelbert en Allemagne, chacun pour les saints
„ de leur patrie respective, et Adon et Usuard pour ceux de toute la chrétienté. „ Ce
sont là, si je ne me trompe, de ces aperçus qui ne sont possibles qu'à la condition
de n'avoir pas lu les documents dont on parle.

Nous appelons de tous nos vœux un ouvrage qui soit la synthèse des résultats
fournis par l'étude des légendes. Une critique sévère devrait présider à sa composition, et nous ne désirons rien tant que de faire, en hagiographie, la part de l'imagination et celle des faits. Mais Maury, malgré la clarté et la rigueur apparente de
ses conclusions, n'a même pas fait un choix de matériaux utilisables, et la nécessité
d'une réédition de son *Essai* malheureux ne se faisait nullement sentir.

Le travail de M. HENRI JOLY sur la *Psychologie des Saints* (1) est évidemment
destiné à servir d'introduction à la collection " Les Saints „ publiée sous sa direction par la librairie Victor Lecoffre. Nous y trouvons savamment esquissé le type
idéal de la sainteté chrétienne, d'après les règles suivies dans les procès de canonisation, et d'après l'histoire et les écrits des saints, de l'époque moderne surtout,
qui nous sont le mieux connus. En résumé, les saints nous sont présentés comme
des hommes aux tempéraments et aux caractères les plus divers, chez qui l'amour
de Dieu règne souverainement ; cet amour domine toutes leurs pensées et leurs
affections, étouffe ou brise ce qui pourrait s'y rencontrer de bas et de déréglé,
il épure, fortifie, développe tout ce que leurs qualités naturelles offrent de beau
et de noble, et permet à ces qualités de déployer une activité vraiment féconde ;
aussi bien, à cette activité vient s'adjoindre en eux l'énergie autrement admirable
que leur donne l'esprit divin dont ils sont remplis. C'est bien ainsi que les
chrétiens pieux se figurent les saints. Si nous ne nous trompons, M. Joly a en
particulièrement en vue de détruire les faux jugements qu'on porte trop souvent sur la sainteté dans le monde des incrédules et dans celui des demi-croyants,
et il nous semble s'être parfaitement acquitté de cette tâche. Mais les hommes de
foi lui seront également reconnaissants d'avoir dissipé une foule de nuages qui ne
laissaient pas de leur causer bien des ennuis et même des troubles. De plus, la
Psychologie des Saints leur présente, en bonne lumière, bien des traits de la sainteté chrétienne, dont ils n'avaient peut-être qu'une idée trop vague, et qu'ils seront

(1) *Paris, Victor Lecoffre, 1897, in-12, 201 pp.

heureux de distinguer nettement, avec les mille nuances et la physionomie originale qu'ils revêtent dans les types individuels, en parcourant la galerie dont ce
volume leur ouvre l'entrée.

Dans l'Histoire de la littérature française qu'il a entreprise en collaboration avec
plusieurs spécialistes, M. Petit de Julleville débute par un chapitre sur la poésie
narrative religieuse (1), où il y a d'excellents aperçus sur les Vies des saints, qui
sont, au moyen âge, le pendant des chansons de geste de la poésie profane. Ce n'est
que par exception que ces poèmes prennent rang parmi les documents historiques. On sait que la Vie de S. Thomas Becket, œuvre d'un contemporain, Garnier
de Pont-Sainte-Maxence, est de ce nombre. Mais s'ils ne nous apprennent rien sur
l'histoire des saints, ils nous font connaître à merveille l'âme populaire, et à ce
titre l'historien et le critique ne peuvent les négliger. Le paragraphe où M. Petit
de Julleville étudie l'esprit des contes pieux (p. 42-47) est à recommander.

Le parallèle qu'il établit entre la manière dont furent traités les récits bibliques
et les Vies des saints, est également fort heureux. Voici une excellente page que le
lecteur nous saura gré de lui mettre sous les yeux : " A aucune époque du moyen
„ âge, les Vies des saints ne furent présentées comme s'imposant à la foi des
„ fidèles. Elles étaient toujours, sur ce point, nettement distinguées des dogmes.
„ Même l'indignation avec laquelle certains auteurs des Vies des saints s'élèvent
„ contre ceux qui mettraient en doute la véracité de leur récit, témoigne, à mon
„ sens, du grand nombre d'incrédules que ces récits rencontraient, et par consé-
„ quent, de la liberté qu'on gardait de les admettre ou de les rejeter. Jamais, dans
„ le même temps, un traducteur des évangiles canoniques n'aurait osé supposer
„ qu'il pût se rencontrer des chrétiens pour les mettre en doute. L'intérêt dogma-
„ tique étant ainsi écarté, cela n'alla pas sans inconvénient pour la bonne foi des
„ pieux narrateurs. Puisqu'on n'était pas absolument obligé de les croire. ils ne se
„ crurent pas eux-mêmes absolument obligés de dire toujours la pure vérité. „
(p. 17.)

La manière dont l'auteur parle des *Acta Sanctorum* (p. 22) donnerait à croire
qu'il se figure — comme beaucoup d'autres — que nous reconnaissons quelque
autorité aux textes hagiographiques par le fait même que nous les publions. Rien
n'est moins exact, et si quelques-uns de nos prédécesseurs ont pu accréditer cette
idée, en se contentant d'analyser les pièces trop évidemment fabuleuses, et en
donnant *in extenso* celles-là seules qui peuvent être regardées comme à peu près
historiques, nous n'hésitons pas à dire qu'ils se sont écartés des traditions et de
l'esprit de l'œuvre. Tout en condamnant sévèrement la légende de Ste Marguerite,
ils pouvaient parfaitement en faire connaître le texte, et tous ceux qui ont à
s'occuper des légendes du moyen âge regretteront qu'ils n'aient pas jugé bon de le
faire. Que M. Petit de Julleville parcoure, en particulier, le premier semestre des

(1) *Histoire de la langue et de la littérature française des origines à 1900*, publiée
sous la direction de L. Petit de Julleville, Paris, Colin, 1896, t. I (moyen âge),
Ch. I. *Poésie narrative religieuse*, p. 1-48.

Acta Sanctorum. Il y trouvera souvent des titres comme ceux-ci : *Vita apocrypha*, *Vita insulse fabulosa*, etc. Et parmi les légendes qui ne portent pas en tête une qualification aussi sévère, il y en a beaucoup qui la méritent évidemment. Aussi répétons-nous volontiers que, si les Bollandistes admettaient la moitié des faits qu'ils rapportent, il n'y aurait pas d'hommes au monde d'une crédulité plus robuste.

Le *Répertoire méthodique du moyen âge français* que M. A. Vidier publie depuis trois ans dans l'excellente revue *Le Moyen Age*, est venu combler une lacune de la bibliographie historique et rendra de bons services aux travailleurs. L'année 1894 avait paru par morceaux, en 1895, dans le corps même de la revue. Pour l'année 1895 (1), on a eu l'heureuse idée de la paginer à part et de la publier comme une sorte de supplément. Il suffit de parcourir ces 190 pages, pour reconnaître la grande quantité de renseignements que M. Vidier a recueillis avec autant de zèle que d'intelligence, et qu'il a disposés d'une façon claire et commode. Je ne dis pas que cette disposition est parfaite de tous points ; mais elle est en général satisfaisante. Ce que je critiquerai plus volontiers, au risque de paraître ingrat, c'est la générosité un peu excessive de M. Vidier.

Un nombre relativement considérable d'ouvrages catalogués ici ne me semble rentrer que péniblement, ou même pas du tout, dans le cadre d'un répertoire du " moyen âge français " ; tels, entre bien d'autres, le Dictionnaire de la mythologie grecque et romaine de Roscher (n. 1496), un article de M. Devaux sur *La prière dans le paganisme romain* (n. 1497), des traités de philosophie ou de théologie placés sous la rubrique de S. Thomas d'Aquin, parce qu'ils sont conçus *ad mentem divi Thomae* (voir dans les n. 2196-2249), toute une série d'ouvrages sur César (n. 4627-4636), sur Tacite (n. 4637-4645) ; et pour le paragraphe, très utile d'ailleurs, qui regarde spécialement nos études, le chapitre *Hagiographie* (n. 1342-1487), des ouvrages sur Aldhelm de Malmesbury (n. 1370), sur l'apôtre S. André (n. 1374), sur l'apôtre S. Barthélemy (n. 1394), sur S. Columba d'Iona (n. 1403, 1404), sur les SS. Cosme et Damien (n. 1405), sur Ste Félicité (n. 1420, 1421), sur S. Hilarion de Gaza (n. 1435), sur Ste Thècle (n. 1475), auxquels on ne peut franchement pas accoler l'étiquette de " français ", et surtout de " moyen âge français ". Je sais bien que tout se rapporte à tout ; mais enfin comment expliquer, pour citer encore un trait, la mention (n. 4652) d'un article de Mommsen sur les manuscrits arméniens de la chronique d'Eusèbe ?

Nous aimerions pouvoir nous étendre longuement sur l'édition que vient de faire Mlle Agnès Smith Lewis d'un lectionnaire syriaque palestinien (2). Car, comme l'a dit excellemment M. Eberhard Nestle (3), cette publication est de loin la contribution la plus riche apportée à la littérature du syriaque palestinien durant les trente

(1) * Deuxième année, 1895. Paris, E. Bouillon, 1896, in-8°, 190 pp. — (2) * *Studia Sinaitica No. VI. A Palestinian Syriac Lectionary*, with critical notes by Professor Eberhard Nestle D. D. and a glossary by Margaret D. Gibson. Cambridge, University Press, 1897, in-8°, cxli-ܝܠܐ pp. — (3) *Ibid.*, pp. XIII.

dernières années. Mais l'œuvre de Mlle Smith Lewis n'a avec les études hagiographiques qu'un rapport lointain, d'autant plus que ce lectionnaire, à l'encontre d'autres, a complètement négligé les fêtes des saints. Il n'y a en effet qu'une exception, c'est la leçon 18 (*Rom.*, III, 19-IV, 12) indiquée pour la fête de S. Basile, ܐܠܗܐ܇ ܩܕܝܫܐ ܕܝܠܢ ܐܒܘܢ ܕܒܣܝܠܝܘܣ, entre le dimanche avant la Nativité (leçon 17), la fête de tous les Saints (leçon 19) et la Noël (leçon 23). Cette place donnée à la mémoire de S. Basile est étrange. On le célèbre chez les Grecs au 1er janvier, jour de sa mort ; c'est également à cette date qu'il est inscrit dans les anciens martyrologes latins ; mais l'usage a prévalu, dans l'église occidentale, de célébrer sa fête le 14 juin, anniversaire de sa consécration épiscopale. Depuis le XIe siècle, les Grecs l'associent, le 30 janvier, à S. Grégoire de Nazianze et à S. Jean Chrysostome (1). Mais aucune liturgie n'avait jusqu'à présent fourni la date du mois de décembre adoptée par le lectionnaire syriaque. Sans doute, cette date n'est que vaguement signalée ; mais les deux limites extrêmes, la Nativité et le dimanche précédant cette solennité, permettent difficilement de placer S. Basile au 1er janvier, bien que, dans le lectionnaire syriaque, il y ait à cet endroit une intercalation assez insolite de fêtes mobiles de tout genre. Dans la leçon 29, tirée de l'épître de S. Jacques, I, 1-12, il y a une curieuse addition au premier verset. Le texte syriaque, contrairement au texte grec de tous les manuscrits connus jusqu'à ce jour, ajoute à la mention des douze tribus la qualification : *d'Israël*. Or on retrouve cette variante dans la liste des apôtres et des disciples dressée par le Pseudo-Dorothée (2).

Nous le répétons, c'est avec regret que nous devons borner à ces courtes remarques le compte rendu de l'œuvre si importante de Mlle Agnès Smith Lewis. D'autres, au point de vue spécial qui ressort de cette publication, en relèveront la valeur, et d'avance nous souscrivons à ces éloges, qui sont bien mérités.

L'église calabraise est peu ou mal connue, et pourtant son histoire offre, à des titres divers, un grand intérêt hagiographique. Là aussi ont vécu des saints illustres qui ont jeté sur leur époque et leur patrie le plus vif éclat. L'existence, dans cette partie extrême de l'Italie, du rite latin et du rite grec, ouvre aux études liturgiques un fertile champ d'investigations. Aussi M. le chanoine G. Minasi a-t-il eu une heureuse inspiration en s'essayant à tracer une esquisse de l'église de Calabre (3). Son livre n'est pas davantage en effet, et l'auteur, avec une prudente réserve, ne prétend pas l'offrir comme une œuvre complète et définitivement achevée. Aussi bien, il eût fallu pour cela dépouiller plus longuement et plus méthodiquement les documents, y recueillir tous les traits épars et les grouper chronologiquement et par régions. Assurément, quelque chose de tout cela a été fait ; mais il fallait aller plus avant dans cette voie. Les registres des papes, pour ne citer qu'une catégorie de sources, n'ont pas été suffisamment compulsés. Certaines chroniques eussent aussi fourni des résultats précieux et le dépouillement systématique des archives,

(1) Cf. Nilles, *Kalendarium manuale utriusque ecclesiae*, 2e éd. 1896, t. I, p. 48. — (2) Zahn, *Einleitung in das N. T.*, § 5, n° 3, p. 75. — (3) * *Le Chiese di Calabria dal quinto al duodecimo secolo*. Napoli, Lanciano e Pinto, 1896, in-12, 364 pp.

qui semble n'avoir pas même été soupçonné par l'auteur, aurait sans nul doute
fourni une foule de renseignements intéressants.

Toutefois, tel qu'il est, l'ouvrage de M. Minasi ne sera pas inutile et on le consul-
tera avec fruit. Mais il est regrettable que les références soient trop souvent sommaires et rendent le contrôle fort pénible. Notons encore que M. Minasi limite ses
recherches du V⁰ au XII⁰ siècle. Espérons que dans un prochain volume il pour-
suivra ses intéressantes recherches pour les époques ultérieures.

M꜀ꜱ Isabelle Verny a entrepris de faire mieux connaître à ses contemporains et
à ses compatriotes les saints de France. Elle a réalisé ce dessein dans deux splen-
dides volumes de 500 pages chacun et qui contiennent, comme le dit fort bien
S. É. le cardinal Perraud, " les glorieuses et très édifiantes annales de l'hagiographie
française „. On trouvera ailleurs l'analyse du premier volume (1); il nous reste à
parler du second (2), qui comprend les Vies des principaux saints français du XIII⁰
au XIX⁰ siècle. On y voit successivement défiler les grandes figures de S. Louis,
de la B⁰⁰ Isabelle de France, de S. Louis d'Anjou, de S. Roch, de S. Elzéar et de
S꜀ꜱ Delphine de Sabran, d'Urbain V, de S. Vincent Ferrier, de la B⁰⁰ Françoise
d'Amboise, de S꜀ꜱ Colette, de Jeanne d'Arc, des SS꜀ꜱ Jeanne de France et Germaine
Cousin, de la B⁰⁰ Marie de l'Incarnation, de S. François de Sales et de S꜀ꜱ Chantal.
Puis viennent S. Vincent de Paul, M. Olier, S. François Régis, la B⁰⁰ Marguerite
Marie, le B. de la Salle, S. Labre, Louise et Clotilde de France. Pour ce siècle,
nous avons les BB. Perboyre et Chanel, le curé d'Ars, la Mère Barat, sans parler
de la série des vénérables serviteurs et servantes de Dieu au XIX⁰ siècle.

La Société de Saint-Augustin a fait des volumes de M꜀ꜱ Verny une publication
de luxe, dans laquelle, pour emprunter de nouveau le témoignage du cardinal
Perraud, de nombreuses et très artistiques " reproductions ... forment un véri-
„ table musée, qui commente le texte de la façon la plus intéressante et la plus
„ instructive ... „.

M. l'abbé Profillet a terminé son *Martyrologe de l'église du Japon* (3), en
ajoutant à son premier volume, consacré aux saints et aux bienheureux (4), deux
autres qui traitent respectivement des " vénérables „ et des " pieux „. Cet ouvrage
fera connaître et aimer la généreuse chrétienté japonaise et ne sera pas inutile à
ceux qui voudront, par des voies plus scientifiques, étudier les origines et les progrès du christianisme au Japon.

Ce que M. Profillet a fait pour le Japon, Mgr L.-M. Zaleski, délégué apostolique
aux Indes orientales, vient de l'entreprendre pour ces vastes régions (5). Il a dressé
la liste de tous ceux qui, depuis " l'apôtre S. Thomas „, ont scellé de leur sang la

(1) *Polybiblion*, 1893, t. XXXVII, p. 402-3. — (2) * *Les Saints de France du trei-
zième au dix-neuvième siècle*. Lille, Société de Saint-Augustin, 1896, gr. in-8°,
x-517 pp., nombreuses gravures. — (3) * Paris, Téqui, 1897, in-12. Tome II : *Les
Vénérables*, 600 pp. Tome III : *Les Pieux*, 474 pp. — (4) Cf. *Anal. Boll.*, t. XV,
p. 111. — (5) * *Les Martyrs de l'Inde. Constance des Indiens dans la foi*. Calcutta,
Catholic Orphan press, 1896, in-12, vii-256 pp., grav.

foi du Christ. Une notice plus ou moins développée est consacrée à chacun des martyrs. Ce premier essai de martyrologe est une œuvre de vulgarisation, qui servira sans doute de point de départ à de nouveaux travaux.

M. ROHAULT DE FLEURY poursuit courageusement le long travail qu'il a entrepris sur les saints de la Messe. Dans le quatrième volume qui vient de paraître (1), il s'occupe des *Ministres sacrés* et en particulier de S. Ignace, martyr, des SS. Marcellin et Pierre et de S. Laurent. Nous n'avons pas à revenir sur la méthode suivie par M. Rohault de Fleury; à diverses reprises, à propos des trois volumes précédemment parus (2), le lecteur a été mis au courant des qualités et des défauts de l'ouvrage sur les saints de la Messe. Le nouveau volume participe des uns et des autres dans une égale mesure avec ses aînés. C'est toujours la même richesse d'illustrations. Mais, d'autre part, il faut bien signaler, pour les détails d'érudition, de grandes faiblesses, d'étranges méprises et de nombreuses lacunes. C'est que M. Rohault de Fleury ne puise pas toujours aux bonnes sources. Était-il pourtant si difficile, par exemple, en ce qui concerne S. Ignace d'Antioche, de recourir aux travaux de Lightfoot, plutôt que de s'adresser à des ouvrages surannés ou à des compilations de sixième ordre? Il y a aussi trop d'erreurs de détail. Ainsi, p. 51, note 1, il n'est pas exact de dire que Prudence appelle le gril sur lequel fut étendu S. Laurent *constratum ragum*, mais bien *rogum*. Puis, pourquoi ne pas indiquer l'endroit précis de Prudence? Le vague des citations est du reste un des défauts qui entache plus que de raison le travail dont nous parlons. En outre, cette expression de Prudence ne rime à rien pour déterminer la forme exacte de l'instrument du supplice de S. Laurent. Prudence parle en poète et non pas en technicien. P. 69, M. Rohault de Fleury dit que dans le nom de l'église *San Lorenzo in Formoso* ou *in Panisperna*, il est " plus simple de voir une mémoire du pape Formose ". Malheureusement pour cette explication, la formule *Laurentius in Formoso* est bien antérieure à Formose (891-896). On la trouve dès l'époque d'Adrien I (772-796) (3) et de Léon III (796-816) (4). L'auteur aurait dû s'apercevoir de l'anachronisme qu'il commet, puisqu'à la page même où se trouve la citation incriminée, il rappelle les libéralités de Léon III à la basilique de Saint-Laurent *in Formoso*. D'ailleurs, la vraie forme du titre de cette église est *S. Laurentius in formonsis*, ce qui exclut " la mémoire du pape Formose ". On dira peut-être : *Ubi plura nitent, non paucis offendar maculis*. Nous serions heureux de pouvoir répéter l'adage au profit de M. Rohault de Fleury; mais il ne s'agit point, hélas, de *paucis maculis*.

M. KARL HELM a publié un vieux poème en dialecte bavarois (5), racontant un " miracle " de la Vierge et de S. Maurice, la légende de l'archevêque Udo de

---

(1) " *Les Saints de la Messe et leurs monuments*. Tome IV. Paris, Librairies-Imprimeries réunies, 1896, in-4°, 252 pp. et 87 planches. — (2) *Anal. Boll.*, t. XIII, p. 290; t. XV, p. 80. — (3) DUCHESNE, *Le Liber Pontificalis*, t. I, p. 507; p. 520, note 85. — (4) *Ibid.*, t. II, pp. 11, 20. — (5) *Die Legende von Erzbischof Udo von Magdeburg*, dans NEUE HEIDELBERGER JAHRBÜCHER, t. VII (1897), p. 95-120.

Magdebourg (1). A travers cette histoire peu édifiante et dont le caractère fabuleux ne doit plus être démontré, M. Helm croit reconnaître un fait réel. Sous les traits de l'évêque Udo, que la légende fait vivre en 950 — le siège de Magdebourg n'existait pas encore à cette date — le poète aurait flétri la mémoire de l'archevêque Burchard III, qui se fit détester à cause de sa tyrannie, et fut assassiné en 1325. Écrit peu de temps après les événements, le récit, malgré sa tournure allégorique, pouvait facilement être compris de tous. Ces conjectures paraissent fort plausibles. Resterait à savoir quelle place il faut assigner, dans l'histoire littéraire de cette légende, au récit latin qui se rencontre fréquemment dans les manuscrits (2). Il est regrettable que M. Helm ne se soit nullement préoccupé de ce point.

Il a semblé à M. l'abbé C. Mariani (3) que S. Joseph n'occupe pas dans le culte et dans la liturgie catholique la place d'honneur qu'il y doit tenir. A son sens, l'éminente dignité de l'époux de Marie demande qu'après la Sainte Vierge, S. Joseph obtienne partout, dans les offices, les commémoraisons, les rits des fêtes, le premier rang avant tous les autres saints et surtout avant S. Jean-Baptiste et S. Michel, qui, jusqu'à présent, ont gardé une priorité consacrée par de longs siècles d'usage.

Des démarches ont été, à diverses reprises, tentées en ces derniers temps, pour aboutir au résultat désiré par M. Mariani, et il n'est pas douteux, d'après les pièces mises sous nos yeux, que l'épiscopat est favorable à cette extension de la dignité liturgique de S. Joseph. Jusqu'ici pourtant, Rome n'a pas accédé à ces désirs, et il semble même que le décret de Léon XIII daté du 15 août 1892 ajournera pour quelque temps encore la réalisation des vœux exprimés.

C'est là tout ce que nous avons à relever dans le livre de M. Mariani, qui, pour le reste, ressortit à la théologie, sauf le dernier chapitre intitulé le *Culte de Saint Joseph*. L'auteur cherche à y établir que le culte doit être de *protodulie*. C'est ainsi que M. Mariani propose de dénommer le culte de *summa dulia* que plusieurs théologiens, comme Suarez, Gotti et Cornelius a Lapide, veulent attribuer à S. Joseph. En terminant, l'auteur répond aux objections qui ont été formulées contre l'extension qu'il désire voir donnée au culte de l'époux de Marie.

Les Trois Marie honorées à Mignières, dans la Beauce, diocèse de Chartres, sont Marie-Madeleine, Marie Jacobé et Marie Salomé (22 juillet, 22 mai, 22 octobre). Le petit livre que nous envoie M. l'abbé Cintrat, est destiné aux pèlerins qui visitent le sanctuaire (4). L'histoire des trois saintes, d'après les évangiles, se termine naturellement par l'apostolat des trois bonnes Marie en Provence.

(1) Cf. *Act. SS.*, Sept. t. VI, p. 403 n. 260; *Archiv* de Pertz, t. VII, p. 1022. — (2) Voir, par exemple, *Archiv.* t. VII, pp. 34, 111, 116; t. IX, pp. 473, 476; t. X, pp. 450, 678, 692. Je n'ai rencontré jusqu'ici qu'une seule édition, et encore c'est un incunable (Copinger, 10211, f. 42-47). — (3) *Primauté de saint Joseph d'après l'épiscopat catholique et la théologie*, par C. M., professeur de théologie. Paris, Lecoffre, 1897, in-8°, vii-513 pp. — (4) *Les Trois Marie, notice historique sur le pèlerinage de Mignières*, Chartres, imprimerie Notre-Dame, 1895, in-12, xxiii-207 pp.

Le R. P. François Plaine revient une troisième fois sur les traditions provençales relatives à Sᵗᵉ Marie-Madeleine (1). Il commence par déclarer (p. 762) que ceux qui révoquent en doute l'authenticité de la venue et du séjour de Madeleine en Provence, accusent équivalemment l'Église de n'avoir pas répondu aux intentions de son divin Fondateur; le Maître n'a-t-il pas dit en effet : *Ubicumque praedicatum fuerit hoc evangelium in universo mundo, et quod haec fecit narrabitur* (Marc. 14, 9)? Ceci serait tout simplement ridicule, s'il n'était plus regrettable encore de voir faire un abus aussi criant des paroles sacrées. En tout cas, après un tel début, on est dispensé de lire le reste de l'article. Je l'ai lu néanmoins consciencieusement. Le ton de l'auteur est sérieux ; mais ses arguments ne le sont pas du tout. Il consacre quelque part un paragraphe de quatre pages (p. 777-781) à exposer " la faiblesse des arguments qu'on produit pour faire échec aux traditions „ provençales „ ; on devrait en employer quarante au moins pour énumérer les pétitions de principe, les sophismes, les raisonnements botteux dont son travail fourmille. Mais cela ne vaut vraiment pas la peine. Je me contente de livrer à l'étonnement des lecteurs une idée nouvelle, je crois, que le P. Plaine introduit dans le débat et à laquelle il tient ; car il y revient (pp. 774 et 778). L'absence du nom de la sainte dans les plus anciens livres liturgiques latins s'explique, paraît-il, par la loi du secret! " On m'accordera d'abord sans peine „, dit en propres termes le P. Plaine, " que jusqu'au Vᵉ siècle, la loi du secret avait dû planer sur le nom et „ la mémoire de Sᵗᵉ Madeleine, comme sur le nom et la mémoire des autres saints „ et saintes de l'Évangile, qui n'avaient pas cueilli en mourant la palme du „ martyre „. Je serais franchement curieux de voir un homme quelque peu instruit qui accordât cela avec ou sans peine.

Chose extraordinaire, il s'est trouvé quelqu'un pour taxer le P. Plaine d'une sévérité trop grande dans sa critique. Vous avez mille fois raison, lui dit M. le chanoine Blondel (2), de défendre les traditions provençales et notamment l'authenticité des reliques de la Madeleine conservées à Saint-Maximin; mais vous avez grand tort de rejeter les reliques conservées à Vézelay.

Le P. Plaine (3), sans se laisser convaincre par les arguments de son contradicteur, tâche néanmoins de trouver une explication " qui réponde à toutes les exigences „ de M. Blondel. Le corps de la sainte est en réalité à Saint-Maximin ; mais " il est possible et probable même qu'en changeant les corps du sarcophage, „ on laissa, par mégarde ou à dessein, des portions plus ou moins considérables de

(1) *Sainte Marie Madeleine et l'authenticité de son apostolat en Provence*, dans La Science catholique, t. X (1896), p. 761-96. Cet article avait auparavant été publié en partie dans *La Correspondance catholique*, 10, 17 et 31 janvier 1895. Quant aux articles parus dans la *Revue du monde catholique*, voir *Anal. Boll.*, t. XV, p. 84-85. A la suite des articles du P. Plaine, M. l'archiprêtre de Tarascon a cru pouvoir ajouter, en ce qui touche Sᵗᵉ Marthe, un argument nouveau " aux travaux du savant abbé Faillon contre lesquels la critique n'a pas de prise sérieuse „. Voir ces notes, fort peu décisives du reste, dans la *Revue de l'art chrétien*, 4ᵉ sér., t. VIII (1897), p. 183-84. — (2) *Science catholique*, t. X, p. 1123-25; cf. t. XI, p. 69-70. — (3) *Ibid.*, p. 1187-89.

„ celui de Ste Madeleine dans son premier sarcophage „. Quant à “ aller plus loin „. le P. Plaine s'y refuse ; car, dit-il, “ ce serait enlever à ma thèse son argument le „ plus solide „. Pauvre thèse, qui s'appuie sur un si fragile soutien et qu'une objection sans importance pourrait ébranler !

Il fait bon, après avoir dû s'arrêter à de pareilles élucubrations, de rencontrer un travail solide et sérieux comme celui qu'a publié naguère le R. P. Dom Germain Morin (1). Il ne s'agit pas pour lui, cela s'entend, de démontrer la fragilité des légendes provençales. Comme le R. P. Morin le dit avec raison, la chose a été si bien faite qu'il n'est plus besoin d'y revenir. Il y a quelques années déjà, M. l'abbé Duchesne a fait un pas de plus, en montrant à quelle date ces traditions ont commencé à se répandre et quel a été leur développement successif (2). Restait encore une dernière énigme à résoudre : déterminer l'occasion qui leur avait donné naissance, le noyau autour duquel elles s'étaient formées. On pouvait se demander en effet s'il n'y avait jamais eu aucune réalité sous ces noms, sous ces reliques, qui furent si longtemps l'objet de la vénération populaire ; on pouvait être tenté de rechercher le peu de données traditionnelles qui sont cachées sous toutes ces légendes répudiées par la science. Ce problème a tenté le R. P. G. Morin, et les résultats auxquels il est parvenu sont non seulement très intéressants, mais aussi concluants qu'il est possible dans l'espèce. Pour Madeleine et Marthe, sans doute, il n'a pu obtenir le moindre rayon de lumière ; et il se contente, ou peu s'en faut, de renvoyer à l'article de M. G. Doncieux (3), sauf à trouver mieux plus tard. Mais il en est tout autrement des autres saints provençaux. Voici ses conclusions bien motivées et qui sont à retenir.

1. Le culte voué par l'Église de Marseille, depuis le XIe siècle au moins, à un personnage appelé Lazare, a pour fondement une réalité historique : l'inhumation d'un évêque de ce nom dans les cryptes de l'abbaye de Saint-Victor. Cet évêque n'est point Lazare le Ressuscité, mais très probablement l'évêque d'Aix qui, au Ve siècle, dépossédé de son siège par suite d'un revirement politique, sera venu terminer ses jours près de l'évêque de Marseille qui l'avait ordonné (4).

2. Le culte des saints personnages vénérés à Saint-Maximin est pareillement légitime et fondé sur ce fait désormais difficile à contester : la translation, à une époque antérieure au milieu du XIe siècle, des reliques de plusieurs saints Arvernes dans cette localité. Il est extrêmement curieux que le R. P. G. Morin ait retrouvé dans l'arrondissement de Clermont, aux environs de la petite ville de Billom, les homonymes de tous les saints honorés à Saint-Maximin, la Madeleine seule exceptée ; et dans le cas présent, il y a lieu, nous paraît-il, de conclure, avec le P. Morin,

(1) “ *S. Lazare et S. Maximin. Recherches nouvelles sur plusieurs personnag-s de la* “ *Tradition provençale* „. Paris, 1897, in-8°, 29 pp. Extrait des Mém. de la Soc. nat. des antiquaires de France, t. LVI. — (2) Voir *Anal. Boll.*, t. XII, p. 296-97. — (3) Voir *ibid.*, t. XIV, p. 329. — (4) On peut se demander s'il ne faut pas chercher dans cette confusion de Lazare d'Aix avec le Lazare de l'Évangile, le point de départ du cycle de légendes dans lesquelles auraient tout naturellement trouvé place les deux sœurs du ressuscité, Marthe et Marie.

de l'homonymie à l'identification. S. Maximin est donc un confesseur, peut-être un évêque, dont le culte a eu pour point de départ la ville de Billom. S. Sidoine n'est autre que le célèbre évêque de Clermont, Sidoine Apollinaire. Les deux Innocents honorés près de lui dans la crypte de Saint-Maximin, lui tenaient déjà compagnie dans l'église d'Aydat, à quelques lieues de Billom. Enfin Ste Marcelle, la soi-disant servante de Marthe et de Maximin, est la bergère de ce nom, vénérée de temps immémorial à Chauriat, dans l'ancien archiprêtré de Billom.

M. l'abbé Arbellot signale et décrit des tronçons de colonnes et d'autres débris anciens trouvés au village d'Ausiac (commune de Saint-Laurent-les-Églises). Ce seraient, d'après lui, les restes d'un temple dans lequel était honorée l'idole de Jupiter que S. Martial, au témoignage du pseudo-Aurélien (*Vita S. Martialis*, ch. 21), aurait renversée dans une bourgade nommée *Ausiacum* (1).

A propos de cette même *Vita Martialis*, M. Arbellot fait une remarque intéressante, qui mérite d'être notée. Le pseudo-Aurélien a emprunté, non seulement dans le passage relatif à l'idole d'Ausiac, mais ailleurs encore, " des pensées, des « locutions, des tours de phrase, des phrases textuelles „ aux *Histoires apostoliques* du pseudo-Abdias. M. Arbellot, qui continue à croire que le pseudo-Aurélien écrivait au VIe siècle (2), n'est pas gêné par les curieux emprunts qu'il vient de constater, car il croit le pseudo-Abdias antérieur au Ve siècle; c'est à son ouvrage qu'il rapporte le texte de S. Augustin (*Contra Faustum*, XXII, 79): *Legant scripturas apocryphas Manichaei... sub apostolorum nomine scriptas*. En réalité, Augustin parle des ouvrages du pseudo-Leucius (3), et le faux Abdias date, au plus tôt, de la seconde moitié du VIe siècle (4).

Brembate est une bourgade du pays de Bergame, sur le Brembo. Elle possède une église assez ancienne dédiée à S. Victor, martyr de Mauritanie. Dans un petit opuscule dédié " aux braves habitants „ de cette localité, M. Locatelli leur raconte la légende de leur saint, et donne quelques détails sur l'église (5). A signaler, p. 28-31, une série de renseignements, un peu maigres, il est vrai, sur le culte du saint à Milan et ailleurs.

M. l'abbé Pagani a fait paraître quelques pages de réponse (6) au compte rendu que nous avons publié de son livre (7) relatif aux saints de Bergame. Nous ne pouvons, ni ne voulons entrer dans la voie de la polémique à laquelle l'auteur semble nous convier. Il suffira donc de faire connaître au lecteur le contenu du nouveau

(1) * *Temple de Jupiter à Ausiac, suivi d'une observation sur la Légende de S. Martial*. Limoges, Ducourtieux, 1897, in-8°, 19 pp. Extrait du Bull. de la Soc. archéol. et hist. du Limousin, t. XLV, p. 309-25. — (2) Voir *Anal. Boll.*, t. XII, p. 465. — (3) R.-A. Lipsius, *Die apokryphen Apostelgeschichten*, t. I, p. 91. — (4) *Ibid.*, p. 168. — (5) * G. Locatelli, *S. Vittore martire Mauritano*. Bergamo, Serafino Tecchi Bianchi, 1896, 8°, 52 pp. — (6) *Risposta ai Rev. Padri Bollandisti riguardo al libro del Sac. Antonio Pagani " I Martiri Bergomesi „*. Como, 1897, in-12, 21 pp. — (7) Ci-dessus, p. 95-97.

travail de M. Pagani. La brochure insiste derechef et très longuement sur la dénomination du *martyr cruce*, c'est-à-dire des saints qui, sans avoir effectivement répandu leur sang, sont assimilés aux martyrs et prennent rang à côté d'eux dans la gloire céleste. Cette assimilation est ordinairement le fait d'une révélation. M. Pagani conclut, pour le cas particulier qui l'occupe, que si, d'une part, les saints de Bergame ont vécu en dehors de l'époque des persécutions, et que, de l'autre, on a trouvé près de leur dépouille mortelle tous les insignes du martyre, il n'y a qu'un moyen de les appeler martyrs, celui de les qualifier du titre de *martyres cruce*. Nous ne pouvons que répéter ce que nous avons dit. Dans la liturgie, il n'y a qu'une sorte de martyrs. Sans doute, aux yeux de Dieu, bien des saints qui ne sont pas morts de mort violente peuvent avoir le mérite du martyre, tout comme la Sainte Vierge est appelée *Regina martyrum*. Mais encore une fois, il n'est pas question de cela, et voilà pourquoi, si le travail de M. Pagani a été bien reçu à Brescia, il n'a pas — c'est lui-même qui le dit — satisfait ceux de Bergame.

L'abbé Lebeuf, le célèbre historien d'Auxerre, place sous Dioclétien le martyre de S. Pélerin; du second et du troisième successeur de cet évêque, S. Valère et S. Valérien, il se permet de ne faire qu'un personnage, qu'il appelle S. Valérien; il pousse la témérité jusqu'à intervertir l'ordre des deux successeurs de S. Germain, Alode et Fraterne. Tels sont les chefs d'accusation que l'abbé Blondel dresse contre lui (1), et il trouve que faire cela " de sa propre autorité, c'est roide ". On se demande quelle autorité on ferait bien intervenir pour trancher ces questions d'histoire. En tout cas, il sera bon d'attendre d'autres arguments que ceux de M. l'abbé Blondel avant de donner tort à Lebeuf.

Une dissertation considérable de M. FRANCIS MOLARD (2) touche au même sujet. L'auteur se propose principalement de défendre les anciennes traditions de l'église auxerroise quant à la date du martyre de S. Pélerin, son premier évêque connu, contre D. Viole, les Bollandistes, l'abbé Lebeuf et même .... contre l'abbé Blondel (p. 565, 574). " Ces traditions, recueillies par Héric, Alagus, et Rainogola dans la " seconde moitié du IX⁰ siècle, le fixent au XVII des kalendes de juin de l'an 259 " de notre ère, sous le consulat d'Emilianus et de Bassus et l'imperium de Vale- " rius et de Gallien son fils. Il n'est pas possible que ces illustres Auxerrois aient " avancé ces dates à la légère. C'était à leur époque l'opinion générale du clergé et " du peuple. " Il est difficile d'admettre que le clergé et le peuple d'Auxerre, quelque cultivés qu'on les suppose, aient eu au IX⁰ siècle une opinion sur une question de chronologie aussi délicate, et il faut regretter que l'auteur, qui ne manque pas de lecture et montre, dans certaines parties de son travail, une louable indépendance du jugement, parte d'un principe si étrange. Il en énonce d'autres encore, chemin faisant, qui sont bien faits pour dérouter le critique. Exemple

(1) BLONDEL, *Examen critique de l'abbé Lebeuf sur la chronologie des premiers évêques d'Auxerre*. BULLETIN DE LA SOCIÉTÉ DES SCIENCES HISTORIQUES ET NATURELLES DE L'YONNE, t. L (1896), p. 503-11. — (2) *Études hagiographiques*, IBID., p. 517-628.

(p. 553). " Dans notre document, *comme dans les actes les plus anciens*, le texte est
" coupé en paragraphes. " Ainsi les Actes anciens étaient divisés en paragraphes ?

Pour arriver à mettre ses résultats en harmonie avec d'autres faits certains, et
pour remplir les lacunes de la liste épiscopale, M. Molard est forcé d'admettre que
l'apostolat de S. Pélerin à Auxerre a été très court et très peu fructueux, et que de
287 à 314 il n'y a pas eu d'église chrétienne à Auxerre. C'est logique. Mais cela
ne suffit-il pas pour juger le système ?

Une série d'appendices contiennent divers textes relatifs à la Vie et surtout au
culte de S. Pélerin. P. 618-19, une notice sur l'église de S. Pélerin à Rome.

Nous avons signalé autrefois (1) l'ingénieuse hypothèse émise par M. l'abbé
Batiffol relativement à l'existence d'une version ancienne des Actes de S. Lucien
d'Antioche. Cette question vient d'être reprise d'une manière très approfondie par
M. Pio Franchi de'Cavalieri (2); voici à quelle occasion. Dans un fragment d'une
Vie de Constantin retrouvé par lui dans le ms. grec n° 22 de la bibliothèque Ange-
lica à Rome, M. Franchi a remarqué un assez long passage qui relate le martyre
de S. Lucien, texte différent de celui de la Passion qui nous a été transmise par
Métaphraste. Avec une critique aussi patiente qu'exercée, M. Franchi s'est efforcé de
déterminer exactement les éléments de cette autre recension. Au cours de cette
recherche, il a été amené à reprendre les divers arguments que M. l'abbé Batiffol
a fait valoir en faveur de l'existence d'une version arienne. De ce rigoureux
examen, quelques-uns de ces arguments sortent assez amoindris, d'autres ont reçu
une interprétation nouvelle. Ainsi, les détails fournis par S. Jean Chrysostome
échappent au reproche d'être vagues et contradictoires; c'est la note que
M. Batiffol avait cru devoir appliquer aux documents catholiques de la Passion de
S. Lucien. Certaines particularités semblent dériver moins du commentateur arien
de Job que du martyrologe hiéronymien; mais on sait que celui-ci a inséré certaines
notes hagiographiques provenant de Nicomédie, la citadelle de l'arianisme. En
résumé, M. Franchi croit, avec M. Batiffol, que la rédaction des Actes de S. Lucien
différente de celle de Métaphraste est de provenance arienne et qu'elle date au
plus tôt de la première moitié du V° siècle, puisque l'historien arien Philostorge
mourut en 425.

Il faut rendre un hommage sans restriction à l'érudition vraiment remarquable
avec laquelle M. Franchi a mené ce travail de délicate analyse. On partagera, nous
n'en doutons pas, sa manière de voir sur les rapports qu'il a nettement établis
entre les divers documents que nous possédons sur le martyre de S. Lucien. Toutefois ses conclusions sur l'origine de la Passion primitive nous paraissent assez
faiblement appuyées, et même après le brillant essai de M. Franchi, nous conser-
vons encore quelques doutes sur cette question, qui reste à l'état de curieuse hypothèse, mais qui attend toujours une démonstration rigoureuse.

(1) *Anal. Boll.*, t. XI, p. 471. — (2) *Di un frammento di una Vita di Costantino.*
Roma, Tip. della S. C. de Prop. fide, 1897, in-4°, 45 pp. Extrait des Studi e documenti
di storia e diritto, t. XVIII, p. 89-131.

S. **Eufrasius**, martyr, honoré à Lecco, fut trouvé dans la catacombe de Caliste, sous le pontificat d'Innocent X. Aucun nom n'était inscrit sur son tombeau ; mais il y avait le fameux vase de sang, regardé à cette époque comme un indice certain du martyre. Les restes mortels du chrétien anonyme furent donc vénérés comme des reliques, et le saint fut baptisé du nom d'Eufrasius. Concédé d'abord au prince Camillo Pamphili, le corps fut donné par lui au couvent des Angéliques de Saint-Paul, à Milan, et exposé sur l'autel de S. Louis. Les religieuses fixèrent la fête du saint au 29 juillet. Après la suppression du monastère, il fut solennellement transporté, en 1811, à Lecco, où on peut le voir encore, vêtu en soldat romain avec les insignes du martyre. Récemment, on a restauré l'autel où il repose, et à cette occasion, on a réimprimé le mémoire publié en 1811, par Rudoni, d'où nous avons tiré les détails qui précèdent (1).

En 1834, le pape Grégoire XVI fit don à la chapelle du convict des nobles à Reggio dans l'Émilie, d'un corps saint déterré dans le cimetière de Caliste. Ces ossements semblaient être ceux d'un jeune martyr du nom de Georges, ou mieux peut-être d'Agricola, s'il faut en croire l'inscription ΓΕΩΡΓΟϹ, trouvée près du corps. Le collège de la Compagnie de Jésus ayant été supprimé à Reggio en 1859, les reliques de S. Georges, après diverses péripéties, arrivèrent à Brescia en juin 1887, et furent déposées dans le collège que les jésuites y ouvrirent sous le vocable du Vén. Luzzago. Six ans plus tard, nouvelle translation à l'*Istituto scolastico Cesare Arici* à Brescia.

On trouve tous ces détails dans la petite plaquette consacrée au culte de S. Georges par M. E. B. (2), qui déclare résumer une dissertation de Célestin Cavedoni (3).

Un docte barnabite, le P. L. DE FEIS, vient de terminer une monographie très détaillée du pape Libère et du schisme des semi-ariens (4). Malgré la pénurie peut-être excessive des citations, on s'aperçoit, en lisant ce livre, que la connaissance des sources est familière à l'auteur et qu'aucun travail important sur la matière ne lui a échappé. Le sujet est délicat et complexe par lui-même, et les controverses théologiques n'ont pas peu servi, hélas, à l'embrouiller davantage. C'est pourquoi nous aurions souhaité qu'un travail aussi considérable que celui du P. de Feis fût précédé d'une introduction sur la valeur des sources et sur le point précis où les recherches antérieures ont conduit la question. Ceci est une affaire de forme, et en somme, accessoire. Nous regrettons davantage que le savant auteur, qui s'est

______

(1) * *Memoria sull' identità e provenienza del corpo di S. Eufrasio martire che si venera nella chiesa prepositurale di S. Nicolò dell' illustre città di Lecco compilata dal sacerdote Pietro Rudoni ed oggi riveduta e ritoccata.* Lecco, Tip. del " Resegone ,, 1896, in-12, 23 pp. — (2) * *Il Corpo del martire S. Giorgio nell' istituto scolastico Cesare Arici in Brescia.* Modena, tip. dell' Immacolata Concezione, 1895, in-16, 14 pp. — (3) *Memorie di religione, morale e letteratura*, Modena, t. IX, 1840.— (4) * *Storia di Liberio papa e dello schisma dei Semiariani.* Roma, Tip. della S. C. de Prop. fide, 1894, 4°, 211 pp. Extrait des STUDI E DOCUMENTI DI STORIA E DIRITTO, t. XII (1890) - XV (1895).

passionné pour son sujet, et s'est imposé un labeur énorme dans le désir d'arriver à des solutions définitives, n'ait pas davantage fermé l'oreille aux bruits de l'école, qui troublent si facilement la sérénité du critique. C'est ainsi que l'apologie à outrance du pontife est devenue le fond du travail, et qu'il a fallu plus d'une fois recourir à des moyens extrêmes pour éluder des témoignages embarrassants. Il y a aussi, en faveur de l'innocence du pape Libère, des accumulations d'arguments qui rappellent trop la preuve appelée " *ex traditione* „ dans certains manuels. Ce sont des témoignages qui sont censés faire impression par leur nombre, mais dont on oublie de rechercher la source, opération qui aboutirait souvent à les réduire notablement.

Ainsi le témoignage de Photius en faveur de Libère n'est pas distinct de celui de l'auteur qu'il transcrit dans sa bibliothèque; Métaphraste n'a d'autre autorité dans la matière que celle de la pièce plus ancienne qu'il arrange. Il n'y a non plus aucune raison de dire de Nicéphore Calliste que " l'autorité de cet historien grec et „ catholique du XIII⁰ siècle a un grand poids „. Elle vaut exactement ce que valent les sources de la compilation. De même pour les ménées, qu'il conviendrait, en général, de ne pas invoquer dans les questions historiques; je vais plus loin, dans les questions liturgiques elles-mêmes, il ne faudrait s'en servir qu'avec la plus grande circonspection.

Pour m'en tenir au cas qui nous occupe, Libère, quoique ayant sa place dans les ménées, n'a joui dans l'église grecque d'aucun culte véritablement traditionnel, pas plus que chez nous un grand nombre de saints grecs, qui ont été inscrits au martyrologe romain par Baronius. On chercherait en vain Libère dans les anciens calendriers, et c'est par les grandes collections hagiographiques, dont les ménées représentent la substance, qu'il a pénétré dans la liturgie grecque avec tant d'autres qui, certes, le méritaient moins que lui.

Si l'on veut tirer argument du culte liturgique, il conviendrait de s'en tenir à celui de l'église latine. Mais même, en supposant que Libère a été honoré comme un saint aussitôt après sa mort, fait dont nous attendons la preuve, on n'est pas autorisé à conclure qu'il n'a pas eu quelques faiblesses; elles peuvent avoir été couvertes par l'éclat de sa popularité et compensées par ses vertus.

Un des documents que le P. de Feis exploite avec le plus de complaisance pour l'histoire de son héros est l'épitaphe métrique d'un pape trouvée par Rossi dans un manuscrit de Saint-Pétersbourg, et attribuée par lui à Libère (1). Or, voici que M. Mommsen (2) vient contester cette attribution.

Insuper exsilio martyr decedis ad astra (v. 42),

dit le poème. Or Libère n'est pas mort en exil. Ce n'est donc pas de lui qu'il s'agit, mais d'un autre pape, postérieur au concile de Nicée, ayant subi la peine du bannissement. Il y a le choix entre Félix II, l'antipape, et Martin Iᵉʳ (649-653). M. de

(1) *Bullettino di archeol. cristiana*, 1883, p. 5-52; *Inscriptiones christianae*, t. II, p. 83, n. 26. — (2) *Die römischen Bischöfe Liberius und Felix II*, DEUTSCHE ZEITSCHRIFT FÜR GESCHICHTSWISSENSCHAFT, neue Folge, t. I (1896), p. 167-179.

Rossi avait pensé à ce dernier, mais n'avait pas tardé à voir que ni la carrière du défunt, ni les controverses auxquelles il est fait allusion, ni la langue de l'inscription ne permettent d'accepter cette solution. Reste Félix II, auquel, il faut l'avouer, les traits de l'épitaphe s'appliquent plus aisément qu'à Libère.

Lorsque M. l'abbé Duchesne, aux conférences d'archéologie chrétienne (1), fit connaître, en les appuyant, ces conclusions nouvelles, certains disciples de M. de Rossi parurent quelque peu déconcertés, et il s'engagea sur la question un débat interminable, dans lequel on produisit contre cette nouveauté un certain nombre d'arguments assez faibles (2). Un seul, qui fut clairement développé par M. O. Marucchi, mérite considération. Si l'épitaphe en question est celle de Félix II, elle doit provenir de la voie Aurélienne où il a été enterré. Or, tandis qu'un grand nombre d'autres cimetières, parmi lesquels ceux de la *via Salaria*, où fut enseveli le pape Libère, ont fourni des textes aux pèlerins auteurs de recueils d'inscriptions, la voie Aurélienne n'en a donné aucune. Celle de Félix II formerait donc une exception unique dans la la riche collection épigraphique que nous possédons. La difficulté est sérieuse, mais non insoluble, et il sera bon d'attendre de nouvelles lumières avant de prononcer sur la portée du document un jugement définitif.

M. Ch. Urseau a publié un texte en vers français, dans lequel est racontée la vie de S. René, " disciple et successeur de S. Maurille sur le siège d'Angers ,, (V° siècle). C'est une pièce bien récente ; car, d'après l'éditeur, elle est seulement de la fin du XV° siècle ou du commencement du XVI°. Si malgré cela il la publie, c'est " à titre de curiosité littéraire ,, et " parce qu'on y trouve l'écho d'une tradition chère à la piété de nos pères (3) ,,.

A l'occasion du quatorzième centenaire de la mort de S. Épiphane de Pavie, M. l'abbé P. Moraagri a publié une biographie populaire du grand évêque (4). Dans cet élégant petit livre, dépouillé de tout appareil scientifique, on reconnaît néanmoins aisément un auteur bien informé, habitué aux travaux historiques et soucieux de la vérité.

Le R. P. Plaine a écrit un nouvel article " pour venger l'honneur de son ordre, ,, rétablir les droits méconnus de la vérité et mettre hors de cause l'authenticité de ,, la venue dans les Gaules de S. Maur, disciple de S. Benoît (5) ,,. Qu'il nous permette de lui dire : 1° que l'honneur de son ordre n'est pas en question dans l'occurrence, ou plutôt que ceux-là compromettent cet honneur qui s'obstinent à défendre

(1) Cf. *Nuovo Bullettino di archeol. crist.*, t. III, p. 134-38. — (2) Le P. de Fiis, qui prit part à la discussion, a publié ses remarques dans le Bessarione, t. II, p. 260-271, sous le titre de *Nuove osservazioni sul carme sepolcrale di Liberio papa*. Nous devons dire que nous n'y avons trouvé aucun argument nouveau. — (3) *La Vye de Monsieur sainct René*, dans Revue des Facultés catholiques de l'Ouest, t. VI (1697), p. 692-708. — (4) " *S. Epifanio, vescovo e protettore di Pavia, padre della patria*. Pavia, Fusi, 1897, in-16, 71 pp., grav. — (5) *Odon de Glanfeuil et l'authenticité de la mission de S. Maur*, dans la Revue hist. de l'Ouest, t. XII (1892). Notices, p. 126-151.

des thèses insoutenables ; 2° qu'il n'est pas le seul à vouloir rétablir les droits de la vérité ; la question est de savoir où est la vérité ; 3° que son travail n'est pas plus convaincant que celui dont il a été question jadis dans cette revue (1). Presque tout ce que l'auteur avait mis dans son premier article, il le répète ici, jusqu'au cercle vicieux que nous lui avons cependant signalé.

En somme, il n'ajoute aux arguments lamentablement faibles de l'autre fois qu'un trait nouveau qui vaille la peine d'être mentionné. C'est le témoignage d'Amalair e, auteur antérieur à Odon de Glanfeuil, et qui " dans son livre des *Offices ecclésias „ tiques* (l. IV, ch. 48) mentionne explicitement la Vie de S. Maur par le moine „ Fauste (p. 139) „. Le malheur veut que le chapitre d'où le P. Plaine tire ce témoi gnage, est apocryphe. M. R. Mönchemeier a montré qu'il est l'œuvre d'Adhémar de Chabannes (2).

Sous le titre : *La Vie de S. Malo en vers français*, M. l'abbé PAUL PARIS-JALLOBERT a publié un cantique français en l'honneur de S. Malo, composé en novembre 1732 par Luc Gérard, recteur de la paroisse de Saint-Malo de Phily (3). Le recteur y raconte la vie du saint " sur l'air: *Un jour Tircis sur sa musette*, ou bien: *J'aperçou „ l'autre nuict en songe* „.

M. l'abbé O. BLED a entrepris " d'exposer ce que les documents anciens et „ modernes, inédits ou explorés, contiennent sur l'histoire des reliques des patrons „ de la ville de Saint-Omer „. Il commence naturellement par S. Omer lui-mêm e, et l'étude qui vient de paraître (4) réalise fort bien le programme que s'est tracé le savant auteur. L'histoire des reliques de S. Omer est en grande partie l'histoire des querelles séculaires qui divisèrent les deux grands établissemen ts religieux de la ville, le chapitre de Notre-Dame et l'abbaye de Saint-Bertin. Après avoir mis en œuvre, d'une manière très impartiale, les documents tant publiés qu'inédits, M. Bled conclut en donnant, en somme, raison aux chanoines de Notre-Dame. C'était déjà l'avis de notre prédécesseur Stilting (5).

M. l'abbé G. MONCHAMP étudie à son tour la question si souvent débattue de *La Date de la mort de S. Lambert* (6). Sa dissertation, où toutes les sources son t

(1) *Anal. Boll.*, t. XV, p. 355, note 5. — (2) *Amalar von Metz. Sein Leben und seine Schriften* (1893), p. 75-81. On trouvera ce chapitre 48, dit le R. P. Plaine, " dans les *Vetera Analecta* de Mabillon et sur les manuscrits anciens, tels que le „ Parisinus 2400 „. Nous croyons utile de faire observer que le Parisinus 2400 : 1° est le seul manuscrit connu qui contienne le chapitre en question ; 2° qu'il est précisément la source de l'édition que Mabillon a donnée de ce chapitre ; 3° qu'il a été écrit à Saint-Martial de Limoges, sous la direction d'Adhémar lui-même. — (3) *Revue hist. de l'Ouest*, t. XII (1896), Notices, p. 721-29. — (4) " *Les Reliques de S. Omer*. Arras, Sueur-Charruey, 1897, in-12, 62 pp. Les épreuves auraient pu être corrigées avec plus de soin. Je cite au hasard *S. Audmarim* (p. 13, note), pour *S. Audomari; Albéric Butler* et *Album Butler* (p. 46, note), pour *Alban But ler*, etc., etc. — (5) *Act. SS.*, Sept. t. III, p. 395. — (6) Dans le BULL. DE LA SOC. D'ART ET D'HIST. DU DIOC. DE LIÈGE, t. X (1896), p. 315-29.

mises en œuvre avec clarté et méthode, aboutit à cette conclusion que le martyre de S. Lambert doit être placé au plus tôt en 708 ou 709; à la rigueur, on pourrait le retarder jusqu'en 712. J'avoue que les trois démonstrations données à l'appui de la thèse principale ne m'ont pas convaincu. Sans doute, le chapitre connu des Miracles de S. Denis (1) fournit un argument solide pour fixer la date du martyre aux environs de l'année 705. Le diplôme de Pepin, donné en mai 706, semble interdire qu'on descende plus bas. M. Monchamp passe cependant outre, en supposant que le *Chuchobertus episcopus*, qui y est nommé, est bien S. Hubert sans doute, " mais non encore évêque de Liége (peut-être cependant était-il coadjuteur , de S. Lambert) ,. Cette hypothèse hasardée paraît nécessaire à l'auteur, et cela surtout parce que la plus ancienne *Vita Huberti* assigne à l'épiscopat de S. Lambert une durée de quarante ans; or S. Lambert ne devint évêque qu'en 667 au plus tôt. Mais enfin, ce chiffre rond de quarante années ne peut-il pas fort bien représenter une durée un peu moindre, trente-sept ans ou trente-huit ans par exemple, et la *Vita Huberti* est-elle un document d'une valeur tellement exceptionnelle qu'il faille y regarder de si près ?

J'en dirai tout autant, et davantage encore, de la donnée chronologique *sub Carolo Francorum principe et maiore domus*, qu'on lit dans le chapitre cité des Miracles de S. Denis et d'où M. Monchamp tire un argument nouveau. Car ce livre des Miracles ne date que du IXe siècle, et M. Monchamp constate lui-même que la phrase en question, " prise dans la rigueur des termes , ne permettait guère de mettre le martyre de S. Lambert en 708 ou 709; il faudrait descendre jusqu'à 712; or, ajoute-t-il, cela " paraît en réalité fort osé, et nous nous demandons s'il n'y a , pas lieu de ne pas serrer de si près les mots de l'auteur ,.

En somme, l'article que nous signalons est de nature à discréditer de plus en plus l'opinion de ceux qui font mourir S. Lambert en 696 ou une des années qui suivent immédiatement. Pour le surplus, tenons-nous-en à l'année 705 environ; c'est celle qu'indique l'ensemble des documents connus jusqu'ici.

On se rappelle l'intéressante discussion engagée entre MM. Lindner et Grauert, au sujet du mode de sépulture de Charlemagne (2). Peut-on admettre qu'on l'ensevelit dans la position assise, ou bien fut-il couché dans son tombeau ? M. Grauert s'était surtout occupé d'écarter les invraisemblances que l'on avait trouvées dans la première hypothèse, en citant l'exemple des empereurs byzantins, et l'usage des églises d'Orient pour leurs prêtres et leurs évêques. Il n'a pas réussi à convaincre M. Th. Lindner (3), qui demande les témoignages des sources antiques pour le fait de Byzance, et qui n'est pas, d'ailleurs, disposé à admettre que l'on ait imité les Grecs en Occident. Pour le dire en passant, on n'apporte point de raisons bien sérieuses pour écarter la possibilité d'une imitation. M. Lindner cherche à montrer aussi que la rigidité cadavérique ne permet pas de donner au corps une attitude

(1) Voir *Anal. Boll.*, t. XIII, p. 173. — (2) Voir *ibid.*, p. 57-58. — (3) Th. Lindner, *Zur Fabel der Bestattung Karls des Grossen*, Zeitschrift des Aachener Geschichtevereins, t. XVIII (1896), p. 65-76; Id., *Nachtrag*, ibid., t. XIX (1897), p. 93-96.

qui éveille quelque peu l'idée de grandeur et de puissance ; et c'est bien l'effet que
l'on aurait cherché en plaçant l'empereur sur son trône. Certainement, le
patriarche défunt de Jérusalem, dont une photographie montre le cadavre assu-
jetti tant bien que mal à un fauteuil (1), n'est pas très majestueux. Mais n'aurait-on
pas pu s'y prendre mieux ? C'est aux hommes de science à décider ce point.
M. Lindner revient aussi sur le sens du mot *solium*, employé par Thietmar, et qui
ne désigne pas nécessairement un siège. Cela est vrai, et dans les classiques
(Suétone, *Néron*, c. 50, Pline, *Hist. nat.*, XXXV, 12, etc.), *solium* se rencontre avec la
signification de sarcophage. Mais il n'en est pas de même au moyen âge, et il est
difficile d'admettre que l'expression de *solium regium* de Thietmar soit autre chose
que le trône royal.

En tête de la Passion des SS. Gorgone et Dorothée, on trouve, dans plusieurs
manuscrits, une lettre d'envoi par laquelle Milon, évêque de Minden (†996), offre à
l'abbé Immon de Gorze une copie de cette Passion. La lettre de Milon fait défaut
dans un manuscrit du XIIe/XIIIe siècle conservé dans le musée Metternich à
Königswart (Bohème), mais elle y est remplacée par une autre lettre d'envoi,
adressée par un *Adelbertus episcopus* à Milon lui-même. Il y a là un petit problème
littéraire, qui ne manque pas d'intérêt et sur lequel nous comptons revenir. M. le
chanoine A. Kolberg, à qui l'on doit la découverte et la publication de cette nouvelle
lettre (2), s'efforce de démontrer que l'auteur n'est autre que S. Adalbert de Prague ;
la lettre daterait de l'année 993 ; Adalbert aurait, de plus, écrit le prologue et l'épilogue de la Passion ; celle-ci serait un document très ancien, dérivé du reste d'un original grec beaucoup plus développé. Ces diverses assertions sont loin d'être prouvées,
et plusieurs d'entre elles ne résistent pas un instant à l'examen. Ainsi, un des principaux arguments pour établir que la Passion est très ancienne, qu'il faut la ranger
parmi les *Acta sincera* (3), est tiré par M. Kolberg des premiers mots du récit. " Sous
le règne de Dioclétien ", dit le texte des *Acta Sanctorum*, " il s'éleva une violente
persécution ", *Diocletiano in rebus publicis agente, tam saeva tempestas exorta est...*
Le ms. de Königswart présente ici une variante, que M. K. croit préférable : " Pendant que Dioclétien guerroyait ", ... *Diocletiano in rebus bellicis agente...* ; il est vrai
qu'il traduit autrement ces mots, et sa traduction lui paraît si heureuse qu'il y
revient par quatre fois (pp. 8 note, 10, 12 note, 34) : " Alors que Dioclétien faisait
la guerre.... aux chrétiens... ", Donc, conclut l'auteur, " la Passion a été écrite alors
" que le souvenir de cette guerre vivait encore dans le souvenir des hommes ". C'est
là une exégèse bien extraordinaire.

Le diacre **Ariald** (†1066) et le soldat **Herlembald** (†1075) furent deux saints
batailleurs du XIe siècle, jetés dans la tourmente civile et religieuse qui secouait

(1) *Zeitschrift*, t. XIX, p. 94. — (2) *° Ein Brief des hl. Adalbert von Prag an den
Bischof Milo von Minden aus dem Jahre 993.* Braunsberg, 1897, in-8°, 40 pp. Extrait
de la ZEITSCHRIFT FÜR DIE GESCHICHTE UND ALTERTHUMSKUNDE ERMLANDS, t. XI. —
(3) Les deux autres arguments sont aussi bien étonnants : 1° La Passion est courte ;
2° elle " a l'air " d'avoir été extraite d'un document plus long... Et c'est tout !

alors l'église de Milan. La plus grande partie du clergé tenait en mince honneur le
célibat ecclésiastique et beaucoup de ses membres étaient de plus ouvertement
simoniaques. A peine un petit groupe de fidèles, soutenus par Rome, déploraient
cet avilissement. Le peuple ne savait trop que penser; la noblesse favorisait le
parti le plus fort. Sans doute, ces plaies de la simonie et de l'incontinence des
clercs ne rongeaient pas seulement la métropole de la Lombardie; presque toute la
chrétienté en était infectée; mais nulle part ailleurs les luttes qui en résultaient,
n'atteignirent à un tel degré d'âpre violence. Quand les partisans de la réforme
eurent décidé de s'adresser aux masses pour frapper un grand coup, Ariald se mit
à prêcher hardiment en public l'horreur des prêtres dévoyés. Il était bien l'homme
de son temps, souple, passionné, rude jusqu'à la brutalité. Un jour, raconte un de
ses disciples, témoin oculaire et digne de foi, comme il entrait dans une église, il
aperçut à l'autel un prêtre célébrant les saints mystères; d'un bond, il est à ses
côtés, l'apostrophe avec véhémence, lui arrache la chasuble et le chasse honteu-
sement. Mal faillit lui en prendre; car quelques instants après, des gens du peuple,
armés de gourdins, firent irruption dans le lieu saint en poussant des cris de mort.
Mais l'audacieux justicier parvint à calmer les esprits par sa parole insinuante :
praedicationem sic mellifluam composuit. Ce trait peint tout l'homme. On peut
s'imaginer si Herlembald, soldat de son métier, rivalisait de douceur avec le bouil-
lant diacre dont il s'était fait le lieutenant. La réforme triompha grâce aux vicissitudes politiques et à l'inflexible fermeté de Grégoire VII; mais elle coûta la vie à
ses deux plus ardents champions.

Cette histoire dramatique vient d'être écrite par M. le Dr CH. PELLEGRINI (1)
con intelletto d'amore. Le docte abbé admire beaucoup ses héros, il les propose
comme modèles aux générations anémiées *(sic)* de notre temps, et il voudrait
ressusciter leur culte parmi ses compatriotes. Soit. L'essentiel, c'est que cet état
d'âme n'ait point nui à la bonté de l'ouvrage. En général, l'auteur ne ferme pas les
yeux sur les excès des deux vaillants lutteurs; il les avoue même avec une parfaite sincérité. Mais peut-être les excuse-t-il un peu trop, en répétant à satiété que,
dans toutes leurs menées, ils prenaient le mot d'ordre à Rome; comme si les papes
Alexandre II et Grégoire VII, heureux de leur courage et de leur fidélité, avaient
par cela même approuvé la violence et la témérité de leurs procédés. Leurs adversaires méritaient bien aussi un peu d'indulgence. Tous n'étaient pas des brigands
et des pécheurs incorrigibles; à preuve, l'annaliste Arnulphe, sur l'œuvre duquel
d'ailleurs M. Pellegrini énonce un avis équitable. Pour juger avec une pleine sérénité
cette époque si profondément troublée de l'histoire de Milan, il faut en bien connaître
les abords et se garder de les contempler à la lumière des résultats acquis depuis
ou tels qu'ils sont dépeints dans les manuels d'histoire. De ce chef, les ch. IV
et XXIII de l'ouvrage laissent à désirer. De même, le ch. XXI « S. Ariald et les
rits sacrés » trahit des lacunes dans la connaissance de l'ancienne liturgie ambro-

<hr>

(1) * *I Santi Arialdo ed Erlembaldo. Storia di Milano nella seconda metà del
secolo XI,* con carta topografica dell'epoca. Milano, Palma, 1897, in-8°, xii-527 pp.

sienne; on est mal venu à vanter les réformes de S. Charles Borromée sur ce terrain. Dans le cas d'Ariald, qui protesta contre la pratique du jeûne durant les jours des Rogations, je trouve avec l'auteur qu'il eût mieux fait de ne pas se mêler de la question. Mais on n'est pas batailleur pour rien. Au reste, la fureur populaire, qui saccagea sa maison, ne prouve pas qu'il eût tort pour le fond. Ce jeûne était une nouveauté, au témoignage même de son biographe contemporain.

Immédiatement après leur mort, Ariald et Herlembald furent l'objet d'un culte populaire. Mais, à mesure que les passions politiques et religieuses s'apaisaient, la vénération publique alla se refroidissant, pour finir par s'éteindre complètement. A la fin du XIII⁰ siècle, Godefroy de Bussero n'avait à signaler ni églises ni autels qui leur fussent dédiés. Néanmoins, M. Pellegrini prétend qu'ils ont été solennellement canonisés par les papes Alexandre II et Urbain II. Il y tient mordicus. Je me contenterai de lui faire observer que toutes les preuves indirectes qu'il apporte vont uniquement à prouver l'existence d'un culte populaire. Quant aux arguments directs, le R. P. DE SANTI, S. I. (1), en a, avec une sage discrétion, démontré la faiblesse. Il aurait pu insister davantage sur le silence du B. André, le biographe d'Ariald. La canonisation solennelle aurait eu lieu à Milan en 1067. Cinq ou six ans plus tard, André, disciple et ami d'Ariald, entreprit d'écrire sa Vie. Il avait soigneusement recueilli tout ce qui pouvait servir à glorifier son maître. L'œuvre achevée, il l'envoya, pour la corriger et la compléter, à un autre intime d'Ariald, le prêtre Syrus, qui continuait à habiter Milan. Celui-ci lui fit part de ses observations; il lui signala notamment l'exploit d'Ariald que nous avons résumé au début de ce compte rendu. Puis, nouvelle lettre d'André, pour lui raconter trois miracles, opérés par l'intervention du martyr. Or ni l'un ni l'autre de ces témoins de premier choix ne soufflent mot de la canonisation. Sans doute, il ne faut pas abuser de l'argument du silence; mais dans le cas présent, il a, me semble-t-il, une force qui ne pourrait être énervée que par des témoignages contraires d'une valeur irréfragable.

Ces réserves et d'autres inexactitudes que je pourrais relever, ne m'empêchent pas de rendre hommage à la réelle valeur littéraire et surtout historique du livre de M. Pellegrini. L'auteur a étudié sérieusement les sources; il possède et domine son sujet; sa critique est juste, large et ferme. Malgré des redites et des longueurs, plus d'un, nous n'en doutons pas, trouvera intérêt et profit à lire ce consciencieux ouvrage (2).

M. HIPPOLYTE SAUVAGE a publié deux nouvelles brochures sur les saints de Savigny (3). La première (4) renfermerait, d'après le sous-titre, l'*Office propre de S. Vital... et les Offices et propres* (sic) *de S. Vital et des bienheureux de Savigny.* En réalité, on y trouve tout simplement une messe de S. Vital, sans intérêt et qui ne contient pas même une prose; aussi bien, elle date au plus tôt du XVII⁰ siècle.

---

(1) *Civiltà cattolica*, série XVI, vol. XI (1897), p. 31-35. — (2) L'art. de M. F. MEDA, *Arialdo ed Erlembaldo*, dans la SCUOLA CATTOLICA, sér. II, t. X (1895), p. 535-52, est une conférence apologétique. — (3) Voir *Anal. Boll.*, t. XV, p. 97. — (4) *Études diverses. Nouvelle série, 10. Office propre*, etc... Mortain, A. Leroy, 1897, in-8°, 12 pp.

M. Sauvage regrette de n'avoir pu s'assurer, malgré ses efforts, " si elle avait été imprimée dans des bréviaires dont se servaient les religieux de Savigny (p. 9) ,. Que n'a-t-il donc rencontré sur sa route une âme charitable pour lui dire qu'on ne cherche pas une messe dans les bréviaires!

La seconde brochure (1) consiste simplement dans la réimpression d'un article sur les saints de Savigny publié par M. l'abbé F. Delaunay dans le *Journal de Fougères* du 11 juillet 1896. Il est à peine besoin de le dire, ces quelques pages d'un journal de province ne s'adressent pas au public savant.

Le P. Pinius a publié dans le tome III de juillet des *Acta Sanctorum* (p. 793-810), les Actes du B. Hroznata, de l'ordre de Prémontré, fondateur de l'abbaye de Telf. Ce martyr des immunités ecclésiastiques est peu connu en dehors de la Bohême, son pays natal. Le R. P. Ignace Van Spilbeeck a entrepris de présenter son histoire à nos concitoyens (2). Il nous paraît surtout intéressant de signaler dans l'appendice quelques détails liturgiques qu'on chercherait en vain dans les *Acta Sanctorum*.

Il y a de nombreux articles hagiographiques à relever dans le tome VI des *Miscellanea Francescana* (1895-1897), l'intéressant recueil périodique que dirige, avec beaucoup de distinction, M. le chanoine M. Faloci Pulignani.

Quoique quelques-uns de ces articles aient déjà été mentionnés incidemment dans notre dernier bulletin, nous croyons utile de passer en revue tout le contenu du volume, sauf à omettre çà et là quelques notices de peu d'étendue et de moindre importance.

S. François y occupe naturellement la place d'honneur. P. 1-15, M. le chanoine Faloci rassemble tout ce qui, à Foligno, rappelle le souvenir du saint. A cet effet, il a fouillé les documents, interrogé les traditions, et il nous offre ainsi un ensemble de faits fort intéressants, quoique tous, d'ailleurs, ne soient pas également certains. — P. 26-31, le R. P. Édouard d'Alençon termine son étude sur la Vie métrique de S. François publiée par M. Cristofani (3). — Suit (p. 33-39) un mémoire de M. Faloci sur les autographes du saint, avec fac-similés en héliotypie. Ces autographes sont au nombre de trois : la " Bénédiction ,. les *Laudes Creatoris* et une lettre au Frère Léon. Les pages 129-52 contiennent, en appendice à l'article précédent, la reproduction de l'étude du P. Grisar, signalée ci-dessus, p. 353. — Un texte latin inédit remplit les pp. 39-42. C'est une série de 23 miracles extraits du manuscrit 338 de la bibliothèque Saint-François, à Assise. L'éditeur, M. Paul Sabatier, croit pouvoir y reconnaître un fragment du *Liber miraculorum* de Thomas de Celano. — P. 43-50, M. l'abbé Faloci revient sur une question sou-

(1) *Études diverses. Nouv. série, 11. Les Saints de Savigny.* Ibid., 1897, in-8°, 9 pp. — (2) * *Vie du B. Hroznata, prince de Bohême.* Tamines, Duculot-Roulin, 1897, in-8°, 103 pp., grav. — (3) Voir *Anal. Boll.*, t. XIII, p. 66-69. L'exemplaire retrouvé et étudié par le R. P. Édouard d'Alençon est le manuscrit de Versailles, n. 8; par une singulière distraction nous l'avons appelé jadis (*Anal. Boll.*, l. c.), " manuscrit d'Alençon! ,

vent débattue : François est-il l'auteur du " Cantique du Soleil „? Le savant chanoine n'hésite pas à se prononcer pour l'affirmative. Le cantique se trouve, avec indication du nom de l'auteur, dans le ms. 338 de la bibliothèque Saint-François, à Assise. Or, ce manuscrit daterait d'avant 1255. Les preuves qu'en donne M. l'abbé Faloci ne sont pas sans valeur. Pour les écarter, il faudrait montrer que les caractères paléographiques obligent à rapporter le manuscrit à une époque plus récente. C'est la tâche entreprise par M. Della Giovanna dans l'article que nous avons indiqué plus haut (p. 353). A l'argument négatif qu'on tire des biographes contemporains, qui ont gardé le silence sur cette œuvre de S. François, M. Faloci oppose un passage de Thomas de Celano; et de fait, sans effort, il l'explique dans un sens favorable à sa thèse. Quant à déterminer les circonstances qui amenèrent le saint à composer cette œuvre, M. l'abbé Faloci n'a plus à sa disposition que le *Speculum perfectionis*. Certes, il n'exagère pas la valeur historique de ce livre, qui vaut, en somme, dans ses différentes parties, ce que valent les écrits dont il dérive. Mais, tout juste, M. Faloci n'a pas assez mis en évidence ce qui, pour le cas présent, mérite créance dans l'emprunt fait au *Speculum*. — P. 161-67 et p. 198, M. Faloci apporte un supplément très intéressant à l'étude de M. Paul Sabatier sur l'indulgence de la Portioncule (voir ci-dessus, p. 353). Il ne s'agit de rien moins que d'un procès canonique fait par l'évêque d'Assise au sujet de cette indulgence en 1227, un an à peine après la mort de S. François. Les Actes du procès n'existent plus ; la première mention que M. Faloci en ait retrouvée, date seulement du XVII° siècle. Et cependant, malgré ces conditions fort défavorables, le savant auteur arrive, par une suite de considérations ingénieuses, à rendre au moins très probable la réalité de cette enquête juridique. — P. 169-95, on a réimprimé l'article de M. le professeur Labanca signalé ci-dessus, p. 352.

Les p. 15-16 des *Miscellanea* sont consacrées, par M. P. Soulmero, à la description d'une fresque du XIV° siècle qui se voit à Vérone dans l'église des Conventuels. Elle représente la B°° Michelina de Pesaro, dont les *Acta Sanctorum* font mémoire au tome III de juin.

Au 16 septembre nos prédécesseurs ont rangé dans les *praetermissi* Paul de Trincis, plus connu sous le nom de Paoluccio Trinci da Foligno, un des ardents promoteurs de la réforme franciscaine dite de l'Observance. Si les anciens Bollandistes ont agi ainsi, c'est qu'ils étaient mal informés. M. le chanoine Faloci prouve, en effet, que de tout temps un culte public a été rendu au B. Paoluccio. Nous sommes donc heureux de pouvoir corriger cette méprise, en signalant à nos lecteurs l'intéressante étude que M. Faloci a consacrée à ce saint moine (*Miscellanea*, p. 97-127). On y trouve recueillis avec soin et disposés avec ordre tous les documents de quelque valeur qu'il a été possible de retrouver. Sans doute, M. Faloci aurait pu les soumettre à une critique plus rigoureuse ; mais je me reprocherais d'être ici trop sévère. L'auteur, en effet, dans son introduction, précise nettement le but qu'il poursuit ; il ne veut que rassembler les matériaux qui, sous la main d'un artiste, serviront un jour à représenter la vraie et vivante image du bienheureux.

Enfin (p. 137); par des raisons assez probables, il revendique pour le Tiers-Ordre de S. François le B. Pierre Crisci (1).

Le beau volume publié par M. le D^r St. Ehses comme souvenir du jubilé de onze cents ans d'existence du *Campo Santo* des Allemands à Rome, a été plus d'une fois mentionné dans nos derniers numéros. Outre les articles de M. l'abbé Ehrhard, de Mgr P.-M. Baumgarten et de M. L. Jelic' (2), il reste à signaler un quatrième travail : l'itinéraire du B. Jourdain de Saxe, reconstitué avec beaucoup de soin par le R. P. Benoît Reichert (3). Il servira admirablement à répandre plus de lumière sur la vie de ce voyageur infatigable, toujours en route pour veiller au développement normal de sa famille religieuse. La note 2 de la page 153 mérite, vu son importance, une mention spéciale. Le P. Reichert y a rangé par ordre chronologique les lettres du saint général, publiées en 1891 par le R. P. Berthier (4).

Dans ses " Notes d'histoire „ sur la B^{se} Ève de Saint-Martin, M. Joseph Demarteau a mis habilement en œuvre les deux documents originaux qui seuls nous sont parvenus au sujet de la recluse liégeoise : la Vie latine de l'intime amie d'Ève, Ste Julienne de Cornillon, et un bref d'Urbain IV adressé à Ève elle-même. Il en a tiré les éléments principaux d'une biographie édifiante (5), dont la rédaction garde, par endroits, quelques traces de hâte, mais qui repose certainement sur une étude consciencieuse de tout ce qui touche à l'histoire de Liége au XIII siècle. Parfois même, M. Demarteau fait plus qu'œuvre de vulgarisation. La Vie latine mentionnée plus haut et qui fut écrite très peu de temps après la mort d'Ève, n'est que la traduction d'un récit en langue romane. L'auteur lui-même l'atteste : *Quae quidem per diligentiam unius valde religiosae personae in lingua gallica litteris commendata* ; et plus loin : *Adorsus sum, quod gallice factum fuerat, vertere in latinum* (6). Cette *religiosa persona*, auteur de la Vie de Ste Julienne, serait, d'après M. Demarteau, la B^{se} Ève elle-même, qu'il appelle, en conséquence, " la première auteur wallonne „. Dans la longue démonstration qu'il en donne, il y a bien, à mon avis, quelques points faibles (7). Néanmoins, la conjecture ne laisse pas d'être plausible.

(1) *Act. SS.*, Iul. t. IV, p. 663-68. — (2) Voir ci-dessus, pp. 311, 358 et 488. — (3) *Das Itinerar des zweiten Dominikaner Generals Jordanis von Sachsen*, dans FESTSCHRIFT ZUM ELFHUNDERTJAEHRIGEN JUBILAEUM DES DEUTSCHEN CAMPO SANTO IN ROM (1897), p. 153-60. — (4) Cf. *Anal. Boll.*, t. XIII, p. 32. — (5) " *La première auteur wallonne. La bienheureuse Ève de Saint-Martin.* Notes d'histoire. Liége, Demarteau, 1896, in-12, 91 pp. — (6) *Act. SS.*, Apr. t. I, p. 444. — (7) J'en signalerai un, entre autres. Les faits rapportés, dans la Vie, relativement à Ève, sont, dit M. Demarteau, si nombreux, si divers, si précis, si intimes, que des souvenirs de ce genre ne peuvent venir que d'Ève elle-même (p. 12). Fort bien. Mais faut-il en conclure qu'elle-même les a écrits ? Ne rendrait-on pas parfaitement compte de tout cela, en admettant qu'Ève a raconté de vive voix au rédacteur de la Vie ce dont il s'agit ? Or, cette supposition est très vraisemblable ; car immédiatement avant les passages cités ci-dessus, l'auteur de la Vie disait précisément : *Quae vero conscripta sunt, a venerabilibus et fide dignis personis cognita sunt et relata ;*

Ce qui est beaucoup moins plausible, c'est d'attribuer (p. 65) au traducteur latin
du XIII° siècle le titre qui se lit en tête de la bulle d'Urbain IV dans la copie qu'en
a faite, au XV° siècle, Jean Gielemans, à la suite de la Vie de S⁣ᵗᵉ Julienne. Ce titre,
où Ève est appelée *sancta reclusa*, a très probablement été non seulement écrit,
mais encore rédigé par Gielemans. Il ressemble en effet étonnamment aux en-tête
des autres lettres pontificales copiées en assez grand nombre par le chanoine de
Rouge-Cloître dans ses recueils de documents.

À deux endroits de son ouvrage, M. Demarteau fait courte et bonne justice des
rêveries de quelques hagiographes d'occasion, qui ont étrangement confondu la
Bᵉᵉ Ève liégeoise avec " Sᵗᵉ Ève, vierge et martyre „, patronne de Dreux, au diocèse
de Chartres. Pour procurer une histoire à cette sainte, sur laquelle on ne possède
aucun document, les uns en faisaient une bergère du pays de Dreux, que son père,
" premier président de Liége „, " venu de Liége exprès „ aurait décapitée l'an 417...,
c'est-à-dire trois siècles environ avant qu'il pût être question de Liége! D'après
d'autres, qui voulaient se mettre mieux d'accord avec la chronologie, la sainte
chartraine a vécu au XIII° siècle, comme la recluse liégeoise. Que dis-je? elle n'est
autre que notre Ève elle-même, laquelle, fatiguée des visites dont on l'importunait
dans sa cellule de Saint-Martin, quitte un beau jour Liége, s'en vient à Dreux,
décide les chanoines de Saint-Étienne de Dreux et l'évêque de Chartres à établir
là-bas la Fête-Dieu, convertit quelques idolâtres, et finalement est massacrée par
des druides fanatiques..., et cela du temps du bon roi S. Louis!

L'édition que Papebroch a donnée, dans les *Acta Sanctorum* (1), des textes
relatifs à la Bᵉᵉ Christine de Stommeln, est, sous plus d'un rapport, très défec-
tueuse. D'abord elle est incomplète; défaut peu notable, il est vrai, puisque les
textes omis n'ont pas grande importance. Ce qui est plus grave, c'est que Papebroch, " afin de disposer les diverses parties dans leur ordre naturel, c'est-à-dire
„ l'ordre chronologique „ (2), a entièrement bouleversé le texte, transposant un
grand nombre de chapitres, soit isolés, soit groupés en séries, entremêlant dans le
récit primitif des récits pris ailleurs, de sorte qu'il est presque impossible, en parcourant cette édition, de se faire une juste idée de l'état primitif du document, tel
que Bollandus l'avait trouvé dans le seul manuscrit connu, celui de Juliers.
En effet, lorsque vers 1707, il préparait ces textes à l'impression, Papebroch
n'avait sous la main qu'une copie faite plus de soixante ans auparavant par
Bollandus. Par malheur, ce dernier s'était servi d'une encre si mauvaise, qu'elle
avait considérablement blanchi et que, par endroit, la copie était à peine lisible (3).

quarum quaedam etsi non omni, tamen multo tempore quo vixit cum ipsa (savoir
Sᵗᵉ Julienne) *conversatae sunt; quaedam autem specialem dilectionis eius gratiam
consecutae, de vita et virtutibus eius plurima cognoverunt et sine falsitatis fermento
sciscitantibus nobis narraverunt.* — (1) Iun. t. IV, p. 275-430 (3ᵉ éd., t. V, p. 236-367).
— (2) *Ibid.*, p. 270, n. 2 (3ᵉ éd., p. 232). — (3) *Ibid.*, p. 272, n. 10 (3ᵉ éd., p. 233). L'état
lamentable de la copie acheva de décider Papebroch à publier les Actes de la
bienheureuse au 22 juin, jour anniversaire d'une translation de ses reliques, au
lieu de les faire paraître au 6 novembre, date de la mort de Christine.

Aussi, malgré le soin et la perspicacité avec lesquelles Papebroch essaya de constituer un bon texte, son édition est très loin de reproduire exactement la teneur du manuscrit original, et les leçons fautives sont très nombreuses.

Il y avait un moyen de remédier à la situation, c'était de recourir au manuscrit original, conservé de nos jours encore à Juliers. C'est cé qu'a fait M. JEAN PAULSON, recteur de l'Université de Göteborg. On s'étonnera peut-être de voir un philologue suédois s'intéresser au récit des visions et des extases de la vierge rhénane ; mais l'étonnement cesse quand on se rappelle que les Actes de Christine ont, en partie du moins, pour auteur un suédois, le dominicain Pierre de Dacie (1), que M. Paulson appelle ' un des écrivains les plus notables de la Suède au moyen âge ,.

Une première publication de M. Paulson (2) et qui doit, dans la pensée de l'auteur, servir comme d'introduction aux autres (3), est consacrée tout entière au manuscrit de Juliers. C'est une description extraordinairement minutieuse de ce volume, avec un examen approfondi de son contenu. Le manuscrit, même par sa conformation matérielle, se divise en trois parties :

La première est l'œuvre de Pierre de Dacie, et renferme une série de considérations philosophiques, théologiques et morales, sur toutes les vertus que Pierre avait admirées dans Christine, sa fille spirituelle. Les premiers paragraphes de ce traité ont seuls été publiés (4) ; M. Paulson nous annonce une édition complète de tout ce qui se lit dans le manuscrit de Juliers, lequel offre, du reste, en cet endroit une lacune considérable.

La seconde partie, intitulée *Liber de vita benedictae virginis Christi Christinae*, est aussi de Pierre. Elle renferme, outre une sorte de biographie, le récit de quinze visites qu'il fit à Christine et le texte de toute une série de lettres qu'il a recueillies et insérées dans son ouvrage, comme pouvant servir à l'histoire de la bienheureuse. Cette partie, publiée jadis par Papebroch de la façon que nous avons dit, vient d'être rééditée avec un soin parfait par M. Paulson (5). Non seulement le texte du manuscrit est fidèlement transcrit, mais l'éditeur va même jusqu'à représenter, par de l'italique, toutes les abréviations, à indiquer ligne par ligne la division du texte dans le manuscrit, à reproduire les lettres capitales, grandes ou petites, exactement comme dans l'original. M. Paulson, je le sais, est coutumier du fait ; mais il est permis de penser que c'est ici faire beaucoup d'honneur à un texte du XIIIᵉ siècle, lequel ne me paraît pas présenter, au point de vue philologique et paléographique, un intérêt hors de pair.

(1) Il peut être utile de rappeler que le mot *Dacia* désigne la province scandinave de l'ordre des Frères Prêcheurs. — (2) * *Jülicher-handskriften till Petrus de Dacia*. Göteborg, 1894, in-8°, 35 pp. (Programme académique. En suédois). — (3) *Ibid.*, p. 4. — (4) *Acta SS.*, Iun. t. IV, p. 439-30 (ed. 3ᵃ, t. V, p. 366-67). — (5) * *Petri de Dacia Vita Christinae Stumbelensis*, ed. IOHANNES PAULSON. Fasciculus II secundum de Vita Christinae librum continens. Gotoburgi, Wettergren & Kerber, 1896, 8°, v-257 pp. Le premier fascicule n'a pas encore paru. L'ouvrage porte pour titre général : *Scriptores latini medii aevi Suecani*, ediderunt IOHANNES PAULSON et LARS WAHLIN. Tomus I.

Dans cette seconde partie, le récit biographique ne va pas au delà de l'année 1282; et cependant Christine mourut seulement en 1312, et Pierre de Dacie vers 1288. La mort empêcha Pierre d'achever son ouvrage, pour lequel il ne cessait de recueillir des matériaux. Ceux-ci consistent surtout dans les lettres mentionnées ci-dessus, que Pierre incorporait dans son ouvrage, d'après l'ordre chronologique, en les reliant entre elles par quelques remarques et en y ajoutant parfois quelques explications. C'est ainsi que les trente premières lettres de la collection ont été insérées çà et là dans le récit de Pierre. Quant aux autres (lettres 31 à 63), elles ont été recueillies à Stommeln par le secrétaire de Christine, *Magister Iohannes*, et plus tard tout simplement transcrites en bloc à la suite de la trentième, et cela sans aucun souci de la chronologie, sans notes ni remarques d'aucune sorte. C'est que cette fin de la deuxième partie n'a pas été rédigée par Pierre, mais ajoutée telle quelle après coup par quelque autre personne (1).

La troisième partie n'est pas non plus de Pierre, mais elle a été écrite, sur sa demande, par Jean, le secrétaire de Christine. Comme Pierre ne séjournait que de loin en loin à Stommeln, il avait chargé Jean de le tenir au courant de ce qui arrivait à la pieuse fille et de rédiger à cet effet un récit, que lui-même se proposait de mettre en œuvre plus tard. Ce récit est resté inachevé et ne renferme rien sur les vingt-quatre dernières années que vécut Christine; Jean, en effet, ne l'a pas poussé plus loin que l'année 1287 ou 1288. On a cherché de diverses manières à expliquer ce fait. M. Paulson propose une nouvelle conjecture, très probable : la raison qui aurait déterminé Jean à interrompre son travail, ne serait autre que la mort de Pierre, arrivée en 1288 environ (2).

Le texte de cette troisième partie a été publié, quoique non intégralement, dans les *Acta Sanctorum* (3). Le commencement et la fin, restés inédits, viennent d'être imprimés par M. Paulson (4). De plus, il a donné une collation minutieuse, extrêmement minutieuse, du manuscrit de Juliers et du texte des *Acta* (5). Ici encore, de nombreuses leçons fautives de l'édition de Papebroch sont très utilement rectifiées.

La publication par M. Fr. de Bofarull y Sanz du testament du B. Raymond Lulle (6), a fourni à M. Léopold Delisle l'occasion d'écrire quelques pages érudites et pleines d'intérêt (7). Nous les signalons surtout à ceux qui entreprendraient sur le grand philosophe une nouvelle étude bibliographique. Le savant académicien publie notamment un diplôme de Jean Iᵉʳ, roi d'Aragon, daté du 12 septembre 1392, et qui reproduit textuellement un autre diplôme émané de Pierre IV en 1369. L'importance de ce document est incontestable. Il renferme en effet des allusions claires et précises à l'approbation qui aurait été donnée par l'université de Paris à l'*Ars generalis ultima* du célèbre philosophe.

(1) Cf. *Jülicher-handskriften*, p. 27-31. — (2) *Ibid.*, p. 32-35. — (3) Iun. t. IV, p. 344-409 (ed. 3ᵃ, t. V, p. 294-348). — (4) *In tertiam partem libri Iuliacensis annotationes* scripsit IOHANNES PAULSON. Göteborg, Wettergren & Kerber, 1896, in-8ᵒ, 66 pp. Voir p. 38-66. — (5) *Ibid.*, p. 11-38. — (6) Voir *Anal. Boll.*, t. XV, p. 445. — (7) *Journal des Savants*, 1896, p. 345-55.

Pour célébrer le quatrième centenaire de la B⁰⁰ Véronique de Binasco, morte le 13 janvier 1497, M. l'abbé P. Morragm offre au public italien une courte notice de la vie merveilleuse de cette grande servante de Dieu(1). Les données bibliographiques et liturgiques répandues dans les deux derniers chapitres complètent utilement les renseignements fournis par les *Acta Sanctorum*, au tome I de janvier.

Le livre que M⁰⁰ la comtesse DE FLAVIGNY a publié naguère sur la B⁰⁰ Jeanne de France (2), — celle que l'on appelle souvent, mais moins bien, Jeanne de Valois, — se recommande par les qualités qui distinguent les ouvrages antérieurs du pieux et savant auteur : un grand charme de style, une recherche sincère de la vérité, une rare connaissance des sources et de toute la littérature du sujet (3). Ouvrage d'édification avant tout, ce livre tient sans doute à la fois et du panégyrique et de l'histoire. Mais si les éloges sont parfois un peu outrés, si l'auteur se montre çà et là partiale envers son héroïne, le lecteur, même non bénévole, aurait mauvaise grâce à se plaindre de cette glorification de la sainte et noble femme que fut la fille souffrante et méprisée de Louis XI, l'épouse délaissée et répudiée de Louis XII. Au reste, l'auteur ne se contente pas de s'entourer de tous les éléments d'information ; elle les met en œuvre avec un sens critique très ferme, écarte résolument les ornements légendaires, et la touchante figure de la femme et de la sainte qui nous est ici montrée, est une image vraie et historique.

Pour honorer la mémoire et éclaircir l'histoire de S. François Borgia, quatrième général de la Compagnie de Jésus, les éditeurs des *Monumenta historica Societatis Iesu* ont consacré tout un volume à la noble famille dont il est une des plus pures gloires (4). Les archives, les biographies, les histoires de villes et de provinces, en un mot toutes les sources, ont fourni un ensemble considérable de documents et d'extraits, qui font mieux connaître ceux qui furent unis par les liens du sang avec le saint : Jean, duc de Gandie, son père ; les frères et sœurs de François ; Éléonore de Castro, sa femme ; ses fils et ses filles. De nombreux autres membres de l'illustre famille sont aussi représentés dans ce volume, notamment Alphonse Borgia, qui fut le pape Calixte III, et Rodrigue Borgia, le trop fameux Alexandre VI. Une table des noms de personnes dressée avec soin facilite l'usage de ces pièces, qui sont parfois de respectable longueur ; tels, par exemple, les

(1) * *La B. Veronica da Binasco.* Pavia, tip. Artigianelli, in-12, 48 pp., grav. — (2) * *Une fille de France. La Bienheureuse Jehanne, 1464-1505.* Paris, Lecoffre, 1896, in-12, 368 pp., héliogr. — (3) Le dirai-je, l'érudition dont fait preuve l'auteur, est parfois même excessive. Non pas certes en ce qui touche le fond même du sujet ou ses alentours ; si M⁰⁰ de Flavigny n'a négligé aucun élément d'information, elle est restée dans la juste mesure quant aux citations et à l'appareil scientifique. Mais aux endroits de son livre, où, à la manière des auteurs ascétiques, elle intercale des considérations pieuses et cite les livres saints, pourquoi faut-il qu'elle transcrive des passages de l'original hébreu, pour l'ancien testament (p. 220, 311), ou, pour le nouveau, le texte grec (pp. 233, 331, 334, etc.) ? Cela fait bien singulière figure dans un ouvrage de vulgarisation. — (4) *S. Franciscus Borgia quartus Gandiae dux et Societatis Iesu praepositus generalis tertius.* Tomus I. Matriti, Aug. Avrial, 1894, in-8°, 842 pp.

testaments du du Jean (p. 1-67), et de S. François (p. 537-64). A l'avenir, on
n'écrira plus sur les Borgia sans consulter cet important recueiL

A l'occasion de la canonisation de **S. Pierre Fourrier**, on a publié un certain
nombre de biographies, la plupart naturellement d'un caractère plutôt populaire.
Il y a lieu de signaler spécialement le beau volume qui a pour auteur le R. P. Dom
J.-B. VUILLEMIN (1). Ce n'est pas un travail d'érudition. Cela n'empêche pas que
l'auteur ait sérieusement étudié tous ceux qui, depuis Jean Bedel, disciple et
premier historiographe du saint, se sont efforcés de retracer les vertus et d'énumérer les travaux de cet admirable serviteur de Dieu.

Nous avons reçu de la Sacrée Congrégation des **Rites** les procès
imprimés à Rome en 1895-96. En voici la liste :

Bobiensis seu Placentina et Ianuensis. Beatificationis et canonizationis servi Dei
Antonii Mariae Gianelli episcopi Bobiensis fundatoris Congregationis religiosa-
rum sororum Filiarum Mariae SS. ab Horto nuncupatarum. *Positio super introductione causae.* — Mediolanensis. Canonizationis **B. Antonii Mariae Zaccaria**
fundatoris Congregationis clericorum regularium S. Pauli Barnabitarum nec
non virginum Angelicarum. *Nova positio super miraculis.* — Brixiensis. Beatificationis et canonizationis ven. servae Dei **Bartholomaeae Capitanio** fundatricis
primariae instituti sororum a Charitate in oppido Luere dioecesis Brixiensis.
Positio super validitate processuum (1895). — Neapolitana seu Lyciensis. Concessionis et approbationis officii et missae atque elogii martylogio S. I. inserendi in
honorem **B. Bernardini Realini** conf. sacerdotis professi S. I. — Vindobonensis. Canonizationis Beati **Clementis Mariae Hofbauer** sacerdotis professi e Congregatione SS. Redemptoris. *Supplex libellus super signatura commissionis
reassumptionis causae.* — Ianuensis. Beatificationis et canonizationis servi Dei
Fr. **Francisci a Camporubeo** laici professi Ordinis Minorum S. Francisci
capuccinorum. *Positio super introductione causae.* — Neapolitana. Beatificationis
et canonizationis ven. servi Dei **Francisci a Neapoli** sacerdotis professi Ordinis
Minorum S. Francisci reformatorum. *Positio super non cultu.* — Quebecensis.
Beatificationis et canonizationis ven. servi Dei **Francisci de Montmorency
Laval** primi episcopi Quebecensis. *Positio super fama sanctitatis in genere.* —
Neapolitana. Beatificationis et canonizationis ven. servi Dei **Francisci Mariae
Castelli** clerici professi Congregationis clericorum regularium S. Pauli Barnabi-
tarum. *Positio super validitate processuum* (1893). — Murana seu Compsana.
Canonizationis beati **Gerardi Maiella** laici professi e Congregatione SS. Redem-
ptoris. *Positio super validitate processuum qui adornati sunt super novis miraculis
post indultam eidem beato venerationem.* — Burdigalensis. Beatificationis et canonizationis ven. servae Dei **Ioannae de Lestonnac** fundatricis Ordinis Filiarum
B. M. Virginis. *Positio super miraculis.* — Crassetana. Beatificationis et canoniza-

(1) *La Vie de S. Pierre Fourrier.* Paris, V. Retaux, 1897, gr. in-8°, 556 et 55 pp.,
chromos, gravures.

tionis ven. servi Dei P. Ioannis a S. Guillelmo Ordinis eremitarum excalceatorum S. Augustini. *Nova positio super dubio, an et de quibus miraculis constit in casu et ad effectum de quo agitur?* — Sinarum. Canonizationis beati Ioannis Gabrielis Perboyre sacerdotis e Congregatione missionis S. Vincentii a Paulo. *Positio super validitate processuum.* — Bellicensis. Beatificationis et canonizationis ven. servi Dei Ioannis Baptistae Vianney parochi vici Ars. *Novissima positio super virtutibus.* — Carcinonensis. Canonizationis beati Iosephi Oriol presbyteri beneficiarii ecclesiae Sanctae Mariae Regum. *Super signatura commissionis reassumptionis causae.* — Lugdunensis. Beatificationis et canonizationis servi Dei Marcellini Iosephi Benedicti Champagnat sacerdotis Maristae et fundatoris parvulorum fratrum Mariae. *Positio super introductione causae.* — Rhedonensis. Concessionis et approbationis officii et missae propriae in honorem B. M. V. de miraculis et virtutibus. — Quebecensis. Beatificationis et canonizationis ven. servae Dei sororis Mariae ab Incarnatione fundatricis monasterii Ursulinarum in civitate Quebecensi. *Positio super validitate processuum.* — Spoletana seu Nursina. Canonizationis beatae Ritae de Cassia monialis professae Ordinis eremitarum S. Augustini. *Positio super validitate nonnullorum processuum* (1895). — Parisiensis. Approbationis et concessionis officii et missae propriae in commemoratione solemni apparitionis D. N. Iesu-Christi ad S. Mariam Magdalenam. — Valentin. Concessionis et approbationis S. Onuphrii confessoris in patronum specialem oppidi Cuart de Poblet (1895). — Tullensis seu Sancti Deodati. Canonizationis beati Petri Forerii de Mataincouria, parochi et reformatoris Congregationis canonicorum regularium S. Augustini et institutoris sanctimonialium eiusdem ordinis. *Nova positio super dubio, an et de quibus miraculis constet post indultam eidem beato venerationem, in casu et ad effectum de quo agitur?* Item de eodem. *Novissima positio super miraculis.* — Tarraconensis. Beatificationis et canonizationis ven. servae Dei sor. Philumenae a S. Coloma monialis professae Ordinis Minimorum S. Francisci de Paula. *Positio super fama in genere* (1895). — Sancti Miniati. Concessionis et approbationis officii proprii et missae necnon elogii in martyrologio inserendi in honorem beati Theophili a Curte sacerdotis professi Ordinis Minorum S. Francisci de Observantia. — Bergomensis. Beatificationis et canonizationis ven. servae Dei sor. Theresiae Eustochii Verzeri fundatricis Filiarum SS. Cordis. *Positio super fama in genere* (1895).

ERRATA

P. 111, lin. 26, corrige : le R. P. Bruno Albers.
P. 183, lin. 1,   : le tome VI des *Acta*.
P. 183, not. 3,   : p. 119.
P. 184, not. 1,   : Iun., t. III.
P. 194, lin. 3 a fin., corrige : St. Patrick's Birthplace.

INDEX SANCTORUM

Typis crassioribus (**1, 2, 3**) paginae designantur quibus incipiunt textus vel dissertationes de singulis sanctis.

Typis inclinatis *(1, 2, 3)* designantur documenta in catalogo codicum Chisianorum (p. 297-310) recensita.

Typis communibus (1, 2, 3) remittimus ad nostrum *Bulletin des publications hagiographiques.*

Abchai ep. Nicenus 185.
Abercius Hierapol. 74.
Abraham Kidunaia 185.
Acacius centurio m. 183.
Agapitus m. Epetii **494**.
Agapitus m. Praenest. **490**.
Agaunenses abbates 85.
— martyres 84.
Alpais v. Cudot. 207.
Ananias apost. *301*.
Anastasia v. m *302*.
Anastasius m. Salonae **488**.
Andreas apost. *303*.
Andronicus et Athanasia 184.
Angelus de Clavasio 360.
Angli (martyres) 111.
Anianus ep. Aurel. 85.
Anna mater Deiparae 334.
Ansbertus ep. Rotom. 198.
Anthimus ep. *304*.
Antonius ab. in Theb. *306*.
Antonius de Padua 354.
Apa Dios 100.
Apollinaris ep. Valent. 86.
Apphianus et Aedesius **122**.
'Aragâwi 100.
Aravatius. *Vid.* Servatius.
Arialdus et Erlembaldus **526**.
Aridius ab. Atan. 88.
Arsenius anach. *307*.
Asclas, Philemon et Apollonius 100.
Athanasius ep. Alex. *306*.
Audoenus ep. Rotom. 198.
Andomarus **524**.
Augustinus ep. Cantuar. 187.
Augustinus ep. Hippon. 187.
Antisiodorenses episcopi 519.
Autonomus m. *304*.
Avitus conf. Aurelian. 87.

Babylas ep. *304*.
Baptista Varani 361.
Barbara v. m. *303*.
Basilius ep. Caesar. 184.
Beda venerabilis 200, 201.
Bergomenses martyres 95, 518.

Bernardinus Feltriensis 187, 360.
Betharius ep. Carnot. 89.
Beunous conf. 102.
Birgitta Suecica 110.
Bonifatius ep. Lausan. 107.
Bonifatius ep. Mogunt. 341.
Bruno ep. Colon. **204**.

Caecilia v. m. 192.
Caesarius ep. Arelat. 88.
Callinicus m. *307*.
Callistratus et soc. mm. *305*.
Camillus de Lellis 364.
Carilefus 87.
Carolus Borromaeus 112, 208.
Carolus Magnus **525**.
Catharina v. m. Alex. *303*.
Catharina Senensis 207, 208.
Charalampius m. *309*.
Charisius, Nicephorus et Papias 183.
Chariton ab. *305*.
Christina Stumbelensis **532**.
Clara v. Assis. 107, 354.
Clemens I p. 183.
Clothildis regina 187.
Columbanus ab. Bobb. 102.
Constantinus imp. *299*, 520.
Cornelius centurio *304*.
Coronati (Quattuor) 337.
Cosmas et Damianus 183, *302*.
Cyriacus ab. *305*.
Cyriacus m. Romae 76, 337.
Cyrillus et Methodius **342**.

Dalmatius ep. Ruthen. 88.
Dasius m. Durostori 5.
Demetrius m. Thessal. **66**, *301*, *306*.
Deodata 94.
Deodatus ep. Nivern. 104.
Desiderius ep. Vienn. 89.
Digna et Merita **30**.
Dominicus ab. Exil. **206**.
Domitius m. in Syria 185.

Edmundus Campion 111.
Eleutherius ep. m. Romae 184.

INDEX AUCTORUM

QUORUM OPERA IN HOC TOMO RECENSITA SUNT

HOC VOLUMINE CONTINENTUR

Bruxellis. — Typis Pollunis & Ceuterick.